PRESENTED BY
SISTERHOOD AND MEN'S CLUB
OF TEMPLE BETH SHALOM
TO

מנחם *Max Manziyenko*

A STUDENT IN

Bet Class

DATED: MARCH 26, 2005
15 ADAR 5765

סִידּוּר לֵב יִשְׂרָאֵל

SIDDUR LEV YISRAEL

סִידּוּר לֵב יִשְׂרָאֵל

SIDDUR LEV YISRAEL

Cheryl R. Magen, Editor

Rabbi Eric Traiger, Associate Editor

Editorial Committee:

Rabbi Karen Gluckstern-Reiss

Rabbi Eliezer Havivi

Rachel Tessler

KTAV PUBLISHING HOUSE, INC.

ISBN 0-88125-589-0

published by

KTAV Publishing House, Inc.
900 Jefferson St.
Hoboken, NJ 07030-7205

tel. (201)963-9524
fax (201)963-0102

*This siddur is dedicated
to my family,
who inspire me to pray
each day.*

C. R. M.

CONTENTS

תוכן

ACKNOWLEDGMENTS

There are several individuals who must be acknowledged for their contributions to this siddur. The careful, sensitive work of the four Tefillah educators of the editorial committee who gave of their time and energy should be recognized. I thank Rabbi Eric Traiger, Rabbi Karen Gluckstern-Reiss, Rabbi Eli Havivi and Rachel Tessler for their devotion, support, and painstaking work. Their individual and collective wisdom and passion is what allowed this work to move forward. I have learned much from these extraordinary Tefillah educators. May God grant them long life and the ability to teach others as they have taught me. I owe an enormous debt of gratitude to Rabbi Ron Isaacs, for his *shidduch* with KTAV and his consistent support and mentoring throughout this project, and to Rabbi David Lincoln of Park Avenue Synagogue for granting permission to reprint the Torah Readings section.

Many thanks to Fran Richter for her hours of typing and re-typing the draft of this manuscript. Thanks are also due to the staff of KTAV: Bernard Scharfstein, publisher; Jerome Roth and Herbert Stavsky, editors; Dorcas Gelabert, designer; and Sam Elowitch, typesetter, for their many hours of labor.

A personal acknowledgement goes to my husband Barry for his constant and consistent day-to-day love and support which gave me the inner strength to continue working through completion.

How to Use Siddur Lev Yisrael

 During the Ten Days of Penitence between Rosh Hashanah and Yom Kippur, add the following.

 The שליח\שליחת צבור (person leading the service) begins here when davening for the קהל (congregation).

 We say the following section together.

 The congregation says the following.

 If it is Shabbat Shuvah (i.e., the Shabbat falling between Rosh Hashanah and Yom Kippur), add the following.

 Stand up straight.

 Sit down.

 The ש"ץ joins the congregation in chanting aloud to conclude a tefillah.

 Bow from the waist here.

 Bend knees before bowing.

 The extra-bold kamatz is called a *kamatz katan,* which is pronounced just like the letter ו (*cholom*).

Biblical and Rabbinic sources are provided for many of the t'fillot. The book of the Bible is listed first and then the chapter and verse. For example: במדבר כד,5 = Book of Numbers, chapter 24, verse 5.

For Rabbinic works, the citation refers to the name of the source, the page number and the side of the page. For example: 119b שבת means Tractate Shabbat (in the Talmud), page 119, side two.

INTRODUCTION

The study of prayer is a process that extends over time. We are introduced to prayer from a very young age. Both spontaneous and fixed prayers appear in our lives before we are aware of prayer or praying. People express their hopes and fears in terms of prayer language very naturally. "God forbid," "Oh, God," and "God, let it be good" are all expressions we hear early on and incorporate comfortably into our lives.

The study of Jewish prayer, the Siddur, and the "how-tos" of praying however, require study and practice in order to gain familiarity and a comfort level. Praying is a discipline that requires, like any other discipline, commitment to consistency and perseverance.

Siddur Lev Yisrael was designed as a tool in the educational journey to understanding prayer, both content and structure. It provides basic information through explanations and graphics. History, Midrash and ritual from a Conservative Movement context are presented. All Hebrew text was preserved to encourage the learner to work with the original language of prayer rather than translations which may interpret for you. Decoding tefillot in Hebrew can often be enlightening where translations sometimes fall short.

Our hope is that students will be inspired to learn more, to ask questions and seek answers as they continue their learning of the siddur prayer and praying.

The uniqueness of *Siddur Lev Yisrael* can be found in the following aspects:

Nearly every tefillah service is self-contained. Very little page-turning is needed to include an additional prayer or complete a service.

The "how" and "when" to pray are included in parentheses throughout the text above specific tefillot.

Biblical sources are given in the margins for easy reference. Graphics are included for standing up, sitting down and bowing to assist in learning the appropriate times for these actions in the services.

Explanations about the history and meaning of various tefillot as well as customs associated with the tefillot are included at the bottom of the page. Hebrew and English key words and concepts are interchanged, providing another educational opportunity.

In order to emphasize the importance of מדינת ישראל, prayer that show recognition and support of the State of Israel are included. Layout and design were given careful consideration to make *Siddur Lev Yisrael* not only a learning tool, but also a comfortable davening siddur.

שחרית לחול

When you wake up in the morning say

מוֹדֶה/מוֹדָה אֲנִי לְפָנֶיךָ, מֶלֶךְ חַי וְקַיָּם, שֶׁהֶחֱזַרְתָּ בִּי נִשְׁמָתִי בְּחֶמְלָה רַבָּה אֱמוּנָתֶךָ.

After ritually washing your hands say

בָּרוּךְ אַתָּה יהוה אֱלֹהֵינוּ מֶלֶךְ הָעוֹלָם, אֲשֶׁר קִדְּשָׁנוּ בְּמִצְוֹתָיו, וְצִוָּנוּ עַל נְטִילַת יָדָיִם.

בָּרוּךְ אַתָּה יהוה אֱלֹהֵינוּ מֶלֶךְ הָעוֹלָם, אֲשֶׁר יָצַר אֶת הָאָדָם בְּחָכְמָה, וּבָרָא בוֹ נְקָבִים נְקָבִים, חֲלוּלִים חֲלוּלִים, גָּלוּי וְיָדוּעַ לִפְנֵי כִסֵּא כְבוֹדֶךָ שֶׁאִם יִפָּתֵחַ אֶחָד מֵהֶם, אוֹ יִסָּתֵם אֶחָד מֵהֶם, אִי אֶפְשַׁר לְהִתְקַיֵּם וְלַעֲמוֹד לְפָנֶיךָ: בָּרוּךְ אַתָּה יהוה, רוֹפֵא כָל בָּשָׂר וּמַפְלִיא לַעֲשׂוֹת.

אֱלֹהַי, נְשָׁמָה שֶׁנָּתַתָּ בִּי טְהוֹרָה הִיא. אַתָּה בְרָאתָהּ, אַתָּה יְצַרְתָּהּ, אַתָּה נְפַחְתָּהּ בִּי, וְאַתָּה מְשַׁמְּרָהּ בְּקִרְבִּי, וְאַתָּה עָתִיד לִטְּלָהּ מִמֶּנִּי, וּלְהַחֲזִירָהּ בִּי לֶעָתִיד לָבוֹא. כָּל זְמַן שֶׁהַנְּשָׁמָה בְקִרְבִּי, מוֹדֶה/מוֹדָה אֲנִי לְפָנֶיךָ, יהוה אֱלֹהַי וֵאלֹהֵי אֲבוֹתַי, רִבּוֹן כָּל הַמַּעֲשִׂים, אֲדוֹן כָּל הַנְּשָׁמוֹת. בָּרוּךְ אַתָּה יהוה, הַמַּחֲזִיר נְשָׁמוֹת לִפְגָרִים מֵתִים.

מודה אני is said while still in bed as we wake up. We are thanking God for being alive and allowing us to see another day.

אשר יצר is said after using the bathroom. This ברכה thanks God for wisely (בחכמה) making people with openings (נקבים וחלולים) that function and allow us to live healthy lives.

אלהי נשמה Before beginning our formal prayer service, we take time to personally reflect on our special connection with God. We thank God for our soul and by doing so recognize the intimate relationship we have with God.

תלמוד תורה

בָּרוּךְ אַתָּה יהוה אֱלֹהֵינוּ מֶלֶךְ הָעוֹלָם, אֲשֶׁר קִדְּשָׁנוּ בְּמִצְוֹתָיו וְצִוָּנוּ לַעֲסוֹק בְּדִבְרֵי תוֹרָה.

וְהַעֲרֶב נָא יהוה אֱלֹהֵינוּ אֶת דִּבְרֵי תוֹרָתְךָ בְּפִינוּ, וּבְפִי עַמְּךָ בֵּית יִשְׂרָאֵל, וְנִהְיֶה אֲנַחְנוּ וְצֶאֱצָאֵינוּ וְצֶאֱצָאֵי עַמְּךָ בֵּית יִשְׂרָאֵל, כֻּלָּנוּ יוֹדְעֵי שְׁמֶךָ, וְלוֹמְדֵי תוֹרָתֶךָ לִשְׁמָהּ: בָּרוּךְ אַתָּה יהוה, הַמְלַמֵּד תּוֹרָה לְעַמּוֹ יִשְׂרָאֵל.

בָּרוּךְ אַתָּה יהוה אֱלֹהֵינוּ מֶלֶךְ הָעוֹלָם, אֲשֶׁר בָּחַר בָּנוּ מִכָּל הָעַמִּים, וְנָתַן לָנוּ אֶת תּוֹרָתוֹ: בָּרוּךְ אַתָּה יהוה, נוֹתֵן הַתּוֹרָה.

יְבָרֶכְךָ יהוה וְיִשְׁמְרֶךָ
יָאֵר יהוה פָּנָיו אֵלֶיךָ וִיחֻנֶּךָּ
יִשָּׂא יהוה פָּנָיו אֵלֶיךָ וְיָשֵׂם לְךָ שָׁלוֹם: בְּמִדְבַּר ו:24-26

אֵלּוּ דְבָרִים שֶׁאֵין לָהֶם שִׁעוּר: הַפֵּאָה וְהַבִּכּוּרִים וְהָרַאְיוֹן וּגְמִילוּת חֲסָדִים וְתַלְמוּד תּוֹרָה.

אֵלּוּ דְבָרִים שֶׁאָדָם אוֹכֵל פֵּרוֹתֵיהֶם בָּעוֹלָם הַזֶּה וְהַקֶּרֶן קַיֶּמֶת לוֹ לָעוֹלָם הַבָּא, וְאֵלּוּ הֵן: כִּבּוּד אָב וָאֵם, וּגְמִילוּת חֲסָדִים, וְהַשְׁכָּמַת בֵּית הַמִּדְרָשׁ שַׁחֲרִית וְעַרְבִית, וְהַכְנָסַת אוֹרְחִים, וּבִקּוּר חוֹלִים, וְהַכְנָסַת כַּלָּה, וּלְוָיַת הַמֵּת, וְעִיּוּן תְּפִלָּה, וַהֲבָאַת שָׁלוֹם בֵּין אָדָם לַחֲבֵרוֹ, וְתַלְמוּד תּוֹרָה כְּנֶגֶד כֻּלָּם.

Before putting on a טלית קטן *say*

בָּרוּךְ אַתָּה יהוה אֱלֹהֵינוּ מֶלֶךְ הָעוֹלָם, אֲשֶׁר קִדְּשָׁנוּ בְּמִצְוֹתָיו וְצִוָּנוּ עַל מִצְוַת צִיצִת.

It is customary to study before Shacharit. We begin with the bracha לעסוק בדברי תורה before studying Bible, Mishnah or Gemara.

יְהִי רָצוֹן מִלְּפָנֶיךָ, יהוה אֱלֹהַי וֵאלֹהֵי אֲבוֹתַי, שֶׁתְּהֵא חֲשׁוּבָה מִצְוַת צִיצִת לְפָנֶיךָ, כְּאִלּוּ קִיַּמְתִּיהָ בְּכָל פְּרָטֶיהָ וְדִקְדּוּקֶיהָ וְכַוָּנוֹתֶיהָ, וְתַרְיַ״ג מִצְוֹת הַתְּלוּיִם בָּהּ, אָמֵן סֶלָה.

עטיפת הטלית

MEDITATION BEFORE PUTTING ON A TALLIT

By wrapping myself in a טלית I am fulfilling the mitzvah written in the Torah, "They shall put fringes on the corners of their garments in every generation." (Numbers 15:38). As I spread out my טלית, I am reminded of the image of God sheltering us beneath wings, spread out like a canopy, enveloping and protecting.

Before putting on a טלית*, some people say*

בָּרְכִי נַפְשִׁי אֶת יהוה, יהוה אֱלֹהַי גָּדַלְתָּ מְּאֹד, הוֹד וְהָדָר לָבָשְׁתָּ. עֹטֶה אוֹר כַּשַּׂלְמָה, נוֹטֶה שָׁמַיִם כַּיְרִיעָה.
תְּהִלִּים קד:1-2

When putting on a טלית *say*

בָּרוּךְ אַתָּה יהוה אֱלֹהֵינוּ מֶלֶךְ הָעוֹלָם, אֲשֶׁר קִדְּשָׁנוּ בְּמִצְוֹתָיו וְצִוָּנוּ לְהִתְעַטֵּף בַּצִּיצִת.

מַה יָּקָר חַסְדְּךָ אֱלֹהִים, וּבְנֵי אָדָם בְּצֵל כְּנָפֶיךָ יֶחֱסָיוּן. יִרְוְיֻן מִדֶּשֶׁן בֵּיתֶךָ, וְנַחַל עֲדָנֶיךָ תַשְׁקֵם. כִּי עִמְּךָ מְקוֹר חַיִּים, בְּאוֹרְךָ נִרְאֶה אוֹר. מְשֹׁךְ חַסְדְּךָ לְיֹדְעֶיךָ, וְצִדְקָתְךָ לְיִשְׁרֵי לֵב. תְּהִלִּים לו:8-11

The טלית is a holy garment worn by Jews. The flag of Israel took its white and blue colors from the טלית. The fringes, called ציצית, on each of the four corners, remind us of the commandments in the Torah. The ציצית are gathered together during the Shema. The ציצית are also used to touch the Torah when called up for an aliyah.

We always put on a טלית before putting on our תפילין primarily because we wear a טלית every day including Shabbat and holidays but תפילין are only worn on weekdays.

MEDITATION BEFORE PUTTING ON TEFILLIN

As I stand ready to wrap my תפילין I am reminded of the verse in the Torah "Bind them as a sign upon your hand and above your eyes" דברים ו:8. The תפילין contain four sections from the Torah. The sections remind us of the miracles and wonders God performed and performs. In wrapping the תפילין I am reminded of God's Oneness and Specialness, of God's mastery over nature in Heaven and on Earth. I am ready to bind myself to the commandments and to the morals and values of living Jewishly. I am reminded of the generations of Jews who have stood ready to bind themselves to God and Judaism in the face of trials and tests. May the binding of my תפילין serve as a sign of my faith and commitment to God and a full Jewish life.

When putting on the תפילין של יד *say*

בָּרוּךְ אַתָּה יהוה אֱלֹהֵינוּ מֶלֶךְ הָעוֹלָם, אֲשֶׁר קִדְּשָׁנוּ בְּמִצְוֹתָיו וְצִוָּנוּ לְהָנִיחַ תְּפִלִּין.

Some people say a word for each of the seven times that the strap of the תפילין is wrapped around the arm: אַבְרָהָם, יִצְחָק, יַעֲקֹב, שָׂרָה, רִבְקָה, רָחֵל, וְלֵאָה or פּוֹתֵחַ אֶת יָדֶךָ וּמַשְׂבִּיעַ לְכָל חַי רָצוֹן.

When putting on the תפילין של ראש *say*

בָּרוּךְ אַתָּה יהוה אֱלֹהֵינוּ מֶלֶךְ הָעוֹלָם, אֲשֶׁר קִדְּשָׁנוּ בְּמִצְוֹתָיו וְצִוָּנוּ עַל מִצְוַת תְּפִלִּין.

After saying the ברכות *say the following*

5 בָּרוּךְ שֵׁם כְּבוֹד מַלְכוּתוֹ לְעוֹלָם וָעֶד.

Wind the רצועה *three times around the middle finger and say*

וְאֵרַשְׂתִּיךְ לִי לְעוֹלָם.

וְאֵרַשְׂתִּיךְ לִי בְּצֶדֶק וּבְמִשְׁפָּט וּבְחֶסֶד וּבְרַחֲמִים.

וְאֵרַשְׂתִּיךְ לִי בֶּאֱמוּנָה וְיָדַעַתְּ אֶת יהוה.

When we enter a בית כנסת *we say*

מַה טֹּבוּ אֹהָלֶיךָ יַעֲקֹב מִשְׁכְּנֹתֶיךָ יִשְׂרָאֵל. בְּמִדְבָּר כד:5 וַאֲנִי בְּרֹב חַסְדְּךָ אָבוֹא בֵיתֶךָ, אֶשְׁתַּחֲוֶה אֶל הֵיכַל קָדְשְׁךָ בְּיִרְאָתֶךָ. תְּהִלִּים ה:8 יהוה אָהַבְתִּי מְעוֹן בֵּיתֶךָ, וּמְקוֹם מִשְׁכַּן כְּבוֹדֶךָ. תְּהִלִּים כו:8 וַאֲנִי אֶשְׁתַּחֲוֶה וְאֶכְרָעָה, אֶבְרְכָה לִפְנֵי יהוה עֹשִׂי. וַאֲנִי תְפִלָּתִי לְךָ יהוה עֵת רָצוֹן, אֱלֹהִים בְּרָב חַסְדֶּךָ עֲנֵנִי בֶּאֱמֶת יִשְׁעֶךָ. תְּהִלִּים סט:14

ברכות השחר

When we pray alone, we say all these ברכות *to ourselves. When we pray with others, we say these* ברכות *either answering* אמן *to the* ש״ץ *or alternating* ברכות *with the* ש״ץ.

שליח ציבור\ שליחת צבור (ש״ץ)

בָּרוּךְ אַתָּה יהוה אֱלֹהֵינוּ מֶלֶךְ הָעוֹלָם, אֲשֶׁר נָתַן לַשֶּׂכְוִי בִינָה, לְהַבְחִין בֵּין יוֹם וּבֵין לָיְלָה.

בָּרוּךְ אַתָּה יהוה אֱלֹהֵינוּ מֶלֶךְ הָעוֹלָם, שֶׁעָשַׂנִי בְּצַלְמוֹ.

בָּרוּךְ אַתָּה יהוה אֱלֹהֵינוּ מֶלֶךְ הָעוֹלָם, שֶׁעָשַׂנִי בֶּן/בַּת חוֹרִין.

בָּרוּךְ אַתָּה יהוה אֱלֹהֵינוּ מֶלֶךְ הָעוֹלָם, שֶׁעָשַׂנִי יִשְׂרָאֵל.

בָּרוּךְ אַתָּה יהוה אֱלֹהֵינוּ מֶלֶךְ הָעוֹלָם, פּוֹקֵחַ עִוְרִים.

בָּרוּךְ אַתָּה יהוה אֱלֹהֵינוּ מֶלֶךְ הָעוֹלָם, מַלְבִּישׁ עֲרֻמִּים.

בָּרוּךְ אַתָּה יהוה אֱלֹהֵינוּ מֶלֶךְ הָעוֹלָם, מַתִּיר אֲסוּרִים.

בָּרוּךְ אַתָּה יהוה אֱלֹהֵינוּ מֶלֶךְ הָעוֹלָם, זוֹקֵף כְּפוּפִים.

בָּרוּךְ אַתָּה יהוה אֱלֹהֵינוּ מֶלֶךְ הָעוֹלָם, רוֹקַע הָאָרֶץ עַל הַמָּיִם.

מה טבו is the blessing that Balaam recited when he first saw the tents of Israel. We say מה טבו when we first enter a בית כנסת to show appreciation for the beauty of our surroundings during prayer.

These 15 ברכות known as the ברכות השחר were originally said at home. The ברכות were created for the specific actions of waking up and getting ready in the morning. We now recite them at the beginning of the service to bless God for the gift of a new day.

בָּרוּךְ אַתָּה יהוה אֱלֹהֵינוּ מֶלֶךְ הָעוֹלָם, שֶׁעָשָׂה לִי כָּל צְרָכַי.

בָּרוּךְ אַתָּה יהוה אֱלֹהֵינוּ מֶלֶךְ הָעוֹלָם, הַמֵּכִין מִצְעֲדֵי גָבֶר.

בָּרוּךְ אַתָּה יהוה אֱלֹהֵינוּ מֶלֶךְ הָעוֹלָם, אוֹזֵר יִשְׂרָאֵל בִּגְבוּרָה.

בָּרוּךְ אַתָּה יהוה אֱלֹהֵינוּ מֶלֶךְ הָעוֹלָם, עוֹטֵר יִשְׂרָאֵל בְּתִפְאָרָה.

בָּרוּךְ אַתָּה יהוה אֱלֹהֵינוּ מֶלֶךְ הָעוֹלָם, הַנּוֹתֵן לַיָּעֵף כֹּחַ.

בָּרוּךְ אַתָּה יהוה אֱלֹהֵינוּ מֶלֶךְ הָעוֹלָם, הַמַּעֲבִיר שֵׁנָה מֵעֵינָי וּתְנוּמָה מֵעַפְעַפָּי. וִיהִי רָצוֹן מִלְּפָנֶיךָ, יהוה אֱלֹהֵינוּ וֵאלֹהֵי אֲבוֹתֵינוּ, שֶׁתַּרְגִּילֵנוּ בְּתוֹרָתֶךָ וְדַבְּקֵנוּ בְּמִצְוֹתֶיךָ, וְאַל תְּבִיאֵנוּ לֹא לִידֵי חֵטְא וְלֹא לִידֵי עֲבֵירָה וְעָוֹן, וְלֹא לִידֵי נִסָּיוֹן, וְלֹא לִידֵי בִזָּיוֹן, וְאַל תַּשְׁלֶט בָּנוּ יֵצֶר הָרָע. וְהַרְחִיקֵנוּ מֵאָדָם רָע וּמֵחָבֵר רָע. וְדַבְּקֵנוּ בְּיֵצֶר הַטּוֹב וּבְמַעֲשִׂים טוֹבִים, וְכוֹף אֶת יִצְרֵנוּ לְהִשְׁתַּעְבֶּד לָךְ. וּתְנֵנוּ הַיּוֹם וּבְכָל יוֹם לְחֵן וּלְחֶסֶד וּלְרַחֲמִים בְּעֵינֶיךָ וּבְעֵינֵי כָל רוֹאֵינוּ, וְתִגְמְלֵנוּ חֲסָדִים טוֹבִים: בָּרוּךְ אַתָּה יהוה, גּוֹמֵל חֲסָדִים טוֹבִים לְעַמּוֹ יִשְׂרָאֵל.

יְהִי רָצוֹן מִלְּפָנֶיךָ, יהוה אֱלֹהַי וֵאלֹהֵי אֲבוֹתַי, שֶׁתַּצִּילֵנִי הַיּוֹם וּבְכָל יוֹם מֵעַזֵּי פָנִים וּמֵעַזּוּת פָּנִים, מֵאָדָם רָע, וּמֵחָבֵר רָע, וּמִשָּׁכֵן רָע, וּמִפֶּגַע רָע, וּמִשָּׂטָן הַמַּשְׁחִית, מִדִּין קָשֶׁה וּמִבַּעַל דִּין קָשֶׁה, בֵּין שֶׁהוּא בֶן בְּרִית, וּבֵין שֶׁאֵינוֹ בֶּן בְּרִית.

לְעוֹלָם יְהֵא אָדָם יְרֵא שָׁמַיִם בְּסֵתֶר, וּמוֹדֶה עַל הָאֱמֶת, וְדוֹבֵר אֱמֶת בִּלְבָבוֹ, וְיַשְׁכֵּם וְיֹאמַר:

רִבּוֹן כָּל הָעוֹלָמִים, לֹא עַל צִדְקוֹתֵינוּ אֲנַחְנוּ מַפִּילִים תַּחֲנוּנֵינוּ לְפָנֶיךָ, כִּי עַל רַחֲמֶיךָ הָרַבִּים. מָה אֲנַחְנוּ. מֶה חַיֵּינוּ. מֶה חַסְדֵּנוּ. מַה צִדְקוֹתֵינוּ. מַה יְשׁוּעָתֵנוּ. מַה כֹּחֵנוּ. מַה גְּבוּרָתֵנוּ. מַה נֹּאמַר לְפָנֶיךָ, יהוה אֱלֹהֵינוּ וֵאלֹהֵי אֲבוֹתֵינוּ. הֲלֹא כָּל הַגִּבּוֹרִים כְּאַיִן לְפָנֶיךָ, וְאַנְשֵׁי הַשֵּׁם כְּלֹא הָיוּ, וַחֲכָמִים כִּבְלִי מַדָּע, וּנְבוֹנִים כִּבְלִי הַשְׂכֵּל. כִּי רוֹב מַעֲשֵׂיהֶם תֹּהוּ, וִימֵי חַיֵּיהֶם הֶבֶל לְפָנֶיךָ, וּמוֹתַר הָאָדָם מִן הַבְּהֵמָה אָיִן, כִּי הַכֹּל הָבֶל.

אֲבָל אֲנַחְנוּ עַמְּךָ בְּנֵי בְרִיתֶךָ, בְּנֵי אַבְרָהָם אֹהַבְךָ שֶׁנִּשְׁבַּעְתָּ לּוֹ בְּהַר הַמּוֹרִיָּה, זֶרַע יִצְחָק יְחִידוֹ שֶׁנֶּעֱקַד עַל גַּבֵּי הַמִּזְבֵּחַ, עֲדַת יַעֲקֹב בִּנְךָ בְּכוֹרֶךָ שֶׁמֵּאַהֲבָתְךָ שֶׁאָהַבְתָּ אוֹתוֹ, וּמִשִּׂמְחָתְךָ שֶׁשָּׂמַחְתָּ בּוֹ, קָרָאתָ אֶת שְׁמוֹ יִשְׂרָאֵל וִישֻׁרוּן.

לְפִיכָךְ אֲנַחְנוּ חַיָּבִים לְהוֹדוֹת לְךָ וּלְשַׁבֵּחֲךָ וּלְפָאֶרְךָ וּלְבָרֵךְ וּלְקַדֵּשׁ וְלָתֵת שֶׁבַח וְהוֹדָיָה לִשְׁמֶךָ: אַשְׁרֵינוּ, מַה טּוֹב חֶלְקֵנוּ, וּמַה נָּעִים גּוֹרָלֵנוּ וּמַה יָּפָה יְרֻשָּׁתֵנוּ. אַשְׁרֵינוּ שֶׁאֲנַחְנוּ מַשְׁכִּימִים וּמַעֲרִיבִים עֶרֶב וָבֹקֶר, וְאוֹמְרִים פַּעֲמַיִם בְּכָל יוֹם:

(ביחד) **שְׁמַע יִשְׂרָאֵל, יהוה אֱלֹהֵינוּ, יהוה אֶחָד:** דְּבָרִים ו:4

Say quietly בָּרוּךְ שֵׁם כְּבוֹד מַלְכוּתוֹ לְעוֹלָם וָעֶד.

אַתָּה הוּא עַד שֶׁלֹּא נִבְרָא הָעוֹלָם, אַתָּה הוּא מִשֶּׁנִּבְרָא הָעוֹלָם, אַתָּה הוּא בָּעוֹלָם הַזֶּה, וְאַתָּה הוּא לָעוֹלָם הַבָּא. קַדֵּשׁ אֶת שִׁמְךָ

עַל מַקְדִּישֵׁי שְׁמֶךָ, וְקַדֵּשׁ אֶת שִׁמְךָ בְּעוֹלָמֶךָ, וּבִישׁוּעָתְךָ תָּרִים וְתַגְבִּיהַּ קַרְנֵנוּ: בָּרוּךְ אַתָּה יהוה, מְקַדֵּשׁ אֶת שִׁמְךָ בָּרַבִּים.

פַּעַם אַחַת הָיָה רַבָּן יוֹחָנָן בֶּן זַכַּאי יוֹצֵא מִירוּשָׁלַיִם, וְהָיָה רַבִּי יְהוֹשֻׁעַ הוֹלֵךְ אַחֲרָיו וְרָאָה אֶת בֵּית הַמִּקְדָּשׁ חָרֵב. אָמַר רַבִּי יְהוֹשֻׁעַ: אוֹי לָנוּ עַל זֶה שֶׁהוּא חָרֵב, מָקוֹם שֶׁמְּכַפְּרִים בּוֹ עֲוֹנוֹתֵיהֶם שֶׁל יִשְׂרָאֵל. אָמַר לוֹ רַבָּן יוֹחָנָן: בְּנִי, אַל יֵרַע לְךָ. יֵשׁ לָנוּ כַּפָּרָה אַחֶרֶת שֶׁהִיא כְּמוֹתָהּ. וְאֵיזוֹ. גְּמִילוּת חֲסָדִים, שֶׁנֶּאֱמַר: כִּי חֶסֶד חָפַצְתִּי וְלֹא זָבַח. אָבוֹת דְּרַבִּי נָתָן, יא:ד

אָמַר רַבִּי אֶלְעָזָר: מַאי דִּכְתִיב, הִגִּיד לְךָ אָדָם מַה טּוֹב וּמָה יהוה דּוֹרֵשׁ מִמְּךָ, כִּי אִם עֲשׂוֹת מִשְׁפָּט, וְאַהֲבַת חֶסֶד וְהַצְנֵעַ לֶכֶת עִם אֱלֹהֶיךָ. עֲשׂוֹת מִשְׁפָּט, זֶה הַדִּין. וְאַהֲבַת חֶסֶד, זוֹ גְּמִילוּת חֲסָדִים. וְהַצְנֵעַ לֶכֶת עִם אֱלֹהֶיךָ, זוֹ הוֹצָאַת הַמֵּת וְהַכְנָסַת כַּלָּה לַחוּפָּה. . . . אָמַר רַבִּי אֶלְעָזָר: גָּדוֹל הָעוֹשֶׂה צְדָקָה יוֹתֵר מִכָּל הַקָּרְבָּנוֹת, שֶׁנֶּאֱמַר, עֲשֹׂה צְדָקָה וּמִשְׁפָּט נִבְחָר לַיהוה מִזָּבַח. . . . וְאָמַר רַבִּי אֶלְעָזָר: אֵין צְדָקָה מִשְׁתַּלֶּמֶת אֶלָּא לְפִי חֶסֶד שֶׁבָּהּ, שֶׁנֶּאֱמַר, זִרְעוּ לָכֶם לִצְדָקָה וְקִצְרוּ לְפִי חֶסֶד.

Texts from the Talmud have been included here in place of original sections on sacrifice. A series of four dots indicates a gap in the text.

Once the Temple in Jerusalem was destroyed, prayer took the place of sacrifice. Sacrifices were used to give thanks to God and ask for forgiveness from God. Today, prayer and acts of lovingkindness fulfill the role sacrifice once played.

תָּנוּ רַבָּנָן: בִּשְׁלֹשָׁה דְּבָרִים גְּדוֹלָה גְּמִילוּת חֲסָדִים יוֹתֵר מִן הַצְּדָקָה. צְדָקָה בְּמָמוֹנוֹ, גְּמִילוּת חֲסָדִים בֵּין בְּגוּפוֹ בֵּין בְּמָמוֹנוֹ. צְדָקָה לָעֲנִיִּים, גְּמִילוּת חֲסָדִים בֵּין לָעֲנִיִּים בֵּין לָעֲשִׁירִים. צְדָקָה לַחַיִּים, גְּמִילוּת חֲסָדִים בֵּין לַחַיִּים בֵּין לַמֵּתִים. מַסֶּכֶת סוּכָּה, מט, ע״ב

יְהִי רָצוֹן מִלְּפָנֶיךָ יהוה אֱלֹהֵינוּ וֵאלֹהֵי אֲבוֹתֵינוּ, שֶׁתִּתֵּן חֶלְקֵנוּ בְּתוֹרָתֶךָ, וְנִהְיֶה מִתַּלְמִידָיו שֶׁל אַהֲרֹן הַכֹּהֵן, אוֹהֵב שָׁלוֹם וְרוֹדֵף שָׁלוֹם, אוֹהֵב אֶת הַבְּרִיּוֹת וּמְקָרְבָן לַתּוֹרָה.

קדיש דרבנן

(ש״ץ) יִתְגַּדַּל וְיִתְקַדַּשׁ שְׁמֵהּ רַבָּא. בְּעָלְמָא דִּי בְרָא כִרְעוּתֵהּ, וְיַמְלִיךְ מַלְכוּתֵהּ בְּחַיֵּיכוֹן וּבְיוֹמֵיכוֹן וּבְחַיֵּי דְכָל בֵּית יִשְׂרָאֵל, בַּעֲגָלָא וּבִזְמַן קָרִיב וְאִמְרוּ אָמֵן:

(ביחד) יְהֵא שְׁמֵהּ רַבָּא מְבָרַךְ לְעָלַם וּלְעָלְמֵי עָלְמַיָּא:

(ש״ץ) יִתְבָּרַךְ וְיִשְׁתַּבַּח וְיִתְפָּאַר וְיִתְרוֹמַם וְיִתְנַשֵּׂא וְיִתְהַדָּר וְיִתְעַלֶּה וְיִתְהַלָּל שְׁמֵהּ דְּקֻדְשָׁא (ביחד) בְּרִיךְ הוּא

(ש״ץ) לְעֵלָּא (בעשי״ת לְעֵלָּא וּלְעֵלָּא מִכָּל) מִן כָּל בִּרְכָתָא וְשִׁירָתָא תֻּשְׁבְּחָתָא וְנֶחֱמָתָא דַּאֲמִירָן בְּעָלְמָא וְאִמְרוּ אָמֵן:

(ש״ץ) עַל יִשְׂרָאֵל וְעַל רַבָּנָן, וְעַל תַּלְמִידֵיהוֹן וְעַל כָּל תַּלְמִידֵי תַלְמִידֵיהוֹן, וְעַל כָּל מָאן דְּעָסְקִין בְּאוֹרַיְתָא, דִּי בְאַתְרָא הָדֵין וְדִי בְכָל אֲתַר וַאֲתַר. יְהֵא לְהוֹן וּלְכוֹן שְׁלָמָא רַבָּא, חִנָּא וְחִסְדָּא וְרַחֲמִין, וְחַיִּין אֲרִיכִין,

---

קדיש דרבנן, the Rabbi's Kaddish, is said after studying Rabbinic literature. Mourners recite it with the ש״ץ only when a minyan is present.

וּמְזוֹנָא רְוִיחָא, וּפֻרְקָנָא, מִן קֳדָם אֲבוּהוֹן דִּי בִשְׁמַיָּא וְאִמְרוּ אָמֵן.

(ש״ץ) יְהֵא שְׁלָמָא רַבָּא מִן שְׁמַיָּא, וְחַיִּים טוֹבִים עָלֵינוּ וְעַל כָּל יִשְׂרָאֵל וְאִמְרוּ אָמֵן.

(ש״ץ) עֹשֶׂה שָׁלוֹם בִּמְרוֹמָיו הוּא בְּרַחֲמָיו יַעֲשֶׂה שָׁלוֹם עָלֵינוּ וְעַל כָּל יִשְׂרָאֵל, וְאִמְרוּ אָמֵן:

מִזְמוֹר שִׁיר חֲנֻכַּת הַבַּיִת לְדָוִד: אֲרוֹמִמְךָ יהוה כִּי דִלִּיתָנִי, וְלֹא שִׂמַּחְתָּ אֹיְבַי לִי: יהוה אֱלֹהָי, שִׁוַּעְתִּי אֵלֶיךָ וַתִּרְפָּאֵנִי: יהוה הֶעֱלִיתָ מִן שְׁאוֹל נַפְשִׁי, חִיִּיתַנִי מִיָּרְדִי בוֹר: זַמְּרוּ לַיהוה חֲסִידָיו, וְהוֹדוּ לְזֵכֶר קָדְשׁוֹ: כִּי רֶגַע בְּאַפּוֹ, חַיִּים בִּרְצוֹנוֹ, בָּעֶרֶב יָלִין בֶּכִי וְלַבֹּקֶר רִנָּה: וַאֲנִי אָמַרְתִּי בְשַׁלְוִי, בַּל אֶמּוֹט לְעוֹלָם: יהוה בִּרְצוֹנְךָ הֶעֱמַדְתָּה לְהַרְרִי עֹז, הִסְתַּרְתָּ פָנֶיךָ, הָיִיתִי נִבְהָל: אֵלֶיךָ יהוה אֶקְרָא, וְאֶל אֲדֹנָי אֶתְחַנָּן: מַה בֶּצַע בְּדָמִי, בְּרִדְתִּי אֶל שָׁחַת, הֲיוֹדְךָ עָפָר הֲיַגִּיד אֲמִתֶּךָ: שְׁמַע יהוה וְחָנֵּנִי, יהוה הֱיֵה עֹזֵר לִי: הָפַכְתָּ מִסְפְּדִי לְמָחוֹל לִי, פִּתַּחְתָּ שַׂקִּי וַתְּאַזְּרֵנִי שִׂמְחָה: לְמַעַן יְזַמֶּרְךָ כָבוֹד וְלֹא יִדֹּם, יהוה אֱלֹהַי לְעוֹלָם אוֹדֶךָּ: תְּהִלִּים ל

קדיש יתום

(אבלים ואבלות) יִתְגַּדַּל וְיִתְקַדַּשׁ שְׁמֵהּ רַבָּא. בְּעָלְמָא דִּי בְרָא כִרְעוּתֵיהּ, וְיַמְלִיךְ מַלְכוּתֵיהּ בְּחַיֵּיכוֹן וּבְיוֹמֵיכוֹן וּבְחַיֵּי דְכָל בֵּית יִשְׂרָאֵל. בַּעֲגָלָא וּבִזְמַן קָרִיב וְאִמְרוּ אָמֵן:

(ביחד) יְהֵא שְׁמֵהּ רַבָּא מְבָרַךְ לְעָלַם וּלְעָלְמֵי עָלְמַיָּא:

מזמור שיר חנכת הבית In this Psalm, we are reminded that having faith in God can help us emphasize the positive facets of our lives.

(אבלים ואבלות) יִתְבָּרַךְ וְיִשְׁתַּבַּח וְיִתְפָּאַר וְיִתְרוֹמַם וְיִתְנַשֵּׂא וְיִתְהַדָּר וְיִתְעַלֶּה וְיִתְהַלָּל שְׁמֵהּ דְּקֻדְשָׁא (ביחד) בְּרִיךְ הוּא (אבלים ואבלות) לְעֵלָּא (בעשי״ת לְעֵלָּא וּלְעֵלָּא מִכָּל) מִן כָּל בִּרְכָתָא וְשִׁירָתָא תֻּשְׁבְּחָתָא וְנֶחֱמָתָא, דַּאֲמִירָן בְּעָלְמָא, וְאִמְרוּ אָמֵן:

יְהֵא שְׁלָמָא רַבָּא מִן שְׁמַיָּא, וְחַיִּים טוֹבִים עָלֵינוּ וְעַל כָּל יִשְׂרָאֵל וְאִמְרוּ אָמֵן.

עֹשֶׂה שָׁלוֹם בִּמְרוֹמָיו הוּא יַעֲשֶׂה שָׁלוֹם עָלֵינוּ וְעַל כָּל יִשְׂרָאֵל, וְאִמְרוּ אָמֵן:

פסוקי דזמרה

בָּרוּךְ שֶׁאָמַר וְהָיָה הָעוֹלָם, בָּרוּךְ הוּא, בָּרוּךְ עֹשֶׂה בְרֵאשִׁית, בָּרוּךְ אוֹמֵר וְעוֹשֶׂה, בָּרוּךְ גּוֹזֵר וּמְקַיֵּם, בָּרוּךְ מְרַחֵם עַל הָאָרֶץ, בָּרוּךְ מְרַחֵם עַל הַבְּרִיּוֹת, בָּרוּךְ מְשַׁלֵּם שָׂכָר טוֹב לִירֵאָיו, בָּרוּךְ חַי לָעַד וְקַיָּם לָנֶצַח, בָּרוּךְ פּוֹדֶה וּמַצִּיל, בָּרוּךְ שְׁמוֹ.

בָּרוּךְ אַתָּה יהוה אֱלֹהֵינוּ מֶלֶךְ הָעוֹלָם, הָאֵל הָאָב הָרַחֲמָן, הַמְהֻלָּל בְּפִי עַמּוֹ, מְשֻׁבָּח וּמְפֹאָר בִּלְשׁוֹן חֲסִידָיו וַעֲבָדָיו וּבְשִׁירֵי דָוִד עַבְדֶּךָ, נְהַלֶּלְךָ יהוה אֱלֹהֵינוּ בִּשְׁבָחוֹת וּבִזְמִירוֹת, נְגַדֶּלְךָ וּנְשַׁבֵּחֲךָ וּנְפָאֶרְךָ וְנַזְכִּיר שִׁמְךָ וְנַמְלִיכְךָ מַלְכֵּנוּ אֱלֹהֵינוּ, יָחִיד חֵי הָעוֹלָמִים,

---

פסוקי דזמרה (verses of song/praise) is the name of this section which leads us to the main שחרית service. "One should always first sing praises of the Holy One and then pray" (Berachot 32a).

ברוך שאמר is the introductory blessing to the פסוקי דזמרה. The concluding blessing is ישתבח. ברוך שאמר allows us the opportunity to bless God for the actions of creation, compassion, and redemption, as were first revealed to us in the book of Genesis, and are still an aspect of our lives today.

מֶלֶךְ מְשֻׁבָּח וּמְפֹאָר עֲדֵי עַד שְׁמוֹ הַגָּדוֹל: בָּרוּךְ אַתָּה יהוה, מֶלֶךְ מְהֻלָּל בַּתִּשְׁבָּחוֹת.

הוֹדוּ לַיהוה קִרְאוּ בִשְׁמוֹ, הוֹדִיעוּ בָעַמִּים עֲלִילֹתָיו: שִׁירוּ לוֹ זַמְּרוּ לוֹ שִׂיחוּ בְּכָל נִפְלְאֹתָיו: הִתְהַלְלוּ בְּשֵׁם קָדְשׁוֹ, יִשְׂמַח לֵב מְבַקְשֵׁי יהוה: דִּרְשׁוּ יהוה וְעֻזּוֹ, בַּקְּשׁוּ פָנָיו תָּמִיד: זִכְרוּ נִפְלְאֹתָיו אֲשֶׁר עָשָׂה, מֹפְתָיו וּמִשְׁפְּטֵי פִיהוּ: זֶרַע יִשְׂרָאֵל עַבְדּוֹ, בְּנֵי יַעֲקֹב בְּחִירָיו: הוּא יהוה אֱלֹהֵינוּ, בְּכָל הָאָרֶץ מִשְׁפָּטָיו: זִכְרוּ לְעוֹלָם בְּרִיתוֹ, דָּבָר צִוָּה לְאֶלֶף דּוֹר: אֲשֶׁר כָּרַת אֶת אַבְרָהָם, וּשְׁבוּעָתוֹ לְיִצְחָק: וַיַּעֲמִידֶהָ לְיַעֲקֹב לְחֹק, לְיִשְׂרָאֵל בְּרִית עוֹלָם: לֵאמֹר לְךָ אֶתֵּן אֶרֶץ כְּנָעַן, חֶבֶל נַחֲלַתְכֶם: בִּהְיוֹתְכֶם מְתֵי מִסְפָּר, כִּמְעַט וְגָרִים בָּהּ: וַיִּתְהַלְּכוּ מִגּוֹי אֶל גּוֹי, וּמִמַּמְלָכָה אֶל עַם אַחֵר: לֹא הִנִּיחַ לְאִישׁ לְעָשְׁקָם, וַיּוֹכַח עֲלֵיהֶם מְלָכִים: אַל תִּגְּעוּ בִּמְשִׁיחָי, וּבִנְבִיאַי אַל תָּרֵעוּ: שִׁירוּ לַיהוה כָּל הָאָרֶץ, בַּשְּׂרוּ מִיּוֹם אֶל יוֹם יְשׁוּעָתוֹ: סַפְּרוּ בַגּוֹיִם אֶת כְּבוֹדוֹ, בְּכָל הָעַמִּים נִפְלְאֹתָיו: כִּי גָדוֹל יהוה וּמְהֻלָּל מְאֹד, וְנוֹרָא הוּא עַל כָּל אֱלֹהִים: כִּי כָּל אֱלֹהֵי הָעַמִּים אֱלִילִים, וַיהוה שָׁמַיִם עָשָׂה:

הוֹד וְהָדָר לְפָנָיו, עֹז וְחֶדְוָה בִּמְקֹמוֹ: הָבוּ לַיהוה מִשְׁפְּחוֹת עַמִּים, הָבוּ לַיהוה כָּבוֹד וָעֹז: הָבוּ לַיהוה כְּבוֹד שְׁמוֹ, שְׂאוּ מִנְחָה וּבֹאוּ לְפָנָיו, הִשְׁתַּחֲווּ לַיהוה בְּהַדְרַת קֹדֶשׁ: חִילוּ מִלְּפָנָיו כָּל הָאָרֶץ, אַף תִּכּוֹן תֵּבֵל בַּל תִּמּוֹט: יִשְׂמְחוּ הַשָּׁמַיִם וְתָגֵל הָאָרֶץ, וְיֹאמְרוּ בַגּוֹיִם יהוה מָלָךְ: יִרְעַם הַיָּם וּמְלוֹאוֹ, יַעֲלֹץ הַשָּׂדֶה וְכָל אֲשֶׁר

בּוֹ: אָז יְרַנְּנוּ עֲצֵי הַיָּעַר, מִלִּפְנֵי יהוה, כִּי בָא לִשְׁפּוֹט אֶת הָאָרֶץ: הוֹדוּ לַיהוה כִּי טוֹב, כִּי לְעוֹלָם חַסְדּוֹ: וְאִמְרוּ הוֹשִׁיעֵנוּ אֱלֹהֵי יִשְׁעֵנוּ, וְקַבְּצֵנוּ וְהַצִּילֵנוּ מִן הַגּוֹיִם, לְהוֹדוֹת לְשֵׁם קָדְשֶׁךָ, לְהִשְׁתַּבֵּחַ בִּתְהִלָּתֶךָ: בָּרוּךְ יהוה אֱלֹהֵי יִשְׂרָאֵל מִן הָעוֹלָם וְעַד הָעוֹלָם, וַיֹּאמְרוּ כָל הָעָם, אָמֵן וְהַלֵּל לַיהוה: דִּבְרֵי הַיָּמִים א׳ טז:8-36

רוֹמְמוּ יהוה אֱלֹהֵינוּ, וְהִשְׁתַּחֲווּ לַהֲדֹם רַגְלָיו קָדוֹשׁ הוּא: רוֹמְמוּ יהוה אֱלֹהֵינוּ וְהִשְׁתַּחֲווּ לְהַר קָדְשׁוֹ, כִּי קָדוֹשׁ יהוה אֱלֹהֵינוּ:

וְהוּא רַחוּם, יְכַפֵּר עָוֹן, וְלֹא יַשְׁחִית, וְהִרְבָּה לְהָשִׁיב אַפּוֹ, וְלֹא יָעִיר כָּל חֲמָתוֹ: אַתָּה יהוה לֹא תִכְלָא רַחֲמֶיךָ מִמֶּנִּי, חַסְדְּךָ וַאֲמִתְּךָ תָּמִיד יִצְּרוּנִי: זְכֹר רַחֲמֶיךָ יהוה וַחֲסָדֶיךָ, כִּי מֵעוֹלָם הֵמָּה: תְּנוּ עֹז לֵאלֹהִים, עַל יִשְׂרָאֵל גַּאֲוָתוֹ וְעֻזּוֹ בַּשְּׁחָקִים: נוֹרָא אֱלֹהִים מִמִּקְדָּשֶׁיךָ, אֵל יִשְׂרָאֵל הוּא נוֹתֵן עֹז וְתַעֲצֻמוֹת לָעָם בָּרוּךְ אֱלֹהִים: אֵל נְקָמוֹת יהוה, אֵל נְקָמוֹת הוֹפִיעַ: הִנָּשֵׂא שֹׁפֵט הָאָרֶץ, הָשֵׁב גְּמוּל עַל גֵּאִים: לַיהוה הַיְשׁוּעָה, עַל עַמְּךָ בִרְכָתֶךָ סֶּלָה: יהוה צְבָאוֹת עִמָּנוּ, מִשְׂגָּב לָנוּ, אֱלֹהֵי יַעֲקֹב סֶלָה: יהוה צְבָאוֹת, אַשְׁרֵי אָדָם בֹּטֵחַ בָּךְ: יהוה הוֹשִׁיעָה הַמֶּלֶךְ יַעֲנֵנוּ, בְיוֹם קָרְאֵנוּ:

הוֹשִׁיעָה אֶת עַמֶּךָ, וּבָרֵךְ אֶת נַחֲלָתֶךָ, וּרְעֵם וְנַשְּׂאֵם עַד הָעוֹלָם: נַפְשֵׁנוּ חִכְּתָה לַיהוה, עֶזְרֵנוּ וּמָגִנֵּנוּ הוּא: כִּי בוֹ יִשְׂמַח לִבֵּנוּ, כִּי בְשֵׁם קָדְשׁוֹ בָטָחְנוּ: יְהִי חַסְדְּךָ יהוה עָלֵינוּ, כַּאֲשֶׁר יִחַלְנוּ לָךְ: הַרְאֵנוּ יהוה חַסְדֶּךָ,

וְיֶשְׁעֲךָ תִּתֶּן לָנוּ: קוּמָה עֶזְרָתָה לָּנוּ, וּפְדֵנוּ לְמַעַן חַסְדֶּךָ:
אָנֹכִי יהוה אֱלֹהֶיךָ הַמַּעַלְךָ מֵאֶרֶץ מִצְרָיִם, הַרְחֶב פִּיךָ
וַאֲמַלְאֵהוּ: אַשְׁרֵי הָעָם שֶׁכָּכָה לּוֹ, אַשְׁרֵי הָעָם שֶׁיהוה
אֱלֹהָיו: ♩ וַאֲנִי בְּחַסְדְּךָ בָטַחְתִּי, יָגֵל לִבִּי בִּישׁוּעָתֶךָ,
5 אָשִׁירָה לַיהוה, כִּי גָמַל עָלָי:

The following psalm is not said on שבת ויום טוב, on the day
before פסח, during חול המועד פסח and on the day before יום
כפור.

מִזְמוֹר לְתוֹדָה, הָרִיעוּ לַיהוה כָּל הָאָרֶץ: עִבְדוּ אֶת
יהוה בְּשִׂמְחָה, בֹּאוּ לְפָנָיו בִּרְנָנָה: דְּעוּ כִּי יהוה הוּא
אֱלֹהִים הוּא עָשָׂנוּ וְלוֹ אֲנַחְנוּ, עַמּוֹ וְצֹאן מַרְעִיתוֹ: בֹּאוּ
שְׁעָרָיו בְּתוֹדָה, חֲצֵרֹתָיו בִּתְהִלָּה, הוֹדוּ לוֹ בָּרְכוּ שְׁמוֹ:
10 ♩ כִּי טוֹב יהוה לְעוֹלָם חַסְדּוֹ, וְעַד דֹּר וָדֹר אֱמוּנָתוֹ: ♩
תְּהִלִּים ק

On Hoshanah Rabbah, Yom Ha'atzmaut, Yom Yerushalayim turn to למנצח
מזמור לדוד, *p. 175, line 4*

יְהִי כְבוֹד יהוה לְעוֹלָם, יִשְׂמַח יהוה בְּמַעֲשָׂיו: יְהִי שֵׁם
יהוה מְבֹרָךְ, מֵעַתָּה וְעַד עוֹלָם: מִמִּזְרַח שֶׁמֶשׁ עַד
מְבוֹאוֹ, מְהֻלָּל שֵׁם יהוה: רָם עַל כָּל גּוֹיִם יהוה, עַל
הַשָּׁמַיִם כְּבוֹדוֹ: יהוה שִׁמְךָ לְעוֹלָם, יהוה זִכְרְךָ לְדֹר
15 וָדֹר: יהוה בַּשָּׁמַיִם הֵכִין כִּסְאוֹ, וּמַלְכוּתוֹ בַּכֹּל מָשָׁלָה:
יִשְׂמְחוּ הַשָּׁמַיִם וְתָגֵל הָאָרֶץ, וְיֹאמְרוּ בַגּוֹיִם יהוה מָלָךְ:
יהוה מֶלֶךְ, יהוה מָלָךְ, יהוה יִמְלֹךְ לְעֹלָם וָעֶד: יהוה
מֶלֶךְ עוֹלָם וָעֶד, אָבְדוּ גוֹיִם מֵאַרְצוֹ: יהוה הֵפִיר עֲצַת

מזמור לתודה is a psalm directly connected to the "Todah" sacrifice which
was not offered on Shabbat or on holidays and we therefore do not recite this
psalm on those days.

גּוֹיִם, הֵנִיא מַחְשְׁבוֹת עַמִּים: רַבּוֹת מַחֲשָׁבוֹת בְּלֶב אִישׁ, וַעֲצַת יהוה הִיא תָקוּם: עֲצַת יהוה לְעוֹלָם תַּעֲמֹד, מַחְשְׁבוֹת לִבּוֹ לְדֹר וָדֹר: כִּי הוּא אָמַר וַיֶּהִי, הוּא צִוָּה וַיַּעֲמֹד: כִּי בָחַר יהוה בְּצִיּוֹן, אִוָּהּ לְמוֹשָׁב לוֹ: כִּי יַעֲקֹב בָּחַר לוֹ יָהּ, יִשְׂרָאֵל לִסְגֻלָּתוֹ: כִּי לֹא יִטֹּשׁ יהוה עַמּוֹ, וְנַחֲלָתוֹ לֹא יַעֲזֹב: וְהוּא רַחוּם יְכַפֵּר עָוֹן וְלֹא יַשְׁחִית, וְהִרְבָּה לְהָשִׁיב אַפּוֹ וְלֹא יָעִיר כָּל חֲמָתוֹ: יהוה הוֹשִׁיעָה, הַמֶּלֶךְ יַעֲנֵנוּ בְיוֹם קָרְאֵנוּ:

אַשְׁרֵי יוֹשְׁבֵי בֵיתֶךָ, עוֹד יְהַלְלוּךָ סֶּלָה: תְּהִלִּים פד:5
אַשְׁרֵי הָעָם שֶׁכָּכָה לּוֹ, אַשְׁרֵי הָעָם שֶׁיהוה אֱלֹהָיו:
תְּהִלִּים קמד:15

תְּהִלָּה לְדָוִד,
אֲרוֹמִמְךָ אֱלוֹהַי הַמֶּלֶךְ, וַאֲבָרְכָה שִׁמְךָ לְעוֹלָם וָעֶד:
בְּכָל יוֹם אֲבָרְכֶךָּ, וַאֲהַלְלָה שִׁמְךָ לְעוֹלָם וָעֶד:
גָּדוֹל יהוה וּמְהֻלָּל מְאֹד, וְלִגְדֻלָּתוֹ אֵין חֵקֶר:
דּוֹר לְדוֹר יְשַׁבַּח מַעֲשֶׂיךָ, וּגְבוּרֹתֶיךָ יַגִּידוּ:
הֲדַר כְּבוֹד הוֹדֶךָ, וְדִבְרֵי נִפְלְאֹתֶיךָ אָשִׂיחָה:
וֶעֱזוּז נוֹרְאוֹתֶיךָ יֹאמֵרוּ, וּגְדֻלָּתְךָ אֲסַפְּרֶנָּה:
זֵכֶר רַב טוּבְךָ יַבִּיעוּ, וְצִדְקָתְךָ יְרַנֵּנוּ:
חַנּוּן וְרַחוּם יהוה, אֶרֶךְ אַפַּיִם וּגְדָל חָסֶד:
טוֹב יהוה לַכֹּל, וְרַחֲמָיו עַל כָּל מַעֲשָׂיו:
יוֹדוּךָ יהוה כָּל מַעֲשֶׂיךָ, וַחֲסִידֶיךָ יְבָרְכוּכָה:
כְּבוֹד מַלְכוּתְךָ יֹאמֵרוּ, וּגְבוּרָתְךָ יְדַבֵּרוּ:

אשרי is the central prayer in פסוקי דזמרה. It is an alphabetical acrostic. Each line begins with a letter of the Hebrew alphabet. The central theme of the prayer is happiness. The prayer praises the vast number of qualities of God.

לְהוֹדִיעַ לִבְנֵי הָאָדָם גְּבוּרֹתָיו, וּכְבוֹד הֲדַר מַלְכוּתוֹ:

מַלְכוּתְךָ מַלְכוּת כָּל עֹלָמִים, וּמֶמְשַׁלְתְּךָ בְּכָל דֹּר וָדֹר:

סוֹמֵךְ יהוה לְכָל הַנֹּפְלִים, וְזוֹקֵף לְכָל הַכְּפוּפִים:

עֵינֵי כֹל אֵלֶיךָ יְשַׂבֵּרוּ, וְאַתָּה נוֹתֵן לָהֶם אֶת אָכְלָם

5   בְּעִתּוֹ:

פּוֹתֵחַ אֶת יָדֶךָ, וּמַשְׂבִּיעַ לְכָל חַי רָצוֹן:

צַדִּיק יהוה בְּכָל דְּרָכָיו, וְחָסִיד בְּכָל מַעֲשָׂיו:

קָרוֹב יהוה לְכָל קֹרְאָיו, לְכֹל אֲשֶׁר יִקְרָאֻהוּ בֶאֱמֶת:

רְצוֹן יְרֵאָיו יַעֲשֶׂה, וְאֶת שַׁוְעָתָם יִשְׁמַע וְיוֹשִׁיעֵם:

שׁוֹמֵר יהוה אֶת כָּל אֹהֲבָיו, וְאֵת כָּל הָרְשָׁעִים יַשְׁמִיד:

♫ תְּהִלַּת יהוה יְדַבֶּר פִּי, וִיבָרֵךְ כָּל בָּשָׂר שֵׁם קָדְשׁוֹ,

לְעוֹלָם וָעֶד: תְּהִלִּים קמה

וַאֲנַחְנוּ נְבָרֵךְ יָהּ, מֵעַתָּה וְעַד עוֹלָם, הַלְלוּיָהּ:   תְּהִלִּים קטו:18

הַלְלוּיָהּ, הַלְלִי נַפְשִׁי אֶת יהוה: אֲהַלְלָה יהוה בְּחַיָּי,

15 אֲזַמְּרָה לֵאלֹהַי בְּעוֹדִי: אַל תִּבְטְחוּ בִנְדִיבִים, בְּבֶן אָדָם

שֶׁאֵין לוֹ תְשׁוּעָה: תֵּצֵא רוּחוֹ יָשֻׁב לְאַדְמָתוֹ, בַּיּוֹם

הַהוּא אָבְדוּ עֶשְׁתֹּנֹתָיו: אַשְׁרֵי שֶׁאֵל יַעֲקֹב בְּעֶזְרוֹ,

שִׂבְרוֹ עַל יהוה אֱלֹהָיו: עֹשֶׂה שָׁמַיִם וָאָרֶץ, אֶת הַיָּם

וְאֶת כָּל אֲשֶׁר בָּם, הַשֹּׁמֵר אֱמֶת לְעוֹלָם: עֹשֶׂה מִשְׁפָּט

20 לַעֲשׁוּקִים, נֹתֵן לֶחֶם לָרְעֵבִים, יהוה מַתִּיר אֲסוּרִים:

יהוה פֹּקֵחַ עִוְרִים, יהוה זֹקֵף כְּפוּפִים, יהוה אֹהֵב

צַדִּיקִים: יהוה שֹׁמֵר אֶת גֵּרִים, יָתוֹם וְאַלְמָנָה יְעוֹדֵד,

וְדֶרֶךְ רְשָׁעִים יְעַוֵּת: ♫ יִמְלֹךְ יהוה לְעוֹלָם, אֱלֹהַיִךְ צִיּוֹן

לְדֹר וָדֹר הַלְלוּיָהּ:   תְּהִלִּים קמו

Psalm 146 talks about putting one's trust in God.

הַלְלוּיָהּ, כִּי טוֹב זַמְּרָה אֱלֹהֵינוּ, כִּי נָעִים נָאוָה תְהִלָּה: בּוֹנֵה יְרוּשָׁלַיִם יהוה, נִדְחֵי יִשְׂרָאֵל יְכַנֵּס: הָרוֹפֵא לִשְׁבוּרֵי לֵב, וּמְחַבֵּשׁ לְעַצְּבוֹתָם: מוֹנֶה מִסְפָּר לַכּוֹכָבִים לְכֻלָּם שֵׁמוֹת יִקְרָא: גָּדוֹל אֲדוֹנֵינוּ וְרַב כֹּחַ, לִתְבוּנָתוֹ אֵין מִסְפָּר: מְעוֹדֵד עֲנָוִים יהוה, מַשְׁפִּיל רְשָׁעִים עֲדֵי אָרֶץ: עֱנוּ לַיהוה בְּתוֹדָה, זַמְּרוּ לֵאלֹהֵינוּ בְכִנּוֹר: הַמְכַסֶּה שָׁמַיִם בְּעָבִים, הַמֵּכִין לָאָרֶץ מָטָר, הַמַּצְמִיחַ הָרִים חָצִיר: נוֹתֵן לִבְהֵמָה לַחְמָהּ, לִבְנֵי עֹרֵב אֲשֶׁר יִקְרָאוּ: לֹא בִגְבוּרַת הַסּוּס יֶחְפָּץ, לֹא בְשׁוֹקֵי הָאִישׁ יִרְצֶה: רוֹצֶה יהוה אֶת יְרֵאָיו, אֶת הַמְיַחֲלִים לְחַסְדּוֹ: שַׁבְּחִי יְרוּשָׁלַיִם אֶת יהוה, הַלְלִי אֱלֹהַיִךְ צִיּוֹן: כִּי חִזַּק בְּרִיחֵי שְׁעָרָיִךְ, בֵּרַךְ בָּנַיִךְ בְּקִרְבֵּךְ: הַשָּׂם גְּבוּלֵךְ שָׁלוֹם, חֵלֶב חִטִּים יַשְׂבִּיעֵךְ: הַשֹּׁלֵחַ אִמְרָתוֹ אָרֶץ, עַד מְהֵרָה יָרוּץ דְּבָרוֹ: הַנֹּתֵן שֶׁלֶג כַּצָּמֶר, כְּפוֹר כָּאֵפֶר יְפַזֵּר: מַשְׁלִיךְ קַרְחוֹ כְפִתִּים, לִפְנֵי קָרָתוֹ מִי יַעֲמוֹד: יִשְׁלַח דְּבָרוֹ וְיַמְסֵם, יַשֵּׁב רוּחוֹ יִזְּלוּ מָיִם: מַגִּיד דְּבָרָיו לְיַעֲקֹב, חֻקָּיו וּמִשְׁפָּטָיו לְיִשְׂרָאֵל: לֹא עָשָׂה כֵן לְכָל גּוֹי, וּמִשְׁפָּטִים בַּל יְדָעוּם, הַלְלוּיָהּ: תְּהִלִּים קמז

הַלְלוּיָהּ, הַלְלוּ אֶת יהוה מִן הַשָּׁמַיִם הַלְלוּהוּ בַּמְּרוֹמִים: הַלְלוּהוּ כָל מַלְאָכָיו, הַלְלוּהוּ כָּל צְבָאָיו: הַלְלוּהוּ שֶׁמֶשׁ וְיָרֵחַ, הַלְלוּהוּ כָּל כּוֹכְבֵי אוֹר: הַלְלוּהוּ שְׁמֵי הַשָּׁמָיִם, וְהַמַּיִם אֲשֶׁר מֵעַל הַשָּׁמָיִם: יְהַלְלוּ אֶת שֵׁם יהוה, כִּי הוּא צִוָּה וְנִבְרָאוּ: וַיַּעֲמִידֵם לָעַד לְעוֹלָם,

---

Psalm 147 talks about the themes of nature, Jerusalem, and God's greatness. In Psalm 148, nature is praising God as its Creator.

חָק נָתַן וְלֹא יַעֲבוֹר: הַלְלוּ אֶת יהוה מִן הָאָרֶץ, תַּנִּינִים וְכָל תְּהֹמוֹת: אֵשׁ וּבָרָד שֶׁלֶג וְקִיטוֹר, רוּחַ סְעָרָה עֹשָׂה דְבָרוֹ: הֶהָרִים וְכָל גְּבָעוֹת, עֵץ פְּרִי וְכָל אֲרָזִים: הַחַיָּה וְכָל בְּהֵמָה, רֶמֶשׂ וְצִפּוֹר כָּנָף: מַלְכֵי אֶרֶץ וְכָל לְאֻמִּים שָׂרִים וְכָל שֹׁפְטֵי אָרֶץ: בַּחוּרִים וְגַם בְּתוּלוֹת, זְקֵנִים עִם נְעָרִים: יְהַלְלוּ אֶת שֵׁם יהוה, כִּי נִשְׂגָּב שְׁמוֹ לְבַדּוֹ, הוֹדוֹ עַל אֶרֶץ וְשָׁמָיִם: וַיָּרֶם קֶרֶן לְעַמּוֹ תְּהִלָּה לְכָל חֲסִידָיו, לִבְנֵי יִשְׂרָאֵל עַם קְרֹבוֹ הַלְלוּיָהּ: תְּהִלִּים קמח

הַלְלוּיָהּ, שִׁירוּ לַיהוה שִׁיר חָדָשׁ, תְּהִלָּתוֹ בִּקְהַל חֲסִידִים: יִשְׂמַח יִשְׂרָאֵל בְּעֹשָׂיו, בְּנֵי צִיּוֹן יָגִילוּ בְמַלְכָּם: יְהַלְלוּ שְׁמוֹ בְמָחוֹל, בְּתֹף וְכִנּוֹר יְזַמְּרוּ לוֹ: כִּי רוֹצֶה יהוה בְּעַמּוֹ, יְפָאֵר עֲנָוִים בִּישׁוּעָה: יַעְלְזוּ חֲסִידִים בְּכָבוֹד, יְרַנְּנוּ עַל מִשְׁכְּבוֹתָם: רוֹמְמוֹת אֵל בִּגְרוֹנָם, וְחֶרֶב פִּיפִיּוֹת בְּיָדָם: לַעֲשׂוֹת נְקָמָה בַּגּוֹיִם, תּוֹכֵחוֹת בַּלְאֻמִּים: לֶאְסֹר מַלְכֵיהֶם בְּזִקִּים, וְנִכְבְּדֵיהֶם בְּכַבְלֵי בַרְזֶל: לַעֲשׂוֹת בָּהֶם מִשְׁפָּט כָּתוּב, הָדָר הוּא לְכָל חֲסִידָיו הַלְלוּיָהּ: תְּהִלִּים קמט

הַלְלוּיָהּ, הַלְלוּ אֵל בְּקָדְשׁוֹ, הַלְלוּהוּ בִּרְקִיעַ עֻזּוֹ: הַלְלוּהוּ בִגְבוּרֹתָיו, הַלְלוּהוּ כְּרֹב גֻּדְלוֹ: הַלְלוּהוּ בְּתֵקַע שׁוֹפָר, הַלְלוּהוּ בְּנֵבֶל וְכִנּוֹר: הַלְלוּהוּ בְתֹף וּמָחוֹל, הַלְלוּהוּ בְּמִנִּים וְעוּגָב: הַלְלוּהוּ בְצִלְצְלֵי שָׁמַע, הַלְלוּהוּ בְּצִלְצְלֵי תְרוּעָה:

Psalms 149 and 150 speak of praising God not only with words but with dance and musical instruments. Because of these two psalms we think that music and dance were used when praying to God in the Temple in Jerusalem. The words הללו and הללויה are repeated to emphasize our obligation and need to praise God.

♪ כֹּל הַנְּשָׁמָה תְּהַלֵּל יָהּ הַלְלוּיָהּ. כֹּל הַנְּשָׁמָה תְּהַלֵּל
יָהּ הַלְלוּיָהּ: תְּהִלִּים קנ

בָּרוּךְ יהוה לְעוֹלָם, אָמֵן וְאָמֵן. תְּהִלִּים פט:53

בָּרוּךְ יהוה מִצִּיּוֹן, שֹׁכֵן יְרוּשָׁלָיִם, הַלְלוּיָהּ. תְּהִלִּים קלה:21

5 בָּרוּךְ יהוה אֱלֹהִים אֱלֹהֵי יִשְׂרָאֵל, עֹשֵׂה נִפְלָאוֹת לְבַדּוֹ.
וּבָרוּךְ שֵׁם כְּבוֹדוֹ לְעוֹלָם, וְיִמָּלֵא כְבוֹדוֹ אֶת כָּל הָאָרֶץ,
אָמֵן וְאָמֵן. תְּהִלִּים עב:18-19

ח] וַיְבָרֶךְ דָּוִיד אֶת יהוה לְעֵינֵי כָּל הַקָּהָל, וַיֹּאמֶר דָּוִיד:
בָּרוּךְ אַתָּה יהוה אֱלֹהֵי יִשְׂרָאֵל אָבִינוּ, מֵעוֹלָם וְעַד
10 עוֹלָם: לְךָ יהוה הַגְּדֻלָּה וְהַגְּבוּרָה וְהַתִּפְאֶרֶת וְהַנֵּצַח
וְהַהוֹד, כִּי כֹל בַּשָּׁמַיִם וּבָאָרֶץ, לְךָ יהוה הַמַּמְלָכָה
וְהַמִּתְנַשֵּׂא, לְכֹל לְרֹאשׁ: וְהָעֹשֶׁר וְהַכָּבוֹד מִלְּפָנֶיךָ
וְאַתָּה מוֹשֵׁל בַּכֹּל, וּבְיָדְךָ כֹּחַ וּגְבוּרָה, וּבְיָדְךָ לְגַדֵּל
וּלְחַזֵּק לַכֹּל: וְעַתָּה אֱלֹהֵינוּ מוֹדִים אֲנַחְנוּ לָךְ, וּמְהַלְלִים
15 לְשֵׁם תִּפְאַרְתֶּךָ: דִּבְרֵי הַיָּמִים א׳ כט:10–13

אַתָּה הוּא יהוה לְבַדֶּךָ, אַתָּה עָשִׂיתָ אֶת הַשָּׁמַיִם, שְׁמֵי
הַשָּׁמַיִם וְכָל צְבָאָם, הָאָרֶץ וְכָל אֲשֶׁר עָלֶיהָ, הַיַּמִּים
וְכָל אֲשֶׁר בָּהֶם, וְאַתָּה מְחַיֶּה אֶת כֻּלָּם, וּצְבָא הַשָּׁמַיִם
לְךָ מִשְׁתַּחֲוִים: ♪ אַתָּה הוּא יהוה הָאֱלֹהִים, אֲשֶׁר
20 בָּחַרְתָּ בְּאַבְרָם, וְהוֹצֵאתוֹ מֵאוּר כַּשְׂדִּים, וְשַׂמְתָּ שְּׁמוֹ
אַבְרָהָם: וּמָצָאתָ אֶת לְבָבוֹ נֶאֱמָן לְפָנֶיךָ: נְחֶמְיָה ט:6–8

ויברך דויד emphasizes the need for humility and giving thanks to God for all that we have. We should act like King David and never say that because of our power alone are we able to be wealthy or successful. David, the King who had more gold, silver, jewels and lands than any other king, acknowledged in public that he could not have acquired it without God's help.

וְכָרוֹת עִמּוֹ הַבְּרִית לָתֵת אֶת אֶרֶץ הַכְּנַעֲנִי, הַחִתִּי, הָאֱמֹרִי, וְהַפְּרִזִּי וְהַיְבוּסִי וְהַגִּרְגָּשִׁי, לָתֵת לְזַרְעוֹ, וַתָּקֶם אֶת דְּבָרֶיךָ, כִּי צַדִּיק אָתָּה: וַתֵּרֶא אֶת עֳנִי אֲבֹתֵינוּ בְּמִצְרָיִם, וְאֶת זַעֲקָתָם שָׁמַעְתָּ עַל יַם סוּף: וַתִּתֵּן אֹתֹת וּמֹפְתִים בְּפַרְעֹה, וּבְכָל עֲבָדָיו, וּבְכָל עַם אַרְצוֹ, כִּי יָדַעְתָּ, כִּי הֵזִידוּ עֲלֵיהֶם, וַתַּעַשׂ לְךָ שֵׁם כְּהַיּוֹם הַזֶּה: וְהַיָּם בָּקַעְתָּ לִפְנֵיהֶם, וַיַּעַבְרוּ בְתוֹךְ הַיָּם בַּיַּבָּשָׁה, וְאֶת רֹדְפֵיהֶם, הִשְׁלַכְתָּ בִמְצוֹלֹת, כְּמוֹ אֶבֶן בְּמַיִם עַזִּים:

נְחֶמְיָה ט:8-11

וַיּוֹשַׁע יהוה בַּיּוֹם הַהוּא אֶת יִשְׂרָאֵל מִיַּד מִצְרָיִם וַיַּרְא יִשְׂרָאֵל אֶת מִצְרַיִם מֵת עַל שְׂפַת הַיָּם: וַיַּרְא יִשְׂרָאֵל אֶת הַיָּד הַגְּדֹלָה אֲשֶׁר עָשָׂה יהוה בְּמִצְרַיִם וַיִּירְאוּ הָעָם אֶת יהוה וַיַּאֲמִינוּ בַּיהוה וּבְמֹשֶׁה עַבְדּוֹ: שְׁמוֹת יד:30-31

שירת הים

אָז יָשִׁיר־מֹשֶׁה וּבְנֵי יִשְׂרָאֵל אֶת־הַשִּׁירָה הַזֹּאת לַיהוָה וַיֹּאמְרוּ לֵאמֹר אָשִׁירָה לַיהוָה כִּי־גָאֹה גָּאָה סוּס וְרֹכְבוֹ רָמָה בַיָּם: עָזִּי וְזִמְרָת יָהּ וַיְהִי־לִי לִישׁוּעָה זֶה אֵלִי וְאַנְוֵהוּ אֱלֹהֵי אָבִי וַאֲרֹמְמֶנְהוּ: יְהוָה אִישׁ מִלְחָמָה יְהוָה שְׁמוֹ: מַרְכְּבֹת פַּרְעֹה וְחֵילוֹ יָרָה בַיָּם וּמִבְחַר שָׁלִשָׁיו טֻבְּעוּ בְיַם־סוּף: תְּהֹמֹת יְכַסְיֻמוּ יָרְדוּ בִמְצוֹלֹת כְּמוֹ־אָבֶן: יְמִינְךָ יְהוָה נֶאְדָּרִי בַּכֹּחַ יְמִינְךָ יְהוָה תִּרְעַץ אוֹיֵב: וּבְרֹב גְּאוֹנְךָ תַּהֲרֹס קָמֶיךָ תְּשַׁלַּח חֲרֹנְךָ יֹאכְלֵמוֹ

אז ישיר is Chapter 15 of Exodus, which is a poem describing the miracle God performed by splitting the Red Sea (ים סוף) and bringing the children of Israel out of Egypt.

כַּקַּשׁ: וּבְרוּחַ אַפֶּיךָ נֶעֶרְמוּ מַיִם נִצְּבוּ כְמוֹ־נֵד נֹזְלִים קָפְאוּ תְהֹמֹת בְּלֶב־יָם: אָמַר אוֹיֵב אֶרְדֹּף אַשִּׂיג אֲחַלֵּק שָׁלָל תִּמְלָאֵמוֹ נַפְשִׁי אָרִיק חַרְבִּי תּוֹרִישֵׁמוֹ יָדִי: נָשַׁפְתָּ בְרוּחֲךָ כִּסָּמוֹ יָם צָלֲלוּ כַּעוֹפֶרֶת בְּמַיִם אַדִּירִים: מִי־כָמֹכָה בָּאֵלִם יְהוָֹה מִי כָּמֹכָה נֶאְדָּר בַּקֹּדֶשׁ נוֹרָא תְהִלֹּת עֹשֵׂה־פֶלֶא: נָטִיתָ יְמִינְךָ תִּבְלָעֵמוֹ אָרֶץ: נָחִיתָ בְחַסְדְּךָ עַם־זוּ גָּאָלְתָּ נֵהַלְתָּ בְעָזְּךָ אֶל־נְוֵה קָדְשֶׁךָ: שָׁמְעוּ עַמִּים יִרְגָּזוּן חִיל אָחַז יֹשְׁבֵי פְּלָשֶׁת: אָז נִבְהֲלוּ אַלּוּפֵי אֱדוֹם אֵילֵי מוֹאָב יֹאחֲזֵמוֹ רָעַד נָמֹגוּ כֹּל יֹשְׁבֵי כְנָעַן: תִּפֹּל עֲלֵיהֶם אֵימָתָה וָפַחַד בִּגְדֹל זְרוֹעֲךָ יִדְּמוּ כָּאָבֶן עַד־יַעֲבֹר עַמְּךָ יְהוָֹה עַד־יַעֲבֹר עַם־זוּ קָנִיתָ: תְּבִאֵמוֹ וְתִטָּעֵמוֹ בְּהַר נַחֲלָתְךָ מָכוֹן לְשִׁבְתְּךָ פָּעַלְתָּ יְהוָֹה מִקְּדָשׁ אֲדֹנָי כּוֹנְנוּ יָדֶיךָ: יְהוָֹה ׀ יִמְלֹךְ לְעֹלָם וָעֶד: יְהוָֹה ׀ יִמְלֹךְ לְעֹלָם וָעֶד: יְהוָֹה מַלְכוּתֵהּ קָאֵים לְעָלַם וּלְעָלְמֵי עָלְמַיָּא: כִּי בָא סוּס פַּרְעֹה בְּרִכְבּוֹ וּבְפָרָשָׁיו בַּיָּם וַיָּשֶׁב יְהוָֹה עֲלֵהֶם אֶת־מֵי הַיָּם וּבְנֵי יִשְׂרָאֵל הָלְכוּ בַיַּבָּשָׁה בְּתוֹךְ הַיָּם:

כִּי לַיהוה הַמְּלוּכָה וּמֹשֵׁל בַּגּוֹיִם: תְּהִלִּים כב:29

וְעָלוּ מוֹשִׁעִים בְּהַר צִיּוֹן לִשְׁפֹּט אֶת הַר עֵשָׂו, וְהָיְתָה לַיהוה הַמְּלוּכָה: עוֹבַדְיָה א:21

וְהָיָה יהוה לְמֶלֶךְ עַל כָּל הָאָרֶץ, בַּיּוֹם הַהוּא יִהְיֶה יהוה אֶחָד וּשְׁמוֹ אֶחָד: זְכַרְיָה יד:9

ח יִשְׁתַּבַּח שִׁמְךָ לָעַד מַלְכֵּנוּ, הָאֵל הַמֶּלֶךְ הַגָּדוֹל וְהַקָּדוֹשׁ בַּשָּׁמַיִם וּבָאָרֶץ. כִּי לְךָ נָאֶה, יהוה אֱלֹהֵינוּ וֵאלֹהֵי אֲבוֹתֵינוּ: שִׁיר וּשְׁבָחָה, הַלֵּל וְזִמְרָה, עֹז וּמֶמְשָׁלָה, נֶצַח, גְּדֻלָּה וּגְבוּרָה, תְּהִלָּה וְתִפְאֶרֶת, קְדֻשָּׁה וּמַלְכוּת. בְּרָכוֹת וְהוֹדָאוֹת מֵעַתָּה וְעַד עוֹלָם. בָּרוּךְ אַתָּה יהוה, אֵל מֶלֶךְ גָּדוֹל בַּתִּשְׁבָּחוֹת, אֵל הַהוֹדָאוֹת, אֲדוֹן הַנִּפְלָאוֹת, הַבּוֹחֵר בְּשִׁירֵי זִמְרָה, מֶלֶךְ, אֵל, חֵי הָעוֹלָמִים.

חצי קדיש

(ש״ץ) יִתְגַּדַּל וְיִתְקַדַּשׁ שְׁמֵהּ רַבָּא. בְּעָלְמָא דִּי בְרָא כִרְעוּתֵהּ, וְיַמְלִיךְ מַלְכוּתֵהּ בְּחַיֵּיכוֹן וּבְיוֹמֵיכוֹן וּבְחַיֵּי דְכָל בֵּית יִשְׂרָאֵל. בַּעֲגָלָא וּבִזְמַן קָרִיב וְאִמְרוּ אָמֵן:

(ביחד) יְהֵא שְׁמֵהּ רַבָּא מְבָרַךְ לְעָלַם וּלְעָלְמֵי עָלְמַיָּא:

ישתבח ends the פסוקי דזמרה section that began with ברוך שאמר. There are 15 words to praise God in the beginning of this prayer and 15 words to praise God at the end of this prayer. Some say 15 refers to the number of Psalms (120-134), known as שיר המעלות. Also, 15 is the numerical value for י־ה which is one of God's names. Some say that 15 is symbolic here because God blesses us with 15 words in the ברכת כהנים. Therefore, we also bless God with 15 words.

The קדיש, written in Aramaic, was originally the concluding prayer to a study session in Aramaic. It was logical then, that the prayer that followed was in Aramaic as well. The קדיש marks the end of a section of prayers. The root letters, קדש, mean "holy," "making something special," or "sanctifying." We praise God and God's name in the קדיש as we publicly recognize God's rule over all people. The קדיש can only be recited with a minyan, ten people over the age of Bat/Bar Mitzvah. It is proper to say יהא שמה רבא ,אמן and בריך הוא loudly at the appropriate times during the קדיש. The word אמן is an acronym for אל מלך נאמן, God is a trustworthy, majestic Ruler (Shabbat 119b).

(ש״ץ) יִתְבָּרַךְ וְיִשְׁתַּבַּח וְיִתְפָּאַר וְיִתְרוֹמַם וְיִתְנַשֵּׂא וְיִתְהַדָּר וְיִתְעַלֶּה וְיִתְהַלָּל שְׁמֵהּ דְּקֻדְשָׁא (ביחד) בְּרִיךְ הוּא (ש״ץ) לְעֵלָּא (בעשי״ת לְעֵלָּא וּלְעֵלָּא מִכָּל) מִן כָּל בִּרְכָתָא וְשִׁירָתָא תֻּשְׁבְּחָתָא וְנֶחֱמָתָא, דַּאֲמִירָן בְּעָלְמָא, וְאִמְרוּ אָמֵן:

When praying with a minyan begin here

(ש״ץ) **בָּרְכוּ אֶת יהוה הַמְבֹרָךְ:**

(קהל) בָּרוּךְ יהוה הַמְבֹרָךְ לְעוֹלָם וָעֶד:

(ש״ץ) בָּרוּךְ יהוה הַמְבֹרָךְ לְעוֹלָם וָעֶד:

When praying alone begin here

בָּרוּךְ אַתָּה יהוה אֱלֹהֵינוּ מֶלֶךְ הָעוֹלָם, יוֹצֵר אוֹר, וּבוֹרֵא חֹשֶׁךְ, עֹשֶׂה שָׁלוֹם וּבוֹרֵא אֶת הַכֹּל:

הַמֵּאִיר לָאָרֶץ וְלַדָּרִים עָלֶיהָ בְּרַחֲמִים, וּבְטוּבוֹ מְחַדֵּשׁ בְּכָל יוֹם תָּמִיד מַעֲשֵׂה בְרֵאשִׁית: מָה רַבּוּ מַעֲשֶׂיךָ יהוה, כֻּלָּם בְּחָכְמָה עָשִׂיתָ, מָלְאָה הָאָרֶץ קִנְיָנֶךָ: הַמֶּלֶךְ

There are four different forms of קדיש: קדיש דרבנן is recited after studying Rabbinic literature. חצי קדיש and קדיש שלם are recited after completing sections of prayer. These forms of קדיש signal the separation of one section of prayer from another. קדיש יתום is recited by those in mourning or observing Yahrzeit.

ברכו is the call to prayer. It marks the official beginning of the שחרית service. The ברכו and its response is only said with a minyan. There should be no talking or interruptions from ברכו to the end of שמונה עשרה except to say אמן to the two blessings before the שמע. אמונה, faithfulness, has the same root letters as word אמן. By saying אמן we affirm our belief in what the ש״ץ is saying, even for those who do not know Hebrew.

The יוצר אור blessing introduces the theme of light which continues until יוצר המאורות. We thank God for light, a symbol of goodness and wisdom. המאיר לארץ reminds us that God and nature cannot be taken for granted. As the sun rises each day, it is as if creation is happening for the first time.

הַמְרוֹמָם לְבַדּוֹ מֵאָז. הַמְשֻׁבָּח וְהַמְפֹאָר וְהַמִּתְנַשֵּׂא מִימוֹת עוֹלָם. אֱלֹהֵי עוֹלָם, בְּרַחֲמֶיךָ הָרַבִּים רַחֵם עָלֵינוּ, אֲדוֹן עֻזֵּנוּ צוּר מִשְׂגַּבֵּנוּ, מָגֵן יִשְׁעֵנוּ מִשְׂגָּב בַּעֲדֵנוּ:

אֵל בָּרוּךְ גְּדוֹל דֵּעָה, הֵכִין וּפָעַל זָהֳרֵי חַמָּה, טוֹב יָצַר כָּבוֹד לִשְׁמוֹ, מְאוֹרוֹת נָתַן סְבִיבוֹת עֻזּוֹ, פִּנּוֹת צְבָאָיו קְדוֹשִׁים, רוֹמְמֵי שַׁדַּי, תָּמִיד מְסַפְּרִים כְּבוֹד אֵל וּקְדֻשָּׁתוֹ: תִּתְבָּרַךְ יהוה אֱלֹהֵינוּ עַל שֶׁבַח מַעֲשֵׂה יָדֶיךָ וְעַל מְאוֹרֵי אוֹר שֶׁעָשִׂיתָ יְפָאֲרוּךָ סֶּלָה.

תִּתְבָּרַךְ צוּרֵנוּ מַלְכֵּנוּ וְגֹאֲלֵנוּ בּוֹרֵא קְדוֹשִׁים, יִשְׁתַּבַּח שִׁמְךָ לָעַד מַלְכֵּנוּ יוֹצֵר מְשָׁרְתִים, וַאֲשֶׁר מְשָׁרְתָיו כֻּלָּם עוֹמְדִים בְּרוּם עוֹלָם, וּמַשְׁמִיעִים בְּיִרְאָה יַחַד בְּקוֹל דִּבְרֵי אֱלֹהִים חַיִּים וּמֶלֶךְ עוֹלָם. כֻּלָּם אֲהוּבִים, כֻּלָּם בְּרוּרִים, כֻּלָּם גִּבּוֹרִים, וְכֻלָּם עֹשִׂים בְּאֵימָה וּבְיִרְאָה רְצוֹן קוֹנָם. וְכֻלָּם פּוֹתְחִים אֶת פִּיהֶם בִּקְדֻשָּׁה וּבְטָהֳרָה, בְּשִׁירָה וּבְזִמְרָה, וּמְבָרְכִים וּמְשַׁבְּחִים, וּמְפָאֲרִים וּמַעֲרִיצִים, וּמַקְדִּישִׁים וּמַמְלִיכִים:

אֶת שֵׁם הָאֵל הַמֶּלֶךְ הַגָּדוֹל הַגִּבּוֹר וְהַנּוֹרָא קָדוֹשׁ הוּא: וְכֻלָּם מְקַבְּלִים עֲלֵיהֶם עֹל מַלְכוּת שָׁמַיִם זֶה מִזֶּה. וְנוֹתְנִים רְשׁוּת זֶה לָזֶה, לְהַקְדִּישׁ לְיוֹצְרָם בְּנַחַת רוּחַ,

---

אל ברוך was written in the 8th century as an alphabetical acrostic. Each word begins with a successive letter of the Hebrew alphabet to demonstrate that every sound can be used to praise God.

תתברך צורנו adds the idea that not just people but the angels praise God too.

את שם האל teaches us that we should not compete with each other and show jealousy towards God. We should help each other to praise God just as the angels do.

בְּשָׂפָה בְרוּרָה וּבִנְעִימָה, קְדוּשָּׁה כֻּלָּם כְּאֶחָד עוֹנִים וְאוֹמְרִים בְּיִרְאָה:

קָדוֹשׁ, קָדוֹשׁ, קָדוֹשׁ, יהוה צְבָאוֹת, מְלֹא כָל הָאָרֶץ כְּבוֹדוֹ: יְשַׁעְיָהוּ ו:3

וְהָאוֹפַנִּים וְחַיּוֹת הַקֹּדֶשׁ בְּרַעַשׁ גָּדוֹל מִתְנַשְּׂאִים לְעֻמַּת שְׂרָפִים, לְעֻמָּתָם מְשַׁבְּחִים וְאוֹמְרִים:

בָּרוּךְ כְּבוֹד יהוה מִמְּקוֹמוֹ: יְחֶזְקֵאל ג:12

לָאֵל בָּרוּךְ נְעִימוֹת יִתֵּנוּ. לַמֶּלֶךְ אֵל חַי וְקַיָּם זְמִרוֹת יֹאמֵרוּ וְתִשְׁבָּחוֹת יַשְׁמִיעוּ. כִּי הוּא לְבַדּוֹ פּוֹעֵל גְּבוּרוֹת, עֹשֶׂה חֲדָשׁוֹת, בַּעַל מִלְחָמוֹת, זוֹרֵעַ צְדָקוֹת, מַצְמִיחַ יְשׁוּעוֹת, בּוֹרֵא רְפוּאוֹת, נוֹרָא תְהִלּוֹת, אֲדוֹן הַנִּפְלָאוֹת. הַמְחַדֵּשׁ בְּטוּבוֹ בְּכָל יוֹם תָּמִיד מַעֲשֵׂה בְרֵאשִׁית. כָּאָמוּר לְעֹשֵׂה אוֹרִים גְּדֹלִים, כִּי לְעוֹלָם חַסְדּוֹ: תְּהִלִּים קלו:7 אוֹר חָדָשׁ עַל צִיּוֹן תָּאִיר וְנִזְכֶּה כֻלָּנוּ מְהֵרָה לְאוֹרוֹ: בָּרוּךְ אַתָּה יהוה יוֹצֵר הַמְּאוֹרוֹת:

The word קדוש is repeated 3 times here to emphasize 3 different aspects of God's presence; that God is in heaven, that God is on earth, and that God will be forever and ever.

לאל ברוך נעימות יתנו is the last paragraph of the first ברכה (יוצר אור) before the שמע. We continue the theme of light and praising God for creating light and end the ברכה with יוצר המאורות.

אור חדש refers to the lights; the physical light that helps us see and also to the Torah, the spiritual light that guides our actions and values. The Torah "illuminates" our lives and "enlightens" our choices.

אַהֲבָה רַבָּה אֲהַבְתָּנוּ, יהוה אֱלֹהֵינוּ, חֶמְלָה גְדוֹלָה וִיתֵרָה חָמַלְתָּ עָלֵינוּ. אָבִינוּ מַלְכֵּנוּ, בַּעֲבוּר אֲבוֹתֵינוּ שֶׁבָּטְחוּ בְךָ, וַתְּלַמְּדֵם חֻקֵּי חַיִּים, כֵּן תְּחָנֵּנוּ וּתְלַמְּדֵנוּ. אָבִינוּ, הָאָב הָרַחֲמָן, הַמְרַחֵם, רַחֵם עָלֵינוּ, וְתֵן בְּלִבֵּנוּ לְהָבִין וּלְהַשְׂכִּיל לִשְׁמֹעַ לִלְמֹד וּלְלַמֵּד לִשְׁמֹר וְלַעֲשׂוֹת וּלְקַיֵּם אֶת כָּל דִּבְרֵי תַלְמוּד תּוֹרָתֶךָ בְּאַהֲבָה. וְהָאֵר עֵינֵינוּ בְּתוֹרָתֶךָ, וְדַבֵּק לִבֵּנוּ בְּמִצְוֹתֶיךָ, וְיַחֵד לְבָבֵנוּ לְאַהֲבָה וּלְיִרְאָה אֶת שְׁמֶךָ, וְלֹא נֵבוֹשׁ לְעוֹלָם וָעֶד: כִּי בְשֵׁם קָדְשְׁךָ הַגָּדוֹל וְהַנּוֹרָא בָּטָחְנוּ, נָגִילָה וְנִשְׂמְחָה בִּישׁוּעָתֶךָ. וַהֲבִיאֵנוּ לְשָׁלוֹם מֵאַרְבַּע כַּנְפוֹת הָאָרֶץ, וְתוֹלִיכֵנוּ קוֹמְמִיּוּת לְאַרְצֵנוּ, כִּי אֵל פּוֹעֵל יְשׁוּעוֹת אָתָּה, וּבָנוּ בָחַרְתָּ מִכָּל עַם וְלָשׁוֹן. וְקֵרַבְתָּנוּ לְשִׁמְךָ הַגָּדוֹל סֶלָה בֶּאֱמֶת לְהוֹדוֹת לְךָ וּלְיַחֶדְךָ בְּאַהֲבָה. בָּרוּךְ אַתָּה יהוה, הַבּוֹחֵר בְּעַמּוֹ יִשְׂרָאֵל בְּאַהֲבָה.

אהבה רבה represents the second blessing before the שמע. Love and devotion to God and the Torah (learning) are the central themes of this ברכה. It was written during the 1st century.

God showed us love by giving us the Torah and choosing us to be the people to bring the Torah to the world.

When we reach והביאנו it is customary to gather the ציצית from the four corners of the tallit, wrapping them around your index finger and holding them throughout the שמע. Gathering the ציציות is symbolic of the gathering of all people from the four corners of the earth.

The שמע should begin immediately after the ברכה that ends הבוחר בעמו ישראל באהבה.

When praying alone say אֵל מֶלֶךְ נֶאֱמָן

שְׁמַע יִשְׂרָאֵל, יהוה אֱלֹהֵינוּ, יהוה אֶחָד: דְּבָרִים ו:4

Say quietly בָּרוּךְ שֵׁם כְּבוֹד מַלְכוּתוֹ לְעוֹלָם וָעֶד.

וְאָהַבְתָּ אֵת יְהוָה אֱלֹהֶיךָ בְּכָל־לְבָבְךָ וּבְכָל־נַפְשְׁךָ
וּבְכָל־מְאֹדֶךָ: וְהָיוּ הַדְּבָרִים הָאֵלֶּה אֲשֶׁר אָנֹכִי מְצַוְּךָ
הַיּוֹם עַל־לְבָבֶךָ: וְשִׁנַּנְתָּם לְבָנֶיךָ וְדִבַּרְתָּ בָּם בְּשִׁבְתְּךָ
בְּבֵיתֶךָ וּבְלֶכְתְּךָ בַדֶּרֶךְ וּבְשָׁכְבְּךָ וּבְקוּמֶךָ: וּקְשַׁרְתָּם
לְאוֹת עַל־יָדֶךָ וְהָיוּ לְטֹטָפֹת בֵּין עֵינֶיךָ: וּכְתַבְתָּם עַל־
מְזֻזוֹת בֵּיתֶךָ וּבִשְׁעָרֶיךָ:

וְהָיָה אִם־שָׁמֹעַ תִּשְׁמְעוּ אֶל־מִצְוֹתַי אֲשֶׁר אָנֹכִי מְצַוֶּה
אֶתְכֶם הַיּוֹם לְאַהֲבָה אֶת־יְהוָה אֱלֹהֵיכֶם וּלְעָבְדוֹ בְּכָל־

The שמע is *the* declaration of faith. We are saying that as Jews we believe in one God. The ע and ד are enlarged to remind us that we are each a "witness" (עד) to the oneness of God. Some people cover their eyes when they recite the first line of the שמע to block out distractions and concentrate on this important prayer.

ברוך שם כבוד is not found in the Torah and is therefore said silently except on Yom Kippur when it reminds us of what was said in the Temple in Jerusalem once a year. Midrashim tell us that it was Jacob's response to the verse שמע ישראל that his children recited as he was dying, and also Moses heard these words from the angels. On Yom Kippur, because we are raised to the same level as the angels, we are permitted to recite ברוך שם כבוד out loud. At all other times we say these words quietly.

ואהבת teaches us that we should perform מצוות out of love, not fear. All your emotions and desires (heart, soul, might) should help you pray to God.

וקשרתם לאות refers to putting on תפילין which is an act that makes the individual who puts on תפילין special.

וכתבתם refers to putting up a מזוזה which is an act that makes our home special.

לְבַבְכֶם וּבְכָל־נַפְשְׁכֶם: וְנָתַתִּי מְטַר־אַרְצְכֶם בְּעִתּוֹ
יוֹרֶה וּמַלְקוֹשׁ וְאָסַפְתָּ דְגָנֶךָ וְתִירֹשְׁךָ וְיִצְהָרֶךָ: וְנָתַתִּי
עֵשֶׂב בְּשָׂדְךָ לִבְהֶמְתֶּךָ וְאָכַלְתָּ וְשָׂבָעְתָּ: הִשָּׁמְרוּ לָכֶם
פֶּן־יִפְתֶּה לְבַבְכֶם וְסַרְתֶּם וַעֲבַדְתֶּם אֱלֹהִים אֲחֵרִים
וְהִשְׁתַּחֲוִיתֶם לָהֶם: וְחָרָה אַף־יְהוָה בָּכֶם וְעָצַר אֶת־
הַשָּׁמַיִם וְלֹא־יִהְיֶה מָטָר וְהָאֲדָמָה לֹא תִתֵּן אֶת־יְבוּלָהּ
וַאֲבַדְתֶּם מְהֵרָה מֵעַל הָאָרֶץ הַטֹּבָה אֲשֶׁר יְהוָה נֹתֵן
לָכֶם: וְשַׂמְתֶּם אֶת־דְּבָרַי אֵלֶּה עַל־לְבַבְכֶם וְעַל־נַפְשְׁכֶם
וּקְשַׁרְתֶּם אֹתָם לְאוֹת עַל־יֶדְכֶם וְהָיוּ לְטוֹטָפֹת בֵּין
עֵינֵיכֶם: וְלִמַּדְתֶּם אֹתָם אֶת־בְּנֵיכֶם לְדַבֵּר בָּם בְּשִׁבְתְּךָ
בְּבֵיתֶךָ וּבְלֶכְתְּךָ בַדֶּרֶךְ וּבְשָׁכְבְּךָ וּבְקוּמֶךָ: וּכְתַבְתָּם
עַל־מְזוּזוֹת בֵּיתֶךָ וּבִשְׁעָרֶיךָ: לְמַעַן יִרְבּוּ יְמֵיכֶם וִימֵי
בְנֵיכֶם עַל הָאֲדָמָה אֲשֶׁר נִשְׁבַּע יְהוָה לַאֲבֹתֵיכֶם לָתֵת
לָהֶם כִּימֵי הַשָּׁמַיִם עַל־הָאָרֶץ:

והיה אם שמוע teaches us that we have an obligation to perform מצוות. When the Jewish community performs מצוות there are rewards, and when the Jewish community does not perform מצוות there are consequences.
אשר אנכי מצוה אתכם היום teaches us that even though the Torah was written long ago, the lessons can be learned each day as if they were new to us.
ויאמר יהוה אל משה refers to the obligation of wearing fringes on our clothes. We do this by wearing a טלית or ציצית. By looking at the ציצית we are reminded of all of the מצוות and our obligation to perform מצוות. Each time the word ציצית is said in the third paragraph of the שמע, it is customary to kiss the ציצית.

פתיל תכלת refers to a specific blue colored thread once included with the ציצית.

Some people loudly enunciate the ז in the word תזכרו to make sure that it means "and you should remember" and not sound like תשכרו meaning "and you should be rewarded"!

וַיֹּאמֶר יְהֹוָה אֶל־מֹשֶׁה לֵּאמֹר: דַּבֵּר אֶל־בְּנֵי יִשְׂרָאֵל וְאָמַרְתָּ אֲלֵהֶם וְעָשׂוּ לָהֶם צִיצִת עַל־כַּנְפֵי בִגְדֵיהֶם לְדֹרֹתָם וְנָתְנוּ עַל־צִיצִת הַכָּנָף פְּתִיל תְּכֵלֶת: וְהָיָה לָכֶם לְצִיצִת וּרְאִיתֶם אֹתוֹ וּזְכַרְתֶּם אֶת־כׇּל־מִצְוֺת יְהֹוָה וַעֲשִׂיתֶם אֹתָם וְלֹא־תָתוּרוּ אַחֲרֵי לְבַבְכֶם וְאַחֲרֵי עֵינֵיכֶם אֲשֶׁר־אַתֶּם זֹנִים אַחֲרֵיהֶם: לְמַעַן תִּזְכְּרוּ וַעֲשִׂיתֶם אֶת־כׇּל־מִצְוֺתָי וִהְיִיתֶם קְדֹשִׁים לֵאלֹהֵיכֶם: אֲנִי יְהֹוָה אֱלֹהֵיכֶם אֲשֶׁר הוֹצֵאתִי אֶתְכֶם מֵאֶרֶץ מִצְרַיִם לִהְיוֹת לָכֶם לֵאלֹהִים אֲנִי יְהֹוָה אֱלֹהֵיכֶם:

(אֱמֶת) וְיַצִּיב וְנָכוֹן וְקַיָּם וְיָשָׁר וְנֶאֱמָן וְאָהוּב וְחָבִיב וְנֶחְמָד וְנָעִים וְנוֹרָא וְאַדִּיר וּמְתֻקָּן וּמְקֻבָּל וְטוֹב וְיָפֶה הַדָּבָר הַזֶּה עָלֵינוּ לְעוֹלָם וָעֶד. אֱמֶת אֱלֹהֵי עוֹלָם מַלְכֵּנוּ צוּר יַעֲקֹב, מָגֵן יִשְׁעֵנוּ, לְדֹר וָדֹר הוּא קַיָּם, וּשְׁמוֹ קַיָּם, וְכִסְאוֹ נָכוֹן, וּמַלְכוּתוֹ וֶאֱמוּנָתוֹ לָעַד קַיָּמֶת.

It is customary to kiss your ציצית *and let go of them at this point*

וּדְבָרָיו חָיִים וְקַיָּמִים, נֶאֱמָנִים וְנֶחֱמָדִים לָעַד וּלְעוֹלְמֵי עוֹלָמִים. עַל אֲבוֹתֵינוּ וְעָלֵינוּ, עַל בָּנֵינוּ וְעַל דּוֹרוֹתֵינוּ, וְעַל כׇּל דּוֹרוֹת זֶרַע יִשְׂרָאֵל עֲבָדֶיךָ.

עַל הָרִאשׁוֹנִים וְעַל הָאַחֲרוֹנִים, דָּבָר טוֹב וְקַיָּם לְעוֹלָם וָעֶד, אֱמֶת וֶאֱמוּנָה חֹק וְלֹא יַעֲבֹר. אֱמֶת שָׁאַתָּה הוּא

There should not be an interruption between the end of the שמע and the beginning of the third blessing starting with the word אמת. By saying יהוה אלהיכם אמת we are also affirming what the prophet Jeremiah said (Jeremiah 10:10), that God is true.

אמת ויציב begins the third blessing of the שמע listing the many attributes of God. It ends with גאל ישראל.

יהוה אֱלֹהֵינוּ וֵאלֹהֵי אֲבוֹתֵינוּ, מַלְכֵּנוּ מֶלֶךְ אֲבוֹתֵינוּ, גֹּאֲלֵנוּ גֹּאֵל אֲבוֹתֵינוּ, יוֹצְרֵנוּ צוּר יְשׁוּעָתֵינוּ, פּוֹדֵנוּ וּמַצִּילֵנוּ מֵעוֹלָם שְׁמֶךָ, אֵין אֱלֹהִים זוּלָתֶךָ.

עֶזְרַת אֲבוֹתֵינוּ אַתָּה הוּא מֵעוֹלָם, מָגֵן וּמוֹשִׁיעַ לִבְנֵיהֶם אַחֲרֵיהֶם בְּכָל דּוֹר וָדוֹר. בְּרוּם עוֹלָם מוֹשָׁבֶךָ, וּמִשְׁפָּטֶיךָ וְצִדְקָתְךָ עַד אַפְסֵי אָרֶץ. אַשְׁרֵי אִישׁ שֶׁיִּשְׁמַע לְמִצְוֹתֶיךָ, וְתוֹרָתְךָ וּדְבָרְךָ יָשִׂים עַל לִבּוֹ. אֱמֶת אַתָּה הוּא אָדוֹן לְעַמֶּךָ, וּמֶלֶךְ גִּבּוֹר לָרִיב רִיבָם. אֱמֶת אַתָּה הוּא רִאשׁוֹן וְאַתָּה הוּא אַחֲרוֹן, וּמִבַּלְעָדֶיךָ אֵין לָנוּ מֶלֶךְ גּוֹאֵל וּמוֹשִׁיעַ. מִמִּצְרַיִם גְּאַלְתָּנוּ יהוה אֱלֹהֵינוּ, וּמִבֵּית עֲבָדִים פְּדִיתָנוּ. כָּל בְּכוֹרֵיהֶם הָרָגְתָּ, וּבְכוֹרְךָ גָּאָלְתָּ, וְיַם סוּף בָּקַעְתָּ, וְזֵדִים טִבַּעְתָּ, וִידִידִים הֶעֱבַרְתָּ, וַיְכַסּוּ מַיִם צָרֵיהֶם, אֶחָד מֵהֶם לֹא נוֹתָר. עַל זֹאת שִׁבְּחוּ אֲהוּבִים וְרוֹמְמוּ אֵל, וְנָתְנוּ יְדִידִים זְמִרוֹת שִׁירוֹת וְתִשְׁבָּחוֹת, בְּרָכוֹת וְהוֹדָאוֹת לְמֶלֶךְ אֵל חַי וְקַיָּם, רָם וְנִשָּׂא גָּדוֹל וְנוֹרָא, מַשְׁפִּיל גֵּאִים וּמַגְבִּיהַּ שְׁפָלִים, מוֹצִיא אֲסִירִים וּפוֹדֶה עֲנָוִים וְעוֹזֵר דַּלִּים וְעוֹנֶה לְעַמּוֹ בְּעֵת שַׁוְּעָם אֵלָיו.

תְּהִלּוֹת לְאֵל עֶלְיוֹן, בָּרוּךְ הוּא וּמְבֹרָךְ. מֹשֶׁה וּבְנֵי יִשְׂרָאֵל לְךָ עָנוּ שִׁירָה בְּשִׂמְחָה רַבָּה וְאָמְרוּ כֻלָּם:

מִי כָמֹכָה בָּאֵלִם יהוה, מִי כָּמֹכָה נֶאְדָּר בַּקֹּדֶשׁ,
נוֹרָא תְהִלֹּת עֹשֵׂה פֶלֶא. שְׁמוֹת טו:11

שִׁירָה חֲדָשָׁה שִׁבְּחוּ גְאוּלִים לְשִׁמְךָ עַל שְׂפַת הַיָּם, יַחַד כֻּלָּם הוֹדוּ וְהִמְלִיכוּ וְאָמְרוּ:

יהוה יִמְלֹךְ לְעֹלָם וָעֶד: שְׁמוֹת טו:18

ח צוּר יִשְׂרָאֵל, קוּמָה בְּעֶזְרַת יִשְׂרָאֵל, וּפְדֵה כִנְאֻמֶךָ
יְהוּדָה וְיִשְׂרָאֵל. גֹּאֲלֵנוּ יהוה צְבָאוֹת שְׁמוֹ, קְדוֹשׁ
יִשְׂרָאֵל. יְשַׁעְיָה מז:4 בָּרוּךְ אַתָּה יהוה גָּאַל יִשְׂרָאֵל:

שמונה עשרה

The שמונה עשרה is a central prayer in each service. שמונה עשרה means "eighteen" because originally there were 18 ברכות in the weekday version. One ברכה was added so there are now 19 ברכות. This prayer is said while standing so it is also called the עמידה. It is so important that sometimes it is called just התפילה, "the prayer."

There are three sections in the weekday שמונה עשרה:

1. The first three ברכות in which we PRAISE God for kindness, love and holiness.
2. The middle thirteen ברכות in which we REQUEST that God help and protect us individually and the people of Israel.
3. The last three ברכות in which we THANK God for goodness, mercy and peace.

We begin the שמונה עשרה by standing straight, walking three steps backward and three steps forward. Some recite each of the six words, ה׳ שפתי תפתח ופי יגיד תהלתך while they take these steps. We are showing our respect as we "enter" God's presence.

1. In the first blessing, when we say ברוך we bend our knees, then we bow our heads for the word אתה and stand up straight when we say God's name.
2. We also bow the same way at the end of the first ברכה which ends with מגן אברהם.
3. At מודים we bow at the waist and then stand up straight.

Our feet are together throughout the entire prayer.

There are four times we bow during the עמידה.

4. We bow for the last time when we say the ברכה which ends הטוב שמך ולך נאה להודות.

צור ישראל reminds us that just as God redeemed us from Egypt, God will help all of Israel in the future as well.

When we finish the שמונה עשרה we take three steps backward and bow to the left saying עשה שלום במרומיו then bow to the right saying הוא יעשה שלום and bow forward saying עלינו ועל כל ישראל.

We do this to acknowledge God as Majestic Ruler. We would never turn our backs on a human king or queen, so we certainly would not do so to God, as we leave God's presence.

There are two methods of reciting the שמונה עשרה in שחרית. We can recite the entire שמונה עשרה silently skipping the קדושה, because it can only be recited with a minyan. Then the ש״ץ repeats the שמונה עשרה for the congregation and we join in for the קדושה. Or we can begin with the ש״ץ and say each word together, continuing through the קדושה and then finish the שמונה עשרה silently. This is called הויכא קדושה, a Yiddish phrase pronounced "hoicha kedusha," which means "out loud." When we recite the שמונה עשרה with a הויכא קדושה we should say the ברכה that ends האל הקדוש out loud together and then continue with אתה חונן silently. Only when you say the שמונה עשרה to yourself do you recite the אתה קדוש paragraph.

אֲדֹנָי שְׂפָתַי תִּפְתָּח וּפִי יַגִּיד תְּהִלָּתֶךָ: תְּהִלִּים נא:17

בָּרוּךְ אַתָּה יהוה אֱלֹהֵינוּ וֵאלֹהֵי אֲבוֹתֵינוּ, אֱלֹהֵי אַבְרָהָם, אֱלֹהֵי יִצְחָק, וֵאלֹהֵי יַעֲקֹב. הָאֵל הַגָּדוֹל הַגִּבּוֹר וְהַנּוֹרָא אֵל עֶלְיוֹן, גּוֹמֵל חֲסָדִים טוֹבִים, וְקוֹנֵה הַכֹּל, וְזוֹכֵר חַסְדֵי אָבוֹת, וּמֵבִיא גוֹאֵל לִבְנֵי בְנֵיהֶם לְמַעַן שְׁמוֹ בְּאַהֲבָה.

In some communities שרה רבקה רחל ולאה are added to the first blessing of the עמידה to emphasize that both men and women have a relationship with God.

During the עשרת ימי תשובה *say*

זָכְרֵנוּ לְחַיִּים, מֶלֶךְ חָפֵץ בַּחַיִּים, וְכָתְבֵנוּ בְּסֵפֶר הַחַיִּים, לְמַעַנְךָ אֱלֹהִים חַיִּים.

מֶלֶךְ עוֹזֵר וּמוֹשִׁיעַ וּמָגֵן. בָּרוּךְ אַתָּה יהוה, מָגֵן אַבְרָהָם.

אַתָּה גִּבּוֹר לְעוֹלָם אֲדֹנָי, מְחַיֵּה מֵתִים אַתָּה, רַב לְהוֹשִׁיעַ.

From שמיני עצרת *until the first day of* פסח *say*

מַשִּׁיב הָרוּחַ וּמוֹרִיד הַגָּשֶׁם:

From the first day of פסח *until* שמיני עצרת *say*

מוֹרִיד הַטָּל

מְכַלְכֵּל חַיִּים בְּחֶסֶד, מְחַיֵּה מֵתִים בְּרַחֲמִים רַבִּים, סוֹמֵךְ נוֹפְלִים, וְרוֹפֵא חוֹלִים, וּמַתִּיר אֲסוּרִים, וּמְקַיֵּם אֱמוּנָתוֹ לִישֵׁנֵי עָפָר, מִי כָמוֹךָ בַּעַל גְּבוּרוֹת וּמִי דוֹמֶה לָּךְ, מֶלֶךְ מֵמִית וּמְחַיֶּה וּמַצְמִיחַ יְשׁוּעָה.

During the עשרת ימי תשובה *say*

מִי כָמוֹךָ אַב הָרַחֲמִים, זוֹכֵר יְצוּרָיו לְחַיִּים בְּרַחֲמִים:

וְנֶאֱמָן אַתָּה לְהַחֲיוֹת מֵתִים. בָּרוּךְ אַתָּה יהוה, מְחַיֵּה הַמֵּתִים.

מגן אברהם We praise God as the God of history.

משיב הרוח \ מוריד הטל From the first day of פסח until שמיני עצרת we say מוריד הטל to remind us that God brings dew in order to keep the earth moist during the hot summer months in ארץ ישראל. משיב הרוח ומוריד הגשם reminds us that God brings rain to ארץ ישראל during the winter and is said from שמיני עצרת to the first day of פסח. Even though we do not live in Israel, by saying these תפילות, we are sensitizing ourselves to Israel's agricultural needs and strengthening our connection to the land of Israel.

מחיה המתים We praise God as a miracle worker.

When davening alone and during the silent עמידה*, skip the* קדושה *and continue with* אתה קדוש*, p. 36*

קדושה

נְקַדֵּשׁ אֶת שִׁמְךָ בָּעוֹלָם, כְּשֵׁם שֶׁמַּקְדִּישִׁים אוֹתוֹ בִּשְׁמֵי מָרוֹם, כַּכָּתוּב עַל יַד נְבִיאֶךָ: וְקָרָא זֶה אֶל זֶה וְאָמַר.

יְשַׁעְיָה ו:3

קָדוֹשׁ, קָדוֹשׁ, קָדוֹשׁ יהוה צְבָאוֹת, מְלֹא כָל הָאָרֶץ כְּבוֹדוֹ: יְשַׁעְיָה ו:3

לְעֻמָּתָם בָּרוּךְ יֹאמֵרוּ:

בָּרוּךְ כְּבוֹד יהוה מִמְּקוֹמוֹ: יְחֶזְקֵאל ג:12

וּבְדִבְרֵי קָדְשְׁךָ כָּתוּב לֵאמֹר:

יִמְלֹךְ יהוה לְעוֹלָם, אֱלֹהַיִךְ צִיּוֹן לְדֹר וָדֹר, הַלְלוּיָהּ. תְּהִלִּים קמו:10

(ש״ץ) לְדוֹר וָדוֹר נַגִּיד גָּדְלֶךָ, וּלְנֵצַח נְצָחִים קְדֻשָּׁתְךָ נַקְדִּישׁ, וְשִׁבְחֲךָ, אֱלֹהֵינוּ, מִפִּינוּ לֹא יָמוּשׁ לְעוֹלָם וָעֶד, כִּי אֵל מֶלֶךְ גָּדוֹל וְקָדוֹשׁ אָתָּה. בָּרוּךְ אַתָּה יהוה, הָאֵל הַקָּדוֹשׁ (בעשי״ת: הַמֶּלֶךְ הַקָּדוֹשׁ).

The קדושה is based on Isaiah 6:3 where the angels praise God's Holiness and Majesty. The purpose of the קדושה is to help us humans feel as though we are praising God in the same way the angels do. We stand with our feet together to imitate the angels, heavenly beings, who are said to have only one foot.

נקדש את שמך We turn to each other as we say וקרא זה אל זה ואמר just as the angels turn to one another.

קדוש, קדוש, קדוש Each time we say קדוש, we rise up on our toes trying to be symbolically closer to God.

Say in silent Amidah or when davening alone

אַתָּה קָדוֹשׁ וְשִׁמְךָ קָדוֹשׁ וּקְדוֹשִׁים בְּכָל יוֹם יְהַלְלוּךָ, סֶּלָה. בָּרוּךְ אַתָּה יהוה, הָאֵל הַקָּדוֹשׁ (בעשי״ת: הַמֶּלֶךְ הַקָּדוֹשׁ).

אַתָּה חוֹנֵן לְאָדָם דַּעַת, וּמְלַמֵּד לֶאֱנוֹשׁ בִּינָה. חָנֵּנוּ מֵאִתְּךָ דֵּעָה, בִּינָה וְהַשְׂכֵּל. בָּרוּךְ אַתָּה יהוה, חוֹנֵן הַדָּעַת.

הֲשִׁיבֵנוּ אָבִינוּ לְתוֹרָתֶךָ, וְקָרְבֵנוּ מַלְכֵּנוּ לַעֲבוֹדָתֶךָ, וְהַחֲזִירֵנוּ בִּתְשׁוּבָה שְׁלֵמָה לְפָנֶיךָ. בָּרוּךְ אַתָּה יהוה, הָרוֹצֶה בִּתְשׁוּבָה.

סְלַח לָנוּ, אָבִינוּ, כִּי חָטָאנוּ, מְחַל לָנוּ, מַלְכֵּנוּ כִּי פָשָׁעְנוּ, כִּי מוֹחֵל וְסוֹלֵחַ אָתָּה. בָּרוּךְ אַתָּה יהוה, חַנּוּן הַמַּרְבֶּה לִסְלֹחַ.

רְאֵה נָא בְעָנְיֵנוּ, וְרִיבָה רִיבֵנוּ, וּגְאָלֵנוּ מְהֵרָה לְמַעַן שְׁמֶךָ, כִּי גּוֹאֵל חָזָק אָתָּה. בָּרוּךְ אַתָּה יהוה, גּוֹאֵל יִשְׂרָאֵל.

On Fast Days the ש״ץ *says* עננו

עֲנֵנוּ, יהוה, עֲנֵנוּ, בְּיוֹם צוֹם תַּעֲנִיתֵנוּ, כִּי בְצָרָה גְדוֹלָה אֲנָחְנוּ: אַל תֵּפֶן אֶל רִשְׁעֵנוּ, וְאַל תַּסְתֵּר פָּנֶיךָ מִמֶּנּוּ, וְאַל תִּתְעַלַּם מִתְּחִנָּתֵנוּ: הֱיֵה נָא קָרוֹב לְשַׁוְעָתֵנוּ, יְהִי נָא חַסְדְּךָ לְנַחֲמֵנוּ, טֶרֶם נִקְרָא אֵלֶיךָ

חונן הדעת We ask God to grant us wisdom.

הרוצה בתשובה We ask God to accept our attempt to better ourselves. Some people simulate the confessional for Yom Kippur by gently beating the chest two times with a clenched fist while saying the סלח לנו paragraph specifically when saying חטאנו and פשענו.

חנון המרבה לסלוח We ask God to forgive us.

גואל ישראל We ask God to support our struggles.

עֲנֵנוּ, כַּדָּבָר שֶׁנֶּאֱמַר: וְהָיָה טֶרֶם יִקְרָאוּ וַאֲנִי אֶעֱנֶה, עוֹד הֵם מְדַבְּרִים וַאֲנִי אֶשְׁמָע. כִּי אַתָּה, יהוה, הָעוֹנֶה בְּעֵת צָרָה, פּוֹדֶה וּמַצִּיל בְּכָל עֵת צָרָה וְצוּקָה. בָּרוּךְ אַתָּה יהוה, הָעוֹנֶה בְּעֵת צָרָה.

רְפָאֵנוּ יהוה, וְנֵרָפֵא, הוֹשִׁיעֵנוּ וְנִוָּשֵׁעָה, כִּי תְהִלָּתֵנוּ אָתָּה, וְהַעֲלֵה רְפוּאָה שְׁלֵמָה לְכָל מַכּוֹתֵינוּ:

To pray for a specific sick person include this here

יְהִי רָצוֹן מִלְּפָנֶיךָ יהוה אֱלֹהַי וֵאלֹהֵי אֲבוֹתַי וְאִמּוֹתַי, שֶׁתִּשְׁלַח מְהֵרָה רְפוּאָה שְׁלֵמָה מִן הַשָּׁמַיִם רְפוּאַת הַנֶּפֶשׁ וּרְפוּאַת הַגּוּף לַחוֹלֶה/לַחוֹלָה ______ בְּתוֹךְ שְׁאָר חוֹלֵי יִשְׂרָאֵל.

כִּי אֵל מֶלֶךְ רוֹפֵא נֶאֱמָן וְרַחֲמָן אָתָּה. בָּרוּךְ אַתָּה יהוה, רוֹפֵא חוֹלֵי עַמּוֹ יִשְׂרָאֵל.

בָּרֵךְ עָלֵינוּ, יהוה אֱלֹהֵינוּ, אֶת הַשָּׁנָה הַזֹּאת וְאֶת כָּל מִינֵי תְבוּאָתָהּ לְטוֹבָה

During the summer say

וְתֵן בְּרָכָה

From December 4th until the 1st day of פסח *say*

וְתֵן טַל וּמָטָר לִבְרָכָה

עַל פְּנֵי הָאֲדָמָה, וְשַׂבְּעֵנוּ מִטּוּבֶךָ, וּבָרֵךְ שְׁנָתֵנוּ כַּשָּׁנִים הַטּוֹבוֹת. בָּרוּךְ אַתָּה יהוה, מְבָרֵךְ הַשָּׁנִים.

תְּקַע בְּשׁוֹפָר גָּדוֹל לְחֵרוּתֵנוּ, וְשָׂא נֵס לְקַבֵּץ גָּלֻיּוֹתֵינוּ, וְקַבְּצֵנוּ יַחַד מֵאַרְבַּע כַּנְפוֹת הָאָרֶץ. בָּרוּךְ אַתָּה יהוה, מְקַבֵּץ נִדְחֵי עַמּוֹ יִשְׂרָאֵל.

רופא חולי עמו ישראל We ask God to make us well when we are sick.

מברך השנים We ask God for good things on Earth.

מקבץ נדחי עמו ישראל We ask God to gather all Jews together in the future to live in Eretz Yisrael.

הָשִׁיבָה שׁוֹפְטֵינוּ כְּבָרִאשׁוֹנָה וְיוֹעֲצֵינוּ כְּבַתְּחִלָּה, וְהָסֵר מִמֶּנּוּ יָגוֹן וַאֲנָחָה, וּמְלוֹךְ עָלֵינוּ אַתָּה, יהוה, לְבַדְּךָ בְּחֶסֶד וּבְרַחֲמִים, וְצַדְּקֵנוּ בַּמִּשְׁפָּט. בָּרוּךְ אַתָּה יהוה, (בעשי״ת הַמֶּלֶךְ הַמִּשְׁפָּט.) מֶלֶךְ אוֹהֵב צְדָקָה וּמִשְׁפָּט.

וְלַמַּלְשִׁינִים אַל תְּהִי תִקְוָה, וְכָל הָרִשְׁעָה כְּרֶגַע תֹּאבֵד, וְכָל אוֹיְבֶיךָ מְהֵרָה יִכָּרֵתוּ, וְהַזֵּדִים מְהֵרָה תְעַקֵּר וּתְשַׁבֵּר וּתְמַגֵּר וְתַכְנִיעַ בִּמְהֵרָה בְיָמֵינוּ. בָּרוּךְ אַתָּה יהוה, שֹׁבֵר אֹיְבִים וּמַכְנִיעַ זֵדִים.

עַל הַצַּדִּיקִים וְעַל הַחֲסִידִים וְעַל זִקְנֵי עַמְּךָ בֵּית יִשְׂרָאֵל, וְעַל פְּלֵיטַת סוֹפְרֵיהֶם, וְעַל גֵּרֵי הַצֶּדֶק וְעָלֵינוּ, יֶהֱמוּ נָא רַחֲמֶיךָ, יהוה אֱלֹהֵינוּ, וְתֵן שָׂכָר טוֹב לְכָל הַבּוֹטְחִים בְּשִׁמְךָ בֶּאֱמֶת, וְשִׂים חֶלְקֵנוּ עִמָּהֶם לְעוֹלָם, וְלֹא נֵבוֹשׁ כִּי בְךָ בָּטָחְנוּ. בָּרוּךְ אַתָּה יהוה, מִשְׁעָן וּמִבְטָח לַצַּדִּיקִים.

וְלִירוּשָׁלַיִם עִירְךָ בְּרַחֲמִים תָּשׁוּב, וְתִשְׁכּוֹן בְּתוֹכָהּ כַּאֲשֶׁר דִּבַּרְתָּ, וּבְנֵה אוֹתָהּ בְּקָרוֹב בְּיָמֵינוּ בִּנְיַן עוֹלָם, וְכִסֵּא דָוִד מְהֵרָה לְתוֹכָהּ תָּכִין. בָּרוּךְ אַתָּה יהוה, בּוֹנֵה יְרוּשָׁלָיִם.

אֶת צֶמַח דָּוִד עַבְדְּךָ מְהֵרָה תַצְמִיחַ, וְקַרְנוֹ תָּרוּם בִּישׁוּעָתֶךָ, כִּי לִישׁוּעָתְךָ קִוִּינוּ כָּל הַיּוֹם. בָּרוּךְ אַתָּה יהוה, מַצְמִיחַ קֶרֶן יְשׁוּעָה.

מלך אוהב צדקה ומשפט We ask God for justice

שובר אויבים ומכניע זדים We ask God to guard us from people who speak against Judaism.

משען ומבטח לצדיקים We ask God to reward righteous people.

בונה ירושלים We ask God to help build Jerusalem and Israel.

מצמיח קרן ישועה We ask God to bring about the Messianic age.

שְׁמַע קוֹלֵנוּ, יהוה אֱלֹהֵינוּ, חוּס וְרַחֵם עָלֵינוּ, וְקַבֵּל בְּרַחֲמִים וּבְרָצוֹן אֶת תְּפִלָּתֵנוּ, כִּי אֵל שׁוֹמֵעַ תְּפִלּוֹת וְתַחֲנוּנִים אָתָּה, וּמִלְּפָנֶיךָ, מַלְכֵּנוּ, רֵיקָם אַל תְּשִׁיבֵנוּ.

While the prayers in the סדור *are set, it is acceptable and encouraged to add personal prayers here and then continue* כי אתה שומע*.*

כִּי אַתָּה שׁוֹמֵעַ תְּפִלַּת עַמְּךָ יִשְׂרָאֵל בְּרַחֲמִים. בָּרוּךְ אַתָּה יהוה, שׁוֹמֵעַ תְּפִלָּה.

רְצֵה, יהוה אֱלֹהֵינוּ, בְּעַמְּךָ יִשְׂרָאֵל וּבִתְפִלָּתָם, וְהָשֵׁב אֶת הָעֲבוֹדָה לִדְבִיר בֵּיתֶךָ, וּתְפִלָּתָם בְּאַהֲבָה תְקַבֵּל בְּרָצוֹן, וּתְהִי לְרָצוֹן תָּמִיד עֲבוֹדַת יִשְׂרָאֵל עַמֶּךָ.

On ראש חדש *and* חול המועד *add* יעלה ויבא

אֱלֹהֵינוּ וֵאלֹהֵי אֲבוֹתֵינוּ, יַעֲלֶה וְיָבֹא, וְיַגִּיעַ, וְיֵרָאֶה, וְיֵרָצֶה, וְיִשָּׁמַע, וְיִפָּקֵד, וְיִזָּכֵר זִכְרוֹנֵנוּ וּפִקְדוֹנֵנוּ, וְזִכְרוֹן אֲבוֹתֵינוּ, וְזִכְרוֹן מָשִׁיחַ בֶּן דָּוִד עַבְדֶּךָ, וְזִכְרוֹן יְרוּשָׁלַיִם עִיר קָדְשֶׁךָ, וְזִכְרוֹן כָּל עַמְּךָ בֵּית יִשְׂרָאֵל לְפָנֶיךָ, לִפְלֵיטָה, לְטוֹבָה, לְחֵן וּלְחֶסֶד וּלְרַחֲמִים, לְחַיִּים וּלְשָׁלוֹם, בְּיוֹם

On ראש חדש *and* חול המועד *add the following*

רֹאשׁ חֹדֶשׁ:	רֹאשׁ הַחֹדֶשׁ הַזֶּה	*On Rosh Chodesh*
פֶּסַח:	חַג הַמַּצּוֹת הַזֶּה	*On Pesach*
סֻכּוֹת:	חַג הַסֻּכּוֹת הַזֶּה	*On Sukkot*

שומע תפלה We ask God to hear our prayers.
יעלה ויבוא is recited on ראש חודש and חול המועד of Pesach and Sukkot. It is inserted after רצה יהוה אלהינו and before מודים אנחנו. We ask God to be good to us and to have compassion on us on these special days.

זָכְרֵנוּ, יהוה אֱלֹהֵינוּ, בּוֹ לְטוֹבָה, וּפָקְדֵנוּ בוֹ לִבְרָכָה, וְהוֹשִׁיעֵנוּ בוֹ לְחַיִּים, וּבִדְבַר יְשׁוּעָה וְרַחֲמִים, חוּס וְחָנֵּנוּ, וְרַחֵם עָלֵינוּ וְהוֹשִׁיעֵנוּ, כִּי אֵלֶיךָ עֵינֵינוּ, כִּי אֵל מֶלֶךְ חַנּוּן וְרַחוּם אָתָּה.

וְתֶחֱזֶינָה עֵינֵינוּ בְּשׁוּבְךָ לְצִיּוֹן בְּרַחֲמִים. בָּרוּךְ אַתָּה יהוה, הַמַּחֲזִיר שְׁכִינָתוֹ לְצִיּוֹן.

(ש״ץ) מוֹדִים אֲנַחְנוּ לָךְ, שָׁאַתָּה הוּא יהוה אֱלֹהֵינוּ וֵאלֹהֵי אֲבוֹתֵינוּ לְעוֹלָם וָעֶד, צוּר חַיֵּינוּ, מָגֵן יִשְׁעֵנוּ, אַתָּה הוּא לְדוֹר וָדוֹר. נוֹדֶה לְּךָ וּנְסַפֵּר תְּהִלָּתֶךָ, עַל חַיֵּינוּ הַמְּסוּרִים בְּיָדֶךָ, וְעַל נִשְׁמוֹתֵינוּ הַפְּקוּדוֹת לָךְ, וְעַל נִסֶּיךָ שֶׁבְּכָל יוֹם עִמָּנוּ, וְעַל נִפְלְאוֹתֶיךָ וְטוֹבוֹתֶיךָ שֶׁבְּכָל עֵת, עֶרֶב וָבֹקֶר וְצָהֳרָיִם, הַטּוֹב כִּי לֹא כָלוּ רַחֲמֶיךָ, וְהַמְרַחֵם כִּי לֹא תַמּוּ חֲסָדֶיךָ מֵעוֹלָם קִוִּינוּ לָךְ.

In the repetition of this עמידה *by the* ש״ץ, *the* קהל *says the following* מודים. *It is not said during the silent* עמידה.

(קהל) מוֹדִים אֲנַחְנוּ לָךְ, שָׁאַתָּה הוּא יהוה אֱלֹהֵינוּ וֵאלֹהֵי אֲבוֹתֵינוּ אֱלֹהֵי כָל בָּשָׂר, יוֹצְרֵנוּ, יוֹצֵר בְּרֵאשִׁית. בְּרָכוֹת וְהוֹדָאוֹת לְשִׁמְךָ הַגָּדוֹל וְהַקָּדוֹשׁ, עַל שֶׁהֶחֱיִיתָנוּ וְקִיַּמְתָּנוּ. כֵּן תְּחַיֵּנוּ וּתְקַיְּמֵנוּ, וְתֶאֱסוֹף גָּלֻיּוֹתֵינוּ לְחַצְרוֹת קָדְשֶׁךָ, לִשְׁמוֹר חֻקֶּיךָ וְלַעֲשׂוֹת רְצוֹנֶךָ, וּלְעָבְדְּךָ בְּלֵבָב שָׁלֵם, עַל שֶׁאֲנַחְנוּ מוֹדִים לָךְ. בָּרוּךְ אֵל הַהוֹדָאוֹת.

When saying מודים, bend at the waist.

המחזיר שכינתו לציון We thank God for returning the Divine Presence to Israel.

When the ש״ץ repeats the עמידה, each person recites the מודים, standing slightly in place, bowing and sitting down. Giving thanks to God is a personal task and not something that a ש״ץ can do for you.

לחנוכה, פורים, ויום העצמאות *On Chanukah, Purim and Yom Ha'atzmaut*

עַל הַנִּסִּים, וְעַל הַפֻּרְקָן, וְעַל הַגְּבוּרוֹת, וְעַל הַתְּשׁוּעוֹת, וְעַל הַמִּלְחָמוֹת, שֶׁעָשִׂיתָ לַאֲבוֹתֵינוּ בַּיָּמִים הָהֵם בַּזְּמַן הַזֶּה.

לחנוכה *On Chanukah*

בִּימֵי מַתִּתְיָהוּ בֶּן יוֹחָנָן כֹּהֵן גָּדוֹל, חַשְׁמוֹנַאי וּבָנָיו, כְּשֶׁעָמְדָה מַלְכוּת יָוָן הָרְשָׁעָה עַל עַמְּךָ יִשְׂרָאֵל לְהַשְׁכִּיחָם תּוֹרָתֶךָ, וּלְהַעֲבִירָם מֵחֻקֵּי רְצוֹנֶךָ, וְאַתָּה בְּרַחֲמֶיךָ הָרַבִּים עָמַדְתָּ לָהֶם בְּעֵת צָרָתָם, רַבְתָּ אֶת רִיבָם, דַּנְתָּ אֶת דִּינָם, נָקַמְתָּ אֶת נִקְמָתָם, מָסַרְתָּ גִבּוֹרִים בְּיַד חַלָּשִׁים, וְרַבִּים בְּיַד מְעַטִּים, וּטְמֵאִים בְּיַד טְהוֹרִים, וּרְשָׁעִים בְּיַד צַדִּיקִים, וְזֵדִים בְּיַד עוֹסְקֵי תוֹרָתֶךָ. וּלְךָ עָשִׂיתָ שֵׁם גָּדוֹל וְקָדוֹשׁ בְּעוֹלָמֶךָ, וּלְעַמְּךָ יִשְׂרָאֵל עָשִׂיתָ תְּשׁוּעָה גְדוֹלָה וּפֻרְקָן כְּהַיּוֹם הַזֶּה. וְאַחַר כֵּן בָּאוּ בָנֶיךָ לִדְבִיר בֵּיתֶךָ, וּפִנּוּ אֶת הֵיכָלֶךָ, וְטִהֲרוּ אֶת מִקְדָּשֶׁךָ, וְהִדְלִיקוּ נֵרוֹת בְּחַצְרוֹת קָדְשֶׁךָ, וְקָבְעוּ שְׁמוֹנַת יְמֵי חֲנֻכָּה אֵלּוּ, לְהוֹדוֹת וּלְהַלֵּל לְשִׁמְךָ הַגָּדוֹל.

לפורים *On Purim*

בִּימֵי מָרְדְּכַי וְאֶסְתֵּר בְּשׁוּשַׁן הַבִּירָה, כְּשֶׁעָמַד עֲלֵיהֶם הָמָן הָרָשָׁע, בִּקֵּשׁ לְהַשְׁמִיד, לַהֲרֹג וּלְאַבֵּד אֶת כָּל הַיְּהוּדִים, מִנַּעַר וְעַד זָקֵן, טַף וְנָשִׁים, בְּיוֹם אֶחָד בִּשְׁלוֹשָׁה עָשָׂר לְחֹדֶשׁ שְׁנֵים עָשָׂר, הוּא חֹדֶשׁ אֲדָר, וּשְׁלָלָם לָבוֹז. וְאַתָּה בְּרַחֲמֶיךָ הָרַבִּים הֵפַרְתָּ אֶת עֲצָתוֹ, וְקִלְקַלְתָּ אֶת מַחֲשַׁבְתּוֹ, וַהֲשֵׁבוֹתָ לּוֹ גְּמוּלוֹ בְּרֹאשׁוֹ, וְתָלוּ אוֹתוֹ וְאֶת בָּנָיו עַל הָעֵץ.

על הנסים This is inserted in the blessing of הודאה in the Amidah during חנוכה, יום העצמאות, and פורים. It begins with a statement thanking God for miracles that were performed for our ancestors during times of trouble. Following this statement is a description of the historical event which occurred emphasizing God's role.

ליום העצמאות *On Yom Ha'atzmaut*

בְּשָׁעָה שֶׁעַמְּךָ יִשְׂרָאֵל הָיָה מְפֻזָּר בֵּין הָעַמִּים קָמוּ חֲלוּצִים לִבְנוֹת אֶת אֶרֶץ יִשְׂרָאֵל לְקַבֵּץ גָּלֻיּוֹתֵינוּ, לִגְאֹל אֶת עַמֵּנוּ וּלְהַצִּיב גְּבוּל אַלְמָנָה וּלְהַגְשִׁים חֲזוֹן הַנְּבִיאִים: "וִישַׁבְתֶּם בָּאָרֶץ אֲשֶׁר נָתַתִּי לַאֲבֹתֵיכֶם וִהְיִיתֶם לִי לְעָם וְאָנֹכִי אֶהְיֶה לָכֶם לֵאלֹהִים". יְחֶזְקֵאל לו:28

בִּימֵי חֻרְבָּן וְשׁוֹאָה וּפְלֵיטָה גְּדוֹלָה צְעָקָה לִגְאֻלָּה, נִסְגְּרוּ שַׁעֲרֵי אֶרֶץ אָבוֹת בִּפְנֵי פְלִיטִים. אָז אוֹיְבִים בָּאָרֶץ קָמוּ לְהַכְרִית עַמְּךָ יִשְׂרָאֵל; אַתָּה בְּרַחֲמֶיךָ הָרַבִּים עָמַדְתָּ לָהֶם בְּעֵת צָרָתָם; רַבְתָּ אֶת רִיבָם, דַּנְתָּ אֶת דִּינָם, חִזַּקְתָּ אֶת לִבָּם לַעֲמוֹד בַּשַּׁעַר וְלִפְתֹּחַ שְׁעָרִים לַנִּרְדָּפִים וּלְגָרֵשׁ אֶת צִבְאוֹת הָאוֹיֵב מִן הָאָרֶץ. מָסַרְתָּ רַבִּים בְּיַד מְעַטִּים וּרְשָׁעִים בְּיַד צַדִּיקִים, וּלְךָ עָשִׂיתָ שֵׁם גָּדוֹל וְקָדוֹשׁ בְּעוֹלָמֶךָ וּלְעַמְּךָ יִשְׂרָאֵל עָשִׂיתָ תְּשׁוּעָה גְדוֹלָה וּפֻרְקָן כְּהַיּוֹם הַזֶּה. וְאַחַר כֵּן נִקְבְּצוּ בָנֶיךָ לִבְנוֹת וּלְהִבָּנוֹת בְּאַרְצֵנוּ וְקָרְאוּ עַצְמָאוּת בָּאָרֶץ. אָז קָבְעוּ בָנֶיךָ אֶת יוֹם הָעַצְמָאוּת הַזֶּה לִשְׂמוֹחַ בּוֹ וּלְהוֹדוֹת לְשִׁמְךָ עַל נִסֶּיךָ וְעַל נִפְלְאוֹתֶיךָ.

וְעַל כֻּלָּם יִתְבָּרַךְ וְיִתְרוֹמַם שִׁמְךָ, מַלְכֵּנוּ, תָּמִיד לְעוֹלָם וָעֶד.

During the עשרת ימי תשובה *say*

וּכְתוֹב לְחַיִּים טוֹבִים כָּל בְּנֵי בְרִיתֶךָ.

וְכֹל הַחַיִּים יוֹדוּךָ סֶּלָה, וִיהַלְלוּ אֶת שִׁמְךָ בֶּאֱמֶת, הָאֵל יְשׁוּעָתֵנוּ וְעֶזְרָתֵנוּ סֶלָה. בָּרוּךְ אַתָּה יהוה, הַטּוֹב שִׁמְךָ וּלְךָ נָאֶה לְהוֹדוֹת.

הטוב שמך ולך נאה להודות We thank You, God, for Your good name and how wonderful it is to give thanks.

ברכת כהנים

When the ש״ץ *repeats the* שמונה עשרה*, the* ברכת כהנים*, the blessing the Priests recited in the Temple, is added.*

(ש״ץ) אֱלֹהֵינוּ וֵאלֹהֵי אֲבוֹתֵינוּ, בָּרְכֵנוּ בַבְּרָכָה הַמְשֻׁלֶּשֶׁת בַּתּוֹרָה הַכְּתוּבָה עַל יְדֵי מֹשֶׁה עַבְדֶּךָ, הָאֲמוּרָה מִפִּי אַהֲרֹן וּבָנָיו כֹּהֲנִים עַם קְדוֹשֶׁךָ, כָּאָמוּר.

ש״ץ:	קהל:	
יְבָרֶכְךָ יהוה וְיִשְׁמְרֶךָ.	כֵּן יְהִי רָצוֹן	
יָאֵר יהוה פָּנָיו אֵלֶיךָ וִיחֻנֶּךָּ.	כֵּן יְהִי רָצוֹן	
יִשָּׂא יהוה פָּנָיו אֵלֶיךָ וְיָשֵׂם לְךָ שָׁלוֹם.	כֵּן יְהִי רָצוֹן	בְּמִדְבָּר ו:24-26

שִׂים שָׁלוֹם טוֹבָה וּבְרָכָה, חֵן וָחֶסֶד וְרַחֲמִים, עָלֵינוּ וְעַל כָּל יִשְׂרָאֵל עַמֶּךָ. בָּרְכֵנוּ, אָבִינוּ, כֻּלָּנוּ כְּאֶחָד בְּאוֹר פָּנֶיךָ, כִּי בְאוֹר פָּנֶיךָ נָתַתָּ לָנוּ, יהוה אֱלֹהֵינוּ, תּוֹרַת חַיִּים וְאַהֲבַת חֶסֶד, וּצְדָקָה וּבְרָכָה וְרַחֲמִים וְחַיִּים וְשָׁלוֹם, וְטוֹב בְּעֵינֶיךָ לְבָרֵךְ אֶת עַמְּךָ יִשְׂרָאֵל בְּכָל עֵת וּבְכָל שָׁעָה בִּשְׁלוֹמֶךָ.

During the עשרת ימי תשובה *say*

בְּסֵפֶר חַיִּים, בְּרָכָה, וְשָׁלוֹם, וּפַרְנָסָה טוֹבָה, נִזָּכֵר וְנִכָּתֵב לְפָנֶיךָ אֲנַחְנוּ וְכָל עַמְּךָ בֵּית יִשְׂרָאֵל, לְחַיִּים טוֹבִים וּלְשָׁלוֹם.

בָּרוּךְ אַתָּה יהוה, עֹשֵׂה הַשָּׁלוֹם.

בָּרוּךְ אַתָּה יהוה, הַמְבָרֵךְ אֶת עַמּוֹ יִשְׂרָאֵל בַּשָּׁלוֹם.

During the repetition of the עמידה*, the* ש״ץ *ends here.*

אֱלֹהַי, נְצוֹר לְשׁוֹנִי מֵרָע, וּשְׂפָתַי מִדַּבֵּר מִרְמָה, וְלִמְקַלְלַי נַפְשִׁי תִדּוֹם, וְנַפְשִׁי כֶּעָפָר לַכֹּל תִּהְיֶה. פְּתַח

הטוב שמך ולך נאה להודות We thank You God for Your good name and how wonderful it is to give thanks.

המברך את עמו ישראל בשלום We thank God for blessing us with peace.

לִבִּי בְּתוֹרָתֶךָ, וּבְמִצְוֹתֶיךָ תִּרְדּוֹף נַפְשִׁי. וְכָל הַחוֹשְׁבִים עָלַי רָעָה, מְהֵרָה הָפֵר עֲצָתָם וְקַלְקֵל מַחֲשַׁבְתָּם. עֲשֵׂה לְמַעַן שְׁמֶךָ, עֲשֵׂה לְמַעַן יְמִינֶךָ, עֲשֵׂה לְמַעַן קְדֻשָּׁתֶךָ, עֲשֵׂה לְמַעַן תּוֹרָתֶךָ. לְמַעַן יֵחָלְצוּן יְדִידֶיךָ, הוֹשִׁיעָה יְמִינְךָ וַעֲנֵנִי. תְּהִלִּים ס:7 יִהְיוּ לְרָצוֹן אִמְרֵי פִי וְהֶגְיוֹן לִבִּי לְפָנֶיךָ, יהוה צוּרִי וְגוֹאֲלִי. שָׁם יט:15 עֹשֶׂה שָׁלוֹם בִּמְרוֹמָיו, הוּא יַעֲשֶׂה שָׁלוֹם עָלֵינוּ, וְעַל כָּל יִשְׂרָאֵל וְאִמְרוּ: אָמֵן.

On Monday and Thursday say והוא רחום *(p. 47, line 6); on other days say* ויאמר דוד *(p. 49, line 1)*

On Chol Ha-Moed, Rosh Chodesh and Chanukah say הלל *(p. 278)*

On Fast days and during the Ten Days of Penitence (from ראש השנה *till* יום כפור*),* אבינו מלכנו *is said in the Morning and Afternoon Services after* שמונה עשרה*. But it is not said on the Sabbath, on the day before* יום כפור*, and in the Friday Afternoon Service.*

אבינו מלכנו

אָבִינוּ מַלְכֵּנוּ חָטָאנוּ לְפָנֶיךָ.
אָבִינוּ מַלְכֵּנוּ אֵין לָנוּ מֶלֶךְ אֶלָּא אָתָּה.
אָבִינוּ מַלְכֵּנוּ עֲשֵׂה עִמָּנוּ לְמַעַן שְׁמֶךָ.
אָבִינוּ מַלְכֵּנוּ (בעשי״ת: חַדֵּשׁ) בָּרֵךְ עָלֵינוּ שָׁנָה טוֹבָה.
אָבִינוּ מַלְכֵּנוּ בַּטֵּל מֵעָלֵינוּ כָּל גְּזֵרוֹת קָשׁוֹת.
אָבִינוּ מַלְכֵּנוּ בַּטֵּל מַחְשְׁבוֹת שׂוֹנְאֵינוּ.

אבינו מלכנו is recited on Fast days and during the עשרת ימי תשובה. We ask for individual and communal needs. In the Talmud (תענית 25b) we read the story of Rabbi Akiva who ended a drought by saying five verses that all began with the words אבינו מלכנו. Since the days of Rabbi Akiva many additional verses asking for important needs were added. Because אבינו מלכנו lists requests of God, it is not appropriate to be said on שבת. It begins with a confession of sins and ends with a petition for God's acceptance of the congregation's prayers.

אָבִינוּ מַלְכֵּנוּ הָפֵר עֲצַת אוֹיְבֵינוּ.

אָבִינוּ מַלְכֵּנוּ כַּלֵּה כָּל צַר וּמַשְׂטִין מֵעָלֵינוּ.

אָבִינוּ מַלְכֵּנוּ סְתוֹם פִּיּוֹת מַשְׂטִינֵנוּ וּמְקַטְרִיגֵנוּ.

אָבִינוּ מַלְכֵּנוּ כַּלֵּה דֶּבֶר וְחֶרֶב וְרָעָב וּשְׁבִי וּמַשְׁחִית וְעָוֹן וּשְׁמַד מִבְּנֵי בְרִיתֶךָ.

אָבִינוּ מַלְכֵּנוּ מְנַע מַגֵּפָה מִנַּחֲלָתֶךָ.

אָבִינוּ מַלְכֵּנוּ סְלַח וּמְחַל לְכָל עֲוֹנוֹתֵינוּ.

אָבִינוּ מַלְכֵּנוּ מְחֵה וְהַעֲבֵר פְּשָׁעֵינוּ וְחַטֹּאתֵינוּ מִנֶּגֶד עֵינֶיךָ.

אָבִינוּ מַלְכֵּנוּ מְחוֹק בְּרַחֲמֶיךָ הָרַבִּים כָּל שִׁטְרֵי חוֹבוֹתֵינוּ.

אָבִינוּ מַלְכֵּנוּ הַחֲזִירֵנוּ בִּתְשׁוּבָה שְׁלֵמָה לְפָנֶיךָ.

אָבִינוּ מַלְכֵּנוּ שְׁלַח רְפוּאָה שְׁלֵמָה לְחוֹלֵי עַמֶּךָ.

אָבִינוּ מַלְכֵּנוּ קְרַע רוֹעַ גְּזַר דִּינֵנוּ.

אָבִינוּ מַלְכֵּנוּ זָכְרֵנוּ בְּזִכָּרוֹן טוֹב לְפָנֶיךָ.

לתענית צבור *On Fast Days*

אָבִינוּ מַלְכֵּנוּ זָכְרֵנוּ לְחַיִּים טוֹבִים.

אָבִינוּ מַלְכֵּנוּ זָכְרֵנוּ לִגְאֻלָּה וִישׁוּעָה.

אָבִינוּ מַלְכֵּנוּ זָכְרֵנוּ לְפַרְנָסָה וְכַלְכָּלָה.

אָבִינוּ מַלְכֵּנוּ זָכְרֵנוּ לִזְכֻיּוֹת.

אָבִינוּ מַלְכֵּנוּ זָכְרֵנוּ לִסְלִיחָה וּמְחִילָה.

On Fast days and during the Ten Days of Penitence (From ראש השנה until יום כפור), אבינו מלכנו is said in the Morning and Afternoon Services after שמונה עשרה. It is not said on the Sabbath, on the day before יום כפור, and in the Friday Afternoon Service.

לעשרת ימי תשובה

אָבִינוּ מַלְכֵּנוּ כָּתְבֵנוּ בְּסֵפֶר חַיִּים טוֹבִים.
אָבִינוּ מַלְכֵּנוּ כָּתְבֵנוּ בְּסֵפֶר גְּאֻלָּה וִישׁוּעָה.
אָבִינוּ מַלְכֵּנוּ כָּתְבֵנוּ בְּסֵפֶר פַּרְנָסָה וְכַלְכָּלָה.
אָבִינוּ מַלְכֵּנוּ כָּתְבֵנוּ בְּסֵפֶר זְכֻיּוֹת.
אָבִינוּ מַלְכֵּנוּ כָּתְבֵנוּ בְּסֵפֶר סְלִיחָה וּמְחִילָה.
אָבִינוּ מַלְכֵּנוּ הַצְמַח לָנוּ יְשׁוּעָה בְּקָרוֹב.
אָבִינוּ מַלְכֵּנוּ הָרֵם קֶרֶן יִשְׂרָאֵל עַמֶּךָ.
אָבִינוּ מַלְכֵּנוּ הָרֵם קֶרֶן מְשִׁיחֶךָ.
אָבִינוּ מַלְכֵּנוּ מַלֵּא יָדֵינוּ מִבִּרְכוֹתֶיךָ.
אָבִינוּ מַלְכֵּנוּ מַלֵּא אֲסָמֵינוּ שָׂבָע.
אָבִינוּ מַלְכֵּנוּ שְׁמַע קוֹלֵנוּ חוּס וְרַחֵם עָלֵינוּ.
אָבִינוּ מַלְכֵּנוּ קַבֵּל בְּרַחֲמִים וּבְרָצוֹן אֶת תְּפִלָּתֵנוּ.
אָבִינוּ מַלְכֵּנוּ פְּתַח שַׁעֲרֵי שָׁמַיִם לִתְפִלָּתֵנוּ.
אָבִינוּ מַלְכֵּנוּ זָכוֹר כִּי עָפָר אֲנָחְנוּ.
אָבִינוּ מַלְכֵּנוּ נָא אַל תְּשִׁיבֵנוּ רֵיקָם מִלְּפָנֶיךָ.
אָבִינוּ מַלְכֵּנוּ תְּהֵא הַשָּׁעָה הַזֹּאת שְׁעַת רַחֲמִים וְעֵת רָצוֹן מִלְּפָנֶיךָ.
אָבִינוּ מַלְכֵּנוּ חֲמוֹל עָלֵינוּ וְעַל עוֹלָלֵינוּ וְטַפֵּנוּ.
אָבִינוּ מַלְכֵּנוּ עֲשֵׂה לְמַעַן הֲרוּגִים עַל שֵׁם קָדְשֶׁךָ.
אָבִינוּ מַלְכֵּנוּ עֲשֵׂה לְמַעַן טְבוּחִים עַל יִחוּדֶךָ.
אָבִינוּ מַלְכֵּנוּ עֲשֵׂה לְמַעַן בָּאֵי בָאֵשׁ וּבַמַּיִם עַל קִדּוּשׁ שְׁמֶךָ.
אָבִינוּ מַלְכֵּנוּ נְקוֹם נִקְמַת דַּם עֲבָדֶיךָ הַשָּׁפוּךְ.
אָבִינוּ מַלְכֵּנוּ עֲשֵׂה לְמַעַנְךָ אִם לֹא לְמַעֲנֵנוּ.
אָבִינוּ מַלְכֵּנוּ עֲשֵׂה לְמַעַנְךָ וְהוֹשִׁיעֵנוּ.

אָבִינוּ מַלְכֵּנוּ עֲשֵׂה לְמַעַן רַחֲמֶיךָ הָרַבִּים.

אָבִינוּ מַלְכֵּנוּ עֲשֵׂה לְמַעַן שִׁמְךָ הַגָּדוֹל, הַגִּבּוֹר וְהַנּוֹרָא שֶׁנִּקְרָא עָלֵינוּ.

♫ אָבִינוּ מַלְכֵּנוּ חָנֵּנוּ וַעֲנֵנוּ, כִּי אֵין בָּנוּ מַעֲשִׂים, עֲשֵׂה עִמָּנוּ צְדָקָה וָחֶסֶד וְהוֹשִׁיעֵנוּ.

וְהוּא רַחוּם יְכַפֵּר עָוֹן וְלֹא יַשְׁחִית, וְהִרְבָּה לְהָשִׁיב אַפּוֹ, וְלֹא יָעִיר כָּל חֲמָתוֹ. אַתָּה, יהוה, לֹא תִכְלָא רַחֲמֶיךָ מִמֶּנּוּ, חַסְדְּךָ וַאֲמִתְּךָ תָּמִיד יִצְּרוּנוּ. הוֹשִׁיעֵנוּ, יהוה אֱלֹהֵינוּ, וְקַבְּצֵנוּ מִן הַגּוֹיִם, לְהוֹדוֹת לְשֵׁם קָדְשֶׁךָ, לְהִשְׁתַּבֵּחַ בִּתְהִלָּתֶךָ. אִם עֲוֹנוֹת תִּשְׁמָר יָהּ, אֲדֹנָי מִי יַעֲמֹד? כִּי עִמְּךָ הַסְּלִיחָה, לְמַעַן תִּוָּרֵא. לֹא כַחֲטָאֵינוּ תַּעֲשֶׂה לָּנוּ, וְלֹא כַעֲוֹנוֹתֵינוּ תִּגְמֹל עָלֵינוּ. אִם עֲוֹנֵינוּ עָנוּ בָנוּ, יהוה, עֲשֵׂה לְמַעַן שְׁמֶךָ. זְכֹר רַחֲמֶיךָ, יהוה, וַחֲסָדֶיךָ, כִּי מֵעוֹלָם הֵמָּה. יַעֲנֵנוּ יהוה בְּיוֹם צָרָה, יְשַׂגְּבֵנוּ שֵׁם אֱלֹהֵי יַעֲקֹב. יהוה, הוֹשִׁיעָה הַמֶּלֶךְ, יַעֲנֵנוּ בְיוֹם קָרְאֵנוּ. אָבִינוּ מַלְכֵּנוּ חָנֵּנוּ וַעֲנֵנוּ, כִּי אֵין בָּנוּ מַעֲשִׂים צְדָקָה עֲשֵׂה עִמָּנוּ לְמַעַן שְׁמֶךָ. אֲדוֹנֵינוּ אֱלֹהֵינוּ שְׁמַע קוֹל תַּחֲנוּנֵינוּ, וּזְכָר לָנוּ אֶת בְּרִית אֲבוֹתֵינוּ, וְהוֹשִׁיעֵנוּ לְמַעַן שְׁמֶךָ.

אֵל רַחוּם וְחַנּוּן, רַחֵם עָלֵינוּ וְעַל כָּל מַעֲשֶׂיךָ, כִּי אֵין כָּמוֹךָ יְיָ אֱלֹהֵינוּ, אָנָּא שָׂא נָא פְשָׁעֵינוּ, אָבִינוּ מַלְכֵּנוּ צוּרֵנוּ וְגוֹאֲלֵנוּ, אֵל חַי וְקַיָּם, הַחֲסִין בַּכֹּחַ חָסִיד וָטוֹב עַל כָּל מַעֲשֶׂיךָ: כִּי אַתָּה הוּא יְיָ אֱלֹהֵינוּ, אֵל אֶרֶךְ אַפַּיִם, וּמָלֵא רַחֲמִים, עֲשֵׂה עִמָּנוּ כְּרֹב רַחֲמֶיךָ, וְהוֹשִׁיעֵנוּ לְמַעַן שְׁמֶךָ: שְׁמַע מַלְכֵּנוּ תְּפִלָּתֵנוּ, וּמִיַּד

אוֹיְבֵינוּ הַצִּילֵנוּ. שְׁמַע מַלְכֵּנוּ תְּפִלָּתֵנוּ וּמִכָּל צָרָה וְיָגוֹן הַצִּילֵנוּ. אָבִינוּ מַלְכֵּנוּ אָתָּה, וְשִׁמְךָ עָלֵינוּ נִקְרָא, אַל תַּנִּחֵנוּ, אַל תַּעַזְבֵנוּ אָבִינוּ, וְאַל תִּטְּשֵׁנוּ בּוֹרְאֵנוּ, וְאַל תִּשְׁכָּחֵנוּ יוֹצְרֵנוּ, כִּי אֵל מֶלֶךְ חַנּוּן וְרַחוּם אָתָּה:

יְהִי רָצוֹן מִלְּפָנֶיךָ יהוה אֱלֹהֵינוּ, שֶׁתִּנְהַג עִמָּנוּ בְּמִדַּת הָרַחֲמִים כָּל־יְמֵי חַיֵּינוּ, וְתָנִיחַ לָנוּ מִמְּגוּרָתֵינוּ וּתְכוֹנֵן מַעֲשֵׂי יָדֵינוּ, וּתְרַפֵּא אֶת־מַכּוֹתֵינוּ וְתַצִּילֵנוּ מִכַּף אוֹיְבֵינוּ, וְלֹא יִשָּׁמְעוּ צְעָקָה וּבְכִי בְּבָתֵּינוּ וְלֹא שׁוֹד וָשֶׁבֶר בִּגְבוּלֵנוּ, וְנִהְיֶה רְצוּיֶךָ וְיִרְאֵי שְׁמֶךָ, כִּי תְלַמְּדֵנוּ תּוֹרָתֶךָ וְתַשְׂכִּילֵנוּ שֵׂכֶל טוֹב מִלְּפָנֶיךָ. וּתְיַחֵד לְבָבֵנוּ לְיִרְאָה אֶת־שְׁמֶךָ לְמַעַן נַשְׂכִּיל בְּכָל־אֲשֶׁר נֵלֵךְ וּבְכָל־ וּבְכָל־אֲשֶׁר נִפְנֶה שָׁם עַד הַיּוֹם אֲשֶׁר תַּאַסְפֵנוּ אֵלֶיךָ, וְתוֹצִיאֵנוּ מִשָּׁלוֹם אֶל שָׁלוֹם, וְנִמְצָא מְנוּחָה בְּאֹרַח הַחַיִּים לְפָנֶיךָ וּנְעִימוֹת בִּימִינְךָ נֶצַח.

אֵין כָּמוֹךָ חַנּוּן וְרַחוּם יהוה אֱלֹהֵינוּ, אֵין כָּמוֹךָ אֵל אֶרֶךְ אַפַּיִם, וְרַב חֶסֶד וֶאֱמֶת, הוֹשִׁיעֵנוּ בְּרַחֲמֶיךָ הָרַבִּים, מֵרַעַשׁ וּמֵרֹגֶז הַצִּילֵנוּ, אָבִינוּ מַלְכֵּנוּ, אִם אֵין בָּנוּ צְדָקָה וּמַעֲשִׂים טוֹבִים, זְכָר־לָנוּ אֶת־בְּרִית אֲבוֹתֵינוּ וְעֵדוֹתֵינוּ בְּכָל־יוֹם: יהוה אֶחָד.

תחנון

וַיֹּאמֶר דָּוִד אֶל גָּד, צַר לִי מְאֹד, נִפְּלָה נָּא בְיַד יהוה, כִּי רַבִּים רַחֲמָיו וּבְיַד אָדָם אַל אֶפֹּלָה: שְׁמוּאֵל ב׳ כד:14

רַחוּם וְחַנּוּן חָטָאתִי לְפָנֶיךָ, יהוה מָלֵא רַחֲמִים, רַחֵם עָלַי וְקַבֵּל תַּחֲנוּנָי: יהוה אַל בְּאַפְּךָ תוֹכִיחֵנִי, וְאַל בַּחֲמָתְךָ תְיַסְּרֵנִי: חָנֵּנִי יהוה כִּי אֻמְלַל אָנִי, רְפָאֵנִי יהוה, כִּי נִבְהֲלוּ עֲצָמָי: וְנַפְשִׁי נִבְהֲלָה מְאֹד, וְאַתָּה יהוה עַד מָתָי: שׁוּבָה יהוה חַלְּצָה נַפְשִׁי, הוֹשִׁיעֵנִי לְמַעַן חַסְדֶּךָ: כִּי אֵין בַּמָּוֶת זִכְרֶךָ, בִּשְׁאוֹל מִי יוֹדֶה לָּךְ:

יָגַעְתִּי בְאַנְחָתִי, אַשְׂחֶה בְכָל לַיְלָה מִטָּתִי, בְּדִמְעָתִי עַרְשִׂי אַמְסֶה: עָשְׁשָׁה מִכַּעַס עֵינִי, עָתְקָה בְּכָל צוֹרְרָי: סוּרוּ מִמֶּנִּי כָּל פֹּעֲלֵי אָוֶן, כִּי שָׁמַע יהוה קוֹל בִּכְיִי: שָׁמַע יהוה תְּחִנָּתִי, יהוה תְּפִלָּתִי יִקָּח: יֵבֹשׁוּ וְיִבָּהֲלוּ מְאֹד כָּל אֹיְבָי, יָשֻׁבוּ יֵבֹשׁוּ רָגַע: תְּהִלִּים ו

שׁוֹמֵר יִשְׂרָאֵל. שְׁמוֹר שְׁאֵרִית יִשְׂרָאֵל. וְאַל יֹאבַד יִשְׂרָאֵל. הָאוֹמְרִים שְׁמַע יִשְׂרָאֵל:

שׁוֹמֵר גּוֹי אֶחָד. שְׁמוֹר שְׁאֵרִית עַם אֶחָד. וְאַל יֹאבַד גּוֹי אֶחָד. הַמְיַחֲדִים שִׁמְךָ יהוה אֱלֹהֵינוּ יהוה אֶחָד:

תחנון, meaning an intense, urgent request for God's compassion, is the name of this part of the service. תחנון contains Psalm 6 and other prayers that ask for help as we realize our dependency on God.

While sitting we rest our head (נפילת אפים) on our arm (the one without the תפילין) until the end of Psalm 6 to show what Moses, Aaron and Joshua did when they prayed to God (Numbers 16:22). We only bow our heads when a Torah scroll is present.

שׁוֹמֵר גּוֹי קָדוֹשׁ. שְׁמוֹר שְׁאֵרִית עַם קָדוֹשׁ. וְאַל יֹאבַד גּוֹי קָדוֹשׁ. הַמְשַׁלְּשִׁים בְּשָׁלֹשׁ קְדֻשּׁוֹת לְקָדוֹשׁ:

מִתְרַצֶּה בְּרַחֲמִים וּמִתְפַּיֵּס בְּתַחֲנוּנִים, הִתְרַצֵּה וְהִתְפַּיֵּס לְדוֹר עָנִי כִּי אֵין עוֹזֵר:

אָבִינוּ מַלְכֵּנוּ, חָנֵּנוּ וַעֲנֵנוּ כִּי אֵין בָּנוּ מַעֲשִׂים, עֲשֵׂה עִמָּנוּ צְדָקָה וָחֶסֶד וְהוֹשִׁיעֵנוּ:

וַאֲנַחְנוּ לֹא נֵדַע מַה נַּעֲשֶׂה, כִּי עָלֶיךָ עֵינֵינוּ: זְכֹר רַחֲמֶיךָ יהוה וַחֲסָדֶיךָ, כִּי מֵעוֹלָם הֵמָּה: יְהִי חַסְדְּךָ יהוה עָלֵינוּ, כַּאֲשֶׁר יִחַלְנוּ לָךְ: אַל תִּזְכָּר לָנוּ עֲוֹנוֹת רִאשׁוֹנִים, מַהֵר יְקַדְּמוּנוּ רַחֲמֶיךָ , כִּי דַלּוֹנוּ מְאֹד: חָנֵּנוּ יהוה חָנֵּנוּ, כִּי רַב שָׂבַעְנוּ בוּז: בְּרֹגֶז רַחֵם תִּזְכּוֹר. כִּי הוּא יָדַע יִצְרֵנוּ, זָכוּר כִּי עָפָר אֲנָחְנוּ:

עָזְרֵנוּ אֱלֹהֵי יִשְׁעֵנוּ עַל דְּבַר כְּבוֹד שְׁמֶךָ, וְהַצִּילֵנוּ וְכַפֵּר עַל חַטֹּאתֵינוּ לְמַעַן שְׁמֶךָ:

תחנון is not said on the following days: Rosh Chodesh, Chanukah, Tu B'Shevat, 14th and 15th Adar I and II, the month of Nissan, Yom Ha'atzmaut, the 14th of Iyar, Lag B'Omer, Yom Yerushalayim, from Rosh Chodesh Sivan until the 8th of Sivan, Tisha B'Av, 15th of Av, Erev Rosh Hashanah and Erev Yom Kippur until the day after Simchat Torah.

חצי קדיש

(ש״ץ) יִתְגַּדַּל וְיִתְקַדַּשׁ שְׁמֵהּ רַבָּא. בְּעָלְמָא דִּי בְרָא כִרְעוּתֵהּ, וְיַמְלִיךְ מַלְכוּתֵהּ בְּחַיֵּיכוֹן וּבְיוֹמֵיכוֹן וּבְחַיֵּי דְכָל בֵּית יִשְׂרָאֵל. בַּעֲגָלָא וּבִזְמַן קָרִיב וְאִמְרוּ אָמֵן:

(ביחד) יְהֵא שְׁמֵהּ רַבָּא מְבָרַךְ לְעָלַם וּלְעָלְמֵי עָלְמַיָּא:

(ש״ץ) יִתְבָּרַךְ וְיִשְׁתַּבַּח, וְיִתְפָּאַר וְיִתְרוֹמַם וְיִתְנַשֵּׂא וְיִתְהַדָּר וְיִתְעַלֶּה וְיִתְהַלָּל שְׁמֵהּ דְּקֻדְשָׁא (ביחד) בְּרִיךְ הוּא (ש״ץ) לְעֵלָּא (בעשי״ת לְעֵלָּא וּלְעֵלָּא מִכָּל) מִן כָּל בִּרְכָתָא וְשִׁירָתָא, תֻּשְׁבְּחָתָא וְנֶחֱמָתָא, דַּאֲמִירָן בְּעָלְמָא, וְאִמְרוּ אָמֵן:

סדר הוצאת התורה

Open the Ark and say

(ש״ץ) **וַיְהִי בִּנְסֹעַ הָאָרֹן וַיֹּאמֶר מֹשֶׁה:**

(ביחד) קוּמָה יהוה, וְיָפֻצוּ אֹיְבֶיךָ, וְיָנֻסוּ מְשַׂנְאֶיךָ מִפָּנֶיךָ:

בְּמִדְבַּר י:35

כִּי מִצִּיּוֹן תֵּצֵא תוֹרָה , וּדְבַר יהוה מִירוּשָׁלָיִם: יְשַׁעְיָה ב:3

בָּרוּךְ שֶׁנָּתַן תּוֹרָה לְעַמּוֹ יִשְׂרָאֵל בִּקְדֻשָּׁתוֹ:

The ש״ץ takes the תורה, bows slightly at the waist while facing the Ark and says

גַּדְּלוּ לַיהוה אִתִּי, וּנְרוֹמְמָה שְׁמוֹ יַחְדָּו: תְּהִלִּים לד:4

Ezra the scribe declared that one should not go three days without hearing the Torah. Therefore, he introduced the custom of reading the Torah on Mondays and Thursdays (as well as Shabbat morning and afternoon), the days when farmers would come to town to sell their produce. The public reading of the Torah is the "reenactment" of the giving of the Torah at Mt. Sinai. The Torah is read only in the presence of a minyan.

(קהל) לְךָ יהוה הַגְּדֻלָּה וְהַגְּבוּרָה וְהַתִּפְאֶרֶת וְהַנֵּצַח וְהַהוֹד, כִּי כֹל בַּשָּׁמַיִם וּבָאָרֶץ, לְךָ יהוה הַמַּמְלָכָה וְהַמִּתְנַשֵּׂא לְכֹל לְרֹאשׁ: דִּבְרֵי הַיָּמִים א׳ כט:11

רוֹמְמוּ יהוה אֱלֹהֵינוּ וְהִשְׁתַּחֲווּ לַהֲדֹם רַגְלָיו קָדוֹשׁ הוּא: רוֹמְמוּ יהוה אֱלֹהֵינוּ, וְהִשְׁתַּחֲווּ לְהַר קָדְשׁוֹ, כִּי קָדוֹשׁ יהוה אֱלֹהֵינוּ: תְּהִלִּים צט:9,5

The ספר תורה *is placed on the* שלחן*. The* גבאי/גבאית *unrolls it and says*

וְתִגָּלֶה וְתֵרָאֶה מַלְכוּתוֹ עָלֵינוּ בִּזְמַן קָרוֹב, וְיָחֹן פְּלֵטָתֵנוּ וּפְלֵטַת עַמּוֹ בֵּית יִשְׂרָאֵל לְחֵן וּלְחֶסֶד וּלְרַחֲמִים וּלְרָצוֹן וְנֹאמַר אָמֵן. הַכֹּל הָבוּ גֹדֶל לֵאלֹהֵינוּ וּתְנוּ כָבוֹד לַתּוֹרָה:

Insert the name of the person called to the Torah

(*males*) יַעֲמוֹד ____ בֶּן ____ וְ____

(*females*) תַּעֲמוֹד ____ בַּת ____ וְ____

בָּרוּךְ שֶׁנָּתַן תּוֹרָה לְעַמּוֹ יִשְׂרָאֵל בִּקְדֻשָּׁתוֹ.

(ביחד) וְאַתֶּם הַדְּבֵקִים בַּיהוה אֱלֹהֵיכֶם, חַיִּים כֻּלְּכֶם הַיּוֹם: דְּבָרִים ד:4

עליה לתורה

The עולה *touches the place where the reading will begin with the tzitzit, holds the* עצי חיים *with both hands and says loudly*

(הָעוֹלֶה/הָעוֹלָה) **בָּרְכוּ אֶת יהוה הַמְבֹרָךְ:**

(קהל) **בָּרוּךְ יהוה הַמְבֹרָךְ לְעוֹלָם וָעֶד:**

(הָעוֹלֶה/הָעוֹלָה) **בָּרוּךְ יהוה הַמְבֹרָךְ לְעוֹלָם וָעֶד:**

When the עולה is called to the Torah, the עולה touches the corner of the tallit or the wimpel (belt) to the place to be read and then kisses it and recites the opening ברכה. This action is repeated at the end of the Torah reading—the עולה kisses the Torah with the tallit or wimpel and recites the closing ברכה.

בָּרוּךְ אַתָּה יהוה אֱלֹהֵינוּ מֶלֶךְ הָעוֹלָם, אֲשֶׁר בָּחַר בָּנוּ מִכָּל הָעַמִּים וְנָתַן לָנוּ אֶת תּוֹרָתוֹ: בָּרוּךְ אַתָּה יהוה, נוֹתֵן הַתּוֹרָה:

The Torah is now read while the עולה *follows along with the reader. The* עולה *touches the place where the reading ended with the tzitzit, holds the* עצי חיים *and says loudly*

(הָעוֹלֶה/הָעוֹלָה) **בָּרוּךְ אַתָּה יהוה אֱלֹהֵינוּ מֶלֶךְ הָעוֹלָם, אֲשֶׁר נָתַן לָנוּ תּוֹרַת אֱמֶת, וְחַיֵּי עוֹלָם נָטַע בְּתוֹכֵנוּ: בָּרוּךְ אַתָּה יהוה, נוֹתֵן הַתּוֹרָה:**

ברכת הגומל

This blessing is recited by an עולה *who has recovered from a serious illness, given birth, or survived a dangerous situation.*

(הָעוֹלֶה/הָעוֹלָה) בָּרוּךְ אַתָּה יהוה אֱלֹהֵינוּ מֶלֶךְ הָעוֹלָם, הַגּוֹמֵל לְחַיָּבִים טוֹבוֹת, שֶׁגְּמָלַנִי כָּל טוֹב:

The קהל *responds according to the gender of the* עולה*, as follows*

(male) מִי שֶׁגְּמָלְךָ כָּל טוֹב, הוּא יִגְמָלְךָ כָּל טוֹב סֶלָה:

(female) מִי שֶׁגְּמָלֵךְ כָּל טוֹב, הוּא יִגְמָלֵךְ כָּל טוֹב סֶלָה:

For a bar mitzvah

מִי שֶׁבֵּרַךְ אֲבוֹתֵינוּ אַבְרָהָם יִצְחָק וְיַעֲקֹב, שָׂרָה רִבְקָה רָחֵל וְלֵאָה, הוּא יְבָרֵךְ אֶת ____ בֶּן ____ וְ____ שֶׁהִגִּיעַ לְמִצְווֹת וְעָלָה לַתּוֹרָה. הַקָּדוֹשׁ בָּרוּךְ הוּא יִשְׁמְרֵהוּ וִיחַיֵּהוּ וִיכוֹנֵן אֶת לִבּוֹ לִהְיוֹת שָׁלֵם עִם יהוה אֱלֹהָיו, לַהֲגוֹת בְּתוֹרָתוֹ, לָלֶכֶת בִּדְרָכָיו, וְלִשְׁמוֹר מִצְווֹתָיו, וְיִמְצָא חֵן וְשֵׂכֶל טוֹב בְּעֵינֵי אֱלֹהִים וְאָדָם, וְנֹאמַר אָמֵן.

For a bat mitzvah

מִי שֶׁבֵּרַךְ אֲבוֹתֵינוּ אַבְרָהָם יִצְחָק וְיַעֲקֹב, שָׂרָה רִבְקָה רָחֵל וְלֵאָה, הוּא יְבָרֵךְ אֶת ____ בַּת ____ וְ____

שֶׁהִגִּיעָה לַמִּצְוֹות וְעָלְתָה לַתּוֹרָה. הַקָּדוֹשׁ בָּרוּךְ הוּא יִשְׁמְרֶהָ וִיחַיֶּהָ וִיכוֹנֵן אֶת לִבָּהּ לִהְיוֹת שְׁלֵמָה עִם יהוה אֱלֹהֶיהָ, לַהֲגוֹת בְּתוֹרָתוֹ, לָלֶכֶת בִּדְרָכָיו, וְלִשְׁמוֹר מִצְווֹתָיו, וְתִמְצָא חֵן וְשֵׂכֶל טוֹב בְּעֵינֵי אֱלֹהִים וְאָדָם, וְנֹאמַר אָמֵן.

For a female's birthday

מִי שֶׁבֵּרַךְ אֲבוֹתֵינוּ אַבְרָהָם יִצְחָק וְיַעֲקֹב, שָׂרָה רִבְקָה רָחֵל וְלֵאָה, הוּא יְבָרֵךְ אֶת ____ בַּת ____ וְ____ שֶׁעָלְתָה הַיּוֹם לִכְבוֹד הַמָּקוֹם וְלִכְבוֹד הַתּוֹרָה לִכְבוֹד יוֹם הוּלַדְתָּהּ. הַקָּדוֹשׁ בָּרוּךְ הוּא יְבָרֵךְ אוֹתָהּ וְיִשְׁלַח בְּרָכָה וְהַצְלָחָה בְּכָל מַעֲשֵׂה יָדֶיהָ עִם כָּל יִשְׂרָאֵל עַד מֵאָה וְעֶשְׂרִים וְשֶׁבַע שָׁנִים וְנֹאמַר אָמֵן.

For a male's birthday

מִי שֶׁבֵּרַךְ אֲבוֹתֵינוּ אַבְרָהָם יִצְחָק וְיַעֲקֹב, שָׂרָה רִבְקָה רָחֵל וְלֵאָה, הוּא יְבָרֵךְ אֶת ____ בֶּן ____ וְ____ שֶׁעָלָה הַיּוֹם לִכְבוֹד הַמָּקוֹם וְלִכְבוֹד הַתּוֹרָה לִכְבוֹד יוֹם הוּלַדְתּוֹ. הַקָּדוֹשׁ בָּרוּךְ הוּא יְבָרֵךְ אוֹתוֹ וְיִשְׁלַח בְּרָכָה וְהַצְלָחָה בְּכָל מַעֲשֵׂה יָדָיו עִם כָּל יִשְׂרָאֵל עַד מֵאָה וְעֶשְׂרִים שָׁנָה וְנֹאמַר אָמֵן.

For a male who is ill

מִי שֶׁבֵּרַךְ אֲבוֹתֵינוּ אַבְרָהָם יִצְחָק וְיַעֲקֹב, שָׂרָה רִבְקָה רָחֵל וְלֵאָה, הוּא יְבָרֵךְ וִירַפֵּא אֶת הַחוֹלֶה ____ בֶּן ____ וְ____. הַקָּדוֹשׁ בָּרוּךְ הוּא יִמָּלֵא רַחֲמִים עָלָיו, לְהַחֲלִימוֹ וּלְרַפְּאתוֹ וּלְהַחֲזִיקוֹ, וּלְהַחֲיוֹתוֹ, וְיִשְׁלַח לוֹ מְהֵרָה רְפוּאָה שְׁלֵמָה מִן הַשָּׁמַיִם, רְפוּאַת הַנֶּפֶשׁ, וּרְפוּאַת הַגּוּף, הַשְׁתָּא בַּעֲגָלָא וּבִזְמַן קָרִיב. וְנֹאמַר אָמֵן.

For a female who is ill

מִי שֶׁבֵּרַךְ אֲבוֹתֵינוּ אַבְרָהָם יִצְחָק וְיַעֲקֹב, שָׂרָה רִבְקָה רָחֵל וְלֵאָה, הוּא יְבָרֵךְ וִירַפֵּא אֶת הַחוֹלָה: ____ בַּת ____ וְ____. הַקָּדוֹשׁ בָּרוּךְ הוּא יִמָּלֵא רַחֲמִים עָלֶיהָ, לְהַחֲלִימָהּ וּלְרַפֹּאתָהּ וּלְהַחֲזִיקָהּ וּלְהַחֲיוֹתָהּ, וְיִשְׁלַח לָהּ מְהֵרָה רְפוּאָה שְׁלֵמָה מִן הַשָּׁמַיִם, רְפוּאַת הַנֶּפֶשׁ, וּרְפוּאַת הַגּוּף, הַשְׁתָּא בַּעֲגָלָא וּבִזְמַן קָרִיב. וְנֹאמַר אָמֵן.

For Israeli soldiers

מִי שֶׁבֵּרַךְ אֲבוֹתֵינוּ אַבְרָהָם יִצְחָק וְיַעֲקֹב, הוּא יְבָרֵךְ אֶת חַיָּלֵי צְבָא הֲגַנָּה לְיִשְׂרָאֵל, הָעוֹמְדִים עַל מִשְׁמַר אַרְצֵנוּ וְעָרֵי אֱלֹהֵינוּ מִגְּבוּל הַלְּבָנוֹן וְעַד מִדְבַּר מִצְרַיִם וּמִן הַיָּם הַגָּדוֹל עַד לְבוֹא הָעֲרָבָה בַּיַּבָּשָׁה בָּאֲוִיר וּבַיָּם. יִתֵּן יהוה אֶת אוֹיְבֵינוּ הַקָּמִים עָלֵינוּ נִגָּפִים לִפְנֵיהֶם. הַקָּדוֹשׁ בָּרוּךְ הוּא יִשְׁמְרֵם וְיַצִּילֵם מִכָּל צָרָה וְצוּקָה וּמִכָּל נֶגַע וּמַחֲלָה וְיִשְׁלַח בְּרָכָה וְהַצְלָחָה בְּכָל מַעֲשֵׂה יְדֵיהֶם. וִיקַיֵּם בָּהֶם הַכָּתוּב: כִּי יהוה אֱלֹהֵיכֶם הַהֹלֵךְ עִמָּכֶם לְהִלָּחֵם לָכֶם עִם אֹיְבֵיכֶם לְהוֹשִׁיעַ אֶתְכֶם: וְנֹאמַר אָמֵן.

For all who were called to the Torah

מִי שֶׁבֵּרַךְ אֲבוֹתֵינוּ אַבְרָהָם יִצְחָק וְיַעֲקֹב, שָׂרָה רִבְקָה רָחֵל וְלֵאָה, הוּא יְבָרֵךְ אֶת כָּל הַקְּרוּאִים שֶׁעָלוּ לַתּוֹרָה הַיּוֹם. הַקָּדוֹשׁ בָּרוּךְ הוּא יְבָרֵךְ אוֹתָם וְאֶת כָּל מִשְׁפְּחוֹתֵיהֶם, וְיִשְׁלַח בְּרָכָה וְהַצְלָחָה בְּכָל מַעֲשֵׂה יְדֵיהֶם, עִם כָּל יִשְׂרָאֵל אֲחֵיהֶם, וְנֹאמַר אָמֵן.

חצי קדיש

(ש״ץ) יִתְגַּדַּל וְיִתְקַדַּשׁ שְׁמֵהּ רַבָּא. בְּעָלְמָא דִּי בְרָא
כִרְעוּתֵהּ, וְיַמְלִיךְ מַלְכוּתֵהּ בְּחַיֵּיכוֹן וּבְיוֹמֵיכוֹן וּבְחַיֵּי
דְכָל בֵּית יִשְׂרָאֵל. בַּעֲגָלָא וּבִזְמַן קָרִיב וְאִמְרוּ אָמֵן:

(ביחד) יְהֵא שְׁמֵהּ רַבָּא מְבָרַךְ לְעָלַם וּלְעָלְמֵי עָלְמַיָּא:

5 (ש״ץ) יִתְבָּרַךְ וְיִשְׁתַּבַּח, וְיִתְפָּאַר וְיִתְרוֹמַם וְיִתְנַשֵּׂא
וְיִתְהַדָּר וְיִתְעַלֶּה וְיִתְהַלָּל שְׁמֵהּ דְּקֻדְשָׁא (ביחד) בְּרִיךְ
הוּא לְעֵלָּא (בעשי״ת לְעֵלָּא וּלְעֵלָּא מִכָּל) מִן כָּל בִּרְכָתָא
וְשִׁירָתָא, תֻּשְׁבְּחָתָא וְנֶחֱמָתָא, דַּאֲמִירָן בְּעָלְמָא, וְאִמְרוּ
אָמֵן:

הגבהה וגלילה

After the Torah is read, it is lifted and shown to everyone. It is
customary to show at least three columns of the text that was
read. Some people point toward the Torah with their pinky finger
or tallit to emphasize that "this is the Torah that Moses gave to
the people of Israel."

וְזֹאת הַתּוֹרָה אֲשֶׁר שָׂם מֹשֶׁה לִפְנֵי בְּנֵי יִשְׂרָאֵל דְּבָרִים ד:44
עַל פִּי יהוה בְּיַד מֹשֶׁה: בְּמִדְבַּר ט:23

El Malei Rachamim (male)   אל מלא רחמים

אֵל מָלֵא רַחֲמִים שׁוֹכֵן בַּמְּרוֹמִים, הַמְצֵא מְנוּחָה נְכוֹנָה
תַּחַת כַּנְפֵי הַשְּׁכִינָה, בְּמַעֲלוֹת קְדוֹשִׁים וּטְהוֹרִים כְּזֹהַר
הָרָקִיעַ מַזְהִירִים אֶת נִשְׁמַת ____ בֶּן ____ וְ____
15 שֶׁהָלַךְ לְעוֹלָמוֹ בְּגַן עֵדֶן תְּהֵא מְנוּחָתוֹ. אָנָּא, בַּעַל
הָרַחֲמִים יַסְתִּירֵהוּ בְּסֵתֶר כְּנָפֶיךָ לְעוֹלָמִים. וְיִצְרוֹר
בִּצְרוֹר הַחַיִּים אֶת נִשְׁמָתוֹ. יהוה הוּא נַחֲלָתוֹ, וְיָנוּחַ
בְּשָׁלוֹם עַל מִשְׁכָּבוֹ, וְנֹאמַר אָמֵן:

___

אל מלא רחמים This prayer is said in memory of departed relatives.

El Malei Rachamim (female) **אל מלא רחמים**

אֵל מָלֵא רַחֲמִים שׁוֹכֵן בַּמְּרוֹמִים, הַמְצֵא מְנוּחָה נְכוֹנָה תַּחַת כַּנְפֵי הַשְּׁכִינָה, בְּמַעֲלוֹת קְדוֹשִׁים וּטְהוֹרִים כְּזֹהַר הָרָקִיעַ מַזְהִירִים אֶת נִשְׁמַת ____ בַּת ____ וְ____ שֶׁהָלְכָה לְעוֹלָמָהּ, בְּגַן עֵדֶן תְּהֵא מְנוּחָתָהּ. אָנָּא, בַּעַל הָרַחֲמִים יַסְתִּירֶהָ בְּסֵתֶר כְּנָפֶיךָ לְעוֹלָמִים. וְיִצְרוֹר בִּצְרוֹר הַחַיִּים אֶת נִשְׁמָתָהּ, יהוה הוּא נַחֲלָתָהּ, וְתָנוּחַ בְּשָׁלוֹם עַל מִשְׁכָּבָהּ, וְנֹאמַר אָמֵן:

הכנסת ספר תורה

The Torah is returned to the ארון הקודש

(ש״ץ) יְהַלְלוּ אֶת שֵׁם יהוה, כִּי נִשְׂגָּב שְׁמוֹ לְבַדּוֹ. תְּהִלִּים קמח:13

(קהל) הוֹדוֹ עַל אֶרֶץ וְשָׁמָיִם. וַיָּרֶם קֶרֶן לְעַמּוֹ, תְּהִלָּה לְכָל חֲסִידָיו, לִבְנֵי יִשְׂרָאֵל עַם קְרֹבוֹ, הַלְלוּיָהּ. שָׁם, שָׁם 14

לְדָוִד מִזְמוֹר, לַיהוה הָאָרֶץ וּמְלוֹאָהּ, תֵּבֵל וְיֹשְׁבֵי בָהּ: כִּי הוּא עַל יַמִּים יְסָדָהּ, וְעַל נְהָרוֹת יְכוֹנְנֶהָ: מִי יַעֲלֶה בְהַר יהוה, וּמִי יָקוּם בִּמְקוֹם קָדְשׁוֹ: נְקִי כַפַּיִם וּבַר לֵבָב, אֲשֶׁר לֹא נָשָׂא לַשָּׁוְא נַפְשִׁי, וְלֹא נִשְׁבַּע לְמִרְמָה: יִשָּׂא בְרָכָה מֵאֵת יהוה, וּצְדָקָה מֵאֱלֹהֵי יִשְׁעוֹ: זֶה דּוֹר דֹּרְשָׁיו, מְבַקְשֵׁי פָנֶיךָ יַעֲקֹב סֶלָה: שְׂאוּ שְׁעָרִים רָאשֵׁיכֶם, וְהִנָּשְׂאוּ פִּתְחֵי עוֹלָם, וְיָבוֹא מֶלֶךְ הַכָּבוֹד: מִי זֶה מֶלֶךְ הַכָּבוֹד, יהוה עִזּוּז וְגִבּוֹר יהוה גִּבּוֹר מִלְחָמָה: שְׂאוּ שְׁעָרִים רָאשֵׁיכֶם, וּשְׂאוּ פִּתְחֵי עוֹלָם, וְיָבֹא מֶלֶךְ הַכָּבוֹד: מִי הוּא זֶה מֶלֶךְ הַכָּבוֹד, יהוה צְבָאוֹת, הוּא מֶלֶךְ הַכָּבוֹד סֶלָה: תְּהִלִּים כד

While the Torah is being placed in the Ark, the following is said

וּבְנֻחֹה יֹאמַר: שׁוּבָה, יהוה רִבְבוֹת אַלְפֵי יִשְׂרָאֵל. בְּמִדְבַּר י:36

קוּמָה יהוה לִמְנוּחָתֶךָ, אַתָּה וַאֲרוֹן עֻזֶּךָ. כֹּהֲנֶיךָ יִלְבְּשׁוּ צֶדֶק וַחֲסִידֶיךָ יְרַנֵּנוּ. בַּעֲבוּר דָּוִד עַבְדֶּךָ, אַל תָּשֵׁב פְּנֵי מְשִׁיחֶךָ. תְּהִלִּים קלב:8-10

כִּי לֶקַח טוֹב נָתַתִּי לָכֶם תּוֹרָתִי אַל תַּעֲזֹבוּ. מִשְׁלֵי ד:2

עֵץ חַיִּים הִיא לַמַּחֲזִיקִים בָּהּ, וְתֹמְכֶיהָ מְאֻשָּׁר. מִשְׁלֵי ג:18

דְּרָכֶיהָ דַרְכֵי נֹעַם, וְכָל נְתִיבוֹתֶיהָ שָׁלוֹם. שָׁם, שָׁם 17

הֲשִׁיבֵנוּ יהוה, אֵלֶיךָ וְנָשׁוּבָה, חַדֵּשׁ יָמֵינוּ כְּקֶדֶם. אֵיכָה ה:21

אַשְׁרֵי יוֹשְׁבֵי בֵיתֶךָ, עוֹד יְהַלְלוּךָ סֶּלָה: תְּהִלִּים פד:5

אַשְׁרֵי הָעָם שֶׁכָּכָה לּוֹ, אַשְׁרֵי הָעָם שֶׁיהוה אֱלֹהָיו: תְּהִלִּים קמד:15

תְּהִלָּה לְדָוִד,

אֲרוֹמִמְךָ אֱלוֹהַי הַמֶּלֶךְ, וַאֲבָרְכָה שִׁמְךָ לְעוֹלָם וָעֶד:\
בְּכָל יוֹם אֲבָרְכֶךָּ, וַאֲהַלְלָה שִׁמְךָ לְעוֹלָם וָעֶד:\
גָּדוֹל יהוה וּמְהֻלָּל מְאֹד, וְלִגְדֻלָּתוֹ אֵין חֵקֶר:\
דּוֹר לְדוֹר יְשַׁבַּח מַעֲשֶׂיךָ, וּגְבוּרֹתֶיךָ יַגִּידוּ:\
הֲדַר כְּבוֹד הוֹדֶךָ, וְדִבְרֵי נִפְלְאֹתֶיךָ אָשִׂיחָה:\
וֶעֱזוּז נוֹרְאוֹתֶיךָ יֹאמֵרוּ, וּגְדֻלָּתְךָ אֲסַפְּרֶנָּה:\
זֵכֶר רַב טוּבְךָ יַבִּיעוּ, וְצִדְקָתְךָ יְרַנֵּנוּ:\
חַנּוּן וְרַחוּם יהוה, אֶרֶךְ אַפַּיִם וּגְדָל חָסֶד:\
טוֹב יהוה לַכֹּל, וְרַחֲמָיו עַל כָּל מַעֲשָׂיו:\
יוֹדוּךָ יהוה כָּל מַעֲשֶׂיךָ, וַחֲסִידֶיךָ יְבָרְכוּכָה:\
כְּבוֹד מַלְכוּתְךָ יֹאמֵרוּ, וּגְבוּרָתְךָ יְדַבֵּרוּ:

לְהוֹדִיעַ לִבְנֵי הָאָדָם גְּבוּרֹתָיו, וּכְבוֹד הֲדַר מַלְכוּתוֹ:
מַלְכוּתְךָ מַלְכוּת כָּל עוֹלָמִים, וּמֶמְשַׁלְתְּךָ בְּכָל דֹּר וָדֹר:
סוֹמֵךְ יהוה לְכָל הַנֹּפְלִים, וְזוֹקֵף לְכָל הַכְּפוּפִים:
עֵינֵי כֹל אֵלֶיךָ יְשַׂבֵּרוּ, וְאַתָּה נוֹתֵן לָהֶם אֶת אָכְלָם בְּעִתּוֹ:
פּוֹתֵחַ אֶת יָדֶךָ, וּמַשְׂבִּיעַ לְכָל חַי רָצוֹן:
צַדִּיק יהוה בְּכָל דְּרָכָיו, וְחָסִיד בְּכָל מַעֲשָׂיו:
קָרוֹב יהוה לְכָל קֹרְאָיו, לְכֹל אֲשֶׁר יִקְרָאֻהוּ בֶאֱמֶת:
רְצוֹן יְרֵאָיו יַעֲשֶׂה, וְאֶת שַׁוְעָתָם יִשְׁמַע וְיוֹשִׁיעֵם:
שׁוֹמֵר יהוה אֶת כָּל אֹהֲבָיו, וְאֵת כָּל הָרְשָׁעִים יַשְׁמִיד:
תְּהִלַּת יהוה יְדַבֶּר פִּי, וִיבָרֵךְ כָּל בָּשָׂר שֵׁם קָדְשׁוֹ, לְעוֹלָם וָעֶד: תְּהִלִּים קמה
וַאֲנַחְנוּ נְבָרֵךְ יָהּ, מֵעַתָּה וְעַד עוֹלָם, הַלְלוּיָהּ: תְּהִלִּים קטו:18

On the following days למנצח *is omitted:* ראש חדש, *the day before* פסח, פורים *and* פורים, *on* חנוכה, *during* יום כפור, *the day before* תשעה באב *and on* חול המועד קטן

לַמְנַצֵּחַ, מִזְמוֹר לְדָוִד. יַעַנְךָ יהוה בְּיוֹם צָרָה, יְשַׂגֶּבְךָ שֵׁם אֱלֹהֵי יַעֲקֹב. יִשְׁלַח עֶזְרְךָ מִקֹּדֶשׁ, וּמִצִּיּוֹן יִסְעָדֶךָּ. יִזְכֹּר כָּל מִנְחֹתֶיךָ, וְעוֹלָתְךָ יְדַשְּׁנֶה סֶּלָה. יִתֶּן לְךָ כִלְבָבֶךָ, וְכָל עֲצָתְךָ יְמַלֵּא. נְרַנְּנָה בִּישׁוּעָתֶךָ וּבְשֵׁם אֱלֹהֵינוּ נִדְגֹּל, יְמַלֵּא יהוה כָּל מִשְׁאֲלוֹתֶיךָ. עַתָּה יָדַעְתִּי כִּי הוֹשִׁיעַ יהוה מְשִׁיחוֹ, יַעֲנֵהוּ מִשְּׁמֵי קָדְשׁוֹ, בִּגְבוּרוֹת יֵשַׁע יְמִינוֹ. אֵלֶּה בָרֶכֶב וְאֵלֶּה בַסּוּסִים, וַאֲנַחְנוּ בְּשֵׁם יהוה אֱלֹהֵינוּ נַזְכִּיר. הֵמָּה כָּרְעוּ וְנָפָלוּ, וַאֲנַחְנוּ קַמְנוּ וַנִּתְעוֹדָד. יהוה הוֹשִׁיעָה, הַמֶּלֶךְ יַעֲנֵנוּ בְּיוֹם קָרְאֵנוּ. תְּהִלִּים כ

On תשעה באב*, or in the house of a mourner,* ואני זאת בריתי *until* ואתה קדוש *(the bracketed portion) is omitted*

וּבָא לְצִיּוֹן גּוֹאֵל, וּלְשָׁבֵי פֶשַׁע בְּיַעֲקֹב, נְאֻם יהוה: (וַאֲנִי זֹאת בְּרִיתִי אוֹתָם אָמַר יהוה, רוּחִי אֲשֶׁר עָלֶיךָ, וּדְבָרַי אֲשֶׁר שַׂמְתִּי בְּפִיךָ לֹא יָמוּשׁוּ מִפִּיךָ, וּמִפִּי זַרְעֲךָ, וּמִפִּי זֶרַע זַרְעֲךָ, אָמַר יהוה, מֵעַתָּה וְעַד עוֹלָם:) וְאַתָּה קָדוֹשׁ), יוֹשֵׁב תְּהִלּוֹת יִשְׂרָאֵל: וְקָרָא זֶה אֶל זֶה וְאָמַר:

קָדוֹשׁ קָדוֹשׁ קָדוֹשׁ יהוה צְבָאוֹת, מְלֹא כָל הָאָרֶץ כְּבוֹדוֹ: יְשַׁעְיָה ו:3

וּמְקַבְּלִין דֵּין מִן דֵּין, וְאָמְרִין קַדִּישׁ, בִּשְׁמֵי מְרוֹמָא עִלָּאָה בֵּית שְׁכִינְתֵּהּ, קַדִּישׁ עַל אַרְעָא עוֹבַד גְּבוּרְתֵּהּ, קַדִּישׁ לְעָלַם וּלְעָלְמֵי עָלְמַיָּא, יהוה צְבָאוֹת מַלְיָא כָל אַרְעָא זִיו יְקָרֵהּ: וַתִּשָּׂאֵנִי רוּחַ, וָאֶשְׁמַע אַחֲרַי קוֹל רַעַשׁ גָּדוֹל:

בָּרוּךְ כְּבוֹד יהוה מִמְּקוֹמוֹ: יְחֶזְקֵאל ג:12

וּנְטָלַתְנִי רוּחָא, וְשִׁמְעֵת בַּתְרַי קָל זִיעַ סַגִּיא, דִּמְשַׁבְּחִין וְאָמְרִין, בְּרִיךְ יְקָרָא דַיהוה מֵאֲתַר בֵּית שְׁכִינְתֵּהּ:

יהוה יִמְלֹךְ לְעֹלָם וָעֶד: שְׁמוֹת טו:18

יהוה מַלְכוּתֵהּ קָאֵם לְעָלַם וּלְעָלְמֵי עָלְמַיָּא: יהוה אֱלֹהֵי אַבְרָהָם יִצְחָק וְיִשְׂרָאֵל אֲבוֹתֵינוּ, שָׁמְרָה זֹּאת

ובא לציון also called קדושה דסדרא for it contains another קדושה and other biblical passages which are on the themes of Torah, God's holiness and the Messiah (Messianic Age). This part of the service contains no ברכות.

לְעוֹלָם, לְיֵצֶר מַחְשְׁבוֹת לְבַב עַמֶּךָ, וְהָכֵן לְבָבָם אֵלֶיךָ:
וְהוּא רַחוּם, יְכַפֵּר עָוֹן וְלֹא יַשְׁחִית, וְהִרְבָּה לְהָשִׁיב
אַפּוֹ וְלֹא יָעִיר כָּל חֲמָתוֹ: כִּי אַתָּה אֲדֹנָי טוֹב וְסַלָּח,
וְרַב חֶסֶד, לְכָל קוֹרְאֶיךָ: צִדְקָתְךָ צֶדֶק לְעוֹלָם, וְתוֹרָתְךָ
אֱמֶת: תִּתֵּן אֱמֶת לְיַעֲקֹב, חֶסֶד לְאַבְרָהָם אֲשֶׁר נִשְׁבַּעְתָּ
לַאֲבוֹתֵינוּ מִימֵי קֶדֶם: בָּרוּךְ אֲדֹנָי, יוֹם יוֹם יַעֲמָס לָנוּ,
הָאֵל יְשׁוּעָתֵנוּ סֶלָה: יְהֹוָה צְבָאוֹת עִמָּנוּ, מִשְׂגָּב לָנוּ,
אֱלֹהֵי יַעֲקֹב סֶלָה: תְּהִלִּים סח:20 יְהֹוָה צְבָאוֹת, אַשְׁרֵי אָדָם
בֹּטֵחַ בָּךְ: יְהֹוָה הוֹשִׁיעָה, הַמֶּלֶךְ יַעֲנֵנוּ בְיוֹם קָרְאֵנוּ:
בָּרוּךְ הוּא אֱלֹהֵינוּ, שֶׁבְּרָאָנוּ לִכְבוֹדוֹ, וְהִבְדִּילָנוּ מִן
הַתּוֹעִים, וְנָתַן לָנוּ תּוֹרַת אֱמֶת, וְחַיֵּי עוֹלָם נָטַע בְּתוֹכֵנוּ,
הוּא יִפְתַּח לִבֵּנוּ בְּתוֹרָתוֹ וְיָשֵׂם בְּלִבֵּנוּ אַהֲבָתוֹ וְיִרְאָתוֹ,
וְלַעֲשׂוֹת רְצוֹנוֹ וּלְעָבְדוֹ בְּלֵבָב שָׁלֵם, לְמַעַן לֹא נִיגַע
לָרִיק, וְלֹא נֵלֵד לַבֶּהָלָה: יְהִי רָצוֹן מִלְּפָנֶיךָ, יְהֹוָה
אֱלֹהֵינוּ וֵאלֹהֵי אֲבוֹתֵינוּ, שֶׁנִּשְׁמֹר חֻקֶּיךָ בָּעוֹלָם הַזֶּה,
וְנִזְכֶּה וְנִחְיֶה וְנִרְאֶה, וְנִירַשׁ טוֹבָה וּבְרָכָה, לִשְׁנֵי יְמוֹת
הַמָּשִׁיחַ, וּלְחַיֵּי הָעוֹלָם הַבָּא: לְמַעַן יְזַמֶּרְךָ כָבוֹד וְלֹא
יִדֹּם, יְהֹוָה אֱלֹהַי לְעוֹלָם אוֹדֶךָ: בָּרוּךְ הַגֶּבֶר אֲשֶׁר יִבְטַח
בַּיהֹוָה, וְהָיָה יְהֹוָה מִבְטַחוֹ: בִּטְחוּ בַּיהֹוָה עֲדֵי עַד, כִּי
בְּיָהּ יְהֹוָה צוּר עוֹלָמִים: וְיִבְטְחוּ בְךָ יוֹדְעֵי שְׁמֶךָ, כִּי
לֹא עָזַבְתָּ דֹרְשֶׁיךָ יְהֹוָה: ♩ יְהֹוָה חָפֵץ לְמַעַן צִדְקוֹ,
יַגְדִּיל תּוֹרָה וְיַאְדִּיר.

קדיש שלם

(ש״ץ) יִתְגַּדַּל וְיִתְקַדַּשׁ שְׁמֵהּ רַבָּא. בְּעָלְמָא דִּי בְרָא כִרְעוּתֵהּ, וְיַמְלִיךְ מַלְכוּתֵהּ בְּחַיֵּיכוֹן וּבְיוֹמֵיכוֹן וּבְחַיֵּי דְכָל בֵּית יִשְׂרָאֵל. בַּעֲגָלָא וּבִזְמַן קָרִיב וְאִמְרוּ אָמֵן:

(ביחד) יְהֵא שְׁמֵהּ רַבָּא מְבָרַךְ לְעָלַם וּלְעָלְמֵי עָלְמַיָּא:

(ש״ץ) יִתְבָּרַךְ וְיִשְׁתַּבַּח, וְיִתְפָּאַר וְיִתְרוֹמַם וְיִתְנַשֵּׂא וְיִתְהַדָּר וְיִתְעַלֶּה וְיִתְהַלָּל שְׁמֵהּ דְּקֻדְשָׁא (ביחד) בְּרִיךְ הוּא (ש״ץ) לְעֵלָּא (בעשי״ת לְעֵלָּא וּלְעֵלָּא מִכָּל) מִן כָּל בִּרְכָתָא וְשִׁירָתָא, תֻּשְׁבְּחָתָא וְנֶחֱמָתָא, דַּאֲמִירָן בְּעָלְמָא, וְאִמְרוּ אָמֵן:

(ש״ץ) תִּתְקַבֵּל צְלוֹתְהוֹן וּבָעוּתְהוֹן דְּכָל בֵּית יִשְׂרָאֵל קֳדָם אֲבוּהוֹן דִּי בִשְׁמַיָּא וְאִמְרוּ אָמֵן:

(ש״ץ) יְהֵא שְׁלָמָא רַבָּא מִן שְׁמַיָּא וְחַיִּים עָלֵינוּ וְעַל כָּל יִשְׂרָאֵל, וְאִמְרוּ אָמֵן:

(ש״ץ) עֹשֶׂה שָׁלוֹם בִּמְרוֹמָיו הוּא יַעֲשֶׂה שָׁלוֹם עָלֵינוּ וְעַל כָּל יִשְׂרָאֵל, וְאִמְרוּ אָמֵן:

עלינו

עָלֵינוּ לְשַׁבֵּחַ לַאֲדוֹן הַכֹּל, לָתֵת גְּדֻלָּה לְיוֹצֵר בְּרֵאשִׁית, שֶׁלֹּא עָשָׂנוּ כְּגוֹיֵי הָאֲרָצוֹת, וְלֹא שָׂמָנוּ כְּמִשְׁפְּחוֹת הָאֲדָמָה, שֶׁלֹּא שָׂם חֶלְקֵנוּ כָּהֶם, וְגֹרָלֵנוּ כְּכָל הֲמוֹנָם

Originally the עלינו prayer was part of the מוסף service on ראש השנה but eventually found its way to become the concluding prayer for every service. In the first paragraph, עלינו לשבח, we declare that it is our duty to praise God for being the one God of the Jewish people and the Creator of everything. The second paragraph, על כן, stresses a theme of hope that all people in the world will come to recognize God's Majesty in the world.

We bow by bending our knees when we say ואנחנו כורעים, bend at the waist for ומשתחוים ומודים and stand straight for לפני מלך.

וַאֲנַחְנוּ כּוֹרְעִים וּמִשְׁתַּחֲוִים וּמוֹדִים, לִפְנֵי מֶלֶךְ, מַלְכֵי הַמְּלָכִים, הַקָּדוֹשׁ בָּרוּךְ הוּא. שֶׁהוּא נוֹטֶה שָׁמַיִם וְיֹסֵד אָרֶץ, יְשַׁעְיָהוּ נא:13 וּמוֹשַׁב יְקָרוֹ בַּשָּׁמַיִם מִמַּעַל, וּשְׁכִינַת עֻזּוֹ בְּגָבְהֵי מְרוֹמִים, הוּא אֱלֹהֵינוּ אֵין עוֹד. אֱמֶת מַלְכֵּנוּ אֶפֶס זוּלָתוֹ, כַּכָּתוּב בְּתוֹרָתוֹ: וְיָדַעְתָּ הַיּוֹם וַהֲשֵׁבֹתָ אֶל לְבָבֶךָ, כִּי יהוה הוּא הָאֱלֹהִים בַּשָּׁמַיִם מִמַּעַל, וְעַל הָאָרֶץ מִתָּחַת, אֵין עוֹד: דְּבָרִים ד:39

עַל כֵּן נְקַוֶּה לְךָ יהוה אֱלֹהֵינוּ, לִרְאוֹת מְהֵרָה בְּתִפְאֶרֶת עֻזֶּךָ, לְהַעֲבִיר גִּלּוּלִים מִן הָאָרֶץ וְהָאֱלִילִים כָּרוֹת יִכָּרֵתוּן. לְתַקֵּן עוֹלָם בְּמַלְכוּת שַׁדַּי, וְכָל בְּנֵי בָשָׂר יִקְרְאוּ בִשְׁמֶךָ. לְהַפְנוֹת אֵלֶיךָ כָּל רִשְׁעֵי אָרֶץ. יַכִּירוּ וְיֵדְעוּ כָּל יוֹשְׁבֵי תֵבֵל, כִּי לְךָ תִּכְרַע כָּל בֶּרֶךְ, תִּשָּׁבַע כָּל לָשׁוֹן: לְפָנֶיךָ יהוה אֱלֹהֵינוּ יִכְרְעוּ וְיִפֹּלוּ. וְלִכְבוֹד שִׁמְךָ יְקָר יִתֵּנוּ. וִיקַבְּלוּ כֻלָּם אֶת עוֹל מַלְכוּתֶךָ. וְתִמְלֹךְ עֲלֵיהֶם מְהֵרָה לְעוֹלָם וָעֶד. כִּי הַמַּלְכוּת שֶׁלְּךָ הִיא, וּלְעוֹלְמֵי עַד תִּמְלוֹךְ בְּכָבוֹד: כַּכָּתוּב בְּתוֹרָתֶךָ, יהוה יִמְלֹךְ לְעוֹלָם וָעֶד: שְׁמוֹת טו:18 וְנֶאֱמַר, וְהָיָה יהוה לְמֶלֶךְ עַל כָּל הָאָרֶץ, בַּיּוֹם הַהוּא יִהְיֶה יהוה אֶחָד, וּשְׁמוֹ אֶחָד:

קדיש יתום

(אבלים ואבלות) יִתְגַּדַּל וְיִתְקַדַּשׁ שְׁמֵהּ רַבָּא. בְּעָלְמָא דִּי בְרָא כִרְעוּתֵהּ, וְיַמְלִיךְ מַלְכוּתֵהּ בְּחַיֵּיכוֹן וּבְיוֹמֵיכוֹן וּבְחַיֵּי דְכָל בֵּית יִשְׂרָאֵל. בַּעֲגָלָא וּבִזְמַן קָרִיב וְאִמְרוּ אָמֵן:

(ביחד) יְהֵא שְׁמֵהּ רַבָּא מְבָרַךְ לְעָלַם וּלְעָלְמֵי עָלְמַיָּא:

(אבלים ואבלות) יִתְבָּרַךְ וְיִשְׁתַּבַּח וְיִתְפָּאַר וְיִתְרוֹמַם וְיִתְנַשֵּׂא וְיִתְהַדָּר וְיִתְעַלֶּה וְיִתְהַלָּל שְׁמֵהּ דְּקֻדְשָׁא (ביחד) בְּרִיךְ הוּא (אבלים ואבלות) לְעֵלָּא (בעשי״ת לְעֵלָּא וּלְעֵלָּא מִכָּל) מִן כָּל בִּרְכָתָא וְשִׁירָתָא תֻּשְׁבְּחָתָא וְנֶחֱמָתָא, דַּאֲמִירָן בְּעָלְמָא, וְאִמְרוּ אָמֵן:

(אבלים ואבלות) יְהֵא שְׁלָמָא רַבָּא מִן שְׁמַיָּא, וְחַיִּים טוֹבִים עָלֵינוּ וְעַל כָּל יִשְׂרָאֵל וְאִמְרוּ אָמֵן.

(אבלים ואבלות) עֹשֶׂה שָׁלוֹם בִּמְרוֹמָיו הוּא יַעֲשֶׂה שָׁלוֹם עָלֵינוּ וְעַל כָּל יִשְׂרָאֵל, וְאִמְרוּ אָמֵן:

שיר של יום

For Sunday

שיר של יום ראשון

הַיּוֹם יוֹם רִאשׁוֹן בַּשַּׁבָּת שֶׁבּוֹ הָיוּ הַלְוִיִּם אוֹמְרִים בְּבֵית הַמִּקְדָּשׁ:

לְדָוִד מִזְמוֹר, לַיהוה הָאָרֶץ וּמְלוֹאָהּ, תֵּבֵל וְיֹשְׁבֵי בָהּ: כִּי הוּא עַל יַמִּים יְסָדָהּ, וְעַל נְהָרוֹת יְכוֹנְנֶהָ: מִי יַעֲלֶה בְהַר יהוה, וּמִי יָקוּם בִּמְקוֹם קָדְשׁוֹ: נְקִי כַפַּיִם וּבַר לֵבָב, אֲשֶׁר לֹא נָשָׂא לַשָּׁוְא נַפְשִׁי, וְלֹא נִשְׁבַּע לְמִרְמָה: יִשָּׂא בְרָכָה מֵאֵת יהוה, וּצְדָקָה מֵאֱלֹהֵי יִשְׁעוֹ: זֶה דּוֹר דֹּרְשָׁיו, מְבַקְשֵׁי פָנֶיךָ יַעֲקֹב סֶלָה: שְׂאוּ שְׁעָרִים רָאשֵׁיכֶם, וְהִנָּשְׂאוּ פִּתְחֵי עוֹלָם, וְיָבוֹא מֶלֶךְ הַכָּבוֹד: מִי זֶה מֶלֶךְ הַכָּבוֹד, יהוה עִזּוּז וְגִבּוֹר יהוה גִּבּוֹר מִלְחָמָה: שְׂאוּ שְׁעָרִים רָאשֵׁיכֶם, וּשְׂאוּ פִּתְחֵי עוֹלָם,

---

שיר של יום A psalm specific to the day is recited just as the לויים did in the Temple. We introduce each psalm by counting which day it is in relation to the שבת just passed. This helps us "Remember the Sabbath day זכור את יום השבת" (שמות כ:8). Each of the seven psalms contains a reference to an event on the corresponding day of Creation.

וְיָבֹא מֶלֶךְ הַכָּבוֹד: מִי הוּא זֶה מֶלֶךְ הַכָּבוֹד, יהוה צְבָאוֹת, הוּא מֶלֶךְ הַכָּבוֹד סֶלָה: תְּהִלִּים כד

For Monday **שיר של יום שני**

הַיּוֹם יוֹם שֵׁנִי בַּשַּׁבָּת שֶׁבּוֹ הָיוּ הַלְוִיִּם אוֹמְרִים בְּבֵית הַמִּקְדָּשׁ:

שִׁיר מִזְמוֹר לִבְנֵי קֹרַח: גָּדוֹל יהוה וּמְהֻלָּל מְאֹד, בְּעִיר אֱלֹהֵינוּ הַר קָדְשׁוֹ: יְפֵה נוֹף מְשׂוֹשׂ כָּל הָאָרֶץ הַר צִיּוֹן יַרְכְּתֵי צָפוֹן, קִרְיַת מֶלֶךְ רָב: אֱלֹהִים בְּאַרְמְנוֹתֶיהָ נוֹדַע לְמִשְׂגָּב: כִּי הִנֵּה הַמְּלָכִים נוֹעֲדוּ עָבְרוּ יַחְדָּו: הֵמָּה רָאוּ כֵּן תָּמָהוּ נִבְהֲלוּ נֶחְפָּזוּ: רְעָדָה אֲחָזָתַם, שָׁם חִיל כַּיּוֹלֵדָה: בְּרוּחַ קָדִים תְּשַׁבֵּר אֳנִיּוֹת תַּרְשִׁישׁ: כַּאֲשֶׁר שָׁמַעְנוּ כֵּן רָאִינוּ בְּעִיר יהוה צְבָאוֹת, בְּעִיר אֱלֹהֵינוּ, אֱלֹהִים יְכוֹנְנֶהָ עַד עוֹלָם סֶלָה: דִּמִּינוּ אֱלֹהִים חַסְדֶּךָ בְּקֶרֶב הֵיכָלֶךָ: כְּשִׁמְךָ אֱלֹהִים כֵּן תְּהִלָּתְךָ עַל קַצְוֵי אֶרֶץ, צֶדֶק מָלְאָה יְמִינֶךָ: יִשְׂמַח הַר צִיּוֹן, תָּגֵלְנָה בְּנוֹת יְהוּדָה, לְמַעַן מִשְׁפָּטֶיךָ: סֹבּוּ צִיּוֹן וְהַקִּיפוּהָ, סִפְרוּ מִגְדָּלֶיהָ: שִׁיתוּ לִבְּכֶם לְחֵילָה פַּסְּגוּ אַרְמְנוֹתֶיהָ, לְמַעַן תְּסַפְּרוּ לְדוֹר אַחֲרוֹן: כִּי זֶה אֱלֹהִים אֱלֹהֵינוּ עוֹלָם וָעֶד, הוּא יְנַהֲגֵנוּ עַל מוּת: תְּהִלִּים מח

For Tuesday **שיר של יום שלישי**

הַיּוֹם יוֹם שְׁלִישִׁי בַּשַּׁבָּת שֶׁבּוֹ הָיוּ הַלְוִיִּם אוֹמְרִים בְּבֵית הַמִּקְדָּשׁ:

מִזְמוֹר לְאָסָף, אֱלֹהִים נִצָּב בַּעֲדַת אֵל, בְּקֶרֶב אֱלֹהִים יִשְׁפֹּט: עַד מָתַי תִּשְׁפְּטוּ עָוֶל, וּפְנֵי רְשָׁעִים תִּשְׂאוּ סֶלָה: שִׁפְטוּ דָל וְיָתוֹם, עָנִי וָרָשׁ הַצְדִּיקוּ: פַּלְּטוּ דַל וְאֶבְיוֹן,

מִיַּד רְשָׁעִים הַצִּילוּ: לֹא יָדְעוּ וְלֹא יָבִינוּ, בַּחֲשֵׁכָה יִתְהַלָּכוּ, יִמּוֹטוּ כָּל מוֹסְדֵי אָרֶץ: אֲנִי אָמַרְתִּי אֱלֹהִים אַתֶּם, וּבְנֵי עֶלְיוֹן כֻּלְּכֶם: אָכֵן כְּאָדָם תְּמוּתוּן, וּכְאַחַד הַשָּׂרִים תִּפֹּלוּ: קוּמָה אֱלֹהִים שָׁפְטָה הָאָרֶץ, כִּי אַתָּה תִנְחַל בְּכָל הַגּוֹיִם: תְּהִלִּים פב

5

שִׁיר שֶׁל יוֹם רְבִיעִי

For Wednesday

הַיּוֹם יוֹם רְבִיעִי בַּשַּׁבָּת שֶׁבּוֹ הָיוּ הַלְוִיִּם אוֹמְרִים בְּבֵית הַמִּקְדָּשׁ:

אֵל נְקָמוֹת יהוה, אֵל נְקָמוֹת הוֹפִיעַ: הִנָּשֵׂא שֹׁפֵט הָאָרֶץ, הָשֵׁב גְּמוּל עַל גֵּאִים: עַד מָתַי רְשָׁעִים יהוה,

10 עַד מָתַי רְשָׁעִים יַעֲלֹזוּ: יַבִּיעוּ יְדַבְּרוּ עָתָק, יִתְאַמְּרוּ כָּל פֹּעֲלֵי אָוֶן: עַמְּךָ יהוה יְדַכְּאוּ, וְנַחֲלָתְךָ יְעַנּוּ: אַלְמָנָה וְגֵר יַהֲרֹגוּ, וִיתוֹמִים יְרַצֵּחוּ: וַיֹּאמְרוּ לֹא יִרְאֶה יָּהּ, וְלֹא יָבִין אֱלֹהֵי יַעֲקֹב: בִּינוּ בֹּעֲרִים בָּעָם וּכְסִילִים מָתַי תַּשְׂכִּילוּ: הֲנֹטַע אֹזֶן הֲלֹא יִשְׁמָע, אִם יֹצֵר עַיִן הֲלֹא

15 יַבִּיט: הֲיֹסֵר גּוֹיִם הֲלֹא יוֹכִיחַ, הַמְלַמֵּד אָדָם דָּעַת: יהוה יֹדֵעַ מַחְשְׁבוֹת אָדָם כִּי הֵמָּה הָבֶל: אַשְׁרֵי הַגֶּבֶר, אֲשֶׁר תְּיַסְּרֶנּוּ יָּהּ, וּמִתּוֹרָתְךָ תְלַמְּדֶנּוּ: לְהַשְׁקִיט לוֹ מִימֵי רָע עַד יִכָּרֶה לָרָשָׁע שָׁחַת: כִּי לֹא יִטֹּשׁ יהוה עַמּוֹ, וְנַחֲלָתוֹ לֹא יַעֲזֹב: כִּי עַד צֶדֶק יָשׁוּב מִשְׁפָּט, וְאַחֲרָיו כָּל יִשְׁרֵי

20 לֵב: מִי יָקוּם לִי עִם מְרֵעִים, מִי יִתְיַצֵּב לִי עִם פֹּעֲלֵי אָוֶן: לוּלֵי יהוה עֶזְרָתָה לִּי, כִּמְעַט שָׁכְנָה דוּמָה נַפְשִׁי: אִם אָמַרְתִּי מָטָה רַגְלִי, חַסְדְּךָ יהוה יִסְעָדֵנִי: בְּרֹב שַׂרְעַפַּי בְּקִרְבִּי, תַּנְחוּמֶיךָ יְשַׁעַשְׁעוּ נַפְשִׁי: הַיְחָבְרְךָ כִּסֵּא הַוּוֹת, יֹצֵר עָמָל עֲלֵי חֹק: יָגוֹדּוּ עַל נֶפֶשׁ צַדִּיק, וְדָם

נָקִי יַרְשִׁיעוּ: וַיְהִי יהוה לִי לְמִשְׂגָּב, וֵאלֹהַי לְצוּר מַחְסִי: וַיָּשֶׁב עֲלֵיהֶם אֶת אוֹנָם וּבְרָעָתָם יַצְמִיתֵם, יַצְמִיתֵם יהוה אֱלֹהֵינוּ: תְּהִלִּים צד לְכוּ נְרַנְּנָה לַיהוה, נָרִיעָה לְצוּר יִשְׁעֵנוּ: נְקַדְּמָה פָנָיו בְּתוֹדָה, בִּזְמִרוֹת נָרִיעַ לוֹ: כִּי אֵל גָּדוֹל יהוה, וּמֶלֶךְ גָּדוֹל עַל כָּל אֱלֹהִים: תְּהִלִּים צה

For Thursday — **שיר של יום חמישי**

הַיּוֹם יוֹם חֲמִישִׁי בַּשַּׁבָּת שֶׁבּוֹ הָיוּ הַלְוִיִּם אוֹמְרִים בְּבֵית הַמִּקְדָּשׁ:

לַמְנַצֵּחַ עַל הַגִּתִּית לְאָסָף: הַרְנִינוּ לֵאלֹהִים עוּזֵּנוּ, הָרִיעוּ לֵאלֹהֵי יַעֲקֹב: שְׂאוּ זִמְרָה וּתְנוּ תֹף, כִּנּוֹר נָעִים עִם נָבֶל: תִּקְעוּ בַחֹדֶשׁ שׁוֹפָר, בַּכֵּסֶה לְיוֹם חַגֵּנוּ: כִּי חֹק לְיִשְׂרָאֵל הוּא, מִשְׁפָּט לֵאלֹהֵי יַעֲקֹב: עֵדוּת בִּיהוֹסֵף שָׂמוֹ בְּצֵאתוֹ עַל אֶרֶץ מִצְרָיִם, שְׂפַת לֹא יָדַעְתִּי אֶשְׁמָע: הֲסִירוֹתִי מִסֵּבֶל שִׁכְמוֹ, כַּפָּיו מִדּוּד תַּעֲבֹרְנָה: בַּצָּרָה קָרָאתָ וָאֲחַלְּצֶךָּ, אֶעֶנְךָ בְּסֵתֶר רַעַם, אֶבְחָנְךָ עַל מֵי מְרִיבָה סֶלָה: שְׁמַע עַמִּי וְאָעִידָה בָּךְ, יִשְׂרָאֵל אִם תִּשְׁמַע לִי: לֹא יִהְיֶה בְךָ אֵל זָר, וְלֹא תִשְׁתַּחֲוֶה לְאֵל נֵכָר: אָנֹכִי יהוה אֱלֹהֶיךָ, הַמַּעַלְךָ מֵאֶרֶץ מִצְרָיִם, הַרְחֶב פִּיךָ וַאֲמַלְאֵהוּ: וְלֹא שָׁמַע עַמִּי לְקוֹלִי, וְיִשְׂרָאֵל לֹא אָבָה לִי: וָאֲשַׁלְּחֵהוּ בִּשְׁרִירוּת לִבָּם, יֵלְכוּ בְּמוֹעֲצוֹתֵיהֶם: לוּ עַמִּי שֹׁמֵעַ לִי, יִשְׂרָאֵל בִּדְרָכַי יְהַלֵּכוּ: כִּמְעַט אוֹיְבֵיהֶם אַכְנִיעַ, וְעַל צָרֵיהֶם אָשִׁיב יָדִי: מְשַׂנְאֵי יהוה יְכַחֲשׁוּ לוֹ, וִיהִי עִתָּם לְעוֹלָם: וַיַּאֲכִילֵהוּ מֵחֵלֶב חִטָּה, וּמִצּוּר דְּבַשׁ אַשְׂבִּיעֶךָ: תְּהִלִּים פא

שיר של יום שישי

For Friday

הַיּוֹם יוֹם שִׁשִּׁי בַּשַּׁבָּת שֶׁבּוֹ הָיוּ הַלְוִיִּם אוֹמְרִים בְּבֵית הַמִּקְדָּשׁ:

יהוה מָלָךְ גֵּאוּת לָבֵשׁ לָבֵשׁ יהוה עֹז הִתְאַזָּר אַף תִּכּוֹן תֵּבֵל בַּל תִּמּוֹט: נָכוֹן כִּסְאֲךָ מֵאָז מֵעוֹלָם אָתָּה: נָשְׂאוּ נְהָרוֹת יהוה נָשְׂאוּ נְהָרוֹת קוֹלָם יִשְׂאוּ נְהָרוֹת דָּכְיָם: מִקֹּלוֹת מַיִם רַבִּים אַדִּירִים מִשְׁבְּרֵי יָם אַדִּיר בַּמָּרוֹם יהוה: עֵדֹתֶיךָ נֶאֶמְנוּ מְאֹד לְבֵיתְךָ נַאֲוָה קֹּדֶשׁ יהוה לְאֹרֶךְ יָמִים: תְּהִלִּים צג

From the first day of אלול *until* הושענא רבה *say*

לְדָוִד יהוה אוֹרִי וְיִשְׁעִי מִמִּי אִירָא, יהוה מָעוֹז חַיַּי מִמִּי אֶפְחָד: בִּקְרֹב עָלַי מְרֵעִים, לֶאֱכֹל אֶת בְּשָׂרִי צָרַי וְאֹיְבַי לִי הֵמָּה כָּשְׁלוּ וְנָפָלוּ: אִם תַּחֲנֶה עָלַי מַחֲנֶה לֹא יִירָא לִבִּי, אִם תָּקוּם עָלַי מִלְחָמָה בְּזֹאת אֲנִי בוֹטֵחַ: אַחַת שָׁאַלְתִּי מֵאֵת יהוה, אוֹתָהּ אֲבַקֵּשׁ שִׁבְתִּי בְּבֵית יהוה, כָּל יְמֵי חַיַּי לַחֲזוֹת בְּנֹעַם יהוה וּלְבַקֵּר בְּהֵיכָלוֹ: כִּי יִצְפְּנֵנִי בְּסֻכֹּה בְּיוֹם רָעָה, יַסְתִּרֵנִי בְּסֵתֶר אָהֳלוֹ בְּצוּר יְרוֹמְמֵנִי: וְעַתָּה יָרוּם רֹאשִׁי, עַל אֹיְבַי סְבִיבוֹתַי וְאֶזְבְּחָה בְאָהֳלוֹ זִבְחֵי תְרוּעָה, אָשִׁירָה וַאֲזַמְּרָה לַיהוה: שְׁמַע יהוה קוֹלִי אֶקְרָא, וְחָנֵּנִי וַעֲנֵנִי: לְךָ אָמַר לִבִּי, בַּקְּשׁוּ פָנָי, אֶת פָּנֶיךָ יהוה אֲבַקֵּשׁ: אַל תַּסְתֵּר פָּנֶיךָ מִמֶּנִּי, אַל תַּט בְּאַף עַבְדֶּךָ, עֶזְרָתִי הָיִיתָ, אַל תִּטְּשֵׁנִי וְאַל תַּעַזְבֵנִי אֱלֹהֵי יִשְׁעִי: כִּי אָבִי וְאִמִּי עֲזָבוּנִי, וַיהוה יַאַסְפֵנִי: הוֹרֵנִי יהוה דַּרְכֶּךָ, וּנְחֵנִי בְּאֹרַח מִישׁוֹר, לְמַעַן שֹׁרְרָי: אַל תִּתְּנֵנִי בְּנֶפֶשׁ צָרָי, כִּי קָמוּ בִי עֵדֵי שֶׁקֶר וִיפֵחַ חָמָס: לוּלֵא הֶאֱמַנְתִּי, לִרְאוֹת בְּטוּב יהוה בְּאֶרֶץ חַיִּים: קַוֵּה אֶל יהוה, חֲזַק וְיַאֲמֵץ לִבֶּךָ וְקַוֵּה אֶל יהוה: תְּהִלִּים כז

קדיש יתום

(אבלים ואבלות) יִתְגַּדַּל וְיִתְקַדַּשׁ שְׁמֵהּ רַבָּא. בְּעָלְמָא דִּי בְרָא כִרְעוּתֵהּ, וְיַמְלִיךְ מַלְכוּתֵהּ בְּחַיֵּיכוֹן וּבְיוֹמֵיכוֹן וּבְחַיֵּי

דְּכָל בֵּית יִשְׂרָאֵל. בַּעֲגָלָא וּבִזְמַן קָרִיב וְאִמְרוּ אָמֵן:

(ביחד) יְהֵא שְׁמֵהּ רַבָּא מְבָרַךְ לְעָלַם וּלְעָלְמֵי עָלְמַיָּא:

(אבלים ואבלות) יִתְבָּרַךְ וְיִשְׁתַּבַּח וְיִתְפָּאַר וְיִתְרוֹמַם וְיִתְנַשֵּׂא וְיִתְהַדָּר וְיִתְעַלֶּה וְיִתְהַלָּל שְׁמֵהּ דְּקֻדְשָׁא (ביחד) בְּרִיךְ הוּא (אבלים ואבלות) לְעֵלָּא (בעשי״ת לְעֵלָּא וּלְעֵלָּא מִכָּל) מִן כָּל בִּרְכָתָא וְשִׁירָתָא תֻּשְׁבְּחָתָא וְנֶחֱמָתָא, דַּאֲמִירָן בְּעָלְמָא, וְאִמְרוּ אָמֵן:

(אבלים ואבלות) יְהֵא שְׁלָמָא רַבָּא מִן שְׁמַיָּא, וְחַיִּים טוֹבִים עָלֵינוּ וְעַל כָּל יִשְׂרָאֵל וְאִמְרוּ אָמֵן.

(אבלים ואבלות) עֹשֶׂה שָׁלוֹם בִּמְרוֹמָיו הוּא יַעֲשֶׂה שָׁלוֹם עָלֵינוּ וְעַל כָּל יִשְׂרָאֵל, וְאִמְרוּ אָמֵן:

אֲדוֹן עוֹלָם אֲשֶׁר מָלַךְ, בְּטֶרֶם כָּל יְצִיר נִבְרָא.
לְעֵת נַעֲשָׂה בְחֶפְצוֹ כֹּל, אֲזַי מֶלֶךְ שְׁמוֹ נִקְרָא.
וְאַחֲרֵי כִּכְלוֹת הַכֹּל, לְבַדּוֹ יִמְלוֹךְ נוֹרָא.
וְהוּא הָיָה, וְהוּא הֹוֶה, וְהוּא יִהְיֶה, בְּתִפְאָרָה.
וְהוּא אֶחָד וְאֵין שֵׁנִי, לְהַמְשִׁיל לוֹ לְהַחְבִּירָה.
בְּלִי רֵאשִׁית בְּלִי תַכְלִית, וְלוֹ הָעֹז וְהַמִּשְׂרָה.
וְהוּא אֵלִי וְחַי גֹּאֲלִי, וְצוּר חֶבְלִי בְּעֵת צָרָה.
וְהוּא נִסִּי וּמָנוֹס לִי מְנָת כּוֹסִי בְּיוֹם אֶקְרָא.
בְּיָדוֹ אַפְקִיד רוּחִי, בְּעֵת אִישַׁן וְאָעִירָה.
וְעִם רוּחִי גְּוִיָּתִי, יהוה לִי וְלֹא אִירָא.

When we finish the קדיש we take three steps backward and bow to the left saying עושה שלום במרומיו, then bow to the right saying הוא יעשה שלום, and bow forward, saying עלינו ועל כל ישראל.

אדון עולם expresses our ultimate trust in God. It encourages us to be optimistic and positive in our everyday lives.

סדר ברכות

Blessings are one way for us to acknowledge God's presence in the everyday world. By reciting blessings, we articulate our belief that God is greater than we are, and is our partner in activities we sometimes overlook as goodness in our lives. Another reason for saying ברכות is that God created the world and everything in it. By saying a blessing we recognize that since everything "belongs" to God we must "ask permission" and say "thank you" so that we are "using" God's possessions and not "stealing" them. Jewish tradition says we should say a hundred blessings everyday. This includes all the ברכות in our tefillot and any of the ברכות on food, sight, hearing, etc. Before and after we eat, we thank God for providing food and drink through the goodness of rain and sunshine, since without God's help, crops would not grow.

נטילת ידים
Washing of the Hands

בָּרוּךְ אַתָּה יהוה אֱלֹהֵינוּ מֶלֶךְ הָעוֹלָם, אֲשֶׁר קִדְּשָׁנוּ בְּמִצְוֹתָיו וְצִוָּנוּ עַל נְטִילַת יָדָיִם.

When bread is eaten, המוציא *is said and we do not say any additional preliminary blessings over the food of that meal.*

בָּרוּךְ אַתָּה יהוה, אֱלֹהֵינוּ מֶלֶךְ הָעוֹלָם, הַמּוֹצִיא לֶחֶם מִן הָאָרֶץ.

ברכת המזון

5 הִנְנִי מוּכָן וּמְזֻמָּן לְקַיֵּם מִצְוַת עֲשֵׂה שֶׁל בִּרְכַּת הַמָּזוֹן, כְּמוֹ שֶׁכָּתוּב בַּתּוֹרָה: "וְאָכַלְתָּ וְשָׂבָעְתָּ וּבֵרַכְתָּ אֶת יהוה אֱלֹהֶיךָ עַל הָאָרֶץ הַטֹּבָה אֲשֶׁר נָתַן לָךְ." דְּבָרִים ח:10

נטילת ידים We ritually wash and say this blessing before a meal where bread will be eaten

ברכת המזון The Blessings After a Meal is based on (Deuteronomy 8:10): "You shall eat, and you shall be satisfied and you shall bless the Lord your God." The main section is made up of four ברכות which are discussed in the Talmud (Berachot 48b-49b). We say ברכת המזון after eating a meal that began with ברכת המוציא over bread.

On Shabbat, Rosh Chodesh, Yom Tov, Chol Ha-Moed, Rosh Hashanah,
Chanukah, Purim and Yom Ha'atzmaut

שִׁיר הַמַּעֲלוֹת בְּשׁוּב יהוה אֶת שִׁיבַת צִיּוֹן הָיִינוּ כְּחֹלְמִים: אָז יִמָּלֵא
שְׂחוֹק פִּינוּ וּלְשׁוֹנֵנוּ רִנָּה אָז יֹאמְרוּ בַגּוֹיִם הִגְדִּיל יהוה לַעֲשׂוֹת עִם
אֵלֶּה: הִגְדִּיל יהוה לַעֲשׂוֹת עִמָּנוּ הָיִינוּ שְׂמֵחִים: שׁוּבָה יהוה אֶת
שְׁבִיתֵנוּ כַּאֲפִיקִים בַּנֶּגֶב: הַזֹּרְעִים בְּדִמְעָה בְּרִנָּה יִקְצֹרוּ: הָלוֹךְ יֵלֵךְ
5 וּבָכֹה נֹשֵׂא מֶשֶׁךְ הַזָּרַע בֹּא יָבֹא בְרִנָּה נֹשֵׂא אֲלֻמֹּתָיו: תְּהִלִּים קכו

(המזמן/המזמנת) חֲבֵרַי נְבָרֵךְ

(המסובים) יְהִי שֵׁם יהוה מְבֹרָךְ מֵעַתָּה וְעַד עוֹלָם.

(המזמן/ת) יְהִי שֵׁם יהוה מְבֹרָךְ מֵעַתָּה וְעַד עוֹלָם.

Without a minyan	*With a minyan*
(המזמן/ת) בִּרְשׁוּת חֲבֵרַי, נְבָרֵךְ שֶׁאָכַלְנוּ מִשֶּׁלּוֹ.	(המזמן/ת) בִּרְשׁוּת חֲבֵרַי, נְבָרֵךְ אֱלֹהֵינוּ שֶׁאָכַלְנוּ מִשֶּׁלּוֹ. 10
(המסובים) בָּרוּךְ שֶׁאָכַלְנוּ מִשֶּׁלּוֹ וּבְטוּבוֹ חָיִינוּ.	(המסובים) בָּרוּךְ אֱלֹהֵינוּ שֶׁאָכַלְנוּ מִשֶּׁלּוֹ וּבְטוּבוֹ חָיִינוּ.
(המזמן/ת) בָּרוּךְ שֶׁאָכַלְנוּ מִשֶּׁלּוֹ וּבְטוּבוֹ חָיִינוּ.	(המזמן/ת) בָּרוּךְ אֱלֹהֵינוּ שֶׁאָכַלְנוּ מִשֶּׁלּוֹ וּבְטוּבוֹ חָיִינוּ.

(המסובים) בָּרוּךְ הוּא וּבָרוּךְ שְׁמוֹ:   15

שׁיר המעלות Psalm 126. The recitation of this psalm is included on שבת
and חגים (including ראש חודש). When we recite it, we fulfill two intentions.
The first is to recall Jerusalem and Zion, the second is to fulfill the command
of Rabbi Shimon in Pirkei Avot 3:3, which says that words of Torah should
be spoken at a meal. The psalm speaks about Israel's long-awaited return to
Zion from exile.

זימון The Invitation to Praise: When three or more Jews have eaten a meal
communally, they join together to say ברכת המזון. One person begins by
inviting the others by saying חברי נברך. If a minyan is present, the word
אלהינו is inserted into the line ברוך (אלהינו) שאכלנו משלו וטובו חיינו.

ברכת המזון מקוצרת *Abbreviated Version*

בָּרוּךְ אַתָּה יהוה, אֱלֹהֵינוּ מֶלֶךְ הָעוֹלָם, הַזָּן אֶת הָעוֹלָם כֻּלּוֹ בְּטוּבוֹ בְּחֵן בְּחֶסֶד וּבְרַחֲמִים, הוּא נוֹתֵן לֶחֶם לְכָל בָּשָׂר כִּי לְעוֹלָם חַסְדּוֹ. וּבְטוּבוֹ הַגָּדוֹל תָּמִיד לֹא חָסַר לָנוּ, וְאַל יֶחְסַר לָנוּ מָזוֹן לְעוֹלָם וָעֶד. בַּעֲבוּר שְׁמוֹ הַגָּדוֹל, כִּי הוּא אֵל זָן וּמְפַרְנֵס לַכֹּל וּמֵטִיב לַכֹּל וּמֵכִין מָזוֹן לְכֹל בְּרִיּוֹתָיו אֲשֶׁר בָּרָא. בָּרוּךְ אַתָּה יהוה, **הַזָּן אֶת הַכֹּל:**

נוֹדֶה לְּךָ יהוה אֱלֹהֵינוּ עַל שֶׁהִנְחַלְתָּ לַאֲבוֹתֵינוּ, אֶרֶץ חֶמְדָּה טוֹבָה וּרְחָבָה, וְעַל שֶׁהוֹצֵאתָנוּ יהוה אֱלֹהֵינוּ מֵאֶרֶץ מִצְרַיִם, וּפְדִיתָנוּ, מִבֵּית עֲבָדִים, וְעַל בְּרִיתְךָ שֶׁחָתַמְתָּ בִּבְשָׂרֵנוּ, וְעַל תּוֹרָתְךָ שֶׁלִּמַּדְתָּנוּ,

לחנוכה, פורים, ויום העצמאות *On Chanukah, Purim, and Yom Ha'atzmaut*

עַל הַנִּסִּים וְעַל הַפֻּרְקָן וְעַל הַגְּבוּרוֹת וְעַל הַתְּשׁוּעוֹת וְעַל הַמִּלְחָמוֹת שֶׁעָשִׂיתָ לַאֲבוֹתֵינוּ בַּיָּמִים הָהֵם בַּזְּמַן הַזֶּה.

לחנוכה *On Chanukah*

בִּימֵי מַתִּתְיָהוּ בֶּן יוֹחָנָן כֹּהֵן גָּדוֹל חַשְׁמוֹנָאִי וּבָנָיו, כְּשֶׁעָמְדָה מַלְכוּת יָוָן הָרְשָׁעָה עַל עַמְּךָ יִשְׂרָאֵל, לְהַשְׁכִּיחָם תּוֹרָתֶךָ, וּלְהַעֲבִירָם מֵחֻקֵּי רְצוֹנֶךָ. וְאַתָּה בְּרַחֲמֶיךָ הָרַבִּים, עָמַדְתָּ לָהֶם בְּעֵת צָרָתָם, רַבְתָּ אֶת רִיבָם, דַּנְתָּ אֶת דִּינָם, נָקַמְתָּ אֶת נִקְמָתָם. מָסַרְתָּ גִּבּוֹרִים בְּיַד חַלָּשִׁים,

---

הזן את הכל Jewish tradition holds that this ברכה was written by משה and God is praised for providing food to all creatures through goodness and compassion.

נודה לך Here we thank God for taking בני ישראל out of Egypt, bringing them to ארץ ישראל, and giving the Torah and constantly providing food. The Talmud says that Joshua wrote this ברכה.

וְרַבִּים בְּיַד מְעַטִּים, וּטְמֵאִים בְּיַד טְהוֹרִים, וּרְשָׁעִים בְּיַד צַדִּיקִים, וְזֵדִים בְּיַד עוֹסְקֵי תוֹרָתֶךָ, וּלְךָ עָשִׂיתָ שֵׁם גָּדוֹל וְקָדוֹשׁ בְּעוֹלָמֶךָ, וּלְעַמְּךָ יִשְׂרָאֵל עָשִׂיתָ תְּשׁוּעָה גְדוֹלָה וּפֻרְקָן כְּהַיּוֹם הַזֶּה. וְאַחַר כֵּן בָּאוּ בָנֶיךָ לִדְבִיר בֵּיתֶךָ, וּפִנּוּ אֶת הֵיכָלֶךָ, וְטִהֲרוּ אֶת מִקְדָּשֶׁךָ, וְהִדְלִיקוּ נֵרוֹת בְּחַצְרוֹת קָדְשֶׁךָ, וְקָבְעוּ שְׁמוֹנַת יְמֵי חֲנֻכָּה אֵלּוּ, לְהוֹדוֹת וּלְהַלֵּל לְשִׁמְךָ הַגָּדוֹל.

לפורים *On Purim*

בִּימֵי מָרְדְּכַי וְאֶסְתֵּר בְּשׁוּשַׁן הַבִּירָה, כְּשֶׁעָמַד עֲלֵיהֶם הָמָן הָרָשָׁע, בִּקֵּשׁ לְהַשְׁמִיד לַהֲרֹג וּלְאַבֵּד אֶת כָּל הַיְּהוּדִים, מִנַּעַר וְעַד זָקֵן, טַף וְנָשִׁים בְּיוֹם אֶחָד, בִּשְׁלוֹשָׁה עָשָׂר לְחֹדֶשׁ שְׁנֵים עָשָׂר, הוּא חֹדֶשׁ אֲדָר, וּשְׁלָלָם לָבוֹז. וְאַתָּה בְּרַחֲמֶיךָ הָרַבִּים הֵפַרְתָּ אֶת עֲצָתוֹ, וְקִלְקַלְתָּ אֶת מַחֲשַׁבְתּוֹ, וַהֲשֵׁבוֹתָ לּוֹ גְּמוּלוֹ בְּרֹאשׁוֹ, וְתָלוּ אוֹתוֹ וְאֶת בָּנָיו עַל הָעֵץ.

ליום העצמאות *On Yom Ha'atzmaut*

בְּשָׁעָה שֶׁעַמְּךָ יִשְׂרָאֵל הָיָה מְפֻזָּר בֵּין הָעַמִּים קָמוּ חֲלוּצִים לִבְנוֹת אֶת אֶרֶץ יִשְׂרָאֵל לְקַבֵּץ גָּלֻיּוֹתֵינוּ, לִגְאֹל אֶת עַמֵּנוּ וּלְהַצִּיב גְּבוּל אַלְמָנָה וּלְהַגְשִׁים חֲזוֹן הַנְּבִיאִים: ״וִישַׁבְתֶּם בָּאָרֶץ אֲשֶׁר נָתַתִּי לַאֲבֹתֵיכֶם וִהְיִיתֶם לִי לְעָם וְאָנֹכִי אֶהְיֶה לָכֶם לֵאלֹהִים״. יְחֶזְקֵאל לו:28

בִּימֵי חֻרְבָּן וְשׁוֹאָה וּפְלֵיטָה גְּדוֹלָה צָעֲקָה לִגְאֻלָּה, נִסְגְּרוּ שַׁעֲרֵי אֶרֶץ אָבוֹת בִּפְנֵי פְּלִיטִים. אָז אוֹיְבִים בָּאָרֶץ קָמוּ לְהַכְרִית עַמְּךָ יִשְׂרָאֵל; אַתָּה בְּרַחֲמֶיךָ הָרַבִּים עָמַדְתָּ לָהֶם בְּעֵת צָרָתָם; רַבְתָּ אֶת רִיבָם, דַּנְתָּ אֶת דִּינָם, חִזַּקְתָּ אֶת לִבָּם לַעֲמוֹד בַּשַּׁעַר וְלִפְתֹּחַ שְׁעָרִים לַנִּרְדָּפִים וּלְגָרֵשׁ אֶת צִבְאוֹת הָאוֹיֵב מִן הָאָרֶץ. מָסַרְתָּ רַבִּים בְּיַד מְעַטִּים וּרְשָׁעִים בְּיַד צַדִּיקִים, וּלְךָ עָשִׂיתָ שֵׁם גָּדוֹל וְקָדוֹשׁ בְּעוֹלָמֶךָ

וּלְעַמְּךָ יִשְׂרָאֵל עָשִׂיתָ תְּשׁוּעָה גְדוֹלָה וּפֻרְקָן כְּהַיּוֹם הַזֶּה. וְאַחַר כֵּן נִקְבְּצוּ בָנֶיךָ לִבְנוֹת וּלְהִבָּנוֹת בְּאַרְצֵנוּ וְקָרְאוּ עַצְמָאוּת בָּאָרֶץ. אָז קָבְעוּ בָנֶיךָ אֶת יוֹם הָעַצְמָאוּת הַזֶּה לִשְׂמוֹחַ בּוֹ וּלְהוֹדוֹת לְשִׁמְךָ עַל נִסֶּיךָ וְעַל נִפְלְאוֹתֶיךָ.

וְעַל הַכֹּל יהוה אֱלֹהֵינוּ אֲנַחְנוּ מוֹדִים לָךְ, וּמְבָרְכִים אוֹתָךְ, יִתְבָּרַךְ שִׁמְךָ בְּפִי כָּל חַי תָּמִיד לְעוֹלָם וָעֶד. כַּכָּתוּב, "וְאָכַלְתָּ וְשָׂבָעְתָּ, וּבֵרַכְתָּ אֶת יהוה אֱלֹהֶיךָ עַל הָאָרֶץ הַטֹּבָה אֲשֶׁר נָתַן לָךְ." דְּבָרִים ח:10
בָּרוּךְ אַתָּה יהוה, **עַל הָאָרֶץ וְעַל הַמָּזוֹן:**

רַחֵם נָא יהוה אֱלֹהֵינוּ, עַל יִשְׂרָאֵל עַמֶּךָ, וְעַל יְרוּשָׁלַיִם עִירֶךָ, וְעַל צִיּוֹן מִשְׁכַּן כְּבוֹדֶךָ, וְעַל מַלְכוּת בֵּית דָּוִד מְשִׁיחֶךָ, וְעַל הַבַּיִת הַגָּדוֹל וְהַקָּדוֹשׁ שֶׁנִּקְרָא שִׁמְךָ עָלָיו.

On Shabbat

רְצֵה וְהַחֲלִיצֵנוּ יהוה אֱלֹהֵינוּ בְּמִצְוֹתֶיךָ וּבְמִצְוַת יוֹם הַשְּׁבִיעִי הַשַּׁבָּת הַגָּדוֹל וְהַקָּדוֹשׁ הַזֶּה. כִּי יוֹם זֶה גָּדוֹל וְקָדוֹשׁ הוּא לְפָנֶיךָ, לִשְׁבָּת בּוֹ וְלָנוּחַ בּוֹ בְּאַהֲבָה כְּמִצְוַת רְצוֹנֶךָ וּבִרְצוֹנְךָ הָנִיחַ לָנוּ יהוה אֱלֹהֵינוּ, שֶׁלֹּא תְהֵא צָרָה וְיָגוֹן וַאֲנָחָה בְּיוֹם מְנוּחָתֵנוּ. וְהַרְאֵנוּ יהוה אֱלֹהֵינוּ בְּנֶחָמַת צִיּוֹן עִירֶךָ, וּבְבִנְיַן יְרוּשָׁלַיִם עִיר קָדְשֶׁךָ, כִּי אַתָּה הוּא בַּעַל הַיְשׁוּעוֹת וּבַעַל הַנֶּחָמוֹת:

ועל הכל...על הארץ ועל המזון We specifically say "thank you" to God for both ארץ ישראל and providing us with food. This ends the second ברכה.

רצה והחליצנו יהוה אלהינו This is added on שבת to praise God for creating the seventh day and making it holy. Appropriately, this ברכה asks God to bring comfort to Jerusalem.

יעלה ויבוא This is added on ראש השנה, סכות, שבועות, פסח, שמיני עצרת, שמחת תורה. For notes on this insertion, see p. 39.

On Rosh Chodesh, Yom Tov, Chol Hamoed, and Rosh Hashanah

אֱלֹהֵינוּ וֵאלֹהֵי אֲבוֹתֵינוּ, יַעֲלֶה וְיָבֹא וְיַגִּיעַ, וְיֵרָאֶה, וְיֵרָצֶה, וְיִשָּׁמַע, וְיִפָּקֵד, וְיִזָּכֵר זִכְרוֹנֵנוּ וּפִקְדוֹנֵנוּ, וְזִכְרוֹן אֲבוֹתֵינוּ, וְזִכְרוֹן מָשִׁיחַ בֶּן דָּוִד עַבְדֶּךָ, וְזִכְרוֹן יְרוּשָׁלַיִם עִיר קָדְשֶׁךָ, וְזִכְרוֹן כָּל עַמְּךָ בֵּית יִשְׂרָאֵל לְפָנֶיךָ, לִפְלֵיטָה לְטוֹבָה לְחֵן וּלְחֶסֶד וּלְרַחֲמִים, לְחַיִּים וּלְשָׁלוֹם . . .

ראש חודש: בְּיוֹם רֹאשׁ הַחֹדֶשׁ הַזֶּה. *On Rosh Chodesh*

פסח: בְּיוֹם חַג הַמַּצּוֹת הַזֶּה. *On Pesach*

שבועות: בְּיוֹם חַג הַשָּׁבוּעוֹת הַזֶּה. *On Shavuot*

ראש השנה: בְּיוֹם הַזִּכָּרוֹן הַזֶּה. *On Rosh Hashanah*

סוכות: בְּיוֹם חַג הַסֻּכּוֹת הַזֶּה. *On Sukkot*

שמיני עצרת: בְּיוֹם הַשְּׁמִינִי חַג הָעֲצֶרֶת הַזֶּה. *On Shmini Atzeret*

שמחת תורה: בְּיוֹם הַשְּׁמִינִי חַג הָעֲצֶרֶת הַזֶּה. *On Simchat Torah*

זָכְרֵנוּ יהוה אֱלֹהֵינוּ בּוֹ לְטוֹבָה. וּפָקְדֵנוּ בוֹ לִבְרָכָה. וְהוֹשִׁיעֵנוּ בוֹ לְחַיִּים, וּבִדְבַר יְשׁוּעָה וְרַחֲמִים, חוּס וְחָנֵּנוּ, וְרַחֵם עָלֵינוּ וְהוֹשִׁיעֵנוּ, כִּי אֵלֶיךָ עֵינֵינוּ, כִּי אֵל מֶלֶךְ חַנּוּן וְרַחוּם אָתָּה:

וּבְנֵה יְרוּשָׁלַיִם עִיר הַקֹּדֶשׁ בִּמְהֵרָה בְיָמֵינוּ. בָּרוּךְ אַתָּה יהוה, **בּוֹנֵה בְרַחֲמָיו יְרוּשָׁלָיִם, אָמֵן.**

בונה ברחמיו ירושלים אמן At the end of the third ברכה, we praise God as the builder of Jerusalem. Although we do not usually say "אמן" to our own ברכות, we do here to show a distinction between the first three ברכות whose source is the Bible and the fourth ברכה whose source is the Rabbis of the Talmud.

ברוך...האל אבינו מלכנו The fourth ברכה was written by ancient Rabbis, after the Bar Kochba rebellion when life for Jews in ארץ ישראל was extremely difficult. In this ברכה we ask God for continued goodness. After this ברכה the formal part of the ברכת המזון is completed. We continue with several short requests, some individual, some communal. Each one begins with הרחמן (May the Merciful One . . .).

בָּרוּךְ אַתָּה יהוה אֱלֹהֵינוּ מֶלֶךְ הָעוֹלָם, הָאֵל אָבִינוּ, מַלְכֵּנוּ, הַמֶּלֶךְ **הַטּוֹב, וְהַמֵּטִיב** לַכֹּל, שֶׁבְּכָל יוֹם וָיוֹם מַרְבֶּה לְהֵיטִיב עִמָּנוּ, וְהוּא יִגְמְלֵנוּ לָעַד—לְחֵן וּלְחֶסֶד וּלְרַחֲמִים וּלְכָל טוֹב.

(לשבת) הָרַחֲמָן, הוּא יַנְחִילֵנוּ יוֹם שֶׁכֻּלּוֹ שַׁבָּת וּמְנוּחָה לְחַיֵּי הָעוֹלָמִים.

(לראש חודש) הָרַחֲמָן, הוּא יְחַדֵּשׁ עָלֵינוּ אֶת הַחֹדֶשׁ הַזֶּה לְטוֹבָה וְלִבְרָכָה.

(ליום טוב) הָרַחֲמָן, הוּא יַנְחִילֵנוּ יוֹם שֶׁכֻּלּוֹ טוֹב.

(לראש השנה) הָרַחֲמָן, הוּא יְחַדֵּשׁ עָלֵינוּ אֶת הַשָּׁנָה הַזֹּאת לְטוֹבָה וְלִבְרָכָה.

Add only when eating your meal in the Succah

(לסוכות) הָרַחֲמָן, הוּא יָקִים לָנוּ אֶת סֻכַּת דָּוִד הַנּוֹפָלֶת.

הָרַחֲמָן, הוּא יְבָרֵךְ אֶת מְדִינַת יִשְׂרָאֵל, רֵאשִׁית צְמִיחַת גְּאֻלָּתֵנוּ.

הָרַחֲמָן, הוּא יְבָרֵךְ אֶת אַחֵינוּ בֵּית יִשְׂרָאֵל הַנְּתוּנִים בְּצָרָה, וְיוֹצִיאֵם מֵאֲפֵלָה לְאוֹרָה.

הָרַחֲמָן, הוּא יְזַכֵּנוּ לִימוֹת הַמָּשִׁיחַ וּלְחַיֵּי הָעוֹלָם הַבָּא.

בחול: מַגְדִּיל שְׁמוּאֵל ב׳ כב:51

בשבת, ראש חודש, יום טוב, חול המועד, וראש השנה:

מִגְדּוֹל תְּהִלִּים יח:51

יְשׁוּעוֹת מַלְכּוֹ, וְעֹשֶׂה חֶסֶד לִמְשִׁיחוֹ לְדָוִד וּלְזַרְעוֹ עַד עוֹלָם: עֹשֶׂה שָׁלוֹם בִּמְרוֹמָיו, הוּא יַעֲשֶׂה שָׁלוֹם, עָלֵינוּ וְעַל כָּל יִשְׂרָאֵל, וְאִמְרוּ אָמֵן:

ברכת המזון מלאה

Full Version

(המזמן/המזמנת) חֲבֵרַי נְבָרֵךְ:

(המסובים) יְהִי שֵׁם יהוה מְבֹרָךְ מֵעַתָּה וְעַד עוֹלָם.

(המזמנ/ת) יְהִי שֵׁם יהוה מְבֹרָךְ מֵעַתָּה וְעַד עוֹלָם.

With a minyan

(המזמנ/ת) בִּרְשׁוּת חֲבֵרַי, נְבָרֵךְ אֱלֹהֵינוּ שֶׁאָכַלְנוּ מִשֶּׁלּוֹ.

(המסובים) בָּרוּךְ אֱלֹהֵינוּ שֶׁאָכַלְנוּ מִשֶּׁלּוֹ וּבְטוּבוֹ חָיִינוּ.

(המזמנ/ת) בָּרוּךְ אֱלֹהֵינוּ שֶׁאָכַלְנוּ מִשֶּׁלּוֹ וּבְטוּבוֹ חָיִינוּ.

Without a minyan

(המזמנ/ת) בִּרְשׁוּת חֲבֵרַי, נְבָרֵךְ שֶׁאָכַלְנוּ מִשֶּׁלּוֹ.

(המסובים) בָּרוּךְ שֶׁאָכַלְנוּ מִשֶּׁלּוֹ וּבְטוּבוֹ חָיִינוּ.

(המזמנ/ת) בָּרוּךְ שֶׁאָכַלְנוּ מִשֶּׁלּוֹ וּבְטוּבוֹ חָיִינוּ.

(המסובים) בָּרוּךְ הוּא וּבָרוּךְ שְׁמוֹ:

בָּרוּךְ אַתָּה יהוה, אֱלֹהֵינוּ מֶלֶךְ הָעוֹלָם, הַזָּן אֶת הָעוֹלָם כֻּלּוֹ בְּטוּבוֹ בְּחֵן בְּחֶסֶד וּבְרַחֲמִים הוּא נוֹתֵן לֶחֶם לְכָל בָּשָׂר כִּי לְעוֹלָם חַסְדּוֹ. וּבְטוּבוֹ הַגָּדוֹל תָּמִיד לֹא חָסַר לָנוּ, וְאַל יֶחְסַר לָנוּ מָזוֹן לְעוֹלָם וָעֶד. בַּעֲבוּר שְׁמוֹ הַגָּדוֹל, כִּי הוּא אֵל זָן וּמְפַרְנֵס לַכֹּל וּמֵטִיב לַכֹּל, וּמֵכִין מָזוֹן לְכָל בְּרִיּוֹתָיו אֲשֶׁר בָּרָא. בָּרוּךְ אַתָּה יהוה, **הַזָּן אֶת הַכֹּל:**

נוֹדֶה לְּךָ יהוה אֱלֹהֵינוּ עַל שֶׁהִנְחַלְתָּ לַאֲבוֹתֵינוּ, אֶרֶץ חֶמְדָּה טוֹבָה וּרְחָבָה, וְעַל שֶׁהוֹצֵאתָנוּ יהוה אֱלֹהֵינוּ מֵאֶרֶץ מִצְרַיִם, וּפְדִיתָנוּ, מִבֵּית עֲבָדִים, וְעַל בְּרִיתְךָ שֶׁחָתַמְתָּ בִּבְשָׂרֵנוּ, וְעַל תּוֹרָתְךָ שֶׁלִּמַּדְתָּנוּ, וְעַל חֻקֶּיךָ שֶׁהוֹדַעְתָּנוּ וְעַל חַיִּים חֵן וָחֶסֶד שֶׁחוֹנַנְתָּנוּ, וְעַל אֲכִילַת מָזוֹן שָׁאַתָּה זָן וּמְפַרְנֵס אוֹתָנוּ תָּמִיד, בְּכָל יוֹם וּבְכָל עֵת וּבְכָל שָׁעָה:

לחנוכה, פורים ויום העצמאות *On Chanukah, Purim and Yom Ha'atzmaut*

עַל הַנִּסִּים וְעַל הַפֻּרְקָן וְעַל הַגְּבוּרוֹת וְעַל הַתְּשׁוּעוֹת וְעַל הַמִּלְחָמוֹת שֶׁעָשִׂיתָ לַאֲבוֹתֵינוּ בַּיָּמִים הָהֵם בַּזְּמַן הַזֶּה.

לחנוכה *On Chanukah*

בִּימֵי מַתִּתְיָהוּ בֶּן יוֹחָנָן כֹּהֵן גָּדוֹל חַשְׁמוֹנָאִי וּבָנָיו, כְּשֶׁעָמְדָה מַלְכוּת יָוָן הָרְשָׁעָה עַל עַמְּךָ יִשְׂרָאֵל, לְהַשְׁכִּיחָם תּוֹרָתֶךָ, וּלְהַעֲבִירָם מֵחֻקֵּי רְצוֹנֶךָ. וְאַתָּה בְּרַחֲמֶיךָ הָרַבִּים, עָמַדְתָּ לָהֶם בְּעֵת צָרָתָם, רַבְתָּ אֶת רִיבָם, דַּנְתָּ אֶת דִּינָם, נָקַמְתָּ אֶת נִקְמָתָם. מָסַרְתָּ גִבּוֹרִים בְּיַד חַלָּשִׁים, וְרַבִּים בְּיַד מְעַטִּים, וּטְמֵאִים בְּיַד טְהוֹרִים, וּרְשָׁעִים בְּיַד צַדִּיקִים, וְזֵדִים בְּיַד עוֹסְקֵי תוֹרָתֶךָ, וּלְךָ עָשִׂיתָ שֵׁם גָּדוֹל וְקָדוֹשׁ בְּעוֹלָמֶךָ, וּלְעַמְּךָ יִשְׂרָאֵל עָשִׂיתָ תְּשׁוּעָה גְדוֹלָה וּפֻרְקָן כְּהַיּוֹם הַזֶּה. וְאַחַר כֵּן בָּאוּ בָנֶיךָ לִדְבִיר בֵּיתֶךָ, וּפִנּוּ אֶת הֵיכָלֶךָ, וְטִהֲרוּ אֶת מִקְדָּשֶׁךָ, וְהִדְלִיקוּ נֵרוֹת בְּחַצְרוֹת קָדְשֶׁךָ, וְקָבְעוּ שְׁמוֹנַת יְמֵי חֲנֻכָּה אֵלּוּ, לְהוֹדוֹת וּלְהַלֵּל לְשִׁמְךָ הַגָּדוֹל.

לפורים *On Purim*

בִּימֵי מָרְדְּכַי וְאֶסְתֵּר בְּשׁוּשַׁן הַבִּירָה, כְּשֶׁעָמַד עֲלֵיהֶם הָמָן הָרָשָׁע, בִּקֵּשׁ לְהַשְׁמִיד לַהֲרֹג וּלְאַבֵּד אֶת כָּל הַיְּהוּדִים, מִנַּעַר וְעַד זָקֵן, טַף וְנָשִׁים בְּיוֹם אֶחָד, בִּשְׁלוֹשָׁה עָשָׂר לְחֹדֶשׁ שְׁנֵים עָשָׂר, הוּא חֹדֶשׁ אֲדָר, וּשְׁלָלָם לָבוֹז. וְאַתָּה בְּרַחֲמֶיךָ הָרַבִּים הֵפַרְתָּ אֶת עֲצָתוֹ, וְקִלְקַלְתָּ אֶת מַחֲשַׁבְתּוֹ, וַהֲשֵׁבוֹתָ לּוֹ גְּמוּלוֹ בְּרֹאשׁוֹ, וְתָלוּ אוֹתוֹ וְאֶת בָּנָיו עַל הָעֵץ.

ליום העצמאות *On Yom Ha'atzmaut*

בְּשָׁעָה שֶׁעַמְּךָ יִשְׂרָאֵל הָיָה מְפֻזָּר בֵּין הָעַמִּים קָמוּ חֲלוּצִים לִבְנוֹת אֶת אֶרֶץ יִשְׂרָאֵל לְקַבֵּץ גָּלֻיּוֹתֵינוּ, לִגְאֹל אֶת עַמֵּנוּ וּלְהַצִּיב גְּבוּל אַלְמָנָה וּלְהַגְשִׁים חֲזוֹן הַנְּבִיאִים: "וִישַׁבְתֶּם בָּאָרֶץ אֲשֶׁר נָתַתִּי לַאֲבֹתֵיכֶם וִהְיִיתֶם לִי לְעָם וְאָנֹכִי אֶהְיֶה לָכֶם לֵאלֹהִים". יְחֶזְקֵאל לו:28

בִּימֵי חֻרְבָּן וְשׁוֹאָה וּפְלֵיטָה גְּדוֹלָה צָעֲקָה לִגְאֻלָּה, נִסְגְּרוּ שַׁעֲרֵי אֶרֶץ אָבוֹת בִּפְנֵי פְּלִיטִים. אָז אוֹיְבִים בָּאָרֶץ קָמוּ לְהַכְרִית עַמְּךָ יִשְׂרָאֵל; אַתָּה בְּרַחֲמֶיךָ הָרַבִּים עָמַדְתָּ לָהֶם בְּעֵת צָרָתָם; רַבְתָּ אֶת רִיבָם, דַּנְתָּ אֶת דִּינָם, חִזַּקְתָּ אֶת לִבָּם לַעֲמוֹד בַּשַּׁעַר וְלִפְתֹּחַ שְׁעָרִים לַנִּרְדָּפִים וּלְגָרֵשׁ אֶת צִבְאוֹת הָאוֹיֵב מִן הָאָרֶץ. מָסַרְתָּ רַבִּים בְּיַד מְעַטִּים וּרְשָׁעִים בְּיַד צַדִּיקִים, וּלְךָ עָשִׂיתָ שֵׁם גָּדוֹל וְקָדוֹשׁ בְּעוֹלָמֶךָ וּלְעַמְּךָ יִשְׂרָאֵל עָשִׂיתָ תְּשׁוּעָה גְדוֹלָה וּפֻרְקָן כְּהַיּוֹם הַזֶּה. וְאַחַר כֵּן נִקְבְּצוּ בָנֶיךָ לִבְנוֹת וּלְהִבָּנוֹת בְּאַרְצֵנוּ וְקָרְאוּ עַצְמָאוּת בָּאָרֶץ. אָז קָבְעוּ בָנֶיךָ אֶת יוֹם הָעַצְמָאוּת הַזֶּה לִשְׂמוֹחַ בּוֹ וּלְהוֹדוֹת לְשִׁמְךָ עַל נִסֶּיךָ וְעַל נִפְלְאוֹתֶיךָ.

וְעַל הַכֹּל יהוה אֱלֹהֵינוּ אֲנַחְנוּ מוֹדִים לָךְ, וּמְבָרְכִים אוֹתָךְ, יִתְבָּרַךְ שִׁמְךָ בְּפִי כָּל חַי תָּמִיד לְעוֹלָם וָעֶד. כַּכָּתוּב: "וְאָכַלְתָּ וְשָׂבָעְתָּ, וּבֵרַכְתָּ אֶת יהוה אֱלֹהֶיךָ עַל הָאָרֶץ הַטֹּבָה אֲשֶׁר נָתַן לָךְ." דְּבָרִים ח:10

בָּרוּךְ אַתָּה יהוה, **עַל הָאָרֶץ וְעַל הַמָּזוֹן:**

רַחֵם נָא יהוה אֱלֹהֵינוּ, עַל יִשְׂרָאֵל עַמֶּךָ, וְעַל יְרוּשָׁלַיִם עִירֶךָ, וְעַל צִיּוֹן מִשְׁכַּן כְּבוֹדֶךָ, וְעַל מַלְכוּת בֵּית דָּוִד מְשִׁיחֶךָ, וְעַל הַבַּיִת הַגָּדוֹל וְהַקָּדוֹשׁ שֶׁנִּקְרָא שִׁמְךָ עָלָיו. אֱלֹהֵינוּ, אָבִינוּ, רְעֵנוּ, זוּנֵנוּ, פַּרְנְסֵנוּ, וְכַלְכְּלֵנוּ, וְהַרְוִיחֵנוּ, וְהַרְוַח לָנוּ יהוה אֱלֹהֵינוּ מְהֵרָה מִכָּל צָרוֹתֵינוּ, וְנָא, אַל תַּצְרִיכֵנוּ יהוה אֱלֹהֵינוּ, לֹא לִידֵי מַתְּנַת בָּשָׂר וָדָם, וְלֹא לִידֵי הַלְוָאָתָם. כִּי אִם לְיָדְךָ הַמְּלֵאָה, הַפְּתוּחָה, הַקְּדוֹשָׁה וְהָרְחָבָה, שֶׁלֹּא נֵבוֹשׁ וְלֹא נִכָּלֵם לְעוֹלָם וָעֶד:

On Shabbat

רְצֵה וְהַחֲלִיצֵנוּ יהוה אֱלֹהֵינוּ בְּמִצְוֹתֶיךָ וּבְמִצְוַת יוֹם הַשְּׁבִיעִי הַשַּׁבָּת הַגָּדוֹל וְהַקָּדוֹשׁ הַזֶּה. כִּי יוֹם זֶה גָּדוֹל וְקָדוֹשׁ הוּא לְפָנֶיךָ, לִשְׁבָּת בּוֹ וְלָנוּחַ בּוֹ בְּאַהֲבָה כְּמִצְוַת רְצוֹנֶךָ וּבִרְצוֹנְךָ הָנִיחַ לָנוּ יהוה אֱלֹהֵינוּ, שֶׁלֹּא תְהֵא צָרָה וְיָגוֹן וַאֲנָחָה בְּיוֹם מְנוּחָתֵנוּ. וְהַרְאֵנוּ יהוה אֱלֹהֵינוּ בְּנֶחָמַת צִיּוֹן עִירֶךָ, וּבְבִנְיַן יְרוּשָׁלַיִם עִיר קָדְשֶׁךָ, כִּי אַתָּה הוּא בַּעַל הַיְשׁוּעוֹת וּבַעַל הַנֶּחָמוֹת:

On Rosh Chodesh, Yom Tov, Chol Hamoed, and Rosh Hashanah

אֱלֹהֵינוּ וֵאלֹהֵי אֲבוֹתֵינוּ, יַעֲלֶה וְיָבֹא וְיַגִּיעַ, וְיֵרָאֶה, וְיֵרָצֶה, וְיִשָּׁמַע, וְיִפָּקֵד, וְיִזָּכֵר זִכְרוֹנֵנוּ וּפִקְדוֹנֵנוּ, וְזִכְרוֹן אֲבוֹתֵינוּ, וְזִכְרוֹן מָשִׁיחַ בֶּן דָּוִד עַבְדֶּךָ, וְזִכְרוֹן יְרוּשָׁלַיִם עִיר קָדְשֶׁךָ, וְזִכְרוֹן כָּל עַמְּךָ בֵּית יִשְׂרָאֵל לְפָנֶיךָ, לִפְלֵיטָה לְטוֹבָה לְחֵן וּלְחֶסֶד וּלְרַחֲמִים, לְחַיִּים וּלְשָׁלוֹם

(ראש חודש:) בְּיוֹם רֹאשׁ הַחֹדֶשׁ הַזֶּה. *On Rosh Chodesh*

(פסח:) בְּיוֹם חַג הַמַּצּוֹת הַזֶּה. *On Pesach*

(שבועות:) בְּיוֹם חַג הַשָּׁבוּעוֹת הַזֶּה. *On Shavuot*

(ראש השנה:) בְּיוֹם הַזִּכָּרוֹן הַזֶּה. *On Rosh Hashanah*

(סוכות:) בְּיוֹם חַג הַסֻּכּוֹת הַזֶּה. *On Sukkot*

(שמיני עצרת:) בְּיוֹם הַשְּׁמִינִי חַג הָעֲצֶרֶת הַזֶּה. *On Shmini Atzeret*

(שמחת תורה:) בְּיוֹם הַשְּׁמִינִי חַג הָעֲצֶרֶת הַזֶּה. *On Simchat Torah*

זָכְרֵנוּ יהוה אֱלֹהֵינוּ בּוֹ לְטוֹבָה. וּפָקְדֵנוּ בוֹ לִבְרָכָה. וְהוֹשִׁיעֵנוּ בוֹ לְחַיִּים, וּבִדְבַר יְשׁוּעָה וְרַחֲמִים, חוּס וְחָנֵּנוּ, וְרַחֵם עָלֵינוּ וְהוֹשִׁיעֵנוּ, כִּי אֵלֶיךָ עֵינֵינוּ, כִּי אֵל מֶלֶךְ חַנּוּן וְרַחוּם אָתָּה:

וּבְנֵה יְרוּשָׁלַיִם עִיר הַקֹּדֶשׁ בִּמְהֵרָה בְיָמֵינוּ. בָּרוּךְ אַתָּה יהוה, **בּוֹנֵה בְרַחֲמָיו יְרוּשָׁלָיִם**, אָמֵן.

בָּרוּךְ אַתָּה יהוה אֱלֹהֵינוּ מֶלֶךְ הָעוֹלָם, הָאֵל אָבִינוּ, מַלְכֵּנוּ, אַדִּירֵנוּ בּוֹרְאֵנוּ, גּוֹאֲלֵנוּ, יוֹצְרֵנוּ, קְדוֹשֵׁנוּ קְדוֹשׁ יַעֲקֹב, רוֹעֵנוּ רוֹעֵה יִשְׂרָאֵל. הַמֶּלֶךְ **הַטּוֹב וְהַמֵּטִיב** לַכֹּל, שֶׁבְּכָל יוֹם וָיוֹם הוּא הֵטִיב, הוּא מֵטִיב, הוּא יֵיטִיב לָנוּ. הוּא גְמָלָנוּ, הוּא גוֹמְלֵנוּ, הוּא יִגְמְלֵנוּ לָעַד לְחֵן וּלְחֶסֶד וּלְרַחֲמִים וּלְרֶוַח הַצָּלָה וְהַצְלָחָה בְּרָכָה וִישׁוּעָה, נֶחָמָה, פַּרְנָסָה וְכַלְכָּלָה, וְרַחֲמִים, וְחַיִּים וְשָׁלוֹם, וְכָל טוֹב, וּמִכָּל טוּב לְעוֹלָם אַל יְחַסְּרֵנוּ:

הָרַחֲמָן, הוּא יִמְלוֹךְ עָלֵינוּ לְעוֹלָם וָעֶד.

הָרַחֲמָן, הוּא יִתְבָּרַךְ בַּשָּׁמַיִם וּבָאָרֶץ.

הָרַחֲמָן, הוּא יִשְׁתַּבַּח לְדוֹר דּוֹרִים, וְיִתְפָּאַר בָּנוּ לָעַד וּלְנֵצַח נְצָחִים, וְיִתְהַדַּר בָּנוּ לָעַד וּלְעוֹלְמֵי עוֹלָמִים.

הָרַחֲמָן, הוּא יְפַרְנְסֵנוּ בְּכָבוֹד.

הָרַחֲמָן, הוּא יִשְׁבּוֹר עֻלֵּנוּ מֵעַל צַוָּארֵנוּ וְהוּא יוֹלִיכֵנוּ קוֹמְמִיּוּת לְאַרְצֵנוּ.

הָרַחֲמָן, הוּא יִשְׁלַח לָנוּ בְּרָכָה מְרֻבָּה בַּבַּיִת הַזֶּה, וְעַל שֻׁלְחָן זֶה שֶׁאָכַלְנוּ עָלָיו.

הָרַחֲמָן, הוּא יִשְׁלַח לָנוּ אֶת אֵלִיָּהוּ הַנָּבִיא זָכוּר לַטּוֹב, וִיבַשֶּׂר לָנוּ בְּשׂוֹרוֹת טוֹבוֹת יְשׁוּעוֹת וְנֶחָמוֹת.

הָרַחֲמָן, הוּא יְבָרֵךְ אֶת כָּל הַמְסֻבִּים כָּאן אוֹתָם וְאֶת בֵּיתָם וְאֶת זַרְעָם וְאֶת כָּל אֲשֶׁר לָהֶם. אוֹתָנוּ וְאֶת כָּל אֲשֶׁר לָנוּ, כְּמוֹ שֶׁנִּתְבָּרְכוּ אֲבוֹתֵינוּ, אַבְרָהָם יִצְחָק וְיַעֲקֹב: "בַּכֹּל" בְּרֵאשִׁית כד:1 "מִכֹּל" שָׁם כז:33 "כֹּל" שָׁם לג:11. כֵּן יְבָרֵךְ אוֹתָנוּ כֻּלָּנוּ יַחַד בִּבְרָכָה שְׁלֵמָה, וְנֹאמַר אָמֵן:

בַּמָּרוֹם יְלַמְּדוּ עֲלֵיהֶם וְעָלֵינוּ זְכוּת, שֶׁתְּהֵא לְמִשְׁמֶרֶת שָׁלוֹם, וְנִשָּׂא בְרָכָה מֵאֵת יהוה וּצְדָקָה מֵאֱלֹהֵי יִשְׁעֵנוּ, וְנִמְצָא חֵן וְשֵׂכֶל טוֹב בְּעֵינֵי אֱלֹהִים וְאָדָם:

(לשבת) הָרַחֲמָן, הוּא יַנְחִילֵנוּ יוֹם שֶׁכֻּלּוֹ שַׁבָּת וּמְנוּחָה לְחַיֵּי הָעוֹלָמִים.

(לראש חודש) הָרַחֲמָן, הוּא יְחַדֵּשׁ עָלֵינוּ אֶת הַחֹדֶשׁ הַזֶּה לְטוֹבָה וְלִבְרָכָה.

(ליום טוב) הָרַחֲמָן, הוּא יַנְחִילֵנוּ יוֹם שֶׁכֻּלּוֹ טוֹב.

(לראש השנה) הָרַחֲמָן, הוּא יְחַדֵּשׁ עָלֵינוּ אֶת הַשָּׁנָה הַזֹּאת לְטוֹבָה וְלִבְרָכָה.

(לסוכות) הָרַחֲמָן, הוּא יָקִים לָנוּ אֶת סֻכַּת דָּוִד הַנּוֹפָלֶת.

הָרַחֲמָן, הוּא יְבָרֵךְ אֶת מְדִינַת יִשְׂרָאֵל, רֵאשִׁית צְמִיחַת גְּאֻלָּתֵנוּ.
הָרַחֲמָן, הוּא יְבָרֵךְ אֶת אַחֵינוּ בֵּית יִשְׂרָאֵל הַנְּתוּנִים בְּצָרָה, וְיוֹצִיאֵם מֵאֲפֵלָה לְאוֹרָה.
הָרַחֲמָן, הוּא יְזַכֵּנוּ לִימוֹת הַמָּשִׁיחַ וּלְחַיֵּי הָעוֹלָם הַבָּא.

בחול: מַגְדִּיל שְׁמוּאֵל ב׳ כב:51

בשבת, ראש חודש, יום טוב, חול המועד, וראש השנה:

מִגְדּוֹל תְּהִלִּים יח:51

יְשׁוּעוֹת מַלְכּוֹ, וְעֹשֶׂה חֶסֶד לִמְשִׁיחוֹ לְדָוִד וּלְזַרְעוֹ עַד עוֹלָם: עֹשֶׂה שָׁלוֹם בִּמְרוֹמָיו, הוּא יַעֲשֶׂה שָׁלוֹם, עָלֵינוּ וְעַל כָּל יִשְׂרָאֵל, וְאִמְרוּ אָמֵן:

מגדול \ מגדיל In Psalms 18:51, the verse uses מגדול and in II Samuel 22:51 the verse uses מגדיל. Otherwise the verses are identical. As a compromise, מגדיל is said on ימי חול and מגדול on שבת and חגים.

יִרְאוּ אֶת יהוה קְדוֹשָׁיו, כִּי אֵין מַחְסוֹר לִירֵאָיו: כְּפִירִים רָשׁוּ וְרָעֵבוּ, וְדוֹרְשֵׁי יהוה לֹא יַחְסְרוּ כָל טוֹב:

הוֹדוּ לַיהוה כִּי טוֹב, כִּי לְעוֹלָם חַסְדּוֹ: שָׁם קמה:16

פּוֹתֵחַ אֶת יָדֶךָ, וּמַשְׂבִּיעַ לְכָל חַי רָצוֹן: ירמיהו יז:7

בָּרוּךְ הַגֶּבֶר אֲשֶׁר יִבְטַח בַּיהוה, וְהָיָה יהוה מִבְטַחוֹ: נַעַר הָיִיתִי גַּם זָקַנְתִּי וְלֹא רָאִיתִי צַדִּיק נֶעֱזָב, וְזַרְעוֹ מְבַקֶּשׁ לָחֶם: יהוה עֹז לְעַמּוֹ יִתֵּן, יהוה יְבָרֵךְ אֶת עַמּוֹ בַשָּׁלוֹם: תְּהִלִּים לז:25, כט:11

ברכות הנהנין

When eating food like cake, cereal, and granola say

בָּרוּךְ אַתָּה יהוה, אֱלֹהֵינוּ מֶלֶךְ הָעוֹלָם, בּוֹרֵא מִינֵי מְזוֹנוֹת:

When drinking wine or grape juice say

בָּרוּךְ אַתָּה יהוה, אֱלֹהֵינוּ מֶלֶךְ הָעוֹלָם, בּוֹרֵא פְּרִי הַגָּפֶן:

If either בורא מיני מזונות or בורא פרי הגפן are recited before eating or drinking then ברכה אחרונה is recited afterward. If בורא פרי האדמה is recited before eating, then בורא נפשות is recited afterward.

When eating fruit say

בָּרוּךְ אַתָּה יהוה, אֱלֹהֵינוּ מֶלֶךְ הָעוֹלָם, בּוֹרֵא פְּרִי הָעֵץ:

When eating food that grows in the ground, say

בָּרוּךְ אַתָּה יהוה, אֱלֹהֵינוּ מֶלֶךְ הָעוֹלָם, בּוֹרֵא פְּרִי הָאֲדָמָה:

Before smelling fragrant woods or spices

בָּרוּךְ אַתָּה יהוה אֱלֹהֵינוּ מֶלֶךְ הָעוֹלָם, בּוֹרֵא מִינֵי בְשָׂמִים.

On smelling fragrant fruit

בָּרוּךְ אַתָּה יהוה אֱלֹהֵינוּ מֶלֶךְ הָעוֹלָם, הַנּוֹתֵן רֵיחַ טוֹב בַּפֵּרוֹת.

When eating all other foods, or drinking beverages that do not fall into the above categories, say

בָּרוּךְ אַתָּה יהוה, אֱלֹהֵינוּ מֶלֶךְ הָעוֹלָם, שֶׁהַכֹּל נִהְיֶה בִּדְבָרוֹ:

ברכה אחרונה

This blessing is recited after eating grain products not in the form of bread (food such as cake, granola, cereal, etc), and fruits specific to ארץ ישראל (figs, grapes, pomegranates, olives and dates and wine). It combines the central theme of the four blessings of ברכת המזון (i.e. thanks for food that is eaten, for ארץ ישראל, for mercy on ירושלים and praise for God's goodness) into a simple ברכה.

If either בורא פרי העץ or שהכל נהיה בדברו are recited before eating, then בורא נפשות is recited afterwards.

ברכה אחת מעין שלוש

בָּרוּךְ אַתָּה יהוה אֱלֹהֵינוּ מֶלֶךְ הָעוֹלָם

After wine or grape juice	*After fruit*	*After cereals*
עַל הַגֶּפֶן	עַל הָעֵץ	עַל הַמִּחְיָה
וְעַל פְּרִי הַגֶּפֶן	וְעַל פְּרִי הָעֵץ	וְעַל הַכַּלְכָּלָה

וְעַל תְּנוּבַת הַשָּׂדֶה, וְעַל אֶרֶץ חֶמְדָּה טוֹבָה וּרְחָבָה, שֶׁרָצִיתָ וְהִנְחַלְתָּ לַאֲבוֹתֵינוּ, לֶאֱכוֹל מִפִּרְיָהּ וְלִשְׂבּוֹעַ מִטּוּבָהּ. רַחֵם נָא יהוה אֱלֹהֵינוּ עַל יִשְׂרָאֵל עַמֶּךָ, וְעַל יְרוּשָׁלַיִם עִירֶךָ, וְעַל צִיּוֹן מִשְׁכַּן כְּבוֹדֶךָ, וְעַל מִזְבְּחֶךָ וְעַל הֵיכָלֶךָ. וּבְנֵה יְרוּשָׁלַיִם עִיר הַקֹּדֶשׁ בִּמְהֵרָה בְיָמֵינוּ, וְהַעֲלֵנוּ לְתוֹכָהּ, וְשַׂמְּחֵנוּ בְּבִנְיָנָהּ וְנֹאכַל מִפִּרְיָהּ וְנִשְׂבַּע מִטּוּבָהּ, וּנְבָרֶכְךָ עָלֶיהָ בִּקְדֻשָּׁה וּבְטָהֳרָה

שבת: וּרְצֵה וְהַחֲלִיצֵנוּ בְּיוֹם הַשַּׁבָּת הַזֶּה. *On Shabbat*

ראש חודש: וְזָכְרֵנוּ לְטוֹבָה, בְּיוֹם רֹאשׁ הַחֹדֶשׁ הַזֶּה. *On Rosh Chodesh*

פסח: וְשַׂמְּחֵנוּ בְּיוֹם חַג הַמַּצּוֹת הַזֶּה. *On Pesach*

ראש שנה: וְזָכְרֵנוּ לְטוֹבָה בְּיוֹם הַזִּכָּרוֹן הַזֶּה. *On Rosh Hashanah*

שבועות: וְשַׂמְּחֵנוּ בְּיוֹם חַג הַשָּׁבֻעוֹת הַזֶּה. *On Shavuot*

סוכות: וְשַׂמְּחֵנוּ בְּיוֹם חַג הַסֻּכּוֹת הַזֶּה. *On Sukkot*

שמיני עצרת: וְשַׂמְּחֵנוּ בְּיוֹם הַשְּׁמִינִי חַג הָעֲצֶרֶת הַזֶּה. *On Shmini Atzeret*

שמחת תורה: וְשַׂמְּחֵנוּ בְּיוֹם הַשְּׁמִינִי חַג הָעֲצֶרֶת הַזֶּה. *On Simchat Torah*

כִּי אַתָּה יהוה טוֹב וּמֵטִיב לַכֹּל, וְנוֹדֶה לְּךָ עַל הָאָרֶץ

After wine or grape juice	*After fruit (except those listed below)*	*After cereals*
וְעַל הַגֶּפֶן	עַל הַפֵּרוֹת	וְעַל הַמִּחְיָה
בָּרוּךְ אַתָּה יהוה עַל	בָּרוּךְ אַתָּה יהוה עַל	בָּרוּךְ אַתָּה יהוה עַל
הָאָרֶץ וְעַל פְּרִי הַגָּפֶן:	הָאָרֶץ וְעַל הַפֵּרוֹת:	הָאָרֶץ וְעַל הַמִּחְיָה:

After grapes, dates, pomegranates, olives or figs that grew in the Land of Israel

וְעַל פֵּרוֹתֶיהָ.

בָּרוּךְ אַתָּה יהוה עַל הָאָרֶץ וְעַל פֵּרוֹתֶיהָ:

בורא נפשות

בָּרוּךְ אַתָּה יהוה, אֱלֹהֵינוּ מֶלֶךְ הָעוֹלָם, בּוֹרֵא נְפָשׁוֹת רַבּוֹת וְחֶסְרוֹנָן עַל כָּל מַה שֶּׁבָּרָאתָ לְהַחֲיוֹת בָּהֶם נֶפֶשׁ כָּל חָי. בָּרוּךְ חֵי הָעוֹלָמִים.

When eating fruit for the first time in a season, add

בָּרוּךְ אַתָּה יהוה אֱלֹהֵינוּ מֶלֶךְ הָעוֹלָם, שֶׁהֶחֱיָנוּ וְקִיְּמָנוּ וְהִגִּיעָנוּ לַזְּמַן הַזֶּה.

When eating all other foods, or drinking beverages that do not fall into the above categories, say

בָּרוּךְ אַתָּה יהוה, אֱלֹהֵינוּ מֶלֶךְ הָעוֹלָם, שֶׁהַכֹּל נִהְיֶה בִּדְבָרוֹ:

On wonders of nature: lightning, falling stars, high mountains, vast deserts, sunrises or sunsets

בָּרוּךְ אַתָּה יהוה אֱלֹהֵינוּ מֶלֶךְ הָעוֹלָם, עוֹשֶׂה מַעֲשֵׂה בְרֵאשִׁית.

On seeing the ocean

בָּרוּךְ אַתָּה יהוה אֱלֹהֵינוּ מֶלֶךְ הָעוֹלָם, שֶׁעָשָׂה אֶת הַיָּם הַגָּדוֹל.

On seeing trees or creatures that are especially beautiful

בָּרוּךְ אַתָּה יהוה אֱלֹהֵינוּ מֶלֶךְ הָעוֹלָם, שֶׁכָּכָה לּוֹ בְּעוֹלָמוֹ.

On seeing a rainbow

בָּרוּךְ אַתָּה יהוה אֱלֹהֵינוּ מֶלֶךְ הָעוֹלָם, זוֹכֵר הַבְּרִית, וְנֶאֱמָן בִּבְרִיתוֹ, וְקַיָּם בְּמַאֲמָרוֹ.

On hearing thunder or storms

בָּרוּךְ אַתָּה יהוה אֱלֹהֵינוּ מֶלֶךְ הָעוֹלָם, שֶׁכֹּחוֹ וּגְבוּרָתוֹ מָלֵא עוֹלָם.

On seeing a person outstanding in the study of Torah

בָּרוּךְ אַתָּה יהוה אֱלֹהֵינוּ מֶלֶךְ הָעוֹלָם, שֶׁחָלַק מֵחָכְמָתוֹ לִירֵאָיו.

בורא נפשות The ברכה is recited when food is eaten that is not bread, and does not fall into the category requiring ברכה אחרונה. God is praised for creating and sustaining all life.

On seeing a person who is outstanding in general studies

בָּרוּךְ אַתָּה יהוה אֱלֹהֵינוּ מֶלֶךְ הָעוֹלָם, שֶׁנָּתַן מֵחָכְמָתוֹ לְבָשָׂר וָדָם.

On hearing good news

בָּרוּךְ אַתָּה יהוה אֱלֹהֵינוּ מֶלֶךְ הָעוֹלָם, הַטּוֹב וְהַמֵּטִיב.

On hearing sad news

בָּרוּךְ אַתָּה יהוה אֱלֹהֵינוּ מֶלֶךְ הָעוֹלָם, דַּיַּן הָאֱמֶת.

Before placing a מזוזה *on the doorpost*

בָּרוּךְ אַתָּה יהוה אֱלֹהֵינוּ מֶלֶךְ הָעוֹלָם, אֲשֶׁר קִדְּשָׁנוּ בְּמִצְוֹתָיו וְצִוָּנוּ לִקְבֹּעַ מְזוּזָה.

On putting on a new garment

בָּרוּךְ אַתָּה יהוה אֱלֹהֵינוּ מֶלֶךְ הָעוֹלָם, מַלְבִּישׁ עֲרוּמִּים.

Prayer for a Safe Journey **תפילת הדרך**

If you plan to return on the same day, include the portion in brackets

יְהִי רָצוֹן מִלְּפָנֶיךָ יהוה אֱלֹהֵינוּ וֵאלֹהֵי אֲבוֹתֵינוּ, שֶׁתּוֹלִיכֵנוּ לְשָׁלוֹם וְתַצְעִידֵנוּ לְשָׁלוֹם וְתַדְרִיכֵנוּ לְשָׁלוֹם וְתַגִּיעֵנוּ לִמְחוֹז חֶפְצֵנוּ לְחַיִּים וּלְשִׂמְחָה וּלְשָׁלוֹם (וְתַחֲזִירֵנוּ לְבֵיתֵנוּ לְשָׁלוֹם) וְתַצִּילֵנוּ מִכַּף כָּל אוֹיֵב וְאוֹרֵב בַּדֶּרֶךְ וּמִכָּל מִינֵי פֻּרְעָנִיּוֹת הַמִּתְרַגְּשׁוֹת לָבוֹא לָעוֹלָם, וְתִשְׁלַח בְּרָכָה בְּכָל מַעֲשֵׂה יָדֵינוּ, וְתִתְּנֵנוּ לְחֵן וּלְחֶסֶד וּלְרַחֲמִים בְּעֵינֶיךָ וּבְעֵינֵי כָּל רוֹאֵינוּ, וְתִשְׁמַע קוֹל תַּחֲנוּנֵינוּ, כִּי אֵל שׁוֹמֵעַ תְּפִלָּה וְתַחֲנוּן אָתָּה. בָּרוּךְ אַתָּה יהוה, שׁוֹמֵעַ תְּפִלָּה.

תפילת הדרך is said before long-distance traveling. It asks God to watch over us, keep us out of harm's way and help us reach our destination safely. If you are with a group, one person recites the ברכה and everyone listens, responding "אמן" at the end.

מנחה לחול

מנחה is the afternoon service. Like שחרית it corresponds to an offering the כהנים made to God in the Temple. The מנחה offering was a grain offering.

מנחה begins with אשרי, Psalm 145. The Talmud, Berachot 4b says that one should say this psalm three times a day. In the same way that פסוקי דזמרה functions as preparation for the Amidah during Shacharit, אשרי is preparation for the עמידה in Mincha.

The proper time for Mincha is from about 1:00 p.m. until sunset.

אַשְׁרֵי יוֹשְׁבֵי בֵיתֶךָ, עוֹד יְהַלְלוּךָ סֶּלָה: תְּהִלִּים פד:5

אַשְׁרֵי הָעָם שֶׁכָּכָה לּוֹ, אַשְׁרֵי הָעָם שֶׁיהוה אֱלֹהָיו:

תְּהִלִּים קמד:15

תְּהִלָּה לְדָוִד,

אֲרוֹמִמְךָ אֱלוֹהַי הַמֶּלֶךְ, וַאֲבָרְכָה שִׁמְךָ לְעוֹלָם וָעֶד:

בְּכָל יוֹם אֲבָרְכֶךָּ, וַאֲהַלְלָה שִׁמְךָ לְעוֹלָם וָעֶד:

גָּדוֹל יהוה וּמְהֻלָּל מְאֹד, וְלִגְדֻלָּתוֹ אֵין חֵקֶר:

דּוֹר לְדוֹר יְשַׁבַּח מַעֲשֶׂיךָ, וּגְבוּרֹתֶיךָ יַגִּידוּ:

הֲדַר כְּבוֹד הוֹדֶךָ, וְדִבְרֵי נִפְלְאֹתֶיךָ אָשִׂיחָה:

וֶעֱזוּז נוֹרְאוֹתֶיךָ יֹאמֵרוּ, וּגְדֻלָּתְךָ אֲסַפְּרֶנָּה:

זֵכֶר רַב טוּבְךָ יַבִּיעוּ, וְצִדְקָתְךָ יְרַנֵּנוּ:

חַנּוּן וְרַחוּם יהוה, אֶרֶךְ אַפַּיִם וּגְדָל חָסֶד:

טוֹב יהוה לַכֹּל, וְרַחֲמָיו עַל כָּל מַעֲשָׂיו:

יוֹדוּךָ יהוה כָּל מַעֲשֶׂיךָ, וַחֲסִידֶיךָ יְבָרְכוּכָה:

כְּבוֹד מַלְכוּתְךָ יֹאמֵרוּ, וּגְבוּרָתְךָ יְדַבֵּרוּ:

לְהוֹדִיעַ לִבְנֵי הָאָדָם גְּבוּרֹתָיו, וּכְבוֹד הֲדַר מַלְכוּתוֹ:

מַלְכוּתְךָ מַלְכוּת כָּל עֹלָמִים, וּמֶמְשַׁלְתְּךָ בְּכָל דֹּר וָדֹר:

For notes on אשרי, see p. 16.

סוֹמֵךְ יהוה לְכָל הַנֹּפְלִים, וְזוֹקֵף לְכָל הַכְּפוּפִים:
עֵינֵי כֹל אֵלֶיךָ יְשַׂבֵּרוּ, וְאַתָּה נוֹתֵן לָהֶם אֶת אָכְלָם בְּעִתּוֹ:
פּוֹתֵחַ אֶת יָדֶךָ, וּמַשְׂבִּיעַ לְכָל חַי רָצוֹן:
צַדִּיק יהוה בְּכָל דְּרָכָיו, וְחָסִיד בְּכָל מַעֲשָׂיו:
קָרוֹב יהוה לְכָל קֹרְאָיו, לְכֹל אֲשֶׁר יִקְרָאֻהוּ בֶאֱמֶת:
רְצוֹן יְרֵאָיו יַעֲשֶׂה, וְאֶת שַׁוְעָתָם יִשְׁמַע וְיוֹשִׁיעֵם:
שׁוֹמֵר יהוה אֶת כָּל אֹהֲבָיו, וְאֵת כָּל הָרְשָׁעִים יַשְׁמִיד:
תְּהִלַּת יהוה יְדַבֶּר פִּי, וִיבָרֵךְ כָּל בָּשָׂר שֵׁם קָדְשׁוֹ, לְעוֹלָם וָעֶד: תְּהִלִּים קמה
וַאֲנַחְנוּ נְבָרֵךְ יָהּ, מֵעַתָּה וְעַד עוֹלָם, הַלְלוּיָהּ: תְּהִלִּים קטו:18

חצי קדיש

(ש״ץ) יִתְגַּדַּל וְיִתְקַדַּשׁ שְׁמֵהּ רַבָּא. בְּעָלְמָא דִּי בְרָא כִרְעוּתֵיהּ, וְיַמְלִיךְ מַלְכוּתֵיהּ בְּחַיֵּיכוֹן וּבְיוֹמֵיכוֹן וּבְחַיֵּי דְכָל בֵּית יִשְׂרָאֵל. בַּעֲגָלָא וּבִזְמַן קָרִיב וְאִמְרוּ אָמֵן:
(ביחד) יְהֵא שְׁמֵהּ רַבָּא מְבָרַךְ לְעָלַם וּלְעָלְמֵי עָלְמַיָּא:
(ש״ץ) יִתְבָּרַךְ וְיִשְׁתַּבַּח וְיִתְפָּאַר וְיִתְרוֹמַם וְיִתְנַשֵּׂא וְיִתְהַדָּר וְיִתְעַלֶּה וְיִתְהַלָּל שְׁמֵהּ דְּקֻדְשָׁא (ביחד) בְּרִיךְ הוּא (ש״ץ) לְעֵלָּא (בעשי״ת לְעֵלָּא וּלְעֵלָּא מִכָּל) מִן כָּל בִּרְכָתָא וְשִׁירָתָא תֻּשְׁבְּחָתָא וְנֶחֱמָתָא, דַּאֲמִירָן בְּעָלְמָא, וְאִמְרוּ אָמֵן:

For notes on קדיש, see p. 23.

On a תענית ציבור (a public fast day), the Torah and Haftorah readings are found on p. 409. The תורה service is found on p. 51. After the תורה is put away, the חצי קדיש is said and we continue with the עמידה.

עמידה

כִּי שֵׁם יהוה אֶקְרָא, הָבוּ גֹדֶל לֵאלֹהֵינוּ: דְּבָרִים לב:3
אֲדֹנָי שְׂפָתַי תִּפְתָּח וּפִי יַגִּיד תְּהִלָּתֶךָ: תְּהִלִּים נא:17

בָּרוּךְ אַתָּה יהוה אֱלֹהֵינוּ וֵאלֹהֵי אֲבוֹתֵינוּ, אֱלֹהֵי אַבְרָהָם אֱלֹהֵי יִצְחָק וֵאלֹהֵי יַעֲקֹב הָאֵל הַגָּדוֹל הַגִּבּוֹר וְהַנּוֹרָא, אֵל עֶלְיוֹן גּוֹמֵל חֲסָדִים טוֹבִים, וְקוֹנֵה הַכֹּל, וְזוֹכֵר חַסְדֵי אָבוֹת, וּמֵבִיא גוֹאֵל לִבְנֵי בְנֵיהֶם לְמַעַן שְׁמוֹ בְּאַהֲבָה.

During the עשרת ימי תשובה *say*

זָכְרֵנוּ לְחַיִּים, מֶלֶךְ חָפֵץ בַּחַיִּים, וְכָתְבֵנוּ בְּסֵפֶר הַחַיִּים, לְמַעַנְךָ אֱלֹהִים חַיִּים.

מֶלֶךְ עוֹזֵר וּמוֹשִׁיעַ וּמָגֵן: בָּרוּךְ אַתָּה יהוה, מָגֵן אַבְרָהָם.

אַתָּה גִּבּוֹר לְעוֹלָם אֲדֹנָי, מְחַיֵּה מֵתִים אַתָּה, רַב לְהוֹשִׁיעַ.

From the first day of פסח *until* שמיני עצרת *say*

מוֹרִיד הַטָּל

From שמיני עצרת *until the first day of* פסח *say*

מַשִּׁיב הָרוּחַ וּמוֹרִיד הַגָּשֶׁם:

For notes on שמונה עשרה and קדושה, see p. 32 and 33 respectively.

In some communities שרה רבקה רחל ולאה are added to the first blessing of the עמידה to emphasize that both men and women have a relationship with God.

If the עמידה at מנחה is recited as a הויכא קדושה, then the ש״ץ begins alone while we listen adding ברוך הוא וברוך שמו and אמן. We join in for the קדושה, then go back to the beginning while the ש״ץ continues, skipping the Kedusha and continuing with אתה קדוש.

מְכַלְכֵּל חַיִּים בְּחֶסֶד, מְחַיֵּה מֵתִים בְּרַחֲמִים רַבִּים, סוֹמֵךְ נוֹפְלִים, וְרוֹפֵא חוֹלִים, וּמַתִּיר אֲסוּרִים, וּמְקַיֵּם אֱמוּנָתוֹ לִישֵׁנֵי עָפָר, מִי כָמוֹךָ בַּעַל גְּבוּרוֹת וּמִי דּוֹמֶה לָּךְ, מֶלֶךְ מֵמִית וּמְחַיֶּה וּמַצְמִיחַ יְשׁוּעָה.

During the עשרת ימי תשובה *say*

מִי כָמוֹךָ אַב הָרַחֲמִים, זוֹכֵר יְצוּרָיו לְחַיִּים בְּרַחֲמִים:

וְנֶאֱמָן אַתָּה לְהַחֲיוֹת מֵתִים. בָּרוּךְ אַתָּה יהוה, מְחַיֵּה הַמֵּתִים.

קדושה

נְקַדֵּשׁ אֶת שִׁמְךָ בָּעוֹלָם, כְּשֵׁם שֶׁמַּקְדִּישִׁים אוֹתוֹ בִּשְׁמֵי מָרוֹם, כַּכָּתוּב עַל יַד נְבִיאֶךָ: וְקָרָא זֶה אֶל זֶה וְאָמַר:

קָדוֹשׁ, קָדוֹשׁ, קָדוֹשׁ יהוה צְבָאוֹת, מְלֹא כָל הָאָרֶץ כְּבוֹדוֹ.

לְעֻמָּתָם בָּרוּךְ יֹאמֵרוּ:

בָּרוּךְ כְּבוֹד יהוה מִמְּקוֹמוֹ: יְחֶזְקֵאל ג:12

וּבְדִבְרֵי קָדְשְׁךָ כָּתוּב לֵאמֹר:

יִמְלֹךְ יהוה לְעוֹלָם, אֱלֹהַיִךְ צִיּוֹן לְדֹר וָדֹר, הַלְלוּיָהּ.

(ש״ץ) לְדוֹר וָדוֹר נַגִּיד גָּדְלֶךָ, וּלְנֵצַח נְצָחִים קְדֻשָּׁתְךָ נַקְדִּישׁ, וְשִׁבְחֲךָ, אֱלֹהֵינוּ, מִפִּינוּ לֹא יָמוּשׁ לְעוֹלָם וָעֶד, כִּי אֵל מֶלֶךְ גָּדוֹל וְקָדוֹשׁ אָתָּה. בָּרוּךְ אַתָּה יהוה, הָאֵל הַקָּדוֹשׁ (בעשי״ת: הַמֶּלֶךְ הַקָּדוֹשׁ).

Say the following in the silent עמידה *or when davening alone*

אַתָּה קָדוֹשׁ וְשִׁמְךָ קָדוֹשׁ וּקְדוֹשִׁים בְּכָל יוֹם יְהַלְלוּךָ, סֶּלָה. בָּרוּךְ אַתָּה יהוה, הָאֵל הַקָּדוֹשׁ (בעשי״ת: הַמֶּלֶךְ הַקָּדוֹשׁ).

אַתָּה חוֹנֵן לְאָדָם דַּעַת, וּמְלַמֵּד לֶאֱנוֹשׁ בִּינָה. חָנֵּנוּ מֵאִתְּךָ דֵּעָה בִּינָה וְהַשְׂכֵּל. בָּרוּךְ אַתָּה יהוה, חוֹנֵן הַדָּעַת.

הֲשִׁיבֵנוּ אָבִינוּ לְתוֹרָתֶךָ, וְקָרְבֵנוּ מַלְכֵּנוּ לַעֲבוֹדָתֶךָ, וְהַחֲזִירֵנוּ בִּתְשׁוּבָה שְׁלֵמָה לְפָנֶיךָ. בָּרוּךְ אַתָּה יהוה, הָרוֹצֶה בִּתְשׁוּבָה.

סְלַח לָנוּ אָבִינוּ כִּי חָטָאנוּ, מְחַל לָנוּ מַלְכֵּנוּ כִּי פָשָׁעְנוּ, כִּי מוֹחֵל וְסוֹלֵחַ אָתָּה. בָּרוּךְ אַתָּה יהוה, חַנּוּן הַמַּרְבֶּה לִסְלֹחַ.

רְאֵה נָא בְעָנְיֵנוּ, וְרִיבָה רִיבֵנוּ, וּגְאָלֵנוּ מְהֵרָה לְמַעַן שְׁמֶךָ, כִּי גּוֹאֵל חָזָק אָתָּה. בָּרוּךְ אַתָּה יהוה, גּוֹאֵל יִשְׂרָאֵל.

On Fast Days, during the repetition of the שמונה עשרה*, the* ש״ץ *adds*

עֲנֵנוּ, יהוה, עֲנֵנוּ, בְּיוֹם צוֹם תַּעֲנִיתֵנוּ, כִּי בְצָרָה גְדוֹלָה אֲנָחְנוּ: אַל תֵּפֶן אֶל רִשְׁעֵנוּ, וְאַל תַּסְתֵּר פָּנֶיךָ מִמֶּנּוּ, וְאַל תִּתְעַלַּם מִתְּחִנָּתֵנוּ: הֱיֵה נָא קָרוֹב לְשַׁוְעָתֵנוּ, יְהִי נָא חַסְדְּךָ לְנַחֲמֵנוּ, טֶרֶם נִקְרָא אֵלֶיךָ עֲנֵנוּ, כַּדָּבָר שֶׁנֶּאֱמַר: וְהָיָה טֶרֶם יִקְרָאוּ וַאֲנִי אֶעֱנֶה, עוֹד הֵם מְדַבְּרִים וַאֲנִי אֶשְׁמָע. כִּי אַתָּה, יהוה, הָעוֹנֶה בְּעֵת צָרָה, פּוֹדֶה וּמַצִּיל בְּכָל עֵת צָרָה וְצוּקָה. בָּרוּךְ אַתָּה יהוה, הָעוֹנֶה בְּעֵת צָרָה.

רְפָאֵנוּ יהוה, וְנֵרָפֵא, הוֹשִׁיעֵנוּ וְנִוָּשֵׁעָה, כִּי תְהִלָּתֵנוּ אָתָּה, וְהַעֲלֵה רְפוּאָה שְׁלֵמָה לְכָל מַכּוֹתֵינוּ. כִּי אֵל מֶלֶךְ רוֹפֵא נֶאֱמָן וְרַחֲמָן אָתָּה. בָּרוּךְ אַתָּה יהוה, רוֹפֵא חוֹלֵי עַמּוֹ יִשְׂרָאֵל.

בָּרֵךְ עָלֵינוּ, יהוה אֱלֹהֵינוּ, אֶת הַשָּׁנָה הַזֹּאת וְאֶת כָּל מִינֵי תְבוּאָתָהּ לְטוֹבָה.

During the summer say

וְתֵן בְּרָכָה

During the winter, from December 4th until the first day of פסח *say*

וְתֵן טַל וּמָטָר לִבְרָכָה

עַל פְּנֵי הָאֲדָמָה, וְשַׂבְּעֵנוּ מִטּוּבֶךָ, וּבָרֵךְ שְׁנָתֵנוּ כַּשָּׁנִים הַטּוֹבוֹת. בָּרוּךְ אַתָּה יהוה, מְבָרֵךְ הַשָּׁנִים.

תְּקַע בְּשׁוֹפָר גָּדוֹל לְחֵרוּתֵנוּ, וְשָׂא נֵס לְקַבֵּץ גָּלֻיּוֹתֵינוּ, וְקַבְּצֵנוּ יַחַד מֵאַרְבַּע כַּנְפוֹת הָאָרֶץ. בָּרוּךְ אַתָּה יהוה, מְקַבֵּץ נִדְחֵי עַמּוֹ יִשְׂרָאֵל.

הָשִׁיבָה שׁוֹפְטֵינוּ כְּבָרִאשׁוֹנָה וְיוֹעֲצֵינוּ כְּבַתְּחִלָּה, וְהָסֵר מִמֶּנּוּ יָגוֹן וַאֲנָחָה, וּמְלוֹךְ עָלֵינוּ אַתָּה יהוה לְבַדְּךָ בְּחֶסֶד וּבְרַחֲמִים, וְצַדְּקֵנוּ בַּמִּשְׁפָּט. בָּרוּךְ אַתָּה יהוה, מֶלֶךְ אוֹהֵב צְדָקָה וּמִשְׁפָּט (בעשי״ת: הַמֶּלֶךְ הַמִּשְׁפָּט).

וְלַמַּלְשִׁינִים אַל תְּהִי תִקְוָה, וְכָל הָרִשְׁעָה כְּרֶגַע תֹּאבֵד, וְכָל אוֹיְבֶיךָ מְהֵרָה יִכָּרֵתוּ, וְהַזֵּדִים מְהֵרָה תְעַקֵּר וּתְשַׁבֵּר וּתְמַגֵּר וְתַכְנִיעַ בִּמְהֵרָה בְיָמֵינוּ. בָּרוּךְ אַתָּה יהוה, שׁוֹבֵר אֹיְבִים וּמַכְנִיעַ זֵדִים.

עַל הַצַּדִּיקִים וְעַל הַחֲסִידִים וְעַל זִקְנֵי עַמְּךָ בֵּית יִשְׂרָאֵל, וְעַל פְּלֵיטַת סוֹפְרֵיהֶם, וְעַל גֵּרֵי הַצֶּדֶק וְעָלֵינוּ יֶהֱמוּ נָא רַחֲמֶיךָ יהוה אֱלֹהֵינוּ, וְתֵן שָׂכָר טוֹב לְכָל הַבּוֹטְחִים בְּשִׁמְךָ בֶּאֱמֶת, וְשִׂים חֶלְקֵנוּ עִמָּהֶם לְעוֹלָם וְלֹא נֵבוֹשׁ כִּי בְךָ בָּטָחְנוּ. בָּרוּךְ אַתָּה יהוה, מִשְׁעָן וּמִבְטָח לַצַּדִּיקִים.

וְלִירוּשָׁלַיִם עִירְךָ בְּרַחֲמִים תָּשׁוּב, וְתִשְׁכּוֹן בְּתוֹכָהּ כַּאֲשֶׁר דִּבַּרְתָּ, וּבְנֵה אוֹתָהּ בְּקָרוֹב בְּיָמֵינוּ בִּנְיַן עוֹלָם, וְכִסֵּא דָוִד מְהֵרָה לְתוֹכָהּ תָּכִין. בָּרוּךְ אַתָּה יהוה, בּוֹנֵה יְרוּשָׁלָיִם.

On תשעה באב *say*

נַחֵם יהוה אֱלֹהֵינוּ אֶת אֲבֵלֵי צִיּוֹן, וְאֶת אֲבֵלֵי יְרוּשָׁלָיִם, וְאֶת הָעִיר שֶׁחֲרֵבָה הָיְתָה, וַאֲבֵלָה מִבְּלִי בָנֶיהָ. עַל עַמְּךָ יִשְׂרָאֵל שֶׁהוּטַל לֶחָרֶב וְעַל בָּנֶיהָ. אֲשֶׁר מָסְרוּ נַפְשָׁם עָלֶיהָ, צִיּוֹן בְּמַר תִּבְכֶּה וִירוּשָׁלַיִם תִּתֵּן קוֹלָהּ: לִבִּי לִבִּי עַל חַלְלֵיהֶם, מֵעַי מֵעַי עַל חַלְלֵיהֶם. רַחֵם יהוה אֱלֹהֵינוּ, בְּרַחֲמֶיךָ הָרַבִּים, עָלֵינוּ וְעַל יְרוּשָׁלַיִם עִירְךָ הַנִּבְנֵית מֵחֻרְבָּנָהּ וְהַמְיֻשֶּׁבֶת מִשּׁוֹמְמוּתָהּ. יְהִי רָצוֹן מִלְּפָנֶיךָ, מְשַׂמֵּחַ צִיּוֹן בְּבָנֶיהָ, שֶׁיִּשְׂמְחוּ אֶת־יְרוּשָׁלַיִם כָּל אוֹהֲבֶיהָ וְיָשִׂישׂוּ אִתָּהּ כָּל־הַמִּתְאַבְּלִים עָלֶיהָ. וְיִשָּׁמְעוּ בְּעָרֵי יְהוּדָה וּבְחוּצוֹת יְרוּשָׁלַיִם קוֹל שָׂשׂוֹן וְקוֹל שִׂמְחָה, קוֹל חָתָן וְקוֹל כַּלָּה. תֵּן שָׁלוֹם לְעִירְךָ אֲשֶׁר פָּדִיתָ וְהָגֵן עָלֶיהָ, כָּאָמוּר: וַאֲנִי אֶהְיֶה לָּהּ, נְאֻם יהוה, חוֹמַת אֵשׁ סָבִיב וּלְכָבוֹד אֶהְיֶה בְּתוֹכָהּ. בָּרוּךְ אַתָּה יהוה מְנַחֵם צִיּוֹן וּבוֹנֵה יְרוּשָׁלָיִם.

אֶת צֶמַח דָּוִד עַבְדְּךָ מְהֵרָה תַצְמִיחַ, וְקַרְנוֹ תָּרוּם בִּישׁוּעָתֶךָ, כִּי לִישׁוּעָתְךָ קִוִּינוּ כָּל הַיּוֹם. בָּרוּךְ אַתָּה יהוה, מַצְמִיחַ קֶרֶן יְשׁוּעָה.

שְׁמַע קוֹלֵנוּ יהוה אֱלֹהֵינוּ, חוּס וְרַחֵם עָלֵינוּ וְקַבֵּל בְּרַחֲמִים וּבְרָצוֹן אֶת תְּפִלָּתֵנוּ, כִּי אֵל שׁוֹמֵעַ תְּפִלּוֹת וְתַחֲנוּנִים אָתָּה, וּמִלְּפָנֶיךָ מַלְכֵּנוּ רֵיקָם אַל תְּשִׁיבֵנוּ.

נחם, meaning "comfort" is said at מנחה on תשעה באב. This is a ברכה which asks God to be merciful to Jerusalem.

On Fast days say עננו יהוה עננו ביום צום

עֲנֵנוּ, יהוה, עֲנֵנוּ, בְּיוֹם צוֹם תַּעֲנִיתֵנוּ, כִּי בְצָרָה גְדוֹלָה אֲנָחְנוּ: אַל תֵּפֶן אֶל רִשְׁעֵנוּ, וְאַל תַּסְתֵּר פָּנֶיךָ מִמֶּנּוּ, וְאַל תִּתְעַלַּם מִתְּחִנָּתֵנוּ: הֱיֵה נָא קָרוֹב לְשַׁוְעָתֵנוּ, יְהִי נָא חַסְדְּךָ לְנַחֲמֵנוּ, טֶרֶם נִקְרָא אֵלֶיךָ עֲנֵנוּ, כַּדָּבָר שֶׁנֶּאֱמַר: וְהָיָה טֶרֶם יִקְרָאוּ וַאֲנִי אֶעֱנֶה, עוֹד הֵם מְדַבְּרִים וַאֲנִי אֶשְׁמָע. יְשַׁעְיָה סה:24 כִּי אַתָּה, יהוה, הָעוֹנֶה בְּעֵת צָרָה, פּוֹדֶה וּמַצִּיל בְּכָל עֵת צָרָה וְצוּקָה.

כִּי אַתָּה שׁוֹמֵעַ תְּפִלַּת עַמְּךָ יִשְׂרָאֵל בְּרַחֲמִים. בָּרוּךְ אַתָּה יהוה, שׁוֹמֵעַ תְּפִלָּה.

רְצֵה, יהוה אֱלֹהֵינוּ, בְּעַמְּךָ יִשְׂרָאֵל וּבִתְפִלָּתָם, וְהָשֵׁב אֶת הָעֲבוֹדָה לִדְבִיר בֵּיתֶךָ וּתְפִלָּתָם בְּאַהֲבָה תְקַבֵּל בְּרָצוֹן וּתְהִי לְרָצוֹן תָּמִיד עֲבוֹדַת יִשְׂרָאֵל עַמֶּךָ.

On ראש חודש *and* חול המועד *add the following*

יעלה ויבא

אֱלֹהֵינוּ וֵאלֹהֵי אֲבוֹתֵינוּ, יַעֲלֶה וְיָבֹא וְיַגִּיעַ וְיֵרָאֶה וְיֵרָצֶה וְיִשָּׁמַע וְיִפָּקֵד וְיִזָּכֵר זִכְרוֹנֵנוּ וּפִקְדוֹנֵנוּ, וְזִכְרוֹן אֲבוֹתֵינוּ, וְזִכְרוֹן מָשִׁיחַ בֶּן דָּוִד עַבְדֶּךָ, וְזִכְרוֹן יְרוּשָׁלַיִם עִיר קָדְשֶׁךָ, וְזִכְרוֹן כָּל עַמְּךָ בֵּית יִשְׂרָאֵל לְפָנֶיךָ, לִפְלֵיטָה, לְטוֹבָה, לְחֵן וּלְחֶסֶד וּלְרַחֲמִים, לְחַיִּים וּלְשָׁלוֹם, בְּיוֹם

רֹאשׁ חֹדֶשׁ:	רֹאשׁ הַחֹדֶשׁ הַזֶּה	*On Rosh Chodesh*
פֶּסַח:	חַג הַמַּצּוֹת הַזֶּה	*On Pesach*
סֻכּוֹת:	חַג הַסֻּכּוֹת הַזֶּה	*On Sukkot*

עננו יהוה עננו ביום צום This is recited during each of the four communal fasts: עשרה בטבת, תשעה באב, שבעה עשר בתמוז, צום גדליה. Each fast day commemorates a separate phase in the destruction of Jerusalem. We ask God not to forget us during great troubles.

זָכְרֵנוּ, יהוה, אֱלֹהֵינוּ, בּוֹ לְטוֹבָה, וּפָקְדֵנוּ בוֹ לִבְרָכָה, וְהוֹשִׁיעֵנוּ בוֹ לְחַיִּים, וּבִדְבַר יְשׁוּעָה וְרַחֲמִים, חוּס וְחָנֵּנוּ, וְרַחֵם עָלֵינוּ וְהוֹשִׁיעֵנוּ, כִּי אֵלֶיךָ עֵינֵינוּ, כִּי אֵל מֶלֶךְ חַנּוּן וְרַחוּם אָתָּה.

וְתֶחֱזֶינָה עֵינֵינוּ בְּשׁוּבְךָ לְצִיּוֹן בְּרַחֲמִים. בָּרוּךְ אַתָּה יהוה, הַמַּחֲזִיר שְׁכִינָתוֹ לְצִיּוֹן.

(ש״ץ) מוֹדִים אֲנַחְנוּ לָךְ, שָׁאַתָּה הוּא יהוה אֱלֹהֵינוּ וֵאלֹהֵי אֲבוֹתֵינוּ, לְעוֹלָם וָעֶד, צוּר חַיֵּינוּ, מָגֵן יִשְׁעֵנוּ, אַתָּה הוּא לְדוֹר וָדוֹר נוֹדֶה לְּךָ וּנְסַפֵּר תְּהִלָּתֶךָ. עַל חַיֵּינוּ הַמְּסוּרִים בְּיָדֶךָ, וְעַל נִשְׁמוֹתֵינוּ הַפְּקוּדוֹת לָךְ, וְעַל נִסֶּיךָ שֶׁבְּכָל יוֹם עִמָּנוּ, וְעַל נִפְלְאוֹתֶיךָ וְטוֹבוֹתֶיךָ שֶׁבְּכָל עֵת, עֶרֶב וָבֹקֶר וְצָהֳרָיִם, הַטּוֹב כִּי לֹא כָלוּ רַחֲמֶיךָ, וְהַמְרַחֵם כִּי לֹא תַמּוּ חֲסָדֶיךָ מֵעוֹלָם קִוִּינוּ לָךְ.

In the repetition of the עמידה *by the* ש״ץ *the* קהל *says the following* מודים

(קהל) מוֹדִים אֲנַחְנוּ לָךְ, שָׁאַתָּה הוּא יהוה אֱלֹהֵינוּ וֵאלֹהֵי אֲבוֹתֵינוּ אֱלֹהֵי כָל בָּשָׂר, יוֹצְרֵנוּ, יוֹצֵר בְּרֵאשִׁית. בְּרָכוֹת וְהוֹדָאוֹת לְשִׁמְךָ הַגָּדוֹל וְהַקָּדוֹשׁ, עַל שֶׁהֶחֱיִיתָנוּ וְקִיַּמְתָּנוּ. כֵּן תְּחַיֵּנוּ וּתְקַיְּמֵנוּ, וְתֶאֱסוֹף גָּלֻיּוֹתֵינוּ לְחַצְרוֹת קָדְשֶׁךָ, לִשְׁמוֹר חֻקֶּיךָ וְלַעֲשׂוֹת רְצוֹנֶךָ, וּלְעָבְדְּךָ בְּלֵבָב שָׁלֵם, עַל שֶׁאֲנַחְנוּ מוֹדִים לָךְ. בָּרוּךְ אֵל הַהוֹדָאוֹת.

לחנוכה, פורים, ויום העצמאות *Chanukah, Purim and Yom Ha'atzmaut*

עַל הַנִּסִּים, וְעַל הַפֻּרְקָן, וְעַל הַגְּבוּרוֹת, וְעַל הַתְּשׁוּעוֹת, וְעַל הַמִּלְחָמוֹת, שֶׁעָשִׂיתָ לַאֲבוֹתֵינוּ בַּיָּמִים הָהֵם בַּזְּמַן הַזֶּה.

When the ש״ץ repeats the עמידה, each person recites the מודים, standing slightly in place, bowing and sitting down. Giving thanks to God is a personal task and not something that a ש״ץ can do for you.

לחנוכה *On Chanukah*

בִּימֵי מַתִּתְיָהוּ בֶּן יוֹחָנָן כֹּהֵן גָּדוֹל, חַשְׁמוֹנַאי וּבָנָיו, כְּשֶׁעָמְדָה מַלְכוּת יָוָן הָרְשָׁעָה עַל עַמְּךָ יִשְׂרָאֵל לְהַשְׁכִּיחָם תּוֹרָתֶךָ, וּלְהַעֲבִירָם מֵחֻקֵּי רְצוֹנֶךָ, וְאַתָּה בְּרַחֲמֶיךָ הָרַבִּים עָמַדְתָּ לָהֶם בְּעֵת צָרָתָם, רַבְתָּ אֶת רִיבָם, דַּנְתָּ אֶת דִּינָם, נָקַמְתָּ אֶת נִקְמָתָם, מָסַרְתָּ גִּבּוֹרִים בְּיַד חַלָּשִׁים, וְרַבִּים בְּיַד מְעַטִּים, וּטְמֵאִים בְּיַד טְהוֹרִים, וּרְשָׁעִים בְּיַד צַדִּיקִים, וְזֵדִים בְּיַד עוֹסְקֵי תוֹרָתֶךָ. וּלְךָ עָשִׂיתָ שֵׁם גָּדוֹל וְקָדוֹשׁ בְּעוֹלָמֶךָ, וּלְעַמְּךָ יִשְׂרָאֵל עָשִׂיתָ תְּשׁוּעָה גְדוֹלָה וּפֻרְקָן כְּהַיּוֹם הַזֶּה. וְאַחַר כֵּן בָּאוּ בָנֶיךָ לִדְבִיר בֵּיתֶךָ, וּפִנּוּ אֶת הֵיכָלֶךָ, וְטִהֲרוּ אֶת מִקְדָּשֶׁךָ, וְהִדְלִיקוּ נֵרוֹת בְּחַצְרוֹת קָדְשֶׁךָ, וְקָבְעוּ שְׁמוֹנַת יְמֵי חֲנֻכָּה אֵלּוּ, לְהוֹדוֹת וּלְהַלֵּל לְשִׁמְךָ הַגָּדוֹל.

לפורים *On Purim*

בִּימֵי מָרְדְּכַי וְאֶסְתֵּר בְּשׁוּשַׁן הַבִּירָה, כְּשֶׁעָמַד עֲלֵיהֶם הָמָן הָרָשָׁע, בִּקֵּשׁ לְהַשְׁמִיד, לַהֲרֹג וּלְאַבֵּד אֶת כָּל הַיְּהוּדִים, מִנַּעַר וְעַד זָקֵן, טַף וְנָשִׁים, בְּיוֹם אֶחָד בִּשְׁלוֹשָׁה עָשָׂר לְחֹדֶשׁ שְׁנֵים עָשָׂר, הוּא חֹדֶשׁ אֲדָר, וּשְׁלָלָם לָבוֹז. וְאַתָּה בְּרַחֲמֶיךָ הָרַבִּים הֵפַרְתָּ אֶת עֲצָתוֹ, וְקִלְקַלְתָּ אֶת מַחֲשַׁבְתּוֹ, וַהֲשֵׁבוֹתָ לוֹ גְּמוּלוֹ בְּרֹאשׁוֹ, וְתָלוּ אוֹתוֹ וְאֶת בָּנָיו עַל הָעֵץ

ליום העצמאות *On Yom Ha'atzmaut*

בְּשָׁעָה שֶׁעַמְּךָ יִשְׂרָאֵל הָיָה מְפֻזָּר בֵּין הָעַמִּים קָמוּ חֲלוּצִים לִבְנוֹת אֶת אֶרֶץ יִשְׂרָאֵל לְקַבֵּץ גָּלֻיּוֹתֵינוּ, לִגְאֹל אֶת עַמֵּנוּ וּלְהַצִּיב גְּבוּל אַלְמָנָה וּלְהַגְשִׁים חֲזוֹן הַנְּבִיאִים: "וִישַׁבְתֶּם בָּאָרֶץ אֲשֶׁר נָתַתִּי לַאֲבֹתֵיכֶם וִהְיִיתֶם לִי לְעָם וְאָנֹכִי אֶהְיֶה לָכֶם לֵאלֹהִים". יְחֶזְקֵאל לו:28

בִּימֵי חֻרְבָּן וְשׁוֹאָה וּפְלֵיטָה גְּדוֹלָה צְעָקָה לִגְאֻלָּה, נִסְגְּרוּ שַׁעֲרֵי אֶרֶץ אָבוֹת בִּפְנֵי פְּלִיטִים. אַז אוֹיְבִים בָּאָרֶץ קָמוּ לְהַכְרִית עַמְּךָ יִשְׂרָאֵל;

אַתָּה בְּרַחֲמֶיךָ הָרַבִּים עָמַדְתָּ לָהֶם בְּעֵת צָרָתָם; רַבְתָּ אֶת רִיבָם, דַּנְתָּ אֶת דִּינָם, חִזַּקְתָּ אֶת לִבָּם לַעֲמוֹד בַּשַּׁעַר וְלִפְתֹּחַ שְׁעָרִים לַנִּרְדָּפִים וּלְגָרֵשׁ אֶת צִבְאוֹת הָאוֹיֵב מִן הָאָרֶץ. מָסַרְתָּ רַבִּים בְּיַד מְעַטִּים וּרְשָׁעִים בְּיַד צַדִּיקִים, וּלְךָ עָשִׂיתָ שֵׁם גָּדוֹל וְקָדוֹשׁ בְּעוֹלָמֶךָ וּלְעַמְּךָ יִשְׂרָאֵל עָשִׂיתָ תְּשׁוּעָה גְדוֹלָה וּפֻרְקָן כְּהַיּוֹם הַזֶּה. וְאַחַר כֵּן נִקְבְּצוּ בָנֶיךָ לִבְנוֹת וּלְהִבָּנוֹת בְּאַרְצֵנוּ וְקָרְאוּ עַצְמָאוּת בָּאָרֶץ. אָז קָבְעוּ בָנֶיךָ אֶת יוֹם הָעַצְמָאוּת הַזֶּה לִשְׂמוֹחַ בּוֹ וּלְהוֹדוֹת לְשִׁמְךָ עַל נִסֶּיךָ וְעַל נִפְלְאוֹתֶיךָ.

וְעַל כֻּלָּם יִתְבָּרַךְ וְיִתְרוֹמַם שִׁמְךָ, מַלְכֵּנוּ, תָּמִיד לְעוֹלָם וָעֶד.

During the עשרת ימי תשובה *say*

וּכְתוֹב לְחַיִּים טוֹבִים כָּל בְּנֵי בְרִיתֶךָ.

וְכֹל הַחַיִּים יוֹדוּךָ סֶּלָה, וִיהַלְלוּ אֶת שִׁמְךָ בֶּאֱמֶת, הָאֵל יְשׁוּעָתֵנוּ וְעֶזְרָתֵנוּ סֶלָה. בָּרוּךְ אַתָּה יהוה, הַטּוֹב שִׁמְךָ וּלְךָ נָאֶה לְהוֹדוֹת.

שָׁלוֹם רָב עַל יִשְׂרָאֵל עַמְּךָ תָּשִׂים לְעוֹלָם, כִּי אַתָּה הוּא מֶלֶךְ אָדוֹן לְכָל הַשָּׁלוֹם. וְטוֹב בְּעֵינֶיךָ לְבָרֵךְ אֶת עַמְּךָ יִשְׂרָאֵל בְּכָל עֵת וּבְכָל שָׁעָה בִּשְׁלוֹמֶךָ.

During the עשרת ימי תשובה *say*

בְּסֵפֶר חַיִּים, בְּרָכָה, וְשָׁלוֹם, וּפַרְנָסָה טוֹבָה, נִזָּכֵר וְנִכָּתֵב לְפָנֶיךָ, אֲנַחְנוּ וְכָל עַמְּךָ בֵּית יִשְׂרָאֵל, לְחַיִּים טוֹבִים וּלְשָׁלוֹם.

בָּרוּךְ אַתָּה יהוה, עֹשֵׂה הַשָּׁלוֹם.

בָּרוּךְ אַתָּה יהוה, הַמְבָרֵךְ אֶת עַמּוֹ יִשְׂרָאֵל בַּשָּׁלוֹם.

שלום רב If we think of the עמידה as a prayer unit unto itself, it seems appropriate to end it with a prayer for peace: שים שלום in Shacharit and שלום רב in Minchah and Ma'ariv.

In the repetition of the עמידה*, the* ש״ץ *ends here and says the* קדיש שלם

אֱלֹהַי, נְצוֹר לְשׁוֹנִי מֵרָע, וּשְׂפָתַי מִדַּבֵּר מִרְמָה, וְלִמְקַלְלַי נַפְשִׁי תִדּוֹם, וְנַפְשִׁי כֶּעָפָר לַכֹּל תִּהְיֶה. פְּתַח לִבִּי בְּתוֹרָתֶךָ, וּבְמִצְוֹתֶיךָ תִּרְדּוֹף נַפְשִׁי. וְכָל הַחוֹשְׁבִים עָלַי רָעָה, מְהֵרָה הָפֵר עֲצָתָם וְקַלְקֵל מַחֲשַׁבְתָּם. עֲשֵׂה לְמַעַן שְׁמֶךָ, עֲשֵׂה לְמַעַן יְמִינֶךָ, עֲשֵׂה לְמַעַן קְדֻשָּׁתֶךָ, עֲשֵׂה לְמַעַן תּוֹרָתֶךָ. לְמַעַן יֵחָלְצוּן יְדִידֶיךָ, הוֹשִׁיעָה יְמִינְךָ וַעֲנֵנִי. תְּהִלִּים ס:ז יִהְיוּ לְרָצוֹן אִמְרֵי פִי וְהֶגְיוֹן לִבִּי לְפָנֶיךָ, יהוה צוּרִי וְגוֹאֲלִי. עֹשֶׂה שָׁלוֹם בִּמְרוֹמָיו, הוּא יַעֲשֶׂה שָׁלוֹם עָלֵינוּ, וְעַל כָּל יִשְׂרָאֵל וְאִמְרוּ: אָמֵן.

קדיש שלם

(ש״ץ) יִתְגַּדַּל וְיִתְקַדַּשׁ שְׁמֵהּ רַבָּא. בְּעָלְמָא דִּי בְרָא כִרְעוּתֵהּ, וְיַמְלִיךְ מַלְכוּתֵהּ בְּחַיֵּיכוֹן וּבְיוֹמֵיכוֹן וּבְחַיֵּי דְכָל בֵּית יִשְׂרָאֵל. בַּעֲגָלָא וּבִזְמַן קָרִיב וְאִמְרוּ אָמֵן:

(ביחד) יְהֵא שְׁמֵהּ רַבָּא מְבָרַךְ לְעָלַם וּלְעָלְמֵי עָלְמַיָּא:

(ש״ץ) יִתְבָּרַךְ וְיִשְׁתַּבַּח, וְיִתְפָּאַר וְיִתְרוֹמַם וְיִתְנַשֵּׂא וְיִתְהַדָּר וְיִתְעַלֶּה וְיִתְהַלָּל שְׁמֵהּ דְּקֻדְשָׁא (ביחד) בְּרִיךְ הוּא

(ש״ץ) לְעֵלָּא (בעשי״ת לְעֵלָּא וּלְעֵלָּא מִכָּל) מִן כָּל בִּרְכָתָא וְשִׁירָתָא, תֻּשְׁבְּחָתָא וְנֶחֱמָתָא, דַּאֲמִירָן בְּעָלְמָא, וְאִמְרוּ אָמֵן:

(ש״ץ) תִּתְקַבֵּל צְלוֹתְהוֹן וּבָעוּתְהוֹן דְּכָל בֵּית יִשְׂרָאֵל קֳדָם אֲבוּהוֹן דִּי בִשְׁמַיָּא וְאִמְרוּ אָמֵן:

(ש״ץ) יְהֵא שְׁלָמָא רַבָּא מִן שְׁמַיָּא וְחַיִּים עָלֵינוּ וְעַל כָּל יִשְׂרָאֵל, וְאִמְרוּ אָמֵן:

(ש״ץ) עֹשֶׂה שָׁלוֹם בִּמְרוֹמָיו הוּא יַעֲשֶׂה שָׁלוֹם עָלֵינוּ וְעַל כָּל יִשְׂרָאֵל, וְאִמְרוּ אָמֵן:

עלינו

עָלֵינוּ לְשַׁבֵּחַ לַאֲדוֹן הַכֹּל, לָתֵת גְּדֻלָּה לְיוֹצֵר בְּרֵאשִׁית, שֶׁלֹּא עָשָׂנוּ כְּגוֹיֵי הָאֲרָצוֹת, וְלֹא שָׂמָנוּ כְּמִשְׁפְּחוֹת הָאֲדָמָה, שֶׁלֹּא שָׂם חֶלְקֵנוּ כָּהֶם, וְגוֹרָלֵנוּ כְּכָל הֲמוֹנָם וַאֲנַחְנוּ כּוֹרְעִים וּמִשְׁתַּחֲוִים וּמוֹדִים, לִפְנֵי מֶלֶךְ, מַלְכֵי הַמְּלָכִים, הַקָּדוֹשׁ בָּרוּךְ הוּא.

שֶׁהוּא נוֹטֶה שָׁמַיִם וְיֹסֵד אָרֶץ, יְשַׁעְיָהוּ נא:13 וּמוֹשַׁב יְקָרוֹ בַּשָּׁמַיִם מִמַּעַל, וּשְׁכִינַת עֻזּוֹ בְּגָבְהֵי מְרוֹמִים, הוּא אֱלֹהֵינוּ אֵין עוֹד. אֱמֶת מַלְכֵּנוּ אֶפֶס זוּלָתוֹ, כַּכָּתוּב בְּתוֹרָתוֹ: וְיָדַעְתָּ הַיּוֹם וַהֲשֵׁבֹתָ אֶל לְבָבֶךָ, כִּי יהוה הוּא הָאֱלֹהִים בַּשָּׁמַיִם מִמַּעַל, וְעַל הָאָרֶץ מִתָּחַת, אֵין עוֹד: דְּבָרִים ד:39

עַל כֵּן נְקַוֶּה לְּךָ יהוה אֱלֹהֵינוּ, לִרְאוֹת מְהֵרָה בְּתִפְאֶרֶת עֻזֶּךָ, לְהַעֲבִיר גִּלּוּלִים מִן הָאָרֶץ וְהָאֱלִילִים כָּרוֹת יִכָּרֵתוּן. לְתַקֵּן עוֹלָם בְּמַלְכוּת שַׁדַּי, וְכָל בְּנֵי בָשָׂר יִקְרְאוּ בִשְׁמֶךָ. לְהַפְנוֹת אֵלֶיךָ כָּל רִשְׁעֵי אָרֶץ. יַכִּירוּ וְיֵדְעוּ כָּל יוֹשְׁבֵי תֵבֵל, כִּי לְךָ תִּכְרַע כָּל בֶּרֶךְ, תִּשָּׁבַע כָּל לָשׁוֹן: לְפָנֶיךָ יהוה אֱלֹהֵינוּ יִכְרְעוּ וְיִפֹּלוּ. וְלִכְבוֹד שִׁמְךָ יְקָר יִתֵּנוּ. וִיקַבְּלוּ כֻלָּם אֶת עוֹל מַלְכוּתֶךָ. וְתִמְלֹךְ עֲלֵיהֶם מְהֵרָה לְעוֹלָם וָעֶד. כִּי הַמַּלְכוּת שֶׁלְּךָ הִיא, וּלְעוֹלְמֵי עַד תִּמְלוֹךְ בְּכָבוֹד: כַּכָּתוּב בְּתוֹרָתֶךָ, יהוה יִמְלֹךְ לְעוֹלָם וָעֶד: שְׁמוֹת טו:18

וְנֶאֱמַר, וְהָיָה יהוה לְמֶלֶךְ עַל כָּל הָאָרֶץ, בַּיּוֹם הַהוּא יִהְיֶה יהוה אֶחָד, וּשְׁמוֹ אֶחָד: זְכַרְיָה יד:9

קדיש יתום

(אבלים ואבלות) יִתְגַּדַּל וְיִתְקַדַּשׁ שְׁמֵהּ רַבָּא. בְּעָלְמָא דִּי בְרָא כִרְעוּתֵיהּ, וְיַמְלִיךְ מַלְכוּתֵיהּ בְּחַיֵּיכוֹן וּבְיוֹמֵיכוֹן וּבְחַיֵּי דְכָל בֵּית יִשְׂרָאֵל. בַּעֲגָלָא וּבִזְמַן קָרִיב וְאִמְרוּ אָמֵן:

(ביחד) יְהֵא שְׁמֵהּ רַבָּא מְבָרַךְ לְעָלַם וּלְעָלְמֵי עָלְמַיָּא:

(אבלים ואבלות) יִתְבָּרַךְ וְיִשְׁתַּבַּח וְיִתְפָּאַר וְיִתְרוֹמַם וְיִתְנַשֵּׂא וְיִתְהַדָּר וְיִתְעַלֶּה וְיִתְהַלָּל שְׁמֵהּ דְּקֻדְשָׁא (ביחד) בְּרִיךְ הוּא (אבלים ואבלות) לְעֵלָּא (בעשי״ת לְעֵלָּא וּלְעֵלָּא מִכָּל) מִן כָּל בִּרְכָתָא וְשִׁירָתָא תֻּשְׁבְּחָתָא וְנֶחֱמָתָא, דַּאֲמִירָן בְּעָלְמָא, וְאִמְרוּ אָמֵן:

(אבלים ואבלות) יְהֵא שְׁלָמָא רַבָּא מִן שְׁמַיָּא, וְחַיִּים טוֹבִים עָלֵינוּ וְעַל כָּל יִשְׂרָאֵל וְאִמְרוּ אָמֵן.

(אבלים ואבלות) עֹשֶׂה שָׁלוֹם בִּמְרוֹמָיו הוּא יַעֲשֶׂה שָׁלוֹם עָלֵינוּ וְעַל כָּל יִשְׂרָאֵל, וְאִמְרוּ אָמֵן:

ערבית לחול
ולמוצאי שבת

מעריב, or ערבית, is the evening service. Like שחרית it contains primarily the שמע and its blessings and the עמידה.

והוא רחום יכפר עון ולא ישחית functions as the introduction to the prayers. These two verses, from Psalms 78:38 and 20:10, praise God for being merciful and not consuming us in rage, even though we sin.

The ברכות surrounding the שמע in both שחרית and מעריב reflect three great events of Jewish history: Creation, Revelation (giving of the Torah) and Redemption (the Exodus from Egypt). According to Mishnah Berachot there are two ברכות before and one after the שמע in שחרית, but at מעריב there are two ברכות before and two after the שמע.

The עמידה in the מעריב service is said silently, without a repetition or קדושה.

מעריב on Saturday evening is recited when it is dark, at least one hour after the time of Friday evening candlelighting.

וְהוּא רַחוּם יְכַפֵּר עָוֹן וְלֹא יַשְׁחִית,
וְהִרְבָּה לְהָשִׁיב אַפּוֹ וְלֹא יָעִיר כָּל חֲמָתוֹ: תְּהִלִּים עח:38
יהוה הוֹשִׁיעָה הַמֶּלֶךְ יַעֲנֵנוּ בְיוֹם קָרְאֵנוּ: שָׁם כ:10

When praying with a minyan begin here

(ש״ץ) **בָּרְכוּ אֶת יהוה הַמְבֹרָךְ:**
(קהל) בָּרוּךְ יהוה הַמְבֹרָךְ לְעוֹלָם וָעֶד:
(ש״ץ) בָּרוּךְ יהוה הַמְבֹרָךְ לְעוֹלָם וָעֶד:

When praying without a minyan begin here

בָּרוּךְ אַתָּה יהוה אֱלֹהֵינוּ מֶלֶךְ הָעוֹלָם, אֲשֶׁר בִּדְבָרוֹ מַעֲרִיב עֲרָבִים, בְּחָכְמָה פּוֹתֵחַ שְׁעָרִים, וּבִתְבוּנָה מְשַׁנֶּה

For notes on ברכו, see p. 24.

אשר בדברו מעריב ערבים This is the first brachah before the שמע. In this bracha we praise God for the creation of the natural cycle of the day and the seasons, and making a distinction between day and night.

עִתִּים, וּמַחֲלִיף אֶת הַזְּמַנִּים, וּמְסַדֵּר אֶת הַכּוֹכָבִים, בְּמִשְׁמְרוֹתֵיהֶם בָּרָקִיעַ כִּרְצוֹנוֹ. בּוֹרֵא יוֹם וָלָיְלָה, גּוֹלֵל אוֹר מִפְּנֵי חֹשֶׁךְ, וְחֹשֶׁךְ מִפְּנֵי אוֹר. וּמַעֲבִיר יוֹם וּמֵבִיא לָיְלָה, וּמַבְדִּיל בֵּין יוֹם וּבֵין לָיְלָה, יהוה צְבָאוֹת שְׁמוֹ. אֵל חַי וְקַיָּם, תָּמִיד יִמְלוֹךְ עָלֵינוּ לְעוֹלָם וָעֶד. בָּרוּךְ אַתָּה יהוה, הַמַּעֲרִיב עֲרָבִים:

אַהֲבַת עוֹלָם בֵּית יִשְׂרָאֵל עַמְּךָ אָהָבְתָּ, תּוֹרָה וּמִצְוֹת, חֻקִּים וּמִשְׁפָּטִים, אוֹתָנוּ לִמַּדְתָּ. עַל כֵּן יהוה אֱלֹהֵינוּ, בְּשָׁכְבֵנוּ וּבְקוּמֵנוּ נָשִׂיחַ בְּחֻקֶּיךָ, וְנִשְׂמַח בְּדִבְרֵי תוֹרָתֶךָ וּבְמִצְוֹתֶיךָ לְעוֹלָם וָעֶד. כִּי הֵם חַיֵּינוּ וְאֹרֶךְ יָמֵינוּ, וּבָהֶם נֶהְגֶּה יוֹמָם וָלָיְלָה, וְאַהֲבָתְךָ אַל תָּסִיר מִמֶּנּוּ לְעוֹלָמִים. בָּרוּךְ אַתָּה יהוה, אוֹהֵב עַמּוֹ יִשְׂרָאֵל:

When praying alone say אֵל מֶלֶךְ נֶאֱמָן

שְׁמַע יִשְׂרָאֵל יְהוָה אֱלֹהֵינוּ יְהוָה | אֶחָד:

בָּרוּךְ שֵׁם כְּבוֹד מַלְכוּתוֹ לְעוֹלָם וָעֶד:

וְאָהַבְתָּ אֵת יְהוָה אֱלֹהֶיךָ בְּכָל־לְבָבְךָ וּבְכָל־נַפְשְׁךָ וּבְכָל־מְאֹדֶךָ: וְהָיוּ הַדְּבָרִים הָאֵלֶּה אֲשֶׁר אָנֹכִי מְצַוְּךָ הַיּוֹם עַל־לְבָבֶךָ: וְשִׁנַּנְתָּם לְבָנֶיךָ וְדִבַּרְתָּ בָּם בְּשִׁבְתְּךָ בְּבֵיתֶךָ וּבְלֶכְתְּךָ בַדֶּרֶךְ וּבְשָׁכְבְּךָ וּבְקוּמֶךָ: וּקְשַׁרְתָּם לְאוֹת עַל־יָדֶךָ וְהָיוּ לְטֹטָפֹת בֵּין עֵינֶיךָ: וּכְתַבְתָּם עַל־מְזֻזוֹת בֵּיתֶךָ וּבִשְׁעָרֶיךָ:

וְהָיָה אִם־שָׁמֹעַ תִּשְׁמְעוּ אֶל־מִצְוֹתַי אֲשֶׁר אָנֹכִי מְצַוֶּה

אהבת עולם בית ישראל. In this ברכה God is praised for Torah and mitzvot given to us because of God's love for us. It parallels the revelation bracha of אהבה רבה אהבתנו at Shacharit.

For notes on שמע see p. 28.

אֶתְכֶם הַיּוֹם לְאַהֲבָה אֶת־יְהֹוָה אֱלֹהֵיכֶם וּלְעָבְדוֹ בְּכָל־לְבַבְכֶם וּבְכָל־נַפְשְׁכֶם: וְנָתַתִּי מְטַר־אַרְצְכֶם בְּעִתּוֹ יוֹרֶה וּמַלְקוֹשׁ וְאָסַפְתָּ דְגָנֶךָ וְתִירֹשְׁךָ וְיִצְהָרֶךָ: וְנָתַתִּי עֵשֶׂב בְּשָׂדְךָ לִבְהֶמְתֶּךָ וְאָכַלְתָּ וְשָׂבָעְתָּ: הִשָּׁמְרוּ לָכֶם פֶּן־יִפְתֶּה לְבַבְכֶם וְסַרְתֶּם וַעֲבַדְתֶּם אֱלֹהִים אֲחֵרִים וְהִשְׁתַּחֲוִיתֶם לָהֶם: וְחָרָה אַף־יְהֹוָה בָּכֶם וְעָצַר אֶת־הַשָּׁמַיִם וְלֹא־יִהְיֶה מָטָר וְהָאֲדָמָה לֹא תִתֵּן אֶת־יְבוּלָהּ וַאֲבַדְתֶּם מְהֵרָה מֵעַל הָאָרֶץ הַטֹּבָה אֲשֶׁר יְהֹוָה נֹתֵן לָכֶם: וְשַׂמְתֶּם אֶת־דְּבָרַי אֵלֶּה עַל־לְבַבְכֶם וְעַל־נַפְשְׁכֶם וּקְשַׁרְתֶּם אֹתָם לְאוֹת עַל־יֶדְכֶם וְהָיוּ לְטוֹטָפֹת בֵּין עֵינֵיכֶם: וְלִמַּדְתֶּם אֹתָם אֶת־בְּנֵיכֶם לְדַבֵּר בָּם בְּשִׁבְתְּךָ בְּבֵיתֶךָ וּבְלֶכְתְּךָ בַדֶּרֶךְ וּבְשָׁכְבְּךָ וּבְקוּמֶךָ: וּכְתַבְתָּם עַל־מְזוּזוֹת בֵּיתֶךָ וּבִשְׁעָרֶיךָ: לְמַעַן יִרְבּוּ יְמֵיכֶם וִימֵי בְנֵיכֶם עַל הָאֲדָמָה אֲשֶׁר נִשְׁבַּע יְהֹוָה לַאֲבֹתֵיכֶם לָתֵת לָהֶם כִּימֵי הַשָּׁמַיִם עַל־הָאָרֶץ:

וַיֹּאמֶר יְהֹוָה אֶל־מֹשֶׁה לֵּאמֹר: דַּבֵּר אֶל־בְּנֵי יִשְׂרָאֵל וְאָמַרְתָּ אֲלֵהֶם וְעָשׂוּ לָהֶם צִיצִת עַל־כַּנְפֵי בִגְדֵיהֶם לְדֹרֹתָם וְנָתְנוּ עַל־צִיצִת הַכָּנָף פְּתִיל תְּכֵלֶת: וְהָיָה לָכֶם לְצִיצִת וּרְאִיתֶם אֹתוֹ וּזְכַרְתֶּם אֶת־כָּל־מִצְוֹת יְהֹוָה וַעֲשִׂיתֶם אֹתָם וְלֹא־תָתֻרוּ אַחֲרֵי לְבַבְכֶם וְאַחֲרֵי עֵינֵיכֶם אֲשֶׁר־אַתֶּם זֹנִים אַחֲרֵיהֶם: לְמַעַן תִּזְכְּרוּ וַעֲשִׂיתֶם אֶת־כָּל־מִצְוֹתָי וִהְיִיתֶם קְדֹשִׁים לֵאלֹהֵיכֶם: אֲנִי יְהֹוָה אֱלֹהֵיכֶם אֲשֶׁר הוֹצֵאתִי אֶתְכֶם מֵאֶרֶץ מִצְרַיִם לִהְיוֹת לָכֶם לֵאלֹהִים אֲנִי יְהֹוָה אֱלֹהֵיכֶם:

(אֱמֶת) וֶאֱמוּנָה כָּל זֹאת, וְקַיָּם עָלֵינוּ, כִּי הוּא יהוה אֱלֹהֵינוּ וְאֵין זוּלָתוֹ, וַאֲנַחְנוּ יִשְׂרָאֵל עַמּוֹ. הַפּוֹדֵנוּ מִיַּד מְלָכִים,מַלְכֵּנוּ הַגּוֹאֲלֵנוּ מִכַּף כָּל הֶעָרִיצִים. הָאֵל הַנִּפְרָע לָנוּ מִצָּרֵינוּ, וְהַמְשַׁלֵּם גְּמוּל לְכָל אֹיְבֵי נַפְשֵׁנוּ,הָעֹשֶׂה גְדוֹלוֹת עַד אֵין חֵקֶר, וְנִפְלָאוֹת עַד אֵין מִסְפָּר.הַשָּׂם נַפְשֵׁנוּ בַּחַיִּים, וְלֹא נָתַן לַמּוֹט רַגְלֵנוּ, הַמַּדְרִיכֵנוּ עַל בָּמוֹת אוֹיְבֵינוּ, וַיָּרֶם קַרְנֵנוּ, עַל כָּל שׂוֹנְאֵנוּ, הָעֹשֶׂה לָּנוּ נִסִּים וּנְקָמָה בְּפַרְעֹה, אוֹתוֹת וּמוֹפְתִים בְּאַדְמַת בְּנֵי חָם. הַמַּכֶּה בְעֶבְרָתוֹ כָּל בְּכוֹרֵי מִצְרָיִם, וַיּוֹצֵא אֶת עַמּוֹ יִשְׂרָאֵל מִתּוֹכָם, לְחֵרוּת עוֹלָם. הַמַּעֲבִיר בָּנָיו בֵּין גִּזְרֵי יַם סוּף, אֶת רוֹדְפֵיהֶם וְאֶת שׂוֹנְאֵיהֶם, בִּתְהוֹמוֹת טִבַּע, וְרָאוּ בָנָיו גְּבוּרָתוֹ. שִׁבְּחוּ וְהוֹדוּ לִשְׁמוֹ. וּמַלְכוּתוֹ בְּרָצוֹן קִבְּלוּ עֲלֵיהֶם, מֹשֶׁה וּבְנֵי יִשְׂרָאֵל לְךָ עָנוּ שִׁירָה בְּשִׂמְחָה רַבָּה, וְאָמְרוּ כֻלָּם:

מִי כָמֹכָה בָּאֵלִים יהוה, מִי כָּמֹכָה נֶאְדָּר בַּקֹּדֶשׁ, נוֹרָא תְהִלֹּת, עֹשֵׂה פֶלֶא: מַלְכוּתְךָ רָאוּ בָנֶיךָ, בּוֹקֵעַ יָם לִפְנֵי מֹשֶׁה, זֶה אֵלִי עָנוּ וְאָמְרוּ:

יהוה יִמְלֹךְ לְעֹלָם וָעֶד: שְׁמוֹת טו:18

וְנֶאֱמַר: כִּי פָדָה יהוה אֶת יַעֲקֹב, וּגְאָלוֹ מִיַּד חָזָק מִמֶּנּוּ: יִרְמְיָהוּ לא:10

בָּרוּךְ אַתָּה יהוה, גָּאַל יִשְׂרָאֵל:

ואמונה כל זאת The main theme in this ברכה is Redemption, that God brought the Jewish people out from bondage in Egypt.אמונה , faithfulness, has the same root letters. By saying אמן we affirm our belief in what the ש״ץ is saying. אמן was also used at a time when most people did not know Hebrew and so by saying אמן it was as if they said "Ditto, me too!" at the end of a ברכה.

הַשְׁכִּיבֵנוּ יהוה אֱלֹהֵינוּ לְשָׁלוֹם וְהַעֲמִידֵנוּ מַלְכֵּנוּ לְחַיִּים וּפְרוֹשׂ עָלֵינוּ סֻכַּת שְׁלוֹמֶךָ וְתַקְּנֵנוּ בְּעֵצָה טוֹבָה מִלְּפָנֶיךָ, וְהוֹשִׁיעֵנוּ לְמַעַן שְׁמֶךָ, וְהָגֵן בַּעֲדֵנוּ, וְהָסֵר מֵעָלֵינוּ אוֹיֵב, דֶּבֶר, וְחֶרֶב, וְרָעָב וְיָגוֹן, וְהָסֵר שָׂטָן מִלְּפָנֵינוּ וּמֵאַחֲרֵנוּ, וּבְצֵל כְּנָפֶיךָ תַּסְתִּירֵנוּ. כִּי אֵל שׁוֹמְרֵנוּ וּמַצִּילֵנוּ אָתָּה, כִּי אֵל מֶלֶךְ חַנּוּן וְרַחוּם אָתָּה. וּשְׁמוֹר צֵאתֵנוּ וּבוֹאֵנוּ, לְחַיִּים וּלְשָׁלוֹם, מֵעַתָּה וְעַד עוֹלָם. בָּרוּךְ אַתָּה יהוה, שׁוֹמֵר עַמּוֹ יִשְׂרָאֵל לָעַד:

חצי קדיש

(ש״ץ) יִתְגַּדַּל וְיִתְקַדַּשׁ שְׁמֵהּ רַבָּא. בְּעָלְמָא דִּי בְרָא כִרְעוּתֵהּ, וְיַמְלִיךְ מַלְכוּתֵהּ בְּחַיֵּיכוֹן וּבְיוֹמֵיכוֹן וּבְחַיֵּי דְכָל בֵּית יִשְׂרָאֵל. בַּעֲגָלָא וּבִזְמַן קָרִיב וְאִמְרוּ אָמֵן:

(ביחד) יְהֵא שְׁמֵהּ רַבָּא מְבָרַךְ לְעָלַם וּלְעָלְמֵי עָלְמַיָּא:

(ש״ץ) יִתְבָּרַךְ וְיִשְׁתַּבַּח וְיִתְפָּאַר וְיִתְרוֹמַם וְיִתְנַשֵּׂא וְיִתְהַדָּר וְיִתְעַלֶּה וְיִתְהַלָּל שְׁמֵהּ דְּקֻדְשָׁא (ביחד) בְּרִיךְ הוּא (ש״ץ) לְעֵלָּא (בעשי״ת לְעֵלָּא וּלְעֵלָּא מִכָּל) מִן כָּל בִּרְכָתָא וְשִׁירָתָא תֻּשְׁבְּחָתָא וְנֶחֱמָתָא, דַּאֲמִירָן בְּעָלְמָא, וְאִמְרוּ אָמֵן:

השכיבנו This ברכה asks God for protection against the darkness and perils of the night. Since this fear does not exist in the morning, there is no parallel at שחרית.

For notes on חצי קדיש see p. 23.

עמידה

אֲדֹנָי שְׂפָתַי תִּפְתָּח וּפִי יַגִּיד תְּהִלָּתֶךָ: תְּהִלִּים נא:17

בָּרוּךְ אַתָּה יהוה אֱלֹהֵינוּ וֵאלֹהֵי אֲבוֹתֵינוּ, אֱלֹהֵי אַבְרָהָם, אֱלֹהֵי יִצְחָק, וֵאלֹהֵי יַעֲקֹב. הָאֵל הַגָּדוֹל הַגִּבּוֹר וְהַנּוֹרָא, אֵל עֶלְיוֹן, גּוֹמֵל חֲסָדִים טוֹבִים, וְקוֹנֵה הַכֹּל, וְזוֹכֵר חַסְדֵי אָבוֹת, וּמֵבִיא גּוֹאֵל לִבְנֵי בְנֵיהֶם לְמַעַן שְׁמוֹ בְּאַהֲבָה.

During the עשרת ימי תשובה *say*

זָכְרֵנוּ לְחַיִּים, מֶלֶךְ חָפֵץ בַּחַיִּים, וְכָתְבֵנוּ בְּסֵפֶר הַחַיִּים, לְמַעַנְךָ אֱלֹהִים חַיִּים.

מֶלֶךְ עוֹזֵר וּמוֹשִׁיעַ וּמָגֵן. בָּרוּךְ אַתָּה יהוה, מָגֵן אַבְרָהָם.

אַתָּה גִּבּוֹר לְעוֹלָם אֲדֹנָי, מְחַיֵּה מֵתִים אַתָּה, רַב לְהוֹשִׁיעַ.

From the first day of פסח *until* שמיני עצרת *say*

מוֹרִיד הַטָּל

From שמיני עצרת *until the first day of* פסח *say*

מַשִּׁיב הָרוּחַ וּמוֹרִיד הַגָּשֶׁם:

מְכַלְכֵּל חַיִּים בְּחֶסֶד, מְחַיֵּה מֵתִים בְּרַחֲמִים רַבִּים, סוֹמֵךְ נוֹפְלִים, וְרוֹפֵא חוֹלִים, וּמַתִּיר אֲסוּרִים, וּמְקַיֵּם אֱמוּנָתוֹ לִישֵׁנֵי עָפָר, מִי כָמוֹךָ בַּעַל גְּבוּרוֹת וּמִי דוֹמֶה לָּךְ, מֶלֶךְ מֵמִית וּמְחַיֶּה וּמַצְמִיחַ יְשׁוּעָה.

In some communities שרה רבקה רחל ולאה are added to the first blessing of the עמידה to emphasize that both men and women have a relationship with God.

During the עשרת ימי תשובה *say*

מִי כָמוֹךָ אַב הָרַחֲמִים, זוֹכֵר יְצוּרָיו לְחַיִּים בְּרַחֲמִים:

וְנֶאֱמָן אַתָּה לְהַחֲיוֹת מֵתִים. בָּרוּךְ אַתָּה יהוה, מְחַיֵּה הַמֵּתִים.

אַתָּה קָדוֹשׁ וְשִׁמְךָ קָדוֹשׁ וּקְדוֹשִׁים בְּכָל יוֹם יְהַלְלוּךָ, סֶּלָה. בָּרוּךְ אַתָּה יהוה, הָאֵל הַקָּדוֹשׁ (בעשי״ת: הַמֶּלֶךְ הַקָּדוֹשׁ).

אַתָּה חוֹנֵן לְאָדָם דַּעַת, וּמְלַמֵּד לֶאֱנוֹשׁ בִּינָה.

At the end of שבת *or* יום טוב *add*

אַתָּה חוֹנַנְתָּנוּ לְמַדַּע תּוֹרָתֶךָ, וַתְּלַמְּדֵנוּ לַעֲשׂוֹת חֻקֵּי רְצוֹנֶךָ, וַתַּבְדֵּל יהוה אֱלֹהֵינוּ בֵּין קֹדֶשׁ לְחוֹל, בֵּין אוֹר לְחוֹשֶׁךְ, בֵּין יִשְׂרָאֵל לָעַמִּים בֵּין יוֹם הַשְּׁבִיעִי לְשֵׁשֶׁת יְמֵי הַמַּעֲשֶׂה. אָבִינוּ מַלְכֵּנוּ, הָחֵל עָלֵינוּ הַיָּמִים הַבָּאִים לִקְרָאתֵנוּ לְשָׁלוֹם, חֲשׂוּכִים מִכָּל חֵטְא, וּמְנֻקִּים מִכָּל עָוֹן, וּמְדֻבָּקִים בְּיִרְאָתֶךָ. וְ . . .

חָנֵּנוּ מֵאִתְּךָ דֵּעָה, בִּינָה וְהַשְׂכֵּל. בָּרוּךְ אַתָּה יהוה, חוֹנֵן הַדָּעַת.

הֲשִׁיבֵנוּ אָבִינוּ לְתוֹרָתֶךָ, וְקָרְבֵנוּ מַלְכֵּנוּ לַעֲבוֹדָתֶךָ, וְהַחֲזִירֵנוּ בִּתְשׁוּבָה שְׁלֵמָה לְפָנֶיךָ. בָּרוּךְ אַתָּה יהוה, הָרוֹצֶה בִּתְשׁוּבָה.

סְלַח לָנוּ, אָבִינוּ, כִּי חָטָאנוּ, מְחַל לָנוּ, מַלְכֵּנוּ כִּי פָשָׁעְנוּ, כִּי מוֹחֵל וְסוֹלֵחַ אָתָּה. בָּרוּךְ אַתָּה יהוה, חַנּוּן הַמַּרְבֶּה לִסְלֹחַ.

רְאֵה נָא בְעָנְיֵנוּ, וְרִיבָה רִיבֵנוּ, וּגְאָלֵנוּ מְהֵרָה לְמַעַן שְׁמֶךָ, כִּי גוֹאֵל חָזָק אָתָּה. בָּרוּךְ אַתָּה יהוה גּוֹאֵל יִשְׂרָאֵל.

אתה חוננתנו This is inserted in the fourth ברכה of the עמידה which asks God for דעת (knowledge). It is said at the conclusion of Shabbat and Yom Tov and praises God for making distinctions, one of which is the distinction between holy days (קודש) and ordinary days (חול).

רְפָאֵנוּ יהוה, וְנֵרָפֵא, הוֹשִׁיעֵנוּ וְנִוָּשֵׁעָה, כִּי תְהִלָּתֵנוּ אָתָּה, וְהַעֲלֵה רְפוּאָה שְׁלֵמָה לְכָל מַכּוֹתֵינוּ:

To pray for a specific sick person include this here

יְהִי רָצוֹן מִלְּפָנֶיךָ יהוה אֱלֹהַי וֵאלֹהֵי אֲבוֹתַי וְאִמּוֹתַי, שֶׁתִּשְׁלַח מְהֵרָה רְפוּאָה שְׁלֵמָה מִן הַשָּׁמַיִם רְפוּאַת הַנֶּפֶשׁ וּרְפוּאַת הַגּוּף לַחוֹלֶה/לַחוֹלָה ______ בְּתוֹךְ שְׁאָר חוֹלֵי יִשְׂרָאֵל.

כִּי אֵל מֶלֶךְ רוֹפֵא נֶאֱמָן וְרַחֲמָן אָתָּה. בָּרוּךְ אַתָּה יהוה, רוֹפֵא חוֹלֵי עַמּוֹ יִשְׂרָאֵל.

בָּרֵךְ עָלֵינוּ, יהוה אֱלֹהֵינוּ, אֶת הַשָּׁנָה הַזֹּאת וְאֶת כָּל מִינֵי תְבוּאָתָהּ לְטוֹבָה

During the summer say

וְתֵן בְּרָכָה

During the winter, from December 4th until the first day of פסח *say*

וְתֵן טַל וּמָטָר לִבְרָכָה

עַל פְּנֵי הָאֲדָמָה, וְשַׂבְּעֵנוּ מִטּוּבֶךָ, וּבָרֵךְ שְׁנָתֵנוּ כַּשָּׁנִים הַטּוֹבוֹת. בָּרוּךְ אַתָּה יהוה, מְבָרֵךְ הַשָּׁנִים.

תְּקַע בְּשׁוֹפָר גָּדוֹל לְחֵרוּתֵנוּ, וְשָׂא נֵס לְקַבֵּץ גָּלֻיּוֹתֵינוּ, וְקַבְּצֵנוּ יַחַד מֵאַרְבַּע כַּנְפוֹת הָאָרֶץ. בָּרוּךְ אַתָּה יהוה, מְקַבֵּץ נִדְחֵי עַמּוֹ יִשְׂרָאֵל.

הָשִׁיבָה שׁוֹפְטֵינוּ כְּבָרִאשׁוֹנָה וְיוֹעֲצֵינוּ כְּבַתְּחִלָּה, וְהָסֵר מִמֶּנּוּ יָגוֹן וַאֲנָחָה, וּמְלוֹךְ עָלֵינוּ אַתָּה, יהוה, לְבַדְּךָ בְּחֶסֶד וּבְרַחֲמִים, וְצַדְּקֵנוּ בַּמִּשְׁפָּט. בָּרוּךְ אַתָּה יהוה, (בעשי״ת) הַמֶּלֶךְ הַמִּשְׁפָּט. מֶלֶךְ אוֹהֵב צְדָקָה וּמִשְׁפָּט.

וְלַמַּלְשִׁינִים אַל תְּהִי תִקְוָה, וְכָל הָרִשְׁעָה כְּרֶגַע תֹּאבֵד, וְכָל אוֹיְבֶיךָ מְהֵרָה יִכָּרֵתוּ, וְהַזֵּדִים מְהֵרָה תְעַקֵּר וּתְשַׁבֵּר וּתְמַגֵּר וְתַכְנִיעַ בִּמְהֵרָה בְיָמֵינוּ. בָּרוּךְ אַתָּה יהוה, שֹׁבֵר אֹיְבִים וּמַכְנִיעַ זֵדִים.

עַל הַצַּדִּיקִים וְעַל הַחֲסִידִים וְעַל זִקְנֵי עַמְּךָ בֵּית יִשְׂרָאֵל, וְעַל פְּלֵיטַת סוֹפְרֵיהֶם, וְעַל גֵּרֵי הַצֶּדֶק וְעָלֵינוּ, יֶהֱמוּ נָא רַחֲמֶיךָ, יהוה אֱלֹהֵינוּ, וְתֵן שָׂכָר טוֹב לְכָל הַבּוֹטְחִים בְּשִׁמְךָ בֶּאֱמֶת, וְשִׂים חֶלְקֵנוּ עִמָּהֶם לְעוֹלָם, וְלֹא נֵבוֹשׁ כִּי בְךָ בָּטָחְנוּ. בָּרוּךְ אַתָּה יהוה, מִשְׁעָן וּמִבְטָח לַצַּדִּיקִים.

וְלִירוּשָׁלַיִם עִירְךָ בְּרַחֲמִים תָּשׁוּב, וְתִשְׁכּוֹן בְּתוֹכָהּ כַּאֲשֶׁר דִּבַּרְתָּ, וּבְנֵה אוֹתָהּ בְּקָרוֹב בְּיָמֵינוּ בִּנְיַן עוֹלָם, וְכִסֵּא דָוִד מְהֵרָה לְתוֹכָהּ תָּכִין. בָּרוּךְ אַתָּה יהוה, בּוֹנֵה יְרוּשָׁלָיִם.

אֶת צֶמַח דָּוִד עַבְדְּךָ מְהֵרָה תַצְמִיחַ, וְקַרְנוֹ תָּרוּם בִּישׁוּעָתֶךָ, כִּי לִישׁוּעָתְךָ קִוִּינוּ כָּל הַיּוֹם. בָּרוּךְ אַתָּה יהוה, מַצְמִיחַ קֶרֶן יְשׁוּעָה.

שְׁמַע קוֹלֵנוּ, יהוה אֱלֹהֵינוּ, חוּס וְרַחֵם עָלֵינוּ, וְקַבֵּל בְּרַחֲמִים וּבְרָצוֹן אֶת תְּפִלָּתֵנוּ, כִּי אֵל שׁוֹמֵעַ תְּפִלּוֹת וְתַחֲנוּנִים אָתָּה, וּמִלְּפָנֶיךָ, מַלְכֵּנוּ, רֵיקָם אַל תְּשִׁיבֵנוּ.

While the prayers in the סדור *are set, it is acceptable and encouraged to add your own personal prayers and then continue* כי אתה שומע.

כִּי אַתָּה שׁוֹמֵעַ תְּפִלַּת עַמְּךָ יִשְׂרָאֵל בְּרַחֲמִים . בָּרוּךְ אַתָּה יהוה, שׁוֹמֵעַ תְּפִלָּה.

רְצֵה, יהוה אֱלֹהֵינוּ, בְּעַמְּךָ יִשְׂרָאֵל וּבִתְפִלָּתָם, וְהָשֵׁב אֶת הָעֲבוֹדָה לִדְבִיר בֵּיתֶךָ, וּתְפִלָּתָם בְּאַהֲבָה תְקַבֵּל בְּרָצוֹן, וּתְהִי לְרָצוֹן תָּמִיד עֲבוֹדַת יִשְׂרָאֵל עַמֶּךָ.

On ראש חדש *and* חול המועד *add* יעלה ויבא

אֱלֹהֵינוּ וֵאלֹהֵי אֲבוֹתֵינוּ, יַעֲלֶה וְיָבֹא וְיַגִּיעַ וְיֵרָאֶה וְיֵרָצֶה וְיִשָּׁמַע וְיִפָּקֵד, וְיִזָּכֵר זִכְרוֹנֵנוּ וּפִקְדוֹנֵנוּ, וְזִכְרוֹן אֲבוֹתֵינוּ, וְזִכְרוֹן מָשִׁיחַ בֶּן דָּוִד עַבְדֶּךָ, וְזִכְרוֹן יְרוּשָׁלַיִם עִיר קָדְשֶׁךָ, וְזִכְרוֹן כָּל עַמְּךָ בֵּית יִשְׂרָאֵל לְפָנֶיךָ, לִפְלֵיטָה, לְטוֹבָה, לְחֵן וּלְחֶסֶד וּלְרַחֲמִים, לְחַיִּים וּלְשָׁלוֹם, בְּיוֹם

On ראש חדש *and* חול המועד *add the following*

(ראש חודש) רֹאשׁ הַחֹדֶשׁ הַזֶּה *On Rosh Chodesh*

(פסח) חַג הַמַּצּוֹת הַזֶּה *On Pesach*

(סוכות) חַג הַסֻּכּוֹת הַזֶּה *On Sukkot*

זָכְרֵנוּ, יהוה, אֱלֹהֵינוּ, בּוֹ לְטוֹבָה, וּפָקְדֵנוּ בוֹ לִבְרָכָה, וְהוֹשִׁיעֵנוּ בוֹ לְחַיִּים, וּבִדְבַר יְשׁוּעָה וְרַחֲמִים, חוּס וְחָנֵּנוּ, וְרַחֵם עָלֵינוּ וְהוֹשִׁיעֵנוּ, כִּי אֵלֶיךָ עֵינֵינוּ, כִּי אֵל מֶלֶךְ חַנּוּן וְרַחוּם אָתָּה.

וְתֶחֱזֶינָה עֵינֵינוּ בְּשׁוּבְךָ לְצִיּוֹן בְּרַחֲמִים. בָּרוּךְ אַתָּה יהוה, הַמַּחֲזִיר שְׁכִינָתוֹ לְצִיּוֹן.

(ש״ץ) מוֹדִים אֲנַחְנוּ לָךְ, שָׁאַתָּה הוּא יהוה אֱלֹהֵינוּ וֵאלֹהֵי אֲבוֹתֵינוּ לְעוֹלָם וָעֶד, צוּר חַיֵּינוּ, מָגֵן יִשְׁעֵנוּ, אַתָּה הוּא לְדוֹר וָדוֹר. נוֹדֶה לְּךָ וּנְסַפֵּר תְּהִלָּתֶךָ, עַל חַיֵּינוּ הַמְּסוּרִים בְּיָדֶךָ, וְעַל נִשְׁמוֹתֵינוּ הַפְּקוּדוֹת לָךְ, וְעַל נִסֶּיךָ שֶׁבְּכָל יוֹם עִמָּנוּ, וְעַל נִפְלְאוֹתֶיךָ וְטוֹבוֹתֶיךָ שֶׁבְּכָל עֵת, עֶרֶב וָבֹקֶר וְצָהֳרָיִם, הַטּוֹב כִּי לֹא כָלוּ

רַחֲמֶיךָ, וְהַמְרַחֵם כִּי לֹא תַמּוּ חֲסָדֶיךָ מֵעוֹלָם קִוִּינוּ לָךְ.

On חנוכה, פורים *and* יום העצמאות *add the following*

עַל הַנִּסִּים, וְעַל הַפֻּרְקָן, וְעַל הַגְּבוּרוֹת, וְעַל הַתְּשׁוּעוֹת, וְעַל הַמִּלְחָמוֹת, שֶׁעָשִׂיתָ לַאֲבוֹתֵינוּ בַּיָּמִים הָהֵם בַּזְּמַן הַזֶּה.

לחנוכה

On Chanukah

בִּימֵי מַתִּתְיָהוּ בֶּן יוֹחָנָן כֹּהֵן גָּדוֹל, חַשְׁמוֹנָאִי וּבָנָיו, כְּשֶׁעָמְדָה מַלְכוּת יָוָן הָרְשָׁעָה עַל עַמְּךָ יִשְׂרָאֵל לְהַשְׁכִּיחָם תּוֹרָתֶךָ, וּלְהַעֲבִירָם מֵחֻקֵּי רְצוֹנֶךָ, וְאַתָּה בְּרַחֲמֶיךָ הָרַבִּים עָמַדְתָּ לָהֶם בְּעֵת צָרָתָם, רַבְתָּ אֶת רִיבָם, דַּנְתָּ אֶת דִּינָם, נָקַמְתָּ אֶת נִקְמָתָם, מָסַרְתָּ גִבּוֹרִים בְּיַד חַלָּשִׁים, וְרַבִּים בְּיַד מְעַטִּים, וּטְמֵאִים בְּיַד טְהוֹרִים, וּרְשָׁעִים בְּיַד צַדִּיקִים, וְזֵדִים בְּיַד עוֹסְקֵי תוֹרָתֶךָ. וּלְךָ עָשִׂיתָ שֵׁם גָּדוֹל וְקָדוֹשׁ בְּעוֹלָמֶךָ, וּלְעַמְּךָ יִשְׂרָאֵל עָשִׂיתָ תְּשׁוּעָה גְדוֹלָה וּפֻרְקָן כְּהַיּוֹם הַזֶּה. וְאַחַר כֵּן בָּאוּ בָנֶיךָ לִדְבִיר בֵּיתֶךָ, וּפִנּוּ אֶת הֵיכָלֶךָ, וְטִהֲרוּ אֶת מִקְדָּשֶׁךָ, וְהִדְלִיקוּ נֵרוֹת בְּחַצְרוֹת קָדְשֶׁךָ, וְקָבְעוּ שְׁמוֹנַת יְמֵי חֲנֻכָּה אֵלּוּ, לְהוֹדוֹת וּלְהַלֵּל לְשִׁמְךָ הַגָּדוֹל.

לפורים

On Purim

בִּימֵי מָרְדְּכַי וְאֶסְתֵּר בְּשׁוּשַׁן הַבִּירָה, כְּשֶׁעָמַד עֲלֵיהֶם הָמָן הָרָשָׁע, בִּקֵּשׁ לְהַשְׁמִיד, לַהֲרֹג וּלְאַבֵּד אֶת כָּל הַיְּהוּדִים, מִנַּעַר וְעַד זָקֵן, טַף וְנָשִׁים, בְּיוֹם אֶחָד בִּשְׁלוֹשָׁה עָשָׂר לְחֹדֶשׁ שְׁנֵים עָשָׂר, הוּא חֹדֶשׁ אֲדָר, וּשְׁלָלָם לָבוֹז. וְאַתָּה בְּרַחֲמֶיךָ הָרַבִּים הֵפַרְתָּ אֶת עֲצָתוֹ, וְקִלְקַלְתָּ אֶת מַחֲשַׁבְתּוֹ, וַהֲשֵׁבוֹתָ לּוֹ גְּמוּלוֹ בְּרֹאשׁוֹ, וְתָלוּ אוֹתוֹ וְאֶת בָּנָיו עַל הָעֵץ.

ליום העצמאות *On Yom Ha'atzmaut*

בְּשָׁעָה שֶׁעַמְּךָ יִשְׂרָאֵל הָיָה מְפֻזָּר בֵּין הָעַמִּים קָמוּ חֲלוּצִים לִבְנוֹת אֶת אֶרֶץ יִשְׂרָאֵל לְקַבֵּץ גָּלֻיּוֹתֵינוּ, לִגְאֹל אֶת עַמֵּנוּ וּלְהַצִּיב גְּבוּל אַלְמָנָה וּלְהַגְשִׁים חֲזוֹן הַנְּבִיאִים: "וִישַׁבְתֶּם בָּאָרֶץ אֲשֶׁר נָתַתִּי לַאֲבֹתֵיכֶם וִהְיִיתֶם לִי לְעָם וְאָנֹכִי אֶהְיֶה לָכֶם לֵאלֹהִים". יְחֶזְקֵאל לו:28 בִּימֵי חֻרְבָּן וְשׁוֹאָה וּפְלֵיטָה גְּדוֹלָה צָעֲקָה לִגְאֻלָּה, נִסְגְּרוּ שַׁעֲרֵי אֶרֶץ אָבוֹת בִּפְנֵי פְּלִיטִים. אָז אוֹיְבִים בָּאָרֶץ קָמוּ לְהַכְרִית עַמְּךָ יִשְׂרָאֵל; אַתָּה בְּרַחֲמֶיךָ הָרַבִּים עָמַדְתָּ לָהֶם בְּעֵת צָרָתָם; רַבְתָּ אֶת רִיבָם, דַּנְתָּ אֶת דִּינָם, חִזַּקְתָּ אֶת לִבָּם לַעֲמוֹד בַּשַּׁעַר וְלִפְתֹּחַ שְׁעָרִים לַנִּרְדָּפִים וּלְגָרֵשׁ אֶת צִבְאוֹת הָאוֹיֵב מִן הָאָרֶץ. מָסַרְתָּ רַבִּים בְּיַד מְעַטִּים וּרְשָׁעִים בְּיַד צַדִּיקִים, וּלְךָ עָשִׂיתָ שֵׁם גָּדוֹל וְקָדוֹשׁ בְּעוֹלָמֶךָ וּלְעַמְּךָ יִשְׂרָאֵל עָשִׂיתָ תְּשׁוּעָה גְדוֹלָה וּפֻרְקָן כְּהַיּוֹם הַזֶּה. וְאַחַר כֵּן נִקְבְּצוּ בָנֶיךָ לִבְנוֹת וּלְהִבָּנוֹת בְּאַרְצֵנוּ וְקָרְאוּ עַצְמָאוּת בָּאָרֶץ. אָז קָבְעוּ בָנֶיךָ אֶת יוֹם הָעַצְמָאוּת הַזֶּה לִשְׂמוֹחַ בּוֹ וּלְהוֹדוֹת לְשִׁמְךָ עַל נִסֶּיךָ וְעַל נִפְלְאוֹתֶיךָ.

וְעַל כֻּלָּם יִתְבָּרַךְ וְיִתְרוֹמַם שִׁמְךָ, מַלְכֵּנוּ, תָּמִיד לְעוֹלָם וָעֶד.

During the עשרת ימי תשובה *say*

וּכְתוֹב לְחַיִּים טוֹבִים כָּל בְּנֵי בְרִיתֶךָ.

וְכֹל הַחַיִּים יוֹדוּךָ סֶּלָה, וִיהַלְלוּ אֶת שִׁמְךָ בֶּאֱמֶת, הָאֵל יְשׁוּעָתֵנוּ וְעֶזְרָתֵנוּ סֶלָה. בָּרוּךְ אַתָּה יהוה, הַטּוֹב שִׁמְךָ וּלְךָ נָאֶה לְהוֹדוֹת.

שָׁלוֹם רָב עַל יִשְׂרָאֵל עַמְּךָ תָּשִׂים לְעוֹלָם, כִּי אַתָּה הוּא מֶלֶךְ אָדוֹן לְכָל הַשָּׁלוֹם. וְטוֹב בְּעֵינֶיךָ לְבָרֵךְ אֶת עַמְּךָ יִשְׂרָאֵל בְּכָל עֵת וּבְכָל שָׁעָה בִּשְׁלוֹמֶךָ.

During the עשרת ימי תשובה *say*

בְּסֵפֶר חַיִּים, בְּרָכָה, וְשָׁלוֹם, וּפַרְנָסָה טוֹבָה, נִזָּכֵר וְנִכָּתֵב לְפָנֶיךָ, אֲנַחְנוּ וְכָל עַמְּךָ בֵּית יִשְׂרָאֵל, לְחַיִּים טוֹבִים וּלְשָׁלוֹם. בָּרוּךְ אַתָּה יהוה, עֹשֵׂה הַשָּׁלוֹם. *(Continue with* אלהי נצור*, line 5)*

בָּרוּךְ אַתָּה יהוה הַמְבָרֵךְ אֶת עַמּוֹ יִשְׂרָאֵל בַּשָּׁלוֹם.

אֱלֹהַי, נְצוֹר לְשׁוֹנִי מֵרָע, וּשְׂפָתַי מִדַּבֵּר מִרְמָה, וְלִמְקַלְלַי נַפְשִׁי תִדּוֹם, וְנַפְשִׁי כֶּעָפָר לַכֹּל תִּהְיֶה. פְּתַח לִבִּי בְּתוֹרָתֶךָ, וּבְמִצְוֹתֶיךָ תִּרְדּוֹף נַפְשִׁי. וְכָל הַחוֹשְׁבִים עָלַי רָעָה, מְהֵרָה הָפֵר עֲצָתָם וְקַלְקֵל מַחֲשַׁבְתָּם. עֲשֵׂה לְמַעַן שְׁמֶךָ, עֲשֵׂה לְמַעַן יְמִינֶךָ, עֲשֵׂה לְמַעַן קְדֻשָּׁתֶךָ, עֲשֵׂה לְמַעַן תּוֹרָתֶךָ. לְמַעַן יֵחָלְצוּן יְדִידֶיךָ, הוֹשִׁיעָה יְמִינְךָ וַעֲנֵנִי. תְּהִלִּים ס:7 יִהְיוּ לְרָצוֹן אִמְרֵי פִי וְהֶגְיוֹן לִבִּי לְפָנֶיךָ, יהוה צוּרִי וְגוֹאֲלִי. עֹשֶׂה שָׁלוֹם בִּמְרוֹמָיו, הוּא יַעֲשֶׂה שָׁלוֹם עָלֵינוּ, וְעַל כָּל יִשְׂרָאֵל וְאִמְרוּ: אָמֵן.

קדיש שלם

(ש״ץ) יִתְגַּדַּל וְיִתְקַדַּשׁ שְׁמֵהּ רַבָּא. בְּעָלְמָא דִּי בְרָא כִרְעוּתֵהּ, וְיַמְלִיךְ מַלְכוּתֵהּ בְּחַיֵּיכוֹן וּבְיוֹמֵיכוֹן וּבְחַיֵּי דְכָל בֵּית יִשְׂרָאֵל. בַּעֲגָלָא וּבִזְמַן קָרִיב וְאִמְרוּ אָמֵן:

(ביחד) יְהֵא שְׁמֵהּ רַבָּא מְבָרַךְ לְעָלַם וּלְעָלְמֵי עָלְמַיָּא:

(ש״ץ) יִתְבָּרַךְ וְיִשְׁתַּבַּח, וְיִתְפָּאַר וְיִתְרוֹמַם וְיִתְנַשֵּׂא וְיִתְהַדָּר וְיִתְעַלֶּה וְיִתְהַלָּל שְׁמֵהּ דְּקֻדְשָׁא (ביחד) בְּרִיךְ הוּא (ש״ץ) לְעֵלָּא (בעשי״ת לְעֵלָּא וּלְעֵלָּא מִכָּל) מִן כָּל בִּרְכָתָא וְשִׁירָתָא, תֻּשְׁבְּחָתָא וְנֶחֱמָתָא, דַּאֲמִירָן בְּעָלְמָא, וְאִמְרוּ אָמֵן:

(ש״ץ) תִּתְקַבַּל צְלוֹתְהוֹן וּבָעוּתְהוֹן דְּכָל בֵּית יִשְׂרָאֵל קֳדָם אֲבוּהוֹן דִּי בִשְׁמַיָּא וְאִמְרוּ אָמֵן:

(ש״ץ) יְהֵא שְׁלָמָא רַבָּא מִן שְׁמַיָּא וְחַיִּים עָלֵינוּ וְעַל כָּל יִשְׂרָאֵל, וְאִמְרוּ אָמֵן:

(ש״ץ) עֹשֶׂה שָׁלוֹם בִּמְרוֹמָיו הוּא יַעֲשֶׂה שָׁלוֹם עָלֵינוּ וְעַל כָּל יִשְׂרָאֵל, וְאִמְרוּ אָמֵן:

The עומר (see p. 126) is counted immediately before Aleinu except on Saturday nights and at the conclusion of פסח, when it is recited before הבדלה. Although the Omer should logically follow הבדלה, since it is a weekday activity, we reverse the order to lengthen שבת.

עלינו

עָלֵינוּ לְשַׁבֵּחַ לַאֲדוֹן הַכֹּל, לָתֵת גְּדֻלָּה לְיוֹצֵר בְּרֵאשִׁית, שֶׁלֹּא עָשָׂנוּ כְּגוֹיֵי הָאֲרָצוֹת, וְלֹא שָׂמָנוּ כְּמִשְׁפְּחוֹת הָאֲדָמָה, שֶׁלֹּא שָׂם חֶלְקֵנוּ כָּהֶם, וְגֹרָלֵנוּ כְּכָל הֲמוֹנָם וַאֲנַחְנוּ כּוֹרְעִים וּמִשְׁתַּחֲוִים וּמוֹדִים, לִפְנֵי מֶלֶךְ, מַלְכֵי הַמְּלָכִים, הַקָּדוֹשׁ בָּרוּךְ הוּא. שֶׁהוּא נוֹטֶה שָׁמַיִם וְיֹסֵד אָרֶץ, יְשַׁעְיָהוּ נא:13 וּמוֹשַׁב יְקָרוֹ בַּשָּׁמַיִם מִמַּעַל, וּשְׁכִינַת עֻזּוֹ בְּגָבְהֵי מְרוֹמִים, הוּא אֱלֹהֵינוּ אֵין עוֹד. אֱמֶת מַלְכֵּנוּ אֶפֶס זוּלָתוֹ, כַּכָּתוּב בְּתוֹרָתוֹ: וְיָדַעְתָּ הַיּוֹם וַהֲשֵׁבֹתָ אֶל לְבָבֶךָ, כִּי יהוה הוּא הָאֱלֹהִים בַּשָּׁמַיִם מִמַּעַל, וְעַל הָאָרֶץ מִתָּחַת, אֵין עוֹד: דְּבָרִים ד:39

עַל כֵּן נְקַוֶּה לְּךָ יהוה אֱלֹהֵינוּ, לִרְאוֹת מְהֵרָה בְּתִפְאֶרֶת עֻזֶּךָ, לְהַעֲבִיר גִּלּוּלִים מִן הָאָרֶץ וְהָאֱלִילִים כָּרוֹת יִכָּרֵתוּן. לְתַקֵּן עוֹלָם בְּמַלְכוּת שַׁדַּי, וְכָל בְּנֵי בָשָׂר יִקְרְאוּ בִשְׁמֶךָ. לְהַפְנוֹת אֵלֶיךָ כָּל רִשְׁעֵי אָרֶץ. יַכִּירוּ וְיֵדְעוּ כָּל

יוֹשְׁבֵי תֵבֵל, כִּי לְךָ תִּכְרַע כָּל בֶּרֶךְ, תִּשָּׁבַע כָּל לָשׁוֹן: לְפָנֶיךָ יהוה אֱלֹהֵינוּ יִכְרְעוּ וְיִפֹּלוּ. וְלִכְבוֹד שִׁמְךָ יְקָר יִתֵּנוּ. וִיקַבְּלוּ כֻלָּם אֶת עוֹל מַלְכוּתֶךָ. וְתִמְלֹךְ עֲלֵיהֶם מְהֵרָה לְעוֹלָם וָעֶד. כִּי הַמַּלְכוּת שֶׁלְּךָ הִיא, וּלְעוֹלְמֵי עַד תִּמְלוֹךְ בְּכָבוֹד: כַּכָּתוּב בְּתוֹרָתֶךָ, יהוה יִמְלֹךְ לְעֹלָם וָעֶד: שְׁמוֹת טו:18 וְנֶאֱמַר, וְהָיָה יהוה לְמֶלֶךְ עַל כָּל הָאָרֶץ, בַּיּוֹם הַהוּא יִהְיֶה יהוה אֶחָד, וּשְׁמוֹ אֶחָד:

From the first day of אלול *until* הושענא רבה *say*

לְדָוִד יהוה אוֹרִי וְיִשְׁעִי מִמִּי אִירָא, יהוה מָעוֹז חַיַּי מִמִּי אֶפְחָד: בִּקְרֹב עָלַי מְרֵעִים, לֶאֱכֹל אֶת בְּשָׂרִי צָרַי וְאֹיְבַי לִי הֵמָּה כָּשְׁלוּ וְנָפָלוּ: אִם תַּחֲנֶה עָלַי מַחֲנֶה לֹא יִירָא לִבִּי, אִם תָּקוּם עָלַי מִלְחָמָה בְּזֹאת אֲנִי בוֹטֵחַ: אַחַת שָׁאַלְתִּי מֵאֵת יהוה, אוֹתָהּ אֲבַקֵּשׁ שִׁבְתִּי בְּבֵית יהוה, כָּל יְמֵי חַיַּי לַחֲזוֹת בְּנֹעַם יהוה וּלְבַקֵּר בְּהֵיכָלוֹ: כִּי יִצְפְּנֵנִי בְּסֻכֹּה בְּיוֹם רָעָה, יַסְתִּרֵנִי בְּסֵתֶר אָהֳלוֹ בְּצוּר יְרוֹמְמֵנִי: וְעַתָּה יָרוּם רֹאשִׁי, עַל אֹיְבַי סְבִיבוֹתַי וְאֶזְבְּחָה בְאָהֳלוֹ זִבְחֵי תְרוּעָה, אָשִׁירָה וַאֲזַמְּרָה לַיהוה: שְׁמַע יהוה קוֹלִי אֶקְרָא, וְחָנֵּנִי וַעֲנֵנִי: לְךָ אָמַר לִבִּי, בַּקְּשׁוּ פָנָי, אֶת פָּנֶיךָ יהוה אֲבַקֵּשׁ: אַל תַּסְתֵּר פָּנֶיךָ מִמֶּנִּי, אַל תַּט בְּאַף עַבְדֶּךָ, עֶזְרָתִי הָיִיתָ, אַל תִּטְּשֵׁנִי וְאַל תַּעַזְבֵנִי אֱלֹהֵי יִשְׁעִי: כִּי אָבִי וְאִמִּי עֲזָבוּנִי, וַיהוה יַאַסְפֵנִי: הוֹרֵנִי יהוה דַּרְכֶּךָ, וּנְחֵנִי בְּאֹרַח מִישׁוֹר, לְמַעַן שׁוֹרְרָי: אַל תִּתְּנֵנִי בְּנֶפֶשׁ צָרָי, כִּי קָמוּ בִי עֵדֵי שֶׁקֶר וִיפֵחַ חָמָס: לוּלֵא הֶאֱמַנְתִּי, לִרְאוֹת בְּטוּב יהוה בְּאֶרֶץ חַיִּים: קַוֵּה אֶל יהוה, חֲזַק וְיַאֲמֵץ לִבֶּךָ וְקַוֵּה אֶל יהוה: תְּהִלִּים כז

קדיש יתום

(אבלים ואבלות) יִתְגַּדַּל וְיִתְקַדַּשׁ שְׁמֵהּ רַבָּא. בְּעָלְמָא דִּי בְרָא כִרְעוּתֵהּ, וְיַמְלִיךְ מַלְכוּתֵהּ בְּחַיֵּיכוֹן וּבְיוֹמֵיכוֹן וּבְחַיֵּי דְכָל בֵּית יִשְׂרָאֵל. בַּעֲגָלָא וּבִזְמַן קָרִיב וְאִמְרוּ אָמֵן:

(ביחד) יְהֵא שְׁמֵהּ רַבָּא מְבָרַךְ לְעָלַם וּלְעָלְמֵי עָלְמַיָּא:

(אבלים ואבלות) יִתְבָּרַךְ וְיִשְׁתַּבַּח וְיִתְפָּאַר וְיִתְרוֹמַם וְיִתְנַשֵּׂא וְיִתְהַדָּר וְיִתְעַלֶּה וְיִתְהַלָּל שְׁמֵהּ דְּקֻדְשָׁא (ביחד) בְּרִיךְ הוּא (אבלים ואבלות) לְעֵלָּא (בעשי״ת לְעֵלָּא וּלְעֵלָּא מִכָּל) מִן כָּל בִּרְכָתָא וְשִׁירָתָא תֻּשְׁבְּחָתָא וְנֶחֱמָתָא, דַּאֲמִירָן בְּעָלְמָא, וְאִמְרוּ אָמֵן:

(אבלים ואבלות) יְהֵא שְׁלָמָא רַבָּא מִן שְׁמַיָּא, וְחַיִּים טוֹבִים עָלֵינוּ וְעַל כָּל יִשְׂרָאֵל וְאִמְרוּ אָמֵן.

(אבלים ואבלות) עֹשֶׂה שָׁלוֹם בִּמְרוֹמָיו הוּא יַעֲשֶׂה שָׁלוֹם עָלֵינוּ וְעַל כָּל יִשְׂרָאֵל, וְאִמְרוּ אָמֵן:

ספירת העומר

COUNTING THE OMER

After תפילת מעריב*, from the second night of* פסח *until the night before* שבועות

For a male, begin:

הִנְנִי מוּכָן וּמְזֻמָּן...

For a female, begin:

הִנְנִי מוּכָנָה וּמְזֻמֶּנֶת...

לְקַיֵּם מִצְוַת עֲשֵׂה שֶׁל סְפִירַת הָעֹמֶר כְּמוֹ שֶׁכָּתוּב בַּתּוֹרָה: וּסְפַרְתֶּם לָכֶם מִמָּחֳרַת הַשַּׁבָּת מִיּוֹם הֲבִיאֲכֶם אֶת עֹמֶר הַתְּנוּפָה שֶׁבַע שַׁבָּתוֹת תְּמִימֹת תִּהְיֶינָה: עַד מִמָּחֳרַת הַשַּׁבָּת הַשְּׁבִיעִת תִּסְפְּרוּ חֲמִשִּׁים יוֹם וְהִקְרַבְתֶּם מִנְחָה חֲדָשָׁה לַיהוה: וִיהִי נֹעַם יהוה אֱלֹהֵינוּ עָלֵינוּ וּמַעֲשֵׂה יָדֵינוּ כּוֹנְנָה עָלֵינוּ וּמַעֲשֵׂה יָדֵינוּ כּוֹנְנֵהוּ:

בָּרוּךְ אַתָּה יהוה אֱלֹהֵינוּ מֶלֶךְ הָעוֹלָם, אֲשֶׁר קִדְּשָׁנוּ בְּמִצְוֹתָיו וְצִוָּנוּ עַל סְפִירַת הָעֹמֶר.

ספירת העומר When the Temple stood, newly harvested barley called an עומר (meaning a measure of harvested crop) was offered by the Priests on the second day of פסח. This signified the beginning of the harvest season, which lasted seven weeks, ending on שבועות, also know as חג הקציר (Festival of Harvest).

We count 49 days beginning with the second day of פסח until שבועות. By counting, we commemorate the עומר offering, the Exodus from Egypt and receiving the Torah on Mt. Sinai.

Before we count the day, we recite the blessing: אשר קדשנו במצותיו וצונו על ספירת העומר.

Insert the appropriate day's count

1   הַיּוֹם יוֹם אֶחָד לָעֹמֶר.

2   הַיּוֹם שְׁנֵי יָמִים לָעֹמֶר.

3   הַיּוֹם שְׁלֹשָׁה יָמִים לָעֹמֶר.

4   הַיּוֹם אַרְבָּעָה יָמִים לָעֹמֶר.

5   הַיּוֹם חֲמִשָּׁה יָמִים לָעֹמֶר.

6   הַיּוֹם שִׁשָּׁה יָמִים לָעֹמֶר.

7   הַיּוֹם שִׁבְעָה יָמִים
שֶׁהֵם שָׁבוּעַ אֶחָד לָעֹמֶר.

8   הַיּוֹם שְׁמוֹנָה יָמִים
שֶׁהֵם שָׁבוּעַ אֶחָד וְיוֹם אֶחָד לָעֹמֶר.

9   הַיּוֹם תִּשְׁעָה יָמִים
שֶׁהֵם שָׁבוּעַ אֶחָד וּשְׁנֵי יָמִים לָעֹמֶר.

10   הַיּוֹם עֲשָׂרָה יָמִים
שֶׁהֵם שָׁבוּעַ אֶחָד וּשְׁלֹשָׁה יָמִים לָעֹמֶר.

11   הַיּוֹם אַחַד עָשָׂר יוֹם
שֶׁהֵם שָׁבוּעַ אֶחָד וְאַרְבָּעָה יָמִים לָעֹמֶר.

12   הַיּוֹם שְׁנֵים עָשָׂר יוֹם
שֶׁהֵם שָׁבוּעַ אֶחָד וַחֲמִשָּׁה יָמִים לָעֹמֶר.

13   הַיּוֹם שְׁלֹשָׁה עָשָׂר יוֹם
שֶׁהֵם שָׁבוּעַ אֶחָד וְשִׁשָּׁה יָמִים לָעֹמֶר.

14   הַיּוֹם אַרְבָּעָה עָשָׂר יוֹם
שֶׁהֵם שְׁנֵי שָׁבוּעוֹת לָעֹמֶר.

15   הַיּוֹם חֲמִשָּׁה עָשָׂר יוֹם
שֶׁהֵם שְׁנֵי שָׁבוּעוֹת וְיוֹם אֶחָד לָעֹמֶר.

16 הַיּוֹם שִׁשָּׁה עָשָׂר יוֹם

שֶׁהֵם שְׁנֵי שָׁבוּעוֹת וּשְׁנֵי יָמִים   לָעֹמֶר.

17 הַיּוֹם שִׁבְעָה עָשָׂר יוֹם

שֶׁהֵם שְׁנֵי שָׁבוּעוֹת וּשְׁלֹשָׁה יָמִים לָעֹמֶר.

18 הַיּוֹם שְׁמוֹנָה עָשָׂר יוֹם

שֶׁהֵם שְׁנֵי שָׁבוּעוֹת וְאַרְבָּעָה יָמִים לָעֹמֶר.

19 הַיּוֹם תִּשְׁעָה עָשָׂר יוֹם

שֶׁהֵם שְׁנֵי שָׁבוּעוֹת וַחֲמִשָּׁה יָמִים לָעֹמֶר.

20 הַיּוֹם עֶשְׂרִים יוֹם שֶׁהֵם

שְׁנֵי שָׁבוּעוֹת וְשִׁשָּׁה יָמִים לָעֹמֶר.

21 הַיּוֹם אֶחָד וְעֶשְׂרִים יוֹם

שֶׁהֵם שְׁלֹשָׁה שָׁבוּעוֹת לָעֹמֶר.

22 הַיּוֹם שְׁנַיִם וְעֶשְׂרִים יוֹם

שֶׁהֵם שְׁלֹשָׁה שָׁבוּעוֹת וְיוֹם אֶחָד לָעֹמֶר.

23 הַיּוֹם שְׁלֹשָׁה וְעֶשְׂרִים יוֹם

שֶׁהֵם שְׁלֹשָׁה שָׁבוּעוֹת וּשְׁנֵי יָמִים לָעֹמֶר.

24 הַיּוֹם אַרְבָּעָה וְעֶשְׂרִים יוֹם

שֶׁהֵם שְׁלֹשָׁה שָׁבוּעוֹת וּשְׁלֹשָׁה יָמִים לָעֹמֶר.

25 הַיּוֹם חֲמִשָּׁה וְעֶשְׂרִים יוֹם

שֶׁהֵם שְׁלֹשָׁה שָׁבוּעוֹת וְאַרְבָּעָה יָמִים לָעֹמֶר.

26 הַיּוֹם שִׁשָּׁה וְעֶשְׂרִים יוֹם

שֶׁהֵם שְׁלֹשָׁה שָׁבוּעוֹת וַחֲמִשָּׁה יָמִים לָעֹמֶר.

27 הַיּוֹם שִׁבְעָה וְעֶשְׂרִים יוֹם

שֶׁהֵם שְׁלֹשָׁה שָׁבוּעוֹת וְשִׁשָּׁה יָמִים לָעֹמֶר.

28 הַיּוֹם שְׁמוֹנָה וְעֶשְׂרִים יוֹם

שֶׁהֵם אַרְבָּעָה שָׁבוּעוֹת לָעֹמֶר.

29 הַיּוֹם תִּשְׁעָה וְעֶשְׂרִים יוֹם
שֶׁהֵם אַרְבָּעָה שָׁבוּעוֹת וְיוֹם אֶחָד לָעֹמֶר.

30 הַיּוֹם שְׁלֹשִׁים יוֹם
שֶׁהֵם אַרְבָּעָה שָׁבוּעוֹת וּשְׁנֵי יָמִים לָעֹמֶר.

31 הַיּוֹם אֶחָד וּשְׁלֹשִׁים יוֹם
שֶׁהֵם אַרְבָּעָה שָׁבוּעוֹת וּשְׁלֹשָׁה יָמִים לָעֹמֶר.

32 הַיּוֹם שְׁנַיִם וּשְׁלֹשִׁים יוֹם
שֶׁהֵם אַרְבָּעָה שָׁבוּעוֹת וְאַרְבָּעָה יָמִים לָעֹמֶר.

33 הַיּוֹם שְׁלֹשָׁה וּשְׁלֹשִׁים יוֹם
שֶׁהֵם אַרְבָּעָה שָׁבוּעוֹת וַחֲמִשָּׁה יָמִים לָעֹמֶר.

34 הַיּוֹם אַרְבָּעָה וּשְׁלֹשִׁים יוֹם
שֶׁהֵם אַרְבָּעָה שָׁבוּעוֹת וְשִׁשָּׁה יָמִים לָעֹמֶר.

35 הַיּוֹם חֲמִשָּׁה וּשְׁלֹשִׁים יוֹם
שֶׁהֵם חֲמִשָּׁה שָׁבוּעוֹת לָעֹמֶר.

36 הַיּוֹם שִׁשָּׁה וּשְׁלֹשִׁים יוֹם
שֶׁהֵם חֲמִשָּׁה שָׁבוּעוֹת וְיוֹם אֶחָד לָעֹמֶר.

37 הַיּוֹם שִׁבְעָה וּשְׁלֹשִׁים יוֹם
שֶׁהֵם חֲמִשָּׁה שָׁבוּעוֹת וּשְׁנֵי יָמִים לָעֹמֶר.

38 הַיּוֹם שְׁמוֹנָה וּשְׁלֹשִׁים יוֹם
שֶׁהֵם חֲמִשָּׁה שָׁבוּעוֹת וּשְׁלֹשָׁה יָמִים לָעֹמֶר.

39 הַיּוֹם תִּשְׁעָה וּשְׁלֹשִׁים יוֹם
שֶׁהֵם חֲמִשָּׁה שָׁבוּעוֹת וְאַרְבָּעָה יָמִים לָעֹמֶר.

40 הַיּוֹם אַרְבָּעִים יוֹם
שֶׁהֵם חֲמִשָּׁה שָׁבוּעוֹת וַחֲמִשָּׁה יָמִים לָעֹמֶר.

41 הַיּוֹם אֶחָד וְאַרְבָּעִים יוֹם
שֶׁהֵם חֲמִשָּׁה שָׁבוּעוֹת וְשִׁשָּׁה יָמִים לָעֹמֶר.

42 הַיּוֹם שְׁנַיִם וְאַרְבָּעִים יוֹם
שֶׁהֵם שִׁשָּׁה שָׁבוּעוֹת לָעֹמֶר.

43 הַיּוֹם שְׁלֹשָׁה וְאַרְבָּעִים יוֹם
שֶׁהֵם שִׁשָּׁה שָׁבוּעוֹת וְיוֹם אֶחָד לָעֹמֶר.

44 הַיּוֹם אַרְבָּעָה וְאַרְבָּעִים יוֹם
שֶׁהֵם שִׁשָּׁה שָׁבוּעוֹת וּשְׁנֵי יָמִים לָעֹמֶר.

45 הַיּוֹם חֲמִשָּׁה וְאַרְבָּעִים יוֹם
שֶׁהֵם שִׁשָּׁה שָׁבוּעוֹת וּשְׁלֹשָׁה יָמִים לָעֹמֶר.

46 הַיּוֹם שִׁשָּׁה וְאַרְבָּעִים יוֹם
שֶׁהֵם שִׁשָּׁה שָׁבוּעוֹת וְאַרְבָּעָה יָמִים לָעֹמֶר.

47 הַיּוֹם שִׁבְעָה וְאַרְבָּעִים יוֹם
שֶׁהֵם שִׁשָּׁה שָׁבוּעוֹת וַחֲמִשָּׁה יָמִים לָעֹמֶר.

48 הַיּוֹם שְׁמוֹנָה וְאַרְבָּעִים יוֹם
שֶׁהֵם שִׁשָּׁה שָׁבוּעוֹת וְשִׁשָּׁה יָמִים לָעֹמֶר.

49 הַיּוֹם תִּשְׁעָה וְאַרְבָּעִים יוֹם
שֶׁהֵם שִׁבְעָה שָׁבוּעוֹת לָעֹמֶר.

סדר ערב שבת ויום טוב

FRIDAY AFTERNOON

עירוב תבשילין Jewish law permits cooking on a יום טוב as long as the food that is prepared is eaten only that day. If a יום טוב falls on a Friday, it would be forbidden to cook for שבת on that day. The Rabbis created עירוב תבשילין to allow cooking for שבת to be done on Friday. Prior to the start of the יום טוב, we take a challah and a cooked food (an egg or a portion of fish) and hold them in our hands and say the bracha and the following statement. We do this so that it is as if the cooking for Shabbat has begun before the יום טוב. The Rabbis allow the cooking for Shabbat to "continue" on Friday, even though it is יום טוב and ordinarily we could not cook for the next day.

עירוב תבשילין

בָּרוּךְ אַתָּה יהוה אֱלֹהֵינוּ מֶלֶךְ הָעוֹלָם, אֲשֶׁר קִדְּשָׁנוּ
בְּמִצְוֹתָיו וְצִוָּנוּ עַל מִצְוַת עֵרוּב.
בְּעֵרוּב הַזֶּה יְהֵא מֻתָּר לָנוּ לַאֲפוֹת וּלְבַשֵּׁל וּלְהַטְמִין
וּלְהַדְלִיק נֵר וְלַעֲשׂוֹת כָּל צָרְכֵינוּ מִיּוֹם טוֹב לְשַׁבָּת,
לָנוּ וּלְכָל יִשְׂרָאֵל הַדָּרִים בָּעִיר הַזֹּאת.

הדלקת נרות לשבת *Shabbat Candlelighting*

It is appropriate and encouraged to add personal prayers and meditations after saying the bracha.

After we light שבת *candles we say*

בָּרוּךְ אַתָּה יהוה אֱלֹהֵינוּ מֶלֶךְ הָעוֹלָם, אֲשֶׁר קִדְּשָׁנוּ
בְּמִצְוֹתָיו, וְצִוָּנוּ לְהַדְלִיק נֵר שֶׁל שַׁבָּת.

הדלקת נרות We light at least two candles to symbolize the two terms used in the Torah regarding Shabbat. In Exodus 20:8, it says זכור (to remember) and in Deuteronomy 5:12 it says שמור (to keep). The candles symbolize joyfulness and peacefulness of Shabbat. Shabbat candles are lit 18 minutes before sunset in Jewish homes. Both men and women are equally obligated to perform this מצוה.

When we light candles for יום טוב *we say*

בָּרוּךְ אַתָּה יהוה אֱלֹהֵינוּ מֶלֶךְ הָעוֹלָם, אֲשֶׁר קִדְּשָׁנוּ בְּמִצְוֹתָיו, וְצִוָּנוּ לְהַדְלִיק נֵר שֶׁל (שחל יום טוב בשבת שַׁבָּת וְשֶׁל) יוֹם טוֹב.

The שהחינו *is not said on the last two days of* פסח

בָּרוּךְ אַתָּה יהוה אֱלֹהֵינוּ מֶלֶךְ הָעוֹלָם, שֶׁהֶחֱיָנוּ וְקִיְּמָנוּ וְהִגִּיעָנוּ לַזְּמַן הַזֶּה.

On festivals, we start with מזמור שיר ליום השבת*, p. 141.*

When lighting Shabbat candles, we first light the candles, cover the eyes and then say the ברכה. Usually a ברכה is said before the appropriate action but in this case, if we say the ברכה first then it would already be שבת and we would be prohibited from lighting the candles. Some people circle the candles with their hands and then cover their eyes. In this way when you uncover your eyes and see the candles burning brightly, it is as if you are seeing them for the first time, after the ברכה.

קבלת שבת Welcoming the Shabbat - One of the most beautiful services, קבלת שבת originated in the 16th century from the Kabbalists of צפת, the center of Jewish mysticism. It is based on a Talmudic passage (Shabbat 119a) where Shabbat is personified as both queen and bride. Rabbinic legend relates that Shabbat complained to God for not having a partner. Sunday was partnered with Monday, Tuesday with Wednesday, and Thursday with Friday. God responded that Shabbat did in fact have a partner—the Jewish people. The six psalms that precede לכה דודי (Psalms 95–99 and 29) correspond to the six days of Creation that preceded the seventh day on which God rested, declaring it Holy. The common theme of these psalms is that God is Ruler over the world.

When שבת coincides with a יום טוב, including חול המועד, or if Friday is the last day of a יום טוב, we begin קבלת שבת with Psalm 92 on p. 141.

ידיד נפש

יְדִיד נֶפֶשׁ אָב הָרַחֲמָן, מְשֹׁךְ עַבְדְּךָ אֶל רְצוֹנֶךָ,
יָרוּץ עַבְדְּךָ כְּמוֹ אַיָּל, יִשְׁתַּחֲוֶה אֶל מוּל הֲדָרֶךָ
יֶעֱרַב לוֹ יְדִידוּתֶךָ מִנֹּפֶת צוּף וְכָל טָעַם.

הָדוּר נָאֶה זִיו הָעוֹלָם, נַפְשִׁי חוֹלַת אַהֲבָתֶךָ,
אָנָּא אֵל נָא רְפָא נָא לָהּ, בְּהַרְאוֹת לָהּ נֹעַם זִיוֶךָ,
אָז תִּתְחַזֵּק וְתִתְרַפֵּא, וְהָיְתָה לָהּ שִׂמְחַת עוֹלָם.

וָתִיק יֶהֱמוּ נָא רַחֲמֶיךָ, וְחוּסָה נָא עַל בֵּן אֲהוּבֶךָ,
כִּי זֶה כַּמָּה נִכְסֹף נִכְסַפְתִּי לִרְאוֹת בְּתִפְאֶרֶת עֻזֶּךָ,
אֵלֶּה חָמְדָה לִבִּי, וְחוּסָה נָּא וְאַל תִּתְעַלָּם.

הִגָּלֶה נָא וּפְרוֹשׂ חֲבִיבִי עָלַי, אֶת סֻכַּת שְׁלוֹמֶךָ,
תָּאִיר אֶרֶץ מִכְּבוֹדֶךָ, נָגִילָה וְנִשְׂמְחָה בָּךְ,
מַהֵר אֱהֹב כִּי בָא מוֹעֵד, וְחָנֵּנוּ כִּימֵי עוֹלָם.

ידיד נפש Written by Rabbi Eliezer Azikri, a mystic (kabbalist) who lived in Israel in the 16th century. ידיד נפש, like his other writings, talks about intense love for God. The combination of the first letter of each stanza spells out God's name.

לְכוּ נְרַנְּנָה לַיהוה, נָרִיעָה לְצוּר יִשְׁעֵנוּ: נְקַדְּמָה פָנָיו בְּתוֹדָה, בִּזְמִרוֹת נָרִיעַ לוֹ: כִּי אֵל גָּדוֹל יהוה, וּמֶלֶךְ גָּדוֹל עַל כָּל אֱלֹהִים: אֲשֶׁר בְּיָדוֹ מֶחְקְרֵי אָרֶץ, וְתוֹעֲפוֹת הָרִים לוֹ: אֲשֶׁר לוֹ הַיָּם וְהוּא עָשָׂהוּ, וְיַבֶּשֶׁת יָדָיו יָצָרוּ: בֹּאוּ נִשְׁתַּחֲוֶה וְנִכְרָעָה, נִבְרְכָה לִפְנֵי יהוה עֹשֵׂנוּ: כִּי הוּא אֱלֹהֵינוּ וַאֲנַחְנוּ עַם מַרְעִיתוֹ וְצֹאן יָדוֹ, הַיּוֹם אִם בְּקֹלוֹ תִשְׁמָעוּ: אַל תַּקְשׁוּ לְבַבְכֶם כִּמְרִיבָה, כְּיוֹם מַסָּה בַּמִּדְבָּר: אֲשֶׁר נִסּוּנִי אֲבוֹתֵיכֶם, בְּחָנוּנִי גַּם רָאוּ פָעֳלִי: ♫ אַרְבָּעִים שָׁנָה אָקוּט בְּדוֹר וָאֹמַר עַם תֹּעֵי לֵבָב הֵם, וְהֵם לֹא יָדְעוּ דְרָכָי: אֲשֶׁר נִשְׁבַּעְתִּי בְאַפִּי, אִם יְבֹאוּן אֶל מְנוּחָתִי: תְּהִלִּים צה

שִׁירוּ לַיהוה שִׁיר חָדָשׁ, שִׁירוּ לַיהוה כָּל הָאָרֶץ: שִׁירוּ לַיהוה בָּרְכוּ שְׁמוֹ, בַּשְּׂרוּ מִיּוֹם לְיוֹם יְשׁוּעָתוֹ: סַפְּרוּ בַגּוֹיִם כְּבוֹדוֹ, בְּכָל הָעַמִּים נִפְלְאוֹתָיו: כִּי גָדוֹל יהוה וּמְהֻלָּל מְאֹד, נוֹרָא הוּא עַל כָּל אֱלֹהִים: כִּי כָּל אֱלֹהֵי הָעַמִּים אֱלִילִים, וַיהוה שָׁמַיִם עָשָׂה: הוֹד וְהָדָר לְפָנָיו, עֹז וְתִפְאֶרֶת בְּמִקְדָּשׁוֹ: הָבוּ לַיהוה מִשְׁפְּחוֹת עַמִּים, הָבוּ לַיהוה כָּבוֹד וָעֹז: הָבוּ לַיהוה כְּבוֹד שְׁמוֹ, שְׂאוּ מִנְחָה וּבֹאוּ לְחַצְרוֹתָיו: הִשְׁתַּחֲווּ לַיהוה בְּהַדְרַת קֹדֶשׁ,

---

לכו נרננה ליהוה In this psalm we are called to come (לכו) and sing to God and praise God for being the Creator of the World. נרננה comes from ר-נ-ן and נריעה from ר-ו-ע, meaning to shout and cry for joy which the psalmist tells us to do to acknowledge God as the One Creator of the universe. שירו ליהוה שיר חדש We are to sing to God songs of praise and at the same time, announce to the other peoples of the world, the greatness and awesomeness of our God. The psalm ends with the earth, trees, and sea also rejoicing and singing to God.

חִילוּ מִפָּנָיו כָּל הָאָרֶץ: אִמְרוּ בַגּוֹיִם יהוה מָלָךְ אַף תִּכּוֹן תֵּבֵל בַּל תִּמּוֹט, יָדִין עַמִּים בְּמֵישָׁרִים: יִשְׂמְחוּ הַשָּׁמַיִם וְתָגֵל הָאָרֶץ, יִרְעַם הַיָּם וּמְלֹאוֹ: יַעֲלֹז שָׂדַי וְכָל אֲשֶׁר בּוֹ, אָז יְרַנְּנוּ כָּל עֲצֵי יָעַר: ♫ לִפְנֵי יהוה כִּי בָא כִּי בָא לִשְׁפֹּט הָאָרֶץ יִשְׁפֹּט תֵּבֵל בְּצֶדֶק וְעַמִּים בֶּאֱמוּנָתוֹ: תְּהִלִּים צו

יהוה מָלָךְ תָּגֵל הָאָרֶץ יִשְׂמְחוּ אִיִּים רַבִּים: עָנָן וַעֲרָפֶל סְבִיבָיו צֶדֶק וּמִשְׁפָּט מְכוֹן כִּסְאוֹ: אֵשׁ לְפָנָיו תֵּלֵךְ וּתְלַהֵט סָבִיב צָרָיו: הֵאִירוּ בְרָקָיו תֵּבֵל רָאֲתָה וַתָּחֵל הָאָרֶץ: הָרִים כַּדּוֹנַג נָמַסּוּ מִלִּפְנֵי יהוה מִלִּפְנֵי אֲדוֹן כָּל הָאָרֶץ: הִגִּידוּ הַשָּׁמַיִם צִדְקוֹ וְרָאוּ כָל הָעַמִּים כְּבוֹדוֹ: יֵבֹשׁוּ כָּל עֹבְדֵי פֶסֶל הַמִּתְהַלְלִים בָּאֱלִילִים הִשְׁתַּחֲווּ לוֹ כָּל אֱלֹהִים: שָׁמְעָה וַתִּשְׂמַח צִיּוֹן וַתָּגֵלְנָה בְּנוֹת יְהוּדָה לְמַעַן מִשְׁפָּטֶיךָ יהוה: כִּי אַתָּה יהוה עֶלְיוֹן עַל כָּל הָאָרֶץ מְאֹד נַעֲלֵיתָ עַל כָּל אֱלֹהִים: אֹהֲבֵי יהוה שִׂנְאוּ רָע שֹׁמֵר נַפְשׁוֹת חֲסִידָיו מִיַּד רְשָׁעִים יַצִּילֵם: ♫ אוֹר זָרֻעַ לַצַּדִּיק וּלְיִשְׁרֵי לֵב שִׂמְחָה: שִׂמְחוּ צַדִּיקִים בַּיהוה וְהוֹדוּ לְזֵכֶר קָדְשׁוֹ: תְּהִלִּים צז

מִזְמוֹר שִׁירוּ לַיהוה שִׁיר חָדָשׁ כִּי נִפְלָאוֹת עָשָׂה הוֹשִׁיעָה לּוֹ יְמִינוֹ וּזְרוֹעַ קָדְשׁוֹ: הוֹדִיעַ יהוה יְשׁוּעָתוֹ

יהוה מלך תגל הארץ God is acknowledged as the One God over the world, and that even idol worshipers will bow down to God, and those who love God hate evil.

מזמור שירו ליהוה שיר חדש In this psalm we are told to use a trumpet, a harp and a shofar—as well as song—to praise God for righteousness and fair judgment.

לְעֵינֵי הַגּוֹיִם גִּלָּה צִדְקָתוֹ: זָכַר חַסְדּוֹ וֶאֱמוּנָתוֹ לְבֵית יִשְׂרָאֵל רָאוּ כָל אַפְסֵי אָרֶץ אֵת יְשׁוּעַת אֱלֹהֵינוּ: הָרִיעוּ לַיהוה כָּל הָאָרֶץ פִּצְחוּ וְרַנְּנוּ וְזַמֵּרוּ: זַמְּרוּ לַיהוה בְּכִנּוֹר בְּכִנּוֹר וְקוֹל זִמְרָה: בַּחֲצֹצְרוֹת וְקוֹל שׁוֹפָר הָרִיעוּ לִפְנֵי הַמֶּלֶךְ יהוה: יִרְעַם הַיָּם וּמְלֹאוֹ תֵּבֵל וְיֹשְׁבֵי בָהּ: נְהָרוֹת יִמְחֲאוּ כָף יַחַד הָרִים יְרַנֵּנוּ: ♫ לִפְנֵי יהוה כִּי בָא לִשְׁפֹּט הָאָרֶץ יִשְׁפֹּט תֵּבֵל בְּצֶדֶק וְעַמִּים בְּמֵישָׁרִים: תְּהִלִּים צח

יהוה מָלָךְ יִרְגְּזוּ עַמִּים יֹשֵׁב כְּרוּבִים תָּנוּט הָאָרֶץ: יהוה בְּצִיּוֹן גָּדוֹל וְרָם הוּא עַל כָּל הָעַמִּים: יוֹדוּ שִׁמְךָ גָּדוֹל וְנוֹרָא קָדוֹשׁ הוּא: וְעֹז מֶלֶךְ מִשְׁפָּט אָהֵב אַתָּה כּוֹנַנְתָּ מֵישָׁרִים מִשְׁפָּט וּצְדָקָה בְּיַעֲקֹב אַתָּה עָשִׂיתָ: רוֹמְמוּ יהוה אֱלֹהֵינוּ וְהִשְׁתַּחֲווּ לַהֲדֹם רַגְלָיו קָדוֹשׁ הוּא: מֹשֶׁה וְאַהֲרֹן בְּכֹהֲנָיו וּשְׁמוּאֵל בְּקֹרְאֵי שְׁמוֹ קֹרְאִים אֶל יהוה וְהוּא יַעֲנֵם: בְּעַמּוּד עָנָן יְדַבֵּר אֲלֵיהֶם שָׁמְרוּ עֵדֹתָיו וְחֹק נָתַן לָמוֹ: ♫ יהוה אֱלֹהֵינוּ אַתָּה עֲנִיתָם אֵל נֹשֵׂא הָיִיתָ לָהֶם וְנֹקֵם עַל עֲלִילוֹתָם: רוֹמְמוּ יהוה אֱלֹהֵינוּ וְהִשְׁתַּחֲווּ לְהַר קָדְשׁוֹ כִּי קָדוֹשׁ יהוה אֱלֹהֵינוּ: תְּהִלִּים צט

ח מִזְמוֹר לְדָוִד הָבוּ לַיהוה בְּנֵי אֵלִים הָבוּ לַיהוה כָּבוֹד וָעֹז: הָבוּ לַיהוה כְּבוֹד שְׁמוֹ הִשְׁתַּחֲווּ לַיהוה בְּהַדְרַת קֹדֶשׁ: קוֹל יהוה עַל הַמָּיִם אֵל הַכָּבוֹד הִרְעִים יהוה

יהוה מלך ירגזו עמים God is known as powerful and Holy among Jews and in the world.

מזמור לדוד הבו ליהוה בני אלים This psalm describes and praises God for strength and power as seen through the wonders of nature. God gives strength and blessings of peace to Israel.

עַל מַיִם רַבִּים: קוֹל יהוה בַּכֹּחַ קוֹל יהוה בֶּהָדָר: קוֹל יהוה שֹׁבֵר אֲרָזִים וַיְשַׁבֵּר יהוה אֶת אַרְזֵי הַלְּבָנוֹן, וַיַּרְקִידֵם כְּמוֹ עֵגֶל לְבָנוֹן וְשִׂרְיוֹן כְּמוֹ בֶן רְאֵמִים,קוֹל יהוה חֹצֵב לַהֲבוֹת אֵשׁ, קוֹל יהוה יָחִיל מִדְבָּר, יָחִיל יהוה מִדְבַּר קָדֵשׁ: קוֹל יהוה יְחוֹלֵל אַיָּלוֹת וַיֶּחֱשֹׂף יְעָרוֹת וּבְהֵיכָלוֹ כֻּלּוֹ אֹמֵר כָּבוֹד: יהוה לַמַּבּוּל יָשָׁב וַיֵּשֶׁב יהוה מֶלֶךְ לְעוֹלָם: יהוה עֹז לְעַמּוֹ יִתֵּן יהוה יְבָרֵךְ אֶת עַמּוֹ בַשָּׁלוֹם: תְּהִלִּים כט

לכה דודי

(ביחד) לְכָה דוֹדִי לִקְרַאת כַּלָּה. פְּנֵי שַׁבָּת נְקַבְּלָה:

שָׁמוֹר וְזָכוֹר בְּדִבּוּר אֶחָד,
הִשְׁמִיעָנוּ אֵל הַמְיֻחָד.
יהוה אֶחָד וּשְׁמוֹ אֶחָד.
לְשֵׁם וּלְתִפְאֶרֶת וְלִתְהִלָּה:

(ביחד) לְכָה דוֹדִי לִקְרַאת כַּלָּה. פְּנֵי שַׁבָּת נְקַבְּלָה:

לִקְרַאת שַׁבָּת לְכוּ וְנֵלְכָה.
כִּי הִיא מְקוֹר הַבְּרָכָה.
מֵרֹאשׁ מִקֶּדֶם נְסוּכָה.
סוֹף מַעֲשֶׂה בְּמַחֲשָׁבָה תְּחִלָּה:

(ביחד) לְכָה דוֹדִי לִקְרַאת כַּלָּה. פְּנֵי שַׁבָּת נְקַבְּלָה:

לכה דודי This song was written comparing Shabbat to a bride by Rabbi Shlomo Halevi Alkabetz, a kabbalist in the 16th century. The first eight stanzas form an acrostic of the author's name. This song is universally accepted.

מִקְדַּשׁ מֶלֶךְ עִיר מְלוּכָה.
קוּמִי צְאִי מִתּוֹךְ הַהֲפֵכָה.
רַב לָךְ שֶׁבֶת בְּעֵמֶק הַבָּכָא.
וְהוּא יַחֲמוֹל עָלַיִךְ חֶמְלָה:
(ביחד) לְכָה דוֹדִי לִקְרַאת כַּלָּה. פְּנֵי שַׁבָּת נְקַבְּלָה:

הִתְנַעֲרִי מֵעָפָר קוּמִי.
לִבְשִׁי בִּגְדֵי תִפְאַרְתֵּךְ עַמִּי.
עַל יַד בֶּן יִשַׁי בֵּית הַלַּחְמִי.
קָרְבָה אֶל נַפְשִׁי גְאָלָהּ:
(ביחד) לְכָה דוֹדִי לִקְרַאת כַּלָּה. פְּנֵי שַׁבָּת נְקַבְּלָה:

הִתְעוֹרְרִי הִתְעוֹרְרִי.
כִּי בָא אוֹרֵךְ קוּמִי אוֹרִי.
עוּרִי עוּרִי שִׁיר דַּבֵּרִי.
כְּבוֹד יהוה עָלַיִךְ נִגְלָה:
(ביחד) לְכָה דוֹדִי לִקְרַאת כַּלָּה. פְּנֵי שַׁבָּת נְקַבְּלָה:

לֹא תֵבוֹשִׁי וְלֹא תִכָּלְמִי.
מַה תִּשְׁתּוֹחֲחִי וּמַה תֶּהֱמִי.
בָּךְ יֶחֱסוּ עֲנִיֵּי עַמִּי,
וְנִבְנְתָה עִיר עַל תִּלָּהּ:
(ביחד) לְכָה דוֹדִי לִקְרַאת כַּלָּה. פְּנֵי שַׁבָּת נְקַבְּלָה:

וְהָיוּ לִמְשִׁסָּה שֹׁאסָיִךְ.
וְרָחֲקוּ כָּל מְבַלְּעָיִךְ.
יָשִׂישׂ עָלַיִךְ אֱלֹהָיִךְ.
כִּמְשׂוֹשׂ חָתָן עַל כַּלָּה:

(ביחד) לְכָה דוֹדִי לִקְרַאת כַּלָּה. פְּנֵי שַׁבָּת נְקַבְּלָה:

יָמִין וּשְׂמֹאל תִּפְרוֹצִי.
וְאֶת יהוה תַּעֲרִיצִי.
עַל יַד אִישׁ בֶּן פַּרְצִי.
וְנִשְׂמְחָה וְנָגִילָה:

(ביחד) לְכָה דוֹדִי לִקְרַאת כַּלָּה. פְּנֵי שַׁבָּת נְקַבְּלָה:

We rise and say the last verse while facing the entrance of the synagogue

בּוֹאִי בְשָׁלוֹם עֲטֶרֶת בַּעְלָהּ.
גַּם בְּשִׂמְחָה וּבְצָהֳלָה.
תּוֹךְ אֱמוּנֵי עַם סְגֻלָּה.
בּוֹאִי כַלָּה, בּוֹאִי כַלָּה:

(ביחד) לְכָה דוֹדִי לִקְרַאת כַּלָּה. פְּנֵי שַׁבָּת נְקַבְּלָה:

If אבלים *or* אבלות *are present, they enter and the following is said*

(ביחד) הַמָּקוֹם יְנַחֵם אֶתְכֶם בְּתוֹךְ שְׁאָר אֲבֵלֵי צִיּוֹן וִירוּשָׁלָיִם:

We welcome the Sabbath Bride by standing up and facing the entrance to the synagogue and by bowing when we say the words בואי כלה. This is based on Shabbat 119a, which relates that Rabbi Yanna would wear a special garment and say "Come, O Bride, Come, O Bride (בואי כלה בואי כלה)." המקום ינחם is said after לכה דודי to recognize the presence of mourners in the synagogue. People sit shiva in their homes and generally recite Kaddish there. On Shabbat, when certain aspects of mourning are suspended, the mourners come to the synagogue and are welcomed at the Kabbalat Shabbat service.

Start here on festivals

מִזְמוֹר שִׁיר לְיוֹם הַשַּׁבָּת: טוֹב לְהֹדוֹת לַיהוה וּלְזַמֵּר לְשִׁמְךָ עֶלְיוֹן: לְהַגִּיד בַּבֹּקֶר חַסְדֶּךָ וֶאֱמוּנָתְךָ בַּלֵּילוֹת: עֲלֵי עָשׂוֹר וַעֲלֵי נָבֶל עֲלֵי הִגָּיוֹן בְּכִנּוֹר: כִּי שִׂמַּחְתַּנִי יהוה בְּפָעֳלֶךָ בְּמַעֲשֵׂי יָדֶיךָ אֲרַנֵּן: מַה גָּדְלוּ מַעֲשֶׂיךָ יהוה מְאֹד עָמְקוּ מַחְשְׁבֹתֶיךָ: אִישׁ בַּעַר לֹא יֵדָע וּכְסִיל לֹא יָבִין אֶת זֹאת: בִּפְרֹחַ רְשָׁעִים כְּמוֹ עֵשֶׂב וַיָּצִיצוּ כָּל פֹּעֲלֵי אָוֶן לְהִשָּׁמְדָם עֲדֵי עַד: וְאַתָּה מָרוֹם לְעֹלָם יהוה: כִּי הִנֵּה אֹיְבֶיךָ יהוה כִּי הִנֵּה אֹיְבֶיךָ יֹאבֵדוּ יִתְפָּרְדוּ כָּל פֹּעֲלֵי אָוֶן: וַתָּרֶם כִּרְאֵים קַרְנִי בַּלֹּתִי בְּשֶׁמֶן רַעֲנָן: וַתַּבֵּט עֵינִי בְּשׁוּרָי בַּקָּמִים עָלַי מְרֵעִים תִּשְׁמַעְנָה אָזְנָי: צַדִּיק כַּתָּמָר יִפְרָח כְּאֶרֶז בַּלְּבָנוֹן יִשְׂגֶּה: שְׁתוּלִים בְּבֵית יהוה בְּחַצְרוֹת אֱלֹהֵינוּ יַפְרִיחוּ: עוֹד יְנוּבוּן בְּשֵׂיבָה דְּשֵׁנִים וְרַעֲנַנִּים יִהְיוּ: לְהַגִּיד כִּי יָשָׁר יהוה צוּרִי וְלֹא עַוְלָתָה בּוֹ. תְּהִלִּים צב

יהוה מָלָךְ גֵּאוּת לָבֵשׁ לָבֵשׁ יהוה עֹז הִתְאַזָּר אַף תִּכּוֹן תֵּבֵל בַּל תִּמּוֹט: נָכוֹן כִּסְאֲךָ מֵאָז מֵעוֹלָם אָתָּה: נָשְׂאוּ נְהָרוֹת יהוה נָשְׂאוּ נְהָרוֹת קוֹלָם יִשְׂאוּ נְהָרוֹת דָּכְיָם: מִקֹּלוֹת מַיִם רַבִּים אַדִּירִים מִשְׁבְּרֵי יָם אַדִּיר בַּמָּרוֹם יהוה: עֵדֹתֶיךָ נֶאֶמְנוּ מְאֹד לְבֵיתְךָ נַאֲוָה קֹּדֶשׁ יהוה לְאֹרֶךְ יָמִים: תְּהִלִּים צג

קדיש יתום

(אבלים ואבלות) יִתְגַּדַּל וְיִתְקַדַּשׁ שְׁמֵהּ רַבָּא. בְּעָלְמָא דִּי בְרָא כִרְעוּתֵיהּ, וְיַמְלִיךְ מַלְכוּתֵיהּ בְּחַיֵּיכוֹן וּבְיוֹמֵיכוֹן וּבְחַיֵּי דְכָל בֵּית יִשְׂרָאֵל. בַּעֲגָלָא וּבִזְמַן קָרִיב וְאִמְרוּ אָמֵן:

(ביחד) יְהֵא שְׁמֵהּ רַבָּא מְבָרַךְ לְעָלַם וּלְעָלְמֵי עָלְמַיָּא:

(אבלים ואבלות) יִתְבָּרַךְ וְיִשְׁתַּבַּח וְיִתְפָּאַר וְיִתְרוֹמַם וְיִתְנַשֵּׂא וְיִתְהַדָּר וְיִתְעַלֶּה וְיִתְהַלָּל שְׁמֵהּ דְּקֻדְשָׁא (ביחד) בְּרִיךְ הוּא (אבלים ואבלות) לְעֵלָּא (בשבת שובה לְעֵלָּא וּלְעֵלָּא מִכָּל) מִן כָּל בִּרְכָתָא וְשִׁירָתָא תֻּשְׁבְּחָתָא וְנֶחֱמָתָא, דַּאֲמִירָן בְּעָלְמָא, וְאִמְרוּ אָמֵן:

(אבלים ואבלות) יְהֵא שְׁלָמָא רַבָּא מִן שְׁמַיָּא, וְחַיִּים טוֹבִים עָלֵינוּ וְעַל כָּל יִשְׂרָאֵל וְאִמְרוּ אָמֵן.

(אבלים ואבלות) עֹשֶׂה שָׁלוֹם בִּמְרוֹמָיו הוּא יַעֲשֶׂה שָׁלוֹם עָלֵינוּ וְעַל כָּל יִשְׂרָאֵל, וְאִמְרוּ אָמֵן:

יְהֵא שְׁלָמָא רַבָּא מִן שְׁמַיָּא וְחַיִּים עָלֵינוּ וְעַל כָּל יִשְׂרָאֵל, וְאִמְרוּ אָמֵן:

When praying with a minyan begin here

ערבית לשבת ויום טוב

(ש״ץ) **בָּרְכוּ אֶת יהוה הַמְבֹרָךְ:**

(קהל) בָּרוּךְ יהוה הַמְבֹרָךְ לְעוֹלָם וָעֶד:

(ש״ץ) בָּרוּךְ יהוה הַמְבֹרָךְ לְעוֹלָם וָעֶד:

בָּרוּךְ אַתָּה יהוה, אֱלֹהֵינוּ מֶלֶךְ הָעוֹלָם, אֲשֶׁר בִּדְבָרוֹ מַעֲרִיב עֲרָבִים, בְּחָכְמָה פּוֹתֵחַ שְׁעָרִים, וּבִתְבוּנָה מְשַׁנֶּה עִתִּים, וּמַחֲלִיף אֶת הַזְּמַנִּים, וּמְסַדֵּר אֶת הַכּוֹכָבִים, בְּמִשְׁמְרוֹתֵיהֶם בָּרָקִיעַ כִּרְצוֹנוֹ. בּוֹרֵא יוֹם וָלָיְלָה, גּוֹלֵל אוֹר מִפְּנֵי חֹשֶׁךְ, וְחֹשֶׁךְ מִפְּנֵי אוֹר. וּמַעֲבִיר יוֹם וּמֵבִיא לָיְלָה, וּמַבְדִּיל בֵּין יוֹם וּבֵין לָיְלָה, יהוה צְבָאוֹת שְׁמוֹ. אֵל חַי וְקַיָּם, תָּמִיד יִמְלוֹךְ עָלֵינוּ לְעוֹלָם וָעֶד. בָּרוּךְ אַתָּה יהוה, הַמַּעֲרִיב עֲרָבִים:

אַהֲבַת עוֹלָם בֵּית יִשְׂרָאֵל עַמְּךָ אָהָבְתָּ, תּוֹרָה וּמִצְוֹת, חֻקִּים וּמִשְׁפָּטִים, אוֹתָנוּ לִמַּדְתָּ. עַל כֵּן יהוה אֱלֹהֵינוּ, בְּשָׁכְבֵנוּ וּבְקוּמֵנוּ נָשִׂיחַ בְּחֻקֶּיךָ, וְנִשְׂמַח בְּדִבְרֵי תוֹרָתֶךָ וּבְמִצְוֹתֶיךָ לְעוֹלָם וָעֶד. כִּי הֵם חַיֵּינוּ וְאֹרֶךְ יָמֵינוּ, וּבָהֶם נֶהְגֶּה יוֹמָם וָלָיְלָה, ♫ וְאַהֲבָתְךָ אַל תָּסִיר מִמֶּנּוּ לְעוֹלָמִים. בָּרוּךְ אַתָּה יהוה, אוֹהֵב עַמּוֹ יִשְׂרָאֵל:

When praying alone say אֵל מֶלֶךְ נֶאֱמָן

שְׁמַע יִשְׂרָאֵל יְהוָה אֱלֹהֵינוּ יְהוָה | אֶחָד:

בָּרוּךְ שֵׁם כְּבוֹד מַלְכוּתוֹ לְעוֹלָם וָעֶד:

וְאָהַבְתָּ אֵת יְהוָה אֱלֹהֶיךָ בְּכָל־לְבָבְךָ וּבְכָל־נַפְשְׁךָ וּבְכָל־מְאֹדֶךָ: וְהָיוּ הַדְּבָרִים הָאֵלֶּה אֲשֶׁר אָנֹכִי מְצַוְּךָ הַיּוֹם עַל־לְבָבֶךָ: וְשִׁנַּנְתָּם לְבָנֶיךָ וְדִבַּרְתָּ בָּם בְּשִׁבְתְּךָ בְּבֵיתֶךָ וּבְלֶכְתְּךָ בַדֶּרֶךְ וּבְשָׁכְבְּךָ וּבְקוּמֶךָ: וּקְשַׁרְתָּם לְאוֹת עַל־יָדֶךָ וְהָיוּ לְטֹטָפֹת בֵּין עֵינֶיךָ: וּכְתַבְתָּם עַל־מְזֻזוֹת בֵּיתֶךָ וּבִשְׁעָרֶיךָ:

וְהָיָה אִם־שָׁמֹעַ תִּשְׁמְעוּ אֶל־מִצְוֹתַי אֲשֶׁר אָנֹכִי מְצַוֶּה אֶתְכֶם הַיּוֹם לְאַהֲבָה אֶת־יְהוָה אֱלֹהֵיכֶם וּלְעָבְדוֹ בְּכָל־לְבַבְכֶם וּבְכָל־נַפְשְׁכֶם: וְנָתַתִּי מְטַר־אַרְצְכֶם בְּעִתּוֹ יוֹרֶה וּמַלְקוֹשׁ וְאָסַפְתָּ דְגָנֶךָ וְתִירֹשְׁךָ וְיִצְהָרֶךָ: וְנָתַתִּי עֵשֶׂב בְּשָׂדְךָ לִבְהֶמְתֶּךָ וְאָכַלְתָּ וְשָׂבָעְתָּ: הִשָּׁמְרוּ לָכֶם פֶּן־יִפְתֶּה לְבַבְכֶם וְסַרְתֶּם וַעֲבַדְתֶּם אֱלֹהִים אֲחֵרִים וְהִשְׁתַּחֲוִיתֶם לָהֶם: וְחָרָה אַף־יְהוָה בָּכֶם וְעָצַר אֶת־הַשָּׁמַיִם וְלֹא־יִהְיֶה מָטָר וְהָאֲדָמָה לֹא תִתֵּן אֶת־יְבוּלָהּ

For notes on שמע, see p. 28.

וַאֲבַדְתֶּם מְהֵרָה מֵעַל הָאָרֶץ הַטֹּבָה אֲשֶׁר יְהוָֹה נֹתֵן לָכֶם: וְשַׂמְתֶּם אֶת־דְּבָרַי אֵלֶּה עַל־לְבַבְכֶם וְעַל־נַפְשְׁכֶם וּקְשַׁרְתֶּם אֹתָם לְאוֹת עַל־יֶדְכֶם וְהָיוּ לְטוֹטָפֹת בֵּין עֵינֵיכֶם: וְלִמַּדְתֶּם אֹתָם אֶת־בְּנֵיכֶם לְדַבֵּר בָּם בְּשִׁבְתְּךָ בְּבֵיתֶךָ וּבְלֶכְתְּךָ בַדֶּרֶךְ וּבְשָׁכְבְּךָ וּבְקוּמֶךָ: וּכְתַבְתָּם עַל־מְזוּזוֹת בֵּיתֶךָ וּבִשְׁעָרֶיךָ: לְמַעַן יִרְבּוּ יְמֵיכֶם וִימֵי בְנֵיכֶם עַל הָאֲדָמָה אֲשֶׁר נִשְׁבַּע יְהוָֹה לַאֲבֹתֵיכֶם לָתֵת לָהֶם כִּימֵי הַשָּׁמַיִם עַל־הָאָרֶץ:

וַיֹּאמֶר יְהוָֹה אֶל־מֹשֶׁה לֵּאמֹר: דַּבֵּר אֶל־בְּנֵי יִשְׂרָאֵל וְאָמַרְתָּ אֲלֵהֶם וְעָשׂוּ לָהֶם צִיצִת עַל־כַּנְפֵי בִגְדֵיהֶם לְדֹרֹתָם וְנָתְנוּ עַל־צִיצִת הַכָּנָף פְּתִיל תְּכֵלֶת: וְהָיָה לָכֶם לְצִיצִת וּרְאִיתֶם אֹתוֹ וּזְכַרְתֶּם אֶת־כָּל־מִצְוֹת יְהוָֹה וַעֲשִׂיתֶם אֹתָם וְלֹא־תָתוּרוּ אַחֲרֵי לְבַבְכֶם וְאַחֲרֵי עֵינֵיכֶם אֲשֶׁר־אַתֶּם זֹנִים אַחֲרֵיהֶם: לְמַעַן תִּזְכְּרוּ וַעֲשִׂיתֶם אֶת־כָּל־מִצְוֹתָי וִהְיִיתֶם קְדֹשִׁים לֵאלֹהֵיכֶם: אֲנִי יְהוָֹה אֱלֹהֵיכֶם אֲשֶׁר הוֹצֵאתִי אֶתְכֶם מֵאֶרֶץ מִצְרַיִם לִהְיוֹת לָכֶם לֵאלֹהִים אֲנִי יְהוָֹה אֱלֹהֵיכֶם:

(אֱמֶת) וֶאֱמוּנָה כָּל זֹאת, וְקַיָּם עָלֵינוּ, כִּי הוּא יהוה אֱלֹהֵינוּ וְאֵין זוּלָתוֹ, וַאֲנַחְנוּ יִשְׂרָאֵל עַמּוֹ. הַפּוֹדֵנוּ מִיַּד מְלָכִים, מַלְכֵּנוּ הַגּוֹאֲלֵנוּ מִכַּף כָּל הֶעָרִיצִים. הָאֵל הַנִּפְרָע לָנוּ מִצָּרֵינוּ, וְהַמְשַׁלֵּם גְּמוּל לְכָל אֹיְבֵי נַפְשֵׁנוּ. הָעֹשֶׂה גְדֹלוֹת עַד אֵין חֵקֶר, וְנִפְלָאוֹת עַד אֵין מִסְפָּר. הַשָּׂם נַפְשֵׁנוּ בַּחַיִּים, וְלֹא נָתַן לַמּוֹט רַגְלֵנוּ, הַמַּדְרִיכֵנוּ עַל בָּמוֹת אוֹיְבֵינוּ, וַיָּרֶם קַרְנֵנוּ, עַל כָּל שׂוֹנְאֵינוּ. הָעֹשֶׂה

לָנוּ נִסִּים וּנְקָמָה בְּפַרְעֹה, אוֹתוֹת וּמוֹפְתִים בְּאַדְמַת בְּנֵי חָם. הַמַּכֶּה בְעֶבְרָתוֹ כָּל בְּכוֹרֵי מִצְרָיִם, וַיּוֹצֵא אֶת עַמּוֹ יִשְׂרָאֵל מִתּוֹכָם, לְחֵרוּת עוֹלָם. הַמַּעֲבִיר בָּנָיו בֵּין גִּזְרֵי יַם סוּף, אֶת רוֹדְפֵיהֶם וְאֶת שׂוֹנְאֵיהֶם, בִּתְהוֹמוֹת טִבַּע, וְרָאוּ בָנָיו גְּבוּרָתוֹ. שִׁבְּחוּ וְהוֹדוּ לִשְׁמוֹ.

♫ וּמַלְכוּתוֹ בְּרָצוֹן קִבְּלוּ עֲלֵיהֶם, מֹשֶׁה וּבְנֵי יִשְׂרָאֵל לְךָ עָנוּ שִׁירָה בְּשִׂמְחָה רַבָּה, וְאָמְרוּ כֻלָּם:

מִי כָמֹכָה בָּאֵלִים יהוה, מִי כָּמֹכָה נֶאְדָּר בַּקֹּדֶשׁ, נוֹרָא תְהִלֹּת, עֹשֵׂה פֶלֶא: ♫ מַלְכוּתְךָ רָאוּ בָנֶיךָ, בּוֹקֵעַ יָם לִפְנֵי מֹשֶׁה, זֶה אֵלִי עָנוּ וְאָמְרוּ: יהוה יִמְלֹךְ לְעוֹלָם וָעֶד:

שְׁמוֹת טו

♫ וְנֶאֱמַר: כִּי פָדָה יהוה אֶת יַעֲקֹב, וּגְאָלוֹ מִיַּד חָזָק מִמֶּנּוּ. יִרְמְיָהוּ לא בָּרוּךְ אַתָּה יהוה, גָּאַל יִשְׂרָאֵל:

הַשְׁכִּיבֵנוּ יהוה אֱלֹהֵינוּ לְשָׁלוֹם וְהַעֲמִידֵנוּ מַלְכֵּנוּ לְחַיִּים וּפְרוֹשׂ עָלֵינוּ סֻכַּת שְׁלוֹמֶךָ, וְתַקְּנֵנוּ בְּעֵצָה טוֹבָה מִלְּפָנֶיךָ, וְהוֹשִׁיעֵנוּ לְמַעַן שְׁמֶךָ, וְהָגֵן בַּעֲדֵנוּ, וְהָסֵר מֵעָלֵינוּ אוֹיֵב, דֶּבֶר, וְחֶרֶב, וְרָעָב וְיָגוֹן, וְהָסֵר שָׂטָן מִלְּפָנֵינוּ וּמֵאַחֲרֵנוּ, וּבְצֵל כְּנָפֶיךָ תַּסְתִּירֵנוּ. כִּי אֵל שׁוֹמְרֵנוּ וּמַצִּילֵנוּ אָתָּה, כִּי אֵל מֶלֶךְ חַנּוּן וְרַחוּם אָתָּה, וּשְׁמוֹר צֵאתֵנוּ וּבוֹאֵנוּ, לְחַיִּים וּלְשָׁלוֹם, מֵעַתָּה וְעַד עוֹלָם. ♫ וּפְרֹשׂ עָלֵינוּ סֻכַּת שְׁלוֹמֶךָ. בָּרוּךְ אַתָּה יהוה, הַפּוֹרֵשׂ סֻכַּת שָׁלוֹם עָלֵינוּ וְעַל כָּל עַמּוֹ יִשְׂרָאֵל וְעַל יְרוּשָׁלָיִם.

ופרוש עלינו סוכת שלומך This line and the closing blessing are substituted for שומר עמו ישראל לעד found in מעריב לחול. This change emphasizes the peace and tranquility of Shabbat.

(ביחד) וְשָׁמְרוּ בְנֵי יִשְׂרָאֵל אֶת הַשַּׁבָּת, לַעֲשׂוֹת אֶת הַשַּׁבָּת לְדֹרֹתָם בְּרִית עוֹלָם: בֵּינִי וּבֵין בְּנֵי יִשְׂרָאֵל אוֹת הִיא לְעֹלָם, כִּי שֵׁשֶׁת יָמִים עָשָׂה יהוה אֶת הַשָּׁמַיִם וְאֶת הָאָרֶץ, וּבַיּוֹם הַשְּׁבִיעִי שָׁבַת וַיִּנָּפַשׁ. שְׁמוֹת לא:16-17

(ביחד) וַיְדַבֵּר מֹשֶׁה אֶת מֹעֲדֵי יהוה, אֶל בְּנֵי יִשְׂרָאֵל. וַיִּקְרָא כג:44

On פסח, שבועות, *and* סוכות *say the following, then continue with the* חצי קדיש, *below, and the* עמידה לשלוש רגלים, *p. 304*

חצי קדיש

(ש״ץ) יִתְגַּדַּל וְיִתְקַדַּשׁ שְׁמֵהּ רַבָּא. בְּעָלְמָא דִּי בְרָא כִרְעוּתֵהּ, וְיַמְלִיךְ מַלְכוּתֵהּ בְּחַיֵּיכוֹן וּבְיוֹמֵיכוֹן וּבְחַיֵּי דְכָל בֵּית יִשְׂרָאֵל. בַּעֲגָלָא וּבִזְמַן קָרִיב וְאִמְרוּ אָמֵן:

(ביחד) יְהֵא שְׁמֵהּ רַבָּא מְבָרַךְ לְעָלַם וּלְעָלְמֵי עָלְמַיָּא:

(ש״ץ) יִתְבָּרַךְ וְיִשְׁתַּבַּח וְיִתְפָּאַר וְיִתְרוֹמַם וְיִתְנַשֵּׂא וְיִתְהַדָּר וְיִתְעַלֶּה וְיִתְהַלָּל שְׁמֵהּ דְּקֻדְשָׁא (ביחד) בְּרִיךְ הוּא. (ש״ץ) לְעֵלָּא (בשבת שובה לְעֵלָּא וּלְעֵלָּא מִכָּל) מִן כָּל בִּרְכָתָא וְשִׁירָתָא תֻּשְׁבְּחָתָא וְנֶחֱמָתָא, דַּאֲמִירָן בְּעָלְמָא, וְאִמְרוּ אָמֵן:

ושמרו Exodus 31:16-17 emphasizes the ideal that Shabbat is a ברית (covenant) between God and Israel and that we are obligated to observe Shabbat.

עמידה

The עמידה *is said silently*

אֲדֹנָי שְׂפָתַי תִּפְתָּח וּפִי יַגִּיד תְּהִלָּתֶךָ: תְּהִלִּים נא:17

בָּרוּךְ אַתָּה יהוה אֱלֹהֵינוּ וֵאלֹהֵי אֲבוֹתֵינוּ, אֱלֹהֵי אַבְרָהָם, אֱלֹהֵי יִצְחָק, וֵאלֹהֵי יַעֲקֹב. הָאֵל הַגָּדוֹל הַגִּבּוֹר וְהַנּוֹרָא, אֵל עֶלְיוֹן, גּוֹמֵל חֲסָדִים טוֹבִים, וְקוֹנֵה הַכֹּל, וְזוֹכֵר חַסְדֵי אָבוֹת, וּמֵבִיא גוֹאֵל לִבְנֵי בְנֵיהֶם לְמַעַן שְׁמוֹ בְּאַהֲבָה:

On שבת שובה *say*

זָכְרֵנוּ לְחַיִּים, מֶלֶךְ חָפֵץ בַּחַיִּים, וְכָתְבֵנוּ בְּסֵפֶר הַחַיִּים, לְמַעַנְךָ אֱלֹהִים חַיִּים.

מֶלֶךְ עוֹזֵר וּמוֹשִׁיעַ וּמָגֵן: בָּרוּךְ אַתָּה יהוה, מָגֵן אַבְרָהָם:

אַתָּה גִּבּוֹר לְעוֹלָם אֲדֹנָי, מְחַיֵּה מֵתִים אַתָּה, רַב לְהוֹשִׁיעַ:

From שמיני עצרת *until the first day of* פסח *say*

מַשִּׁיב הָרוּחַ וּמוֹרִיד הַגָּשֶׁם:

From the first day of פסח *until* שמיני עצרת *say*

מוֹרִיד הַטָּל

מְכַלְכֵּל חַיִּים בְּחֶסֶד, מְחַיֵּה מֵתִים בְּרַחֲמִים רַבִּים, סוֹמֵךְ נוֹפְלִים, וְרוֹפֵא חוֹלִים, וּמַתִּיר אֲסוּרִים, וּמְקַיֵּם אֱמוּנָתוֹ לִישֵׁנֵי עָפָר, מִי כָמוֹךָ בַּעַל גְּבוּרוֹת וּמִי דוֹמֶה לָּךְ, מֶלֶךְ מֵמִית וּמְחַיֶּה וּמַצְמִיחַ יְשׁוּעָה:

In some communities שרה רבקה רחל ולאה are added to the first blessing of the עמידה to emphasize that both men and women have a relationship with God.

During שבת שובה *say*

מִי כָמוֹךָ אַב הָרַחֲמִים, זוֹכֵר יְצוּרָיו לְחַיִּים בְּרַחֲמִים:

וְנֶאֱמָן אַתָּה לְהַחֲיוֹת מֵתִים. בָּרוּךְ אַתָּה יהוה, מְחַיֵּה הַמֵּתִים:

אַתָּה קָדוֹשׁ וְשִׁמְךָ קָדוֹשׁ וּקְדוֹשִׁים בְּכָל יוֹם יְהַלְלוּךָ, סֶּלָה. בָּרוּךְ אַתָּה יהוה, הָאֵל הַקָּדוֹשׁ (בשבת שובה: הַמֶּלֶךְ הַקָּדוֹשׁ).

אַתָּה קִדַּשְׁתָּ אֶת יוֹם הַשְּׁבִיעִי לִשְׁמֶךָ. תַּכְלִית מַעֲשֵׂה שָׁמַיִם וָאָרֶץ. וּבֵרַכְתּוֹ מִכָּל הַיָּמִים, וְקִדַּשְׁתּוֹ מִכָּל הַזְּמַנִּים וְכֵן כָּתוּב בְּתוֹרָתֶךָ:

וַיְכֻלּוּ הַשָּׁמַיִם וְהָאָרֶץ וְכָל צְבָאָם: וַיְכַל אֱלֹהִים בַּיּוֹם הַשְּׁבִיעִי, מְלַאכְתּוֹ אֲשֶׁר עָשָׂה, וַיִּשְׁבֹּת בַּיּוֹם הַשְּׁבִיעִי, מִכָּל מְלַאכְתּוֹ אֲשֶׁר עָשָׂה: וַיְבָרֶךְ אֱלֹהִים אֶת יוֹם הַשְּׁבִיעִי וַיְקַדֵּשׁ אֹתוֹ, כִּי בוֹ שָׁבַת מִכָּל מְלַאכְתּוֹ, אֲשֶׁר בָּרָא אֱלֹהִים לַעֲשׂוֹת: בְּרֵאשִׁית ב:1-3

אֱלֹהֵינוּ וֵאלֹהֵי אֲבוֹתֵינוּ, רְצֵה בִמְנוּחָתֵנוּ. קַדְּשֵׁנוּ בְּמִצְוֹתֶיךָ וְתֵן חֶלְקֵנוּ בְּתוֹרָתֶךָ, שַׂבְּעֵנוּ מִטּוּבֶךָ, וְשַׂמְּחֵנוּ בִּישׁוּעָתֶךָ, וְטַהֵר לִבֵּנוּ לְעָבְדְּךָ בֶּאֱמֶת, וְהַנְחִילֵנוּ יהוה אֱלֹהֵינוּ בְּאַהֲבָה וּבְרָצוֹן שַׁבַּת קָדְשֶׁךָ, וְיָנוּחוּ בָהּ

אתה קדשת את יום השביעי This begins the section of the עמידה called קדושת היום which replaces the middle 13 ברכות recited on weekdays. Here God is praised for creating the world and for blessing and calling the seventh day holy, (קדוש).

ויכלו השמים והארץ (Genesis 2:1–3) This is also the first part of the Friday evening קידוש which praises God for finishing all the work necessary for creating the world and making the seventh day holy.

יִשְׂרָאֵל, מְקַדְּשֵׁי שְׁמֶךָ. בָּרוּךְ אַתָּה יהוה, מְקַדֵּשׁ הַשַּׁבָּת:

רְצֵה, יהוה אֱלֹהֵינוּ, בְּעַמְּךָ יִשְׂרָאֵל וּבִתְפִלָּתָם, וְהָשֵׁב אֶת הָעֲבוֹדָה לִדְבִיר בֵּיתֶךָ, וּתְפִלָּתָם בְּאַהֲבָה תְקַבֵּל בְּרָצוֹן, וּתְהִי לְרָצוֹן תָּמִיד עֲבוֹדַת יִשְׂרָאֵל עַמֶּךָ.

On ראש חודש *and* חול המועד *add the following*

אֱלֹהֵינוּ וֵאלֹהֵי אֲבוֹתֵינוּ, יַעֲלֶה וְיָבֹא, וְיַגִּיעַ, וְיֵרָאֶה, וְיֵרָצֶה, וְיִשָּׁמַע, וְיִפָּקֵד, וְיִזָּכֵר זִכְרוֹנֵנוּ וּפִקְדוֹנֵנוּ, וְזִכְרוֹן אֲבוֹתֵינוּ, וְזִכְרוֹן מָשִׁיחַ בֶּן דָּוִד עַבְדֶּךָ, וְזִכְרוֹן יְרוּשָׁלַיִם עִיר קָדְשֶׁךָ, וְזִכְרוֹן כָּל עַמְּךָ בֵּית יִשְׂרָאֵל לְפָנֶיךָ, לִפְלֵיטָה, לְטוֹבָה, לְחֵן וּלְחֶסֶד וּלְרַחֲמִים, לְחַיִּים וּלְשָׁלוֹם, בְּיוֹם

ראש חודש:	רֹאשׁ הַחֹדֶשׁ הַזֶּה	*On Rosh Chodesh*
פסח:	חַג הַמַּצּוֹת הַזֶּה	*On Pesach*
סוכות:	חַג הַסֻּכּוֹת הַזֶּה	*On Sukkot*

זָכְרֵנוּ, יהוה, אֱלֹהֵינוּ, בּוֹ לְטוֹבָה, וּפָקְדֵנוּ בוֹ לִבְרָכָה, וְהוֹשִׁיעֵנוּ בוֹ לְחַיִּים, וּבִדְבַר יְשׁוּעָה וְרַחֲמִים, חוּס וְחָנֵּנוּ, וְרַחֵם עָלֵינוּ וְהוֹשִׁיעֵנוּ, כִּי אֵלֶיךָ עֵינֵינוּ, כִּי אֵל מֶלֶךְ חַנּוּן וְרַחוּם אָתָּה.

וְתֶחֱזֶינָה עֵינֵינוּ בְּשׁוּבְךָ לְצִיּוֹן בְּרַחֲמִים. בָּרוּךְ אַתָּה יהוה, הַמַּחֲזִיר שְׁכִינָתוֹ לְצִיּוֹן.

אלהינו ואלהי אבותינו We ask God to be satisfied with our quality of Shabbat rest and to continue to make us worthy of Torah and mitzvot. This section ends with the ברכה praising God for making the Shabbat holy (קדוש).

מוֹדִים אֲנַחְנוּ לָךְ, שָׁאַתָּה הוּא, יהוה אֱלֹהֵינוּ וֵאלֹהֵי אֲבוֹתֵינוּ, לְעוֹלָם וָעֶד, צוּר חַיֵּינוּ, מָגֵן יִשְׁעֵנוּ, אַתָּה הוּא לְדוֹר וָדוֹר נוֹדֶה לְּךָ וּנְסַפֵּר תְּהִלָּתֶךָ. עַל חַיֵּינוּ הַמְּסוּרִים בְּיָדֶךָ, וְעַל נִשְׁמוֹתֵינוּ הַפְּקוּדוֹת לָךְ, וְעַל נִסֶּיךָ שֶׁבְּכָל יוֹם עִמָּנוּ, וְעַל נִפְלְאוֹתֶיךָ וְטוֹבוֹתֶיךָ שֶׁבְּכָל עֵת, עֶרֶב וָבֹקֶר וְצָהֳרָיִם, הַטּוֹב כִּי לֹא כָלוּ רַחֲמֶיךָ, וְהַמְרַחֵם כִּי לֹא תַמּוּ חֲסָדֶיךָ מֵעוֹלָם קִוִּינוּ לָךְ.

לחנוכה

On Chanukah

עַל הַנִּסִּים, וְעַל הַפֻּרְקָן, וְעַל הַגְּבוּרוֹת, וְעַל הַתְּשׁוּעוֹת, וְעַל הַמִּלְחָמוֹת, שֶׁעָשִׂיתָ לַאֲבוֹתֵינוּ בַּיָּמִים הָהֵם בַּזְּמַן הַזֶּה.

בִּימֵי מַתִּתְיָהוּ בֶּן יוֹחָנָן כֹּהֵן גָּדוֹל, חַשְׁמוֹנָאִי וּבָנָיו, כְּשֶׁעָמְדָה מַלְכוּת יָוָן הָרְשָׁעָה עַל עַמְּךָ יִשְׂרָאֵל לְהַשְׁכִּיחָם תּוֹרָתֶךָ, וּלְהַעֲבִירָם מֵחֻקֵּי רְצוֹנֶךָ, וְאַתָּה בְּרַחֲמֶיךָ הָרַבִּים עָמַדְתָּ לָהֶם בְּעֵת צָרָתָם, רַבְתָּ אֶת רִיבָם, דַּנְתָּ אֶת דִּינָם, נָקַמְתָּ אֶת נִקְמָתָם, מָסַרְתָּ גִבּוֹרִים בְּיַד חַלָּשִׁים, וְרַבִּים בְּיַד מְעַטִּים, וּטְמֵאִים בְּיַד טְהוֹרִים, וּרְשָׁעִים בְּיַד צַדִּיקִים, וְזֵדִים בְּיַד עוֹסְקֵי תוֹרָתֶךָ. וּלְךָ עָשִׂיתָ שֵׁם גָּדוֹל וְקָדוֹשׁ בְּעוֹלָמֶךָ, וּלְעַמְּךָ יִשְׂרָאֵל עָשִׂיתָ תְּשׁוּעָה גְדוֹלָה וּפֻרְקָן כְּהַיּוֹם הַזֶּה. וְאַחַר כֵּן בָּאוּ בָנֶיךָ לִדְבִיר בֵּיתֶךָ, וּפִנּוּ אֶת הֵיכָלֶךָ, וְטִהֲרוּ אֶת מִקְדָּשֶׁךָ, וְהִדְלִיקוּ נֵרוֹת בְּחַצְרוֹת קָדְשֶׁךָ, וְקָבְעוּ שְׁמוֹנַת יְמֵי חֲנֻכָּה אֵלּוּ, לְהוֹדוֹת וּלְהַלֵּל לְשִׁמְךָ הַגָּדוֹל.

וְעַל כֻּלָּם יִתְבָּרַךְ וְיִתְרוֹמַם שִׁמְךָ, מַלְכֵּנוּ, תָּמִיד לְעוֹלָם וָעֶד.

On שבת שובה say

וּכְתוֹב לְחַיִּים טוֹבִים כָּל בְּנֵי בְרִיתֶךָ.

וְכֹל הַחַיִּים יוֹדְוּךָ סֶּלָה, וִיהַלְלוּ אֶת שִׁמְךָ בֶּאֱמֶת, הָאֵל יְשׁוּעָתֵנוּ וְעֶזְרָתֵנוּ סֶלָה. בָּרוּךְ אַתָּה יהוה, הַטּוֹב שִׁמְךָ וּלְךָ נָאֶה לְהוֹדוֹת.

5 שָׁלוֹם רָב עַל יִשְׂרָאֵל עַמְּךָ תָּשִׂים לְעוֹלָם, כִּי אַתָּה הוּא מֶלֶךְ אָדוֹן לְכָל הַשָּׁלוֹם. וְטוֹב בְּעֵינֶיךָ לְבָרֵךְ אֶת עַמְּךָ יִשְׂרָאֵל, בְּכָל עֵת וּבְכָל שָׁעָה בִּשְׁלוֹמֶךָ.

On שבת שובה say

בְּסֵפֶר חַיִּים, בְּרָכָה, וְשָׁלוֹם, וּפַרְנָסָה טוֹבָה, נִזָּכֵר וְנִכָּתֵב לְפָנֶיךָ, אֲנַחְנוּ וְכָל עַמְּךָ בֵּית יִשְׂרָאֵל, לְחַיִּים טוֹבִים וּלְשָׁלוֹם. בָּרוּךְ אַתָּה יהוה, עֹשֵׂה הַשָּׁלוֹם.
10

בָּרוּךְ אַתָּה יהוה, הַמְבָרֵךְ אֶת עַמּוֹ יִשְׂרָאֵל בַּשָּׁלוֹם.

אֱלֹהַי, נְצוֹר לְשׁוֹנִי מֵרָע, וּשְׂפָתַי מִדַּבֵּר מִרְמָה, וְלִמְקַלְלַי נַפְשִׁי תִדּוֹם, וְנַפְשִׁי כֶּעָפָר לַכֹּל תִּהְיֶה. פְּתַח לִבִּי בְּתוֹרָתֶךָ, וּבְמִצְוֹתֶיךָ תִּרְדּוֹף נַפְשִׁי. וְכָל הַחוֹשְׁבִים 15 עָלַי רָעָה, מְהֵרָה הָפֵר עֲצָתָם וְקַלְקֵל מַחֲשַׁבְתָּם. עֲשֵׂה לְמַעַן שְׁמֶךָ, עֲשֵׂה לְמַעַן יְמִינֶךָ, עֲשֵׂה לְמַעַן קְדֻשָּׁתֶךָ, עֲשֵׂה לְמַעַן תּוֹרָתֶךָ. לְמַעַן יֵחָלְצוּן יְדִידֶיךָ, הוֹשִׁיעָה יְמִינְךָ וַעֲנֵנִי. תְּהִלִּים ס:7 יִהְיוּ לְרָצוֹן אִמְרֵי פִי וְהֶגְיוֹן לִבִּי לְפָנֶיךָ, יהוה צוּרִי וְגוֹאֲלִי. שָׁם יט:15 עֹשֶׂה שָׁלוֹם בִּמְרוֹמָיו, 20 הוּא יַעֲשֶׂה שָׁלוֹם עָלֵינוּ, וְעַל כָּל יִשְׂרָאֵל וְאִמְרוּ: אָמֵן.

(ביחד) וַיְכֻלּוּ הַשָּׁמַיִם וְהָאָרֶץ וְכָל צְבָאָם וַיְכַל אֱלֹהִים בַּיּוֹם הַשְּׁבִיעִי מְלַאכְתּוֹ אֲשֶׁר עָשָׂה: וַיִּשְׁבֹּת בַּיּוֹם הַשְּׁבִיעִי מִכָּל מְלַאכְתּוֹ אֲשֶׁר עָשָׂה. וַיְבָרֶךְ אֱלֹהִים אֶת יוֹם הַשְּׁבִיעִי וַיְקַדֵּשׁ אֹתוֹ, כִּי בוֹ שָׁבַת מִכָּל מְלַאכְתּוֹ אֲשֶׁר בָּרָא אֱלֹהִים לַעֲשׂוֹת: בְּרֵאשִׁית ב:1-3

If the first night of פסח *falls on Friday evening,* ברוך ... קונה שמים וארץ *and* מגן אבות *are omitted*

(ש״ץ) בָּרוּךְ אַתָּה יהוה, אֱלֹהֵינוּ וֵאלֹהֵי אֲבוֹתֵינוּ, אֱלֹהֵי אַבְרָהָם, אֱלֹהֵי יִצְחָק, וֵאלֹהֵי יַעֲקֹב, הָאֵל הַגָּדוֹל הַגִּבּוֹר וְהַנּוֹרָא אֵל עֶלְיוֹן קוֹנֵה שָׁמַיִם וָאָרֶץ:

(ביחד) מָגֵן אָבוֹת בִּדְבָרוֹ, מְחַיֵּה מֵתִים בְּמַאֲמָרוֹ, הָאֵל (בשבת שובה הַמֶּלֶךְ) הַקָּדוֹשׁ שֶׁאֵין כָּמוֹהוּ, הַמֵּנִיחַ לְעַמּוֹ בְּיוֹם שַׁבַּת קָדְשׁוֹ, כִּי בָם רָצָה לְהָנִיחַ לָהֶם. לְפָנָיו נַעֲבוֹד בְּיִרְאָה וָפַחַד, וְנוֹדֶה לִשְׁמוֹ בְּכָל יוֹם תָּמִיד, מֵעֵין הַבְּרָכוֹת. אֵל הַהוֹדָאוֹת אֲדוֹן הַשָּׁלוֹם, מְקַדֵּשׁ הַשַּׁבָּת, וּמְבָרֵךְ שְׁבִיעִי, וּמֵנִיחַ בִּקְדֻשָּׁה לְעַם מְדֻשְּׁנֵי עֹנֶג, זֵכֶר לְמַעֲשֵׂה בְרֵאשִׁית:

(ש״ץ) אֱלֹהֵינוּ וֵאלֹהֵי אֲבוֹתֵינוּ, רְצֵה בִמְנוּחָתֵנוּ. קַדְּשֵׁנוּ בְּמִצְוֹתֶיךָ וְתֵן חֶלְקֵנוּ בְּתוֹרָתֶךָ, שַׂבְּעֵנוּ מִטּוּבֶךָ, וְשַׂמְּחֵנוּ בִּישׁוּעָתֶךָ, וְטַהֵר לִבֵּנוּ לְעָבְדְּךָ בֶּאֱמֶת, וְהַנְחִילֵנוּ יהוה אֱלֹהֵינוּ בְּאַהֲבָה וּבְרָצוֹן שַׁבַּת קָדְשֶׁךָ, וְיָנוּחוּ בָהּ יִשְׂרָאֵל, מְקַדְּשֵׁי שְׁמֶךָ. בָּרוּךְ אַתָּה יהוה, מְקַדֵּשׁ הַשַּׁבָּת:

מגן אבות According to the Talmud (Shabbat 24b) synagogues were once located in open fields. In order to make sure that nobody had to walk home alone, the מגן אבות was added as a congregational prayer so that everyone would finish at the same time. The prayer is also called the ברכה מעין שבע because it is an abridged version of the seven blessings of the שבת עמידה.

קדיש שלם

(ש״ץ) יִתְגַּדַּל וְיִתְקַדַּשׁ שְׁמֵהּ רַבָּא. בְּעָלְמָא דִּי בְרָא כִרְעוּתֵהּ, וְיַמְלִיךְ מַלְכוּתֵהּ בְּחַיֵּיכוֹן וּבְיוֹמֵיכוֹן וּבְחַיֵּי דְכָל בֵּית יִשְׂרָאֵל. בַּעֲגָלָא וּבִזְמַן קָרִיב וְאִמְרוּ אָמֵן:

(ביחד) יְהֵא שְׁמֵהּ רַבָּא מְבָרַךְ לְעָלַם וּלְעָלְמֵי עָלְמַיָּא:

(ש״ץ) יִתְבָּרַךְ וְיִשְׁתַּבַּח, וְיִתְפָּאַר וְיִתְרוֹמַם וְיִתְנַשֵּׂא וְיִתְהַדָּר וְיִתְעַלֶּה וְיִתְהַלָּל שְׁמֵהּ דְּקֻדְשָׁא (ביחד) בְּרִיךְ הוּא (ש״ץ) לְעֵלָּא (בשבת שובה לְעֵלָּא וּלְעֵלָּא מִכָּל) מִן כָּל בִּרְכָתָא וְשִׁירָתָא, תֻּשְׁבְּחָתָא וְנֶחֱמָתָא, דַּאֲמִירָן בְּעָלְמָא, וְאִמְרוּ אָמֵן:

(ש״ץ) תִּתְקַבֵּל צְלוֹתְהוֹן וּבָעוּתְהוֹן דְּכָל בֵּית יִשְׂרָאֵל קֳדָם אֲבוּהוֹן דִּי בִשְׁמַיָּא וְאִמְרוּ אָמֵן:

(ש״ץ) יְהֵא שְׁלָמָא רַבָּא מִן שְׁמַיָּא וְחַיִּים עָלֵינוּ וְעַל כָּל יִשְׂרָאֵל, וְאִמְרוּ אָמֵן:

(ש״ץ) עֹשֶׂה שָׁלוֹם בִּמְרוֹמָיו הוּא יַעֲשֶׂה שָׁלוֹם עָלֵינוּ וְעַל כָּל יִשְׂרָאֵל, וְאִמְרוּ אָמֵן:

עלינו

עָלֵינוּ לְשַׁבֵּחַ לַאֲדוֹן הַכֹּל, לָתֵת גְּדֻלָּה לְיוֹצֵר בְּרֵאשִׁית, שֶׁלֹּא עָשָׂנוּ כְּגוֹיֵי הָאֲרָצוֹת, וְלֹא שָׂמָנוּ כְּמִשְׁפְּחוֹת הָאֲדָמָה, שֶׁלֹּא שָׂם חֶלְקֵנוּ כָּהֶם, וְגֹרָלֵנוּ כְּכָל הֲמוֹנָם וַאֲנַחְנוּ כּוֹרְעִים וּמִשְׁתַּחֲוִים וּמוֹדִים, לִפְנֵי מֶלֶךְ, מַלְכֵי הַמְּלָכִים, הַקָּדוֹשׁ בָּרוּךְ הוּא.

שֶׁהוּא נוֹטֶה שָׁמַיִם וְיֹסֵד אָרֶץ, (יְשַׁעְיָהוּ נא:13) וּמוֹשַׁב יְקָרוֹ בַּשָּׁמַיִם מִמַּעַל, וּשְׁכִינַת עֻזּוֹ בְּגָבְהֵי מְרוֹמִים, הוּא אֱלֹהֵינוּ אֵין עוֹד. אֱמֶת מַלְכֵּנוּ אֶפֶס זוּלָתוֹ, כַּכָּתוּב

בְּתוֹרָתוֹ: וְיָדַעְתָּ הַיּוֹם וַהֲשֵׁבֹתָ אֶל לְבָבֶךָ, כִּי יהוה הוּא הָאֱלֹהִים בַּשָּׁמַיִם מִמַּעַל, וְעַל הָאָרֶץ מִתָּחַת, אֵין עוֹד:

דְּבָרִים ד:39

עַל כֵּן נְקַוֶּה לְּךָ יהוה אֱלֹהֵינוּ, לִרְאוֹת מְהֵרָה בְּתִפְאֶרֶת עֻזֶּךָ, לְהַעֲבִיר גִּלּוּלִים מִן הָאָרֶץ וְהָאֱלִילִים כָּרוֹת יִכָּרֵתוּן. לְתַקֵּן עוֹלָם בְּמַלְכוּת שַׁדַּי, וְכָל בְּנֵי בָשָׂר יִקְרְאוּ בִשְׁמֶךָ. לְהַפְנוֹת אֵלֶיךָ כָּל רִשְׁעֵי אָרֶץ. יַכִּירוּ וְיֵדְעוּ כָּל יוֹשְׁבֵי תֵבֵל, כִּי לְךָ תִּכְרַע כָּל בֶּרֶךְ, תִּשָּׁבַע כָּל לָשׁוֹן: לְפָנֶיךָ יהוה אֱלֹהֵינוּ יִכְרְעוּ וְיִפֹּלוּ. וְלִכְבוֹד שִׁמְךָ יְקָר יִתֵּנוּ. וִיקַבְּלוּ כֻלָּם אֶת עוֹל מַלְכוּתֶךָ. וְתִמְלֹךְ עֲלֵיהֶם מְהֵרָה לְעוֹלָם וָעֶד. כִּי הַמַּלְכוּת שֶׁלְּךָ הִיא, וּלְעוֹלְמֵי עַד תִּמְלוֹךְ בְּכָבוֹד: כַּכָּתוּב בְּתוֹרָתֶךָ, יהוה יִמְלֹךְ לְעוֹלָם וָעֶד: שְׁמוֹת טו:18 וְנֶאֱמַר, וְהָיָה יהוה לְמֶלֶךְ עַל כָּל הָאָרֶץ, בַּיּוֹם הַהוּא יִהְיֶה יהוה אֶחָד, וּשְׁמוֹ אֶחָד:

קדיש יתום

(אבלים ואבלות) יִתְגַּדַּל וְיִתְקַדַּשׁ שְׁמֵהּ רַבָּא. בְּעָלְמָא דִּי בְרָא כִרְעוּתֵיהּ, וְיַמְלִיךְ מַלְכוּתֵיהּ בְּחַיֵּיכוֹן וּבְיוֹמֵיכוֹן וּבְחַיֵּי דְכָל בֵּית יִשְׂרָאֵל. בַּעֲגָלָא וּבִזְמַן קָרִיב וְאִמְרוּ אָמֵן:

(ביחד) יְהֵא שְׁמֵהּ רַבָּא מְבָרַךְ לְעָלַם וּלְעָלְמֵי עָלְמַיָּא:

(אבלים ואבלות) יִתְבָּרַךְ וְיִשְׁתַּבַּח וְיִתְפָּאַר וְיִתְרוֹמַם וְיִתְנַשֵּׂא וְיִתְהַדָּר וְיִתְעַלֶּה וְיִתְהַלָּל שְׁמֵהּ דְּקֻדְשָׁא (ביחד) בְּרִיךְ הוּא (אבלים ואבלות) לְעֵלָּא (בשבת שובה לְעֵלָּא וּלְעֵלָּא מִכָּל) מִן כָּל בִּרְכָתָא וְשִׁירָתָא תֻּשְׁבְּחָתָא וְנֶחֱמָתָא, דַּאֲמִירָן בְּעָלְמָא, וְאִמְרוּ אָמֵן:

(אבלים ואבלות) יְהֵא שְׁלָמָא רַבָּא מִן שְׁמַיָּא, וְחַיִּים טוֹבִים עָלֵינוּ וְעַל כָּל יִשְׂרָאֵל וְאִמְרוּ אָמֵן.

(אבלים ואבלות) עֹשֶׂה שָׁלוֹם בִּמְרוֹמָיו הוּא יַעֲשֶׂה שָׁלוֹם עָלֵינוּ וְעַל כָּל יִשְׂרָאֵל, וְאִמְרוּ אָמֵן:

From the first day of אלול *until* הושענא רבה *say*

לְדָוִד יהוה אוֹרִי וְיִשְׁעִי מִמִּי אִירָא, יהוה מָעוֹז חַיַּי מִמִּי אֶפְחָד: בִּקְרֹב עָלַי מְרֵעִים, לֶאֱכֹל אֶת בְּשָׂרִי צָרַי וְאֹיְבַי לִי הֵמָּה כָשְׁלוּ וְנָפָלוּ: אִם תַּחֲנֶה עָלַי מַחֲנֶה לֹא יִירָא לִבִּי, אִם תָּקוּם עָלַי מִלְחָמָה בְּזֹאת אֲנִי בוֹטֵחַ: אַחַת שָׁאַלְתִּי מֵאֵת יהוה, אוֹתָהּ אֲבַקֵּשׁ שִׁבְתִּי בְּבֵית יהוה כָּל יְמֵי חַיַּי לַחֲזוֹת בְּנֹעַם יהוה וּלְבַקֵּר בְּהֵיכָלוֹ: כִּי יִצְפְּנֵנִי בְּסֻכֹּה בְּיוֹם רָעָה, יַסְתִּרֵנִי בְּסֵתֶר אָהֳלוֹ בְּצוּר יְרוֹמְמֵנִי: וְעַתָּה יָרוּם רֹאשִׁי עַל אֹיְבַי סְבִיבוֹתַי, וְאֶזְבְּחָה בְאָהֳלוֹ זִבְחֵי תְרוּעָה, אָשִׁירָה וַאֲזַמְּרָה לַיהוה: שְׁמַע יהוה קוֹלִי אֶקְרָא, וְחָנֵּנִי וַעֲנֵנִי: לְךָ אָמַר לִבִּי, בַּקְּשׁוּ פָנָי, אֶת פָּנֶיךָ יהוה אֲבַקֵּשׁ: אַל תַּסְתֵּר פָּנֶיךָ מִמֶּנִּי, אַל תַּט בְּאַף עַבְדֶּךָ, עֶזְרָתִי הָיִיתָ, אַל תִּטְּשֵׁנִי וְאַל תַּעַזְבֵנִי אֱלֹהֵי יִשְׁעִי: כִּי אָבִי וְאִמִּי עֲזָבוּנִי, וַיהוה יַאַסְפֵנִי: הוֹרֵנִי יהוה דַּרְכֶּךָ, וּנְחֵנִי בְּאֹרַח מִישׁוֹר, לְמַעַן שֹׁרְרָי: אַל תִּתְּנֵנִי בְּנֶפֶשׁ צָרָי, כִּי קָמוּ בִי עֵדֵי שֶׁקֶר וִיפֵחַ חָמָס: לוּלֵא הֶאֱמַנְתִּי, לִרְאוֹת בְּטוּב יהוה בְּאֶרֶץ חַיִּים: קַוֵּה אֶל יהוה, חֲזַק וְיַאֲמֵץ לִבֶּךָ וְקַוֵּה אֶל יהוה: תְּהִלִּים כז

MAIMONIDES' THIRTEEN BASIC BELIEFS
שלשה עשר עקרים לפי הרמב״ם

I believe with perfect faith that:

1. God is the Creator of the world and the guide of all people.
2. God is One.
3. God has no body or shape, God is invisible.
4. God is forever.
5. Only God deserves our prayers.
6. The prophets spoke true words.
7. Moses was the greatest of all the prophets.
8. Our Torah is the same as the one given to Moses.
9. The Torah will not be changed.
10. God knows the thoughts and actions of all people.
11. God rewards those who keep the mitzvot and punishes those who do not.
12. Justice and peace will come to the world in the Messianic Age.
13. Life does not end with death.

יגדל

יִגְדַּל אֱלֹהִים חַי וְיִשְׁתַּבַּח,
נִמְצָא, וְאֵין עֵת אֶל מְצִיאוּתוֹ.
אֶחָד וְאֵין יָחִיד כְּיִחוּדוֹ,
נֶעְלָם, וְגַם אֵין סוֹף לְאַחְדוּתוֹ.
אֵין לוֹ דְּמוּת הַגּוּף וְאֵינוֹ גוּף,
לֹא נַעֲרוֹךְ אֵלָיו קְדֻשָּׁתוֹ.
קַדְמוֹן לְכָל דָּבָר אֲשֶׁר נִבְרָא,
רִאשׁוֹן וְאֵין רֵאשִׁית לְרֵאשִׁיתוֹ.
הִנּוֹ אֲדוֹן עוֹלָם, לְכָל נוֹצָר,
יוֹרֶה גְדֻלָּתוֹ וּמַלְכוּתוֹ.

יגדל The 12th-century philosopher Maimonides wrote a list of what he believed to be the thirteen basic beliefs of Judaism. יגדל is based on that list.

שֶׁפַע נְבוּאָתוֹ נְתָנוֹ,
אֶל אַנְשֵׁי סְגוּלָּתוֹ וְתִפְאַרְתּוֹ.
לֹא קָם בְּיִשְׂרָאֵל כְּמֹשֶׁה עוֹד,
נָבִיא וּמַבִּיט אֶת תְּמוּנָתוֹ.
תּוֹרַת אֱמֶת נָתַן לְעַמּוֹ, אֵל,
עַל יַד נְבִיאוֹ נֶאֱמַן בֵּיתוֹ.
לֹא יַחֲלִיף הָאֵל וְלֹא יָמִיר דָּתוֹ.
לְעוֹלָמִים, לְזוּלָתוֹ.
צוֹפֶה וְיוֹדֵעַ סְתָרֵינוּ,
מַבִּיט לְסוֹף דָּבָר בְּקַדְמָתוֹ.
גּוֹמֵל לְאִישׁ חֶסֶד כְּמִפְעָלוֹ,
נוֹתֵן לְרָשָׁע רָע כְּרִשְׁעָתוֹ.
יִשְׁלַח לְקֵץ הַיָּמִין מְשִׁיחֵנוּ,
לִפְדּוֹת מְחַכֵּי קֵץ יְשׁוּעָתוֹ.
מֵתִים יְחַיֶּה אֵל בְּרוֹב חַסְדּוֹ,
בָּרוּךְ עֲדֵי עַד שֵׁם תְּהִלָּתוֹ.

ברכת הילדים — *Blessing of the Children*

(*for males*) יְשִׂמְךָ אֱלֹהִים כְּאֶפְרַיִם וְכִמְנַשֶּׁה.
(*for females*) יְשִׂמֵךְ אֱלֹהִים כְּשָׂרָה רִבְקָה רָחֵל וְלֵאָה.

יְבָרֶכְךָ יהוה וְיִשְׁמְרֶךָ.
יָאֵר יהוה פָּנָיו אֵלֶיךָ וִיחֻנֶּךָּ.
יִשָּׂא יהוה פָּנָיו אֵלֶיךָ, וְיָשֵׂם לְךָ שָׁלוֹם. בְּמִדְבַּר ו:24-26

ברכת הילדים There is a tradition for parents to bless their children on Shabbat. The beginning of the blessing for boys and girls is different because it relates to appropriate male and female role models in the Torah. Parents may wish to add their own personal words of blessing and praise at this time.

שלום עליכם

Shalom Aleichem is sung together

(ביחד) שָׁלוֹם עֲלֵיכֶם, מַלְאֲכֵי הַשָּׁרֵת, מַלְאֲכֵי עֶלְיוֹן,
מִמֶּלֶךְ מַלְכֵי הַמְּלָכִים הַקָּדוֹשׁ בָּרוּךְ הוּא:
בּוֹאֲכֶם לְשָׁלוֹם, מַלְאֲכֵי הַשָּׁלוֹם, מַלְאֲכֵי עֶלְיוֹן, מִמֶּלֶךְ
מַלְכֵי הַמְּלָכִים הַקָּדוֹשׁ בָּרוּךְ הוּא:
בָּרְכוּנִי לְשָׁלוֹם, מַלְאֲכֵי הַשָּׁלוֹם, מַלְאֲכֵי עֶלְיוֹן, מִמֶּלֶךְ
מַלְכֵי הַמְּלָכִים הַקָּדוֹשׁ בָּרוּךְ הוּא:
צֵאתְכֶם לְשָׁלוֹם, מַלְאֲכֵי הַשָּׁלוֹם, מַלְאֲכֵי עֶלְיוֹן, מִמֶּלֶךְ
מַלְכֵי הַמְּלָכִים הַקָּדוֹשׁ בָּרוּךְ הוּא:

אשת חיל

אֵשֶׁת חַיִל מִי יִמְצָא וְרָחֹק מִפְּנִינִים מִכְרָהּ:
בָּטַח בָּהּ לֵב בַּעְלָהּ וְשָׁלָל לֹא יֶחְסָר:
גְּמָלַתְהוּ טוֹב וְלֹא רָע כֹּל יְמֵי חַיֶּיהָ:
דָּרְשָׁה צֶמֶר וּפִשְׁתִּים וַתַּעַשׂ בְּחֵפֶץ כַּפֶּיהָ:
הָיְתָה כָּאֳנִיּוֹת סוֹחֵר מִמֶּרְחָק תָּבִיא לַחְמָהּ:
וַתָּקָם בְּעוֹד לַיְלָה וַתִּתֵּן טֶרֶף לְבֵיתָהּ וְחֹק לְנַעֲרֹתֶיהָ:
זָמְמָה שָׂדֶה וַתִּקָּחֵהוּ מִפְּרִי כַפֶּיהָ נָטְעָה כָּרֶם:
חָגְרָה בְעוֹז מָתְנֶיהָ וַתְּאַמֵּץ זְרוֹעֹתֶיהָ:
טָעֲמָה כִּי טוֹב סַחְרָהּ לֹא יִכְבֶּה בַלַּיְלָה נֵרָהּ:

שלום עליכם A song sung at the beginning of the סעודת שבת (Shabbat meal) to welcome the angels of peace that enter our home on שבת. In the Talmud (Shabbat 119b) we read that every Friday night, two angels, one good and one evil, accompany every Jew home from synagogue. The good angel hopes to find a clean house and everything ready for שבת. The evil angel hopes to find the house in disarray and not prepared for שבת. According to what they find, each angel must answer "Amen" to the other's blessing "May it be Your will that it be this way again next Shabbat."

יָדֶיהָ שִׁלְּחָה בַכִּישׁוֹר וְכַפֶּיהָ תָּמְכוּ פָלֶךְ׃
כַּפָּהּ פָּרְשָׂה לֶעָנִי וְיָדֶיהָ שִׁלְּחָה לָאֶבְיוֹן׃
לֹא תִירָא לְבֵיתָהּ מִשָּׁלֶג כִּי כָל בֵּיתָהּ לָבֻשׁ שָׁנִים׃
מַרְבַדִּים עָשְׂתָה לָּהּ שֵׁשׁ וְאַרְגָּמָן לְבוּשָׁהּ׃
נוֹדָע בַּשְּׁעָרִים בַּעְלָהּ בְּשִׁבְתּוֹ עִם זִקְנֵי אָרֶץ׃
סָדִין עָשְׂתָה וַתִּמְכֹּר וַחֲגוֹר נָתְנָה לַכְּנַעֲנִי׃
עֹז וְהָדָר לְבוּשָׁהּ וַתִּשְׂחַק לְיוֹם אַחֲרוֹן׃
פִּיהָ פָּתְחָה בְחָכְמָה וְתוֹרַת חֶסֶד עַל לְשׁוֹנָהּ׃
צוֹפִיָּה הֲלִיכוֹת בֵּיתָהּ וְלֶחֶם עַצְלוּת לֹא תֹאכֵל׃
קָמוּ בָנֶיהָ וַיְאַשְּׁרוּהָ בַּעְלָהּ וַיְהַלְלָהּ׃
רַבּוֹת בָּנוֹת עָשׂוּ חָיִל וְאַתְּ עָלִית עַל כֻּלָּנָה׃
שֶׁקֶר הַחֵן וְהֶבֶל הַיֹּפִי אִשָּׁה יִרְאַת יהוה הִיא תִתְהַלָּל׃
תְּנוּ לָהּ מִפְּרִי יָדֶיהָ וִיהַלְלוּהָ בַשְּׁעָרִים מַעֲשֶׂיהָ׃

KIDDUSH FOR FRIDAY NIGHT — קידוש לליל שבת

If challah is being used for קידוש*, say* נטילת ידים *(p. 160, line 10), and continue here*

וַיְהִי עֶרֶב וַיְהִי בֹקֶר,

יוֹם הַשִּׁשִּׁי׃ **וַיְכֻלּוּ הַשָּׁמַיִם** וְהָאָרֶץ וְכָל צְבָאָם׃ וַיְכַל אֱלֹהִים בַּיּוֹם הַשְּׁבִיעִי מְלַאכְתּוֹ אֲשֶׁר עָשָׂה, וַיִּשְׁבֹּת בַּיּוֹם הַשְּׁבִיעִי מִכָּל מְלַאכְתּוֹ אֲשֶׁר עָשָׂה׃ וַיְבָרֶךְ אֱלֹהִים אֶת יוֹם הַשְּׁבִיעִי וַיְקַדֵּשׁ אוֹתוֹ, כִּי בוֹ שָׁבַת מִכָּל מְלַאכְתּוֹ, אֲשֶׁר בָּרָא אֱלֹהִים לַעֲשׂוֹת׃

The actual קידוש begins with the words ויכלו השמים. The words יום השישי are added so that God's name can be spelled out by using the first letter of these four words: יום הששי ויכלו השמים. Since יום הששי is in the middle of a verse we add the beginning of that verse ויהי ערב ויהי בקר but say it quietly. Through קידוש we praise God for making the seventh day separate and sacred; the wine symbolizes the joy we feel on Shabbat.

Raise the cup of wine and say

בִּרְשׁוּת חֲבֵרַי

בָּרוּךְ אַתָּה יהוה, אֱלֹהֵינוּ מֶלֶךְ הָעוֹלָם, בּוֹרֵא פְּרִי הַגָּפֶן:

בָּרוּךְ אַתָּה יהוה אֱלֹהֵינוּ מֶלֶךְ הָעוֹלָם, אֲשֶׁר קִדְּשָׁנוּ בְּמִצְוֹתָיו וְרָצָה בָנוּ, וְשַׁבַּת קָדְשׁוֹ בְּאַהֲבָה וּבְרָצוֹן הִנְחִילָנוּ זִכָּרוֹן לְמַעֲשֵׂה בְרֵאשִׁית, כִּי הוּא יוֹם תְּחִלָּה לְמִקְרָאֵי קֹדֶשׁ, זֵכֶר לִיצִיאַת מִצְרָיִם, כִּי בָנוּ בָחַרְתָּ וְאוֹתָנוּ קִדַּשְׁתָּ מִכָּל הָעַמִּים, וְשַׁבַּת קָדְשְׁךָ בְּאַהֲבָה וּבְרָצוֹן הִנְחַלְתָּנוּ. בָּרוּךְ אַתָּה יהוה, מְקַדֵּשׁ הַשַּׁבָּת.

Wash your hands ritually and say

בָּרוּךְ אַתָּה יהוה אֱלֹהֵינוּ מֶלֶךְ הָעוֹלָם, אֲשֶׁר קִדְּשָׁנוּ בְּמִצְוֹתָיו, וְצִוָּנוּ עַל נְטִילַת יָדָיִם.

Hold the two loaves of challah and say

בָּרוּךְ אַתָּה יהוה אֱלֹהֵינוּ מֶלֶךְ הָעוֹלָם, הַמּוֹצִיא לֶחֶם מִן הָאָרֶץ.

For קידוש לשלוש רגלים*, see p. 300*

המוציא Jewish tradition considers bread to be the food which distinguishes a meal from a snack. On Shabbat we use two loaves to symbolize the double portion of manna that God provided in the desert for the Israelites on יום ששי so that no one would be without food on שבת, when gathering was prohibited. Bread symbolically represents the sacrifice performed in the בית המקדש. The כהנים (priests) would ritually cleanse themselves first and then immediately (without talking or other interruption) perform the sacrifice. Salt was used in the sacrificial service so we symbolize this process by washing our hands and salting our bread. Once the blessing for washing, נטילת ידים, is said there is no talking until the המוציא is recited and the bread eaten. Water is used for spiritual cleansing and was part of the daily sacrifice in the Temple. We ritually wash and say this blessing before a meal where bread will be eaten. It is a reminder that a meal is not only to satisfy hunger but is also a holy act.

שחרית לשבת ויום טוב

The השכמת הבוקר prayers for Shabbat are the same as those for the weekdays, except that we do not wear תפילין.

The פסוקי דזמרה for Shabbat, taken from ספר תהילים are based on three overall themes: remembering Creation, (מעשה בראשית), remembering the Exodus from Egypt (יציאת מצרים) and the great Shabbat that will come (מעין עולם הבא). A synopsis of the psalms and the themes they represent follows:

Psalm 19: We praise God for Creation. See p. 175.

Psalm 34: God is always ready to help. We should praise God with every sound. As a reminder this psalm is written with each of the 22 letters of the Hebrew alphabet. See p. 175.

Psalm 90: We should use our time on earth wisely, p. 177.

Psalm 91: God will protect us in times of trouble, p. 178.

Psalms 135-136: God rescued us from the Egyptians. It is our responsibility to see God as the source of good in the world. Psalm 136 is also called "the great" הלל (Pesachim 118a) because there is a chorus in each verse. See p. 178

Psalm 33: Shabbat gives us a taste of the world to come. See p. 181.

Psalm 92: When all wars stop and there is no more evil in the world it will be as if it is Shabbat all the time. See p. 181.

Psalm 93: Everyone will pray to God who overpowers all the evil. See p. 181.

אל אדון tells us of God's greatness, mercy and loving kindness. It also tells us of the beauty of the sun, moon and the stars, created by God.

The עמידה for Shabbat morning has only seven ברכות. The first three blessings and the last three blessings are the same as in every עמידה. The middle blessing is different. The section which begins with ישמח משה is dedicated to remembering that God gave us the Torah on Mt. Sinai. In the ושמרו our devotion to Shabbat is strengthened, by reading the commandment for Israel to observe the Shabbat. The blessing ends מקדש השבת.

The קדושה on Shabbat is different from the weekday קדושה. The Shabbat additions refer to making Shabbat special (sanctifying) and God's place special, wherever that place may be.

סדר הוצאת התורה The service for taking out the Torah is expanded on Shabbat and holidays when there is more time to devote to this holy act. The prayers that introduce the Torah service emphasize the greatness of God, and the miracle of Creation. In this service we recreate the giving of the Torah and acknowledge our responsibility to live by the Torah.

בריך שמה asks for compassion and recognizes our faith in God.

הפטרה is from the root פ.ט.ר. meaning "to dismiss." The Haftorah marks the end of Shacharit so the הפטרה "dismisses" the congregation from the Shacharit service. In the days of Antiochus the public reading of the Torah was forbidden. Instead, readings from the prophets were chosen to correspond to what would be the weekly Torah reading. This practice was maintained even when the public Torah readings were resumed.

The number of blessings associated with the maftir and the Haftorah is seven, corresponding to the number of aliyot on שבת. There are two Torah blessings, one more before the Haftorah and four after the Haftorah.

יהי רצון On the Shabbat that is immediately prior to ראש חודש we bless the New Moon. We do this each month except for תשרי because in Psalms 81:4 it says that the moon cannot be seen on the day the Shofar is blown. Since we blow shofar each day of אלול, the month preceding תשרי, we do not bless the New Month for Tishri. Also, everyone knows when Rosh Hashanah is and therefore a public announcement is not necessary. By blessing the New Moon we are announcing to everyone when ראש חודש will be celebrated. Most people are in synagogue on Shabbat so this is the most logical time to announce the New Moon.

מי שעשה While we were still slaves in Egypt, God established the New Moon as a symbolic "renewal" from the darkness of slavery. This was a sign that we would soon be redeemed from slavery and darkness, into freedom and light, as a free nation.

מוסף לשבת The Musaf service corresponds to the additional sacrifice brought to the Temple on Shabbat and holidays. The wealth of blessings associated with Shabbat is the theme of the Musaf service. The "double portion" of Mannah given for Shabbat is mentioned in the Midrash (תהלים צב:1) as the symbol of Shabbat. The offering brought on Shabbat was double (two lambs). The Musaf service celebrates the extra offering that was special to holidays and Shabbat.

נשמת contains a reference to the Exodus (יציאת מצרים) so it comes right after שירת הים. It does not talk about Shabbat but was put in the Shabbat service when there is enough time to recite it in a meaningful way.

שבת helps us remember Creation. The first blessing before the Shema is the יוצר אור reminding us that God created darkness and light. On Shabbat, three additional blessings are said: (אל אדון, הכל יודוך, and לאל אשר שבת), highlighting different aspects of creation.

MEDITATION BEFORE PUTTING ON A TALLIT

By wrapping myself in a טלית I am fulfilling the mitzvah written in the Torah, "They shall put fringes on the corners of their garments in every generation" (Numbers 15:38). As I spread out my טלית, I am reminded of the image of God sheltering us beneath wings, spread out like a canopy, enveloping and protecting.

The טלית is a holy garment worn by Jews. The flag of Israel took its white and blue colors from the טלית. The fringes, called ציצית, on each of the four corners, remind us of the commandments in the Torah. The ציצית are gathered together during the Shema. The ציצית are also used to touch the Torah when called up for an aliyah.

Before putting on a טלית קטן *say*

בָּרוּךְ אַתָּה יהוה אֱלֹהֵינוּ מֶלֶךְ הָעוֹלָם אֲשֶׁר קִדְּשָׁנוּ בְּמִצְוֹתָיו, עַל מִצְוַת צִיצִית.

יְהִי רָצוֹן מִלְּפָנֶיךָ, יהוה אֱלֹהַי וֵאלֹהֵי אֲבוֹתַי, שֶׁתְּהֵא חֲשׁוּבָה מִצְוַת צִיצִת לְפָנֶיךָ, כְּאִלּוּ קִיַּמְתִּיהָ בְּכָל פְּרָטֶיהָ וְדִקְדּוּקֶיהָ וְכַוָּנוֹתֶיהָ, וְתַרְיַ״ג מִצְוֹת הַתְּלוּיִם בָּהּ, אָמֵן סֶלָה.

עטיפת הטלית

Before putting on a טלית*, some people say*

בָּרְכִי נַפְשִׁי אֶת יהוה, יהוה אֱלֹהַי גָּדַלְתָּ מְּאֹד, הוֹד וְהָדָר לָבָשְׁתָּ. עֹטֶה אוֹר כַּשַּׂלְמָה, נוֹטֶה שָׁמַיִם כַּיְרִיעָה. תְּהִלִּים קד:1-2

When putting on a טלית *say*

בָּרוּךְ אַתָּה יהוה, אֱלֹהֵינוּ מֶלֶךְ הָעוֹלָם, אֲשֶׁר קִדְּשָׁנוּ בְּמִצְוֹתָיו, וְצִוָּנוּ לְהִתְעַטֵּף בַּצִּיצִת.

מַה יָּקָר חַסְדְּךָ אֱלֹהִים, וּבְנֵי אָדָם בְּצֵל כְּנָפֶיךָ יֶחֱסָיוּן: יִרְוְיֻן מִדֶּשֶׁן בֵּיתֶךָ, וְנַחַל עֲדָנֶיךָ תַשְׁקֵם: כִּי עִמְּךָ מְקוֹר חַיִּים, בְּאוֹרְךָ נִרְאֶה אוֹר: מְשֹׁךְ חַסְדְּךָ לְיֹדְעֶיךָ, וְצִדְקָתְךָ לְיִשְׁרֵי לֵב: תְּהִלִּים לו:8-11

When we enter a בית כנסת *we say*

מַה טֹּבוּ אֹהָלֶיךָ יַעֲקֹב, מִשְׁכְּנֹתֶיךָ יִשְׂרָאֵל. בְּמִדְבַּר כד:5 וַאֲנִי בְּרֹב חַסְדְּךָ אָבוֹא בֵיתֶךָ, אֶשְׁתַּחֲוֶה אֶל הֵיכַל קָדְשְׁךָ בְּיִרְאָתֶךָ. תְּהִלִּים ה:8 יהוה אָהַבְתִּי מְעוֹן בֵּיתֶךָ, וּמְקוֹם מִשְׁכַּן כְּבוֹדֶךָ.

מה טבו is the blessing that Balaam recited when he first saw the unique arrangement of the Israelite tents. Each tent was arranged to ensure the sanctity of the Jewish home. We say מה טבו when we first enter a בית כנסת to show appreciation for the beauty of our surroundings during prayer.

וַאֲנִי אֶשְׁתַּחֲוֶה וְאֶכְרָעָה, אֶבְרְכָה לִפְנֵי יהוה עֹשִׂי. וַאֲנִי, תְפִלָּתִי לְךָ יהוה, עֵת רָצוֹן, אֱלֹהִים בְּרָב חַסְדֶּךָ, עֲנֵנִי בֶּאֱמֶת יִשְׁעֶךָ. תְּהִלִּים סט:14

ברכות השחר

When we pray alone, we say all these ברכות to ourselves. When we pray with others, we say these ברכות either answering אמן to the ש״ץ or alternating ברכות with the ש״ץ

שליח ציבור\ שליחת צבור (ש״ץ)

בָּרוּךְ אַתָּה יהוה אֱלֹהֵינוּ מֶלֶךְ הָעוֹלָם, אֲשֶׁר נָתַן לַשֶּׂכְוִי בִינָה, לְהַבְחִין בֵּין יוֹם וּבֵין לָיְלָה:

בָּרוּךְ אַתָּה יהוה אֱלֹהֵינוּ מֶלֶךְ הָעוֹלָם, שֶׁעָשַׂנִי בְּצַלְמוֹ:

בָּרוּךְ אַתָּה יהוה אֱלֹהֵינוּ מֶלֶךְ הָעוֹלָם, שֶׁעָשַׂנִי בֶּן/בַּת חוֹרִין:

בָּרוּךְ אַתָּה יהוה אֱלֹהֵינוּ מֶלֶךְ הָעוֹלָם, שֶׁעָשַׂנִי יִשְׂרָאֵל:

בָּרוּךְ אַתָּה יהוה אֱלֹהֵינוּ מֶלֶךְ הָעוֹלָם, פּוֹקֵחַ עִוְרִים:

בָּרוּךְ אַתָּה יהוה אֱלֹהֵינוּ מֶלֶךְ הָעוֹלָם, מַלְבִּישׁ עֲרֻמִּים:

בָּרוּךְ אַתָּה יהוה אֱלֹהֵינוּ מֶלֶךְ הָעוֹלָם, מַתִּיר אֲסוּרִים:

בָּרוּךְ אַתָּה יהוה אֱלֹהֵינוּ מֶלֶךְ הָעוֹלָם, זוֹקֵף כְּפוּפִים:

בָּרוּךְ אַתָּה יהוה אֱלֹהֵינוּ מֶלֶךְ הָעוֹלָם, רוֹקַע הָאָרֶץ עַל הַמָּיִם:

בָּרוּךְ אַתָּה יהוה אֱלֹהֵינוּ מֶלֶךְ הָעוֹלָם, שֶׁעָשָׂה לִי כָּל צָרְכִּי:

These 15 ברכות known as the ברכות השחר were originally said at home. The ברכות were created for the specific actions of waking up and getting ready in the morning. We now recite them at the beginning of the service to bless God for the gift of a new day.

בָּרוּךְ אַתָּה יהוה אֱלֹהֵינוּ מֶלֶךְ הָעוֹלָם הַמֵּכִין מִצְעֲדֵי גָבֶר:

בָּרוּךְ אַתָּה יהוה אֱלֹהֵינוּ מֶלֶךְ הָעוֹלָם, אוֹזֵר יִשְׂרָאֵל בִּגְבוּרָה:

בָּרוּךְ אַתָּה יהוה אֱלֹהֵינוּ מֶלֶךְ הָעוֹלָם, עוֹטֵר יִשְׂרָאֵל בְּתִפְאָרָה:

בָּרוּךְ אַתָּה יהוה אֱלֹהֵינוּ מֶלֶךְ הָעוֹלָם, הַנּוֹתֵן לַיָּעֵף כֹּחַ:

Everyone continues here silently

בָּרוּךְ אַתָּה יהוה אֱלֹהֵינוּ מֶלֶךְ הָעוֹלָם, הַמַּעֲבִיר שֵׁנָה מֵעֵינָי וּתְנוּמָה מֵעַפְעַפָּי: וִיהִי רָצוֹן מִלְּפָנֶיךָ, יהוה אֱלֹהֵינוּ וֵאלֹהֵי אֲבוֹתֵינוּ, שֶׁתַּרְגִּילֵנוּ בְּתוֹרָתֶךָ וְדַבְּקֵנוּ בְּמִצְוֹתֶיךָ, וְאַל תְּבִיאֵנוּ לֹא לִידֵי חֵטְא, וְלֹא לִידֵי עֲבֵירָה וְעָוֹן, וְלֹא לִידֵי נִסָּיוֹן, וְלֹא לִידֵי בִזָּיוֹן, וְאַל תַּשְׁלֶט בָּנוּ יֵצֶר הָרָע. וְהַרְחִיקֵנוּ מֵאָדָם רָע וּמֵחָבֵר רָע. וְדַבְּקֵנוּ בְּיֵצֶר הַטּוֹב וּבְמַעֲשִׂים טוֹבִים, וְכוֹף אֶת יִצְרֵנוּ לְהִשְׁתַּעְבֶּד לָךְ. ♪ וּתְנֵנוּ הַיּוֹם, וּבְכָל יוֹם, לְחֵן וּלְחֶסֶד וּלְרַחֲמִים בְּעֵינֶיךָ, וּבְעֵינֵי כָל רוֹאֵנוּ, וְתִגְמְלֵנוּ חֲסָדִים טוֹבִים: בָּרוּךְ אַתָּה יהוה , גּוֹמֵל חֲסָדִים טוֹבִים לְעַמּוֹ יִשְׂרָאֵל: ♪

יְהִי רָצוֹן מִלְּפָנֶיךָ, יהוה אֱלֹהַי וֵאלֹהֵי אֲבוֹתַי, שֶׁתַּצִּילֵנִי הַיּוֹם וּבְכָל יוֹם מֵעַזֵּי פָנִים וּמֵעַזּוּת פָּנִים, מֵאָדָם רָע, וּמֵחָבֵר רָע, וּמִשָּׁכֵן רָע, וּמִפֶּגַע רָע, וּמִשָּׂטָן הַמַּשְׁחִית, מִדִּין קָשֶׁה וּמִבַּעַל דִּין קָשֶׁה, בֵּין שֶׁהוּא בֶן בְּרִית, וּבֵין שֶׁאֵינוֹ בֶן בְּרִית.

לְעוֹלָם יְהֵא אָדָם יְרֵא שָׁמַיִם בְּסֵתֶר, וּמוֹדֶה עַל הָאֱמֶת, וְדוֹבֵר אֱמֶת בִּלְבָבוֹ, וְיַשְׁכֵּם וְיֹאמַר:

רִבּוֹן כָּל הָעוֹלָמִים, לֹא עַל צִדְקוֹתֵינוּ, אֲנַחְנוּ מַפִּילִים תַּחֲנוּנֵינוּ לְפָנֶיךָ, כִּי עַל רַחֲמֶיךָ הָרַבִּים. מָה אֲנַחְנוּ. מֶה חַיֵּינוּ. מֶה חַסְדֵּנוּ. מַה צִּדְקוֹתֵינוּ. מַה יְּשׁוּעָתֵנוּ. מַה כֹּחֵנוּ. מַה גְּבוּרָתֵנוּ. מַה נֹּאמַר לְפָנֶיךָ, יהוה אֱלֹהֵינוּ וֵאלֹהֵי אֲבוֹתֵינוּ. הֲלֹא כָּל הַגִּבּוֹרִים כְּאַיִן לְפָנֶיךָ, וְאַנְשֵׁי הַשֵּׁם כְּלֹא הָיוּ, וַחֲכָמִים כִּבְלִי מַדָּע, וּנְבוֹנִים כִּבְלִי הַשְׂכֵּל. כִּי רוֹב מַעֲשֵׂיהֶם תֹּהוּ, וִימֵי חַיֵּיהֶם הֶבֶל לְפָנֶיךָ, וּמוֹתַר הָאָדָם מִן הַבְּהֵמָה אָיִן, כִּי הַכֹּל הָבֶל:

אֲבָל אֲנַחְנוּ עַמְּךָ, בְּנֵי בְרִיתֶךָ, בְּנֵי אַבְרָהָם אֹהַבְךָ, שֶׁנִּשְׁבַּעְתָּ לוֹ בְּהַר הַמּוֹרִיָּה, זֶרַע יִצְחָק יְחִידוֹ, שֶׁנֶּעֱקַד עַל גַּבֵּי הַמִּזְבֵּחַ, עֲדַת יַעֲקֹב בִּנְךָ בְּכוֹרֶךָ, שֶׁמֵּאַהֲבָתְךָ שֶׁאָהַבְתָּ אוֹתוֹ, וּמִשִּׂמְחָתְךָ שֶׁשָּׂמַחְתָּ בּוֹ, קָרָאתָ אֶת שְׁמוֹ יִשְׂרָאֵל וִישֻׁרוּן:

לְפִיכָךְ אֲנַחְנוּ חַיָּבִים לְהוֹדוֹת לְךָ, וּלְשַׁבֵּחֲךָ וּלְפָאֶרְךָ וּלְבָרֵךְ וּלְקַדֵּשׁ וְלָתֵת שֶׁבַח וְהוֹדָיָה לִשְׁמֶךָ: אַשְׁרֵינוּ, מַה טּוֹב חֶלְקֵנוּ, וּמַה נָּעִים גּוֹרָלֵנוּ, וּמַה יָּפָה יְרֻשָּׁתֵנוּ. אַשְׁרֵינוּ, שֶׁאֲנַחְנוּ מַשְׁכִּימִים וּמַעֲרִיבִים, עֶרֶב וָבֹקֶר, וְאוֹמְרִים פַּעֲמַיִם בְּכָל יוֹם:

שְׁמַע יִשְׂרָאֵל, יהוה אֱלֹהֵינוּ, יהוה אֶחָד: דְּבָרִים ו:4

בָּרוּךְ שֵׁם כְּבוֹד מַלְכוּתוֹ לְעוֹלָם וָעֶד. *Say quietly*

אַתָּה הוּא עַד שֶׁלֹּא נִבְרָא הָעוֹלָם, אַתָּה הוּא מִשֶּׁנִּבְרָא הָעוֹלָם, אַתָּה הוּא בָּעוֹלָם הַזֶּה, וְאַתָּה הוּא לָעוֹלָם הַבָּא. קַדֵּשׁ אֶת שִׁמְךָ עַל מַקְדִּישֵׁי שְׁמֶךָ, וְקַדֵּשׁ אֶת שִׁמְךָ בְּעוֹלָמֶךָ, וּבִישׁוּעָתְךָ תָּרִים וְתַגְבִּיהַּ קַרְנֵנוּ: בָּרוּךְ אַתָּה יהוה, מְקַדֵּשׁ אֶת שִׁמְךָ בָּרַבִּים:

פַּעַם אַחַת הָיָה רַבָּן יוֹחָנָן בֶּן זַכַּאי יוֹצֵא מִירוּשָׁלַיִם, וְהָיָה רַבִּי יְהוֹשֻׁעַ הוֹלֵךְ אַחֲרָיו וְרָאָה אֶת בֵּית הַמִּקְדָּשׁ חָרֵב. אָמַר רַבִּי יְהוֹשֻׁעַ: אוֹי לָנוּ עַל זֶה שֶׁהוּא חָרֵב, מָקוֹם שֶׁמְּכַפְּרִים בּוֹ עֲוֹנוֹתֵיהֶם שֶׁל יִשְׂרָאֵל. אָמַר לוֹ רַבָּן יוֹחָנָן: בְּנִי, אַל יֵרַע לְךָ. יֵשׁ לָנוּ כַּפָּרָה אַחֶרֶת שֶׁהִיא כְּמוֹתָהּ. וְאֵיזוֹ. גְּמִילוּת חֲסָדִים, שֶׁנֶּאֱמַר: כִּי חֶסֶד חָפַצְתִּי וְלֹא זָבַח. אָבוֹת דְּרַבִּי נָתָן, יא:ד

אָמַר רַבִּי אֶלְעָזָר: מַאי דִּכְתִיב, הִגִּיד לְךָ אָדָם מַה טּוֹב וּמָה יהוה דּוֹרֵשׁ מִמְּךָ, כִּי אִם עֲשׂוֹת מִשְׁפָּט, זֶה הַדִּין. וְאַהֲבַת חֶסֶד וְהַצְנֵעַ לֶכֶת עִם אֱלֹהֶיךָ. עֲשׂוֹת מִשְׁפָּט, זֶה הַדִּין. וְאַהֲבַת חֶסֶד, זוֹ גְּמִילוּת חֲסָדִים. וְהַצְנֵעַ לֶכֶת עִם אֱלֹהֶיךָ, זוֹ הוֹצָאַת הַמֵּת וְהַכְנָסַת כַּלָּה לַחוּפָּה. אָמַר רַבִּי אֶלְעָזָר: גָּדוֹל הָעוֹשֶׂה צְדָקָה יוֹתֵר מִכָּל הַקָּרְבָּנוֹת, שֶׁנֶּאֱמַר, עֲשֹׂה צְדָקָה וּמִשְׁפָּט נִבְחָר לַיהוה מִזָּבַח. וְאָמַר רַבִּי אֶלְעָזָר: אֵין צְדָקָה מִשְׁתַּלֶּמֶת אֶלָּא לְפִי חֶסֶד שֶׁבָּהּ, שֶׁנֶּאֱמַר, זִרְעוּ לָכֶם לִצְדָקָה וְקִצְרוּ לְפִי חֶסֶד. מַסֶּכֶת סוּכָּה מט, ע״ב

Texts from the Talmud have been included here in place of original sections on sacrifice.

Once the Temple in Jerusalem was destroyed, prayer took the place of sacrifice. Sacrifices were used to give thanks to God and ask for forgiveness from God. Today, prayer and acts of lovingkindness fulfill the role sacrifice once played.

יְהִי רָצוֹן מִלְּפָנֶיךָ, יהוה אֱלֹהֵינוּ וֵאלֹהֵי אֲבוֹתֵינוּ, שֶׁתִּתֵּן חֶלְקֵנוּ בְּתוֹרָתֶךָ, וְנִהְיֶה מִתַּלְמִידָיו שֶׁל אַהֲרֹן הַכֹּהֵן, אוֹהֵב שָׁלוֹם וְרוֹדֵף שָׁלוֹם, אוֹהֵב אֶת הַבְּרִיּוֹת וּמְקָרְבָן לַתּוֹרָה.

קדיש דרבנן

(ש״ץ) יִתְגַּדַּל וְיִתְקַדַּשׁ שְׁמֵהּ רַבָּא. בְּעָלְמָא דִּי בְרָא כִרְעוּתֵיהּ, וְיַמְלִיךְ מַלְכוּתֵהּ בְּחַיֵּיכוֹן וּבְיוֹמֵיכוֹן וּבְחַיֵּי דְכָל בֵּית יִשְׂרָאֵל, בַּעֲגָלָא וּבִזְמַן קָרִיב וְאִמְרוּ אָמֵן:

(ביחד) יְהֵא שְׁמֵהּ רַבָּא מְבָרַךְ לְעָלַם וּלְעָלְמֵי עָלְמַיָּא:

(ש״ץ) יִתְבָּרַךְ וְיִשְׁתַּבַּח וְיִתְפָּאַר וְיִתְרוֹמַם וְיִתְנַשֵּׂא וְיִתְהַדָּר וְיִתְעַלֶּה וְיִתְהַלָּל שְׁמֵהּ דְּקֻדְשָׁא (ביחד) בְּרִיךְ הוּא (ש״ץ) לְעֵלָּא (בשבת שובה לְעֵלָּא וּלְעֵלָּא מִכָּל) מִן כָּל בִּרְכָתָא וְשִׁירָתָא תֻּשְׁבְּחָתָא וְנֶחֱמָתָא דַּאֲמִירָן בְּעָלְמָא וְאִמְרוּ אָמֵן:

(ש״ץ) עַל יִשְׂרָאֵל וְעַל רַבָּנָן, וְעַל תַּלְמִידֵיהוֹן וְעַל כָּל תַּלְמִידֵי תַלְמִידֵיהוֹן, וְעַל כָּל מָאן דְּעָסְקִין בְּאוֹרַיְתָא, דִּי בְאַתְרָא הָדֵין וְדִי בְכָל אֲתַר וַאֲתַר. יְהֵא לְהוֹן וּלְכוֹן שְׁלָמָא רַבָּא, חִנָּא וְחִסְדָּא וְרַחֲמִין, וְחַיִּין אֲרִיכִין, וּמְזוֹנָא רְוִיחָא, וּפֻרְקָנָא, מִן קֳדָם אֲבוּהוֹן דִּי בִשְׁמַיָּא וְאִמְרוּ אָמֵן.

(ש״ץ) יְהֵא שְׁלָמָא רַבָּא מִן שְׁמַיָּא, וְחַיִּים טוֹבִים עָלֵינוּ וְעַל כָּל יִשְׂרָאֵל וְאִמְרוּ אָמֵן.

(ש״ץ) עֹשֶׂה שָׁלוֹם בִּמְרוֹמָיו הוּא בְּרַחֲמָיו יַעֲשֶׂה שָׁלוֹם עָלֵינוּ וְעַל כָּל יִשְׂרָאֵל, וְאִמְרוּ אָמֵן:

מִזְמוֹר שִׁיר חֲנֻכַּת הַבַּיִת לְדָוִד: אֲרוֹמִמְךָ יהוה כִּי דִלִּיתָנִי, וְלֹא שִׂמַּחְתָּ אֹיְבַי לִי: יהוה אֱלֹהָי, שִׁוַּעְתִּי אֵלֶיךָ וַתִּרְפָּאֵנִי: יהוה הֶעֱלִיתָ מִן שְׁאוֹל נַפְשִׁי, חִיִּיתַנִי מִיָּרְדִי בוֹר: זַמְּרוּ לַיהוה חֲסִידָיו, וְהוֹדוּ לְזֵכֶר קָדְשׁוֹ: כִּי רֶגַע בְּאַפּוֹ, חַיִּים בִּרְצוֹנוֹ, בָּעֶרֶב יָלִין בֶּכִי, וְלַבֹּקֶר רִנָּה: וַאֲנִי אָמַרְתִּי בְשַׁלְוִי, בַּל אֶמּוֹט לְעוֹלָם: יהוה בִּרְצוֹנְךָ הֶעֱמַדְתָּה לְהַרְרִי עֹז, הִסְתַּרְתָּ פָנֶיךָ, הָיִיתִי נִבְהָל: אֵלֶיךָ יהוה אֶקְרָא, וְאֶל אֲדֹנָי אֶתְחַנָּן: מַה בֶּצַע בְּדָמִי, בְּרִדְתִּי אֶל שָׁחַת, הֲיוֹדְךָ עָפָר הֲיַגִּיד אֲמִתֶּךָ: שְׁמַע יהוה וְחָנֵּנִי, יהוה הֱיֵה עֹזֵר לִי: הָפַכְתָּ מִסְפְּדִי לְמָחוֹל לִי, פִּתַּחְתָּ שַׂקִּי וַתְּאַזְּרֵנִי שִׂמְחָה: לְמַעַן יְזַמֶּרְךָ כָבוֹד וְלֹא יִדֹּם, יהוה אֱלֹהַי לְעוֹלָם אוֹדֶךָּ: תְּהִלִּים ל

קדיש יתום

(אבלים ואבלות) יִתְגַּדַּל וְיִתְקַדַּשׁ שְׁמֵהּ רַבָּא. בְּעָלְמָא דִּי בְרָא כִרְעוּתֵיהּ, וְיַמְלִיךְ מַלְכוּתֵיהּ בְּחַיֵּיכוֹן וּבְיוֹמֵיכוֹן וּבְחַיֵּי דְכָל בֵּית יִשְׂרָאֵל. בַּעֲגָלָא וּבִזְמַן קָרִיב וְאִמְרוּ אָמֵן:

(ביחד) יְהֵא שְׁמֵהּ רַבָּא מְבָרַךְ לְעָלַם וּלְעָלְמֵי עָלְמַיָּא:

(אבלים ואבלות) יִתְבָּרַךְ וְיִשְׁתַּבַּח וְיִתְפָּאַר וְיִתְרוֹמַם וְיִתְנַשֵּׂא וְיִתְהַדָּר וְיִתְעַלֶּה וְיִתְהַלָּל שְׁמֵהּ דְּקֻדְשָׁא (ביחד) בְּרִיךְ הוּא (אבלים ואבלות) לְעֵלָּא (בשבת שובה לְעֵלָּא וּלְעֵלָּא מִכָּל) מִן כָּל בִּרְכָתָא וְשִׁירָתָא תֻּשְׁבְּחָתָא וְנֶחֱמָתָא, דַּאֲמִירָן בְּעָלְמָא, וְאִמְרוּ אָמֵן:

In Psalm 30, we are reminded that having faith in God can help us emphasize the positive facets of our lives.

(אבלים ואבלות) יְהֵא שְׁלָמָא רַבָּא מִן שְׁמַיָּא, וְחַיִּים טוֹבִים עָלֵינוּ וְעַל כָּל יִשְׂרָאֵל וְאִמְרוּ אָמֵן.
(אבלים ואבלות) עֹשֶׂה שָׁלוֹם בִּמְרוֹמָיו הוּא יַעֲשֶׂה שָׁלוֹם עָלֵינוּ וְעַל כָּל יִשְׂרָאֵל, וְאִמְרוּ אָמֵן:

פסוקי דזמרה

בָּרוּךְ שֶׁאָמַר וְהָיָה הָעוֹלָם, בָּרוּךְ הוּא, בָּרוּךְ עֹשֶׂה בְרֵאשִׁית, בָּרוּךְ אוֹמֵר וְעוֹשֶׂה, בָּרוּךְ גּוֹזֵר וּמְקַיֵּם, בָּרוּךְ מְרַחֵם עַל הָאָרֶץ, בָּרוּךְ מְרַחֵם עַל הַבְּרִיּוֹת, בָּרוּךְ מְשַׁלֵּם שָׂכָר טוֹב לִירֵאָיו, בָּרוּךְ חַי לָעַד וְקַיָּם לָנֶצַח, בָּרוּךְ פּוֹדֶה וּמַצִּיל, בָּרוּךְ שְׁמוֹ.

בָּרוּךְ אַתָּה יהוה אֱלֹהֵינוּ מֶלֶךְ הָעוֹלָם, הָאֵל הָאָב הָרַחֲמָן, הַמְהֻלָּל בְּפִי עַמּוֹ, מְשֻׁבָּח וּמְפֹאָר בִּלְשׁוֹן חֲסִידָיו וַעֲבָדָיו, וּבְשִׁירֵי דָוִד עַבְדֶּךָ. נְהַלֶּלְךָ יהוה אֱלֹהֵינוּ בִּשְׁבָחוֹת וּבִזְמִירוֹת, וּנְגַדֶּלְךָ וּנְשַׁבֵּחֲךָ וּנְפָאֶרְךָ וְנַזְכִּיר שִׁמְךָ, וְנַמְלִיכְךָ, מַלְכֵּנוּ אֱלֹהֵינוּ, יָחִיד, חֵי הָעוֹלָמִים, מֶלֶךְ מְשֻׁבָּח וּמְפֹאָר עֲדֵי עַד שְׁמוֹ הַגָּדוֹל: בָּרוּךְ אַתָּה יהוה, מֶלֶךְ מְהֻלָּל בַּתִּשְׁבָּחוֹת:

פסוקי דזמרה (verses of song/praise) is the name of this section which leads us to the main שחרית service. "One should always first sing praises of the Holy One and then pray" (Berachot 32a).
ברוך שאמר is the introductory blessing to the פסוקי דזמרה. The concluding blessing is ישתבח.
ברוך שאמר allows us the opportunity to bless God for the actions of creation, compassion, and redemption, as were first revealed to us in the book of Genesis, and are still a part of our lives today.

הוֹדוּ לַיהוה קִרְאוּ בִשְׁמוֹ, הוֹדִיעוּ בָעַמִּים עֲלִילֹתָיו: שִׁירוּ לוֹ, זַמְּרוּ לוֹ, שִׂיחוּ בְּכָל נִפְלְאֹתָיו: הִתְהַלְלוּ בְּשֵׁם קָדְשׁוֹ, יִשְׂמַח לֵב מְבַקְשֵׁי יהוה: דִּרְשׁוּ יהוה וְעֻזּוֹ, בַּקְּשׁוּ פָנָיו תָּמִיד: זִכְרוּ נִפְלְאֹתָיו אֲשֶׁר עָשָׂה, מֹפְתָיו וּמִשְׁפְּטֵי פִיהוּ: זֶרַע יִשְׂרָאֵל עַבְדּוֹ, בְּנֵי יַעֲקֹב בְּחִירָיו: הוּא יהוה אֱלֹהֵינוּ, בְּכָל הָאָרֶץ מִשְׁפָּטָיו: זִכְרוּ לְעוֹלָם בְּרִיתוֹ, דָּבָר צִוָּה לְאֶלֶף דּוֹר: אֲשֶׁר כָּרַת אֶת אַבְרָהָם, וּשְׁבוּעָתוֹ לְיִצְחָק: וַיַּעֲמִידֶהָ לְיַעֲקֹב לְחֹק, לְיִשְׂרָאֵל בְּרִית עוֹלָם: לֵאמֹר לְךָ אֶתֵּן אֶרֶץ כְּנָעַן, חֶבֶל נַחֲלַתְכֶם: בִּהְיוֹתְכֶם מְתֵי מִסְפָּר, כִּמְעַט וְגָרִים בָּהּ: וַיִּתְהַלְּכוּ מִגּוֹי אֶל גּוֹי, וּמִמַּמְלָכָה אֶל עַם אַחֵר: לֹא הִנִּיחַ לְאִישׁ לְעָשְׁקָם, וַיּוֹכַח עֲלֵיהֶם מְלָכִים: אַל תִּגְּעוּ בִּמְשִׁיחָי, וּבִנְבִיאַי אַל תָּרֵעוּ: שִׁירוּ לַיהוה כָּל הָאָרֶץ, בַּשְּׂרוּ מִיּוֹם אֶל יוֹם יְשׁוּעָתוֹ: סַפְּרוּ בַגּוֹיִם אֶת כְּבוֹדוֹ, בְּכָל הָעַמִּים נִפְלְאֹתָיו: כִּי גָדוֹל יהוה וּמְהֻלָּל מְאֹד, וְנוֹרָא הוּא עַל כָּל אֱלֹהִים: כִּי כָּל אֱלֹהֵי הָעַמִּים אֱלִילִים. וַיהוה שָׁמַיִם עָשָׂה:

הוֹד וְהָדָר לְפָנָיו, עֹז וְחֶדְוָה בִּמְקֹמוֹ: הָבוּ לַיהוה מִשְׁפְּחוֹת עַמִּים, הָבוּ לַיהוה כָּבוֹד וָעֹז: הָבוּ לַיהוה כְּבוֹד שְׁמוֹ, שְׂאוּ מִנְחָה וּבֹאוּ לְפָנָיו, הִשְׁתַּחֲווּ לַיהוה בְּהַדְרַת קֹדֶשׁ: חִילוּ מִלְּפָנָיו כָּל הָאָרֶץ, אַף תִּכּוֹן תֵּבֵל בַּל תִּמּוֹט: יִשְׂמְחוּ הַשָּׁמַיִם וְתָגֵל הָאָרֶץ, וְיֹאמְרוּ בַגּוֹיִם יהוה מָלָךְ: יִרְעַם הַיָּם וּמְלוֹאוֹ, יַעֲלֹץ הַשָּׂדֶה וְכָל אֲשֶׁר בּוֹ: אָז יְרַנְּנוּ עֲצֵי הַיָּעַר, מִלִּפְנֵי יהוה, כִּי בָא לִשְׁפּוֹט אֶת הָאָרֶץ: הוֹדוּ לַיהוה כִּי טוֹב, כִּי לְעוֹלָם חַסְדּוֹ:

וְאִמְרוּ הוֹשִׁיעֵנוּ אֱלֹהֵי יִשְׁעֵנוּ, וְקַבְּצֵנוּ וְהַצִּילֵנוּ מִן הַגּוֹיִם, לְהוֹדוֹת לְשֵׁם קָדְשֶׁךָ, לְהִשְׁתַּבֵּחַ בִּתְהִלָּתֶךָ: בָּרוּךְ יהוה אֱלֹהֵי יִשְׂרָאֵל מִן הָעוֹלָם וְעַד הָעֹלָם, וַיֹּאמְרוּ כָל הָעָם, אָמֵן וְהַלֵּל לַיהוה: דִּבְרֵי הַיָּמִים א׳ טז:8-36

רוֹמְמוּ יהוה אֱלֹהֵינוּ, וְהִשְׁתַּחֲווּ לַהֲדֹם רַגְלָיו קָדוֹשׁ הוּא: רוֹמְמוּ יהוה אֱלֹהֵינוּ וְהִשְׁתַּחֲווּ לְהַר קָדְשׁוֹ, כִּי קָדוֹשׁ יהוה אֱלֹהֵינוּ:

וְהוּא רַחוּם, יְכַפֵּר עָוֹן, וְלֹא יַשְׁחִית, וְהִרְבָּה לְהָשִׁיב אַפּוֹ, וְלֹא יָעִיר כָּל חֲמָתוֹ: אַתָּה יהוה, לֹא תִכְלָא רַחֲמֶיךָ מִמֶּנִּי, חַסְדְּךָ וַאֲמִתְּךָ תָּמִיד יִצְּרוּנִי: זְכֹר רַחֲמֶיךָ יהוה וַחֲסָדֶיךָ, כִּי מֵעוֹלָם הֵמָּה: תְּנוּ עֹז לֵאלֹהִים, עַל יִשְׂרָאֵל גַּאֲוָתוֹ, וְעֻזּוֹ בַּשְּׁחָקִים: נוֹרָא אֱלֹהִים מִמִּקְדָּשֶׁיךָ, אֵל יִשְׂרָאֵל, הוּא נוֹתֵן עֹז וְתַעֲצֻמוֹת לָעָם, בָּרוּךְ אֱלֹהִים: אֵל נְקָמוֹת יהוה, אֵל נְקָמוֹת הוֹפִיעַ: הִנָּשֵׂא שֹׁפֵט הָאָרֶץ, הָשֵׁב גְּמוּל עַל גֵּאִים: לַיהוה הַיְשׁוּעָה, עַל עַמְּךָ בִרְכָתֶךָ סֶּלָה: יהוה צְבָאוֹת עִמָּנוּ, מִשְׂגָּב לָנוּ, אֱלֹהֵי יַעֲקֹב סֶלָה: יהוה צְבָאוֹת, אַשְׁרֵי אָדָם בֹּטֵחַ בָּךְ: יהוה הוֹשִׁיעָה, הַמֶּלֶךְ יַעֲנֵנוּ, בְיוֹם קָרְאֵנוּ:

הוֹשִׁיעָה אֶת עַמֶּךָ, וּבָרֵךְ אֶת נַחֲלָתֶךָ, וּרְעֵם וְנַשְּׂאֵם עַד הָעוֹלָם: נַפְשֵׁנוּ חִכְּתָה לַיהוה, עֶזְרֵנוּ וּמָגִנֵּנוּ הוּא: כִּי בוֹ יִשְׂמַח לִבֵּנוּ, כִּי בְשֵׁם קָדְשׁוֹ בָטָחְנוּ: יְהִי חַסְדְּךָ יהוה עָלֵינוּ, כַּאֲשֶׁר יִחַלְנוּ לָךְ: הַרְאֵנוּ יהוה חַסְדֶּךָ, וְיֶשְׁעֲךָ תִּתֶּן לָנוּ: קוּמָה עֶזְרָתָה לָּנוּ, וּפְדֵנוּ לְמַעַן חַסְדֶּךָ: אָנֹכִי יהוה אֱלֹהֶיךָ, הַמַּעַלְךָ מֵאֶרֶץ מִצְרָיִם, הַרְחֶב פִּיךָ

וַאֲמַלְאֵהוּ: אַשְׁרֵי הָעָם שֶׁכָּכָה לּוֹ, אַשְׁרֵי הָעָם שֶׁיהוה אֱלֹהָיו: וַאֲנִי בְּחַסְדְּךָ בָטַחְתִּי, יָגֵל לִבִּי בִּישׁוּעָתֶךָ, אָשִׁירָה לַיהוה, כִּי גָמַל עָלָי:

לַמְנַצֵּחַ מִזְמוֹר לְדָוִד: הַשָּׁמַיִם מְסַפְּרִים כְּבוֹד אֵל וּמַעֲשֵׂה יָדָיו מַגִּיד הָרָקִיעַ: יוֹם לְיוֹם יַבִּיעַ אֹמֶר וְלַיְלָה לְּלַיְלָה יְחַוֶּה דָּעַת: אֵין אֹמֶר וְאֵין דְּבָרִים בְּלִי נִשְׁמָע קוֹלָם: בְּכָל הָאָרֶץ יָצָא קַוָּם וּבִקְצֵה תֵבֵל מִלֵּיהֶם, לַשֶּׁמֶשׁ שָׂם אֹהֶל בָּהֶם: וְהוּא כְּחָתָן יֹצֵא מֵחֻפָּתוֹ יָשִׂישׂ כְּגִבּוֹר לָרוּץ אֹרַח: מִקְצֵה הַשָּׁמַיִם מוֹצָאוֹ וּתְקוּפָתוֹ עַל קְצוֹתָם וְאֵין נִסְתָּר מֵחַמָּתוֹ: תּוֹרַת יהוה תְּמִימָה מְשִׁיבַת נָפֶשׁ עֵדוּת יהוה נֶאֱמָנָה מַחְכִּימַת פֶּתִי: פִּקּוּדֵי יהוה יְשָׁרִים מְשַׂמְּחֵי לֵב מִצְוַת יהוה בָּרָה מְאִירַת עֵינָיִם: יִרְאַת יהוה טְהוֹרָה עוֹמֶדֶת לָעַד מִשְׁפְּטֵי יהוה אֱמֶת, צָדְקוּ יַחְדָּו: הַנֶּחֱמָדִים מִזָּהָב וּמִפַּז רָב וּמְתוּקִים מִדְּבַשׁ וְנֹפֶת צוּפִים: גַּם עַבְדְּךָ נִזְהָר בָּהֶם בְּשָׁמְרָם עֵקֶב רָב: שְׁגִיאוֹת מִי יָבִין מִנִּסְתָּרוֹת נַקֵּנִי: גַּם מִזֵּדִים חֲשׂךְ עַבְדֶּךָ אַל יִמְשְׁלוּ בִי, אָז אֵיתָם, וְנִקֵּיתִי מִפֶּשַׁע רָב: יִהְיוּ לְרָצוֹן אִמְרֵי פִי, וְהֶגְיוֹן לִבִּי לְפָנֶיךָ, יהוה צוּרִי וְגוֹאֲלִי: תְּהִלִּים יט

לְדָוִד בְּשַׁנּוֹתוֹ אֶת טַעְמוֹ לִפְנֵי אֲבִימֶלֶךְ, וַיְגָרְשֵׁהוּ וַיֵּלַךְ:
אֲבָרְכָה אֶת יהוה בְּכָל עֵת, תָּמִיד תְּהִלָּתוֹ בְּפִי:
בַּיהוה תִּתְהַלֵּל נַפְשִׁי, יִשְׁמְעוּ עֲנָוִים וְיִשְׂמָחוּ:
גַּדְּלוּ לַיהוה אִתִּי וּנְרוֹמְמָה שְׁמוֹ יַחְדָּו:
דָּרַשְׁתִּי אֶת יהוה וְעָנָנִי וּמִכָּל מְגוּרוֹתַי הִצִּילָנִי:

הִבִּיטוּ אֵלָיו וְנָהָרוּ, וּפְנֵיהֶם אַל יֶחְפָּרוּ:
זֶה עָנִי קָרָא וַיהוה שָׁמֵעַ, וּמִכָּל צָרוֹתָיו הוֹשִׁיעוֹ:
חֹנֶה מַלְאַךְ יהוה סָבִיב לִירֵאָיו וַיְחַלְּצֵם:
טַעֲמוּ וּרְאוּ כִּי טוֹב יהוה, אַשְׁרֵי הַגֶּבֶר יֶחֱסֶה בּוֹ:
יְראוּ אֶת יהוה קְדֹשָׁיו כִּי אֵין מַחְסוֹר לִירֵאָיו:
כְּפִירִים רָשׁוּ וְרָעֵבוּ וְדֹרְשֵׁי יהוה לֹא יַחְסְרוּ כָל טוֹב:
לְכוּ בָנִים שִׁמְעוּ לִי, יִרְאַת יהוה אֲלַמֶּדְכֶם:
מִי הָאִישׁ הֶחָפֵץ חַיִּים, אֹהֵב יָמִים לִרְאוֹת טוֹב:
נְצֹר לְשׁוֹנְךָ מֵרָע וּשְׂפָתֶיךָ מִדַּבֵּר מִרְמָה:
סוּר מֵרָע וַעֲשֵׂה טוֹב, בַּקֵּשׁ שָׁלוֹם וְרָדְפֵהוּ:
עֵינֵי יהוה אֶל צַדִּיקִים, וְאָזְנָיו אֶל שַׁוְעָתָם:
פְּנֵי יהוה בְּעֹשֵׂי רָע, לְהַכְרִית מֵאֶרֶץ זִכְרָם:
צָעֲקוּ וַיהוה שָׁמֵעַ וּמִכָּל צָרוֹתָם הִצִּילָם:
קָרוֹב יהוה לְנִשְׁבְּרֵי לֵב, וְאֶת דַּכְּאֵי רוּחַ יוֹשִׁיעַ:
רַבּוֹת רָעוֹת צַדִּיק וּמִכֻּלָּם יַצִּילֶנּוּ יהוה:
שֹׁמֵר כָּל עַצְמוֹתָיו, אַחַת מֵהֵנָּה לֹא נִשְׁבָּרָה:
תְּמוֹתֵת רָשָׁע רָעָה, וְשֹׂנְאֵי צַדִּיק יֶאְשָׁמוּ:
פּוֹדֶה יהוה נֶפֶשׁ עֲבָדָיו, וְלֹא יֶאְשְׁמוּ כָּל הַחֹסִים בּוֹ:

תְּהִלִּים לד

תְּפִלָּה לְמֹשֶׁה אִישׁ הָאֱלֹהִים, אֲדֹנָי מָעוֹן אַתָּה הָיִיתָ לָּנוּ בְּדֹר וָדֹר: בְּטֶרֶם הָרִים יֻלָּדוּ וַתְּחוֹלֵל אֶרֶץ וְתֵבֵל, וּמֵעוֹלָם עַד עוֹלָם אַתָּה אֵל: תָּשֵׁב אֱנוֹשׁ עַד דַּכָּא, וַתֹּאמֶר שׁוּבוּ בְנֵי אָדָם: כִּי אֶלֶף שָׁנִים בְּעֵינֶיךָ כְּיוֹם אֶתְמוֹל כִּי יַעֲבֹר וְאַשְׁמוּרָה בַלָּיְלָה: זְרַמְתָּם, שֵׁנָה יִהְיוּ, בַּבֹּקֶר כֶּחָצִיר יַחֲלֹף: בַּבֹּקֶר יָצִיץ וְחָלָף לָעֶרֶב יְמוֹלֵל

וְיָבֵשׁ: כִּי כָלִינוּ בְאַפֶּךָ וּבַחֲמָתְךָ נִבְהָלְנוּ: שַׁתָּ עֲוֹנֹתֵינוּ לְנֶגְדֶּךָ עֲלֻמֵנוּ לִמְאוֹר פָּנֶיךָ: כִּי כָל יָמֵינוּ פָּנוּ בְעֶבְרָתֶךָ כִּלִּינוּ שָׁנֵינוּ כְמוֹ הֶגֶה: יְמֵי שְׁנוֹתֵינוּ בָהֶם שִׁבְעִים שָׁנָה, וְאִם בִּגְבוּרֹת שְׁמוֹנִים שָׁנָה, וְרָהְבָּם עָמָל וָאָוֶן, כִּי גָז חִישׁ וַנָּעֻפָה: מִי יוֹדֵעַ עֹז אַפֶּךָ, וּכְיִרְאָתְךָ עֶבְרָתֶךָ: לִמְנוֹת יָמֵינוּ כֵּן הוֹדַע וְנָבִא לְבַב חָכְמָה: שׁוּבָה יהוה עַד מָתָי וְהִנָּחֵם עַל עֲבָדֶיךָ: שַׂבְּעֵנוּ בַבֹּקֶר חַסְדֶּךָ, וּנְרַנְּנָה וְנִשְׂמְחָה בְּכָל יָמֵינוּ: שַׂמְּחֵנוּ כִּימוֹת עִנִּיתָנוּ שְׁנוֹת רָאִינוּ רָעָה: יֵרָאֶה אֶל עֲבָדֶיךָ פָעֳלֶךָ וַהֲדָרְךָ עַל בְּנֵיהֶם: וִיהִי נֹעַם אֲדֹנָי אֱלֹהֵינוּ עָלֵינוּ, וּמַעֲשֵׂה יָדֵינוּ כּוֹנְנָה עָלֵינוּ, וּמַעֲשֵׂה יָדֵינוּ כּוֹנְנֵהוּ: תְּהִלִּים צ

יֹשֵׁב בְּסֵתֶר עֶלְיוֹן, בְּצֵל שַׁדַּי יִתְלוֹנָן. אֹמַר לַיהוה, מַחְסִי וּמְצוּדָתִי, אֱלֹהַי אֶבְטַח בּוֹ. כִּי הוּא יַצִּילְךָ מִפַּח יָקוּשׁ, מִדֶּבֶר הַוּוֹת. בְּאֶבְרָתוֹ יָסֶךְ לָךְ, וְתַחַת כְּנָפָיו תֶּחְסֶה, צִנָּה וְסֹחֵרָה אֲמִתּוֹ. לֹא תִירָא מִפַּחַד לָיְלָה, מֵחֵץ יָעוּף יוֹמָם. מִדֶּבֶר בָּאֹפֶל יַהֲלֹךְ, מִקֶּטֶב יָשׁוּד צָהֳרָיִם. יִפֹּל מִצִּדְּךָ אֶלֶף, וּרְבָבָה מִימִינֶךָ, אֵלֶיךָ לֹא יִגָּשׁ. רַק בְּעֵינֶיךָ תַבִּיט, וְשִׁלֻּמַת רְשָׁעִים תִּרְאֶה. כִּי אַתָּה יהוה מַחְסִי, עֶלְיוֹן שַׂמְתָּ מְעוֹנֶךָ. לֹא תְאֻנֶּה אֵלֶיךָ רָעָה, וְנֶגַע לֹא יִקְרַב בְּאָהֳלֶךָ. כִּי מַלְאָכָיו יְצַוֶּה לָּךְ, לִשְׁמָרְךָ בְּכָל דְּרָכֶיךָ. עַל כַּפַּיִם יִשָּׂאוּנְךָ, פֶּן תִּגֹּף בָּאֶבֶן רַגְלֶךָ. עַל שַׁחַל וָפֶתֶן תִּדְרֹךְ, תִּרְמֹס כְּפִיר וְתַנִּין. כִּי בִי חָשַׁק וַאֲפַלְּטֵהוּ, אֲשַׂגְּבֵהוּ, כִּי יָדַע שְׁמִי. יִקְרָאֵנִי וְאֶעֱנֵהוּ, עִמּוֹ

אָנֹכִי בְצָרָה, אֲחַלְּצֵהוּ וַאֲכַבְּדֵהוּ. אֹרֶךְ יָמִים אַשְׂבִּיעֵהוּ, וְאַרְאֵהוּ בִּישׁוּעָתִי. אֹרֶךְ יָמִים אַשְׂבִּיעֵהוּ, וְאַרְאֵהוּ בִּישׁוּעָתִי. תְּהִלִּים צא

הַלְלוּיָהּ הַלְלוּ אֶת שֵׁם יהוה, הַלְלוּ עַבְדֵי יהוה: שֶׁעֹמְדִים בְּבֵית יהוה, בְּחַצְרוֹת בֵּית אֱלֹהֵינוּ: הַלְלוּיָהּ כִּי טוֹב יהוה, זַמְּרוּ לִשְׁמוֹ כִּי נָעִים: כִּי יַעֲקֹב בָּחַר לוֹ יָהּ יִשְׂרָאֵל לִסְגֻלָּתוֹ: כִּי אֲנִי יָדַעְתִּי כִּי גָדוֹל יהוה, וַאֲדֹנֵינוּ מִכָּל אֱלֹהִים: כֹּל אֲשֶׁר חָפֵץ יהוה עָשָׂה, בַּשָּׁמַיִם וּבָאָרֶץ בַּיַּמִּים וְכָל תְּהֹמוֹת: מַעֲלֶה נְשִׂאִים מִקְצֵה הָאָרֶץ, בְּרָקִים לַמָּטָר עָשָׂה, מוֹצֵא רוּחַ מֵאוֹצְרוֹתָיו: שֶׁהִכָּה בְּכוֹרֵי מִצְרָיִם, מֵאָדָם עַד בְּהֵמָה: שָׁלַח אוֹתֹת וּמֹפְתִים בְּתוֹכֵכִי מִצְרָיִם, בְּפַרְעֹה וּבְכָל עֲבָדָיו: שֶׁהִכָּה גּוֹיִם רַבִּים, וְהָרַג מְלָכִים עֲצוּמִים: לְסִיחוֹן מֶלֶךְ הָאֱמֹרִי, וּלְעוֹג מֶלֶךְ הַבָּשָׁן, וּלְכֹל מַמְלְכוֹת כְּנָעַן: וְנָתַן אַרְצָם נַחֲלָה, נַחֲלָה לְיִשְׂרָאֵל עַמּוֹ: יהוה שִׁמְךָ לְעוֹלָם, יהוה זִכְרְךָ לְדֹר וָדֹר: כִּי יָדִין יהוה עַמּוֹ וְעַל עֲבָדָיו יִתְנֶחָם: עֲצַבֵּי הַגּוֹיִם כֶּסֶף וְזָהָב, מַעֲשֵׂה יְדֵי אָדָם: פֶּה לָהֶם וְלֹא יְדַבֵּרוּ, עֵינַיִם לָהֶם וְלֹא יִרְאוּ: אָזְנַיִם לָהֶם וְלֹא יַאֲזִינוּ, אַף אֵין יֶשׁ רוּחַ בְּפִיהֶם: כְּמוֹהֶם יִהְיוּ עֹשֵׂיהֶם, כֹּל אֲשֶׁר בֹּטֵחַ בָּהֶם: בֵּית יִשְׂרָאֵל בָּרְכוּ אֶת יהוה, בֵּית אַהֲרֹן בָּרְכוּ אֶת יהוה: בֵּית הַלֵּוִי בָּרְכוּ אֶת יהוה, יִרְאֵי יהוה בָּרְכוּ אֶת יהוה: בָּרוּךְ יהוה מִצִּיּוֹן שֹׁכֵן יְרוּשָׁלָיִם, הַלְלוּיָהּ: תְּהִלִּים קלה

הוֹדוּ לַיהוה כִּי טוֹב, כִּי לְעוֹלָם חַסְדּוֹ:
הוֹדוּ לֵאלֹהֵי הָאֱלֹהִים, כִּי לְעוֹלָם חַסְדּוֹ:
הוֹדוּ לַאֲדֹנֵי הָאֲדֹנִים, כִּי לְעוֹלָם חַסְדּוֹ:
לְעֹשֵׂה נִפְלָאוֹת גְּדֹלוֹת לְבַדּוֹ, כִּי לְעוֹלָם חַסְדּוֹ:
לְעֹשֵׂה הַשָּׁמַיִם בִּתְבוּנָה, כִּי לְעוֹלָם חַסְדּוֹ:
לְרוֹקַע הָאָרֶץ עַל הַמָּיִם, כִּי לְעוֹלָם חַסְדּוֹ:
לְעֹשֵׂה אוֹרִים גְּדֹלִים, כִּי לְעוֹלָם חַסְדּוֹ:
אֶת הַשֶּׁמֶשׁ לְמֶמְשֶׁלֶת בַּיּוֹם, כִּי לְעוֹלָם חַסְדּוֹ:
אֶת הַיָּרֵחַ וְכוֹכָבִים
לְמֶמְשְׁלוֹת בַּלָּיְלָה, כִּי לְעוֹלָם חַסְדּוֹ:
לְמַכֵּה מִצְרַיִם בִּבְכוֹרֵיהֶם, כִּי לְעוֹלָם חַסְדּוֹ:
וַיּוֹצֵא יִשְׂרָאֵל מִתּוֹכָם, כִּי לְעוֹלָם חַסְדּוֹ:
בְּיָד חֲזָקָה וּבִזְרוֹעַ נְטוּיָה, כִּי לְעוֹלָם חַסְדּוֹ:
לְגֹזֵר יַם סוּף לִגְזָרִים, כִּי לְעוֹלָם חַסְדּוֹ:
וְהֶעֱבִיר יִשְׂרָאֵל בְּתוֹכוֹ, כִּי לְעוֹלָם חַסְדּוֹ:
וְנִעֵר פַּרְעֹה וְחֵילוֹ בְיַם סוּף, כִּי לְעוֹלָם חַסְדּוֹ:
לְמוֹלִיךְ עַמּוֹ בַּמִּדְבָּר, כִּי לְעוֹלָם חַסְדּוֹ:
לְמַכֵּה מְלָכִים גְּדֹלִים, כִּי לְעוֹלָם חַסְדּוֹ:
וַיַּהֲרֹג מְלָכִים אַדִּירִים, כִּי לְעוֹלָם חַסְדּוֹ:
לְסִיחוֹן מֶלֶךְ הָאֱמֹרִי, כִּי לְעוֹלָם חַסְדּוֹ:
וּלְעוֹג מֶלֶךְ הַבָּשָׁן, כִּי לְעוֹלָם חַסְדּוֹ:
וְנָתַן אַרְצָם לְנַחֲלָה, כִּי לְעוֹלָם חַסְדּוֹ:

נַחֲלָה לְיִשְׂרָאֵל עַבְדּוֹ, כִּי לְעוֹלָם חַסְדּוֹ:
שֶׁבְּשִׁפְלֵנוּ זָכַר לָנוּ, כִּי לְעוֹלָם חַסְדּוֹ:
וַיִּפְרְקֵנוּ מִצָּרֵינוּ, כִּי לְעוֹלָם חַסְדּוֹ:
נוֹתֵן לֶחֶם לְכָל בָּשָׂר, כִּי לְעוֹלָם חַסְדּוֹ:
הוֹדוּ לְאֵל הַשָּׁמָיִם, כִּי לְעוֹלָם חַסְדּוֹ:

תְּהִלִּים קלו: הַלֵּל הַגָּדוֹל

רַנְּנוּ צַדִּיקִים בַּיהוה, לַיְשָׁרִים נָאוָה תְהִלָּה: הוֹדוּ לַיהוה בְּכִנּוֹר, בְּנֵבֶל עָשׂוֹר זַמְּרוּ לוֹ: שִׁירוּ לוֹ שִׁיר חָדָשׁ הֵיטִיבוּ נַגֵּן בִּתְרוּעָה: כִּי יָשָׁר דְּבַר יהוה, וְכָל מַעֲשֵׂהוּ בֶּאֱמוּנָה: אֹהֵב צְדָקָה וּמִשְׁפָּט, חֶסֶד יהוה מָלְאָה הָאָרֶץ: בִּדְבַר יהוה שָׁמַיִם נַעֲשׂוּ, וּבְרוּחַ פִּיו כָּל צְבָאָם: כֹּנֵס כַּנֵּד מֵי הַיָּם, נֹתֵן בְּאוֹצָרוֹת תְּהוֹמוֹת: יִירְאוּ מֵיהוה כָּל הָאָרֶץ, מִמֶּנּוּ יָגוּרוּ כָּל יֹשְׁבֵי תֵבֵל: כִּי הוּא אָמַר וַיֶּהִי הוּא צִוָּה וַיַּעֲמֹד: יהוה הֵפִיר עֲצַת גּוֹיִם, הֵנִיא מַחְשְׁבוֹת עַמִּים: עֲצַת יהוה לְעוֹלָם תַּעֲמֹד מַחְשְׁבוֹת לִבּוֹ לְדֹר וָדֹר: אַשְׁרֵי הַגּוֹי אֲשֶׁר יהוה אֱלֹהָיו, הָעָם בָּחַר לְנַחֲלָה לוֹ: מִשָּׁמַיִם הִבִּיט יהוה, רָאָה אֶת כָּל בְּנֵי הָאָדָם: מִמְּכוֹן שִׁבְתּוֹ הִשְׁגִּיחַ, אֶל כָּל יוֹשְׁבֵי הָאָרֶץ: הַיּוֹצֵר יַחַד לִבָּם, הַמֵּבִין אֶל כָּל מַעֲשֵׂיהֶם: אֵין הַמֶּלֶךְ נוֹשָׁע בְּרָב חָיִל, גִּבּוֹר לֹא יִנָּצֵל בְּרָב כֹּחַ: שֶׁקֶר הַסּוּס לִתְשׁוּעָה, וּבְרֹב חֵילוֹ לֹא יְמַלֵּט: הִנֵּה עֵין יהוה אֶל יְרֵאָיו, לַמְיַחֲלִים לְחַסְדּוֹ: לְהַצִּיל מִמָּוֶת נַפְשָׁם,

וּלְחַיּוֹתָם בָּרָעָב: נַפְשֵׁנוּ חִכְּתָה לַיהוה, עֶזְרֵנוּ וּמָגִנֵּנוּ הוּא: כִּי בוֹ יִשְׂמַח לִבֵּנוּ כִּי בְשֵׁם קָדְשׁוֹ בָטָחְנוּ: יְהִי חַסְדְּךָ יהוה עָלֵינוּ כַּאֲשֶׁר יִחַלְנוּ לָךְ: תְּהִלִּים לג

מִזְמוֹר שִׁיר לְיוֹם הַשַּׁבָּת: טוֹב לְהֹדוֹת לַיהוה, וּלְזַמֵּר לְשִׁמְךָ עֶלְיוֹן: לְהַגִּיד בַּבֹּקֶר חַסְדֶּךָ וֶאֱמוּנָתְךָ בַּלֵּילוֹת: עֲלֵי עָשׂוֹר וַעֲלֵי נָבֶל, עֲלֵי הִגָּיוֹן בְּכִנּוֹר: כִּי שִׂמַּחְתַּנִי יהוה בְּפָעֳלֶךָ בְּמַעֲשֵׂי יָדֶיךָ אֲרַנֵּן: מַה גָּדְלוּ מַעֲשֶׂיךָ יהוה, מְאֹד עָמְקוּ מַחְשְׁבֹתֶיךָ: אִישׁ בַּעַר לֹא יֵדָע, וּכְסִיל לֹא יָבִין אֶת זֹאת: בִּפְרֹחַ רְשָׁעִים כְּמוֹ עֵשֶׂב וַיָּצִיצוּ כָּל פֹּעֲלֵי אָוֶן, לְהִשָּׁמְדָם עֲדֵי עַד: וְאַתָּה מָרוֹם לְעֹלָם יהוה: כִּי הִנֵּה אֹיְבֶיךָ יהוה, כִּי הִנֵּה אֹיְבֶיךָ יֹאבֵדוּ יִתְפָּרְדוּ כָּל פֹּעֲלֵי אָוֶן: וַתָּרֶם כִּרְאֵים קַרְנִי, בַּלֹּתִי בְּשֶׁמֶן רַעֲנָן: וַתַּבֵּט עֵינִי בְּשׁוּרָי, בַּקָּמִים עָלַי מְרֵעִים, תִּשְׁמַעְנָה אָזְנָי: צַדִּיק כַּתָּמָר יִפְרָח, כְּאֶרֶז בַּלְּבָנוֹן יִשְׂגֶּה: שְׁתוּלִים בְּבֵית יהוה, בְּחַצְרוֹת אֱלֹהֵינוּ יַפְרִיחוּ: עוֹד יְנוּבוּן בְּשֵׂיבָה, דְּשֵׁנִים וְרַעֲנַנִּים יִהְיוּ: לְהַגִּיד כִּי יָשָׁר יהוה, צוּרִי וְלֹא עַוְלָתָה בּוֹ: תְּהִלִּים צב

יהוה מָלָךְ גֵּאוּת לָבֵשׁ, לָבֵשׁ יהוה עֹז הִתְאַזָּר, אַף תִּכּוֹן תֵּבֵל בַּל תִּמּוֹט: נָכוֹן כִּסְאֲךָ מֵאָז, מֵעוֹלָם אָתָּה: נָשְׂאוּ נְהָרוֹת יהוה, נָשְׂאוּ נְהָרוֹת קוֹלָם, יִשְׂאוּ נְהָרוֹת דָּכְיָם: מִקֹּלוֹת מַיִם רַבִּים, אַדִּירִים מִשְׁבְּרֵי יָם, אַדִּיר בַּמָּרוֹם יהוה: עֵדֹתֶיךָ נֶאֶמְנוּ מְאֹד לְבֵיתְךָ נַאֲוָה קֹדֶשׁ, יהוה, לְאֹרֶךְ יָמִים: תְּהִלִּים צג

יְהִי כְבוֹד יהוה לְעוֹלָם, יִשְׂמַח יהוה בְּמַעֲשָׂיו: יְהִי שֵׁם יהוה מְבֹרָךְ, מֵעַתָּה וְעַד עוֹלָם: מִמִּזְרַח שֶׁמֶשׁ עַד מְבוֹאוֹ, מְהֻלָּל שֵׁם יהוה: רָם עַל כָּל גּוֹיִם יהוה, עַל הַשָּׁמַיִם כְּבוֹדוֹ: יהוה שִׁמְךָ לְעוֹלָם, יהוה זִכְרְךָ לְדֹר וָדֹר: יהוה בַּשָּׁמַיִם הֵכִין כִּסְאוֹ, וּמַלְכוּתוֹ בַּכֹּל מָשָׁלָה: יִשְׂמְחוּ הַשָּׁמַיִם וְתָגֵל הָאָרֶץ, וְיֹאמְרוּ בַגּוֹיִם יהוה מָלָךְ: יהוה מֶלֶךְ, יהוה מָלָךְ, יהוה יִמְלֹךְ לְעֹלָם וָעֶד: יהוה מֶלֶךְ עוֹלָם וָעֶד, אָבְדוּ גוֹיִם מֵאַרְצוֹ: יהוה הֵפִיר עֲצַת גּוֹיִם, הֵנִיא מַחְשְׁבוֹת עַמִּים: רַבּוֹת מַחֲשָׁבוֹת בְּלֶב אִישׁ, וַעֲצַת יהוה הִיא תָקוּם: עֲצַת יהוה לְעוֹלָם תַּעֲמֹד, מַחְשְׁבוֹת לִבּוֹ לְדֹר וָדֹר: כִּי הוּא אָמַר וַיֶּהִי, הוּא צִוָּה וַיַּעֲמֹד: כִּי בָחַר יהוה בְּצִיּוֹן, אִוָּהּ לְמוֹשָׁב לוֹ: כִּי יַעֲקֹב בָּחַר לוֹ יָהּ, יִשְׂרָאֵל לִסְגֻלָּתוֹ: כִּי לֹא יִטֹּשׁ יהוה עַמּוֹ, וְנַחֲלָתוֹ לֹא יַעֲזֹב: וְהוּא רַחוּם יְכַפֵּר עָוֹן וְלֹא יַשְׁחִית, וְהִרְבָּה לְהָשִׁיב אַפּוֹ, וְלֹא יָעִיר כָּל חֲמָתוֹ: יהוה הוֹשִׁיעָה, הַמֶּלֶךְ יַעֲנֵנוּ בְיוֹם קָרְאֵנוּ:

אַשְׁרֵי יוֹשְׁבֵי בֵיתֶךָ, עוֹד יְהַלְלוּךָ סֶּלָה: תְּהִלִּים פד:5
אַשְׁרֵי הָעָם שֶׁכָּכָה לּוֹ, אַשְׁרֵי הָעָם שֶׁיהוה אֱלֹהָיו:
תְּהִלִּים קמד:15

תְּהִלָּה לְדָוִד,
אֲרוֹמִמְךָ אֱלוֹהַי הַמֶּלֶךְ, וַאֲבָרְכָה שִׁמְךָ לְעוֹלָם וָעֶד:
בְּכָל יוֹם אֲבָרְכֶךָּ, וַאֲהַלְלָה שִׁמְךָ לְעוֹלָם וָעֶד:

For notes on אשרי, see p. 16.

גָּדוֹל יהוה וּמְהֻלָּל מְאֹד, וְלִגְדֻלָּתוֹ אֵין חֵקֶר:
דוֹר לְדוֹר יְשַׁבַּח מַעֲשֶׂיךָ, וּגְבוּרֹתֶיךָ יַגִּידוּ:
הֲדַר כְּבוֹד הוֹדֶךָ, וְדִבְרֵי נִפְלְאֹתֶיךָ אָשִׂיחָה:
וֶעֱזוּז נוֹרְאוֹתֶיךָ יֹאמֵרוּ וּגְדֻלָּתְךָ אֲסַפְּרֶנָּה:
זֵכֶר רַב טוּבְךָ יַבִּיעוּ, וְצִדְקָתְךָ יְרַנֵּנוּ:
חַנּוּן וְרַחוּם יהוה, אֶרֶךְ אַפַּיִם וּגְדָל חָסֶד:
טוֹב יהוה לַכֹּל, וְרַחֲמָיו עַל כָּל מַעֲשָׂיו:
יוֹדוּךָ יהוה כָּל מַעֲשֶׂיךָ, וַחֲסִידֶיךָ יְבָרְכוּכָה:
כְּבוֹד מַלְכוּתְךָ יֹאמֵרוּ, וּגְבוּרָתְךָ יְדַבֵּרוּ:
לְהוֹדִיעַ לִבְנֵי הָאָדָם גְּבוּרֹתָיו, וּכְבוֹד הֲדַר מַלְכוּתוֹ:
מַלְכוּתְךָ מַלְכוּת כָּל עֹלָמִים, וּמֶמְשַׁלְתְּךָ בְּכָל דּוֹר וָדֹר:
סוֹמֵךְ יהוה לְכָל הַנֹּפְלִים, וְזוֹקֵף לְכָל הַכְּפוּפִים:
עֵינֵי כֹל אֵלֶיךָ יְשַׂבֵּרוּ, וְאַתָּה נוֹתֵן לָהֶם אֶת אָכְלָם בְּעִתּוֹ:
פּוֹתֵחַ אֶת יָדֶךָ, וּמַשְׂבִּיעַ לְכָל חַי רָצוֹן:
צַדִּיק יהוה בְּכָל דְּרָכָיו, וְחָסִיד בְּכָל מַעֲשָׂיו:
קָרוֹב יהוה לְכָל קֹרְאָיו, לְכֹל אֲשֶׁר יִקְרָאֻהוּ בֶאֱמֶת:
רְצוֹן יְרֵאָיו יַעֲשֶׂה, וְאֶת שַׁוְעָתָם יִשְׁמַע וְיוֹשִׁיעֵם:
שׁוֹמֵר יהוה אֶת כָּל אֹהֲבָיו, וְאֵת כָּל הָרְשָׁעִים יַשְׁמִיד:
תְּהִלַּת יהוה יְדַבֶּר פִּי, וִיבָרֵךְ כָּל בָּשָׂר שֵׁם קָדְשׁוֹ, לְעוֹלָם וָעֶד: תְּהִלִּים קמה
וַאֲנַחְנוּ נְבָרֵךְ יָהּ, מֵעַתָּה וְעַד עוֹלָם, הַלְלוּיָהּ: תְּהִלִּים קטו:18

הַלְלוּיָהּ, הַלְלִי נַפְשִׁי אֶת יהוה: אֲהַלְלָה יהוה בְּחַיָּי,
אֲזַמְּרָה לֵאלֹהַי בְּעוֹדִי: אַל תִּבְטְחוּ בִנְדִיבִים, בְּבֶן אָדָם,

שֶׁאֵין לוֹ תְשׁוּעָה: תֵּצֵא רוּחוֹ יָשֻׁב לְאַדְמָתוֹ, בַּיּוֹם הַהוּא, אָבְדוּ עֶשְׁתֹּנֹתָיו: אַשְׁרֵי שֶׁאֵל יַעֲקֹב בְּעֶזְרוֹ, שִׂבְרוֹ עַל יהוה אֱלֹהָיו: עֹשֶׂה שָׁמַיִם וָאָרֶץ, אֶת הַיָּם וְאֶת כָּל אֲשֶׁר בָּם, הַשֹּׁמֵר אֱמֶת לְעוֹלָם: עֹשֶׂה מִשְׁפָּט לַעֲשׁוּקִים, נֹתֵן לֶחֶם לָרְעֵבִים, יהוה מַתִּיר אֲסוּרִים: יהוה פֹּקֵחַ עִוְרִים, יהוה זֹקֵף כְּפוּפִים, יהוה אֹהֵב צַדִּיקִים: יהוה שֹׁמֵר אֶת גֵּרִים, יָתוֹם וְאַלְמָנָה יְעוֹדֵד, וְדֶרֶךְ רְשָׁעִים יְעַוֵּת: יִמְלֹךְ יהוה לְעוֹלָם, אֱלֹהַיִךְ צִיּוֹן לְדֹר וָדֹר הַלְלוּיָהּ: תְּהִלִּים קמו

הַלְלוּיָהּ: כִּי טוֹב זַמְּרָה אֱלֹהֵינוּ, כִּי נָעִים נָאוָה תְהִלָּה: בּוֹנֵה יְרוּשָׁלַיִם יהוה, נִדְחֵי יִשְׂרָאֵל יְכַנֵּס: הָרֹפֵא לִשְׁבוּרֵי לֵב, וּמְחַבֵּשׁ לְעַצְּבוֹתָם: מוֹנֶה מִסְפָּר לַכּוֹכָבִים לְכֻלָּם שֵׁמוֹת יִקְרָא: גָּדוֹל אֲדוֹנֵינוּ וְרַב כֹּחַ, לִתְבוּנָתוֹ אֵין מִסְפָּר: מְעוֹדֵד עֲנָוִים יהוה, מַשְׁפִּיל רְשָׁעִים עֲדֵי אָרֶץ: עֱנוּ לַיהוה בְּתוֹדָה, זַמְּרוּ לֵאלֹהֵינוּ בְכִנּוֹר: הַמְכַסֶּה שָׁמַיִם בְּעָבִים, הַמֵּכִין לָאָרֶץ מָטָר הַמַּצְמִיחַ הָרִים חָצִיר: נוֹתֵן לִבְהֵמָה לַחְמָהּ, לִבְנֵי עֹרֵב אֲשֶׁר יִקְרָאוּ: לֹא בִגְבוּרַת הַסּוּס יֶחְפָּץ, לֹא בְשׁוֹקֵי הָאִישׁ יִרְצֶה: רוֹצֶה יהוה אֶת יְרֵאָיו, אֶת הַמְיַחֲלִים לְחַסְדּוֹ: שַׁבְּחִי יְרוּשָׁלַיִם אֶת יהוה, הַלְלִי אֱלֹהַיִךְ צִיּוֹן: כִּי חִזַּק בְּרִיחֵי שְׁעָרָיִךְ, בֵּרַךְ בָּנַיִךְ בְּקִרְבֵּךְ: הַשָּׂם גְּבוּלֵךְ שָׁלוֹם, חֵלֶב חִטִּים יַשְׂבִּיעֵךְ: הַשֹּׁלֵחַ אִמְרָתוֹ אָרֶץ, עַד מְהֵרָה יָרוּץ דְּבָרוֹ: הַנֹּתֵן שֶׁלֶג כַּצָּמֶר, כְּפוֹר כָּאֵפֶר יְפַזֵּר: מַשְׁלִיךְ קַרְחוֹ כְפִתִּים, לִפְנֵי קָרָתוֹ מִי יַעֲמֹד: יִשְׁלַח דְּבָרוֹ וְיַמְסֵם,

---

Psalm 146 talks about putting one's trust in God.

יַשֵּׁב רוּחוֹ יִזְּלוּ מָיִם: מַגִּיד דְּבָרָיו לְיַעֲקֹב, חֻקָּיו וּמִשְׁפָּטָיו לְיִשְׂרָאֵל: לֹא עָשָׂה כֵן לְכָל גּוֹי, וּמִשְׁפָּטִים בַּל יְדָעוּם, הַלְלוּיָהּ: תְּהִלִּים קמז

הַלְלוּיָהּ, הַלְלוּ אֶת יהוה מִן הַשָּׁמַיִם הַלְלוּהוּ בַּמְּרוֹמִים: הַלְלוּהוּ כָל מַלְאָכָיו, הַלְלוּהוּ כָּל צְבָאָיו: הַלְלוּהוּ שֶׁמֶשׁ וְיָרֵחַ, הַלְלוּהוּ כָּל כּוֹכְבֵי אוֹר: הַלְלוּהוּ שְׁמֵי הַשָּׁמָיִם, וְהַמַּיִם אֲשֶׁר מֵעַל הַשָּׁמָיִם: יְהַלְלוּ אֶת שֵׁם יהוה, כִּי הוּא צִוָּה וְנִבְרָאוּ: וַיַּעֲמִידֵם לָעַד לְעוֹלָם, חָק נָתַן וְלֹא יַעֲבוֹר: הַלְלוּ אֶת יהוה מִן הָאָרֶץ, תַּנִּינִים וְכָל תְּהֹמוֹת: אֵשׁ וּבָרָד שֶׁלֶג וְקִיטוֹר, רוּחַ סְעָרָה עֹשָׂה דְבָרוֹ: הֶהָרִים וְכָל גְּבָעוֹת, עֵץ פְּרִי וְכָל אֲרָזִים: הַחַיָּה וְכָל בְּהֵמָה, רֶמֶשׂ וְצִפּוֹר כָּנָף: מַלְכֵי אֶרֶץ וְכָל לְאֻמִּים שָׂרִים וְכָל שֹׁפְטֵי אָרֶץ: בַּחוּרִים וְגַם בְּתוּלוֹת, זְקֵנִים עִם נְעָרִים: יְהַלְלוּ אֶת שֵׁם יהוה, כִּי נִשְׂגָּב שְׁמוֹ לְבַדּוֹ הוֹדוֹ עַל אֶרֶץ וְשָׁמָיִם: וַיָּרֶם קֶרֶן לְעַמּוֹ, תְּהִלָּה לְכָל חֲסִידָיו לִבְנֵי יִשְׂרָאֵל עַם קְרֹבוֹ הַלְלוּיָהּ: תְּהִלִּים קמח

הַלְלוּיָהּ, שִׁירוּ לַיהוה שִׁיר חָדָשׁ, תְּהִלָּתוֹ בִּקְהַל חֲסִידִים: יִשְׂמַח יִשְׂרָאֵל בְּעֹשָׂיו, בְּנֵי צִיּוֹן יָגִילוּ בְמַלְכָּם: יְהַלְלוּ שְׁמוֹ בְמָחוֹל, בְּתֹף וְכִנּוֹר יְזַמְּרוּ לוֹ: כִּי רוֹצֶה יהוה בְּעַמּוֹ, יְפָאֵר עֲנָוִים בִּישׁוּעָה: יַעְלְזוּ חֲסִידִים בְּכָבוֹד, יְרַנְּנוּ עַל מִשְׁכְּבוֹתָם: רוֹמְמוֹת אֵל בִּגְרוֹנָם, וְחֶרֶב פִּיפִיּוֹת בְּיָדָם: לַעֲשׂוֹת נְקָמָה בַּגּוֹיִם, תּוֹכֵחוֹת בַּלְאֻמִּים: לֶאְסֹר

Psalm 147 talks about the themes of nature, Jerusalem, and God's greatness. In Psalm 148, nature is praising God as its Creator.

מַלְכֵיהֶם בְּזִקִּים, וְנִכְבְּדֵיהֶם בְּכַבְלֵי בַרְזֶל: לַעֲשׂוֹת בָּהֶם מִשְׁפָּט כָּתוּב, הָדָר הוּא לְכָל חֲסִידָיו, הַלְלוּיָהּ: תְּהִלִּים קמט

הַלְלוּיָהּ, הַלְלוּ אֵל בְּקָדְשׁוֹ, הַלְלוּהוּ בִּרְקִיעַ עֻזּוֹ: הַלְלוּהוּ בִגְבוּרֹתָיו, הַלְלוּהוּ כְּרֹב גֻּדְלוֹ: הַלְלוּהוּ בְּתֵקַע שׁוֹפָר, הַלְלוּהוּ בְּנֵבֶל וְכִנּוֹר: הַלְלוּהוּ בְּתֹף וּמָחוֹל, הַלְלוּהוּ בְּמִנִּים וְעוּגָב: הַלְלוּהוּ בְצִלְצְלֵי שָׁמַע, הַלְלוּהוּ בְּצִלְצְלֵי תְרוּעָה: כֹּל הַנְּשָׁמָה תְּהַלֵּל יָהּ הַלְלוּיָהּ. כֹּל הַנְּשָׁמָה תְּהַלֵּל יָהּ הַלְלוּיָהּ: תְּהִלִּים קנ

בָּרוּךְ יהוה לְעוֹלָם, אָמֵן וְאָמֵן. תְּהִלִּים פט:53

בָּרוּךְ יהוה מִצִּיּוֹן, שֹׁכֵן יְרוּשָׁלָיִם, הַלְלוּיָהּ. תְּהִלִּים קלה:21

בָּרוּךְ יהוה אֱלֹהִים אֱלֹהֵי יִשְׂרָאֵל, עֹשֵׂה נִפְלָאוֹת לְבַדּוֹ. וּבָרוּךְ שֵׁם כְּבוֹדוֹ לְעוֹלָם, וְיִמָּלֵא כְבוֹדוֹ אֶת כָּל הָאָרֶץ, אָמֵן וְאָמֵן. תְּהִלִּים עב:18-19

וַיְבָרֶךְ דָּוִיד אֶת יהוה, לְעֵינֵי כָּל הַקָּהָל, וַיֹּאמֶר דָּוִיד, בָּרוּךְ אַתָּה יהוה אֱלֹהֵי יִשְׂרָאֵל אָבִינוּ, מֵעוֹלָם וְעַד עוֹלָם: לְךָ יהוה הַגְּדֻלָּה וְהַגְּבוּרָה וְהַתִּפְאֶרֶת וְהַנֵּצַח

Psalm 149 and 150 speak of praising God not only with words but with dance and musical instruments. Because of these two psalms we think that music and dance were used when praying to God in the Temple in Jerusalem. The words הללו and הללויה are repeated to emphasize our obligation and need to praise God.

ויברך דויד emphasizes the need for humility and giving thanks to God for what we have. We should act like King David and never say that because of my power I was able to be wealthy. David, the King who had more gold, silver, jewels and lands than any other king, thanked God in public for all of this. He was able to admit that he needed God's help to achieve all he did.

וְהַהוֹד, כִּי כֹל בַּשָּׁמַיִם וּבָאָרֶץ, לְךָ יהוה הַמַּמְלָכָה וְהַמִּתְנַשֵּׂא, לְכֹל לְרֹאשׁ: וְהָעֹשֶׁר וְהַכָּבוֹד מִלְּפָנֶיךָ וְאַתָּה מוֹשֵׁל בַּכֹּל, וּבְיָדְךָ כֹּחַ וּגְבוּרָה וּבְיָדְךָ לְגַדֵּל וּלְחַזֵּק לַכֹּל: וְעַתָּה אֱלֹהֵינוּ מוֹדִים אֲנַחְנוּ לָךְ וּמְהַלְלִים לְשֵׁם תִּפְאַרְתֶּךָ: דִּבְרֵי הַיָּמִים א׳ כט:10-13

אַתָּה הוּא יהוה לְבַדֶּךָ, אַתָּה עָשִׂיתָ אֶת הַשָּׁמַיִם, שְׁמֵי הַשָּׁמַיִם, וְכָל צְבָאָם, הָאָרֶץ וְכָל אֲשֶׁר עָלֶיהָ, הַיַּמִּים וְכָל אֲשֶׁר בָּהֶם, וְאַתָּה מְחַיֶּה אֶת כֻּלָּם, וּצְבָא הַשָּׁמַיִם לְךָ מִשְׁתַּחֲוִים: אַתָּה הוּא יהוה הָאֱלֹהִים, אֲשֶׁר בָּחַרְתָּ בְּאַבְרָם, וְהוֹצֵאתוֹ מֵאוּר כַּשְׂדִּים, וְשַׂמְתָּ שְׁמוֹ אַבְרָהָם: וּמָצָאתָ אֶת לְבָבוֹ נֶאֱמָן לְפָנֶיךָ: נְחֶמְיָה ט:6-8

וְכָרוֹת עִמּוֹ הַבְּרִית לָתֵת אֶת אֶרֶץ הַכְּנַעֲנִי, הַחִתִּי, הָאֱמֹרִי, וְהַפְּרִזִּי, וְהַיְבוּסִי, וְהַגִּרְגָּשִׁי, לָתֵת לְזַרְעוֹ, וַתָּקֶם אֶת דְּבָרֶיךָ, כִּי צַדִּיק אָתָּה: וַתֵּרֶא אֶת עֳנִי אֲבֹתֵינוּ בְּמִצְרָיִם, וְאֶת זַעֲקָתָם שָׁמַעְתָּ עַל יַם סוּף: וַתִּתֵּן אֹתֹת וּמֹפְתִים בְּפַרְעֹה, וּבְכָל עֲבָדָיו, וּבְכָל עַם אַרְצוֹ, כִּי יָדַעְתָּ, כִּי הֵזִידוּ עֲלֵיהֶם, וַתַּעַשׂ לְךָ שֵׁם כְּהַיּוֹם הַזֶּה: וְהַיָּם בָּקַעְתָּ לִפְנֵיהֶם, וַיַּעַבְרוּ בְתוֹךְ הַיָּם בַּיַּבָּשָׁה, וְאֶת רֹדְפֵיהֶם הִשְׁלַכְתָּ בִמְצוֹלֹת, כְּמוֹ אֶבֶן בְּמַיִם עַזִּים: נְחֶמְיָה ט:8-11

אתה הוא reviews Jewish history and emphasizes that our good fortune comes from God. God created the world, chose Abraham as our leader and promised to give us the land of Israel. God helped the slaves in Egypt and split the Red Sea so that the Jews could leave Egypt safely.

וכרות עמו הברית serves as a reminder of God's covenant with the Jewish people, guaranteeing us that Israel is our homeland.

שירת הים

אָז יָשִׁיר־מֹשֶׁה וּבְנֵי יִשְׂרָאֵל אֶת־הַשִּׁירָה הַזֹּאת
לַיהֹוָה וַיֹּאמְרוּ לֵאמֹר אָשִׁירָה לַיהֹוָה כִּי־גָאֹה
גָּאָה סוּס וְרֹכְבוֹ רָמָה בַיָּם: עָזִּי וְזִמְרָת יָהּ וַיְהִי־לִי
לִישׁוּעָה זֶה אֵלִי וְאַנְוֵהוּ אֱלֹהֵי אָבִי וַאֲרֹמְמֶנְהוּ:
יְהֹוָה אִישׁ מִלְחָמָה יְהֹוָה שְׁמוֹ: מַרְכְּבֹת פַּרְעֹה
וְחֵילוֹ יָרָה בַיָּם וּמִבְחַר שָׁלִשָׁיו טֻבְּעוּ בְיַם־סוּף:
תְּהֹמֹת יְכַסְיֻמוּ יָרְדוּ בִמְצוֹלֹת כְּמוֹ־אָבֶן: יְמִינְךָ
יְהֹוָה נֶאְדָּרִי בַּכֹּחַ יְמִינְךָ יְהֹוָה תִּרְעַץ אוֹיֵב:
וּבְרֹב גְּאוֹנְךָ תַּהֲרֹס קָמֶיךָ תְּשַׁלַּח חֲרֹנְךָ יֹאכְלֵמוֹ
כַּקַּשׁ: וּבְרוּחַ אַפֶּיךָ נֶעֶרְמוּ מַיִם נִצְּבוּ כְמוֹ־נֵד
נֹזְלִים קָפְאוּ תְהֹמֹת בְּלֶב־יָם: אָמַר אוֹיֵב אֶרְדֹּף
אַשִּׂיג אֲחַלֵּק שָׁלָל תִּמְלָאֵמוֹ נַפְשִׁי אָרִיק חַרְבִּי
תּוֹרִישֵׁמוֹ יָדִי: נָשַׁפְתָּ בְרוּחֲךָ כִּסָּמוֹ יָם צָלְלוּ
כַּעוֹפֶרֶת בְּמַיִם אַדִּירִים: מִי־כָמֹכָה בָּאֵלִם יְהֹוָה
מִי כָּמֹכָה נֶאְדָּר בַּקֹּדֶשׁ נוֹרָא תְהִלֹּת עֹשֵׂה־פֶלֶא:
נָטִיתָ יְמִינְךָ תִּבְלָעֵמוֹ אָרֶץ: נָחִיתָ בְחַסְדְּךָ עַם־
זוּ גָּאָלְתָּ נֵהַלְתָּ בְעָזְּךָ אֶל־נְוֵה קָדְשֶׁךָ: שָׁמְעוּ
עַמִּים יִרְגָּזוּן חִיל אָחַז יֹשְׁבֵי פְּלָשֶׁת: אָז נִבְהֲלוּ
אַלּוּפֵי אֱדוֹם אֵילֵי מוֹאָב יֹאחֲזֵמוֹ רָעַד נָמֹגוּ כֹּל

אז ישיר is Chapter 15 of Exodus, which is a poem describing the miracle God performed by splitting the Red Sea (ים סוף) and bringing the children of Israel out of Egypt.

יֹשְׁבֵ֥י כְנָֽעַן׃ תִּפֹּ֨ל עֲלֵיהֶ֤ם אֵימָ֙תָה֙ וָפַ֔חַד בִּגְדֹ֥ל זְרוֹעֲךָ֖ יִדְּמ֣וּ כָּאָ֑בֶן עַד־יַעֲבֹ֤ר עַמְּךָ֙ יְהוָ֔ה עַד־יַעֲבֹ֖ר עַם־ז֥וּ קָנִֽיתָ׃ תְּבִאֵ֗מוֹ וְתִטָּעֵ֙מוֹ֙ בְּהַ֣ר נַחֲלָֽתְךָ֔ מָכ֛וֹן לְשִׁבְתְּךָ֥ פָּעַ֖לְתָּ יְהוָ֑ה מִקְּדָ֕שׁ אֲדֹנָ֖י כּוֹנְנ֥וּ יָדֶֽיךָ׃ יְהוָ֥ה ׀ יִמְלֹ֖ךְ לְעֹלָ֥ם וָעֶֽד׃ יְהוָ֥ה ׀ יִמְלֹ֖ךְ לְעֹלָ֥ם וָעֶֽד׃ יְהוָה מַלְכוּתֵהּ קָאֵים לְעָלַם וּלְעָלְמֵי עָלְמַיָּא׃ כִּ֣י בָא֩ ס֨וּס פַּרְעֹ֜ה בְּרִכְבּ֤וֹ וּבְפָרָשָׁיו֙ בַּיָּ֔ם וַיָּ֧שֶׁב יְהוָ֛ה עֲלֵהֶ֖ם אֶת־מֵ֣י הַיָּ֑ם וּבְנֵ֧י יִשְׂרָאֵ֛ל הָלְכ֥וּ בַיַּבָּשָׁ֖ה בְּת֥וֹךְ הַיָּֽם׃

כִּי לַיהוה הַמְּלוּכָה, וּמוֹשֵׁל בַּגּוֹיִם׃
וְעָלוּ מוֹשִׁעִים בְּהַר צִיּוֹן לִשְׁפֹּט אֶת הַר עֵשָׂו, וְהָיְתָה לַיהוה הַמְּלוּכָה׃ עוֹבַדְיָה 21

וְהָיָה יהוה לְמֶלֶךְ עַל כָּל הָאָרֶץ, בַּיּוֹם הַהוּא יִהְיֶה יהוה אֶחָד וּשְׁמוֹ אֶחָד׃ זְכַרְיָה יד:9

נִשְׁמַת כָּל חַי, תְּבָרֵךְ אֶת שִׁמְךָ יהוה אֱלֹהֵינוּ. וְרוּחַ כָּל בָּשָׂר, תְּפָאֵר וּתְרוֹמֵם זִכְרְךָ מַלְכֵּנוּ תָּמִיד, מִן הָעוֹלָם וְעַד הָעוֹלָם אַתָּה אֵל. וּמִבַּלְעָדֶיךָ אֵין לָנוּ מֶלֶךְ גּוֹאֵל וּמוֹשִׁיעַ, פּוֹדֶה וּמַצִּיל וּמְפַרְנֵס וּמְרַחֵם, בְּכָל עֵת צָרָה וְצוּקָה. אֵין לָנוּ מֶלֶךְ אֶלָּא אָתָּה׃ אֱלֹהֵי הָרִאשׁוֹנִים וְהָאַחֲרוֹנִים, אֱלוֹהַּ כָּל בְּרִיּוֹת, אֲדוֹן כָּל תּוֹלָדוֹת, הַמְהֻלָּל בְּרֹב הַתִּשְׁבָּחוֹת, הַמְנַהֵג עוֹלָמוֹ בְּחֶסֶד, וּבְרִיּוֹתָיו בְּרַחֲמִים. וַיהוה לֹא יָנוּם וְלֹא יִישָׁן, הַמְעוֹרֵר יְשֵׁנִים וְהַמֵּקִיץ נִרְדָּמִים, וְהַמֵּשִׂיחַ אִלְּמִים, וְהַמַּתִּיר

אֲסוּרִים, וְהַסּוֹמֵךְ נוֹפְלִים, וְהַזּוֹקֵף כְּפוּפִים, לְךָ לְבַדְּךָ אֲנַחְנוּ מוֹדִים. אִלּוּ פִינוּ מָלֵא שִׁירָה כַּיָּם, וּלְשׁוֹנֵנוּ רִנָּה כַּהֲמוֹן גַּלָּיו, וְשִׂפְתוֹתֵינוּ שֶׁבַח כְּמֶרְחֲבֵי רָקִיעַ, וְעֵינֵינוּ מְאִירוֹת כַּשֶּׁמֶשׁ וְכַיָּרֵחַ, וְיָדֵינוּ פְרוּשׂוֹת כְּנִשְׁרֵי שָׁמָיִם, וְרַגְלֵינוּ קַלּוֹת כָּאַיָּלוֹת, אֵין אֲנַחְנוּ מַסְפִּיקִים, לְהוֹדוֹת לְךָ יהוה אֱלֹהֵינוּ וֵאלֹהֵי אֲבוֹתֵינוּ, וּלְבָרֵךְ אֶת שְׁמֶךָ עַל אַחַת מֵאָלֶף אֶלֶף אַלְפֵי אֲלָפִים וְרִבֵּי רְבָבוֹת פְּעָמִים, הַטּוֹבוֹת שֶׁעָשִׂיתָ עִם אֲבוֹתֵינוּ וְעִמָּנוּ. מִמִּצְרַיִם גְּאַלְתָּנוּ יהוה אֱלֹהֵינוּ, וּמִבֵּית עֲבָדִים פְּדִיתָנוּ, בְּרָעָב זַנְתָּנוּ, וּבְשָׂבָע כִּלְכַּלְתָּנוּ, מֵחֶרֶב הִצַּלְתָּנוּ, וּמִדֶּבֶר מִלַּטְתָּנוּ, וּמֵחֳלָיִם רָעִים וְנֶאֱמָנִים דִּלִּיתָנוּ: עַד הֵנָּה עֲזָרוּנוּ רַחֲמֶיךָ, וְלֹא עֲזָבוּנוּ חֲסָדֶיךָ וְאַל תִּטְּשֵׁנוּ יהוה אֱלֹהֵינוּ לָנֶצַח. עַל כֵּן אֵבָרִים שֶׁפִּלַּגְתָּ בָּנוּ, וְרוּחַ וּנְשָׁמָה שֶׁנָּפַחְתָּ בְּאַפֵּינוּ, וְלָשׁוֹן אֲשֶׁר שַׂמְתָּ בְּפִינוּ. הֵן הֵם יוֹדוּ וִיבָרְכוּ וִישַׁבְּחוּ וִיפָאֲרוּ וִירוֹמְמוּ וְיַעֲרִיצוּ וְיַקְדִּישׁוּ וְיַמְלִיכוּ אֶת שִׁמְךָ מַלְכֵּנוּ, כִּי כָל פֶּה לְךָ יוֹדֶה, וְכָל לָשׁוֹן לְךָ תִשָּׁבַע, וְכָל בֶּרֶךְ לְךָ תִכְרַע, וְכָל קוֹמָה לְפָנֶיךָ תִשְׁתַּחֲוֶה, וְכָל לְבָבוֹת יִירָאוּךָ, וְכָל קֶרֶב וּכְלָיוֹת יְזַמְּרוּ לִשְׁמֶךָ. כַּדָּבָר שֶׁכָּתוּב, כָּל עַצְמוֹתַי תֹּאמַרְנָה יהוה מִי כָמוֹךָ. תְּהִלִּים לה:10 מַצִּיל עָנִי מֵחָזָק מִמֶּנּוּ, וְעָנִי וְאֶבְיוֹן מִגֹּזְלוֹ: מִי יִדְמֶה לָּךְ, וּמִי יִשְׁוֶה לָּךְ וּמִי יַעֲרָךְ לָךְ: הָאֵל הַגָּדוֹל הַגִּבּוֹר וְהַנּוֹרָא, אֵל עֶלְיוֹן קֹנֵה שָׁמַיִם וָאָרֶץ:

נְהַלֶּלְךָ וּנְשַׁבֵּחֲךָ וּנְפָאֶרְךָ וּנְבָרֵךְ אֶת שֵׁם קָדְשֶׁךָ. כָּאָמוּר, לְדָוִד, בָּרְכִי נַפְשִׁי אֶת יהוה, תְּהִלִּים קג:1 וְכָל קְרָבַי אֶת שֵׁם קָדְשׁוֹ:

On festivals the ש״ץ begins here

הָאֵל, בְּתַעֲצֻמוֹת עֻזֶּךָ, הַגָּדוֹל, בִּכְבוֹד שְׁמֶךָ, הַגִּבּוֹר לָנֶצַח, וְהַנּוֹרָא, בְּנוֹרְאוֹתֶיךָ, הַמֶּלֶךְ הַיּוֹשֵׁב עַל כִּסֵּא רָם וְנִשָּׂא:

On Shabbat the ש״ץ begins here

(ש״ץ) שׁוֹכֵן עַד, מָרוֹם וְקָדוֹשׁ שְׁמוֹ: יְשַׁעְיָה נז:15

וְכָתוּב, רַנְּנוּ צַדִּיקִים בַּיהוה, לַיְשָׁרִים נָאוָה תְהִלָּה. תְּהִלִּים לג:1 בְּפִי יְשָׁרִים תִּתְהַלָּל. וּבְדִבְרֵי צַדִּיקִים תִּתְבָּרַךְ. וּבִלְשׁוֹן חֲסִידִים תִּתְרוֹמָם. וּבְקֶרֶב קְדוֹשִׁים תִּתְקַדָּשׁ:

(ביחד) וּבְמַקְהֲלוֹת רִבְבוֹת עַמְּךָ בֵּית יִשְׂרָאֵל, בְּרִנָּה יִתְפָּאַר שִׁמְךָ מַלְכֵּנוּ, בְּכָל דּוֹר וָדוֹר, שֶׁכֵּן חוֹבַת כָּל הַיְצוּרִים, לְפָנֶיךָ יהוה אֱלֹהֵינוּ, וֵאלֹהֵי אֲבוֹתֵינוּ, לְהוֹדוֹת לְהַלֵּל לְשַׁבֵּחַ לְפָאֵר לְרוֹמֵם לְהַדֵּר לְבָרֵךְ לְעַלֵּה וּלְקַלֵּס, עַל כָּל דִּבְרֵי שִׁירוֹת וְתִשְׁבְּחוֹת דָּוִד בֶּן יִשַׁי עַבְדְּךָ מְשִׁיחֶךָ:

יִשְׁתַּבַּח שִׁמְךָ לָעַד מַלְכֵּנוּ, הָאֵל הַמֶּלֶךְ הַגָּדוֹל וְהַקָּדוֹשׁ בַּשָּׁמַיִם וּבָאָרֶץ. כִּי לְךָ נָאֶה, יהוה אֱלֹהֵינוּ וֵאלֹהֵי אֲבוֹתֵינוּ: שִׁיר וּשְׁבָחָה, הַלֵּל וְזִמְרָה, עֹז וּמֶמְשָׁלָה, נֶצַח, גְּדֻלָּה וּגְבוּרָה, תְּהִלָּה וְתִפְאֶרֶת, קְדֻשָּׁה וּמַלְכוּת.

בְּרָכוֹת וְהוֹדָאוֹת מֵעַתָּה וְעַד עוֹלָם. בָּרוּךְ אַתָּה יהוה, אֵל מֶלֶךְ גָּדוֹל בַּתִּשְׁבָּחוֹת, אֵל הַהוֹדָאוֹת, אֲדוֹן הַנִּפְלָאוֹת, הַבּוֹחֵר בְּשִׁירֵי זִמְרָה, מֶלֶךְ, אֵל, חֵי הָעוֹלָמִים.

ישתבח ends the פסוקי דזמרה section that began with ברוך שאמר. There are 15 words to praise God in the beginning of this prayer and 15 words to praise God at the end of this prayer.

חצי קדיש

(ש״ץ) יִתְגַּדַּל וְיִתְקַדַּשׁ שְׁמֵהּ רַבָּא. בְּעָלְמָא דִּי בְרָא כִרְעוּתֵיהּ, וְיַמְלִיךְ מַלְכוּתֵיהּ בְּחַיֵּיכוֹן וּבְיוֹמֵיכוֹן וּבְחַיֵּי דְכָל בֵּית יִשְׂרָאֵל. בַּעֲגָלָא וּבִזְמַן קָרִיב וְאִמְרוּ אָמֵן:

(ביחד) יְהֵא שְׁמֵהּ רַבָּא מְבָרַךְ לְעָלַם וּלְעָלְמֵי עָלְמַיָּא:

(ש״ץ) יִתְבָּרַךְ וְיִשְׁתַּבַּח וְיִתְפָּאַר וְיִתְרוֹמַם וְיִתְנַשֵּׂא וְיִתְהַדָּר וְיִתְעַלֶּה וְיִתְהַלָּל שְׁמֵהּ דְּקֻדְשָׁא (ביחד) בְּרִיךְ הוּא. (ש״ץ) לְעֵלָּא (בשבת שובה לְעֵלָּא וּלְעֵלָּא מִכָּל) מִן כָּל בִּרְכָתָא וְשִׁירָתָא תֻּשְׁבְּחָתָא וְנֶחֱמָתָא, דַּאֲמִירָן בְּעָלְמָא, וְאִמְרוּ אָמֵן:

The קדיש, written in Aramaic, was originally the concluding prayer to a study session in Aramaic. It was logical then, that the prayer that followed was in Aramaic as well. The קדיש marks the end of a section of prayers.

The root letters, קדש, mean "holy," "making something special," or "sanctifying." We praise God and God's name in the קדיש as we publicly recognize God's rule over all people.

The קדיש can only be recited with a minyan, ten people over the age of Bat/Bar Mitzvah. There are four different forms of קדיש: קדיש דרבנן is recited after studying Rabbinic literature. חצי קדיש and קדיש שלם are recited after completing sections of prayer. These forms of קדיש signal the separation of one section of prayer from another. קדיש יתום is recited by those in mourning or observing Yahrzeit.

It is proper to say אמן, יהא שמה רבא and בריך הוא loudly at the appropriate times during the קדיש.

The word אמן is an acronym for אל מלך נאמן, God is a trustworthy, majestic Ruler (Shabbat 119b). אמונה, faithfulness, has the same root letters. By saying אמן we affirm our belief in what the ש״ץ is saying. אמן was also used at a time when most people did not know Hebrew and so by saying אמן it was as if they said "Ditto, me too!" at the end of a ברכה.

When praying with a minyan begin here. When praying alone, begin with ברוך ... יוצר אור*, line 4*

(ש"ץ) **בָּרְכוּ אֶת יהוה הַמְבֹרָךְ:**

(קהל) בָּרוּךְ יהוה הַמְבֹרָךְ לְעוֹלָם וָעֶד:

(ש"ץ) בָּרוּךְ יהוה הַמְבֹרָךְ לְעוֹלָם וָעֶד:

בָּרוּךְ אַתָּה יהוה, אֱלֹהֵינוּ מֶלֶךְ הָעוֹלָם, יוֹצֵר אוֹר, וּבוֹרֵא חֹשֶׁךְ, עֹשֶׂה שָׁלוֹם וּבוֹרֵא אֶת הַכֹּל:

On a יום טוב *that occurs on weekdays say* המאיר לארץ *(p. 195) here*

הַכֹּל יוֹדוּךָ, וְהַכֹּל יְשַׁבְּחוּךָ, וְהַכֹּל יֹאמְרוּ אֵין קָדוֹשׁ כַּיהוה: הַכֹּל יְרוֹמְמוּךָ סֶּלָה, יוֹצֵר הַכֹּל: הָאֵל הַפּוֹתֵחַ בְּכָל יוֹם דַּלְתוֹת שַׁעֲרֵי מִזְרָח, וּבוֹקֵעַ חַלּוֹנֵי רָקִיעַ מוֹצִיא חַמָּה מִמְּקוֹמָהּ, וּלְבָנָה מִמְּכוֹן שִׁבְתָּהּ, וּמֵאִיר לָעוֹלָם כֻּלּוֹ וּלְיוֹשְׁבָיו, שֶׁבָּרָא בְּמִדַּת הָרַחֲמִים: הַמֵּאִיר לָאָרֶץ וְלַדָּרִים עָלֶיהָ בְּרַחֲמִים. וּבְטוּבוֹ מְחַדֵּשׁ בְּכָל יוֹם תָּמִיד מַעֲשֵׂה בְרֵאשִׁית: הַמֶּלֶךְ הַמְרוֹמָם לְבַדּוֹ מֵאָז. הַמְשֻׁבָּח וְהַמְפֹאָר וְהַמִּתְנַשֵּׂא מִימוֹת עוֹלָם: אֱלֹהֵי עוֹלָם, בְּרַחֲמֶיךָ הָרַבִּים רַחֵם עָלֵינוּ. אֲדוֹן עֻזֵּנוּ צוּר מִשְׂגַּבֵּנוּ, מָגֵן יִשְׁעֵנוּ, מִשְׂגָּב בַּעֲדֵנוּ: אֵין כְּעֶרְכֶּךָ וְאֵין זוּלָתֶךָ, אֶפֶס בִּלְתֶּךָ, וּמִי דּוֹמֶה לָּךְ: אֵין כְּעֶרְכְּךָ יהוה אֱלֹהֵינוּ, בָּעוֹלָם הַזֶּה, וְאֵין זוּלָתְךָ מַלְכֵּנוּ לְחַיֵּי הָעוֹלָם הַבָּא. אֶפֶס בִּלְתְּךָ גּוֹאֲלֵנוּ לִימוֹת הַמָּשִׁיחַ. וְאֵין דּוֹמֶה לְּךָ מוֹשִׁיעֵנוּ לִתְחִיַּת הַמֵּתִים:

ברכו, the call to prayer, marks the beginning of the שחרית service. The ברכו and its response are only said with a minyan. We bow our bodies only from the waist while saying ברוך and stand straight to recite God's name. From ברכו through the שמונה עשרה there should be no interruptions or talking except for answering אמן to the two blessings before the שמע.

(ביחד) **אֵ**ל אָדוֹן עַל כָּל הַמַּעֲשִׂים,
בָּרוּךְ וּמְבֹרָךְ בְּפִי כָּל נְשָׁמָה.
גָּדְלוֹ וְטוּבוֹ מָלֵא עוֹלָם,
דַּעַת וּתְבוּנָה סֹבְבִים אוֹתוֹ:
הַמִּתְגָּאֶה עַל חַיּוֹת הַקֹּדֶשׁ
וְנֶהְדָּר בְּכָבוֹד עַל הַמֶּרְכָּבָה.
זְכוּת וּמִישׁוֹר לִפְנֵי כִסְאוֹ,
חֶסֶד וְרַחֲמִים לִפְנֵי כְבוֹדוֹ:
טוֹבִים מְאוֹרוֹת שֶׁבָּרָא אֱלֹהֵינוּ,
יְצָרָם בְּדַעַת בְּבִינָה וּבְהַשְׂכֵּל.
כֹּחַ וּגְבוּרָה נָתַן בָּהֶם,
לִהְיוֹת מוֹשְׁלִים בְּקֶרֶב תֵּבֵל:
מְלֵאִים זִיו וּמְפִיקִים נֹגַהּ,
נָאֶה זִיוָם בְּכָל הָעוֹלָם.
שְׂמֵחִים בְּצֵאתָם וְשָׂשִׂים בְּבוֹאָם,
עֹשִׂים בְּאֵימָה רְצוֹן קוֹנָם:
פְּאֵר וְכָבוֹד נוֹתְנִים לִשְׁמוֹ,
צָהֳלָה וְרִנָּה לְזֵכֶר מַלְכוּתוֹ.
קָרָא לַשֶּׁמֶשׁ וַיִּזְרַח אוֹר,
רָאָה, וְהִתְקִין צוּרַת הַלְּבָנָה:
שֶׁבַח נוֹתְנִים לוֹ כָּל צְבָא מָרוֹם,
תִּפְאֶרֶת וּגְדֻלָּה,
שְׂרָפִים וְאוֹפַנִּים וְחַיּוֹת הַקֹּדֶשׁ:

לָאֵל אֲשֶׁר שָׁבַת מִכָּל הַמַּעֲשִׂים, בַּיּוֹם הַשְּׁבִיעִי הִתְעַלָּה, וְיָשַׁב עַל כִּסֵּא כְבוֹדוֹ, תִּפְאֶרֶת עָטָה לְיוֹם

הַמְּנוּחָה, עֹנֶג קָרָא לְיוֹם הַשַּׁבָּת. זֶה שֶׁבַח שֶׁל יוֹם הַשְּׁבִיעִי, שֶׁבּוֹ שָׁבַת אֵל מִכָּל מְלַאכְתּוֹ, וְיוֹם הַשְּׁבִיעִי מְשַׁבֵּחַ וְאוֹמֵר:

מִזְמוֹר שִׁיר לְיוֹם הַשַּׁבָּת, טוֹב לְהוֹדוֹת לַיהוה תְּהִלִּים צב:1-2
לְפִיכָךְ יְפָאֲרוּ וִיבָרְכוּ לָאֵל כָּל יְצוּרָיו, שֶׁבַח יְקָר וּגְדֻלָּה וְכָבוֹד יִתְּנוּ לָאֵל מֶלֶךְ יוֹצֵר כֹּל, הַמַּנְחִיל מְנוּחָה לְעַמּוֹ יִשְׂרָאֵל בִּקְדֻשָּׁתוֹ, בְּיוֹם שַׁבַּת קֹדֶשׁ, שִׁמְךָ יהוה אֱלֹהֵינוּ יִתְקַדַּשׁ, וְזִכְרְךָ מַלְכֵּנוּ יִתְפָּאַר, בַּשָּׁמַיִם מִמַּעַל וְעַל הָאָרֶץ מִתָּחַת, תִּתְבָּרַךְ מוֹשִׁיעֵנוּ עַל שֶׁבַח מַעֲשֵׂה יָדֶיךָ, וְעַל מְאוֹרֵי אוֹר שֶׁעָשִׂיתָ יְפָאֲרוּךָ סֶּלָה:

On שבת *that is not* יום טוב, *continue with* תתברך צורינו *on p. 196*

When יום טוב *occurs on a weekday begin here*

הַמֵּאִיר לָאָרֶץ וְלַדָּרִים עָלֶיהָ בְּרַחֲמִים. וּבְטוּבוֹ מְחַדֵּשׁ בְּכָל יוֹם תָּמִיד מַעֲשֵׂה בְרֵאשִׁית: מָה רַבּוּ מַעֲשֶׂיךָ יהוה. כֻּלָּם בְּחָכְמָה עָשִׂיתָ, מָלְאָה הָאָרֶץ קִנְיָנֶךָ: הַמֶּלֶךְ הַמְרוֹמָם לְבַדּוֹ מֵאָז. הַמְשֻׁבָּח וְהַמְפֹאָר וְהַמִּתְנַשֵּׂא מִימוֹת עוֹלָם: אֱלֹהֵי עוֹלָם, בְּרַחֲמֶיךָ הָרַבִּים רַחֵם עָלֵינוּ, אֲדוֹן עֻזֵּנוּ צוּר מִשְׂגַּבֵּנוּ, מָגֵן יִשְׁעֵנוּ מִשְׂגָּב בַּעֲדֵנוּ: תְּהִלִּים קד

אֵל בָּרוּךְ גְּדוֹל דֵּעָה. הֵכִין וּפָעַל זָהֳרֵי חַמָּה. טוֹב יָצַר כָּבוֹד לִשְׁמוֹ. מְאוֹרוֹת נָתַן סְבִיבוֹת עֻזּוֹ, פִּנּוֹת צְבָאָיו קְדוֹשִׁים, רוֹמְמֵי שַׁדַּי. תָּמִיד מְסַפְּרִים, כְּבוֹד אֵל וּקְדֻשָּׁתוֹ: תִּתְבָּרַךְ יהוה אֱלֹהֵינוּ עַל שֶׁבַח מַעֲשֵׂה יָדֶיךָ. וְעַל מְאוֹרֵי אוֹר שֶׁעָשִׂיתָ יְפָאֲרוּךָ סֶּלָה.

המאיר לארץ reminds us that God and nature cannot be taken for granted. As the sun rises each day, it is as if creation is happening for the first time.

תִּתְבָּרַךְ צוּרֵנוּ מַלְכֵּנוּ וְגֹאֲלֵנוּ בּוֹרֵא קְדוֹשִׁים, יִשְׁתַּבַּח שִׁמְךָ לָעַד מַלְכֵּנוּ, יוֹצֵר מְשָׁרְתִים, וַאֲשֶׁר מְשָׁרְתָיו כֻּלָּם, עוֹמְדִים בְּרוּם עוֹלָם, וּמַשְׁמִיעִים בְּיִרְאָה יַחַד בְּקוֹל, דִּבְרֵי אֱלֹהִים חַיִּים וּמֶלֶךְ עוֹלָם. כֻּלָּם אֲהוּבִים, כֻּלָּם בְּרוּרִים, כֻּלָּם גִּבּוֹרִים, וְכֻלָּם עֹשִׂים בְּאֵימָה וּבְיִרְאָה רְצוֹן קוֹנָם. וְכֻלָּם פּוֹתְחִים אֶת פִּיהֶם בִּקְדֻשָּׁה וּבְטָהֳרָה, בְּשִׁירָה וּבְזִמְרָה, וּמְבָרְכִים וּמְשַׁבְּחִים, וּמְפָאֲרִים וּמַעֲרִיצִים, וּמַקְדִּישִׁים וּמַמְלִיכִים:

אֶת שֵׁם הָאֵל, הַמֶּלֶךְ הַגָּדוֹל, הַגִּבּוֹר וְהַנּוֹרָא קָדוֹשׁ הוּא: וְכֻלָּם מְקַבְּלִים עֲלֵיהֶם עֹל מַלְכוּת שָׁמַיִם זֶה מִזֶּה. וְנוֹתְנִים רְשׁוּת זֶה לָזֶה, לְהַקְדִּישׁ לְיוֹצְרָם בְּנַחַת רוּחַ, בְּשָׂפָה בְרוּרָה וּבִנְעִימָה, קְדֻשָּׁה כֻּלָּם כְּאֶחָד עוֹנִים וְאוֹמְרִים בְּיִרְאָה:

קָדוֹשׁ, קָדוֹשׁ, קָדוֹשׁ, יהוה צְבָאוֹת, מְלֹא כָל הָאָרֶץ כְּבוֹדוֹ: יְשַׁעְיָה ו:3

וְהָאוֹפַנִּים וְחַיּוֹת הַקֹּדֶשׁ בְּרַעַשׁ גָּדוֹל מִתְנַשְּׂאִים לְעֻמַּת שְׂרָפִים, לְעֻמָּתָם מְשַׁבְּחִים וְאוֹמְרִים:

בָּרוּךְ כְּבוֹד יהוה מִמְּקוֹמוֹ: יְחֶזְקֵאל ג:12

אל ברוך was written in the 8th century as an alphabetical acrostic. Each word begins with a successive letter of the Hebrew alphabet to demonstrate that every sound can be used to praise God.

תתברך צורנו adds the idea that angels—not just people—praise God.

את שם האל teaches us that we should not compete with each other and show jealousy towards God.

The word קדוש is repeated three times here to emphasize three different aspects of God's presence: that God is in Heaven, that God is on earth, and that God will be forever and ever.

לְאֵל בָּרוּךְ נְעִימוֹת יִתֵּנוּ. לְמֶלֶךְ אֵל חַי וְקַיָּם זְמִרוֹת יֹאמֵרוּ וְתִשְׁבָּחוֹת יַשְׁמִיעוּ. כִּי הוּא לְבַדּוֹ פּוֹעֵל גְּבוּרוֹת, עֹשֶׂה חֲדָשׁוֹת, בַּעַל מִלְחָמוֹת, זוֹרֵעַ צְדָקוֹת, מַצְמִיחַ יְשׁוּעוֹת, בּוֹרֵא רְפוּאוֹת, נוֹרָא תְהִלּוֹת, אֲדוֹן הַנִּפְלָאוֹת. הַמְחַדֵּשׁ בְּטוּבוֹ בְּכָל יוֹם תָּמִיד מַעֲשֵׂה בְרֵאשִׁית. כָּאָמוּר לְעֹשֵׂה אוֹרִים גְּדֹלִים, כִּי לְעוֹלָם חַסְדּוֹ:

♫ אוֹר חָדָשׁ עַל צִיּוֹן תָּאִיר וְנִזְכֶּה כֻלָּנוּ מְהֵרָה לְאוֹרוֹ:

בָּרוּךְ אַתָּה יהוה יוֹצֵר הַמְּאוֹרוֹת:

אַהֲבָה רַבָּה אֲהַבְתָּנוּ, יהוה אֱלֹהֵינוּ, חֶמְלָה גְדוֹלָה וִיתֵרָה חָמַלְתָּ עָלֵינוּ. אָבִינוּ מַלְכֵּנוּ, בַּעֲבוּר אֲבוֹתֵינוּ שֶׁבָּטְחוּ בְךָ, וַתְּלַמְּדֵם חֻקֵּי חַיִּים, כֵּן תְּחָנֵּנוּ וּתְלַמְּדֵנוּ. אָבִינוּ, הָאָב הָרַחֲמָן, הַמְרַחֵם, רַחֵם עָלֵינוּ, וְתֵן בְּלִבֵּנוּ לְהָבִין וּלְהַשְׂכִּיל, לִשְׁמֹעַ, לִלְמֹד וּלְלַמֵּד, לִשְׁמֹר וְלַעֲשׂוֹת וּלְקַיֵּם אֶת כָּל דִּבְרֵי תַלְמוּד תּוֹרָתֶךָ בְּאַהֲבָה. וְהָאֵר עֵינֵינוּ בְּתוֹרָתֶךָ, וְדַבֵּק לִבֵּנוּ בְּמִצְוֹתֶיךָ, וְיַחֵד לְבָבֵנוּ לְאַהֲבָה וּלְיִרְאָה אֶת שְׁמֶךָ, וְלֹא נֵבוֹשׁ לְעוֹלָם וָעֶד: כִּי בְשֵׁם קָדְשְׁךָ הַגָּדוֹל וְהַנּוֹרָא בָּטָחְנוּ, נָגִילָה וְנִשְׂמְחָה בִּישׁוּעָתֶךָ. ♫ וַהֲבִיאֵנוּ לְשָׁלוֹם מֵאַרְבַּע כַּנְפוֹת הָאָרֶץ, וְתוֹלִיכֵנוּ קוֹמְמִיּוּת לְאַרְצֵנוּ, כִּי אֵל פּוֹעֵל יְשׁוּעוֹת אָתָּה, וּבָנוּ בָחַרְתָּ מִכָּל עַם וְלָשׁוֹן. וְקֵרַבְתָּנוּ לְשִׁמְךָ הַגָּדוֹל סֶלָה בֶּאֱמֶת לְהוֹדוֹת לְךָ וּלְיַחֶדְךָ בְּאַהֲבָה. בָּרוּךְ אַתָּה יהוה, הַבּוֹחֵר בְּעַמּוֹ יִשְׂרָאֵל בְּאַהֲבָה.

אהבה רבה represents the second blessing before the שמע. Love and devotion to God and the Torah (learning) are the central themes of this ברכה. It was written during the 1st century. God showed us love by giving us the Torah and choosing us to be the people to bring the Torah to the world.

שמע

The שמע is *the* declaration of faith. We are saying that as Jews we believe in one God. The ע and ד are enlarged to remind us that we are each a "witness" (עד) to the oneness of God. Some people cover their eyes when they recite the first line of the שמע to block out distractions and concentrate on this important prayer.

ברוך שם כבוד is not found in the Torah and is therefore said silently except on Yom Kippur when it reminds us of what was said in the Temple in Jerusalem once a year. Midrashim tell us that it was Jacob's response to the verse שמע ישראל that his children recited as he was dying, and also Moses heard these words from the angels. On Yom Kippur, because we are raised to the same level as the angels, we are permitted to recite ברוך שם כבוד out loud. At all other times we say these words quietly.

ואהבת teaches us that we should perform מצוות out of love, not fear. All our emotions and desires (heart, soul, might) should help us pray to God.

אשר אנכי מצוך היום teaches us that even though the Torah was given long ago, the lessons can be learned each day as if they were new to us.

וקשרתם לאות על ידך refers to putting on תפילין, which is an act that makes the individual who wears them special.

וכתבתם על מזוזות ביתך refers to putting up a מזוזה, which is an act that makes our homes special.

When we reach והביאנו it is customary to gather the ציצית from the four corners of the tallit, wrapping them around your index finger and holding them throughout the שמע. Gathering the ציציות is symbolic of the gathering of all people from the four corners of the earth.

The שמע should begin immediately after the ברכה that ends הבוחר בעמו ישראל באהבה.

When praying alone say   אֵל מֶלֶךְ נֶאֱמָן

שְׁמַ֫ע יִשְׂרָאֵל יְהֹוָה אֱלֹהֵינוּ יְהֹוָה | אֶחָֽד:

בָּרוּךְ שֵׁם כְּבוֹד מַלְכוּתוֹ לְעוֹלָם וָעֶֽד:

וְאָהַבְתָּ֫ אֵת יְהֹוָה אֱלֹהֶיךָ בְּכָל־לְבָבְךָ וּבְכָל־
נַפְשְׁךָ וּבְכָל־מְאֹדֶֽךָ: וְהָיוּ הַדְּבָרִים הָאֵלֶּה אֲשֶׁר
אָנֹכִי מְצַוְּךָ הַיּוֹם עַל־לְבָבֶֽךָ: וְשִׁנַּנְתָּם לְבָנֶיךָ
וְדִבַּרְתָּ בָּם בְּשִׁבְתְּךָ בְּבֵיתֶ֫ךָ וּבְלֶכְתְּךָ בַדֶּ֫רֶךְ
וּֽבְשָׁכְבְּךָ וּבְקוּמֶֽךָ: וּקְשַׁרְתָּם לְאוֹת עַל־יָדֶ֫ךָ וְהָיוּ
לְטֹטָפֹת בֵּין עֵינֶֽיךָ: וּכְתַבְתָּם עַל־מְזֻזוֹת בֵּיתֶ֫ךָ
וּבִשְׁעָרֶֽיךָ:

וְהָיָ֗ה אִם־שָׁמֹעַ תִּשְׁמְעוּ אֶל־מִצְוֹתַי אֲשֶׁר אָנֹכִי
מְצַוֶּה אֶתְכֶם הַיּוֹם לְאַהֲבָה אֶת־יְהֹוָה אֱלֹהֵיכֶם
וּלְעָבְדוֹ בְּכָל־לְבַבְכֶם וּבְכָל־נַפְשְׁכֶם: וְנָתַתִּי
מְטַר־אַרְצְכֶם בְּעִתּוֹ יוֹרֶה וּמַלְקוֹשׁ וְאָסַפְתָּ דְגָנֶ֫ךָ
וְתִירֹשְׁךָ וְיִצְהָרֶֽךָ: וְנָתַתִּי עֵשֶׂב בְּשָׂדְךָ לִבְהֶמְתֶּ֫ךָ
וְאָכַלְתָּ וְשָׂבָֽעְתָּ: הִשָּׁמְרוּ לָכֶם פֶּן־יִפְתֶּה לְבַבְכֶם
וְסַרְתֶּם וַעֲבַדְתֶּם אֱלֹהִים אֲחֵרִים וְהִשְׁתַּחֲוִיתֶם
לָהֶם: וְחָרָה אַף־יְהֹוָה בָּכֶם וְעָצַר אֶת־הַשָּׁמַ֫יִם
וְלֹא־יִהְיֶה מָטָר וְהָאֲדָמָה לֹא תִתֵּן אֶת־יְבוּלָהּ
וַאֲבַדְתֶּם מְהֵרָה מֵעַל הָאָ֫רֶץ הַטֹּבָה אֲשֶׁר יְהֹוָה

נָתַן לָכֶם: וְשַׂמְתֶּם אֶת־דְּבָרַי אֵלֶּה עַל־לְבַבְכֶם
וְעַל־נַפְשְׁכֶם וּקְשַׁרְתֶּם אֹתָם לְאוֹת עַל־יֶדְכֶם
וְהָיוּ לְטוֹטָפֹת בֵּין עֵינֵיכֶם: וְלִמַּדְתֶּם אֹתָם אֶת־
בְּנֵיכֶם לְדַבֵּר בָּם בְּשִׁבְתְּךָ בְּבֵיתֶךָ וּבְלֶכְתְּךָ בַדֶּרֶךְ
וּבְשָׁכְבְּךָ וּבְקוּמֶךָ: וּכְתַבְתָּם עַל־מְזוּזוֹת בֵּיתֶךָ
וּבִשְׁעָרֶיךָ: לְמַעַן יִרְבּוּ יְמֵיכֶם וִימֵי בְנֵיכֶם עַל
הָאֲדָמָה אֲשֶׁר נִשְׁבַּע יְהוָה לַאֲבֹתֵיכֶם לָתֵת לָהֶם
כִּימֵי הַשָּׁמַיִם עַל־הָאָרֶץ:

וַיֹּאמֶר יְהוָה אֶל־מֹשֶׁה לֵּאמֹר: דַּבֵּר אֶל־בְּנֵי
יִשְׂרָאֵל וְאָמַרְתָּ אֲלֵהֶם וְעָשׂוּ לָהֶם צִיצִת עַל־
כַּנְפֵי בִגְדֵיהֶם לְדֹרֹתָם וְנָתְנוּ עַל־צִיצִת הַכָּנָף
פְּתִיל תְּכֵלֶת: וְהָיָה לָכֶם לְצִיצִת וּרְאִיתֶם אֹתוֹ
וּזְכַרְתֶּם אֶת־כָּל־מִצְוֹת יְהוָה וַעֲשִׂיתֶם אֹתָם
וְלֹא־תָתוּרוּ אַחֲרֵי לְבַבְכֶם וְאַחֲרֵי עֵינֵיכֶם אֲשֶׁר־
אַתֶּם זֹנִים אַחֲרֵיהֶם: לְמַעַן תִּזְכְּרוּ וַעֲשִׂיתֶם אֶת־
כָּל־מִצְוֹתָי וִהְיִיתֶם קְדֹשִׁים לֵאלֹהֵיכֶם: אֲנִי יְהוָה
אֱלֹהֵיכֶם אֲשֶׁר הוֹצֵאתִי אֶתְכֶם מֵאֶרֶץ מִצְרַיִם
לִהְיוֹת לָכֶם לֵאלֹהִים אֲנִי יְהוָה אֱלֹהֵיכֶם: אֱמֶת.

חזן יְהוָה אֱלֹהֵיכֶם אֱמֶת.

Some people loudly enunciate the ז in the word תזכרו to make sure that it means "and you should remember" and not sound like תשכרו meaning "and you should be rewarded"!

(אֱמֶת) וְיַצִּיב וְנָכוֹן וְקַיָּם וְיָשָׁר וְנֶאֱמָן וְאָהוּב וְחָבִיב וְנֶחְמָד וְנָעִים וְנוֹרָא וְאַדִּיר וּמְתֻקָּן וּמְקֻבָּל וְטוֹב וְיָפֶה הַדָּבָר הַזֶּה עָלֵינוּ לְעוֹלָם וָעֶד. אֱמֶת אֱלֹהֵי עוֹלָם מַלְכֵּנוּ צוּר יַעֲקֹב, מָגֵן יִשְׁעֵנוּ, לְדֹר וָדֹר הוּא קַיָּם, וּשְׁמוֹ קַיָּם, וְכִסְאוֹ נָכוֹן, וּמַלְכוּתוֹ וֶאֱמוּנָתוֹ לָעַד קַיָּמֶת.

It is customary to kiss the ציצית *and let go of them now*

וּדְבָרָיו חָיִים וְקַיָּמִים, נֶאֱמָנִים וְנֶחֱמָדִים לָעַד וּלְעוֹלְמֵי עוֹלָמִים. עַל אֲבוֹתֵינוּ וְעָלֵינוּ, עַל בָּנֵינוּ וְעַל דּוֹרוֹתֵינוּ, וְעַל כָּל דּוֹרוֹת זֶרַע יִשְׂרָאֵל עֲבָדֶיךָ.

עַל הָרִאשׁוֹנִים וְעַל הָאַחֲרוֹנִים, דָּבָר טוֹב וְקַיָּם לְעוֹלָם וָעֶד, אֱמֶת וֶאֱמוּנָה חֹק וְלֹא יַעֲבֹר. אֱמֶת שָׁאַתָּה הוּא יהוה אֱלֹהֵינוּ וֵאלֹהֵי אֲבוֹתֵינוּ, מַלְכֵּנוּ מֶלֶךְ אֲבוֹתֵינוּ, גֹּאֲלֵנוּ גֹּאֵל אֲבוֹתֵינוּ, יוֹצְרֵנוּ צוּר יְשׁוּעָתֵנוּ, פּוֹדֵנוּ וּמַצִּילֵנוּ מֵעוֹלָם שְׁמֶךָ, אֵין אֱלֹהִים זוּלָתֶךָ.

עֶזְרַת אֲבוֹתֵינוּ אַתָּה הוּא מֵעוֹלָם, מָגֵן וּמוֹשִׁיעַ לִבְנֵיהֶם אַחֲרֵיהֶם בְּכָל דּוֹר וָדוֹר. בְּרוּם עוֹלָם מוֹשָׁבֶךָ, וּמִשְׁפָּטֶיךָ וְצִדְקָתְךָ עַד אַפְסֵי אָרֶץ. אַשְׁרֵי אִישׁ שֶׁיִּשְׁמַע לְמִצְוֹתֶיךָ, וְתוֹרָתְךָ וּדְבָרְךָ יָשִׂים עַל לִבּוֹ. אֱמֶת אַתָּה הוּא אָדוֹן לְעַמֶּךָ, וּמֶלֶךְ גִּבּוֹר לָרִיב רִיבָם. אֱמֶת אַתָּה הוּא רִאשׁוֹן וְאַתָּה הוּא אַחֲרוֹן, וּמִבַּלְעָדֶיךָ אֵין לָנוּ מֶלֶךְ גּוֹאֵל

There should not be an interruption between the end of the שמע and the beginning of the third blessing starting with the word אמת. By saying יהוה אלהיכם אמת we are also affirming what the prophet Jeremiah said (Jeremiah 10:10), that God is true.

אמת ויציב begins the third blessing of the שמע listing the many attributes of God. It ends with גאל ישראל.

5 וּמוֹשִׁיעַ. מִמִּצְרַיִם גְּאַלְתָּנוּ יהוה אֱלֹהֵינוּ, וּמִבֵּית
עֲבָדִים פְּדִיתָנוּ. כָּל בְּכוֹרֵיהֶם הָרָגְתָּ, וּבְכוֹרְךָ גָּאָלְתָּ,
וְיַם סוּף בָּקַעְתָּ, וְזֵדִים טִבַּעְתָּ, וִידִידִים הֶעֱבַרְתָּ, וַיְכַסּוּ
מַיִם צָרֵיהֶם, אֶחָד מֵהֶם לֹא נוֹתָר. עַל זֹאת שִׁבְּחוּ
אֲהוּבִים וְרוֹמְמוּ אֵל, וְנָתְנוּ יְדִידִים זְמִירוֹת שִׁירוֹת
10 וְתִשְׁבָּחוֹת, בְּרָכוֹת וְהוֹדָאוֹת לְמֶלֶךְ אֵל חַי וְקַיָּם, רָם
וְנִשָּׂא גָּדוֹל וְנוֹרָא, מַשְׁפִּיל גֵּאִים וּמַגְבִּיהַּ שְׁפָלִים,
מוֹצִיא אֲסִירִים וּפוֹדֶה עֲנָוִים וְעוֹזֵר דַּלִּים וְעוֹנֶה לְעַמּוֹ
בְּעֵת שַׁוְּעָם אֵלָיו.

♫ תְּהִלּוֹת לְאֵל עֶלְיוֹן, בָּרוּךְ הוּא וּמְבוֹרָךְ. מֹשֶׁה וּבְנֵי
15 יִשְׂרָאֵל לְךָ עָנוּ שִׁירָה בְּשִׂמְחָה רַבָּה וְאָמְרוּ כֻלָּם:

מִי כָמֹכָה בָּאֵלִם יהוה,
מִי כָּמֹכָה נֶאְדָּר בַּקֹּדֶשׁ,
נוֹרָא תְהִלֹּת עֹשֵׂה פֶלֶא. שְׁמוֹת טו:11

שִׁירָה חֲדָשָׁה שִׁבְּחוּ גְאוּלִים לְשִׁמְךָ עַל שְׂפַת הַיָּם,
20 יַחַד כֻּלָּם הוֹדוּ וְהִמְלִיכוּ וְאָמְרוּ:

יהוה יִמְלֹךְ לְעוֹלָם וָעֶד: שָׁם, שָׁם 18

ח ׀ צוּר יִשְׂרָאֵל, קוּמָה בְּעֶזְרַת יִשְׂרָאֵל, וּפְדֵה כִנְאֻמֶךָ
יְהוּדָה וְיִשְׂרָאֵל.

♫ גֹּאֲלֵנוּ יהוה צְבָאוֹת שְׁמוֹ, קְדוֹשׁ יִשְׂרָאֵל. יְשַׁעְיָה מז:4
25 בָּרוּךְ אַתָּה יהוה גָּאַל יִשְׂרָאֵל:

On יום טוב, see עמידה on p. 304.

צור ישראל reminds us that just as God redeemed us from Egypt, God will
help all of Israel in the future as well.

שמונה עשרה

The שמונה עשרה is a central prayer in each service. שמונה עשרה means "eighteen" because originally there were 18 ברכות in the weekday version. One ברכה was added so there are now 19 ברכות. This prayer is said while standing so it is also called the עמידה. It is so important that sometimes it is called just תפילה, "the prayer."

The שמונה עשרה for שבת morning has only seven ברכות. The first three ברכות and the last three ברכות are the same as in every עמידה. The middle ברכה is different. The section which begins with ישמח משה is dedicated to remembering that God gave us the Torah on Mt. Sinai. Also, in the ושמרו our devotion to Shabbat is strengthened as we read the commandment to Israel to observe the שבת. The ברכה ends מקדש השבת.

We begin the שמונה עשרה by standing straight, walking three steps backward and three steps forward. Some recite each of the six words, יהוה שפתי תפתח ופי יגיד תהלתך while they take these steps. We are showing our respect as we "enter" God's presence. Our feet are together throughout the entire prayer. There are four times when we bow as we say the עמידה.

1. In the first blessing, when we say ברוך we bend our knees, then we bow our heads for the word אתה and stand up straight when we say God's name.
2. We also bow the same way at the end of the first ברכה which ends מגן אברהם.
3. At מודים we bow at the waist and then stand up straight.
4. We bow for the last time when we say the ברכה which ends הטוב שמך ולך נאה להודות.

When we finish the שמונה עשרה we take three steps backward and bow to the left saying עשה שלום במרומיו then bow to the right saying הוא יעשה שלום and bow forward saying עלינו ועל כל ישראל.

We do this to acknowledge God as Majestic Ruler. We would never turn our backs on a human king or queen, so we certainly should not do so to God, as we leave God's presence.
There are two methods of reciting the שמונה עשרה in שחרית. We can recite the entire שמונה עשרה silently skipping the קדושה, because it can only be recited with a minyan. Then the ש״ץ repeats the שמונה עשרה for the congregation and we join in for the קדושה. Or we can begin with the ש״ץ and say each word together, continuing through the קדושה and then finish the שמונה עשרה silently. This is called הויכא קדושה, a Yiddish phrase pronounced *hoicha kedusha*, which means "out loud." When we recite the שמונה עשרה with a הויכא קדושה we should say the ברכה that ends האל הקדוש out loud together, and then continue with ישמח משה. Only when you say the שמונה עשרה to yourself do you recite the אתה קדוש paragraph.

If יום טוב *is on* שבת*, go to the* עמידה*, p. 304*

אֲדֹנָי שְׂפָתַי תִּפְתָּח וּפִי יַגִּיד תְּהִלָּתֶךָ: תְּהִלִּים נא:17

בָּרוּךְ אַתָּה יהוה אֱלֹהֵינוּ וֵאלֹהֵי אֲבוֹתֵינוּ, אֱלֹהֵי אַבְרָהָם, אֱלֹהֵי יִצְחָק, וֵאלֹהֵי יַעֲקֹב. הָאֵל הַגָּדוֹל הַגִּבּוֹר וְהַנּוֹרָא, אֵל עֶלְיוֹן, גּוֹמֵל חֲסָדִים טוֹבִים, וְקוֹנֵה הַכֹּל, וְזוֹכֵר חַסְדֵי אָבוֹת, וּמֵבִיא גוֹאֵל לִבְנֵי בְנֵיהֶם לְמַעַן שְׁמוֹ בְּאַהֲבָה:

On שבת שובה *say*

זָכְרֵנוּ לְחַיִּים, מֶלֶךְ חָפֵץ בַּחַיִּים, וְכָתְבֵנוּ בְּסֵפֶר הַחַיִּים, לְמַעַנְךָ אֱלֹהִים חַיִּים.

In some communities the אמהות: שרה, רבקה, רחל and לאה are added to the first blessing of the עמידה to emphasize that both men and women have a relationship with God.

מֶלֶךְ עוֹזֵר וּמוֹשִׁיעַ וּמָגֵן: בָּרוּךְ אַתָּה יהוה, מָגֵן אַבְרָהָם:

אַתָּה גִּבּוֹר לְעוֹלָם אֲדֹנָי, מְחַיֵּה מֵתִים אַתָּה, רַב לְהוֹשִׁיעַ:

From שמיני עצרת *until the first day of* פסח *say*

מַשִּׁיב הָרוּחַ וּמוֹרִיד הַגָּשֶׁם:

From the first day of פסח *until* שמיני עצרת *say*

מוֹרִיד הַטָּל

מְכַלְכֵּל חַיִּים בְּחֶסֶד, מְחַיֵּה מֵתִים בְּרַחֲמִים רַבִּים, סוֹמֵךְ נוֹפְלִים, וְרוֹפֵא חוֹלִים, וּמַתִּיר אֲסוּרִים, וּמְקַיֵּם אֱמוּנָתוֹ לִישֵׁנֵי עָפָר, מִי כָמוֹךָ בַּעַל גְּבוּרוֹת וּמִי דּוֹמֶה לָּךְ, מֶלֶךְ מֵמִית וּמְחַיֶּה וּמַצְמִיחַ יְשׁוּעָה:

On שבת שובה *say*

מִי כָמוֹךָ אַב הָרַחֲמִים, זוֹכֵר יְצוּרָיו לְחַיִּים בְּרַחֲמִים:

וְנֶאֱמָן אַתָּה לְהַחֲיוֹת מֵתִים. בָּרוּךְ אַתָּה יהוה, מְחַיֵּה הַמֵּתִים:

מגן אברהם We praise God as the God of history.

משיב הרוח \ מוריד הטל From the first day of פסח until שמיני עצרת we say מוריד הטל to remind us that God brings dew in order to keep the earth moist during the hot summer months in ארץ ישראל. משיב הרוח ומוריד הגשם reminds us that God brings rain to ארץ ישראל during the winter and is said from שמיני עצרת to the first day of פסח. Even though we do not live in Israel, by saying these תפילות, we are sensitizing ourselves to Israel's agricultural needs and strengthening our connection to the land of Israel.

מחיה המתים We praise God as a miracle worker.

When davening alone continue with אתה קדוש *and* ישמח משה*. When praying with a* מנין *continue with the* קדושה

אַתָּה קָדוֹשׁ וְשִׁמְךָ קָדוֹשׁ וּקְדוֹשִׁים בְּכָל יוֹם יְהַלְלוּךָ, סֶּלָה. בָּרוּךְ אַתָּה יהוה, הָאֵל הַקָּדוֹשׁ (בשבת שובה: הַמֶּלֶךְ הַקָּדוֹשׁ).

קדושה

נְקַדֵּשׁ אֶת שִׁמְךָ בָּעוֹלָם, כְּשֵׁם שֶׁמַּקְדִּישִׁים אוֹתוֹ בִּשְׁמֵי מָרוֹם, כַּכָּתוּב עַל יַד נְבִיאֶךָ: וְקָרָא זֶה אֶל זֶה וְאָמַר: יְשַׁעְיָה ו:3

קָדוֹשׁ, קָדוֹשׁ, קָדוֹשׁ יהוה צְבָאוֹת, מְלֹא כָל הָאָרֶץ כְּבוֹדוֹ. יְשַׁעְיָה ו:3

אָז בְּקוֹל רַעַשׁ גָּדוֹל אַדִּיר וְחָזָק מַשְׁמִיעִים קוֹל, מִתְנַשְּׂאִים לְעֻמַּת שְׂרָפִים, לְעֻמָּתָם בָּרוּךְ יֹאמֵרוּ:

בָּרוּךְ כְּבוֹד יהוה, מִמְּקוֹמוֹ. יְחֶזְקֵאל ג:12

מִמְּקוֹמְךָ מַלְכֵּנוּ תוֹפִיעַ, וְתִמְלֹךְ עָלֵינוּ, כִּי מְחַכִּים אֲנַחְנוּ לָךְ. מָתַי תִּמְלֹךְ בְּצִיּוֹן, בְּקָרוֹב בְּיָמֵינוּ, לְעוֹלָם וָעֶד תִּשְׁכּוֹן. תִּתְגַּדַּל וְתִתְקַדַּשׁ בְּתוֹךְ יְרוּשָׁלַיִם עִירְךָ, לְדוֹר וָדוֹר וּלְנֵצַח נְצָחִים. וְעֵינֵינוּ תִרְאֶינָה מַלְכוּתֶךָ, כַּדָּבָר הָאָמוּר בְּשִׁירֵי עֻזֶּךָ, עַל יְדֵי דָוִד מְשִׁיחַ צִדְקֶךָ:

יִמְלֹךְ יהוה לְעוֹלָם, אֱלֹהַיִךְ צִיּוֹן לְדֹר וָדֹר, הַלְלוּיָהּ.
תְּהִלִּים קמו: 10

לְדוֹר וָדוֹר נַגִּיד גָּדְלֶךָ וּלְנֵצַח נְצָחִים קְדֻשָּׁתְךָ נַקְדִּישׁ, וְשִׁבְחֲךָ אֱלֹהֵינוּ מִפִּינוּ לֹא יָמוּשׁ לְעוֹלָם וָעֶד, כִּי אֵל מֶלֶךְ גָּדוֹל וְקָדוֹשׁ אָתָּה. בָּרוּךְ אַתָּה יהוה, הָאֵל הַקָּדוֹשׁ (בשבת שובה: הַמֶּלֶךְ הַקָּדוֹשׁ).

קדושה We praise God as the God of history.
האל הקדוש We praise the Holy God.

When davening alone, continue with ישמח משה

יִשְׂמַח מֹשֶׁה בְּמַתְּנַת חֶלְקוֹ, כִּי עֶבֶד נֶאֱמָן קָרָאתָ לּוֹ. כְּלִיל תִּפְאֶרֶת בְּרֹאשׁוֹ נָתַתָּ בְּעָמְדוֹ לְפָנֶיךָ עַל הַר סִינָי. וּשְׁנֵי לוּחוֹת אֲבָנִים הוֹרִיד בְּיָדוֹ, וְכָתוּב בָּהֶם שְׁמִירַת שַׁבָּת. וְכֵן כָּתוּב בְּתוֹרָתֶךָ: וְשָׁמְרוּ בְנֵי יִשְׂרָאֵל אֶת הַשַּׁבָּת, לַעֲשׂוֹת אֶת הַשַּׁבָּת לְדֹרֹתָם בְּרִית עוֹלָם. בֵּינִי וּבֵין בְּנֵי יִשְׂרָאֵל אוֹת הִיא לְעֹלָם, כִּי שֵׁשֶׁת יָמִים עָשָׂה יהוה אֶת הַשָּׁמַיִם וְאֶת הָאָרֶץ, וּבַיּוֹם הַשְּׁבִיעִי שָׁבַת וַיִּנָּפַשׁ. שְׁמוֹת לא:16-17

וְלֹא נְתַתּוֹ יהוה אֱלֹהֵינוּ לְגוֹיֵי הָאֲרָצוֹת, וְלֹא הִנְחַלְתּוֹ מַלְכֵּנוּ לְעוֹבְדֵי פְסִילִים, וְגַם בִּמְנוּחָתוֹ לֹא יִשְׁכְּנוּ עֲרֵלִים. כִּי לְיִשְׂרָאֵל עַמְּךָ נְתַתּוֹ בְּאַהֲבָה, לְזֶרַע יַעֲקֹב אֲשֶׁר בָּם בָּחָרְתָּ. עַם מְקַדְּשֵׁי שְׁבִיעִי, כֻּלָּם יִשְׂבְּעוּ וְיִתְעַנְּגוּ מִטּוּבֶךָ, וּבַשְּׁבִיעִי רָצִיתָ בּוֹ וְקִדַּשְׁתּוֹ, חֶמְדַּת יָמִים אוֹתוֹ קָרָאתָ, זֵכֶר לְמַעֲשֵׂה בְרֵאשִׁית.

אֱלֹהֵינוּ וֵאלֹהֵי אֲבוֹתֵינוּ, רְצֵה בִמְנוּחָתֵנוּ, קַדְּשֵׁנוּ בְּמִצְוֹתֶיךָ וְתֵן חֶלְקֵנוּ בְּתוֹרָתֶךָ, שַׂבְּעֵנוּ מִטּוּבֶךָ וְשַׂמְּחֵנוּ בִּישׁוּעָתֶךָ, וְטַהֵר לִבֵּנוּ לְעָבְדְּךָ בֶּאֱמֶת, וְהַנְחִילֵנוּ יהוה אֱלֹהֵינוּ בְּאַהֲבָה וּבְרָצוֹן שַׁבַּת קָדְשֶׁךָ, וְיָנוּחוּ בוֹ כָּל יִשְׂרָאֵל מְקַדְּשֵׁי שְׁמֶךָ. בָּרוּךְ אַתָּה יהוה, מְקַדֵּשׁ הַשַּׁבָּת:

רְצֵה, יהוה אֱלֹהֵינוּ, בְּעַמְּךָ יִשְׂרָאֵל וּבִתְפִלָּתָם, וְהָשֵׁב אֶת הָעֲבוֹדָה לִדְבִיר בֵּיתֶךָ, וּתְפִלָּתָם בְּאַהֲבָה תְקַבֵּל בְּרָצוֹן, וּתְהִי לְרָצוֹן תָּמִיד עֲבוֹדַת יִשְׂרָאֵל עַמֶּךָ.

On ראש חודש *and* חול המועד *add the following*

אֱלֹהֵינוּ וֵאלֹהֵי אֲבוֹתֵינוּ, יַעֲלֶה וְיָבֹא, וְיַגִּיעַ, וְיֵרָאֶה, וְיֵרָצֶה, וְיִשָּׁמַע, וְיִפָּקֵד, וְיִזָּכֵר זִכְרוֹנֵנוּ וּפִקְדוֹנֵנוּ, וְזִכְרוֹן אֲבוֹתֵינוּ, וְזִכְרוֹן מָשִׁיחַ בֶּן דָּוִד עַבְדֶּךָ, וְזִכְרוֹן יְרוּשָׁלַיִם עִיר קָדְשֶׁךָ, וְזִכְרוֹן כָּל עַמְּךָ בֵּית יִשְׂרָאֵל לְפָנֶיךָ, לִפְלֵיטָה, לְטוֹבָה, לְחֵן וּלְחֶסֶד וּלְרַחֲמִים, לְחַיִּים וּלְשָׁלוֹם, בְּיוֹם

רֹאשׁ חֹדֶשׁ:	רֹאשׁ הַחֹדֶשׁ הַזֶּה	*On Rosh Chodesh*
פֶּסַח:	חַג הַמַּצּוֹת הַזֶּה	*On Pesach*
סֻכּוֹת:	חַג הַסֻּכּוֹת הַזֶּה	*On Sukkot*

זָכְרֵנוּ, יהוה אֱלֹהֵינוּ, בּוֹ לְטוֹבָה, וּפָקְדֵנוּ בוֹ לִבְרָכָה, וְהוֹשִׁיעֵנוּ בוֹ לְחַיִּים, וּבִדְבַר יְשׁוּעָה וְרַחֲמִים, חוּס וְחָנֵּנוּ, וְרַחֵם עָלֵינוּ וְהוֹשִׁיעֵנוּ, כִּי אֵלֶיךָ עֵינֵינוּ, כִּי אֵל מֶלֶךְ חַנּוּן וְרַחוּם אָתָּה.

וְתֶחֱזֶינָה עֵינֵינוּ בְּשׁוּבְךָ לְצִיּוֹן בְּרַחֲמִים. בָּרוּךְ אַתָּה יהוה, הַמַּחֲזִיר שְׁכִינָתוֹ לְצִיּוֹן.

(ש״ץ) מוֹדִים אֲנַחְנוּ לָךְ, שָׁאַתָּה הוּא, יהוה אֱלֹהֵינוּ וֵאלֹהֵי אֲבוֹתֵינוּ, לְעוֹלָם וָעֶד, צוּר חַיֵּינוּ, מָגֵן יִשְׁעֵנוּ, אַתָּה הוּא לְדוֹר וָדוֹר נוֹדֶה לְּךָ וּנְסַפֵּר תְּהִלָּתֶךָ. עַל חַיֵּינוּ הַמְּסוּרִים בְּיָדֶךָ, וְעַל נִשְׁמוֹתֵינוּ הַפְּקוּדוֹת לָךְ, וְעַל נִסֶּיךָ שֶׁבְּכָל יוֹם עִמָּנוּ, וְעַל נִפְלְאוֹתֶיךָ וְטוֹבוֹתֶיךָ שֶׁבְּכָל עֵת, עֶרֶב וָבֹקֶר וְצָהֳרָיִם, הַטּוֹב כִּי לֹא כָלוּ רַחֲמֶיךָ, וְהַמְרַחֵם כִּי לֹא תַמּוּ חֲסָדֶיךָ מֵעוֹלָם קִוִּינוּ לָךְ.

יעלה ויבוא is recited on ראש חודש and חול המועד of פסח and סוכות. It is inserted after רצה יהוה אלהינו and before מודים אנחנו. We ask God to be good to us and to have compassion on us on these special days.

המחזיר שכינתו לציון We thank God for returning the Divine Presence to Israel.

In the repetition of this עמידה *by the* ש״ץ *the* קהל *says the following* מודים
It is not said during the silent עמידה

(קהל) מוֹדִים אֲנַחְנוּ לָךְ, שָׁאַתָּה הוּא יהוה אֱלֹהֵינוּ וֵאלֹהֵי אֲבוֹתֵינוּ אֱלֹהֵי כָל בָּשָׂר, יוֹצְרֵנוּ, יוֹצֵר בְּרֵאשִׁית. בְּרָכוֹת וְהוֹדָאוֹת לְשִׁמְךָ הַגָּדוֹל וְהַקָּדוֹשׁ, עַל שֶׁהֶחֱיִיתָנוּ וְקִיַּמְתָּנוּ. כֵּן תְּחַיֵּנוּ וּתְקַיְּמֵנוּ, וְתֶאֱסוֹף גָּלֻיּוֹתֵינוּ לְחַצְרוֹת קָדְשֶׁךָ, לִשְׁמוֹר חֻקֶּיךָ וְלַעֲשׂוֹת רְצוֹנֶךָ, וּלְעָבְדְּךָ בְּלֵבָב שָׁלֵם, עַל שֶׁאֲנַחְנוּ מוֹדִים לָךְ. בָּרוּךְ אֵל הַהוֹדָאוֹת.

לחנוכה *On Chanukah*

עַל הַנִּסִּים, וְעַל הַפֻּרְקָן, וְעַל הַגְּבוּרוֹת, וְעַל הַתְּשׁוּעוֹת, וְעַל הַמִּלְחָמוֹת, שֶׁעָשִׂיתָ לַאֲבוֹתֵינוּ בַּיָּמִים הָהֵם בַּזְּמַן הַזֶּה.

בִּימֵי מַתִּתְיָהוּ בֶּן יוֹחָנָן כֹּהֵן גָּדוֹל, חַשְׁמוֹנַאִי וּבָנָיו, כְּשֶׁעָמְדָה מַלְכוּת יָוָן הָרְשָׁעָה עַל עַמְּךָ יִשְׂרָאֵל לְהַשְׁכִּיחָם תּוֹרָתֶךָ, וּלְהַעֲבִירָם מֵחֻקֵּי רְצוֹנֶךָ, וְאַתָּה בְּרַחֲמֶיךָ הָרַבִּים עָמַדְתָּ לָהֶם בְּעֵת צָרָתָם, רַבְתָּ אֶת רִיבָם, דַּנְתָּ אֶת דִּינָם, נָקַמְתָּ אֶת נִקְמָתָם, מָסַרְתָּ גִבּוֹרִים בְּיַד חַלָּשִׁים, וְרַבִּים בְּיַד מְעַטִּים, וּטְמֵאִים בְּיַד טְהוֹרִים, וּרְשָׁעִים בְּיַד צַדִּיקִים, וְזֵדִים בְּיַד עוֹסְקֵי תוֹרָתֶךָ. וּלְךָ עָשִׂיתָ שֵׁם גָּדוֹל וְקָדוֹשׁ בְּעוֹלָמֶךָ, וּלְעַמְּךָ יִשְׂרָאֵל עָשִׂיתָ תְּשׁוּעָה גְדוֹלָה וּפֻרְקָן כְּהַיּוֹם הַזֶּה. וְאַחַר כֵּן בָּאוּ בָנֶיךָ לִדְבִיר בֵּיתֶךָ, וּפִנּוּ אֶת הֵיכָלֶךָ, וְטִהֲרוּ אֶת מִקְדָּשֶׁךָ, וְהִדְלִיקוּ נֵרוֹת בְּחַצְרוֹת קָדְשֶׁךָ, וְקָבְעוּ שְׁמוֹנַת יְמֵי חֲנֻכָּה אֵלּוּ, לְהוֹדוֹת וּלְהַלֵּל לְשִׁמְךָ הַגָּדוֹל.

When the ש״ץ repeats the עמידה, each person recites the מודים, standing slightly in place, bowing and sitting down. Giving thanks to God is a personal task and not something that a ש״ץ can do for you.

על הנסים This is inserted in the blessing of הודאה in the Amidah during חנוכה. It begins with a statement thanking God for miracles that were performed for our ancestors during times of trouble. Following this statement is a description of God's role in the Chanukah story.

וְעַל כֻּלָּם יִתְבָּרַךְ וְיִתְרוֹמַם שִׁמְךָ, מַלְכֵּנוּ, תָּמִיד לְעוֹלָם וָעֶד.

On שבת שובה *say*

וּכְתוֹב לְחַיִּים טוֹבִים כָּל בְּנֵי בְרִיתֶךָ.

וְכֹל הַחַיִּים יוֹדוּךָ סֶּלָה, וִיהַלְלוּ אֶת שִׁמְךָ בֶּאֱמֶת, הָאֵל יְשׁוּעָתֵנוּ וְעֶזְרָתֵנוּ סֶלָה. בָּרוּךְ אַתָּה יהוה, הַטּוֹב שִׁמְךָ וּלְךָ נָאֶה לְהוֹדוֹת.

ברכת כהנים

When the ש״ץ *repeats the* שמונה עשרה*, the* ברכת כהנים*, the blessing the Priests used in the Temple, is added*

אֱלֹהֵינוּ וֵאלֹהֵי אֲבוֹתֵינוּ, בָּרְכֵנוּ בַבְּרָכָה הַמְשֻׁלֶּשֶׁת בַּתּוֹרָה הַכְּתוּבָה עַל יְדֵי מֹשֶׁה עַבְדֶּךָ, הָאֲמוּרָה מִפִּי אַהֲרֹן וּבָנָיו כֹּהֲנִים עַם קְדוֹשֶׁךָ, כָּאָמוּר.

ש״ץ:	קהל:
יְבָרֶכְךָ יהוה וְיִשְׁמְרֶךָ.	כֵּן יְהִי רָצוֹן
יָאֵר יהוה פָּנָיו אֵלֶיךָ וִיחֻנֶּךָּ.	כֵּן יְהִי רָצוֹן
יִשָּׂא יהוה פָּנָיו אֵלֶיךָ וְיָשֵׂם לְךָ שָׁלוֹם.	כֵּן יְהִי רָצוֹן בְּמִדְבָּר ו:24-26

שִׂים שָׁלוֹם טוֹבָה וּבְרָכָה, חֵן וָחֶסֶד וְרַחֲמִים, עָלֵינוּ וְעַל כָּל יִשְׂרָאֵל עַמֶּךָ. בָּרְכֵנוּ, אָבִינוּ, כֻּלָּנוּ כְּאֶחָד בְּאוֹר פָּנֶיךָ, כִּי בְאוֹר פָּנֶיךָ נָתַתָּ לָּנוּ, יהוה אֱלֹהֵינוּ, תּוֹרַת חַיִּים וְאַהֲבַת חֶסֶד, וּצְדָקָה וּבְרָכָה וְרַחֲמִים וְחַיִּים וְשָׁלוֹם, וְטוֹב בְּעֵינֶיךָ לְבָרֵךְ אֶת עַמְּךָ יִשְׂרָאֵל בְּכָל עֵת וּבְכָל שָׁעָה בִּשְׁלוֹמֶךָ.

הטוב שמך ולך נאה להודות We thank You, God, for Your good name and how wonderful it is to give thanks.

On שבת שובה *say*

בְּסֵפֶר חַיִּים, בְּרָכָה, וְשָׁלוֹם, וּפַרְנָסָה טוֹבָה, נִזָּכֵר וְנִכָּתֵב לְפָנֶיךָ, אֲנַחְנוּ וְכָל עַמְּךָ בֵּית יִשְׂרָאֵל, לְחַיִּים טוֹבִים וּלְשָׁלוֹם. בָּרוּךְ אַתָּה יהוה, עֹשֵׂה הַשָּׁלוֹם.

בָּרוּךְ אַתָּה יהוה, הַמְבָרֵךְ אֶת עַמּוֹ יִשְׂרָאֵל בַּשָּׁלוֹם.

Continue with אלהי נצור.

The ש״ץ *ends the repetition of the* עמידה *here.*

On Rosh Chodesh, Chol Ha-Moed (intermediate days of Festivals) and on Chanukah, continue with הלל, *p. 00.*

אֱלֹהַי, נְצוֹר לְשׁוֹנִי מֵרָע, וּשְׂפָתַי מִדַּבֵּר מִרְמָה, וְלִמְקַלְלַי נַפְשִׁי תִדּוֹם, וְנַפְשִׁי כֶּעָפָר לַכֹּל תִּהְיֶה. פְּתַח לִבִּי בְּתוֹרָתֶךָ, וּבְמִצְוֹתֶיךָ תִּרְדּוֹף נַפְשִׁי. וְכָל הַחוֹשְׁבִים עָלַי רָעָה, מְהֵרָה הָפֵר עֲצָתָם וְקַלְקֵל מַחֲשַׁבְתָּם. עֲשֵׂה לְמַעַן שְׁמֶךָ, עֲשֵׂה לְמַעַן יְמִינֶךָ, עֲשֵׂה לְמַעַן קְדֻשָּׁתֶךָ, עֲשֵׂה לְמַעַן תּוֹרָתֶךָ. לְמַעַן יֵחָלְצוּן יְדִידֶיךָ, הוֹשִׁיעָה יְמִינְךָ וַעֲנֵנִי. תְּהִלִּים ס:7 יִהְיוּ לְרָצוֹן אִמְרֵי פִי וְהֶגְיוֹן לִבִּי לְפָנֶיךָ, יהוה צוּרִי וְגוֹאֲלִי. שָׁם יט:15 עֹשֶׂה שָׁלוֹם בִּמְרוֹמָיו, הוּא יַעֲשֶׂה שָׁלוֹם עָלֵינוּ, וְעַל כָּל יִשְׂרָאֵל וְאִמְרוּ: אָמֵן.

המברך את עמו ישראל בשלום We thank God for blessing us with peace.

קדיש שלם

(ש״ץ) יִתְגַּדַּל וְיִתְקַדַּשׁ שְׁמֵהּ רַבָּא. בְּעָלְמָא דִּי בְרָא כִרְעוּתֵהּ, וְיַמְלִיךְ מַלְכוּתֵהּ בְּחַיֵּיכוֹן וּבְיוֹמֵיכוֹן וּבְחַיֵּי דְכָל בֵּית יִשְׂרָאֵל. בַּעֲגָלָא וּבִזְמַן קָרִיב וְאִמְרוּ אָמֵן:

(ביחד) יְהֵא שְׁמֵהּ רַבָּא מְבָרַךְ לְעָלַם וּלְעָלְמֵי עָלְמַיָּא:

(ש״ץ) יִתְבָּרַךְ וְיִשְׁתַּבַּח, וְיִתְפָּאַר וְיִתְרוֹמַם וְיִתְנַשֵּׂא וְיִתְהַדָּר וְיִתְעַלֶּה וְיִתְהַלָּל שְׁמֵהּ דְּקֻדְשָׁא (ביחד) בְּרִיךְ הוּא (ש״ץ) לְעֵלָּא (בשבת שובה לְעֵלָּא וּלְעֵלָּא מִכָּל) מִן כָּל בִּרְכָתָא וְשִׁירָתָא, תֻּשְׁבְּחָתָא וְנֶחֱמָתָא, דַּאֲמִירָן בְּעָלְמָא, וְאִמְרוּ אָמֵן:

(ש״ץ) תִּתְקַבֵּל צְלוֹתְהוֹן וּבָעוּתְהוֹן דְּכָל בֵּית יִשְׂרָאֵל קֳדָם אֲבוּהוֹן דִּי בִשְׁמַיָּא וְאִמְרוּ אָמֵן:

(ש״ץ) יְהֵא שְׁלָמָא רַבָּא מִן שְׁמַיָּא וְחַיִּים עָלֵינוּ וְעַל כָּל יִשְׂרָאֵל, וְאִמְרוּ אָמֵן:

(ש״ץ) עֹשֶׂה שָׁלוֹם בִּמְרוֹמָיו, הוּא יַעֲשֶׂה שָׁלוֹם, עָלֵינוּ וְעַל כָּל יִשְׂרָאֵל, וְאִמְרוּ אָמֵן:

סדר הוצאת התורה

(ביחד) אֵין כָּמוֹךָ בָאֱלֹהִים, אֲדֹנָי, וְאֵין כְּמַעֲשֶׂיךָ: תְּהִלִּים פו:8

מַלְכוּתְךָ מַלְכוּת כָּל עֹלָמִים, וּמֶמְשַׁלְתְּךָ בְּכָל דּוֹר וָדֹר: יהוה מֶלֶךְ, שָׁם י:16 יהוה מָלָךְ, שָׁם צג:1 יהוה יִמְלֹךְ לְעֹלָם וָעֶד: שְׁמוֹת טו:18 יהוה עֹז לְעַמּוֹ יִתֵּן יהוה יְבָרֵךְ אֶת עַמּוֹ בַשָּׁלוֹם. תְּהִלִּים כט:11

אַב הָרַחֲמִים, הֵיטִיבָה בִרְצוֹנְךָ אֶת צִיּוֹן, תִּבְנֶה חוֹמוֹת יְרוּשָׁלָיִם. תְּהִלִּים נא:20 כִּי בְךָ לְבַד בָּטָחְנוּ, מֶלֶךְ אֵל רָם וְנִשָּׂא, אֲדוֹן עוֹלָמִים.

Open the Aron Kodesh

(ש״ץ) **וַיְהִי בִּנְסֹעַ הָאָרֹן וַיֹּאמֶר מֹשֶׁה:**

(ביחד) קוּמָה יהוה, וְיָפֻצוּ אֹיְבֶיךָ, וְיָנֻסוּ מְשַׂנְאֶיךָ מִפָּנֶיךָ: בְּמִדְבָּר י:35

כִּי מִצִּיּוֹן תֵּצֵא תוֹרָה, וּדְבַר יהוה מִירוּשָׁלָיִם: יְשַׁעְיָה ב:3

בָּרוּךְ שֶׁנָּתַן תּוֹרָה לְעַמּוֹ יִשְׂרָאֵל בִּקְדֻשָּׁתוֹ:

The scribe Ezra declared that one should not go three days without hearing the Torah. Therefore, he introduced the custom of reading the Torah on Mondays and Thursdays (as well as Shabbat morning and afternoon), the days when farmers would come to town to sell their produce. The public reading of the Torah is the "reenactment" of the giving of the Torah at Mt. Sinai. The Torah is read only in the presence of a minyan.

On פסח, שבועות, *and* סוכות, *recite the thirteen attributes of God three times*

יהוה, יהוה, אֵל רַחוּם וְחַנּוּן, אֶרֶךְ אַפַּיִם וְרַב חֶסֶד וֶאֱמֶת: נֹצֵר חֶסֶד לָאֲלָפִים, נֹשֵׂא עָוֹן וָפֶשַׁע וְחַטָּאָה, וְנַקֵּה:

Say silently

רִבּוֹנוֹ שֶׁל עוֹלָם מַלֵּא מִשְׁאֲלוֹת לִבִּי לְטוֹבָה, וְהָפֵק רְצוֹנִי וְתֵן שְׁאֵלָתִי לִי, וְזַכֵּנִי (וְאֶת־אִשְׁתִּי / וְאֶת־בַּעֲלִי / וְאֶת־בָּנַי / וְאֶת־הוֹרַי) וְכָל בְּנֵי בֵיתִי, לַעֲשׂוֹת רְצוֹנְךָ בְּלֵבָב שָׁלֵם, וּמַלְטֵנוּ מִיֵּצֶר הָרָע, וְתֵן חֶלְקֵנוּ בְּתוֹרָתֶךָ, וְזַכֵּנוּ שֶׁתִּשְׁרֶה שְׁכִינָתְךָ עָלֵינוּ, וְהוֹפַע עָלֵינוּ רוּחַ חָכְמָה וּבִינָה, וְיִתְקַיֵּם בָּנוּ מִקְרָא שֶׁכָּתוּב: וְנָחָה עָלָיו רוּחַ יהוה, רוּחַ חָכְמָה וּבִינָה, רוּחַ עֵצָה וּגְבוּרָה, רוּחַ דַּעַת וְיִרְאַת יהוה: וּבְכֵן יְהִי רָצוֹן מִלְּפָנֶיךָ יהוה אֱלֹהֵינוּ וֵאלֹהֵי אֲבוֹתֵינוּ, שֶׁתְּזַכֵּנוּ לַעֲשׂוֹת מַעֲשִׂים טוֹבִים בְּעֵינֶיךָ וְלָלֶכֶת בְּדַרְכֵי יְשָׁרִים לְפָנֶיךָ, וְקַדְּשֵׁנוּ בְּמִצְוֹתֶיךָ, כְּדֵי שֶׁנִּזְכֶּה לְחַיִּים טוֹבִים וַאֲרֻכִּים וּלְחַיֵּי הָעוֹלָם הַבָּא, וְתִשְׁמְרֵנוּ מִמַּעֲשִׂים רָעִים וּמִשָּׁעוֹת רָעוֹת הַמִּתְרַגְּשׁוֹת לָבוֹא לָעוֹלָם, וְהַבּוֹטֵחַ בַּיהוה חֶסֶד יְסוֹבְבֶנְהוּ, אָמֵן.

יִהְיוּ לְרָצוֹן אִמְרֵי פִי וְהֶגְיוֹן לִבִּי לְפָנֶיךָ, יהוה צוּרִי וְגוֹאֲלִי.

On Yom Tov, the following is said aloud three times

וַאֲנִי תְפִלָּתִי לְךָ יהוה עֵת רָצוֹן, אֱלֹהִים בְּרָב חַסְדֶּךָ, עֲנֵנִי בֶּאֱמֶת יִשְׁעֶךָ.

בְּרִיךְ שְׁמֵהּ דְּמָרֵא עָלְמָא. בְּרִיךְ כִּתְרָךְ וְאַתְרָךְ. יְהֵא רְעוּתָךְ עִם עַמָּךְ יִשְׂרָאֵל לְעָלַם, וּפֻרְקַן יְמִינָךְ אַחֲזֵי לְעַמָּךְ בְּבֵית מַקְדְּשָׁךְ וּלְאַמְטוּיֵי לָנָא מִטּוּב נְהוֹרָךְ, וּלְקַבֵּל צְלוֹתָנָא בְּרַחֲמִין. יְהֵא רַעֲוָא קֳדָמָךְ דְּתוֹרִיךְ לָן חַיִּין בְּטִיבוּתָא. וְלֶהֱוֵי אֲנָא פְקִידָא בְּגוֹ צַדִּיקַיָּא. לְמִרְחַם עָלַי וּלְמִנְטַר יָתִי, וְיַת כָּל דִּי לִי וְדִי לְעַמָּךְ יִשְׂרָאֵל. אַנְתְּ הוּא זָן לְכֹלָּא, וּמְפַרְנֵס לְכֹלָּא. אַנְתְּ הוּא שַׁלִּיט עַל כֹּלָּא, אַנְתְּ הוּא דְּשַׁלִּיט עַל מַלְכַיָּא, וּמַלְכוּתָא דִּילָךְ הִיא. אֲנָא עַבְדָּא דְקֻדְשָׁא בְּרִיךְ הוּא דְּסָגִידְנָא קַמֵּהּ, וּמִקַּמָּא דִּיקַר אוֹרַיְתֵהּ בְּכָל עִדָּן וְעִדָּן. לָא עַל אֱנָשׁ רָחִיצְנָא. וְלָא עַל בַּר אֱלָהִין סָמִיכְנָא. אֶלָּא בֶּאֱלָהָא דִשְׁמַיָּא דְּהוּא אֱלָהָא קְשׁוֹט. וְאוֹרַיְתֵהּ קְשׁוֹט. וּנְבִיאוֹהִי קְשׁוֹט. וּמַסְגֵּא לְמֶעְבַּד טַבְוָן וּקְשׁוֹט. בֵּהּ אֲנָא רָחִיץ. וְלִשְׁמֵהּ קַדִּישָׁא יַקִּירָא אֲנָא אֵמַר תֻּשְׁבְּחָן. יְהֵא רַעֲוָא קֳדָמָךְ דְּתִפְתַּח לִבָּאִי בְּאוֹרַיְתָא וְתַשְׁלִים מִשְׁאֲלִין דְּלִבָּאִי. וְלִבָּא דְכָל עַמָּךְ יִשְׂרָאֵל. לְטַב וּלְחַיִּין וְלִשְׁלָם: (אָמֵן.)

The ש"ץ *holds the Torah and says*

(ש"ץ) **שְׁמַע יִשְׂרָאֵל, יהוה אֱלֹהֵינוּ, יהוה אֶחָד.**

(ביחד) שְׁמַע יִשְׂרָאֵל, יהוה אֱלֹהֵינוּ, יהוה אֶחָד.

אֶחָד אֱלֹהֵינוּ, גָּדוֹל אֲדוֹנֵינוּ, קָדוֹשׁ שְׁמוֹ:

(ביחד) אֶחָד אֱלֹהֵינוּ, גָּדוֹל אֲדוֹנֵינוּ, קָדוֹשׁ שְׁמוֹ:

The ש"ץ *faces the ark and bows slightly from the waist*

גַּדְּלוּ לַיהוה אִתִּי, וּנְרוֹמְמָה שְׁמוֹ יַחְדָּו: תְּהִלִּים צט:9,5

(קהל) לְךָ יהוה הַגְּדֻלָּה וְהַגְּבוּרָה וְהַתִּפְאֶרֶת וְהַנֵּצַח וְהַהוֹד, כִּי כֹל בַּשָּׁמַיִם וּבָאָרֶץ: דִּבְרֵי הַיָּמִים א׳ כט:11

לְךָ יהוה הַמַּמְלָכָה וְהַמִּתְנַשֵּׂא לְכֹל לְרֹאשׁ: תְּהִלִּים לד:4

רוֹמְמוּ יהוה אֱלֹהֵינוּ וְהִשְׁתַּחֲווּ לַהֲדֹם רַגְלָיו קָדוֹשׁ הוּא: רוֹמְמוּ יהוה אֱלֹהֵינוּ, וְהִשְׁתַּחֲווּ לְהַר קָדְשׁוֹ, כִּי קָדוֹשׁ יהוה אֱלֹהֵינוּ:

On the first day of שבועות*, some people add* אקדמות*, p. 329*

The ספר תורה *is placed on the* שלחן*. The* גבאי/גבאית *unrolls it and says*

וְיַעֲזוֹר וְיָגֵן וְיוֹשִׁיעַ לְכָל הַחוֹסִים בּוֹ, וְנֹאמַר אָמֵן. הַכֹּל הָבוּ גֹדֶל לֵאלֹהֵינוּ, וּתְנוּ כָבוֹד לַתּוֹרָה.

Insert the name of the person called to the Torah

(males) יַעֲמוֹד ___ בֶּן ___ וְ___.

(females) תַּעֲמוֹד ___ בַּת ___ וְ___.

בָּרוּךְ שֶׁנָּתַן תּוֹרָה לְעַמּוֹ יִשְׂרָאֵל בִּקְדֻשָּׁתוֹ.

(ביחד) וְאַתֶּם הַדְּבֵקִים בַּיהוה אֱלֹהֵיכֶם, חַיִּים כֻּלְּכֶם הַיּוֹם. דְּבָרִים ד:4

עליה לתורה

When the עולה is called to the Torah, the עולה touches the corner of the tallit or the wimpel (belt) to the place to be read and then kisses it and recites the opening ברכה. This action is repeated at the end of the Torah reading—the עולה kisses the Torah with the tallit or wimpel and recites the closing ברכה.

The עולה touches the place where the reading will begin with the tzitzit, holds the עצי חיים with both hands and says loudly

(הָעוֹלֶה/הָעוֹלָה) בָּרְכוּ אֶת יהוה הַמְבֹרָךְ:

(קהל) בָּרוּךְ יהוה הַמְבֹרָךְ לְעוֹלָם וָעֶד:

(הָעוֹלֶה/הָעוֹלָה) בָּרוּךְ יהוה הַמְבֹרָךְ לְעוֹלָם וָעֶד:

בָּרוּךְ אַתָּה יהוה אֱלֹהֵינוּ מֶלֶךְ הָעוֹלָם, אֲשֶׁר בָּחַר בָּנוּ
מִכָּל הָעַמִּים וְנָתַן לָנוּ אֶת תּוֹרָתוֹ: בָּרוּךְ אַתָּה יהוה,
נוֹתֵן הַתּוֹרָה:

The Torah is now read while the עולה follows along with the reader. The עולה touches the place where the Torah reading ended with the tzitzit, holds the עצי חיים and says

(הָעוֹלֶה/הָעוֹלָה) בָּרוּךְ אַתָּה יהוה אֱלֹהֵינוּ מֶלֶךְ הָעוֹלָם, אֲשֶׁר
נָתַן לָנוּ תּוֹרַת אֱמֶת, וְחַיֵּי עוֹלָם נָטַע בְּתוֹכֵנוּ: בָּרוּךְ
אַתָּה יהוה, נוֹתֵן הַתּוֹרָה:

ברכת הגומל

This blessing is recited by an עולה who has recovered from a serious illness, given birth, or survived a dangerous situation.

(הָעוֹלֶה/הָעוֹלָה) בָּרוּךְ אַתָּה יהוה אֱלֹהֵינוּ מֶלֶךְ הָעוֹלָם,
הַגּוֹמֵל לְחַיָּבִים טוֹבוֹת, שֶׁגְּמָלַנִי כָּל טוֹב:

The קהל responds according to the gender of the עולה, as follows

(male) מִי שֶׁגְּמָלְךָ כָּל טוֹב, הוּא יִגְמָלְךָ סֶלָה:

(female) מִי שֶׁגְּמָלֵךְ כָּל טוֹב, הוּא יִגְמָלֵךְ סֶלָה:

For a bar mitzvah

מִי שֶׁבֵּרַךְ אֲבוֹתֵינוּ אַבְרָהָם יִצְחָק וְיַעֲקֹב, שָׂרָה רִבְקָה רָחֵל וְלֵאָה, הוּא יְבָרֵךְ אֶת ___ בֶּן ___ וְ___, שֶׁהִגִּיעַ לְמִצְווֹת וְעָלָה לַתּוֹרָה. הַקָּדוֹשׁ בָּרוּךְ הוּא יִשְׁמְרֵהוּ וִיחַיֵּהוּ וִיכוֹנֵן אֶת לִבּוֹ לִהְיוֹת שָׁלֵם עִם יהוה אֱלֹהָיו, לַהֲגוֹת בְּתוֹרָתוֹ, לָלֶכֶת בִּדְרָכָיו, וְלִשְׁמוֹר מִצְווֹתָיו, וְיִמְצָא חֵן וְשֵׂכֶל טוֹב בְּעֵינֵי אֱלֹהִים וְאָדָם, וְנֹאמַר אָמֵן.

For a bat mitzvah

מִי שֶׁבֵּרַךְ אֲבוֹתֵינוּ אַבְרָהָם יִצְחָק וְיַעֲקֹב, שָׂרָה רִבְקָה רָחֵל וְלֵאָה, הוּא יְבָרֵךְ אֶת ___ בַּת ___ וְ___, שֶׁהִגִּיעָה לְמִצְווֹת וְעָלְתָה לַתּוֹרָה. הַקָּדוֹשׁ בָּרוּךְ הוּא יִשְׁמְרֶהָ וִיחַיֶּהָ וִיכוֹנֵן אֶת לִבָּהּ לִהְיוֹת שְׁלֵמָה עִם יהוה אֱלֹהֶיהָ, לַהֲגוֹת בְּתוֹרָתוֹ, לָלֶכֶת בִּדְרָכָיו, וְלִשְׁמוֹר מִצְווֹתָיו, וְתִמְצָא חֵן וְשֵׂכֶל טוֹב בְּעֵינֵי אֱלֹהִים וְאָדָם, וְנֹאמַר אָמֵן.

For a male's birthday

מִי שֶׁבֵּרַךְ אֲבוֹתֵינוּ אַבְרָהָם יִצְחָק וְיַעֲקֹב, שָׂרָה רִבְקָה רָחֵל וְלֵאָה, הוּא יְבָרֵךְ אֶת ___ בֶּן ___ וְ___, שֶׁעָלָה הַיּוֹם לִכְבוֹד הַמָּקוֹם וְלִכְבוֹד הַתּוֹרָה לִכְבוֹד יוֹם הוּלַדְתּוֹ. הַקָּדוֹשׁ בָּרוּךְ הוּא יְבָרֵךְ אוֹתוֹ וְיִשְׁלַח בְּרָכָה וְהַצְלָחָה בְּכָל מַעֲשֵׂה יָדָיו עִם כָּל יִשְׂרָאֵל עַד מֵאָה וְעֶשְׂרִים שָׁנָה וְנֹאמַר אָמֵן.

For a female's birthday

מִי שֶׁבֵּרַךְ אֲבוֹתֵינוּ אַבְרָהָם יִצְחָק וְיַעֲקֹב, שָׂרָה רִבְקָה רָחֵל וְלֵאָה, הוּא יְבָרֵךְ אֶת ___ בַּת ___ וְ___, שֶׁעָלְתָה הַיּוֹם לִכְבוֹד הַמָּקוֹם וְלִכְבוֹד הַתּוֹרָה לִכְבוֹד

יוֹם הוּלַדְתָּהּ. הַקָּדוֹשׁ בָּרוּךְ הוּא יְבָרֵךְ אוֹתָהּ וְיִשְׁלַח בְּרָכָה וְהַצְלָחָה בְּכָל מַעֲשֵׂה יָדֶיהָ עִם כָּל יִשְׂרָאֵל עַד מֵאָה וְעֶשְׂרִים וְשֶׁבַע שָׁנָה וְנֹאמַר אָמֵן.

For a male who is ill

מִי שֶׁבֵּרַךְ אֲבוֹתֵינוּ אַבְרָהָם יִצְחָק וְיַעֲקֹב, שָׂרָה רִבְקָה רָחֵל וְלֵאָה, הוּא יְבָרֵךְ וִירַפֵּא אֶת הַחוֹלֶה ___ בֶּן ___ וְ___. הַקָּדוֹשׁ בָּרוּךְ הוּא יִמָּלֵא רַחֲמִים עָלָיו, לְהַחֲלִימוֹ וּלְרַפֹּאתוֹ וּלְהַחֲזִיקוֹ וּלְהַחֲיוֹתוֹ, וְיִשְׁלַח לוֹ מְהֵרָה רְפוּאָה שְׁלֵמָה מִן הַשָּׁמַיִם, רְפוּאַת הַנֶּפֶשׁ, וּרְפוּאַת הַגּוּף, הַשְׁתָּא בַּעֲגָלָא וּבִזְמַן קָרִיב. וְנֹאמַר אָמֵן.

For a female who is ill

מִי שֶׁבֵּרַךְ אֲבוֹתֵינוּ אַבְרָהָם יִצְחָק וְיַעֲקֹב, שָׂרָה רִבְקָה רָחֵל וְלֵאָה, הוּא יְבָרֵךְ וִירַפֵּא אֶת הַחוֹלָה ___ בַּת ___ וְ___. הַקָּדוֹשׁ בָּרוּךְ הוּא יִמָּלֵא רַחֲמִים עָלֶיהָ, לְהַחֲלִימָהּ וּלְרַפֹּאתָהּ, וּלְהַחֲזִיקָהּ וּלְהַחֲיוֹתָהּ, וְיִשְׁלַח לָהּ מְהֵרָה רְפוּאָה שְׁלֵמָה מִן הַשָּׁמַיִם, רְפוּאַת הַנֶּפֶשׁ, וּרְפוּאַת הַגּוּף, הַשְׁתָּא בַּעֲגָלָא וּבִזְמַן קָרִיב. וְנֹאמַר אָמֵן.

For Israeli soldiers

מִי שֶׁבֵּרַךְ אֲבוֹתֵינוּ אַבְרָהָם יִצְחָק וְיַעֲקֹב, הוּא יְבָרֵךְ אֶת חַיָּלֵי צְבָא הֲגַנָּה לְיִשְׂרָאֵל, הָעוֹמְדִים עַל מִשְׁמַר אַרְצֵנוּ וְעָרֵי אֱלֹהֵינוּ מִגְּבוּל הַלְּבָנוֹן וְעַד מִדְבַּר מִצְרַיִם וּמִן הַיָּם הַגָּדוֹל עַד לְבוֹא הָעֲרָבָה בַּיַּבָּשָׁה בָּאֲוִיר וּבַיָּם. יִתֵּן יהוה אֶת אוֹיְבֵינוּ הַקָּמִים עָלֵינוּ נִגָּפִים לִפְנֵיהֶם. הַקָּדוֹשׁ בָּרוּךְ הוּא יִשְׁמְרֵם וְיַצִּילֵם מִכָּל צָרָה וְצוּקָה וּמִכָּל נֶגַע וּמַחֲלָה וְיִשְׁלַח בְּרָכָה וְהַצְלָחָה בְּכָל מַעֲשֵׂה

יְדֵיהֶם. יַדְבֵּר שׂוֹנְאֵינוּ תַּחְתֵּיהֶם וִיעַטְּרֵם בְּכֶתֶר יְשׁוּעָה וּבַעֲטֶרֶת נִצָּחוֹן. וִיקֻיַּם בָּהֶם הַכָּתוּב: כִּי יהוה אֱלֹהֵיכֶם הַהֹלֵךְ עִמָּכֶם לְהִלָּחֵם לָכֶם עִם אֹיְבֵיכֶם לְהוֹשִׁיעַ אֶתְכֶם: וְנֹאמַר אָמֵן.

For all who were called to the Torah

מִי שֶׁבֵּרַךְ אֲבוֹתֵינוּ אַבְרָהָם יִצְחָק וְיַעֲקֹב, שָׂרָה רִבְקָה רָחֵל וְלֵאָה, הוּא יְבָרֵךְ אֶת כָּל הַקְּרוּאִים שֶׁעָלוּ לַתּוֹרָה הַיּוֹם. הַקָּדוֹשׁ בָּרוּךְ הוּא יְבָרֵךְ אוֹתָם וְאֶת כָּל מִשְׁפְּחוֹתֵיהֶם, וְיִשְׁלַח בְּרָכָה וְהַצְלָחָה בְּכָל מַעֲשֵׂה יְדֵיהֶם, עִם כָּל יִשְׂרָאֵל אֲחֵיהֶם, וְנֹאמַר אָמֵן.

חצי קדיש

(ש״ץ) יִתְגַּדַּל וְיִתְקַדַּשׁ שְׁמֵהּ רַבָּא. בְּעָלְמָא דִּי בְרָא כִרְעוּתֵיהּ, וְיַמְלִיךְ מַלְכוּתֵיהּ בְּחַיֵּיכוֹן וּבְיוֹמֵיכוֹן וּבְחַיֵּי דְכָל בֵּית יִשְׂרָאֵל. בַּעֲגָלָא וּבִזְמַן קָרִיב וְאִמְרוּ אָמֵן:

(ביחד) יְהֵא שְׁמֵהּ רַבָּא מְבָרַךְ לְעָלַם וּלְעָלְמֵי עָלְמַיָּא:

(ש״ץ) יִתְבָּרַךְ וְיִשְׁתַּבַּח וְיִתְפָּאַר וְיִתְרוֹמַם וְיִתְנַשֵּׂא וְיִתְהַדָּר וְיִתְעַלֶּה וְיִתְהַלָּל שְׁמֵהּ דְּקֻדְשָׁא (ביחד) בְּרִיךְ הוּא. (ש״ץ) לְעֵלָּא (בשבת שובה לְעֵלָּא וּלְעֵלָּא מִכָּל) מִן כָּל בִּרְכָתָא וְשִׁירָתָא תֻּשְׁבְּחָתָא וְנֶחֱמָתָא, דַּאֲמִירָן בְּעָלְמָא, וְאִמְרוּ אָמֵן:

הגבהה וגלילה

After the Torah is read, it is lifted and shown to everyone. It is customary to show at least 3 columns of the text that was read. Some people point toward the Torah with their pinky finger or tallit to emphasize that *this* is the Torah that Moses gave to the people of Israel."

וְזֹאת הַתּוֹרָה אֲשֶׁר שָׂם מֹשֶׁה לִפְנֵי בְּנֵי יִשְׂרָאֵל, עַל פִּי יהוה בְּיַד מֹשֶׁה. דְּבָרִים ד:44, בְּמִדְבַּר ט:23

ברכות לפני ההפטרה
Blessings Before the Haftorah

בָּרוּךְ אַתָּה יהוה אֱלֹהֵינוּ מֶלֶךְ הָעוֹלָם, אֲשֶׁר בָּחַר בִּנְבִיאִים טוֹבִים, וְרָצָה בְדִבְרֵיהֶם הַנֶּאֱמָרִים בֶּאֱמֶת, בָּרוּךְ אַתָּה יהוה, הַבּוֹחֵר בַּתּוֹרָה וּבְמֹשֶׁה עַבְדּוֹ, וּבְיִשְׂרָאֵל עַמּוֹ, וּבִנְבִיאֵי הָאֱמֶת וָצֶדֶק.

The מפטיר/מפטירה *chants the* הפטרה

ברכות אחרי ההפטרה
Blessings After the Haftorah

בָּרוּךְ אַתָּה יהוה אֱלֹהֵינוּ מֶלֶךְ הָעוֹלָם, צוּר כָּל הָעוֹלָמִים, צַדִּיק בְּכָל הַדּוֹרוֹת, הָאֵל הַנֶּאֱמָן הָאוֹמֵר וְעֹשֶׂה, הַמְדַבֵּר וּמְקַיֵּם, שֶׁכָּל דְּבָרָיו אֱמֶת וָצֶדֶק.

נֶאֱמָן אַתָּה הוּא יהוה אֱלֹהֵינוּ, וְנֶאֱמָנִים דְּבָרֶיךָ, וְדָבָר אֶחָד מִדְּבָרֶיךָ אָחוֹר לֹא יָשׁוּב רֵיקָם, כִּי אֵל מֶלֶךְ נֶאֱמָן וְרַחֲמָן אָתָּה. בָּרוּךְ אַתָּה יהוה, הָאֵל הַנֶּאֱמָן בְּכָל דְּבָרָיו.

רַחֵם עַל צִיּוֹן כִּי הִיא בֵּית חַיֵּינוּ, וְלַעֲלוּבַת נֶפֶשׁ תּוֹשִׁיעַ בִּמְהֵרָה בְיָמֵינוּ. בָּרוּךְ אַתָּה יהוה, מְשַׂמֵּחַ צִיּוֹן בְּבָנֶיהָ. שַׂמְּחֵנוּ יהוה אֱלֹהֵינוּ בְּאֵלִיָּהוּ הַנָּבִיא עַבְדֶּךָ, וּבְמַלְכוּת בֵּית דָּוִד מְשִׁיחֶךָ, בִּמְהֵרָה יָבֹא וְיָגֵל לִבֵּנוּ, עַל כִּסְאוֹ לֹא יֵשֵׁב זָר וְלֹא יִנְחֲלוּ עוֹד אֲחֵרִים אֶת כְּבוֹדוֹ, כִּי בְשֵׁם קָדְשְׁךָ נִשְׁבַּעְתָּ לּוֹ, שֶׁלֹּא יִכְבֶּה נֵרוֹ לְעוֹלָם וָעֶד. בָּרוּךְ אַתָּה יהוה, מָגֵן דָּוִד.

On Shabbat, including the Shabbat of Chol Ha-Moed Pesach, add the following only when it is not יום טוב *as well*

עַל הַתּוֹרָה, וְעַל הָעֲבוֹדָה, וְעַל הַנְּבִיאִים, וְעַל יוֹם הַשַּׁבָּת הַזֶּה, שֶׁנָּתַתָּ לָּנוּ יהוה אֱלֹהֵינוּ, לִקְדֻשָּׁה

וְלִמְנוּחָה, לְכָבוֹד וּלְתִפְאָרֶת. עַל הַכֹּל יהוה אֱלֹהֵינוּ, אֲנַחְנוּ מוֹדִים לָךְ, וּמְבָרְכִים אוֹתָךְ, יִתְבָּרַךְ שִׁמְךָ בְּפִי כָּל חַי תָּמִיד לְעוֹלָם וָעֶד. בָּרוּךְ אַתָּה יהוה, מְקַדֵּשׁ הַשַּׁבָּת.

On Pesach, Shavuot, Sukkot, Shmini Atzeret and Simchat Torah, say the following. If it is also Shabbat, add the sections in parentheses

עַל־הַתּוֹרָה, וְעַל הָעֲבוֹדָה, וְעַל הַנְּבִיאִים, (וְעַל־יוֹם הַשַּׁבָּת הַזֶּה), וְעַל יוֹם

פסח:	חַג הַמַּצּוֹת הַזֶּה	*On Pesach*
שבועות:	חַג הַשָּׁבֻעוֹת הַזֶּה	*On Shavuot*
סוכות:	חַג הַסֻּכּוֹת הַזֶּה	*On Sukkot*
שמיני עצרת:	חַג הַשְּׁמִינִי חַג הָעֲצֶרֶת הַזֶּה	*On Shmini Atzeret*
שמחת תורה:	חַג הַשְּׁמִינִי חַג הָעֲצֶרֶת הַזֶּה	*On Simchat Torah*

שֶׁנָּתַתָּ לָנוּ, יהוה אֱלֹהֵינוּ, (לִקְדֻשָּׁה וְלִמְנוּחָה), לְשָׂשׂוֹן וּלְשִׂמְחָה, לְכָבוֹד וּלְתִפְאָרֶת. עַל הַכֹּל יהוה אֱלֹהֵינוּ, אֲנַחְנוּ מוֹדִים לָךְ, וּמְבָרְכִים אוֹתָךְ, יִתְבָּרַךְ שִׁמְךָ בְּפִי כָּל חַי תָּמִיד לְעוֹלָם וָעֶד. בָּרוּךְ אַתָּה יהוה, מְקַדֵּשׁ (הַשַּׁבָּת) וְיִשְׂרָאֵל וְהַזְּמַנִּים.

יקום פרקן *is said only on* שבת *in the presence of a minyan*

יקום פרקן

יְקוּם פֻּרְקָן מִן שְׁמַיָּא, חִנָּא, וְחִסְדָּא, וְרַחֲמֵי,
וְחַיֵּי אֲרִיכֵי, וּמְזוֹנֵי רְוִיחֵי, וְסִיַּעְתָּא דִשְׁמַיָּא,
וּבַרְיוּת גּוּפָא, וּנְהוֹרָא מַעַלְיָא.
זַרְעָא חַיָּא וְקַיָּמָא,
זַרְעָא דִּי לָא יִפְסֻק וְדִי לָא יִבְטֻל מִפִּתְגָּמֵי אוֹרַיְתָא:

לְמָרָנָן וְרַבָּנָן, חֲבוּרָתָא קַדִּישָׁתָא,
דִּי בְאַרְעָא דְיִשְׂרָאֵל, וְדִי בְבָבֶל,
לְרֵישֵׁי מְתִיבָתָא, וּלְדַיָּנֵי דִי בָבָא:
לְכָל תַּלְמִידֵיהוֹן וּלְכָל תַּלְמִידֵי תַלְמִידֵיהוֹן,
וּלְכָל מָאן דְּעָסְקִין בְּאוֹרַיְתָא:
מַלְכָּא דְעָלְמָא, יְבָרֵךְ יַתְהוֹן, יַפִּישׁ חַיֵּיהוֹן
וְיַסְגֵּא יוֹמֵיהוֹן, וְיִתֵּן אַרְכָא לִשְׁנֵיהוֹן.
וְיִתְפָּרְקוּן, וְיִשְׁתֵּזְבוּן, מִן כָּל עָקָא,
וּמִן כָּל מַרְעִין בִּישִׁין.
מָרָן דִּי בִשְׁמַיָּא, יְהֵא בְסַעְדְּהוֹן,
כָּל זְמַן וְעִדָּן, וְנֹאמַר, אָמֵן:

יְקוּם פֻּרְקָן מִן שְׁמַיָּא, חִנָּא, וְחִסְדָּא, וְרַחֲמֵי,
וְחַיֵּי אֲרִיכֵי, וּמְזוֹנֵי רְוִיחֵי, וְסִיַּעְתָּא דִשְׁמַיָּא,
וּבַרְיוּת גּוּפָא, וּנְהוֹרָא מַעַלְיָא.
זַרְעָא חַיָּא וְקַיָּמָא,
זַרְעָא דִּי לָא יִפְסֻק וְדִי לָא יִבְטֻל מִפִּתְגָּמֵי אוֹרַיְתָא:
לְכָל קְהָלָא קַדִּישָׁא הָדֵין,
רַבְרְבַיָּא, עִם זְעֵרַיָּא, טַפְלָא, וּנְשַׁיָּא.
מַלְכָּא דְעָלְמָא, יְבָרֵךְ יַתְהוֹן, יַפִּישׁ חַיֵּיהוֹן
וְיַסְגֵּא יוֹמֵיכוֹן, וְיִתֵּן אַרְכָא לִשְׁנֵיכוֹן.
וְתִתְפָּרְקוּן, וְתִשְׁתֵּזְבוּן, מִן כָּל עָקָא,
וּמִן כָּל מַרְעִין בִּישִׁין.
מָרָן דִּי בִשְׁמַיָּא, יְהֵא בְסַעְדְּכוֹן,
כָּל זְמַן וְעִדָּן, וְנֹאמַר, אָמֵן:

תפילה לקהל
A Prayer for Our Congregation

מִי שֶׁבֵּרַךְ אֲבוֹתֵינוּ אַבְרָהָם יִצְחָק וְיַעֲקֹב, שָׂרָה רִבְקָה רָחֵל וְלֵאָה, הוּא יְבָרֵךְ אֶת כָּל הַקָּהָל הַקָּדוֹשׁ הַזֶּה עִם כָּל קְהִלּוֹת הַקֹּדֶשׁ, הֵם וּמִשְׁפְּחוֹתֵיהֶם וְכֹל אֲשֶׁר לָהֶם, וּמִי שֶׁמְּיַחֲדִים בָּתֵּי כְנֵסִיּוֹת לִתְפִלָּה, וּמִי שֶׁבָּאִים בְּתוֹכָם לְהִתְפַּלֵּל, וּמִי שֶׁנּוֹתְנִים נֵר לַמָּאוֹר וְיַיִן לְקִדּוּשׁ וּלְהַבְדָּלָה, וּפַת לָאוֹרְחִים וּצְדָקָה לָעֲנִיִּים, וְכָל מִי שֶׁעוֹסְקִים בְּצָרְכֵי צִבּוּר וּבְבִנְיַן אֶרֶץ יִשְׂרָאֵל בֶּאֱמוּנָה, הַקָּדוֹשׁ בָּרוּךְ הוּא יְשַׁלֵּם שְׂכָרָם וְיָסִיר מֵהֶם כָּל מַחֲלָה וְיִרְפָּא לְכָל גּוּפָם וְיִסְלַח לְכָל עֲוֹנָם, וְיִשְׁלַח בְּרָכָה וְהַצְלָחָה בְּכָל מַעֲשֵׂה יְדֵיהֶם עִם כָּל יִשְׂרָאֵל אֲחֵיהֶם, וְנֹאמַר אָמֵן.

תפילה לממשלה
A Prayer for Our Country

אֱלֹהֵינוּ וֵאלֹהֵי אֲבוֹתֵינוּ, קַבֵּל נָא בְּרַחֲמִים אֶת תְּפִלָּתֵנוּ בְּעַד אַרְצֵנוּ וּמֶמְשַׁלְתָּהּ. הָרֵק אֶת בִּרְכָתְךָ עַל הָאָרֶץ הַזֹּאת, עַל רֹאשָׁהּ, שׁוֹפְטֶיהָ, שׁוֹטְרֶיהָ וּפְקִידֶיהָ הָעוֹסְקִים בְּצָרְכֵי צִבּוּר בֶּאֱמוּנָה. הוֹרֵם מֵחֻקֵּי תוֹרָתֶךָ, הֲבִינֵם מִשְׁפְּטֵי צִדְקֶךָ לְמַעַן לֹא יָסוּרוּ מֵאַרְצֵנוּ שָׁלוֹם וְשַׁלְוָה, אֹשֶׁר וָחֹפֶשׁ כָּל הַיָּמִים. אָנָּא יהוה אֱלֹהֵי הָרוּחוֹת לְכָל בָּשָׂר, שְׁלַח רוּחֲךָ עַל כָּל תּוֹשְׁבֵי אַרְצֵנוּ וְטַע בֵּין בְּנֵי הָאֻמּוֹת וְהָאֱמוּנוֹת הַשּׁוֹנוֹת הַשּׁוֹכְנִים בָּהּ, אַהֲבָה וְאַחֲוָה, שָׁלוֹם וְרֵעוּת. וַעֲקֹר מִלִּבָּם כָּל שִׂנְאָה וְאֵיבָה, קִנְאָה וְתַחֲרוּת, לְמַלְּאוֹת מַשָּׂא נֶפֶשׁ בָּנֶיהָ הַמִּתְיַמְּרִים בִּכְבוֹדָהּ וְהַמִּשְׁתּוֹקְקִים לִרְאוֹתָהּ אוֹר לְכָל הַגּוֹיִים.

וּבְכֵן יְהִי רָצוֹן מִלְּפָנֶיךָ שֶׁתְּהֵי אַרְצֵנוּ בְּרָכָה לְכָל יוֹשְׁבֵי
תֵבֵל, וְתַשְׁרֶה בֵּינֵיהֶם רֵעוּת וְחֵרוּת, וְקַיֵּם בִּמְהֵרָה חֲזוֹן
נְבִיאֶיךָ: ♩ לֹא יִשָּׂא גוֹי אֶל גּוֹי חֶרֶב וְלֹא יִלְמְדוּ עוֹד
מִלְחָמָה. וְנֶאֱמַר: כִּי כוּלָם יֵדְעוּ אוֹתִי לְמִקְּטַנָּם וְעַד
5   גְּדוֹלָם, וְנֹאמַר אָמֵן.

The ש"ץ holds the ספר תורה *and says*

A Prayer for the State of Israel   **תפילה לשלום מדינת ישראל**

אָבִינוּ שֶׁבַּשָּׁמַיִם, צוּר יִשְׂרָאֵל וְגוֹאֲלוֹ, בָּרֵךְ אֶת מְדִינַת
יִשְׂרָאֵל, רֵאשִׁית צְמִיחַת גְּאֻלָּתֵנוּ. הָגֵן עָלֶיהָ בְּאֶבְרַת
חַסְדֶּךָ וּפְרוֹס עָלֶיהָ סֻכַּת שְׁלוֹמֶךָ וּשְׁלַח אוֹרְךָ וַאֲמִתְּךָ
לְרָאשֶׁיהָ, שָׂרֶיהָ וְיוֹעֲצֶיהָ, וְתַקְּנֵם בְּעֵצָה טוֹבָה מִלְּפָנֶיךָ.
10   חַזֵּק אֶת יְדֵי מְגִנֵּי אֶרֶץ קָדְשֵׁנוּ, וְהַנְחִילֵם אֱלֹהֵינוּ
יְשׁוּעָה, וַעֲטֶרֶת נִצָּחוֹן תְּעַטְּרֵם, וְנָתַתָּ שָׁלוֹם בָּאָרֶץ
וְשִׂמְחַת עוֹלָם לְיוֹשְׁבֶיהָ, וְנֹאמַר אָמֵן.

A Prayer for Peace   **תפילה לשלום**

יְהִי רָצוֹן מִלְּפָנֶיךָ יהוה אֱלֹהֵינוּ וֵאלֹהֵי אֲבוֹתֵינוּ
שֶׁתְּבַטֵּל מִלְחָמוֹת וּשְׁפִיכוּת דָּמִים מִן הָעוֹלָם
15   וְתַמְשִׁיךְ שָׁלוֹם גָּדוֹל וְנִפְלָא בָּעוֹלָם
וְלֹא יִשָּׂא גוֹי אֶל גּוֹי חֶרֶב וְלֹא יִלְמְדוּ עוֹד מִלְחָמָה.
רַק יַכִּירוּ וְיֵדְעוּ כָּל יוֹשְׁבֵי תֵבֵל הָאֱמֶת לַאֲמִתּוֹ
אֲשֶׁר לֹא בָאנוּ לָזֶה הָעוֹלָם בִּשְׁבִיל רִיב וּמַחֲלֹקֶת
וְלֹא בִּשְׁבִיל שִׂנְאָה וְקִנְאָה וְקִנְתּוּר וּשְׁפִיכוּת דָּמִים.
20   רַק בָּאנוּ לָעוֹלָם כְּדֵי לְהַכִּיר אוֹתְךָ תִּתְבָּרֵךְ לָנֶצַח.
וּבְכֵן תְּרַחֵם עָלֵינוּ וִיקֻיַּם בָּנוּ מִקְרָא שֶׁכָּתוּב:

וְנָתַתִּי שָׁלוֹם בָּאָרֶץ וְחֶרֶב לֹא תַעֲבֹר בְּאַרְצְכֶם.
וְיִגַּל כַּמַּיִם מִשְׁפָּט, וּצְדָקָה כְּנַחַל אֵיתָן.
כִּי מָלְאָה הָאָרֶץ דֵּעָה אֶת יהוה כַּמַּיִם לַיָּם מְכַסִּים.

On the Shabbat before Rosh Chodesh the ש״ץ *holds the* תורה *and says*

יְהִי רָצוֹן מִלְּפָנֶיךָ יהוה אֱלֹהֵינוּ וֵאלֹהֵי אֲבוֹתֵינוּ, שֶׁתְּחַדֵּשׁ עָלֵינוּ אֶת הַחֹדֶשׁ הַזֶּה לְטוֹבָה וְלִבְרָכָה, וְתִתֶּן לָנוּ חַיִּים אֲרוּכִים, חַיִּים שֶׁל שָׁלוֹם, חַיִּים שֶׁל טוֹבָה, חַיִּים שֶׁל בְּרָכָה, חַיִּים שֶׁל פַּרְנָסָה, חַיִּים שֶׁל חִלּוּץ עֲצָמוֹת, חַיִּים שֶׁיֵּשׁ בָּהֶם יִרְאַת שָׁמַיִם וְיִרְאַת חֵטְא: חַיִּים שֶׁאֵין בָּהֶם בּוּשָׁה וּכְלִמָּה, חַיִּים שֶׁל עֹשֶׁר וְכָבוֹד, חַיִּים שֶׁתְּהֵא בָנוּ אַהֲבַת תּוֹרָה וְיִרְאַת שָׁמַיִם, חַיִּים שֶׁיְּמַלֵּא יהוה מִשְׁאֲלוֹת לִבֵּנוּ לְטוֹבָה, אָמֵן סֶלָה:

מִי שֶׁעָשָׂה נִסִּים לַאֲבוֹתֵינוּ, וְגָאַל אוֹתָם מֵעַבְדוּת לְחֵרוּת, הוּא יִגְאַל אוֹתָנוּ בְּקָרוֹב, וִיקַבֵּץ נִדָּחֵינוּ מֵאַרְבַּע כַּנְפוֹת הָאָרֶץ. חֲבֵרִים כָּל יִשְׂרָאֵל, וְנֹאמַר אָמֵן:

The ש״ץ *announces the New Month and the* קהל *repeats*

רֹאשׁ חֹדֶשׁ ____ יִהְיֶה בְּיוֹם ____ הַבָּא עָלֵינוּ וְעַל כָּל יִשְׂרָאֵל לְטוֹבָה:

The קהל *says this and the* ש״ץ *repeats*

יְחַדְּשֵׁהוּ הַקָּדוֹשׁ בָּרוּךְ הוּא, עָלֵינוּ וְעַל כָּל עַמּוֹ בֵּית יִשְׂרָאֵל,
לְחַיִּים וּלְשָׁלוֹם. (אמן)
לְשָׂשׂוֹן וּלְשִׂמְחָה. (אמן)
לִישׁוּעָה וּלְנֶחָמָה, וְנֹאמַר אָמֵן:

On the eighth day of פסח, שמיני עצרת, *and the second day of* שבועות, יזכור *is recited,* *p. 352*

אַשְׁרֵי יוֹשְׁבֵי בֵיתֶךָ, עוֹד יְהַלְלוּךָ סֶּלָה: תְּהִלִּים פד:5
אַשְׁרֵי הָעָם שֶׁכָּכָה לּוֹ, אַשְׁרֵי הָעָם שֶׁיהוה אֱלֹהָיו:

תְּהִלָּה לְדָוִד,
אֲרוֹמִמְךָ אֱלוֹהַי הַמֶּלֶךְ, וַאֲבָרְכָה שִׁמְךָ לְעוֹלָם וָעֶד:
בְּכָל יוֹם אֲבָרְכֶךָּ, וַאֲהַלְלָה שִׁמְךָ לְעוֹלָם וָעֶד:
גָּדוֹל יהוה וּמְהֻלָּל מְאֹד, וְלִגְדֻלָּתוֹ אֵין חֵקֶר:
דּוֹר לְדוֹר יְשַׁבַּח מַעֲשֶׂיךָ, וּגְבוּרֹתֶיךָ יַגִּידוּ:
הֲדַר כְּבוֹד הוֹדֶךָ, וְדִבְרֵי נִפְלְאֹתֶיךָ אָשִׂיחָה:
וֶעֱזוּז נוֹרְאוֹתֶיךָ יֹאמֵרוּ וּגְדֻלָּתְךָ אֲסַפְּרֶנָּה:
זֵכֶר רַב טוּבְךָ יַבִּיעוּ, וְצִדְקָתְךָ יְרַנֵּנוּ:
חַנּוּן וְרַחוּם יהוה, אֶרֶךְ אַפַּיִם וּגְדָל חָסֶד:
טוֹב יהוה לַכֹּל, וְרַחֲמָיו עַל כָּל מַעֲשָׂיו:
יוֹדוּךָ יהוה כָּל מַעֲשֶׂיךָ, וַחֲסִידֶיךָ יְבָרְכוּכָה:
כְּבוֹד מַלְכוּתְךָ יֹאמֵרוּ, וּגְבוּרָתְךָ יְדַבֵּרוּ:
לְהוֹדִיעַ לִבְנֵי הָאָדָם גְּבוּרֹתָיו, וּכְבוֹד הֲדַר מַלְכוּתוֹ:
מַלְכוּתְךָ מַלְכוּת כָּל עֹלָמִים, וּמֶמְשַׁלְתְּךָ בְּכָל דֹּר וָדֹר:
סוֹמֵךְ יהוה לְכָל הַנֹּפְלִים, וְזוֹקֵף לְכָל הַכְּפוּפִים:
עֵינֵי כֹל אֵלֶיךָ יְשַׂבֵּרוּ, וְאַתָּה נוֹתֵן לָהֶם אֶת אָכְלָם בְּעִתּוֹ:
פּוֹתֵחַ אֶת יָדֶךָ, וּמַשְׂבִּיעַ לְכָל חַי רָצוֹן:
צַדִּיק יהוה בְּכָל דְּרָכָיו, וְחָסִיד בְּכָל מַעֲשָׂיו:
קָרוֹב יהוה לְכָל קֹרְאָיו, לְכֹל אֲשֶׁר יִקְרָאֻהוּ בֶאֱמֶת:

רְצוֹן יְרֵאָיו יַעֲשֶׂה, וְאֶת שַׁוְעָתָם יִשְׁמַע וְיוֹשִׁיעֵם: שׁוֹמֵר יהוה אֶת כָּל אֹהֲבָיו, וְאֵת כָּל הָרְשָׁעִים יַשְׁמִיד: תְּהִלַּת יהוה יְדַבֶּר פִּי, וִיבָרֵךְ כָּל בָּשָׂר שֵׁם קָדְשׁוֹ, לְעוֹלָם וָעֶד: תְּהִלִּים קמה וַאֲנַחְנוּ נְבָרֵךְ יָהּ, מֵעַתָּה וְעַד עוֹלָם, הַלְלוּיָהּ: תְּהִלִּים קטו:18

סדר הכנסת התורה

When the ספר תורה *is returned to the Aron Kodesh the* ש״ץ *says*

(ש״ץ) יְהַלְלוּ אֶת שֵׁם יהוה, כִּי נִשְׂגָּב שְׁמוֹ לְבַדּוֹ:

(ביחד) הוֹדוֹ עַל אֶרֶץ וְשָׁמָיִם. וַיָּרֶם קֶרֶן לְעַמּוֹ, תְּהִלָּה לְכָל חֲסִידָיו, לִבְנֵי יִשְׂרָאֵל עַם קְרוֹבוֹ, הַלְלוּיָהּ.
תְּהִלִּים קמח:13-14

On Shabbat we say

מִזְמוֹר לְדָוִד,
הָבוּ לַיהוה בְּנֵי אֵלִים הָבוּ לַיהוה כָּבוֹד וָעֹז: הָבוּ לַיהוה כְּבוֹד שְׁמוֹ הִשְׁתַּחֲווּ לַיהוה בְּהַדְרַת קֹדֶשׁ: קוֹל יהוה עַל הַמָּיִם אֵל הַכָּבוֹד הִרְעִים יהוה עַל מַיִם רַבִּים: קוֹל יהוה בַּכֹּחַ קוֹל יהוה בֶּהָדָר: קוֹל יהוה שֹׁבֵר אֲרָזִים וַיְשַׁבֵּר יהוה אֶת אַרְזֵי הַלְּבָנוֹן, וַיַּרְקִידֵם כְּמוֹ עֵגֶל לְבָנוֹן וְשִׂרְיוֹן כְּמוֹ בֶן רְאֵמִים, קוֹל יהוה חֹצֵב לַהֲבוֹת אֵשׁ, קוֹל יהוה יָחִיל מִדְבָּר, יָחִיל יהוה מִדְבַּר קָדֵשׁ: קוֹל יהוה יְחוֹלֵל אַיָּלוֹת וַיֶּחֱשֹׂף יְעָרוֹת וּבְהֵיכָלוֹ כֻּלּוֹ אֹמֵר כָּבוֹד: יהוה לַמַּבּוּל יָשָׁב וַיֵּשֶׁב יהוה מֶלֶךְ לְעוֹלָם: יהוה עֹז לְעַמּוֹ יִתֵּן יהוה יְבָרֵךְ אֶת עַמּוֹ בַשָּׁלוֹם: תְּהִלִּים כט

On יום טוב *that is not Shabbat we say* לדוד מזמור, *on the following page.*

לְדָוִד מִזְמוֹר,

לַיהוה הָאָרֶץ וּמְלוֹאָהּ, תֵּבֵל וְיֹשְׁבֵי בָהּ: כִּי הוּא עַל יַמִּים יְסָדָהּ, וְעַל נְהָרוֹת יְכוֹנְנֶהָ: מִי יַעֲלֶה בְהַר יהוה, וּמִי יָקוּם בִּמְקוֹם קָדְשׁוֹ: נְקִי כַפַּיִם וּבַר לֵבָב, אֲשֶׁר לֹא נָשָׂא לַשָּׁוְא נַפְשִׁי, וְלֹא נִשְׁבַּע לְמִרְמָה: יִשָּׂא בְרָכָה מֵאֵת יהוה, וּצְדָקָה מֵאֱלֹהֵי יִשְׁעוֹ: זֶה דּוֹר דֹּרְשָׁיו, מְבַקְשֵׁי פָנֶיךָ יַעֲקֹב סֶלָה: שְׂאוּ שְׁעָרִים רָאשֵׁיכֶם, וְהִנָּשְׂאוּ פִּתְחֵי עוֹלָם, וְיָבוֹא מֶלֶךְ הַכָּבוֹד: מִי זֶה מֶלֶךְ הַכָּבוֹד, יהוה עִזּוּז וְגִבּוֹר יהוה גִּבּוֹר מִלְחָמָה: שְׂאוּ שְׁעָרִים רָאשֵׁיכֶם, וּשְׂאוּ פִּתְחֵי עוֹלָם, וְיָבֹא מֶלֶךְ הַכָּבוֹד: ♫ מִי הוּא זֶה מֶלֶךְ הַכָּבוֹד, יהוה צְבָאוֹת, הוּא מֶלֶךְ הַכָּבוֹד סֶלָה: תְּהִלִּים כד

The ספר תורה *is placed in the Aron Kodesh*

וּבְנֻחֹה יֹאמַר:

שׁוּבָה יהוה רִבְבוֹת אַלְפֵי יִשְׂרָאֵל בְּמִדְבַּר י:36

קוּמָה יהוה לִמְנוּחָתֶךָ, אַתָּה וַאֲרוֹן עֻזֶּךָ

כֹּהֲנֶיךָ יִלְבְּשׁוּ צֶדֶק, וַחֲסִידֶיךָ יְרַנֵּנוּ.

בַּעֲבוּר דָּוִד עַבְדֶּךָ, אַל תָּשֵׁב פְּנֵי מְשִׁיחֶךָ.

♫ כִּי לֶקַח טוֹב נָתַתִּי לָכֶם תּוֹרָתִי אַל תַּעֲזֹבוּ.

(ביחד) עֵץ חַיִּים הִיא לַמַּחֲזִיקִים בָּהּ, וְתֹמְכֶיהָ מְאֻשָּׁר.

דְּרָכֶיהָ דַרְכֵי נֹעַם, וְכָל נְתִיבוֹתֶיהָ שָׁלוֹם.

הֲשִׁיבֵנוּ יהוה אֵלֶיךָ וְנָשׁוּבָה, חַדֵּשׁ יָמֵינוּ כְּקֶדֶם.

חצי קדיש

(ש״ץ) יִתְגַּדַּל וְיִתְקַדַּשׁ שְׁמֵהּ רַבָּא. בְּעָלְמָא דִּי בְרָא כִרְעוּתֵיהּ, וְיַמְלִיךְ מַלְכוּתֵיהּ בְּחַיֵּיכוֹן וּבְיוֹמֵיכוֹן וּבְחַיֵּי דְכָל בֵּית יִשְׂרָאֵל. בַּעֲגָלָא וּבִזְמַן קָרִיב וְאִמְרוּ אָמֵן:

(ביחד) יְהֵא שְׁמֵהּ רַבָּא מְבָרַךְ לְעָלַם וּלְעָלְמֵי עָלְמַיָּא:

(ש״ץ) יִתְבָּרַךְ וְיִשְׁתַּבַּח וְיִתְפָּאַר וְיִתְרוֹמַם וְיִתְנַשֵּׂא וְיִתְהַדָּר וְיִתְעַלֶּה וְיִתְהַלָּל שְׁמֵהּ דְּקֻדְשָׁא (ביחד) בְּרִיךְ הוּא. (ש״ץ) לְעֵלָּא (בשבת שובה לְעֵלָּא וּלְעֵלָּא מִכָּל) מִן כָּל בִּרְכָתָא וְשִׁירָתָא תֻּשְׁבְּחָתָא וְנֶחֱמָתָא, דַּאֲמִירָן בְּעָלְמָא, וְאִמְרוּ אָמֵן:

On יום טוב *continue with* עמידה מוסף לשלש רגלים*, p. 312*

מוסף לשבת
ושבת ראש חודש

In the Temple in Jerusalem, animal sacrifices were brought on a regular basis as a way of saying "thank you" to God. When the Temple was destroyed no more sacrifices were brought but instead prayers were said to thank God.

The מוסף (meaning additional) service reminds us of the additional sacrifice brought to the Temple on Shabbat and holidays. The "double" sacrifice, "two lambs, one year old" (Numbers 28:9) was brought as an expression of thanks to God for the double blessings of rest and joy given to us on Shabbat.

The first three blessings and the last three blessings of the שמונה עשרה are the same as in every עמידה. The middle blessing is different. Shabbat is referred to as a joy, a delight and the blessing ends with the words מקדש השבת praising God as the One Who "makes Shabbat special and holy."

The Kedusha is called קדושה רבה, the "great Kedusha," because it adds the שמע ישראל.

On holidays we add אדיר אדירנו to emphasize that God's name is special and everyone should pray to One God.

אין כאלהינו is a powerful statement of God's Majesty. There should be no question in our minds that the source of everything in the universe is God. Grammatically, we would begin with the question מי כאלהינו "Who is like our God?" But the first and second stanzas were reversed so that the first letter of the opening three stanzas would spell "אמן," symbolically putting a verbal exclamation mark on our statement of belief in God. For a הויכא קדושה, see introductory unit to the עמידה for שחרית לשבת ויום טוב, p. 204.

עמידה

If the Amidah at מוסף is recited as a הויכא קדושה then the ש"ץ begins alone while we listen adding ברוך הוא וברוך שמו and אמן. We join in for the קדושה. While the ש"ץ continues, we go back to the beginning, skipping the קדושה, and continuing with תכנת שבת if it is Shabbat, or אתה יצרת if it is Shabbat Rosh Chodesh.

כִּי שֵׁם יהוה אֶקְרָא, הָבוּ גֹדֶל לֵאלֹהֵינוּ: דְּבָרִים לב:3

אֲדֹנָי שְׂפָתַי תִּפְתָּח וּפִי יַגִּיד תְּהִלָּתֶךָ: תְּהִלִּים נא:17

בָּרוּךְ אַתָּה יהוה אֱלֹהֵינוּ וֵאלֹהֵי אֲבוֹתֵינוּ, אֱלֹהֵי אַבְרָהָם, אֱלֹהֵי יִצְחָק, וֵאלֹהֵי יַעֲקֹב. הָאֵל הַגָּדוֹל הַגִּבּוֹר וְהַנּוֹרָא, אֵל עֶלְיוֹן, גּוֹמֵל חֲסָדִים טוֹבִים, וְקוֹנֵה הַכֹּל, וְזוֹכֵר חַסְדֵי אָבוֹת, וּמֵבִיא גוֹאֵל לִבְנֵי בְנֵיהֶם לְמַעַן שְׁמוֹ בְּאַהֲבָה:

On שבת שובה *say*

זָכְרֵנוּ לְחַיִּים, מֶלֶךְ חָפֵץ בַּחַיִּים, וְכָתְבֵנוּ בְּסֵפֶר הַחַיִּים, לְמַעַנְךָ אֱלֹהִים חַיִּים.

מֶלֶךְ עוֹזֵר וּמוֹשִׁיעַ וּמָגֵן: בָּרוּךְ אַתָּה יהוה, מָגֵן אַבְרָהָם:

אַתָּה גִּבּוֹר לְעוֹלָם אֲדֹנָי, מְחַיֵּה מֵתִים אַתָּה, רַב לְהוֹשִׁיעַ:

From the first day of פסח *until* שמיני עצרת *say*

מוֹרִיד הַטָּל

From שמיני עצרת *until the first day of* פסח *say*

מַשִּׁיב הָרוּחַ וּמוֹרִיד הַגָּשֶׁם:

מְכַלְכֵּל חַיִּים בְּחֶסֶד, מְחַיֵּה מֵתִים בְּרַחֲמִים רַבִּים סוֹמֵךְ נוֹפְלִים, וְרוֹפֵא חוֹלִים, וּמַתִּיר אֲסוּרִים, וּמְקַיֵּם אֱמוּנָתוֹ לִישֵׁנֵי עָפָר, מִי כָמוֹךָ בַּעַל גְּבוּרוֹת וּמִי דוֹמֶה לָּךְ, מֶלֶךְ מֵמִית וּמְחַיֶּה וּמַצְמִיחַ יְשׁוּעָה:

In some communities שרה רבקה רחל ולאה are added to the first blessing of the עמידה to emphasize that both men and women have a relationship with God.

On שבת שובה *say*

מִי כָמוֹךָ אַב הָרַחֲמִים, זוֹכֵר יְצוּרָיו לְחַיִּים בְּרַחֲמִים:

וְנֶאֱמָן אַתָּה לְהַחֲיוֹת מֵתִים. בָּרוּךְ אַתָּה יהוה, מְחַיֵּה הַמֵּתִים:

When davening alone and during the silent עמידה*, skip the* קדושה *and continue with* אתה קדוש*, p. 235*

קדושה

נַעֲרִיצְךָ וְנַקְדִּישְׁךָ כְּסוֹד שִׂיחַ שַׂרְפֵי קֹדֶשׁ. הַמַּקְדִּישִׁים שִׁמְךָ בַּקֹּדֶשׁ, כַּכָּתוּב עַל יַד נְבִיאֶךָ, וְקָרָא זֶה אֶל זֶה וְאָמַר:

קָדוֹשׁ, קָדוֹשׁ קָדוֹשׁ, יהוה צְבָאוֹת, מְלֹא כָל הָאָרֶץ כְּבוֹדוֹ: יְשַׁעְיָהוּ ו:3

כְּבוֹדוֹ מָלֵא עוֹלָם, מְשָׁרְתָיו שׁוֹאֲלִים זֶה לָזֶה, אַיֵּה מְקוֹם כְּבוֹדוֹ, לְעֻמָּתָם בָּרוּךְ יֹאמֵרוּ:

בָּרוּךְ כְּבוֹד יהוה מִמְּקוֹמוֹ: יְחֶזְקֵאל ג:12

מִמְּקוֹמוֹ הוּא יִפֶן בְּרַחֲמִים, וְיָחוֹן עַם הַמְיַחֲדִים שְׁמוֹ עֶרֶב וָבֹקֶר בְּכָל יוֹם תָּמִיד, פַּעֲמַיִם בְּאַהֲבָה שְׁמַע אוֹמְרִים:

שְׁמַע יִשְׂרָאֵל, יהוה אֱלֹהֵינוּ, יהוה אֶחָד: דְּבָרִים ו:4

הוּא אֱלֹהֵינוּ הוּא אָבִינוּ, הוּא מַלְכֵּנוּ, הוּא מוֹשִׁיעֵנוּ, וְהוּא יַשְׁמִיעֵנוּ בְּרַחֲמָיו שֵׁנִית לְעֵינֵי כָּל חָי, לִהְיוֹת לָכֶם לֵאלֹהִים: אֲנִי יהוה אֱלֹהֵיכֶם:

וּבְדִבְרֵי קָדְשְׁךָ כָּתוּב לֵאמֹר:

יִמְלוֹךְ יהוה לְעוֹלָם אֱלֹהַיִךְ צִיּוֹן לְדוֹר וָדוֹר הַלְלוּיָהּ:

תְּהִלִּים קמו:10

(ש"ץ) לְדוֹר וָדוֹר נַגִּיד גָּדְלֶךָ, וּלְנֵצַח נְצָחִים קְדֻשָּׁתְךָ נַקְדִּישׁ, וְשִׁבְחֲךָ, אֱלֹהֵינוּ, מִפִּינוּ לֹא יָמוּשׁ לְעוֹלָם וָעֶד, כִּי אֵל מֶלֶךְ גָּדוֹל וְקָדוֹשׁ אָתָּה. בָּרוּךְ אַתָּה יהוה, הָאֵל הַקָּדוֹשׁ (שבת שובה הַמֶּלֶךְ הַקָּדוֹשׁ).

אַתָּה קָדוֹשׁ וְשִׁמְךָ קָדוֹשׁ וּקְדוֹשִׁים בְּכָל יוֹם יְהַלְלוּךָ, סֶּלָה. בָּרוּךְ אַתָּה יהוה, הָאֵל הַקָּדוֹשׁ (שבת שובה הַמֶּלֶךְ הַקָּדוֹשׁ).

On שבת ראש חודש*, continue with* אתה יצרת*, below the line*

תִּכַּנְתָּ שַׁבָּת רָצִיתָ קָרְבְּנוֹתֶיהָ, צִוִּיתָ פֵּרוּשֶׁיהָ עִם סִדּוּרֵי נְסָכֶיהָ. מְעַנְּגֶיהָ לְעוֹלָם כָּבוֹד יִנְחָלוּ, טוֹעֲמֶיהָ חַיִּים זָכוּ, וְגַם הָאוֹהֲבִים דְּבָרֶיהָ גְּדֻלָּה בָּחָרוּ. אָז מִסִּינַי נִצְטַוּוּ עָלֶיהָ וַתְּצַוֵּם יהוה אֱלֹהֵינוּ, לְהַקְרִיב בָּהּ קָרְבַּן מוּסַף שַׁבָּת כָּרָאוּי. יְהִי רָצוֹן מִלְּפָנֶיךָ יהוה אֱלֹהֵינוּ וֵאלֹהֵי אֲבוֹתֵינוּ, הַמֵּשִׁיב בָּנִים לִגְבוּלָם, שֶׁתַּעֲלֵנוּ בְשִׂמְחָה לְאַרְצֵנוּ, וְתִטָּעֵנוּ בִּגְבוּלֵנוּ, שֶׁשָּׁם עָשׂוּ אֲבוֹתֵינוּ לְפָנֶיךָ אֶת קָרְבְּנוֹת חוֹבוֹתֵיהֶם, תְּמִידִים כְּסִדְרָם וּמוּסָפִים כְּהִלְכָתָם, וְשָׁם נַעֲבָדְךָ בְּאַהֲבָה וּבְיִרְאָה כִּימֵי עוֹלָם וּכְשָׁנִים קַדְמוֹנִיּוֹת וְאֶת מוּסַף יוֹם הַשַּׁבָּת הַזֶּה, עָשׂוּ וְהִקְרִיבוּ לְפָנֶיךָ בְּאַהֲבָה כְּמִצְוַת רְצוֹנֶךָ כְּמוֹ שֶׁכָּתוּב בְּתוֹרָתֶךָ עַל יְדֵי מֹשֶׁה עַבְדֶּךָ, מִפִּי כְבוֹדֶךָ, כָּאָמוּר:

On שבת ראש חדש *we say* אתה יצרת *instead of* תכנת שבת

אַתָּה יָצַרְתָּ עוֹלָמְךָ מִקֶּדֶם, כִּלִּיתָ מְלַאכְתְּךָ בַּיּוֹם הַשְּׁבִיעִי. אָהַבְתָּ אוֹתָנוּ וְרָצִיתָ בָּנוּ, וְרוֹמַמְתָּנוּ מִכָּל הַלְּשׁוֹנוֹת, וְקִדַּשְׁתָּנוּ בְּמִצְוֹתֶיךָ, וְקֵרַבְתָּנוּ מַלְכֵּנוּ לַעֲבוֹדָתֶךָ, וְשִׁמְךָ הַגָּדוֹל וְהַקָּדוֹשׁ עָלֵינוּ קָרָאתָ. וַתִּתֶּן לָנוּ יהוה אֱלֹהֵינוּ בְּאַהֲבָה שַׁבָּתוֹת לִמְנוּחָה, וְרָאשֵׁי חֳדָשִׁים לְכַפָּרָה. וּלְפִי שֶׁחָטָאנוּ לְפָנֶיךָ אֲנַחְנוּ וַאֲבוֹתֵינוּ, חָרְבָה עִירֵנוּ, וְשָׁמֵם בֵּית מִקְדָּשֵׁנוּ, וְגָלָה יְקָרֵנוּ, וְנֻטַּל כָּבוֹד מִבֵּית חַיֵּינוּ.

Continue with יהי רצון *below the line on the next page*

מֶלֶךְ רַחֲמָן, קַבֵּל בְּרַחֲמִים אֶת תְּפִלַּת עַמְּךָ יִשְׂרָאֵל בְּכָל מְקוֹמוֹת מוֹשְׁבוֹתֵיהֶם.

יִשְׂמְחוּ בְמַלְכוּתְךָ שׁוֹמְרֵי שַׁבָּת וְקוֹרְאֵי עֹנֶג, עַם מְקַדְּשֵׁי שְׁבִיעִי, כֻּלָּם יִשְׂבְּעוּ וְיִתְעַנְּגוּ מִטּוּבֶךָ, וּבַשְּׁבִיעִי רָצִיתָ בּוֹ וְקִדַּשְׁתּוֹ, חֶמְדַּת יָמִים אוֹתוֹ קָרָאתָ, זֵכֶר לְמַעֲשֵׂה בְרֵאשִׁית:

אֱלֹהֵינוּ וֵאלֹהֵי אֲבוֹתֵינוּ, רְצֵה בִמְנוּחָתֵנוּ, קַדְּשֵׁנוּ בְּמִצְוֹתֶיךָ וְתֵן חֶלְקֵנוּ בְּתוֹרָתֶךָ, שַׂבְּעֵנוּ מִטּוּבֶךָ וְשַׂמְּחֵנוּ בִּישׁוּעָתֶךָ, וְטַהֵר לִבֵּנוּ לְעָבְדְּךָ בֶּאֱמֶת, וְהַנְחִילֵנוּ יהוה אֱלֹהֵינוּ בְּאַהֲבָה וּבְרָצוֹן שַׁבַּת קָדְשֶׁךָ, וְיָנוּחוּ בוֹ יִשְׂרָאֵל מְקַדְּשֵׁי שְׁמֶךָ. בָּרוּךְ אַתָּה יהוה, מְקַדֵּשׁ הַשַּׁבָּת:

רְצֵה, יהוה אֱלֹהֵינוּ, בְּעַמְּךָ יִשְׂרָאֵל וּבִתְפִלָּתָם, וְהָשֵׁב אֶת הָעֲבוֹדָה לִדְבִיר בֵּיתֶךָ, וּתְפִלָּתָם בְּאַהֲבָה תְקַבֵּל בְּרָצוֹן, וּתְהִי לְרָצוֹן תָּמִיד עֲבוֹדַת יִשְׂרָאֵל עַמֶּךָ.

יְהִי רָצוֹן מִלְּפָנֶיךָ, יהוה אֱלֹהֵינוּ וֵאלֹהֵי אֲבוֹתֵינוּ, הַמֵּשִׁיב בָּנִים לִגְבוּלָם, שֶׁתַּעֲלֵנוּ בְשִׂמְחָה לְאַרְצֵנוּ וְתִטָּעֵנוּ בִּגְבוּלֵנוּ, שֶׁשָּׁם עָשׂוּ אֲבוֹתֵינוּ לְפָנֶיךָ אֶת קָרְבְּנוֹת חוֹבוֹתֵיהֶם, תְּמִידִים כְּסִדְרָם וּמוּסָפִים כְּהִלְכָתָם, וְשָׁם נַעֲבָדְךָ בְּאַהֲבָה וּבְיִרְאָה כִּימֵי עוֹלָם וּכְשָׁנִים קַדְמוֹנִיּוֹת. וְאֶת מוּסַף יוֹם הַשַּׁבָּת הַזֶּה וְאֶת מוּסַף יוֹם רֹאשׁ הַחֹדֶשׁ הַזֶּה עָשׂוּ וְהִקְרִיבוּ לְפָנֶיךָ בְּאַהֲבָה כְּמִצְוַת רְצוֹנֶךָ, כַּכָּתוּב בְּתוֹרָתֶךָ, עַל יְדֵי מֹשֶׁה עַבְדֶּךָ מִפִּי כְבוֹדֶךָ כָּאָמוּר.

אֱלֹהֵינוּ וֵאלֹהֵי אֲבוֹתֵינוּ, רְצֵה בִמְנוּחָתֵנוּ וְחַדֵּשׁ עָלֵינוּ בְּיוֹם הַשַּׁבָּת הַזֶּה, אֶת הַחֹדֶשׁ הַזֶּה, לְטוֹבָה וְלִבְרָכָה, לְשָׂשׂוֹן וּלְשִׂמְחָה, לִישׁוּעָה וּלְנֶחָמָה, לְפַרְנָסָה וּלְכַלְכָּלָה, לְחַיִּים וּלְשָׁלוֹם, לִמְחִילַת חֵטְא וְלִסְלִיחַת עָוֹן, (*During a leap year, add* וּלְכַפָּרַת פָּשַׁע) כִּי בְעַמְּךָ יִשְׂרָאֵל בָּחַרְתָּ מִכָּל הָאֻמּוֹת, וְשַׁבַּת קָדְשְׁךָ לָהֶם הוֹדַעְתָּ, וְחֻקֵּי רָאשֵׁי חֳדָשִׁים לָהֶם קָבָעְתָּ: בָּרוּךְ אַתָּה יהוה, מְקַדֵּשׁ הַשַּׁבָּת וְיִשְׂרָאֵל וְרָאשֵׁי חֳדָשִׁים:

וְתֶחֱזֶינָה עֵינֵינוּ בְּשׁוּבְךָ לְצִיּוֹן בְּרַחֲמִים. בָּרוּךְ אַתָּה יהוה, הַמַּחֲזִיר שְׁכִינָתוֹ לְצִיּוֹן.

מוֹדִים אֲנַחְנוּ לָךְ, שָׁאַתָּה הוּא, יהוה אֱלֹהֵינוּ וֵאלֹהֵי אֲבוֹתֵינוּ, לְעוֹלָם וָעֶד, צוּר חַיֵּינוּ, מָגֵן יִשְׁעֵנוּ, אַתָּה הוּא לְדוֹר וָדוֹר נוֹדֶה לְּךָ וּנְסַפֵּר תְּהִלָּתֶךָ. עַל חַיֵּינוּ הַמְּסוּרִים בְּיָדֶךָ, וְעַל נִשְׁמוֹתֵינוּ הַפְּקוּדוֹת לָךְ, וְעַל נִסֶּיךָ שֶׁבְּכָל יוֹם עִמָּנוּ, וְעַל נִפְלְאוֹתֶיךָ וְטוֹבוֹתֶיךָ שֶׁבְּכָל עֵת, עֶרֶב וָבֹקֶר וְצָהֳרָיִם, הַטּוֹב כִּי לֹא כָלוּ רַחֲמֶיךָ, וְהַמְרַחֵם כִּי לֹא תַמּוּ חֲסָדֶיךָ מֵעוֹלָם קִוִּינוּ לָךְ.

In the repetition of this עמידה *by the* ש״ץ *the* קהל *says the following* מודים
It is not said during the silent עמידה

(קהל) מוֹדִים אֲנַחְנוּ לָךְ, שָׁאַתָּה הוּא יהוה אֱלֹהֵינוּ וֵאלֹהֵי אֲבוֹתֵינוּ אֱלֹהֵי כָל בָּשָׂר, יוֹצְרֵנוּ, יוֹצֵר בְּרֵאשִׁית. בְּרָכוֹת וְהוֹדָאוֹת לְשִׁמְךָ הַגָּדוֹל וְהַקָּדוֹשׁ, עַל שֶׁהֶחֱיִיתָנוּ וְקִיַּמְתָּנוּ. כֵּן תְּחַיֵּנוּ וּתְקַיְּמֵנוּ, וְתֶאֱסוֹף גָּלֻיּוֹתֵינוּ לְחַצְרוֹת קָדְשֶׁךָ, לִשְׁמוֹר חֻקֶּיךָ וְלַעֲשׂוֹת רְצוֹנֶךָ, וּלְעָבְדְּךָ בְּלֵבָב שָׁלֵם, עַל שֶׁאֲנַחְנוּ מוֹדִים לָךְ. בָּרוּךְ אֵל הַהוֹדָאוֹת.

לחנוכה *On Chanukah*

עַל הַנִּסִּים, וְעַל הַפֻּרְקָן, וְעַל הַגְּבוּרוֹת, וְעַל הַתְּשׁוּעוֹת, וְעַל הַמִּלְחָמוֹת, שֶׁעָשִׂיתָ לַאֲבוֹתֵינוּ בַּיָּמִים הָהֵם בַּזְּמַן הַזֶּה.

בִּימֵי מַתִּתְיָהוּ בֶּן יוֹחָנָן כֹּהֵן גָּדוֹל, חַשְׁמוֹנַאי וּבָנָיו, כְּשֶׁעָמְדָה מַלְכוּת יָוָן הָרְשָׁעָה עַל עַמְּךָ יִשְׂרָאֵל לְהַשְׁכִּיחָם תּוֹרָתֶךָ, וּלְהַעֲבִירָם מֵחֻקֵּי רְצוֹנֶךָ, וְאַתָּה בְּרַחֲמֶיךָ הָרַבִּים עָמַדְתָּ לָהֶם בְּעֵת צָרָתָם, רַבְתָּ אֶת רִיבָם, דַּנְתָּ אֶת דִּינָם, נָקַמְתָּ אֶת נִקְמָתָם, מָסַרְתָּ גִבּוֹרִים בְּיַד חַלָּשִׁים, וְרַבִּים בְּיַד מְעַטִּים, וּטְמֵאִים בְּיַד טְהוֹרִים, וּרְשָׁעִים בְּיַד צַדִּיקִים, וְזֵדִים בְּיַד עוֹסְקֵי תוֹרָתֶךָ. וּלְךָ עָשִׂיתָ שֵׁם גָּדוֹל וְקָדוֹשׁ בְּעוֹלָמֶךָ, וּלְעַמְּךָ יִשְׂרָאֵל עָשִׂיתָ תְּשׁוּעָה גְדוֹלָה וּפֻרְקָן כְּהַיּוֹם הַזֶּה. וְאַחַר כֵּן

בָּאוּ בָנֶיךָ לִדְבִיר בֵּיתֶךָ, וּפִנּוּ אֶת הֵיכָלֶךָ, וְטִהֲרוּ אֶת מִקְדָּשֶׁךָ, וְהִדְלִיקוּ נֵרוֹת בְּחַצְרוֹת קָדְשֶׁךָ, וְקָבְעוּ שְׁמוֹנַת יְמֵי חֲנֻכָּה אֵלּוּ, לְהוֹדוֹת וּלְהַלֵּל לְשִׁמְךָ הַגָּדוֹל.

וְעַל כֻּלָּם יִתְבָּרַךְ וְיִתְרוֹמַם שִׁמְךָ, מַלְכֵּנוּ, תָּמִיד לְעוֹלָם 5 וָעֶד.

On שבת שובה say

וּכְתוֹב לְחַיִּים טוֹבִים כָּל בְּנֵי בְרִיתֶךָ.

וְכֹל הַחַיִּים יוֹדוּךָ סֶּלָה, וִיהַלְלוּ אֶת שִׁמְךָ בֶּאֱמֶת, הָאֵל יְשׁוּעָתֵנוּ וְעֶזְרָתֵנוּ סֶלָה. ◄ בָּרוּךְ ◄ אַתָּה ◄ יהוה, הַטּוֹב שִׁמְךָ וּלְךָ נָאֶה לְהוֹדוֹת.

When the ש"ץ repeats the עמידה, the ברכת כהנים is added

ברכת כהנים

10 (ש"ץ) אֱלֹהֵינוּ וֵאלֹהֵי אֲבוֹתֵינוּ, בָּרְכֵנוּ בַבְּרָכָה הַמְשֻׁלֶּשֶׁת בַּתּוֹרָה הַכְּתוּבָה עַל יְדֵי מֹשֶׁה עַבְדֶּךָ, הָאֲמוּרָה מִפִּי אַהֲרֹן וּבָנָיו כֹּהֲנִים עַם קְדוֹשֶׁךָ, כָּאָמוּר.

קהל:	ש"ץ:
כֵּן יְהִי רָצוֹן	יְבָרֶכְךָ יהוה וְיִשְׁמְרֶךָ.
כֵּן יְהִי רָצוֹן	יָאֵר יהוה פָּנָיו אֵלֶיךָ וִיחֻנֶּךָּ.
כֵּן יְהִי רָצוֹן	15 יִשָּׂא יהוה פָּנָיו אֵלֶיךָ וְיָשֵׂם לְךָ שָׁלוֹם. בְּמִדְבָּר ו:24-26

שִׂים שָׁלוֹם טוֹבָה וּבְרָכָה, חֵן וָחֶסֶד וְרַחֲמִים, עָלֵינוּ וְעַל כָּל יִשְׂרָאֵל עַמֶּךָ. בָּרְכֵנוּ, אָבִינוּ, כֻּלָּנוּ כְּאֶחָד בְּאוֹר פָּנֶיךָ, כִּי בְאוֹר פָּנֶיךָ נָתַתָּ לָּנוּ, יהוה אֱלֹהֵינוּ תּוֹרַת חַיִּים וְאַהֲבַת חֶסֶד, וּצְדָקָה וּבְרָכָה וְרַחֲמִים וְחַיִּים 20 וְשָׁלוֹם, וְטוֹב בְּעֵינֶיךָ לְבָרֵךְ אֶת עַמְּךָ יִשְׂרָאֵל בְּכָל עֵת וּבְכָל שָׁעָה בִּשְׁלוֹמֶךָ:

On שבת שובה *say*

בְּסֵפֶר חַיִּים, בְּרָכָה, וְשָׁלוֹם, וּפַרְנָסָה טוֹבָה, נִזָּכֵר וְנִכָּתֵב לְפָנֶיךָ, אֲנַחְנוּ וְכָל עַמְּךָ בֵּית יִשְׂרָאֵל, לְחַיִּים טוֹבִים וּלְשָׁלוֹם. בָּרוּךְ אַתָּה יהוה, עֹשֵׂה הַשָּׁלוֹם.

בָּרוּךְ אַתָּה יהוה, הַמְבָרֵךְ אֶת עַמּוֹ יִשְׂרָאֵל בַּשָּׁלוֹם.

The ש״ץ *ends the repetition of the* עמידה *here*

אֱלֹהַי, נְצוֹר לְשׁוֹנִי מֵרָע, וּשְׂפָתַי מִדַּבֵּר מִרְמָה, וְלִמְקַלְלַי נַפְשִׁי תִדּוֹם, וְנַפְשִׁי כֶּעָפָר לַכֹּל תִּהְיֶה. פְּתַח לִבִּי בְּתוֹרָתֶךָ, וּבְמִצְוֹתֶיךָ תִּרְדּוֹף נַפְשִׁי. וְכָל הַחוֹשְׁבִים עָלַי רָעָה, מְהֵרָה הָפֵר עֲצָתָם וְקַלְקֵל מַחֲשַׁבְתָּם. עֲשֵׂה לְמַעַן שְׁמֶךָ, עֲשֵׂה לְמַעַן יְמִינֶךָ, עֲשֵׂה לְמַעַן קְדֻשָּׁתֶךָ, עֲשֵׂה לְמַעַן תּוֹרָתֶךָ. לְמַעַן יֵחָלְצוּן יְדִידֶיךָ, הוֹשִׁיעָה יְמִינְךָ וַעֲנֵנִי. יִהְיוּ לְרָצוֹן אִמְרֵי פִי וְהֶגְיוֹן לִבִּי לְפָנֶיךָ, יהוה צוּרִי וְגוֹאֲלִי. עֹשֶׂה שָׁלוֹם בִּמְרוֹמָיו, הוּא יַעֲשֶׂה שָׁלוֹם עָלֵינוּ, וְעַל כָּל יִשְׂרָאֵל וְאִמְרוּ: אָמֵן.

קדיש שלם

(ש״ץ) יִתְגַּדַּל וְיִתְקַדַּשׁ שְׁמֵהּ רַבָּא. בְּעָלְמָא דִּי בְרָא כִרְעוּתֵהּ, וְיַמְלִיךְ מַלְכוּתֵהּ בְּחַיֵּיכוֹן וּבְיוֹמֵיכוֹן וּבְחַיֵּי דְכָל בֵּית יִשְׂרָאֵל. בַּעֲגָלָא וּבִזְמַן קָרִיב וְאִמְרוּ אָמֵן:

(ביחד) יְהֵא שְׁמֵהּ רַבָּא מְבָרַךְ לְעָלַם וּלְעָלְמֵי עָלְמַיָּא:

(ש״ץ) יִתְבָּרַךְ וְיִשְׁתַּבַּח, וְיִתְפָּאַר וְיִתְרוֹמַם וְיִתְנַשֵּׂא וְיִתְהַדָּר וְיִתְעַלֶּה וְיִתְהַלָּל שְׁמֵהּ דְּקֻדְשָׁא (ביחד) בְּרִיךְ הוּא (ש״ץ) לְעֵלָּא (בשבת שובה לְעֵלָּא וּלְעֵלָּא מִכָּל) מִן כָּל בִּרְכָתָא וְשִׁירָתָא, תֻּשְׁבְּחָתָא וְנֶחֱמָתָא, דַּאֲמִירָן בְּעָלְמָא, וְאִמְרוּ אָמֵן:

(ש״ץ) תִּתְקַבֵּל צְלוֹתְהוֹן וּבָעוּתְהוֹן דְּכָל בֵּית יִשְׂרָאֵל קֳדָם אֲבוּהוֹן דִּי בִשְׁמַיָּא וְאִמְרוּ אָמֵן:
(ש״ץ) יְהֵא שְׁלָמָא רַבָּא מִן שְׁמַיָּא וְחַיִּים עָלֵינוּ וְעַל כָּל יִשְׂרָאֵל, וְאִמְרוּ אָמֵן:
(ש״ץ) עֹשֶׂה שָׁלוֹם בִּמְרוֹמָיו הוּא יַעֲשֶׂה שָׁלוֹם עָלֵינוּ וְעַל כָּל יִשְׂרָאֵל, וְאִמְרוּ אָמֵן:

אין כאלהינו

אֵין כֵּאלֹהֵינוּ, נוֹדֶה לֵאלֹהֵינוּ,
אֵין כַּאדוֹנֵינוּ, נוֹדֶה לַאדוֹנֵינוּ,
אֵין כְּמַלְכֵּנוּ, נוֹדֶה לְמַלְכֵּנוּ,
אֵין כְּמוֹשִׁיעֵנוּ. נוֹדֶה לְמוֹשִׁיעֵנוּ.

מִי כֵאלֹהֵינוּ, בָּרוּךְ אֱלֹהֵינוּ,
מִי כַאדוֹנֵינוּ, בָּרוּךְ אֲדוֹנֵינוּ,
מִי כְמַלְכֵּנוּ, בָּרוּךְ מַלְכֵּנוּ,
מִי כְמוֹשִׁיעֵנוּ. בָּרוּךְ מוֹשִׁיעֵנוּ.

אַתָּה הוּא אֱלֹהֵינוּ,
אַתָּה הוּא אֲדוֹנֵינוּ,
אַתָּה הוּא מַלְכֵּנוּ,
אַתָּה הוּא מוֹשִׁיעֵנוּ.
אַתָּה הוּא שֶׁהִקְטִירוּ אֲבוֹתֵינוּ
לְפָנֶיךָ אֶת קְטֹרֶת הַסַּמִּים.

עלינו

עָלֵינוּ לְשַׁבֵּחַ לַאֲדוֹן הַכֹּל, לָתֵת גְּדֻלָּה לְיוֹצֵר בְּרֵאשִׁית, שֶׁלֹּא עָשָׂנוּ כְּגוֹיֵי הָאֲרָצוֹת, וְלֹא שָׂמָנוּ כְּמִשְׁפְּחוֹת הָאֲדָמָה, שֶׁלֹּא שָׂם חֶלְקֵנוּ כָּהֶם, וְגֹרָלֵנוּ כְּכָל הֲמוֹנָם וַאֲנַחְנוּ כּוֹרְעִים וּמִשְׁתַּחֲוִים וּמוֹדִים, לִפְנֵי מֶלֶךְ, מַלְכֵי הַמְּלָכִים, הַקָּדוֹשׁ בָּרוּךְ הוּא. שֶׁהוּא נוֹטֶה שָׁמַיִם וְיֹסֵד אָרֶץ, יְשַׁעְיָהוּ נא:13 וּמוֹשַׁב יְקָרוֹ בַּשָּׁמַיִם מִמַּעַל, וּשְׁכִינַת עֻזּוֹ בְּגָבְהֵי מְרוֹמִים, הוּא אֱלֹהֵינוּ אֵין עוֹד. אֱמֶת מַלְכֵּנוּ אֶפֶס זוּלָתוֹ, כַּכָּתוּב בְּתוֹרָתוֹ: וְיָדַעְתָּ הַיּוֹם וַהֲשֵׁבֹתָ אֶל לְבָבֶךָ, כִּי יהוה הוּא הָאֱלֹהִים בַּשָּׁמַיִם מִמַּעַל, וְעַל הָאָרֶץ מִתָּחַת, אֵין עוֹד: דְּבָרִים ד:39

עַל כֵּן נְקַוֶּה לְךָ יהוה אֱלֹהֵינוּ, לִרְאוֹת מְהֵרָה בְּתִפְאֶרֶת עֻזֶּךָ, לְהַעֲבִיר גִּלּוּלִים מִן הָאָרֶץ וְהָאֱלִילִים כָּרוֹת יִכָּרֵתוּן. לְתַקֵּן עוֹלָם בְּמַלְכוּת שַׁדַּי, וְכָל בְּנֵי בָשָׂר יִקְרְאוּ בִשְׁמֶךָ. לְהַפְנוֹת אֵלֶיךָ כָּל רִשְׁעֵי אָרֶץ. יַכִּירוּ וְיֵדְעוּ כָּל יוֹשְׁבֵי תֵבֵל, כִּי לְךָ תִּכְרַע כָּל בֶּרֶךְ, תִּשָּׁבַע כָּל לָשׁוֹן: לְפָנֶיךָ יהוה אֱלֹהֵינוּ יִכְרְעוּ וְיִפֹּלוּ. וְלִכְבוֹד שִׁמְךָ יְקָר יִתֵּנוּ. וִיקַבְּלוּ כֻלָּם אֶת עוֹל מַלְכוּתֶךָ. וְתִמְלֹךְ עֲלֵיהֶם מְהֵרָה לְעוֹלָם וָעֶד. כִּי הַמַּלְכוּת שֶׁלְּךָ הִיא, וּלְעוֹלְמֵי עַד תִּמְלוֹךְ בְּכָבוֹד: כַּכָּתוּב בְּתוֹרָתֶךָ, יהוה יִמְלֹךְ לְעֹלָם וָעֶד: שְׁמוֹת טו:18

וְנֶאֱמַר, וְהָיָה יהוה לְמֶלֶךְ עַל כָּל הָאָרֶץ, בַּיּוֹם הַהוּא יִהְיֶה יהוה אֶחָד, וּשְׁמוֹ אֶחָד: זְכַרְיָה יד:9

קדיש יתום

(אבלים ואבלות) יִתְגַּדַּל וְיִתְקַדַּשׁ שְׁמֵהּ רַבָּא. בְּעָלְמָא דִּי בְרָא כִרְעוּתֵיהּ, וְיַמְלִיךְ מַלְכוּתֵיהּ בְּחַיֵּיכוֹן וּבְיוֹמֵיכוֹן וּבְחַיֵּי דְכָל בֵּית יִשְׂרָאֵל. בַּעֲגָלָא וּבִזְמַן קָרִיב וְאִמְרוּ אָמֵן:

(ביחד) יְהֵא שְׁמֵהּ רַבָּא מְבָרַךְ לְעָלַם וּלְעָלְמֵי עָלְמַיָּא:

(אבלים ואבלות) יִתְבָּרַךְ וְיִשְׁתַּבַּח וְיִתְפָּאַר וְיִתְרוֹמַם וְיִתְנַשֵּׂא וְיִתְהַדָּר וְיִתְעַלֶּה וְיִתְהַלָּל שְׁמֵהּ דְּקֻדְשָׁא (ביחד) בְּרִיךְ הוּא (אבלים ואבלות) לְעֵלָּא (בשבת שובה לְעֵלָּא וּלְעֵלָּא מִכָּל) מִן כָּל בִּרְכָתָא וְשִׁירָתָא תֻּשְׁבְּחָתָא וְנֶחֱמָתָא, דַּאֲמִירָן בְּעָלְמָא, וְאִמְרוּ אָמֵן:

(אבלים ואבלות) יְהֵא שְׁלָמָא רַבָּא מִן שְׁמַיָּא, וְחַיִּים טוֹבִים עָלֵינוּ וְעַל כָּל יִשְׂרָאֵל וְאִמְרוּ אָמֵן.

(אבלים ואבלות) עֹשֶׂה שָׁלוֹם בִּמְרוֹמָיו הוּא יַעֲשֶׂה שָׁלוֹם עָלֵינוּ וְעַל כָּל יִשְׂרָאֵל, וְאִמְרוּ אָמֵן:

שיר הכבוד

Open the Aron Kodesh

(ש״ץ) אַנְעִים זְמִירוֹת וְשִׁירִים אֶאֱרוֹג. כִּי אֵלֶיךָ נַפְשִׁי תַעֲרוֹג:

(קהל) נַפְשִׁי חָמְדָה בְּצֵל יָדֶךָ. לָדַעַת כָּל רָז סוֹדֶךָ:

(ש״ץ) מִדֵּי דַבְּרִי בִּכְבוֹדֶךָ. הוֹמֶה לִבִּי אֶל דּוֹדֶיךָ:

(קהל) עַל כֵּן אֲדַבֵּר בְּךָ נִכְבָּדוֹת. וְשִׁמְךָ אֲכַבֵּד בְּשִׁירֵי יְדִידוֹת:

(ש״ץ) אֲסַפְּרָה כְבוֹדְךָ וְלֹא רְאִיתִיךָ. אֲדַמְּךָ אֲכַנְּךָ וְלֹא יְדַעְתִּיךָ:

(קהל) בְּיַד נְבִיאֶיךָ בְּסוֹד עֲבָדֶיךָ. דִּמִּיתָ הֲדַר כְּבוֹד הוֹדֶךָ:

(ש״ץ) גְּדֻלָּתְךָ וּגְבוּרָתֶךָ. כִּנּוּ לְתוֹקֶף פְּעֻלָּתֶךָ:

(קהל) דִּמּוּ אוֹתְךָ וְלֹא כְּפִי יֶשְׁךָ, וַיְשַׁוּוּךָ לְפִי מַעֲשֶׂיךָ:

(ש״ץ) הִמְשִׁילוּךָ בְּרוֹב חֶזְיוֹנוֹת. הִנְּךָ אֶחָד בְּכָל דִּמְיוֹנוֹת:

(קהל) וַיֶּחֱזוּ בָךְ זִקְנָה וּבַחֲרוּת. וּשְׂעַר רֹאשְׁךָ בְּשֵׂיבָה
וְשַׁחֲרוּת:

(ש״ץ) זִקְנָה בְּיוֹם דִּין וּבַחֲרוּת בְּיוֹם קְרָב. כְּאִישׁ מִלְחָמוֹת יָדָיו לוֹ
רָב:

5 (קהל) חָבַשׁ כּוֹבַע יְשׁוּעָה בְּרֹאשׁוֹ. הוֹשִׁיעָה לּוֹ יְמִינוֹ
וּזְרוֹעַ קָדְשׁוֹ:

(ש״ץ) טַלְלֵי אוֹרוֹת רֹאשׁוֹ נִמְלָא. קְוֻצּוֹתָיו רְסִיסֵי לָיְלָה:

(קהל) יִתְפָּאֵר בִּי כִּי חָפֵץ בִּי. וְהוּא יִהְיֶה לִי לַעֲטֶרֶת
צְבִי:

10 (ש״ץ) כֶּתֶם טָהוֹר פָּז דְּמוּת רֹאשׁוֹ. וְחַק עַל מֵצַח כְּבוֹד שֵׁם קָדְשׁוֹ:

(קהל) לְחֵן וּלְכָבוֹד צְבִי תִפְאָרָה. אֻמָּתוֹ לוֹ עִטְּרָה עֲטָרָה:

(ש״ץ) מַחְלְפוֹת רֹאשׁוֹ כְּבִימֵי בְחֻרוֹת. קְוֻצּוֹתָיו תַּלְתַּלִּים שְׁחוֹרוֹת:

(קהל) נְוֵה הַצֶּדֶק צְבִי תִפְאַרְתּוֹ. יַעֲלֶה נָּא עַל רֹאשׁ
שִׂמְחָתוֹ:

15 (ש״ץ) סְגֻלָּתוֹ תְּהִי בְיָדוֹ עֲטֶרֶת. וּצְנִיף מְלוּכָה צְבִי תִפְאָרֶת:

(קהל) עֲמוּסִים נְשָׂאָם עֲטֶרֶת עִנְּדָם. מֵאֲשֶׁר יָקְרוּ בְעֵינָיו
כִּבְּדָם:

(ש״ץ) פְּאֵרוֹ עָלַי וּפְאֵרִי עָלָיו. וְקָרוֹב אֵלַי בְּקָרְאִי אֵלָיו:

(קהל) צַח וְאָדוֹם לִלְבוּשׁוֹ אָדוֹם. פּוּרָה בְּדָרְכוֹ בְּבוֹאוֹ
מֵאֱדוֹם:
20

(ש״ץ) קֶשֶׁר תְּפִלִּין הֶרְאָה לֶעָנָיו. תְּמוּנַת יהוה לְנֶגֶד עֵינָיו:

(קהל) רוֹצֶה בְעַמּוֹ עֲנָוִים יְפָאֵר. יוֹשֵׁב תְּהִלּוֹת בָּם
לְהִתְפָּאֵר:

(ש״ץ) רֹאשׁ דְּבָרְךָ אֱמֶת קוֹרֵא מֵרֹאשׁ. דּוֹר וָדוֹר עַם דּוֹרֶשְׁךָ דְּרוֹשׁ:

25 (קהל) שִׁית הֲמוֹן שִׁירַי נָא עָלֶיךָ. וְרִנָּתִי תִקְרַב אֵלֶיךָ:

(ש״ץ) תְּהִלָּתִי תְּהִי לְרֹאשְׁךָ עֲטֶרֶת. וּתְפִלָּתִי תִּכּוֹן קְטוֹרֶת:

(קהל) תִּיקַר שִׁירַת רָשׁ בְּעֵינֶיךָ. כְּשִׁיר יוּשַׁר עַל קָרְבָּנֶיךָ:

(ש"ץ) בִּרְכָתִי תַעֲלֶה לְרֹאשׁ מַשְׁבִּיר. מְחוֹלֵל וּמוֹלִיד צַדִּיק כַּבִּיר:

(קהל) וּבְבִרְכָתִי תְנַעֲנַע לִי רֹאשׁ. וְאוֹתָהּ קַח לְךָ כִּבְשָׂמִים רֹאשׁ:

(ש"ץ) יֶעֱרַב נָא שִׂיחִי עָלֶיךָ. כִּי נַפְשִׁי תַעֲרוֹג אֵלֶיךָ:

לְךָ יְיָ הַגְּדֻלָּה וְהַגְּבוּרָה וְהַתִּפְאֶרֶת וְהַנֵּצַח וְהַהוֹד, כִּי כֹל בַּשָּׁמַיִם וּבָאָרֶץ. לְךָ יְיָ הַמַּמְלָכָה וְהַמִּתְנַשֵּׂא לְכֹל לְרֹאשׁ. מִי יְמַלֵּל גְּבוּרוֹת יהוה, יַשְׁמִיעַ כָּל תְּהִלָּתוֹ.

Close the Aron Kodesh

הַיּוֹם שַׁבַּת קֹדֶשׁ שֶׁבּוֹ הָיוּ הַלְוִיִּם אוֹמְרִים בְּבֵית הַמִּקְדָּשׁ:

מִזְמוֹר שִׁיר לְיוֹם הַשַּׁבָּת: טוֹב לְהֹדוֹת לַיהוה וּלְזַמֵּר לְשִׁמְךָ עֶלְיוֹן: לְהַגִּיד בַּבֹּקֶר חַסְדֶּךָ וֶאֱמוּנָתְךָ בַּלֵּילוֹת: עֲלֵי עָשׂוֹר וַעֲלֵי נָבֶל עֲלֵי הִגָּיוֹן בְּכִנּוֹר: כִּי שִׂמַּחְתַּנִי יהוה בְּפָעֳלֶךָ בְּמַעֲשֵׂי יָדֶיךָ אֲרַנֵּן: מַה גָּדְלוּ מַעֲשֶׂיךָ יהוה מְאֹד עָמְקוּ מַחְשְׁבֹתֶיךָ: אִישׁ בַּעַר לֹא יֵדָע וּכְסִיל לֹא יָבִין אֶת זֹאת: בִּפְרֹחַ רְשָׁעִים כְּמוֹ עֵשֶׂב וַיָּצִיצוּ כָּל פֹּעֲלֵי אָוֶן לְהִשָּׁמְדָם עֲדֵי עַד: וְאַתָּה מָרוֹם לְעֹלָם יהוה: כִּי הִנֵּה אֹיְבֶיךָ יהוה כִּי הִנֵּה אֹיְבֶיךָ יֹאבֵדוּ יִתְפָּרְדוּ כָּל פֹּעֲלֵי אָוֶן: וַתָּרֶם כִּרְאֵים קַרְנִי בַּלֹּתִי בְּשֶׁמֶן רַעֲנָן: וַתַּבֵּט עֵינִי בְּשׁוּרָי בַּקָּמִים עָלַי מְרֵעִים תִּשְׁמַעְנָה אָזְנָי: צַדִּיק כַּתָּמָר יִפְרָח כְּאֶרֶז בַּלְּבָנוֹן יִשְׂגֶּה: שְׁתוּלִים בְּבֵית יהוה בְּחַצְרוֹת אֱלֹהֵינוּ יַפְרִיחוּ: עוֹד יְנוּבוּן בְּשֵׂיבָה דְּשֵׁנִים וְרַעֲנַנִּים יִהְיוּ: לְהַגִּיד כִּי יָשָׁר יהוה צוּרִי וְלֹא עַוְלָתָה בּוֹ: תְּהִלִּים צב

From the first day of אלול *until* הושענא רבה *say*

לְדָוִד יהוה אוֹרִי וְיִשְׁעִי מִמִּי אִירָא, יהוה מָעוֹז חַיַּי מִמִּי אֶפְחָד: בִּקְרֹב עָלַי מְרֵעִים, לֶאֱכֹל אֶת בְּשָׂרִי צָרַי וְאֹיְבַי לִי הֵמָּה כָשְׁלוּ וְנָפָלוּ: אִם תַּחֲנֶה עָלַי מַחֲנֶה לֹא יִירָא לִבִּי, אִם תָּקוּם עָלַי מִלְחָמָה בְּזֹאת אֲנִי בוֹטֵחַ: אַחַת שָׁאַלְתִּי מֵאֵת יהוה, אוֹתָהּ אֲבַקֵּשׁ שִׁבְתִּי בְּבֵית יהוה, כָּל יְמֵי חַיַּי לַחֲזוֹת בְּנֹעַם יהוה וּלְבַקֵּר בְּהֵיכָלוֹ: כִּי יִצְפְּנֵנִי בְּסֻכֹּה בְּיוֹם רָעָה, יַסְתִּרֵנִי בְּסֵתֶר אָהֳלוֹ בְּצוּר יְרוֹמְמֵנִי: וְעַתָּה יָרוּם רֹאשִׁי, עַל אֹיְבַי סְבִיבוֹתַי וְאֶזְבְּחָה בְאָהֳלוֹ זִבְחֵי תְרוּעָה, אָשִׁירָה וַאֲזַמְּרָה לַיהוה: שְׁמַע יהוה קוֹלִי אֶקְרָא, וְחָנֵּנִי וַעֲנֵנִי: לְךָ אָמַר לִבִּי, בַּקְּשׁוּ פָנָי, אֶת פָּנֶיךָ יהוה אֲבַקֵּשׁ: אַל תַּסְתֵּר פָּנֶיךָ מִמֶּנִּי, אַל תַּט בְּאַף עַבְדֶּךָ, עֶזְרָתִי הָיִיתָ, אַל תִּטְּשֵׁנִי וְאַל תַּעַזְבֵנִי אֱלֹהֵי יִשְׁעִי: כִּי אָבִי וְאִמִּי עֲזָבוּנִי, וַיהוה יַאַסְפֵנִי: הוֹרֵנִי יהוה דַּרְכֶּךָ, וּנְחֵנִי בְּאֹרַח מִישׁוֹר, לְמַעַן שׁוֹרְרָי: אַל תִּתְּנֵנִי בְּנֶפֶשׁ צָרָי, כִּי קָמוּ בִי עֵדֵי שֶׁקֶר וִיפֵחַ חָמָס: לוּלֵא הֶאֱמַנְתִּי, לִרְאוֹת בְּטוּב יהוה בְּאֶרֶץ חַיִּים: קַוֵּה אֶל יהוה, חֲזַק וְיַאֲמֵץ לִבֶּךָ וְקַוֵּה אֶל יהוה: תְּהִלִּים כז

קדיש יתום

(אבלים ואבלות) יִתְגַּדַּל וְיִתְקַדַּשׁ שְׁמֵהּ רַבָּא. בְּעָלְמָא דִּי בְרָא כִרְעוּתֵיהּ, וְיַמְלִיךְ מַלְכוּתֵיהּ בְּחַיֵּיכוֹן וּבְיוֹמֵיכוֹן וּבְחַיֵּי דְכָל בֵּית יִשְׂרָאֵל. בַּעֲגָלָא וּבִזְמַן קָרִיב וְאִמְרוּ אָמֵן:

(ביחד) יְהֵא שְׁמֵהּ רַבָּא מְבָרַךְ לְעָלַם וּלְעָלְמֵי עָלְמַיָּא:

(אבלים ואבלות) יִתְבָּרַךְ וְיִשְׁתַּבַּח וְיִתְפָּאַר וְיִתְרוֹמַם וְיִתְנַשֵּׂא וְיִתְהַדָּר וְיִתְעַלֶּה וְיִתְהַלָּל שְׁמֵהּ דְּקֻדְשָׁא (ביחד) בְּרִיךְ הוּא (אבלים ואבלות) לְעֵלָּא (בשבת שובה לְעֵלָּא וּלְעֵלָּא מִכָּל) מִן כָּל בִּרְכָתָא וְשִׁירָתָא תֻּשְׁבְּחָתָא וְנֶחֱמָתָא, דַּאֲמִירָן בְּעָלְמָא, וְאִמְרוּ אָמֵן:

(אבלים ואבלות) יְהֵא שְׁלָמָא רַבָּא מִן שְׁמַיָּא, וְחַיִּים טוֹבִים עָלֵינוּ וְעַל כָּל יִשְׂרָאֵל וְאִמְרוּ אָמֵן.

(אבלים ואבלות) עֹשֶׂה שָׁלוֹם בִּמְרוֹמָיו הוּא יַעֲשֶׂה שָׁלוֹם עָלֵינוּ וְעַל כָּל יִשְׂרָאֵל, וְאִמְרוּ אָמֵן:

אדון עולם

אֲדוֹן עוֹלָם אֲשֶׁר מָלַךְ, בְּטֶרֶם כָּל יְצִיר נִבְרָא.
לְעֵת נַעֲשָׂה בְחֶפְצוֹ כֹּל, אֲזַי מֶלֶךְ שְׁמוֹ נִקְרָא.
וְאַחֲרֵי כִּכְלוֹת הַכֹּל, לְבַדּוֹ יִמְלוֹךְ נוֹרָא.
וְהוּא הָיָה, וְהוּא הֹוֶה, וְהוּא יִהְיֶה, בְּתִפְאָרָה.
וְהוּא אֶחָד וְאֵין שֵׁנִי, לְהַמְשִׁיל לוֹ לְהַחְבִּירָה.
בְּלִי רֵאשִׁית בְּלִי תַכְלִית, וְלוֹ הָעֹז וְהַמִּשְׂרָה.
וְהוּא אֵלִי וְחַי גֹּאֲלִי, וְצוּר חֶבְלִי בְּעֵת צָרָה.
וְהוּא נִסִּי וּמָנוֹס לִי מְנָת כּוֹסִי בְּיוֹם אֶקְרָא.
בְּיָדוֹ אַפְקִיד רוּחִי, בְּעֵת אִישַׁן וְאָעִירָה.
וְעִם רוּחִי גְּוִיָּתִי, יהוה לִי וְלֹא אִירָא.

קידוש רבה לשבת

וְשָׁמְרוּ בְנֵי יִשְׂרָאֵל אֶת הַשַּׁבָּת, לַעֲשׂוֹת אֶת הַשַּׁבָּת לְדֹרֹתָם בְּרִית עוֹלָם: בֵּינִי וּבֵין בְּנֵי יִשְׂרָאֵל אוֹת הִיא לְעוֹלָם, כִּי שֵׁשֶׁת יָמִים עָשָׂה יהוה אֶת הַשָּׁמַיִם וְאֶת הָאָרֶץ, וּבַיּוֹם הַשְּׁבִיעִי שָׁבַת וַיִּנָּפַשׁ. שְׁמוֹת לא:16-17

זָכוֹר אֶת יוֹם הַשַּׁבָּת לְקַדְּשׁוֹ. שֵׁשֶׁת יָמִים תַּעֲבֹד וְעָשִׂיתָ כָּל מְלַאכְתֶּךָ. וְיוֹם הַשְּׁבִיעִי שַׁבָּת לַיהוה אֱלֹהֶיךָ, לֹא תַעֲשֶׂה כָל מְלָאכָה, אַתָּה וּבִנְךָ וּבִתֶּךָ עַבְדְּךָ וַאֲמָתְךָ וּבְהֶמְתֶּךָ, וְגֵרְךָ אֲשֶׁר בִּשְׁעָרֶיךָ. כִּי שֵׁשֶׁת יָמִים עָשָׂה יהוה אֶת הַשָּׁמַיִם וְאֶת הָאָרֶץ אֶת הַיָּם וְאֶת כָּל אֲשֶׁר בָּם, וַיָּנַח בַּיּוֹם הַשְּׁבִיעִי.
עַל כֵּן בֵּרַךְ יהוה אֶת יוֹם הַשַּׁבָּת וַיְקַדְּשֵׁהוּ. שְׁמוֹת כ:8-11

סַבְרִי חֲבֵרַי,

בָּרוּךְ אַתָּה יְיָ אֱלֹהֵינוּ מֶלֶךְ הָעוֹלָם, בּוֹרֵא פְּרִי הַגָּפֶן.

קידוש רבה ליום טוב

If it is also Shabbat, add the following two paragraphs

וְשָׁמְרוּ בְנֵי יִשְׂרָאֵל אֶת הַשַּׁבָּת, לַעֲשׂוֹת אֶת הַשַּׁבָּת לְדֹרֹתָם בְּרִית עוֹלָם. בֵּינִי וּבֵין בְּנֵי יִשְׂרָאֵל אוֹת הִיא לְעֹלָם, כִּי שֵׁשֶׁת יָמִים עָשָׂה יהוה אֶת הַשָּׁמַיִם וְאֶת הָאָרֶץ, וּבַיּוֹם הַשְּׁבִיעִי שָׁבַת וַיִּנָּפַשׁ.

שְׁמוֹת לא:16-17

זָכוֹר אֶת יוֹם הַשַּׁבָּת לְקַדְּשׁוֹ. שֵׁשֶׁת יָמִים תַּעֲבֹד וְעָשִׂיתָ כָּל מְלַאכְתֶּךָ. וְיוֹם הַשְּׁבִיעִי שַׁבָּת לַיהוה אֱלֹהֶיךָ, לֹא תַעֲשֶׂה כָל מְלָאכָה, אַתָּה וּבִנְךָ וּבִתֶּךָ עַבְדְּךָ וַאֲמָתְךָ וּבְהֶמְתֶּךָ, וְגֵרְךָ אֲשֶׁר בִּשְׁעָרֶיךָ. כִּי שֵׁשֶׁת יָמִים עָשָׂה יהוה אֶת הַשָּׁמַיִם וְאֶת הָאָרֶץ אֶת הַיָּם וְאֶת כָּל אֲשֶׁר בָּם, וַיָּנַח בַּיּוֹם הַשְּׁבִיעִי. עַל כֵּן בֵּרַךְ יהוה אֶת יוֹם הַשַּׁבָּת וַיְקַדְּשֵׁהוּ.

שְׁמוֹת כ:8-11

וַיְדַבֵּר מֹשֶׁה אֶת מֹעֲדֵי יהוה אֶל בְּנֵי יִשְׂרָאֵל. וַיִּקְרָא כג:44

On ראש השנה *add the following*

תִּקְעוּ בַחֹדֶשׁ שׁוֹפָר, בַּכֶּסֶה לְיוֹם חַגֵּנוּ. כִּי חֹק לְיִשְׂרָאֵל הוּא, מִשְׁפָּט לֵאלֹהֵי יַעֲקֹב.

סַבְרִי חֲבֵרַי,

בָּרוּךְ אַתָּה יהוה אֱלֹהֵינוּ מֶלֶךְ הָעוֹלָם, בּוֹרֵא פְּרִי הַגָּפֶן.

In the סוכה *say*

בָּרוּךְ אַתָּה יהוה אֱלֹהֵינוּ מֶלֶךְ הָעוֹלָם, אֲשֶׁר קִדְּשָׁנוּ בְּמִצְוֹתָיו וְצִוָּנוּ לֵישֵׁב בַּסֻּכָּה.

The following is omitted on the last two days of פסח

בָּרוּךְ אַתָּה יהוה אֱלֹהֵינוּ מֶלֶךְ הָעוֹלָם, שֶׁהֶחֱיָנוּ וְקִיְּמָנוּ וְהִגִּיעָנוּ לַזְּמַן הַזֶּה.

מנחה לשבת
ויום טוב

אשרי

אַשְׁרֵי יוֹשְׁבֵי בֵיתֶךָ, עוֹד יְהַלְלוּךָ סֶּלָה: תְּהִלִּים פד:5
אַשְׁרֵי הָעָם שֶׁכָּכָה לּוֹ, אַשְׁרֵי הָעָם שֶׁיהוה אֱלֹהָיו:
תְּהִלִּים קמד:15

תְּהִלָּה לְדָוִד,
אֲרוֹמִמְךָ אֱלוֹהַי הַמֶּלֶךְ, וַאֲבָרְכָה שִׁמְךָ לְעוֹלָם וָעֶד:
בְּכָל יוֹם אֲבָרְכֶךָּ, וַאֲהַלְלָה שִׁמְךָ לְעוֹלָם וָעֶד:
גָּדוֹל יהוה וּמְהֻלָּל מְאֹד, וְלִגְדֻלָּתוֹ אֵין חֵקֶר:
דּוֹר לְדוֹר יְשַׁבַּח מַעֲשֶׂיךָ, וּגְבוּרֹתֶיךָ יַגִּידוּ:
הֲדַר כְּבוֹד הוֹדֶךָ, וְדִבְרֵי נִפְלְאֹתֶיךָ אָשִׂיחָה:
וֶעֱזוּז נוֹרְאוֹתֶיךָ יֹאמֵרוּ וּגְדֻלָּתְךָ אֲסַפְּרֶנָּה:
זֵכֶר רַב טוּבְךָ יַבִּיעוּ, וְצִדְקָתְךָ יְרַנֵּנוּ:
חַנּוּן וְרַחוּם יהוה, אֶרֶךְ אַפַּיִם וּגְדָל חָסֶד:
טוֹב יהוה לַכֹּל, וְרַחֲמָיו עַל כָּל מַעֲשָׂיו:
יוֹדוּךָ יהוה כָּל מַעֲשֶׂיךָ, וַחֲסִידֶיךָ יְבָרְכוּכָה:
כְּבוֹד מַלְכוּתְךָ יֹאמֵרוּ, וּגְבוּרָתְךָ יְדַבֵּרוּ:
לְהוֹדִיעַ לִבְנֵי הָאָדָם גְּבוּרֹתָיו, וּכְבוֹד הֲדַר מַלְכוּתוֹ:
מַלְכוּתְךָ מַלְכוּת כָּל עֹלָמִים, וּמֶמְשַׁלְתְּךָ בְּכָל דֹּר וָדֹר:
סוֹמֵךְ יהוה לְכָל הַנֹּפְלִים, וְזוֹקֵף לְכָל הַכְּפוּפִים:
עֵינֵי כֹל אֵלֶיךָ יְשַׂבֵּרוּ, וְאַתָּה נוֹתֵן לָהֶם אֶת אָכְלָם בְּעִתּוֹ:
פּוֹתֵחַ אֶת יָדֶךָ, וּמַשְׂבִּיעַ לְכָל חַי רָצוֹן:
צַדִּיק יהוה בְּכָל דְּרָכָיו, וְחָסִיד בְּכָל מַעֲשָׂיו:
קָרוֹב יהוה לְכָל קֹרְאָיו, לְכֹל אֲשֶׁר יִקְרָאֻהוּ בֶאֱמֶת:
רְצוֹן יְרֵאָיו יַעֲשֶׂה, וְאֶת שַׁוְעָתָם יִשְׁמַע וְיוֹשִׁיעֵם:
שׁוֹמֵר יהוה אֶת כָּל אֹהֲבָיו, וְאֵת כָּל הָרְשָׁעִים יַשְׁמִיד:

Just as on weekdays, we begin Shabbat Mincha with אשרי, Psalm 145.

תְּהִלַּת יהוה יְדַבֶּר פִּי, וִיבָרֵךְ כָּל בָּשָׂר שֵׁם קָדְשׁוֹ, לְעוֹלָם וָעֶד: תְּהִלִּים קמה
וַאֲנַחְנוּ נְבָרֵךְ יָהּ, מֵעַתָּה וְעַד עוֹלָם, הַלְלוּיָהּ: תְּהִלִּים קטו:18

וּבָא לְצִיּוֹן גּוֹאֵל, וּלְשָׁבֵי פֶשַׁע בְּיַעֲקֹב, נְאֻם יהוה: וַאֲנִי זֹאת בְּרִיתִי אוֹתָם אָמַר יהוה, רוּחִי אֲשֶׁר עָלֶיךָ, וּדְבָרַי אֲשֶׁר שַׂמְתִּי בְּפִיךָ לֹא יָמוּשׁוּ מִפִּיךָ, וּמִפִּי זַרְעֲךָ, וּמִפִּי זֶרַע זַרְעֲךָ, אָמַר יהוה, מֵעַתָּה וְעַד עוֹלָם: וְאַתָּה קָדוֹשׁ, יוֹשֵׁב תְּהִלּוֹת יִשְׂרָאֵל וְקָרָא זֶה אֶל זֶה וְאָמַר:

קָדוֹשׁ קָדוֹשׁ קָדוֹשׁ יהוה צְבָאוֹת, מְלֹא כָל הָאָרֶץ כְּבוֹדוֹ: יְשַׁעְיָה ו:3

וּמְקַבְּלִין דֵּין מִן דֵּין, וְאָמְרִין קַדִּישׁ, בִּשְׁמֵי מְרוֹמָא עִלָּאָה בֵּית שְׁכִינְתֵּהּ, קַדִּישׁ לְעָלַם וּלְעָלְמֵי עָלְמַיָּא, יהוה צְבָאוֹת מַלְיָא כָל אַרְעָא זִיו יְקָרֵהּ: וַתִּשָּׂאֵנִי רוּחַ, וָאֶשְׁמַע אַחֲרַי קוֹל רַעַשׁ גָּדוֹל:

בָּרוּךְ כְּבוֹד יהוה מִמְּקוֹמוֹ: יְחֶזְקֵאל ג:12

וּנְטָלַתְנִי רוּחָא, וּשְׁמַעֵת בַּתְרַי קָל זִיעַ סַגִּיא, דִּמְשַׁבְּחִין וְאָמְרִין, בְּרִיךְ יְקָרָא דַיהוה מֵאֲתַר בֵּית שְׁכִינְתֵּהּ:

יהוה יִמְלֹךְ לְעֹלָם וָעֶד: שְׁמוֹת טו:18

יהוה מַלְכוּתֵהּ קָאֵם לְעָלַם וּלְעָלְמֵי עָלְמַיָּא:

יהוה אֱלֹהֵי אַבְרָהָם יִצְחָק וְיִשְׂרָאֵל אֲבוֹתֵינוּ, שָׁמְרָה זֹּאת לְעוֹלָם, לְיֵצֶר מַחְשְׁבוֹת לְבַב עַמֶּךָ, וְהָכֵן לְבָבָם אֵלֶיךָ: וְהוּא רַחוּם, יְכַפֵּר עָוֹן וְלֹא יַשְׁחִית, וְהִרְבָּה לְהָשִׁיב אַפּוֹ וְלֹא יָעִיר כָּל חֲמָתוֹ: כִּי אַתָּה אֲדֹנָי טוֹב וְסַלָּח, וְרַב חֶסֶד, לְכָל קוֹרְאֶיךָ: צִדְקָתְךָ צֶדֶק לְעוֹלָם, וְתוֹרָתְךָ אֱמֶת: תִּתֵּן אֱמֶת לְיַעֲקֹב, חֶסֶד לְאַבְרָהָם אֲשֶׁר נִשְׁבַּעְתָּ לַאֲבוֹתֵנוּ מִימֵי קֶדֶם: בָּרוּךְ אֲדֹנָי, יוֹם יוֹם יַעֲמָס לָנוּ, הָאֵל יְשׁוּעָתֵנוּ סֶלָה: יהוה צְבָאוֹת עִמָּנוּ, מִשְׂגָּב לָנוּ, אֱלֹהֵי יַעֲקֹב סֶלָה: יהוה צְבָאוֹת, אַשְׁרֵי אָדָם בֹּטֵחַ בָּךְ:

יהוה הוֹשִׁיעָה, הַמֶּלֶךְ יַעֲנֵנוּ בְיוֹם קָרְאֵנוּ: בָּרוּךְ הוּא אֱלֹהֵינוּ, שֶׁבְּרָאָנוּ לִכְבוֹדוֹ, וְהִבְדִּילָנוּ מִן הַתּוֹעִים, וְנָתַן לָנוּ תּוֹרַת אֱמֶת, וְחַיֵּי עוֹלָם נָטַע בְּתוֹכֵנוּ, הוּא יִפְתַּח לִבֵּנוּ בְּתוֹרָתוֹ וְיָשֵׂם בְּלִבֵּנוּ אַהֲבָתוֹ וְיִרְאָתוֹ, וְלַעֲשׂוֹת רְצוֹנוֹ וּלְעָבְדוֹ בְּלֵבָב שָׁלֵם, לְמַעַן לֹא נִיגַע לָרִיק, וְלֹא נֵלֵד לַבֶּהָלָה: יְהִי רָצוֹן מִלְּפָנֶיךָ, יהוה אֱלֹהֵינוּ וֵאלֹהֵי אֲבוֹתֵינוּ, שֶׁנִּשְׁמֹר חֻקֶּיךָ בָּעוֹלָם הַזֶּה, וְנִזְכֶּה וְנִחְיֶה וְנִרְאֶה, וְנִירַשׁ טוֹבָה וּבְרָכָה, לִשְׁנֵי יְמוֹת הַמָּשִׁיחַ, וּלְחַיֵּי הָעוֹלָם הַבָּא: לְמַעַן יְזַמֶּרְךָ כָבוֹד וְלֹא יִדֹּם, יהוה אֱלֹהַי לְעוֹלָם אוֹדֶךָּ: בָּרוּךְ הַגֶּבֶר אֲשֶׁר יִבְטַח בַּיהוה, וְהָיָה יהוה מִבְטַחוֹ: בִּטְחוּ בַיהוה עֲדֵי עַד, כִּי בְּיָהּ יהוה צוּר עוֹלָמִים:

וְיִבְטְחוּ בְךָ יוֹדְעֵי שְׁמֶךָ, כִּי לֹא עָזַבְתָּ דֹרְשֶׁיךָ יהוה: יהוה חָפֵץ לְמַעַן צִדְקוֹ, יַגְדִּיל תּוֹרָה וְיַאְדִּיר.

חצי קדיש

(ש״ץ) יִתְגַּדַּל וְיִתְקַדַּשׁ שְׁמֵהּ רַבָּא. בְּעָלְמָא דִּי בְרָא כִרְעוּתֵיהּ, וְיַמְלִיךְ מַלְכוּתֵיהּ בְּחַיֵּיכוֹן וּבְיוֹמֵיכוֹן וּבְחַיֵּי דְכָל בֵּית יִשְׂרָאֵל. בַּעֲגָלָא וּבִזְמַן קָרִיב וְאִמְרוּ אָמֵן:

(ביחד) יְהֵא שְׁמֵהּ רַבָּא מְבָרַךְ לְעָלַם וּלְעָלְמֵי עָלְמַיָּא:

(ש״ץ) יִתְבָּרַךְ וְיִשְׁתַּבַּח וְיִתְפָּאַר וְיִתְרוֹמַם וְיִתְנַשֵּׂא וְיִתְהַדָּר וְיִתְעַלֶּה וְיִתְהַלָּל שְׁמֵהּ דְּקֻדְשָׁא (ביחד) בְּרִיךְ הוּא. (ש״ץ) לְעֵלָּא (בשבת שובה לְעֵלָּא וּלְעֵלָּא מִכָּל) מִן כָּל בִּרְכָתָא וְשִׁירָתָא תֻּשְׁבְּחָתָא וְנֶחֱמָתָא, דַּאֲמִירָן בְּעָלְמָא, וְאִמְרוּ אָמֵן:

On יום טוב *say the* עמידה לשלוש רגלים, *p. 304 and conclude with* קדיש שלם, עלינו, קדיש יתום, *pp. 265*

וַאֲנִי תְפִלָּתִי לְךָ יהוה עֵת רָצוֹן, אֱלֹהִים בְּרָב חַסְדֶּךָ, עֲנֵנִי בֶּאֱמֶת יִשְׁעֶךָ.

סדר הוצאת התורה

Open the Ark and say

(ש״ץ) **וַיְהִי בִּנְסֹעַ הָאָרֹן וַיֹּאמֶר מֹשֶׁה:**

(קהל) קוּמָה יהוה, וְיָפֻצוּ אֹיְבֶיךָ, וְיָנֻסוּ מְשַׂנְאֶיךָ מִפָּנֶיךָ:

כִּי מִצִּיּוֹן תֵּצֵא תוֹרָה, וּדְבַר יהוה מִירוּשָׁלָיִם: יְשַׁעְיָה ב:3

בָּרוּךְ שֶׁנָּתַן תּוֹרָה לְעַמּוֹ יִשְׂרָאֵל בִּקְדֻשָּׁתוֹ:

קריאת התורה Unlike weekday Mincha, we take out the Torah for a public reading at Shabbat Mincha. The reading is the first עליה of the פרשה to be read the following Shabbat.

Ezra the scribe declared that one should not go three days without hearing the Torah. Therefore, he introduced the custom of reading the Torah on Mondays and Thursday (the days when farmers would come to town to sell their produce) as well as Shabbat morning and afternoon. The public reading of the Torah is the "reenactment" of the giving of the Torah at Mt. Sinai. The Torah is read only in the presence of a minyan.

The ש״ץ *takes the* תורה *faces the ark, bows slightly at the waist and says*

ח גַּדְּלוּ ח לַיהוה אִתִּי, וּנְרוֹמְמָה שְׁמוֹ יַחְדָּו׃

(קהל) לְךָ יהוה הַגְּדֻלָּה וְהַגְּבוּרָה וְהַתִּפְאֶרֶת וְהַנֵּצַח וְהַהוֹד, כִּי כֹל בַּשָּׁמַיִם וּבָאָרֶץ׃ דִּבְרֵי הַיָּמִים א׳ כט:11 לְךָ יהוה הַמַּמְלָכָה וְהַמִּתְנַשֵּׂא לְכֹל לְרֹאשׁ׃ תְּהִלִּים לד:4 רוֹמְמוּ יהוה אֱלֹהֵינוּ וְהִשְׁתַּחֲווּ לַהֲדֹם רַגְלָיו קָדוֹשׁ הוּא׃ רוֹמְמוּ יהוה אֱלֹהֵינוּ, וְהִשְׁתַּחֲווּ לְהַר קָדְשׁוֹ, כִּי קָדוֹשׁ יהוה אֱלֹהֵינוּ׃ תְּהִלִּים צט:9,5

The ספר תורה *is placed on the* שלחן*. The* גבאית/גבאי *unrolls it and says*

וְתִגָּלֶה וְתֵרָאֶה מַלְכוּתוֹ עָלֵינוּ בִּזְמַן קָרוֹב, וְיָחֹן פְּלֵטָתֵנוּ וּפְלֵטַת עַמּוֹ בֵּית יִשְׂרָאֵל לְחֵן וּלְחֶסֶד וּלְרַחֲמִים וּלְרָצוֹן וְנֹאמַר אָמֵן. הַכֹּל הָבוּ גֹדֶל לֵאלֹהֵינוּ וּתְנוּ כָבוֹד לַתּוֹרָה׃

Insert the name of the person called to the Torah

(males) יַעֲמוֹד ____ בֶּן ____ וְ____.

(females) תַּעֲמוֹד ____ בַּת ____ וְ____.

בָּרוּךְ שֶׁנָּתַן תּוֹרָה לְעַמּוֹ יִשְׂרָאֵל בִּקְדֻשָּׁתוֹ.

(ביחד) וְאַתֶּם הַדְּבֵקִים בַּיהוה אֱלֹהֵיכֶם, חַיִּים כֻּלְּכֶם הַיּוֹם׃ דְּבָרִים ד:4

The Torah readings for Monday, Thursday and מנחה לשבת are found on pp. 368–418.

עליה לתורה

The עולה *touches the place where the reading will begin with the tzitzit or wimpel, holds the* עצי חיים *with both hands and says loudly*

(העולה) **בָּרְכוּ אֶת יהוה הַמְבֹרָךְ:**

(קהל) בָּרוּךְ יהוה הַמְבֹרָךְ לְעוֹלָם וָעֶד:

(העולה) **בָּרוּךְ יהוה הַמְבֹרָךְ לְעוֹלָם וָעֶד:**

(העולה) **בָּרוּךְ אַתָּה יהוה אֱלֹהֵינוּ מֶלֶךְ הָעוֹלָם, אֲשֶׁר בָּחַר בָּנוּ מִכָּל הָעַמִּים וְנָתַן לָנוּ אֶת תּוֹרָתוֹ: בָּרוּךְ אַתָּה יהוה, נוֹתֵן הַתּוֹרָה:**

The Torah is now read while the עולה *follows along with the reader. At the conclusion, the* עולה *touches the place where the reading ended with the tzitzit or wimpel, holds the* עצי חיים *with both hands and says loudly*

(העולה) **בָּרוּךְ אַתָּה יהוה אֱלֹהֵינוּ מֶלֶךְ הָעוֹלָם, אֲשֶׁר נָתַן לָנוּ תּוֹרַת אֱמֶת, וְחַיֵּי עוֹלָם נָטַע בְּתוֹכֵנוּ: בָּרוּךְ אַתָּה יהוה, נוֹתֵן הַתּוֹרָה:**

ברכת הגומל

This blessing is recited by an עולה *who has recovered from a serious illness, given birth, or survived a dangerous situation.*

(העולה) בָּרוּךְ אַתָּה יהוה אֱלֹהֵינוּ מֶלֶךְ הָעוֹלָם, הַגּוֹמֵל לְחַיָּבִים טוֹבוֹת, שֶׁגְּמָלַנִי כָּל טוֹב:

The קהל *responds according to the gender of the* עולה*, as follows*

(*male*) מִי שֶׁגְּמָלְךָ כָּל טוֹב, הוּא יִגְמָלְךָ כָּל טוֹב סֶלָה:

(*female*) מִי שֶׁגְּמָלֵךְ כָּל טוֹב, הוּא יִגְמָלֵךְ כָּל טוֹב סֶלָה:

הגבהה וגלילה

וְזֹאת הַתּוֹרָה אֲשֶׁר שָׂם מֹשֶׁה לִפְנֵי בְּנֵי יִשְׂרָאֵל עַל פִּי יהוה בְּיַד מֹשֶׁה:

While the Torah is being dressed, some congregations recite the following

מִזְמוֹר שִׁיר לְיוֹם הַשַּׁבָּת: טוֹב לְהֹדוֹת לַיהוה וּלְזַמֵּר
לְשִׁמְךָ עֶלְיוֹן: לְהַגִּיד בַּבֹּקֶר חַסְדֶּךָ וֶאֱמוּנָתְךָ בַּלֵּילוֹת:
עֲלֵי עָשׂוֹר וַעֲלֵי נָבֶל עֲלֵי הִגָּיוֹן בְּכִנּוֹר: כִּי שִׂמַּחְתַּנִי
יהוה בְּפָעֳלֶךָ בְּמַעֲשֵׂי יָדֶיךָ אֲרַנֵּן: מַה גָּדְלוּ מַעֲשֶׂיךָ יהוה
5 מְאֹד עָמְקוּ מַחְשְׁבֹתֶיךָ: אִישׁ בַּעַר לֹא יֵדָע וּכְסִיל לֹא
יָבִין אֶת זֹאת: בִּפְרֹחַ רְשָׁעִים כְּמוֹ עֵשֶׂב וַיָּצִיצוּ כָּל
פֹּעֲלֵי אָוֶן לְהִשָּׁמְדָם עֲדֵי עַד: וְאַתָּה מָרוֹם לְעֹלָם יהוה:
כִּי הִנֵּה אֹיְבֶיךָ יהוה כִּי הִנֵּה אֹיְבֶיךָ יֹאבֵדוּ יִתְפָּרְדוּ כָּל
פֹּעֲלֵי אָוֶן: וַתָּרֶם כִּרְאֵים קַרְנִי בַּלֹּתִי בְּשֶׁמֶן רַעֲנָן: וַתַּבֵּט
10 עֵינִי בְּשׁוּרָי בַּקָּמִים עָלַי מְרֵעִים תִּשְׁמַעְנָה אָזְנָי: צַדִּיק
כַּתָּמָר יִפְרָח כְּאֶרֶז בַּלְּבָנוֹן יִשְׂגֶּה: שְׁתוּלִים בְּבֵית יהוה
בְּחַצְרוֹת אֱלֹהֵינוּ יַפְרִיחוּ: עוֹד יְנוּבוּן בְּשֵׂיבָה דְּשֵׁנִים
וְרַעֲנַנִּים יִהְיוּ: ♪ לְהַגִּיד כִּי יָשָׁר יהוה צוּרִי וְלֹא עַוְלָתָה
בּוֹ. תְּהִלִּים צב

אל מלא רחמים
El Malei Rachamim (male)

15 אֵל מָלֵא רַחֲמִים שׁוֹכֵן בַּמְּרוֹמִים, הַמְצֵא מְנוּחָה נְכוֹנָה
תַּחַת כַּנְפֵי הַשְּׁכִינָה, בְּמַעֲלוֹת קְדוֹשִׁים וּטְהוֹרִים כְּזֹהַר
הָרָקִיעַ מַזְהִירִים אֶת נִשְׁמַת _____ בֶּן _____ וְ _____
שֶׁהָלַךְ לְעוֹלָמוֹ בְּגַן עֵדֶן תְּהֵא מְנוּחָתוֹ. אָנָּא, בַּעַל
הָרַחֲמִים יַסְתִּירֵהוּ בְּסֵתֶר כְּנָפֶיךָ לְעוֹלָמִים. וְיִצְרוֹר
20 בִּצְרוֹר הַחַיִּים אֶת נִשְׁמָתוֹ. יהוה הוּא נַחֲלָתוֹ, וְיָנוּחַ
בְּשָׁלוֹם עַל מִשְׁכָּבוֹ, וְנֹאמַר אָמֵן:

וזאת התורה After the Torah is read, it is lifted and shown to everyone. It is
customary to show at least three columns of the text that was read. Some
people point toward the Torah with their pinky finger or tallit to emphasize
that *"this* is the Torah that Moses gave to the people of Israel."

El Malei Rachamim (female)

אל מלא רחמים

אֵל מָלֵא רַחֲמִים שׁוֹכֵן בַּמְּרוֹמִים, הַמְצֵא מְנוּחָה נְכוֹנָה תַּחַת כַּנְפֵי הַשְּׁכִינָה, בְּמַעֲלוֹת קְדוֹשִׁים וּטְהוֹרִים כְּזֹהַר הָרָקִיעַ מַזְהִירִים אֶת נִשְׁמַת ____ בַּת ____ וְ____ שֶׁהָלְכָה לְעוֹלָמָהּ, בְּגַן עֵדֶן תְּהֵא מְנוּחָתָהּ. אָנָּא, בַּעַל הָרַחֲמִים יַסְתִּירֶהָ בְּסֵתֶר כְּנָפֶיךָ לְעוֹלָמִים. וְיִצְרוֹר בִּצְרוֹר הַחַיִּים אֶת נִשְׁמָתָהּ, יהוה הוּא נַחֲלָתָהּ, וְתָנוּחַ בְּשָׁלוֹם עַל מִשְׁכָּבָהּ, וְנֹאמַר אָמֵן:

הכנסת ספר תורה

The Torah is returned to the ארון קודש

(ש״ץ) יְהַלְלוּ אֶת שֵׁם יהוה, כִּי נִשְׂגָּב שְׁמוֹ לְבַדּוֹ.

תְּהִלִּים קמח:13

(קהל) הוֹדוֹ עַל אֶרֶץ וְשָׁמָיִם. וַיָּרֶם קֶרֶן לְעַמּוֹ, תְּהִלָּה לְכָל חֲסִידָיו, לִבְנֵי יִשְׂרָאֵל עַם קְרוֹבוֹ, הַלְלוּיָהּ. שָׁם, שָׁם 14

לְדָוִד מִזְמוֹר, לַיהוה הָאָרֶץ וּמְלוֹאָהּ, תֵּבֵל וְיֹשְׁבֵי בָהּ: כִּי הוּא עַל יַמִּים יְסָדָהּ, וְעַל נְהָרוֹת יְכוֹנְנֶהָ: מִי יַעֲלֶה בְהַר יהוה, וּמִי יָקוּם בִּמְקוֹם קָדְשׁוֹ: נְקִי כַפַּיִם וּבַר לֵבָב, אֲשֶׁר לֹא נָשָׂא לַשָּׁוְא נַפְשִׁי, וְלֹא נִשְׁבַּע לְמִרְמָה: יִשָּׂא בְרָכָה מֵאֵת יהוה, וּצְדָקָה מֵאֱלֹהֵי יִשְׁעוֹ: זֶה דּוֹר דֹּרְשָׁיו, מְבַקְשֵׁי פָנֶיךָ יַעֲקֹב סֶלָה: שְׂאוּ שְׁעָרִים רָאשֵׁיכֶם, וְהִנָּשְׂאוּ פִּתְחֵי עוֹלָם, וְיָבוֹא מֶלֶךְ הַכָּבוֹד: מִי זֶה מֶלֶךְ הַכָּבוֹד, יהוה עִזּוּז וְגִבּוֹר יהוה גִּבּוֹר מִלְחָמָה: שְׂאוּ שְׁעָרִים רָאשֵׁיכֶם, וּשְׂאוּ פִּתְחֵי עוֹלָם, וְיָבֹא מֶלֶךְ הַכָּבוֹד: מִי הוּא זֶה מֶלֶךְ הַכָּבוֹד, יהוה צְבָאוֹת, הוּא מֶלֶךְ הַכָּבוֹד סֶלָה: תְּהִלִּים כד

אל מלא רחמים This prayer is said in memory of departed relatives.

While the Torah is being placed in the Ark, the following is said

וּבְנֻחֹה יֹאמַר: שׁוּבָה, יהוה רִבְבוֹת אַלְפֵי יִשְׂרָאֵל
בְּמִדְבַּר י:36

קוּמָה יהוה לִמְנוּחָתֶךָ, אַתָּה וַאֲרוֹן עֻזֶּךָ. כֹּהֲנֶיךָ יִלְבְּשׁוּ צֶדֶק וַחֲסִידֶיךָ יְרַנֵּנוּ. בַּעֲבוּר דָּוִד עַבְדֶּךָ, אַל תָּשֵׁב פְּנֵי מְשִׁיחֶךָ. תְּהִלִּים קלב:8-10

כִּי לֶקַח טוֹב נָתַתִּי לָכֶם תּוֹרָתִי אַל תַּעֲזֹבוּ. מִשְׁלֵי ד:2

עֵץ חַיִּים הִיא לַמַּחֲזִיקִים בָּהּ, וְתֹמְכֶיהָ מְאֻשָּׁר. מִשְׁלֵי ג:18
דְּרָכֶיהָ דַרְכֵי נֹעַם, וְכָל נְתִיבוֹתֶיהָ שָׁלוֹם. שָׁם, שָׁם:17
הֲשִׁיבֵנוּ יהוה, אֵלֶיךָ וְנָשׁוּבָה, חַדֵּשׁ יָמֵינוּ כְּקֶדֶם.
אֵיכָה ה:21

חצי קדיש

(ש״ץ) יִתְגַּדַּל וְיִתְקַדַּשׁ שְׁמֵהּ רַבָּא. בְּעָלְמָא דִּי בְרָא כִרְעוּתֵיהּ, וְיַמְלִיךְ מַלְכוּתֵיהּ בְּחַיֵּיכוֹן וּבְיוֹמֵיכוֹן וּבְחַיֵּי דְכָל בֵּית יִשְׂרָאֵל. בַּעֲגָלָא וּבִזְמַן קָרִיב וְאִמְרוּ אָמֵן:
(ביחד) יְהֵא שְׁמֵהּ רַבָּא מְבָרַךְ לְעָלַם וּלְעָלְמֵי עָלְמַיָּא:
(ש״ץ) יִתְבָּרַךְ וְיִשְׁתַּבַּח וְיִתְפָּאַר וְיִתְרוֹמַם וְיִתְנַשֵּׂא וְיִתְהַדָּר וְיִתְעַלֶּה וְיִתְהַלָּל שְׁמֵהּ דְּקֻדְשָׁא (ביחד) בְּרִיךְ הוּא. (ש״ץ) לְעֵלָּא (בשבת שובה לְעֵלָּא וּלְעֵלָּא מִכָּל) מִן כָּל בִּרְכָתָא וְשִׁירָתָא תֻּשְׁבְּחָתָא וְנֶחֱמָתָא, דַּאֲמִירָן בְּעָלְמָא, וְאִמְרוּ אָמֵן:

עמידה

If the Amidah at מנחה is recited as a הויכא קדושה, then the ש״ץ begins alone while we listen adding ברוך הוא וברוך שמו and אמן. We join in for the קדושה. While the ש״ץ continues, we go back to the beginning, skipping the קדושה, and continuing with אתה קדוש.

כִּי שֵׁם יהוה אֶקְרָא, הָבוּ גֹדֶל לֵאלֹהֵינוּ: תְּהִלִּים לב:3

אֲדֹנָי שְׂפָתַי תִּפְתָּח וּפִי יַגִּיד תְּהִלָּתֶךָ תְּהִלִּים נא:17

בָּרוּךְ אַתָּה יהוה אֱלֹהֵינוּ וֵאלֹהֵי אֲבוֹתֵינוּ, אֱלֹהֵי אַבְרָהָם, אֱלֹהֵי יִצְחָק, וֵאלֹהֵי יַעֲקֹב. הָאֵל הַגָּדוֹל הַגִּבּוֹר וְהַנּוֹרָא, אֵל עֶלְיוֹן, גּוֹמֵל חֲסָדִים טוֹבִים, וְקוֹנֵה הַכֹּל, וְזוֹכֵר חַסְדֵי אָבוֹת, וּמֵבִיא גוֹאֵל לִבְנֵי בְנֵיהֶם לְמַעַן שְׁמוֹ בְּאַהֲבָה:

On שבת שובה *say*

זָכְרֵנוּ לְחַיִּים, מֶלֶךְ חָפֵץ בַּחַיִּים, וְכָתְבֵנוּ בְּסֵפֶר הַחַיִּים, לְמַעַנְךָ אֱלֹהִים חַיִּים.

מֶלֶךְ עוֹזֵר וּמוֹשִׁיעַ וּמָגֵן: בָּרוּךְ אַתָּה יהוה, מָגֵן אַבְרָהָם:

אַתָּה גִּבּוֹר לְעוֹלָם אֲדֹנָי, מְחַיֵּה מֵתִים אַתָּה, רַב לְהוֹשִׁיעַ:

From שמיני עצרת *until the first day of* פסח *say*

מַשִּׁיב הָרוּחַ וּמוֹרִיד הַגָּשֶׁם:

From the first day of פסח *until* שמיני עצרת *say*

מוֹרִיד הַטָּל

עמידה The first three ברכות and the last three ברכות are the same as in every עמידה. The middle ברכה is different. אתה אחד ושמך אחד expresses three important Jewish ideas: God, Israel, and Shabbat. God is One, the Jewish people are one, unique among other nations. Shabbat is a unique and special day, set apart from the other six days of the week. The blessing ends with the words מקדש השבת praising God as the One Who "makes Shabbat special and holy."

מגן אברהם We praise God as the God of history.

In some communities the אמהות: שרה, רבקה, רחל and לאה are added to the first blessing of the עמידה.

מְכַלְכֵּל חַיִּים בְּחֶסֶד, מְחַיֵּה מֵתִים בְּרַחֲמִים רַבִּים, סוֹמֵךְ נוֹפְלִים, וְרוֹפֵא חוֹלִים, וּמַתִּיר אֲסוּרִים, וּמְקַיֵּם אֱמוּנָתוֹ לִישֵׁנֵי עָפָר, מִי כָמוֹךָ בַּעַל גְּבוּרוֹת וּמִי דּוֹמֶה לָּךְ, מֶלֶךְ מֵמִית וּמְחַיֶּה וּמַצְמִיחַ יְשׁוּעָה:

On שבת שובה *say*

מִי כָמוֹךָ אַב הָרַחֲמִים, זוֹכֵר יְצוּרָיו לְחַיִּים בְּרַחֲמִים:

וְנֶאֱמָן אַתָּה לְהַחֲיוֹת מֵתִים. בָּרוּךְ אַתָּה יהוה, מְחַיֵּה הַמֵּתִים:

When davening alone and during the silent עמידה*, skip the* קדושה *and continue with* אתה קדוש*, p. 261*

קדושה

נְקַדֵּשׁ אֶת שִׁמְךָ בָּעוֹלָם, כְּשֵׁם שֶׁמַּקְדִּישִׁים אוֹתוֹ בִּשְׁמֵי מָרוֹם, כַּכָּתוּב עַל יַד נְבִיאֶךָ: וְקָרָא זֶה אֶל זֶה וְאָמַר: יְשַׁעְיָה ו:3

קָדוֹשׁ, קָדוֹשׁ, קָדוֹשׁ יהוה צְבָאוֹת, מְלֹא כָל הָאָרֶץ כְּבוֹדוֹ: יְשַׁעְיָה ו:3

לְעֻמָּתָם בָּרוּךְ יֹאמֵרוּ:

בָּרוּךְ כְּבוֹד יהוה מִמְּקוֹמוֹ: יְחֶזְקֵאל ג:12

וּבְדִבְרֵי קָדְשְׁךָ כָּתוּב לֵאמֹר:

יִמְלֹךְ יהוה לְעוֹלָם, אֱלֹהַיִךְ צִיּוֹן לְדֹר וָדֹר, הַלְלוּיָהּ. תְּהִלִּים קמו:10

לְדוֹר וָדוֹר נַגִּיד גָּדְלֶךָ, וּלְנֵצַח נְצָחִים קְדֻשָּׁתְךָ נַקְדִּישׁ, וְשִׁבְחֲךָ, אֱלֹהֵינוּ, מִפִּינוּ לֹא יָמוּשׁ לְעוֹלָם וָעֶד, כִּי אֵל מֶלֶךְ גָּדוֹל וְקָדוֹשׁ אָתָּה. בָּרוּךְ אַתָּה יהוה, הָאֵל הַקָּדוֹשׁ (בשבת שובה הַמֶּלֶךְ הַקָּדוֹשׁ).

מחיה המתים We praise God as a miracle worker.

קדושה The Kedusha that is recited is the same that is recited on weekdays.

Say in silent Amidah or when davening alone

אַתָּה קָדוֹשׁ וְשִׁמְךָ קָדוֹשׁ וּקְדוֹשִׁים בְּכָל יוֹם יְהַלְלוּךָ, סֶּלָה. בָּרוּךְ אַתָּה יהוה, הָאֵל הַקָּדוֹשׁ (בשבת שובה הַמֶּלֶךְ הַקָּדוֹשׁ).

אַתָּה אֶחָד וְשִׁמְךָ אֶחָד, וּמִי כְּעַמְּךָ יִשְׂרָאֵל גּוֹי אֶחָד בָּאָרֶץ, תִּפְאֶרֶת גְּדֻלָּה, וַעֲטֶרֶת יְשׁוּעָה, יוֹם מְנוּחָה וּקְדֻשָּׁה לְעַמְּךָ נָתָתָּ, אַבְרָהָם יָגֵל, יִצְחָק יְרַנֵּן, יַעֲקֹב וּבָנָיו יָנוּחוּ בוֹ, מְנוּחַת אַהֲבָה וּנְדָבָה, מְנוּחַת אֱמֶת וֶאֱמוּנָה, מְנוּחַת שָׁלוֹם וְשַׁלְוָה וְהַשְׁקֵט וָבֶטַח, מְנוּחָה שְׁלֵמָה שֶׁאַתָּה רוֹצֶה בָּהּ, יַכִּירוּ בָנֶיךָ וְיֵדְעוּ כִּי מֵאִתְּךָ הִיא מְנוּחָתָם, וְעַל מְנוּחָתָם יַקְדִּישׁוּ אֶת שְׁמֶךָ.

אֱלֹהֵינוּ וֵאלֹהֵי אֲבוֹתֵינוּ, רְצֵה בִמְנוּחָתֵנוּ. קַדְּשֵׁנוּ בְּמִצְוֹתֶיךָ וְתֵן חֶלְקֵנוּ בְתוֹרָתֶךָ, שַׂבְּעֵנוּ מִטּוּבֶךָ, וְשַׂמְּחֵנוּ בִּישׁוּעָתֶךָ, וְטַהֵר לִבֵּנוּ לְעָבְדְּךָ בֶּאֱמֶת, וְהַנְחִילֵנוּ יהוה אֱלֹהֵינוּ בְּאַהֲבָה וּבְרָצוֹן שַׁבַּת קָדְשֶׁךָ, וְיָנוּחוּ בָם יִשְׂרָאֵל, מְקַדְּשֵׁי שְׁמֶךָ. בָּרוּךְ אַתָּה יהוה, מְקַדֵּשׁ הַשַּׁבָּת:

רְצֵה, יהוה אֱלֹהֵינוּ, בְּעַמְּךָ יִשְׂרָאֵל וּבִתְפִלָּתָם, וְהָשֵׁב אֶת הָעֲבוֹדָה לִדְבִיר בֵּיתֶךָ, וּתְפִלָּתָם בְּאַהֲבָה תְקַבֵּל בְּרָצוֹן, וּתְהִי לְרָצוֹן תָּמִיד עֲבוֹדַת יִשְׂרָאֵל עַמֶּךָ.

On ראש חדש *and* חול המועד *add* יעלה ויבא *on top of the next page.*

האל הקדוש We praise the holy God.

אֱלֹהֵינוּ וֵאלֹהֵי אֲבוֹתֵינוּ, יַעֲלֶה וְיָבֹא, וְיַגִּיעַ, וְיֵרָאֶה, וְיֵרָצֶה, וְיִשָּׁמַע, וְיִפָּקֵד, וְיִזָּכֵר זִכְרוֹנֵנוּ וּפִקְדוֹנֵנוּ, וְזִכְרוֹן אֲבוֹתֵינוּ, וְזִכְרוֹן מָשִׁיחַ בֶּן דָּוִד עַבְדֶּךָ, וְזִכְרוֹן יְרוּשָׁלַיִם עִיר קָדְשֶׁךָ, וְזִכְרוֹן כָּל עַמְּךָ בֵּית יִשְׂרָאֵל לְפָנֶיךָ, לִפְלֵיטָה, לְטוֹבָה, לְחֵן וּלְחֶסֶד וּלְרַחֲמִים, לְחַיִּים וּלְשָׁלוֹם, בְּיוֹם

רֹאשׁ חֹדֶשׁ: רֹאשׁ הַחֹדֶשׁ הַזֶּה *On Rosh Chodesh*

פֶּסַח: חַג הַמַּצּוֹת הַזֶּה *On Pesach*

סֻכּוֹת: חַג הַסֻּכּוֹת הַזֶּה *On Sukkot*

זָכְרֵנוּ, יהוה אֱלֹהֵינוּ, בּוֹ לְטוֹבָה, וּפָקְדֵנוּ בוֹ לִבְרָכָה, וְהוֹשִׁיעֵנוּ בוֹ לְחַיִּים, וּבִדְבַר יְשׁוּעָה וְרַחֲמִים, חוּס וְחָנֵּנוּ, וְרַחֵם עָלֵינוּ וְהוֹשִׁיעֵנוּ, כִּי אֵלֶיךָ עֵינֵינוּ, כִּי אֵל מֶלֶךְ חַנּוּן וְרַחוּם אָתָּה.

וְתֶחֱזֶינָה עֵינֵינוּ בְּשׁוּבְךָ לְצִיּוֹן בְּרַחֲמִים. בָּרוּךְ אַתָּה יהוה, הַמַּחֲזִיר שְׁכִינָתוֹ לְצִיּוֹן.

(ש״ץ) מוֹדִים אֲנַחְנוּ לָךְ, שָׁאַתָּה הוּא יהוה אֱלֹהֵינוּ וֵאלֹהֵי אֲבוֹתֵינוּ לְעוֹלָם וָעֶד, צוּר חַיֵּינוּ, מָגֵן יִשְׁעֵנוּ, אַתָּה הוּא לְדוֹר וָדוֹר. נוֹדֶה לְּךָ וּנְסַפֵּר תְּהִלָּתֶךָ, עַל חַיֵּינוּ הַמְּסוּרִים בְּיָדֶךָ, וְעַל נִשְׁמוֹתֵינוּ הַפְּקוּדוֹת לָךְ, וְעַל נִסֶּיךָ שֶׁבְּכָל יוֹם עִמָּנוּ, וְעַל נִפְלְאוֹתֶיךָ וְטוֹבוֹתֶיךָ שֶׁבְּכָל עֵת, עֶרֶב וָבֹקֶר וְצָהֳרָיִם, הַטּוֹב כִּי לֹא כָלוּ רַחֲמֶיךָ, וְהַמְרַחֵם כִּי לֹא תַמּוּ חֲסָדֶיךָ מֵעוֹלָם קִוִּינוּ לָךְ.

For notes on יעלה ויבוא, see p. 39.

In the repetition of the עמידה *by the* ש״ץ *the* קהל *says the following* מודים
It is not said during the silent עמידה

(קהל) מוֹדִים אֲנַחְנוּ לָךְ, שָׁאַתָּה הוּא יהוה אֱלֹהֵינוּ וֵאלֹהֵי אֲבוֹתֵינוּ אֱלֹהֵי כָל בָּשָׂר, יוֹצְרֵנוּ, יוֹצֵר בְּרֵאשִׁית. בְּרָכוֹת וְהוֹדָאוֹת לְשִׁמְךָ הַגָּדוֹל וְהַקָּדוֹשׁ, עַל שֶׁהֶחֱיִיתָנוּ וְקִיַּמְתָּנוּ. כֵּן תְּחַיֵּנוּ וּתְקַיְּמֵנוּ, וְתֶאֱסוֹף גָּלֻיּוֹתֵינוּ לְחַצְרוֹת קָדְשֶׁךָ, לִשְׁמוֹר חֻקֶּיךָ וְלַעֲשׂוֹת רְצוֹנֶךָ, וּלְעָבְדְּךָ בְּלֵבָב שָׁלֵם, עַל שֶׁאֲנַחְנוּ מוֹדִים לָךְ. בָּרוּךְ אֵל הַהוֹדָאוֹת.

לחנוכה *On Chanukah*

עַל הַנִּסִּים, וְעַל הַפֻּרְקָן, וְעַל הַגְּבוּרוֹת, וְעַל הַתְּשׁוּעוֹת, וְעַל הַמִּלְחָמוֹת, שֶׁעָשִׂיתָ לַאֲבוֹתֵינוּ בַּיָּמִים הָהֵם בַּזְּמַן הַזֶּה.

בִּימֵי מַתִּתְיָהוּ בֶּן יוֹחָנָן כֹּהֵן גָּדוֹל, חַשְׁמוֹנָאִי וּבָנָיו, כְּשֶׁעָמְדָה מַלְכוּת יָוָן הָרְשָׁעָה עַל עַמְּךָ יִשְׂרָאֵל לְהַשְׁכִּיחָם תּוֹרָתֶךָ, וּלְהַעֲבִירָם מֵחֻקֵּי רְצוֹנֶךָ, וְאַתָּה בְּרַחֲמֶיךָ הָרַבִּים עָמַדְתָּ לָהֶם בְּעֵת צָרָתָם, רַבְתָּ אֶת רִיבָם, דַּנְתָּ אֶת דִּינָם, נָקַמְתָּ אֶת נִקְמָתָם, מָסַרְתָּ גִבּוֹרִים בְּיַד חַלָּשִׁים, וְרַבִּים בְּיַד מְעַטִּים, וּטְמֵאִים בְּיַד טְהוֹרִים, וּרְשָׁעִים בְּיַד צַדִּיקִים, וְזֵדִים בְּיַד עוֹסְקֵי תוֹרָתֶךָ. וּלְךָ עָשִׂיתָ שֵׁם גָּדוֹל וְקָדוֹשׁ בְּעוֹלָמֶךָ, וּלְעַמְּךָ יִשְׂרָאֵל עָשִׂיתָ תְּשׁוּעָה גְדוֹלָה וּפֻרְקָן כְּהַיּוֹם הַזֶּה. וְאַחַר כֵּן בָּאוּ בָנֶיךָ לִדְבִיר בֵּיתֶךָ, וּפִנּוּ אֶת הֵיכָלֶךָ, וְטִהֲרוּ אֶת מִקְדָּשֶׁךָ, וְהִדְלִיקוּ נֵרוֹת בְּחַצְרוֹת קָדְשֶׁךָ, וְקָבְעוּ שְׁמוֹנַת יְמֵי חֲנֻכָּה אֵלּוּ, לְהוֹדוֹת וּלְהַלֵּל לְשִׁמְךָ הַגָּדוֹל.

וְעַל כֻּלָּם יִתְבָּרַךְ וְיִתְרוֹמַם שִׁמְךָ, מַלְכֵּנוּ, תָּמִיד לְעוֹלָם וָעֶד (בשבת שובה וּכְתוֹב לְחַיִּים טוֹבִים כָּל בְּנֵי בְרִיתֶךָ).

וְכֹל הַחַיִּים יוֹדוּךָ סֶּלָה, וִיהַלְלוּ אֶת שִׁמְךָ בֶּאֱמֶת, הָאֵל יְשׁוּעָתֵנוּ וְעֶזְרָתֵנוּ סֶלָה. בָּרוּךְ אַתָּה יהוה, הַטּוֹב שִׁמְךָ וּלְךָ נָאֶה לְהוֹדוֹת.

שָׁלוֹם רָב עַל יִשְׂרָאֵל עַמְּךָ תָּשִׂים לְעוֹלָם, כִּי אַתָּה הוּא מֶלֶךְ אָדוֹן לְכָל הַשָּׁלוֹם. וְטוֹב בְּעֵינֶיךָ לְבָרֵךְ אֶת עַמְּךָ יִשְׂרָאֵל, בְּכָל עֵת וּבְכָל שָׁעָה בִּשְׁלוֹמֶךָ.

On שבת שובה *say*

בְּסֵפֶר חַיִּים, בְּרָכָה, וְשָׁלוֹם, וּפַרְנָסָה טוֹבָה, נִזָּכֵר וְנִכָּתֵב לְפָנֶיךָ, אֲנַחְנוּ וְכָל עַמְּךָ בֵּית יִשְׂרָאֵל, לְחַיִּים טוֹבִים וּלְשָׁלוֹם.

בָּרוּךְ אַתָּה יהוה הַמְבָרֵךְ אֶת עַמּוֹ יִשְׂרָאֵל בַּשָּׁלוֹם.

The ש״ץ *ends the repetition of the* עמידה *here*

אֱלֹהַי, נְצוֹר לְשׁוֹנִי מֵרָע. וּשְׂפָתַי מִדַּבֵּר מִרְמָה: וְלִמְקַלְלַי נַפְשִׁי תִדּוֹם, וְנַפְשִׁי כֶּעָפָר לַכֹּל תִּהְיֶה. פְּתַח לִבִּי בְּתוֹרָתֶךָ, וּבְמִצְוֹתֶיךָ תִּרְדּוֹף נַפְשִׁי. וְכָל הַחוֹשְׁבִים עָלַי רָעָה, מְהֵרָה הָפֵר עֲצָתָם וְקַלְקֵל מַחֲשַׁבְתָּם. עֲשֵׂה לְמַעַן שְׁמֶךָ, עֲשֵׂה לְמַעַן יְמִינֶךָ, עֲשֵׂה לְמַעַן קְדֻשָּׁתֶךָ. עֲשֵׂה לְמַעַן תּוֹרָתֶךָ. לְמַעַן יֵחָלְצוּן יְדִידֶיךָ, הוֹשִׁיעָה יְמִינְךָ וַעֲנֵנִי. תְּהִלִּים ס:7 יִהְיוּ לְרָצוֹן אִמְרֵי פִי וְהֶגְיוֹן לִבִּי לְפָנֶיךָ, יהוה צוּרִי וְגוֹאֲלִי. שָׁם יט:15 עֹשֶׂה שָׁלוֹם בִּמְרוֹמָיו, הוּא יַעֲשֶׂה שָׁלוֹם עָלֵינוּ, וְעַל כָּל יִשְׂרָאֵל וְאִמְרוּ: אָמֵן.

(ביחד) צִדְקָתְךָ צֶדֶק לְעוֹלָם, וְתוֹרָתְךָ אֱמֶת. תְּהִלִּים קיט:142 וְצִדְקָתְךָ אֱלֹהִים עַד מָרוֹם אֲשֶׁר עָשִׂיתָ גְדֹלוֹת, אֱלֹהִים מִי כָמוֹךָ. שָׁם עא:19 צִדְקָתְךָ כְּהַרְרֵי אֵל מִשְׁפָּטֶיךָ תְּהוֹם רַבָּה אָדָם וּבְהֵמָה תוֹשִׁיעַ יהוה. שָׁם לו:7

הטוב שמך ולך נאה להודות We thank You, God, for Your good name and how wonderful it is to give thanks.

קדיש שלם

(ש״ץ) יִתְגַּדַּל וְיִתְקַדַּשׁ שְׁמֵהּ רַבָּא. בְּעָלְמָא דִּי בְרָא כִרְעוּתֵהּ, וְיַמְלִיךְ מַלְכוּתֵהּ בְּחַיֵּיכוֹן וּבְיוֹמֵיכוֹן וּבְחַיֵּי דְכָל בֵּית יִשְׂרָאֵל. בַּעֲגָלָא וּבִזְמַן קָרִיב וְאִמְרוּ אָמֵן:

(ביחד) יְהֵא שְׁמֵהּ רַבָּא מְבָרַךְ לְעָלַם וּלְעָלְמֵי עָלְמַיָּא:

(ש״ץ) יִתְבָּרַךְ וְיִשְׁתַּבַּח וְיִתְפָּאַר וְיִתְרוֹמַם וְיִתְנַשֵּׂא וְיִתְהַדָּר וְיִתְעַלֶּה וְיִתְהַלָּל שְׁמֵהּ דְּקֻדְשָׁא (ביחד) בְּרִיךְ הוּא (ש״ץ) לְעֵלָּא (שבת שובה וּלְעֵלָּא מִכָּל) מִן כָּל בִּרְכָתָא וְשִׁירָתָא, תֻּשְׁבְּחָתָא וְנֶחֱמָתָא, דַּאֲמִירָן בְּעָלְמָא, וְאִמְרוּ אָמֵן:

(ש״ץ) תִּתְקַבֵּל צְלוֹתְהוֹן וּבָעוּתְהוֹן דְּכָל בֵּית יִשְׂרָאֵל קֳדָם אֲבוּהוֹן דִּי בִשְׁמַיָּא וְאִמְרוּ אָמֵן:

(ש״ץ) יְהֵא שְׁלָמָא רַבָּא מִן שְׁמַיָּא וְחַיִּים עָלֵינוּ וְעַל כָּל יִשְׂרָאֵל, וְאִמְרוּ אָמֵן:

(ש״ץ) עֹשֶׂה שָׁלוֹם בִּמְרוֹמָיו הוּא יַעֲשֶׂה שָׁלוֹם עָלֵינוּ וְעַל כָּל יִשְׂרָאֵל, וְאִמְרוּ אָמֵן:

עלינו

עָלֵינוּ לְשַׁבֵּחַ לַאֲדוֹן הַכֹּל, לָתֵת גְּדֻלָּה לְיוֹצֵר בְּרֵאשִׁית, שֶׁלֹּא עָשָׂנוּ כְּגוֹיֵי הָאֲרָצוֹת, וְלֹא שָׂמָנוּ כְּמִשְׁפְּחוֹת הָאֲדָמָה, שֶׁלֹּא שָׂם חֶלְקֵנוּ כָּהֶם, וְגֹרָלֵנוּ כְּכָל הֲמוֹנָם. וַאֲנַחְנוּ כּוֹרְעִים וּמִשְׁתַּחֲוִים וּמוֹדִים, לִפְנֵי מֶלֶךְ, מַלְכֵי הַמְּלָכִים, הַקָּדוֹשׁ בָּרוּךְ הוּא.

המברך את עמו ישראל בשלום We thank God for blessing us with peace. צדקתך צדק לעלום These three verses are from the Book of Psalms (119:142, 71:19, 36:7). They each begin with the word צדקתך and are similar to צדוק הדין said at a funeral. Jewish tradition teaches that Moses, Joseph, and David all died on Shabbat. If תחנון is not said on a particular day during the upcoming week, צדקתך צדק לעלום is not said at Shabbat Mincha.

שֶׁהוּא נוֹטֶה שָׁמַיִם וְיֹסֵד אָרֶץ, יְשַׁעְיָהוּ נא:13 וּמוֹשַׁב יְקָרוֹ בַּשָּׁמַיִם מִמַּעַל, וּשְׁכִינַת עֻזּוֹ בְּגָבְהֵי מְרוֹמִים, הוּא אֱלֹהֵינוּ אֵין עוֹד. אֱמֶת מַלְכֵּנוּ אֶפֶס זוּלָתוֹ, כַּכָּתוּב בְּתוֹרָתוֹ: וְיָדַעְתָּ הַיּוֹם וַהֲשֵׁבֹתָ אֶל לְבָבֶךָ, כִּי יהוה הוּא הָאֱלֹהִים בַּשָּׁמַיִם מִמַּעַל, וְעַל הָאָרֶץ מִתָּחַת, אֵין עוֹד:

דְּבָרִים ד:39

עַל כֵּן נְקַוֶּה לְּךָ יהוה אֱלֹהֵינוּ, לִרְאוֹת מְהֵרָה בְּתִפְאֶרֶת עֻזֶּךָ, לְהַעֲבִיר גִּלּוּלִים מִן הָאָרֶץ וְהָאֱלִילִים כָּרוֹת יִכָּרֵתוּן. לְתַקֵּן עוֹלָם בְּמַלְכוּת שַׁדַּי, וְכָל בְּנֵי בָשָׂר יִקְרְאוּ בִשְׁמֶךָ. לְהַפְנוֹת אֵלֶיךָ כָּל רִשְׁעֵי אָרֶץ. יַכִּירוּ וְיֵדְעוּ כָּל יוֹשְׁבֵי תֵבֵל, כִּי לְךָ תִּכְרַע כָּל בֶּרֶךְ, תִּשָּׁבַע כָּל לָשׁוֹן: לְפָנֶיךָ יהוה אֱלֹהֵינוּ יִכְרְעוּ וְיִפֹּלוּ. וְלִכְבוֹד שִׁמְךָ יְקָר יִתֵּנוּ. וִיקַבְּלוּ כֻלָּם אֶת עוֹל מַלְכוּתֶךָ. וְתִמְלֹךְ עֲלֵיהֶם מְהֵרָה לְעוֹלָם וָעֶד. כִּי הַמַּלְכוּת שֶׁלְּךָ הִיא, וּלְעוֹלְמֵי עַד תִּמְלוֹךְ בְּכָבוֹד: כַּכָּתוּב בְּתוֹרָתֶךָ, יהוה יִמְלֹךְ לְעוֹלָם וָעֶד: שְׁמוֹת טו:18 וְנֶאֱמַר, וְהָיָה יהוה לְמֶלֶךְ עַל כָּל הָאָרֶץ, בַּיּוֹם הַהוּא יִהְיֶה יהוה אֶחָד, וּשְׁמוֹ אֶחָד:

זְכַרְיָה יד:9

קדיש יתום

(אבלים ואבלות) יִתְגַּדַּל וְיִתְקַדַּשׁ שְׁמֵהּ רַבָּא. בְּעָלְמָא דִּי בְרָא כִרְעוּתֵיהּ, וְיַמְלִיךְ מַלְכוּתֵיהּ בְּחַיֵּיכוֹן וּבְיוֹמֵיכוֹן וּבְחַיֵּי דְכָל בֵּית יִשְׂרָאֵל. בַּעֲגָלָא וּבִזְמַן קָרִיב וְאִמְרוּ אָמֵן:

(אבלים ואבלות) יְהֵא שְׁמֵהּ רַבָּא מְבָרַךְ לְעָלַם וּלְעָלְמֵי עָלְמַיָּא:

(אבלים ואבלות) יִתְבָּרַךְ וְיִשְׁתַּבַּח וְיִתְפָּאַר וְיִתְרוֹמַם וְיִתְנַשֵּׂא וְיִתְהַדָּר וְיִתְעַלֶּה וְיִתְהַלָּל שְׁמֵהּ דְּקֻדְשָׁא (ביחד) בְּרִיךְ הוּא לְעֵלָּא (שבת שובה וּלְעֵלָּא מִכָּל) מִן כָּל בִּרְכָתָא וְשִׁירָתָא תֻּשְׁבְּחָתָא וְנֶחֱמָתָא, דַּאֲמִירָן בְּעָלְמָא, וְאִמְרוּ אָמֵן:

(אבלים ואבלות) יְהֵא שְׁלָמָא רַבָּא מִן שְׁמַיָּא, וְחַיִּים טוֹבִים עָלֵינוּ וְעַל כָּל יִשְׂרָאֵל וְאִמְרוּ אָמֵן.

(אבלים ואבלות) עֹשֶׂה שָׁלוֹם בִּמְרוֹמָיו הוּא יַעֲשֶׂה שָׁלוֹם עָלֵינוּ וְעַל כָּל יִשְׂרָאֵל, וְאִמְרוּ אָמֵן:

סדר הבדלה

HAVDALAH

הבדלה means separation and is a symbolic way to mark the end of Shabbat. Once we have said מעריב (see p. 108), including the אתה חוננתנו paragraph, Shabbat is over. For the Havdalah service we use a cup of wine, to show the holiness of the moment, a candle with at least two wicks and sweet smelling spices.

אליהו הנביא is sung to set a mood of peace. According to Jewish tradition, Elijah, the prophet will tell us when the Messianic Age is about to begin. As we end Shabbat we re-enter the sometimes difficult world of our daily lives, so by singing אליהו הנביא we soften the re-entry process.

הנה אל ישועתי is recited by the leader. The verse beginning ליהודים היתה אורה (מגילת אסתר ח:16) is said first by everyone and then repeated by the leader for emphasis.

בורא פרי הגפן the first of four blessings, is recited by the leader, though we do not yet drink the wine. As a way of immediately fulfilling the ברכה, some Jews look at the reflection of the flame in the wine cup and some Jews smell the wine in order to perform an action once the blessing is recited.

בורא מיני בשמים is recited and everyone smells the sweet spices as a way of "reviving" ourselves, because the extra soul (נשמה יתרה) given to each of us on שבת leaves our body as Shabbat ends.

בורא מאורי האש Because this blessing contains the plural מאורי (lights) we use a candle with more than one wick. In addition, it is as if the two candles we lit to begin Shabbat come together, closing off another Shabbat. Lighting a candle on Saturday evening is also a reminder of God's creation of light on יום ראשון (Sunday), the first day of the week which begins on Saturday night. After the blessing, we hold our hands up, fingers bent in towards us so that the light casts a shadow on our palms. In this way we can distinguish light from darkness, the central theme of הבדלה.

המבדיל בין קודש לחול The leader holds the cup up and recites the last blessing. At the end, the leader, and anyone else who chooses, drinks some of the wine. The candle is put out with a little bit of wine, which will then burn off next week when the candle is lit, symbolically linking one celebration of Shabbat to the next.

After the הבדלה service some sing המבדיל בין קודש לחול emphasizing the separation from Shabbat and entry into the week.

It is customary to wish everyone "שבוע טוב" a good week.

When a יום טוב (Sukkot, Pesach, Shavuot) ends on a weekday night, see p. 273.

When Shabbat ends, and a יום טוב (Sukkot, Pesach, Shavuot) begins Saturday night, see p. 273.

אליהו הנביא

אֵלִיָּהוּ הַנָּבִיא, אֵלִיָּהוּ הַתִּשְׁבִּי, אֵלִיָּהוּ, אֵלִיָּהוּ, אֵלִיָּהוּ הַגִּלְעָדִי, בִּמְהֵרָה בְּיָמֵינוּ יָבוֹא אֵלֵינוּ עִם מָשִׁיחַ בֶּן דָּוִד.

Hold cup of wine and say

הִנֵּה אֵל יְשׁוּעָתִי, אֶבְטַח וְלֹא אֶפְחָד, כִּי עָזִּי וְזִמְרָת יָהּ יהוה, וַיְהִי לִי לִישׁוּעָה: וּשְׁאַבְתֶּם מַיִם בְּשָׂשׂוֹן מִמַּעַיְנֵי הַיְשׁוּעָה: יְשַׁעְיָה יב:2-3

לַיהוה הַיְשׁוּעָה עַל עַמְּךָ בִרְכָתֶךָ סֶּלָה: תְּהִלִּים ג:9

יהוה צְבָאוֹת עִמָּנוּ מִשְׂגָּב לָנוּ אֱלֹהֵי יַעֲקֹב סֶלָה: שָׁם מו:12

יהוה צְבָאוֹת אַשְׁרֵי אָדָם בֹּטֵחַ בָּךְ: שָׁם פד:13

יהוה הוֹשִׁיעָה הַמֶּלֶךְ יַעֲנֵנוּ בְיוֹם קָרְאֵנוּ: שָׁם כ:10

The קהל *says this first and the* ש"ץ *repeats*

לַיְּהוּדִים הָיְתָה אוֹרָה וְשִׂמְחָה וְשָׂשֹׂן וִיקָר, כֵּן תִּהְיֶה לָּנוּ. מגילת אסתר ח:16

Lift the wine cup high and say

כּוֹס יְשׁוּעוֹת אֶשָּׂא, וּבְשֵׁם יהוה אֶקְרָא: תְּהִלִּים קטז:13

Hold the cup of wine

בָּרוּךְ אַתָּה יהוה, אֱלֹהֵינוּ מֶלֶךְ הָעוֹלָם, בּוֹרֵא פְּרִי הַגָּפֶן.

Hold the spices and say

בָּרוּךְ אַתָּה יהוה, אֱלֹהֵינוּ מֶלֶךְ הָעוֹלָם, בּוֹרֵא מִינֵי בְשָׂמִים:

Smell the spices and pass them around
Hold your hands up to the light of the candle and say

בָּרוּךְ אַתָּה יהוה, אֱלֹהֵינוּ מֶלֶךְ הָעוֹלָם, בּוֹרֵא מְאוֹרֵי הָאֵשׁ:

Lift the wine cup high and say

בָּרוּךְ אַתָּה יהוה, אֱלֹהֵינוּ מֶלֶךְ הָעוֹלָם, הַמַּבְדִּיל בֵּין קֹדֶשׁ לְחוֹל, בֵּין אוֹר לְחֹשֶׁךְ, בֵּין יִשְׂרָאֵל לָעַמִּים, בֵּין יוֹם הַשְּׁבִיעִי, לְשֵׁשֶׁת יְמֵי הַמַּעֲשֶׂה: בָּרוּךְ אַתָּה יהוה, הַמַּבְדִּיל בֵּין קֹדֶשׁ לְחוֹל:

הַמַּבְדִּיל בֵּין קֹדֶשׁ לְחוֹל, חַטֹּאתֵינוּ הוּא יִמְחוֹל, זַרְעֵנוּ וְכַסְפֵּנוּ יַרְבֶּה כַּחוֹל, וְכַכּוֹכָבִים בַּלָּיְלָה. יוֹם פָּנָה כְּצֵל תֹּמֶר, אֶקְרָא לָאֵל עָלַי גּוֹמֵר, אָמַר שׁוֹמֵר, אָתָא בֹקֶר וְגַם לָיְלָה.

המבדיל בין קדוש לקדוש At the end of Shabbat, when a יום טוב begins, we recite a special Havdalah marking the difference between the specialness of Shabbat and the specialness of יום טוב. We praise God for making distinctions between light and darkness, Israel and other peoples, the seventh day and the six ordinary days of the week and the holiness of Shabbat and the holiness of the festival. Recite this הבדלה after the יום טוב קידוש. We do not use a הבדלה candle.

בָּרוּךְ אַתָּה יהוה, אֱלֹהֵינוּ מֶלֶךְ הָעוֹלָם, בּוֹרֵא מְאוֹרֵי הָאֵשׁ:

בָּרוּךְ אַתָּה יהוה, אֱלֹהֵינוּ מֶלֶךְ הָעוֹלָם, הַמַּבְדִּיל בֵּין קֹדֶשׁ לְחוֹל, בֵּין אוֹר לְחֹשֶׁךְ, בֵּין יִשְׂרָאֵל לָעַמִּים, בֵּין יוֹם הַשְּׁבִיעִי, לְשֵׁשֶׁת יְמֵי הַמַּעֲשֶׂה: בֵּין קְדֻשַּׁת שַׁבָּת לִקְדֻשַּׁת יוֹם טוֹב הִבְדַּלְתָּ, וְאֶת־יוֹם הַשְּׁבִיעִי מִשֵּׁשֶׁת יְמֵי הַמַּעֲשֶׂה קִדַּשְׁתָּ, הִבְדַּלְתָּ וְקִדַּשְׁתָּ אֶת־עַמְּךָ יִשְׂרָאֵל בִּקְדֻשָּׁתֶךָ. בָּרוּךְ אַתָּה יהוה, הַמַּבְדִּיל בֵּין קֹדֶשׁ לְקֹדֶשׁ:

When a יום טוב (Sukkot, Pesach, Shavuot) ends on a weekday night, we do not use a candle or spices; we only recite the following blessings over wine

בָּרוּךְ אַתָּה יהוה, אֱלֹהֵינוּ מֶלֶךְ הָעוֹלָם, בּוֹרֵא פְּרִי הַגָּפֶן.

בָּרוּךְ אַתָּה יהוה, אֱלֹהֵינוּ מֶלֶךְ הָעוֹלָם, הַמַּבְדִּיל בֵּין קֹדֶשׁ לְחוֹל, בֵּין אוֹר לְחֹשֶׁךְ, בֵּין יִשְׂרָאֵל לָעַמִּים, בֵּין יוֹם הַשְּׁבִיעִי, לְשֵׁשֶׁת יְמֵי הַמַּעֲשֶׂה: בָּרוּךְ אַתָּה יהוה, הַמַּבְדִּיל בֵּין קֹדֶשׁ לְחוֹל:

נטילת לולב
והלל

נטילת לולב

The Torah says "On the first day you shall take the fruit of a beautiful tree (אתרוג), branches of a palm leaf (לולב), branches of a leafy tree (הדסים) and willows (ערבות) and you shall rejoice before the Lord your God seven days" (Leviticus 23:40). During the seven days of Sukkot we wave the לולב and אתרוג, which along with the הדסים and ערבות, are known as the ארבע מינים. We refer to it as only לולב because the לולב is the most prominent. We wave them in six directions to symbolize our need for rain. Jewish tradition says that the world is judged by God for water during Sukkot.

Before we wave the lulav and etrog, we say the blessing, אשר קדשנו במצותיו וצונו אל נטילת לולב. On the first day (or the second day if the first day is Shabbat) we recite שהחינו as well. The lulav and etrog are waved before הלל is recited.

When we are about to wave the lulav and etrog, it is held in the following way. The lulav is in the middle with the spine facing towards you. The three הדסים are on the right and the two ערבות are on the left. The etrog is held on the left side. They are both held in the direction in which they grow, the tips upward. Since a blessing must be said before the action itself, the etrog is tipped upside down so that the פטמא (tip) is down, the blessing is said, and the etrog is turned so that the פטמא is up, then the lulav and etrog are waved.

We wave the לולב and אתרוג in six directions, east, south, west, north, above and below. Since we stand facing east, the directions are front, right, back (over the right shoulder), left, up and down.

The lulav and etrog are waved again during הלל. We wave them when we say the verse הודו ליהוה כי טוב כי לעולם חסדו. We wave them as we say each of the six words (except ליהוה, God's name) which correspond to the six directions. It is also waved at the verses אנא יהוה הושיעה נא, two waves for each word (except יהוה).

During סוכות and חול המועד סוכות, we wave the lulav and etrog every day (except for Shabbat). We only say על נטילת לולב and שהחינו on the first two days; שהחינו is omitted during חול המועד.

בָּרוּךְ אַתָּה יהוה, אֱלֹהֵינוּ מֶלֶךְ הָעוֹלָם, אֲשֶׁר קִדְּשָׁנוּ
בְּמִצְוֹתָיו, וְצִוָּנוּ עַל נְטִילַת לוּלָב.

בָּרוּךְ אַתָּה יהוה, אֱלֹהֵינוּ מֶלֶךְ הָעוֹלָם, שֶׁהֶחֱיָנוּ וְקִיְּמָנוּ
וְהִגִּיעָנוּ לַזְּמַן הַזֶּה.

הלל, meaning praise, is recited as part of Shacharit on סוכות, יום ירושלים ,יום העצמאות ,ראש חודש ,פסח ,שבועות, and חנוכה. The הלל is also included in the סדר של פסח. Psalms 113-118 make up הלל. Two of the Psalms (115:1-11 and 116:1-11) are omitted on ראש חודש and the last six days of פסח because God did not permit us to be happy when the Egyptians, who were also God's creatures, were drowning in the Red Sea. Even though the Egyptians made life difficult, we must be sympathetic to their suffering.

הלל

הלל is recited after the שמונה עשרה *of* שחרית *on* סוכות, פסח, שבועות, *and* ראש חודש *and* חנוכה.

The ש״ץ *recites the opening blessing. We answer* אמן *and then recite the blessing ourselves.*

בָּרוּךְ אַתָּה יהוה, אֱלֹהֵינוּ מֶלֶךְ הָעוֹלָם, אֲשֶׁר קִדְּשָׁנוּ בְּמִצְוֹתָיו, וְצִוָּנוּ לִקְרוֹא אֶת הַהַלֵּל:

הַלְלוּיָהּ הַלְלוּ עַבְדֵי יהוה, הַלְלוּ אֶת שֵׁם יהוה: יְהִי שֵׁם יהוה מְבֹרָךְ מֵעַתָּה וְעַד עוֹלָם: מִמִּזְרַח שֶׁמֶשׁ עַד מְבוֹאוֹ, מְהֻלָּל שֵׁם יהוה: רָם עַל כָּל גּוֹיִם יהוה, עַל הַשָּׁמַיִם כְּבוֹדוֹ. מִי כַּיהוה אֱלֹהֵינוּ הַמַּגְבִּיהִי לָשָׁבֶת: הַמַּשְׁפִּילִי לִרְאוֹת, בַּשָּׁמַיִם וּבָאָרֶץ. מְקִימִי מֵעָפָר דָּל, מֵאַשְׁפֹּת יָרִים אֶבְיוֹן: לְהוֹשִׁיבִי עִם נְדִיבִים, עִם נְדִיבֵי עַמּוֹ. מוֹשִׁיבִי עֲקֶרֶת הַבַּיִת, אֵם הַבָּנִים שְׂמֵחָה הַלְלוּיָהּ: תְּהִלִּים קיג

בְּצֵאת יִשְׂרָאֵל מִמִּצְרָיִם, בֵּית יַעֲקֹב מֵעַם לֹעֵז. הָיְתָה יְהוּדָה לְקָדְשׁוֹ, יִשְׂרָאֵל מַמְשְׁלוֹתָיו. הַיָּם רָאָה וַיָּנֹס, הַיַּרְדֵּן יִסֹּב לְאָחוֹר: הֶהָרִים רָקְדוּ כְאֵילִים, גְּבָעוֹת כִּבְנֵי צֹאן. מַה לְּךָ הַיָּם כִּי תָנוּס הַיַּרְדֵּן תִּסֹּב לְאָחוֹר. הֶהָרִים תִּרְקְדוּ כְאֵילִים, גְּבָעוֹת כִּבְנֵי צֹאן. מִלִּפְנֵי אָדוֹן חוּלִי אָרֶץ, מִלִּפְנֵי אֱלוֹהַּ יַעֲקֹב. הַהֹפְכִי הַצּוּר אֲגַם מָיִם, חַלָּמִישׁ לְמַעְיְנוֹ מָיִם: תְּהִלִּים קיד

The following is not recited on ראש חודש *and the last six days of* פסח

לֹא לָנוּ יהוה לֹא לָנוּ כִּי לְשִׁמְךָ תֵּן כָּבוֹד, עַל חַסְדְּךָ עַל אֲמִתֶּךָ. לָמָּה יֹאמְרוּ הַגּוֹיִם, אַיֵּה נָא אֱלֹהֵיהֶם. וֵאלֹהֵינוּ בַשָּׁמָיִם כֹּל אֲשֶׁר חָפֵץ עָשָׂה. עֲצַבֵּיהֶם כֶּסֶף וְזָהָב, מַעֲשֵׂה יְדֵי אָדָם. פֶּה לָהֶם וְלֹא

יְדַבֵּרוּ, עֵינַיִם לָהֶם וְלֹא יִרְאוּ. אָזְנַיִם לָהֶם וְלֹא יִשְׁמָעוּ, אַף לָהֶם וְלֹא יְרִיחוּן. יְדֵיהֶם וְלֹא יְמִישׁוּן, רַגְלֵיהֶם וְלֹא יְהַלֵּכוּ, לֹא יֶהְגּוּ בִּגְרוֹנָם. כְּמוֹהֶם יִהְיוּ עֹשֵׂיהֶם, כֹּל אֲשֶׁר בֹּטֵחַ בָּהֶם: יִשְׂרָאֵל בְּטַח בַּיהוה, עֶזְרָם וּמָגִנָּם הוּא. בֵּית אַהֲרֹן בִּטְחוּ בַיהוה, עֶזְרָם וּמָגִנָּם הוּא. יִרְאֵי יהוה בִּטְחוּ בַיהוה, עֶזְרָם וּמָגִנָּם הוּא: תְּהִלִּים קטו:1-11

יהוה זְכָרָנוּ יְבָרֵךְ, יְבָרֵךְ אֶת בֵּית יִשְׂרָאֵל, יְבָרֵךְ אֶת בֵּית אַהֲרֹן. יְבָרֵךְ יִרְאֵי יהוה, הַקְּטַנִּים עִם הַגְּדֹלִים. יֹסֵף יהוה עֲלֵיכֶם, עֲלֵיכֶם וְעַל בְּנֵיכֶם. בְּרוּכִים אַתֶּם לַיהוה, עֹשֵׂה שָׁמַיִם וָאָרֶץ. הַשָּׁמַיִם שָׁמַיִם לַיהוה, וְהָאָרֶץ נָתַן לִבְנֵי אָדָם. לֹא הַמֵּתִים יְהַלְלוּ יָהּ, וְלֹא כָּל יֹרְדֵי דוּמָה. וַאֲנַחְנוּ נְבָרֵךְ יָהּ, מֵעַתָּה וְעַד עוֹלָם, הַלְלוּיָהּ: תְּהִלִּים קטו:12-18

The following is not recited on ראש חודש *nor on the last six days of* פסח

אָהַבְתִּי כִּי יִשְׁמַע יהוה, אֶת קוֹלִי תַּחֲנוּנָי. כִּי הִטָּה אָזְנוֹ לִי וּבְיָמַי אֶקְרָא: אֲפָפוּנִי חֶבְלֵי מָוֶת, וּמְצָרֵי שְׁאוֹל מְצָאוּנִי צָרָה וְיָגוֹן אֶמְצָא. וּבְשֵׁם יהוה אֶקְרָא, אָנָּה יהוה מַלְּטָה נַפְשִׁי. חַנּוּן יהוה וְצַדִּיק, וֵאלֹהֵינוּ מְרַחֵם. שֹׁמֵר פְּתָאִים יהוה דַּלּוֹתִי וְלִי יְהוֹשִׁיעַ. שׁוּבִי נַפְשִׁי לִמְנוּחָיְכִי, כִּי יהוה גָּמַל עָלָיְכִי. כִּי חִלַּצְתָּ נַפְשִׁי מִמָּוֶת אֶת עֵינִי מִן דִּמְעָה, אֶת רַגְלִי מִדֶּחִי. אֶתְהַלֵּךְ לִפְנֵי יהוה, בְּאַרְצוֹת הַחַיִּים. הֶאֱמַנְתִּי כִּי אֲדַבֵּר, אֲנִי עָנִיתִי מְאֹד. אֲנִי אָמַרְתִּי בְחָפְזִי כָּל הָאָדָם כֹּזֵב. תְּהִלִּים קטז:1-11

מָה אָשִׁיב לַיהוה, כָּל תַּגְמוּלוֹהִי עָלָי. כּוֹס יְשׁוּעוֹת אֶשָּׂא, וּבְשֵׁם יהוה אֶקְרָא. נְדָרַי לַיהוה אֲשַׁלֵּם, נֶגְדָה נָּא לְכָל עַמּוֹ. יָקָר בְּעֵינֵי יהוה הַמָּוְתָה לַחֲסִידָיו. אָנָּה

יהוה כִּי אֲנִי עַבְדֶּךָ אֲנִי עַבְדְּךָ, בֶּן אֲמָתֶךָ פִּתַּחְתָּ לְמוֹסֵרָי. לְךָ אֶזְבַּח זֶבַח תּוֹדָה וּבְשֵׁם יהוה אֶקְרָא. ♫ נְדָרַי לַיהוה אֲשַׁלֵּם נֶגְדָה נָּא לְכָל עַמּוֹ. בְּחַצְרוֹת בֵּית יהוה בְּתוֹכֵכִי יְרוּשָׁלָיִם הַלְלוּיָהּ. תְּהִלִּים קטז:12-19

(ביחד) הַלְלוּ אֶת יהוה, כָּל גּוֹיִם, שַׁבְּחוּהוּ כָּל הָאֻמִּים. כִּי גָבַר עָלֵינוּ חַסְדּוֹ, וֶאֱמֶת יהוה לְעוֹלָם הַלְלוּיָהּ:

תְּהִלִּים קיז

הוֹדוּ לַיהוה כִּי טוֹב כִּי לְעוֹלָם חַסְדּוֹ:
יֹאמַר נָא יִשְׂרָאֵל כִּי לְעוֹלָם חַסְדּוֹ:
יֹאמְרוּ נָא בֵית אַהֲרֹן כִּי לְעוֹלָם חַסְדּוֹ:
יֹאמְרוּ נָא יִרְאֵי יהוה כִּי לְעוֹלָם חַסְדּוֹ: תְּהִלִּים קיח

מִן הַמֵּצַר קָרָאתִי יָּהּ, עָנָנִי בַמֶּרְחָב יָהּ. יהוה לִי לֹא אִירָא, מַה יַּעֲשֶׂה לִי אָדָם. יהוה לִי בְּעֹזְרָי, וַאֲנִי אֶרְאֶה בְשֹׂנְאָי. טוֹב לַחֲסוֹת בַּיהוה, מִבְּטֹחַ בָּאָדָם. טוֹב לַחֲסוֹת בַּיהוה מִבְּטֹחַ בִּנְדִיבִים. כָּל גּוֹיִם סְבָבוּנִי בְּשֵׁם יהוה כִּי אֲמִילַם. סַבּוּנִי גַם סְבָבוּנִי בְּשֵׁם יהוה כִּי אֲמִילַם. סַבּוּנִי כִדְבֹרִים דֹּעֲכוּ כְּאֵשׁ קוֹצִים, בְּשֵׁם יהוה כִּי אֲמִילַם. דָּחֹה דְחִיתַנִי לִנְפֹּל, וַיהוה עֲזָרָנִי. עָזִּי וְזִמְרָת יָהּ, וַיְהִי לִי לִישׁוּעָה. קוֹל רִנָּה וִישׁוּעָה בְּאָהֳלֵי צַדִּיקִים, יְמִין יהוה עֹשָׂה חָיִל. יְמִין יהוה רוֹמֵמָה, יְמִין יהוה עֹשָׂה חָיִל. לֹא אָמוּת כִּי אֶחְיֶה, וַאֲסַפֵּר מַעֲשֵׂי יָהּ. יַסֹּר יִסְּרַנִּי יָּהּ, וְלַמָּוֶת לֹא נְתָנָנִי. ♫ פִּתְחוּ לִי שַׁעֲרֵי צֶדֶק, אָבֹא בָם אוֹדֶה יָהּ. זֶה הַשַּׁעַר לַיהוה, צַדִּיקִים יָבֹאוּ בוֹ.

Each of these lines is said twice

אוֹדְךָ כִּי עֲנִיתָנִי, וַתְּהִי לִי לִישׁוּעָה.
אֶבֶן מָאֲסוּ הַבּוֹנִים, הָיְתָה לְרֹאשׁ פִּנָּה.
מֵאֵת יהוה הָיְתָה זֹּאת, הִיא נִפְלָאת בְּעֵינֵינוּ.
זֶה הַיּוֹם עָשָׂה יהוה, נָגִילָה וְנִשְׂמְחָה בוֹ.

אָנָּא יהוה הוֹשִׁיעָה נָּא: אָנָּא יהוה הוֹשִׁיעָה נָּא:
אָנָּא יהוה הַצְלִיחָה נָא: אָנָּא יהוה הַצְלִיחָה נָא:

Each of the following four sentences is said twice

בָּרוּךְ הַבָּא בְּשֵׁם יהוה, בֵּרַכְנוּכֶם מִבֵּית יהוה.
אֵל יהוה וַיָּאֶר לָנוּ, אִסְרוּ חַג בַּעֲבֹתִים, עַד קַרְנוֹת הַמִּזְבֵּחַ.
אֵלִי אַתָּה וְאוֹדֶךָּ אֱלֹהַי אֲרוֹמְמֶךָּ.
הוֹדוּ לַיהוה כִּי טוֹב, כִּי לְעוֹלָם חַסְדּוֹ.

יְהַלְלוּךָ יהוה אֱלֹהֵינוּ כָּל מַעֲשֶׂיךָ, וַחֲסִידֶיךָ צַדִּיקִים עוֹשֵׂי רְצוֹנֶךָ, וְכָל עַמְּךָ בֵּית יִשְׂרָאֵל בְּרִנָּה יוֹדוּ וִיבָרְכוּ וִישַׁבְּחוּ וִיפָאֲרוּ וִירוֹמְמוּ וְיַעֲרִיצוּ וְיַקְדִּישׁוּ וְיַמְלִיכוּ אֶת שִׁמְךָ מַלְכֵּנוּ, כִּי לְךָ טוֹב לְהוֹדוֹת וּלְשִׁמְךָ נָאֶה לְזַמֵּר, כִּי מֵעוֹלָם וְעַד עוֹלָם אַתָּה אֵל. בָּרוּךְ אַתָּה יהוה, מֶלֶךְ מְהֻלָּל בַּתִּשְׁבָּחוֹת.

On Chanukah and Yom Ha'atzmaut, continue with חצי קדיש *and* קריאת התורה. *On Shabbat Chanukah, Pesach, Shavuot, Sukkot, Chol Ha-Moed, or Rosh Chodesh, continue with* קדיש שלם *then* קריאת התורה, *and* מוסף. *On* יום ירושלים, *continue with* חצי קדיש *and* אשרי.

מוסף לראש חדש

If you are wearing תפילין they should be removed, but not yet put away, after the קדיש but before the עמידה. This should be done quickly so the service can continue without unnecessary interruption.

If the Amidah at מוסף is recited as a הויכא קדושה, then the ש״ץ begins the עמידה while we listen, adding ברוך הוא וברוך שמו and אמן. We join in for the קדושה and then while the ש״ץ continues silently we go back to the beginning of the Amidah taking three steps backward, three steps forward and recite the entire Amidah silently. We skip the קדושה and after saying האל הקדוש continue with ראשי חדשים.

עמידה

כִּי שֵׁם יהוה אֶקְרָא, הָבוּ גֹדֶל לֵאלֹהֵינוּ׃ דְּבָרִים לב:3

אֲדֹנָי שְׂפָתַי תִּפְתָּח וּפִי יַגִּיד תְּהִלָּתֶךָ׃ תְּהִלִּים נא:17

בָּרוּךְ אַתָּה יהוה אֱלֹהֵינוּ וֵאלֹהֵי אֲבוֹתֵינוּ, אֱלֹהֵי אַבְרָהָם, אֱלֹהֵי יִצְחָק, וֵאלֹהֵי יַעֲקֹב. הָאֵל הַגָּדוֹל הַגִּבּוֹר וְהַנּוֹרָא, אֵל עֶלְיוֹן, גּוֹמֵל חֲסָדִים טוֹבִים, וְקוֹנֵה הַכֹּל, וְזוֹכֵר חַסְדֵי אָבוֹת, וּמֵבִיא גּוֹאֵל לִבְנֵי בְנֵיהֶם לְמַעַן שְׁמוֹ בְּאַהֲבָה׃

מֶלֶךְ עוֹזֵר וּמוֹשִׁיעַ וּמָגֵן׃ בָּרוּךְ אַתָּה יהוה, מָגֵן אַבְרָהָם׃

The מוסף (meaning additional) service helps us remember the added sacrifice that was brought to the Temple to mark the specialness of a New Month. In place of sacrifices, we use prayers to show our devotion to God. The אלהינו paragraph is the special blessing for ראש חודש. There are 13 requests, one for each month of the year. plus one more for a leap year.

In some communities שרה רבקה רחל ולאה are added to the first blessing of the עמידה to emphasize that both men and women have a relationship with God.

אַתָּה גִּבּוֹר לְעוֹלָם אֲדֹנָי, מְחַיֵּה מֵתִים אַתָּה, רַב לְהוֹשִׁיעַ:

From שמיני עצרת *until the first day of* פסח *say*

מַשִּׁיב הָרוּחַ וּמוֹרִיד הַגָּשֶׁם:

From the first day of פסח *until* שמיני עצרת *say*

מוֹרִיד הַטָּל

מְכַלְכֵּל חַיִּים בְּחֶסֶד, מְחַיֵּה מֵתִים בְּרַחֲמִים רַבִּים, סוֹמֵךְ נוֹפְלִים, וְרוֹפֵא חוֹלִים, וּמַתִּיר אֲסוּרִים, וּמְקַיֵּם אֱמוּנָתוֹ לִישֵׁנֵי עָפָר, מִי כָמוֹךָ בַּעַל גְּבוּרוֹת וּמִי דוֹמֶה לָּךְ, מֶלֶךְ מֵמִית וּמְחַיֶּה וּמַצְמִיחַ יְשׁוּעָה. וְנֶאֱמָן אַתָּה לְהַחֲיוֹת מֵתִים. בָּרוּךְ אַתָּה יהוה, מְחַיֵּה הַמֵּתִים.

When davening alone and during the silent עמידה*, skip the* קדושה *and continue with* אתה קדוש*, p. 286*

קדושה

נְקַדֵּשׁ אֶת שִׁמְךָ בָּעוֹלָם, כְּשֵׁם שֶׁמַּקְדִּישִׁים אוֹתוֹ בִּשְׁמֵי מָרוֹם, כַּכָּתוּב עַל יַד נְבִיאֶךָ: וְקָרָא זֶה אֶל זֶה וְאָמַר. יְשַׁעְיָה ו:3

קָדוֹשׁ, קָדוֹשׁ, קָדוֹשׁ יהוה צְבָאוֹת, מְלֹא כָל הָאָרֶץ כְּבוֹדוֹ: יְשַׁעְיָה ו:3

לְעֻמָּתָם בָּרוּךְ יֹאמֵרוּ:

בָּרוּךְ כְּבוֹד יהוה מִמְּקוֹמוֹ: יְחֶזְקֵאל ג:12

וּבְדִבְרֵי קָדְשְׁךָ כָּתוּב לֵאמֹר:

יִמְלֹךְ יהוה לְעוֹלָם, אֱלֹהַיִךְ צִיּוֹן לְדֹר וָדֹר, הַלְלוּיָהּ. תְּהִלִּים קמו:10

For notes on the קדושה, see p. 35.

לְדוֹר וָדוֹר נַגִּיד גָּדְלֶךָ, וּלְנֵצַח נְצָחִים קְדֻשָּׁתְךָ נַקְדִּישׁ, וְשִׁבְחֲךָ, אֱלֹהֵינוּ, מִפִּינוּ לֹא יָמוּשׁ לְעוֹלָם וָעֶד, כִּי אֵל מֶלֶךְ גָּדוֹל וְקָדוֹשׁ אָתָּה. בָּרוּךְ אַתָּה יהוה, הָאֵל הַקָּדוֹשׁ.

Continue here when davening alone

אַתָּה קָדוֹשׁ וְשִׁמְךָ קָדוֹשׁ, וּקְדוֹשִׁים בְּכָל יוֹם יְהַלְלוּךָ סֶּלָה. בָּרוּךְ אַתָּה יהוה, הָאֵל הַקָּדוֹשׁ.

רָאשֵׁי חֳדָשִׁים לְעַמְּךָ נָתַתָּ, זְמַן כַּפָּרָה לְכָל תּוֹלְדוֹתָם. בִּהְיוֹתָם מַקְרִיבִים לְפָנֶיךָ זִבְחֵי רָצוֹן, .וּשְׂעִירֵי חַטָּאת לְכַפֵּר בַּעֲדָם. זִכָּרוֹן לְכֻלָּם יִהְיוּ, וּתְשׁוּעַת נַפְשָׁם מִיַּד שׂוֹנֵא. אַהֲבַת עוֹלָם תָּבִיא לָהֶם, וּבְרִית אָבוֹת לַבָּנִים תִּזְכּוֹר.

וַהֲבִיאֵנוּ לְצִיּוֹן עִירְךָ בְּרִנָּה, וְלִירוּשָׁלַיִם בֵּית מִקְדָּשְׁךָ בְּשִׂמְחַת עוֹלָם, שֶׁשָּׁם עָשׂוּ אֲבוֹתֵינוּ לְפָנֶיךָ אֶת־קָרְבְּנוֹת חוֹבוֹתֵיהֶם תְּמִידִים כְּסִדְרָם וּמוּסָפִים כְּהִלְכָתָם, וְשָׁם נַעֲבָדְךָ בְּאַהֲבָה וּבְיִרְאָה כִּימֵי עוֹלָם וּכְשָׁנִים קַדְמוֹנִיּוֹת. וְאֶת מוּסַף יוֹם רֹאשׁ הַחֹדֶשׁ הַזֶּה עָשׂוּ וְהִקְרִיבוּ לְפָנֶיךָ בְּאַהֲבָה כְּמִצְוַת רְצוֹנֶךָ כַּכָּתוּב בְּתוֹרָתֶךָ, עַל־יְדֵי מֹשֶׁה עַבְדֶּךָ מִפִּי כְבוֹדֶךָ כָּאָמוּר.

אֱלֹהֵינוּ וֵאלֹהֵי אֲבוֹתֵינוּ, חַדֵּשׁ עָלֵינוּ אֶת הַחֹדֶשׁ הַזֶּה, לְטוֹבָה וְלִבְרָכָה. לְשָׂשׂוֹן וּלְשִׂמְחָה. לִישׁוּעָה וּלְנֶחָמָה. לְפַרְנָסָה וּלְכַלְכָּלָה. לְחַיִּים וּלְשָׁלוֹם. לִמְחִילַת חֵטְא

אלהינו ואלהי אבותינו This paragraph is added to bless the New Month. We are asking for the upcoming month to be a month of goodness, blessing, joy, deliverance, comfort, livelihood, and plenty. We also ask for life, peace and forgiveness of our sins.

וְלִסְלִיחַת עָוֹן (*During a leap year add* וּלְכַפָּרַת פָּשַׁע) כִּי בְעַמְּךָ יִשְׂרָאֵל בָּחַרְתָּ מִכָּל הָאֻמּוֹת. וְחֻקֵּי רָאשֵׁי חֳדָשִׁים לָהֶם קָבָעְתָּ: בָּרוּךְ אַתָּה יהוה, מְקַדֵּשׁ יִשְׂרָאֵל וְרָאשֵׁי חֳדָשִׁים:

רְצֵה, יהוה אֱלֹהֵינוּ, בְּעַמְּךָ יִשְׂרָאֵל וּבִתְפִלָּתָם, וְהָשֵׁב אֶת הָעֲבוֹדָה לִדְבִיר בֵּיתֶךָ, וּתְפִלָּתָם בְּאַהֲבָה תְקַבֵּל בְּרָצוֹן, וּתְהִי לְרָצוֹן תָּמִיד עֲבוֹדַת יִשְׂרָאֵל עַמֶּךָ.
וְתֶחֱזֶינָה עֵינֵינוּ בְּשׁוּבְךָ לְצִיּוֹן בְּרַחֲמִים. בָּרוּךְ אַתָּה יהוה, הַמַּחֲזִיר שְׁכִינָתוֹ לְצִיּוֹן.

מוֹדִים אֲנַחְנוּ לָךְ, שָׁאַתָּה הוּא יהוה אֱלֹהֵינוּ וֵאלֹהֵי אֲבוֹתֵינוּ לְעוֹלָם וָעֶד, צוּר חַיֵּינוּ, מָגֵן יִשְׁעֵנוּ, אַתָּה הוּא לְדוֹר וָדוֹר. נוֹדֶה לְּךָ וּנְסַפֵּר תְּהִלָּתֶךָ, עַל חַיֵּינוּ הַמְּסוּרִים בְּיָדֶךָ, וְעַל נִשְׁמוֹתֵינוּ הַפְּקוּדוֹת לָךְ, וְעַל נִסֶּיךָ שֶׁבְּכָל יוֹם עִמָּנוּ, וְעַל נִפְלְאוֹתֶיךָ וְטוֹבוֹתֶיךָ שֶׁבְּכָל עֵת, עֶרֶב וָבֹקֶר וְצָהֳרָיִם, הַטּוֹב כִּי לֹא כָלוּ רַחֲמֶיךָ, וְהַמְרַחֵם כִּי לֹא תַמּוּ חֲסָדֶיךָ מֵעוֹלָם קִוִּינוּ לָךְ.

In the repetition of this עמידה *by the* ש״ץ *the* קהל *says the following* מודים
It is not said during the silent עמידה

(קהל) מוֹדִים אֲנַחְנוּ לָךְ, שָׁאַתָּה הוּא יהוה אֱלֹהֵינוּ וֵאלֹהֵי אֲבוֹתֵינוּ אֱלֹהֵי כָל בָּשָׂר, יוֹצְרֵנוּ, יוֹצֵר בְּרֵאשִׁית. בְּרָכוֹת וְהוֹדָאוֹת לְשִׁמְךָ הַגָּדוֹל וְהַקָּדוֹשׁ, עַל שֶׁהֶחֱיִיתָנוּ וְקִיַּמְתָּנוּ. כֵּן תְּחַיֵּנוּ וּתְקַיְּמֵנוּ, וְתֶאֱסוֹף גָּלֻיּוֹתֵינוּ לְחַצְרוֹת קָדְשֶׁךָ, לִשְׁמוֹר חֻקֶּיךָ וְלַעֲשׂוֹת רְצוֹנֶךָ, וּלְעָבְדְךָ בְּלֵבָב שָׁלֵם, עַל שֶׁאֲנַחְנוּ מוֹדִים לָךְ. בָּרוּךְ אֵל הַהוֹדָאוֹת.

לחנוכה *On Chanukah*

עַל הַנִּסִּים, וְעַל הַפֻּרְקָן, וְעַל הַגְּבוּרוֹת, וְעַל הַתְּשׁוּעוֹת, וְעַל הַמִּלְחָמוֹת, שֶׁעָשִׂיתָ לַאֲבוֹתֵינוּ בַּיָּמִים הָהֵם בַּזְּמַן הַזֶּה.

בִּימֵי מַתִּתְיָהוּ בֶּן יוֹחָנָן כֹּהֵן גָּדוֹל, חַשְׁמוֹנַאי וּבָנָיו, כְּשֶׁעָמְדָה מַלְכוּת יָוָן הָרְשָׁעָה עַל עַמְּךָ יִשְׂרָאֵל לְהַשְׁכִּיחָם תּוֹרָתֶךָ, וּלְהַעֲבִירָם מֵחֻקֵּי רְצוֹנֶךָ, וְאַתָּה בְּרַחֲמֶיךָ הָרַבִּים עָמַדְתָּ לָהֶם בְּעֵת צָרָתָם, רַבְתָּ אֶת רִיבָם, דַּנְתָּ אֶת דִּינָם, נָקַמְתָּ אֶת נִקְמָתָם, מָסַרְתָּ גִּבּוֹרִים בְּיַד חַלָּשִׁים, וְרַבִּים בְּיַד מְעַטִּים, וּטְמֵאִים בְּיַד טְהוֹרִים, וּרְשָׁעִים בְּיַד צַדִּיקִים, וְזֵדִים בְּיַד עוֹסְקֵי תוֹרָתֶךָ. וּלְךָ עָשִׂיתָ שֵׁם גָּדוֹל וְקָדוֹשׁ בְּעוֹלָמֶךָ, וּלְעַמְּךָ יִשְׂרָאֵל עָשִׂיתָ תְּשׁוּעָה גְדוֹלָה וּפֻרְקָן כְּהַיּוֹם הַזֶּה. וְאַחַר כֵּן בָּאוּ בָנֶיךָ לִדְבִיר בֵּיתֶךָ, וּפִנּוּ אֶת הֵיכָלֶךָ, וְטִהֲרוּ אֶת מִקְדָּשֶׁךָ, וְהִדְלִיקוּ נֵרוֹת בְּחַצְרוֹת קָדְשֶׁךָ, וְקָבְעוּ שְׁמוֹנַת יְמֵי חֲנֻכָּה אֵלּוּ, לְהוֹדוֹת וּלְהַלֵּל לְשִׁמְךָ הַגָּדוֹל.

וְעַל כֻּלָּם יִתְבָּרַךְ וְיִתְרוֹמַם שִׁמְךָ, מַלְכֵּנוּ, תָּמִיד לְעוֹלָם וָעֶד.

וְכֹל הַחַיִּים יוֹדוּךָ סֶּלָה, וִיהַלְלוּ אֶת שִׁמְךָ בֶּאֱמֶת, הָאֵל יְשׁוּעָתֵנוּ וְעֶזְרָתֵנוּ סֶלָה. בָּרוּךְ אַתָּה יהוה, הַטּוֹב שִׁמְךָ וּלְךָ נָאֶה לְהוֹדוֹת.

When the שמונה עשרה *is repeated the* ש״ץ *adds*

(ש״ץ) אֱלֹהֵינוּ וֵאלֹהֵי אֲבוֹתֵינוּ, בָּרְכֵנוּ בַבְּרָכָה הַמְשֻׁלֶּשֶׁת בַּתּוֹרָה הַכְּתוּבָה עַל יְדֵי מֹשֶׁה עַבְדֶּךָ, הָאֲמוּרָה מִפִּי אַהֲרֹן וּבָנָיו כֹּהֲנִים עַם קְדוֹשֶׁךָ, כָּאָמוּר.

ש״ץ:	קהל:
יְבָרֶכְךָ יהוה וְיִשְׁמְרֶךָ.	כֵּן יְהִי רָצוֹן
יָאֵר יהוה פָּנָיו אֵלֶיךָ וִיחֻנֶּךָּ.	כֵּן יְהִי רָצוֹן
יִשָּׂא יהוה פָּנָיו אֵלֶיךָ וְיָשֵׂם לְךָ שָׁלוֹם.	כֵּן יְהִי רָצוֹן בְּמִדְבַּר ו:24-26

שִׂים שָׁלוֹם טוֹבָה וּבְרָכָה, חֵן וָחֶסֶד וְרַחֲמִים, עָלֵינוּ וְעַל כָּל יִשְׂרָאֵל עַמֶּךָ. בָּרְכֵנוּ, אָבִינוּ, כֻּלָּנוּ כְּאֶחָד בְּאוֹר פָּנֶיךָ, כִּי בְאוֹר פָּנֶיךָ נָתַתָּ לָּנוּ, יהוה אֱלֹהֵינוּ, תּוֹרַת חַיִּים וְאַהֲבַת חֶסֶד, וּצְדָקָה וּבְרָכָה וְרַחֲמִים וְחַיִּים וְשָׁלוֹם, וְטוֹב בְּעֵינֶיךָ לְבָרֵךְ אֶת עַמְּךָ יִשְׂרָאֵל בְּכָל עֵת וּבְכָל שָׁעָה בִּשְׁלוֹמֶךָ. בָּרוּךְ אַתָּה יהוה, הַמְבָרֵךְ אֶת עַמּוֹ יִשְׂרָאֵל בַּשָּׁלוֹם.

The ש״ץ *ends the repetition of the* עמידה *and continues with* קדיש שלם

אֱלֹהַי, נְצוֹר לְשׁוֹנִי מֵרָע, וּשְׂפָתַי מִדַּבֵּר מִרְמָה, וְלִמְקַלְלַי נַפְשִׁי תִדּוֹם, וְנַפְשִׁי כֶּעָפָר לַכֹּל תִּהְיֶה. פְּתַח לִבִּי בְּתוֹרָתֶךָ, וּבְמִצְוֹתֶיךָ תִּרְדּוֹף נַפְשִׁי. וְכָל הַחוֹשְׁבִים עָלַי רָעָה, מְהֵרָה הָפֵר עֲצָתָם וְקַלְקֵל מַחֲשַׁבְתָּם. עֲשֵׂה לְמַעַן שְׁמֶךָ, עֲשֵׂה לְמַעַן יְמִינֶךָ, עֲשֵׂה לְמַעַן קְדֻשָּׁתֶךָ. עֲשֵׂה לְמַעַן תּוֹרָתֶךָ. לְמַעַן יֵחָלְצוּן יְדִידֶיךָ, הוֹשִׁיעָה יְמִינְךָ וַעֲנֵנִי. תְּהִלִּים ס:7 יִהְיוּ לְרָצוֹן אִמְרֵי פִי וְהֶגְיוֹן לִבִּי לְפָנֶיךָ, יהוה צוּרִי וְגוֹאֲלִי. שָׁם יט:15 עֹשֶׂה שָׁלוֹם בִּמְרוֹמָיו, הוּא יַעֲשֶׂה שָׁלוֹם עָלֵינוּ, וְעַל כָּל יִשְׂרָאֵל וְאִמְרוּ: אָמֵן.

קדיש שלם

(ש״ץ) יִתְגַּדַּל וְיִתְקַדַּשׁ שְׁמֵהּ רַבָּא. בְּעָלְמָא דִּי בְרָא כִרְעוּתֵהּ, וְיַמְלִיךְ מַלְכוּתֵהּ בְּחַיֵּיכוֹן וּבְיוֹמֵיכוֹן וּבְחַיֵּי דְכָל בֵּית יִשְׂרָאֵל. בַּעֲגָלָא וּבִזְמַן קָרִיב וְאִמְרוּ אָמֵן:
(ביחד) יְהֵא שְׁמֵהּ רַבָּא מְבָרַךְ לְעָלַם וּלְעָלְמֵי עָלְמַיָּא:
(ש״ץ) יִתְבָּרַךְ וְיִשְׁתַּבַּח, וְיִתְפָּאַר וְיִתְרוֹמַם וְיִתְנַשֵּׂא וְיִתְהַדָּר וְיִתְעַלֶּה וְיִתְהַלָּל שְׁמֵהּ דְּקֻדְשָׁא (ביחד) בְּרִיךְ הוּא

(ש״ץ) לְעֵלָּא מִן כָּל בִּרְכָתָא וְשִׁירָתָא, תֻּשְׁבְּחָתָא וְנֶחֱמָתָא, דַּאֲמִירָן בְּעָלְמָא, וְאִמְרוּ אָמֵן:

(ש״ץ) תִּתְקַבֵּל צְלוֹתְהוֹן וּבָעוּתְהוֹן דְּכָל בֵּית יִשְׂרָאֵל קֳדָם אֲבוּהוֹן דִּי בִשְׁמַיָּא וְאִמְרוּ אָמֵן:

(ש״ץ) יְהֵא שְׁלָמָא רַבָּא מִן שְׁמַיָּא וְחַיִּים עָלֵינוּ וְעַל כָּל יִשְׂרָאֵל, וְאִמְרוּ אָמֵן:

(ש״ץ) עֹשֶׂה שָׁלוֹם בִּמְרוֹמָיו הוּא יַעֲשֶׂה שָׁלוֹם עָלֵינוּ וְעַל כָּל יִשְׂרָאֵל, וְאִמְרוּ אָמֵן:

עלינו

עָלֵינוּ לְשַׁבֵּחַ לַאֲדוֹן הַכֹּל, לָתֵת גְּדֻלָּה לְיוֹצֵר בְּרֵאשִׁית, שֶׁלֹּא עָשָׂנוּ כְּגוֹיֵי הָאֲרָצוֹת, וְלֹא שָׂמָנוּ כְּמִשְׁפְּחוֹת הָאֲדָמָה, שֶׁלֹּא שָׂם חֶלְקֵנוּ כָּהֶם, וְגֹרָלֵנוּ כְּכָל הֲמוֹנָם וַאֲנַחְנוּ כּוֹרְעִים וּמִשְׁתַּחֲוִים וּמוֹדִים, לִפְנֵי מֶלֶךְ,מַלְכֵי הַמְּלָכִים, הַקָּדוֹשׁ בָּרוּךְ הוּא. שֶׁהוּא נוֹטֶה שָׁמַיִם וְיֹסֵד אָרֶץ, יְשַׁעְיָהוּ נא:13 וּמוֹשַׁב יְקָרוֹ בַּשָּׁמַיִם מִמַּעַל, וּשְׁכִינַת עֻזּוֹ בְּגָבְהֵי מְרוֹמִים, הוּא אֱלֹהֵינוּ אֵין עוֹד. אֱמֶת מַלְכֵּנוּ אֶפֶס זוּלָתוֹ, כַּכָּתוּב בְּתוֹרָתוֹ: וְיָדַעְתָּ הַיּוֹם וַהֲשֵׁבֹתָ אֶל לְבָבֶךָ, כִּי יהוה הוּא הָאֱלֹהִים בַּשָּׁמַיִם מִמַּעַל, וְעַל הָאָרֶץ מִתָּחַת, אֵין עוֹד: דְּבָרִים ד:39

עַל כֵּן נְקַוֶּה לְךָ יהוה אֱלֹהֵינוּ, לִרְאוֹת מְהֵרָה בְּתִפְאֶרֶת עֻזֶּךָ, לְהַעֲבִיר גִּלּוּלִים מִן הָאָרֶץ וְהָאֱלִילִים כָּרוֹת יִכָּרֵתוּן. לְתַקֵּן עוֹלָם בְּמַלְכוּת שַׁדַּי, וְכָל בְּנֵי בָשָׂר יִקְרְאוּ בִשְׁמֶךָ. לְהַפְנוֹת אֵלֶיךָ כָּל רִשְׁעֵי אָרֶץ. יַכִּירוּ וְיֵדְעוּ כָּל יוֹשְׁבֵי תֵבֵל, כִּי לְךָ תִּכְרַע כָּל בֶּרֶךְ, תִּשָּׁבַע כָּל לָשׁוֹן: לְפָנֶיךָ יהוה אֱלֹהֵינוּ יִכְרְעוּ וְיִפֹּלוּ. וְלִכְבוֹד שִׁמְךָ יְקָר

יִתֵּנוּ. וִיקַבְּלוּ כֻלָּם אֶת עוֹל מַלְכוּתֶךָ. וְתִמְלֹךְ עֲלֵיהֶם
מְהֵרָה לְעוֹלָם וָעֶד. כִּי הַמַּלְכוּת שֶׁלְּךָ הִיא, וּלְעוֹלְמֵי עַד
תִּמְלוֹךְ בְּכָבוֹד: ♪ כַּכָּתוּב בְּתוֹרָתֶךָ, יהוה יִמְלֹךְ לְעוֹלָם
וָעֶד: שמות טו:18 וְנֶאֱמַר, וְהָיָה יהוה לְמֶלֶךְ עַל כָּל הָאָרֶץ,
5 בַּיּוֹם הַהוּא יִהְיֶה יהוה אֶחָד, וּשְׁמוֹ אֶחָד: זכריה יד:9 ♪

שיר של יום

For Sunday **שיר של יום ראשון**
הַיּוֹם יוֹם רִאשׁוֹן בַּשַׁבָּת, שֶׁבּוֹ הָיוּ הַלְוִיִּם אוֹמְרִים בְּבֵית
הַמִּקְדָּשׁ.

לְדָוִד מִזְמוֹר, לַיהוה הָאָרֶץ וּמְלוֹאָהּ, תֵּבֵל וְיֹשְׁבֵי בָהּ,
כִּי הוּא עַל יַמִּים יְסָדָהּ, וְעַל נְהָרוֹת יְכוֹנְנֶהָ. מִי יַעֲלֶה
10 בְהַר יהוה וּמִי יָקוּם בִּמְקוֹם קָדְשׁוֹ נְקִי כַפַּיִם וּבַר לֵבָב,
אֲשֶׁר לֹא נָשָׂא לַשָּׁוְא נַפְשִׁי, וְלֹא נִשְׁבַּע לְמִרְמָה. יִשָּׂא
בְרָכָה מֵאֵת יהוה, וּצְדָקָה מֵאֱלֹהֵי יִשְׁעוֹ. זֶה דּוֹר דֹּרְשָׁיו,
מְבַקְשֵׁי פָנֶיךָ יַעֲקֹב סֶלָה. שְׂאוּ שְׁעָרִים רָאשֵׁיכֶם.
וְהִנָּשְׂאוּ פִּתְחֵי עוֹלָם, וְיָבוֹא מֶלֶךְ הַכָּבוֹד. מִי זֶה מֶלֶךְ
15 הַכָּבוֹד יהוה עִזּוּז וְגִבּוֹר, יהוה גִּבּוֹר מִלְחָמָה. ♪ שְׂאוּ
שְׁעָרִים רָאשֵׁיכֶם וּשְׂאוּ פִּתְחֵי עוֹלָם, וְיָבֹא מֶלֶךְ הַכָּבוֹד
יהוה צְבָאוֹת הוּא מֶלֶךְ הַכָּבוֹד, סֶלָה. תהלים כד

For Monday **שיר של יום שני**
הַיּוֹם יוֹם שֵׁנִי בַּשַׁבָּת, שֶׁבּוֹ הָיוּ הַלְוִיִּם אוֹמְרִים בְּבֵית
הַמִּקְדָּשׁ.

20 שִׁיר מִזְמוֹר לִבְנֵי קֹרַח, גָּדוֹל יהוה וּמְהֻלָּל מְאֹד, בְּעִיר
אֱלֹהֵינוּ הַר קָדְשׁוֹ, יְפֵה נוֹף, מְשׂוֹשׂ כָּל הָאָרֶץ הַר צִיּוֹן
יַרְכְּתֵי צָפוֹן, קִרְיַת מֶלֶךְ רָב. אֱלֹהִים בְּאַרְמְנוֹתֶיהָ נוֹדַע

לְמִשְׂגָּב. כִּי הִנֵּה הַמְּלָכִים נוֹעֲדוּ, עָבְרוּ יַחְדָּו, הֵמָּה רָאוּ כֵּן תָּמָהוּ, נִבְהֲלוּ נֶחְפָּזוּ. רְעָדָה אֲחָזָתַם שָׁם, חִיל כַּיּוֹלֵדָה. בְּרוּחַ קָדִים, תְּשַׁבֵּר אֳנִיּוֹת תַּרְשִׁישׁ. כַּאֲשֶׁר שָׁמַעְנוּ כֵּן רָאִינוּ בְּעִיר יהוה צְבָאוֹת, בְּעִיר אֱלֹהֵינוּ; אֱלֹהִים יְכוֹנְנֶהָ עַד עוֹלָם סֶלָה. דִּמִּינוּ אֱלֹהִים חַסְדֶּךָ, בְּקֶרֶב הֵיכָלֶךָ. כְּשִׁמְךָ אֱלֹהִים כֵּן תְּהִלָּתְךָ עַל קַצְוֵי אֶרֶץ, צֶדֶק מָלְאָה יְמִינֶךָ. יִשְׂמַח הַר צִיּוֹן, תָּגֵלְנָה בְּנוֹת יְהוּדָה, לְמַעַן מִשְׁפָּטֶיךָ. סֹבּוּ צִיּוֹן וְהַקִּיפוּהָ, סִפְרוּ מִגְדָּלֶיהָ. שִׁיתוּ לִבְּכֶם לְחֵילָה, פַּסְּגוּ אַרְמְנוֹתֶיהָ, לְמַעַן תְּסַפְּרוּ לְדוֹר אַחֲרוֹן. כִּי זֶה אֱלֹהִים אֱלֹהֵינוּ עוֹלָם וָעֶד, הוּא יְנַהֲגֵנוּ עַל מוּת. תְּהִלִּים מח

שיר של יום שלישי
For Tuesday

הַיּוֹם יוֹם שְׁלִישִׁי בַּשַּׁבָּת, שֶׁבּוֹ הָיוּ הַלְוִיִּם אוֹמְרִים בְּבֵית הַמִּקְדָּשׁ.

מִזְמוֹר לְאָסָף. אֱלֹהִים נִצָּב בַּעֲדַת אֵל, בְּקֶרֶב אֱלֹהִים יִשְׁפֹּט. עַד מָתַי תִּשְׁפְּטוּ עָוֶל, וּפְנֵי רְשָׁעִים תִּשְׂאוּ סֶלָה. שִׁפְטוּ דָל וְיָתוֹם, עָנִי וָרָשׁ הַצְדִּיקוּ. פַּלְּטוּ דַל וְאֶבְיוֹן, מִיַּד רְשָׁעִים הַצִּילוּ. לֹא יָדְעוּ וְלֹא יָבִינוּ, בַּחֲשֵׁכָה יִתְהַלָּכוּ, יִמּוֹטוּ כָּל מוֹסְדֵי אָרֶץ. אֲנִי אָמַרְתִּי אֱלֹהִים אַתֶּם, וּבְנֵי עֶלְיוֹן כֻּלְּכֶם. אָכֵן כְּאָדָם תְּמוּתוּן, וּכְאַחַד הַשָּׂרִים תִּפֹּלוּ. קוּמָה אֱלֹהִים שָׁפְטָה הָאָרֶץ, כִּי אַתָּה תִנְחַל בְּכָל הַגּוֹיִם. תְּהִלִּים פב

For Wednesday **שיר של יום רביעי**

הַיּוֹם יוֹם רְבִיעִי בַּשַּׁבָּת, שֶׁבּוֹ הָיוּ הַלְוִיִּם אוֹמְרִים בְּבֵית הַמִּקְדָּשׁ. תְּהִלִּים צד

אֵל נְקָמוֹת יהוה, אֵל נְקָמוֹת, הוֹפִיעַ. הִנָּשֵׂא שֹׁפֵט הָאָרֶץ. הָשֵׁב גְּמוּל עַל גֵּאִים. עַד מָתַי רְשָׁעִים, יהוה, עַד מָתַי רְשָׁעִים יַעֲלֹזוּ. יַבִּיעוּ יְדַבְּרוּ עָתָק, יִתְאַמְּרוּ כָּל פֹּעֲלֵי אָוֶן. עַמְּךָ, יהוה, יְדַכְּאוּ, וְנַחֲלָתְךָ יְעַנּוּ. אַלְמָנָה וְגֵר יַהֲרֹגוּ, וִיתוֹמִים יְרַצֵּחוּ. וַיֹּאמְרוּ: לֹא יִרְאֶה יָּהּ, וְלֹא יָבִין אֱלֹהֵי יַעֲקֹב. בִּינוּ בֹּעֲרִים בָּעָם וּכְסִילִים. מָתַי תַּשְׂכִּילוּ. הֲנֹטַע אֹזֶן הֲלֹא יִשְׁמָע. אִם יֹצֵר עַיִן הֲלֹא יַבִּיט. הֲיֹסֵר גּוֹיִם הֲלֹא יוֹכִיחַ הַמְלַמֵּד אָדָם דָּעַת. יהוה יֹדֵעַ מַחְשְׁבוֹת אָדָם, כִּי הֵמָּה הָבֶל. אַשְׁרֵי הַגֶּבֶר אֲשֶׁר תְּיַסְּרֶנּוּ יָּהּ, וּמִתּוֹרָתְךָ תְלַמְּדֶנּוּ. לְהַשְׁקִיט לוֹ מִימֵי רָע, עַד יִכָּרֶה לָרָשָׁע שָׁחַת. כִּי לֹא יִטֹּשׁ יהוה עַמּוֹ, וְנַחֲלָתוֹ לֹא יַעֲזֹב. כִּי עַד צֶדֶק יָשׁוּב מִשְׁפָּט, וְאַחֲרָיו כָּל יִשְׁרֵי לֵב. מִי יָקוּם לִי עִם מְרֵעִים, מִי יִתְיַצֵּב לִי עִם פֹּעֲלֵי אָוֶן. לוּלֵי יהוה עֶזְרָתָה לִּי, כִּמְעַט שָׁכְנָה דוּמָה נַפְשִׁי. אִם אָמַרְתִּי מָטָה רַגְלִי, חַסְדְּךָ יהוה יִסְעָדֵנִי. בְּרֹב שַׂרְעַפַּי בְּקִרְבִּי, תַּנְחוּמֶיךָ יְשַׁעַשְׁעוּ נַפְשִׁי. הַיְחָבְרְךָ כִּסֵּא הַוּוֹת, יֹצֵר עָמָל עֲלֵי חֹק. יָגוֹדּוּ עַל נֶפֶשׁ צַדִּיק, וְדָם נָקִי יַרְשִׁיעוּ. וַיְהִי יהוה לִי לְמִשְׂגָּב, וֵאלֹהַי לְצוּר מַחְסִי. וַיָּשֶׁב עֲלֵיהֶם אֶת אוֹנָם, וּבְרָעָתָם יַצְמִיתֵם יהוה אֱלֹהֵינוּ. תְּהִלִּים צד לְכוּ נְרַנְּנָה לַיהוה, נָרִיעָה לְצוּר יִשְׁעֵנוּ; נְקַדְּמָה פָנָיו בְּתוֹדָה, בִּזְמִרוֹת נָרִיעַ לוֹ. כִּי אֵל גָּדוֹל יהוה, וּמֶלֶךְ גָּדוֹל עַל כָּל אֱלֹהִים. תְּהִלִּים צה:1-3

For Thursday

שיר של יום חמישי

הַיּוֹם יוֹם חֲמִישִׁי בְּשַׁבָּת, שֶׁבּוֹ הָיוּ הַלְוִיִּם אוֹמְרִים בְּבֵית הַמִּקְדָּשׁ.

לַמְנַצֵּחַ עַל הַגִּתִּית, לְאָסָף. הַרְנִינוּ לֵאלֹהִים עוּזֵּנוּ, הָרִיעוּ לֵאלֹהֵי יַעֲקֹב. שְׂאוּ זִמְרָה וּתְנוּ תֹף, כִּנּוֹר נָעִים עִם נָבֶל. תִּקְעוּ בַחֹדֶשׁ שׁוֹפָר, בַּכֶּסֶה לְיוֹם חַגֵּנוּ. כִּי חֹק לְיִשְׂרָאֵל הוּא, מִשְׁפָּט לֵאלֹהֵי יַעֲקֹב. עֵדוּת בִּיהוֹסֵף שָׂמוֹ, בְּצֵאתוֹ עַל אֶרֶץ מִצְרָיִם; שְׂפַת לֹא יָדַעְתִּי אֶשְׁמָע. הֲסִירוֹתִי מִסֵּבֶל שִׁכְמוֹ, כַּפָּיו מִדּוּד תַּעֲבֹרְנָה. בַּצָּרָה קָרָאתָ וָאֲחַלְּצֶךָּ, אֶעֶנְךָ בְּסֵתֶר רַעַם, אֶבְחָנְךָ עַל מֵי מְרִיבָה סֶלָה; שְׁמַע עַמִּי וְאָעִידָה בָּךְ, יִשְׂרָאֵל אִם תִּשְׁמַע לִי. לֹא יִהְיֶה בְךָ אֵל זָר, וְלֹא תִשְׁתַּחֲוֶה לְאֵל נֵכָר; אָנֹכִי יהוה אֱלֹהֶיךָ, הַמַּעַלְךָ מֵאֶרֶץ מִצְרָיִם, הַרְחֶב פִּיךָ וַאֲמַלְאֵהוּ. וְלֹא שָׁמַע עַמִּי לְקוֹלִי, וְיִשְׂרָאֵל לֹא אָבָה לִי. וָאֲשַׁלְּחֵהוּ בִּשְׁרִירוּת לִבָּם, יֵלְכוּ בְּמוֹעֲצוֹתֵיהֶם. לוּ עַמִּי שֹׁמֵעַ לִי, יִשְׂרָאֵל בִּדְרָכַי יְהַלֵּכוּ. כִּמְעַט אוֹיְבֵיהֶם אַכְנִיעַ, וְעַל צָרֵיהֶם אָשִׁיב יָדִי. מְשַׂנְאֵי יהוה יְכַחֲשׁוּ לוֹ, וִיהִי עִתָּם לְעוֹלָם ♫ וַיַּאֲכִילֵהוּ מֵחֵלֶב חִטָּה, וּמִצּוּר דְּבַשׁ אַשְׂבִּיעֶךָ. תְּהִלִּים פא

For Friday

שיר של יום ששי

הַיּוֹם יוֹם שִׁשִּׁי בְּשַׁבָּת, שֶׁבּוֹ הָיוּ הַלְוִיִּם אוֹמְרִים בְּבֵית הַמִּקְדָּשׁ.

יהוה מָלָךְ גֵּאוּת לָבֵשׁ, לָבֵשׁ יהוה עֹז הִתְאַזָּר, אַף תִּכּוֹן תֵּבֵל בַּל תִּמּוֹט. נָכוֹן כִּסְאֲךָ מֵאָז, מֵעוֹלָם אָתָּה. נָשְׂאוּ נְהָרוֹת, יהוה. נָשְׂאוּ נְהָרוֹת קוֹלָם, יִשְׂאוּ נְהָרוֹת דָּכְיָם. מִקֹּלוֹת מַיִם רַבִּים, אַדִּירִים מִשְׁבְּרֵי יָם, אַדִּיר בַּמָּרוֹם

יהוה. עֵדֹתֶיךָ נֶאֶמְנוּ מְאֹד, לְבֵיתְךָ נַאֲוָה קֹדֶשׁ, יהוה, לְאֹרֶךְ יָמִים. תְּהִלִּים צג

On Rosh Chodesh **ברכי נפשי**

בָּרְכִי נַפְשִׁי אֶת יהוה, יהוה אֱלֹהַי גָּדַלְתָּ מְּאֹד הוֹד וְהָדָר לָבָשְׁתָּ: עֹטֶה אוֹר כַּשַּׂלְמָה נוֹטֶה שָׁמַיִם כַּיְרִיעָה: הַמְקָרֶה בַמַּיִם עֲלִיּוֹתָיו הַשָּׂם עָבִים רְכוּבוֹ הַמְהַלֵּךְ עַל כַּנְפֵי רוּחַ: עֹשֶׂה מַלְאָכָיו רוּחוֹת מְשָׁרְתָיו אֵשׁ לֹהֵט: יָסַד אֶרֶץ עַל מְכוֹנֶיהָ בַּל תִּמּוֹט עוֹלָם וָעֶד: תְּהוֹם כַּלְּבוּשׁ כִּסִּיתוֹ, עַל הָרִים יַעַמְדוּ מָיִם: מִן גַּעֲרָתְךָ יְנוּסוּן מִן קוֹל רַעַמְךָ יֵחָפֵזוּן: יַעֲלוּ הָרִים יֵרְדוּ בְקָעוֹת, אֶל מְקוֹם זֶה יָסַדְתָּ לָהֶם: גְּבוּל שַׂמְתָּ בַּל יַעֲבֹרוּן בַּל יְשׁוּבוּן לְכַסּוֹת הָאָרֶץ: הַמְשַׁלֵּחַ מַעְיָנִים בַּנְּחָלִים בֵּין הָרִים יְהַלֵּכוּן: יַשְׁקוּ כָּל חַיְתוֹ שָׂדָי יִשְׁבְּרוּ פְרָאִים צְמָאָם: עֲלֵיהֶם עוֹף הַשָּׁמַיִם יִשְׁכּוֹן מִבֵּין עֳפָאיִם יִתְּנוּ קוֹל: מַשְׁקֶה הָרִים מֵעֲלִיּוֹתָיו מִפְּרִי מַעֲשֶׂיךָ תִּשְׂבַּע הָאָרֶץ: מַצְמִיחַ חָצִיר לַבְּהֵמָה וְעֵשֶׂב לַעֲבֹדַת הָאָדָם לְהוֹצִיא לֶחֶם מִן הָאָרֶץ: וְיַיִן יְשַׂמַּח לְבַב אֱנוֹשׁ לְהַצְהִיל פָּנִים מִשָּׁמֶן וְלֶחֶם לְבַב אֱנוֹשׁ יִסְעָד: יִשְׂבְּעוּ עֲצֵי יהוה אַרְזֵי לְבָנוֹן אֲשֶׁר נָטָע: אֲשֶׁר שָׁם צִפֳּרִים יְקַנֵּנוּ חֲסִידָה בְּרוֹשִׁים בֵּיתָהּ: הָרִים הַגְּבֹהִים לַיְּעֵלִים סְלָעִים מַחְסֶה לַשְׁפַנִּים: עָשָׂה יָרֵחַ לְמוֹעֲדִים שֶׁמֶשׁ יָדַע מְבוֹאוֹ: תָּשֶׁת חֹשֶׁךְ וִיהִי לָיְלָה בּוֹ תִרְמֹשׂ כָּל חַיְתוֹ יָעַר: הַכְּפִירִים שֹׁאֲגִים לַטָּרֶף וּלְבַקֵּשׁ מֵאֵל אָכְלָם: תִּזְרַח הַשֶּׁמֶשׁ

ברכי נפשי את יהוה This psalm is said on ראש חודש because of the verse עשה ירח למועדים, "God made the moon to mark the festivals." In this psalm, we praise God for all the wonders of nature.

יֵאָסֵפוּן וְאֶל מְעוֹנֹתָם יִרְבָּצוּן: יֵצֵא אָדָם לְפָעֳלוֹ וְלַעֲבֹדָתוֹ עֲדֵי עָרֶב: מָה רַבּוּ מַעֲשֶׂיךָ יהוה כֻּלָּם בְּחָכְמָה עָשִׂיתָ מָלְאָה הָאָרֶץ קִנְיָנֶךָ: זֶה הַיָּם גָּדוֹל וּרְחַב יָדָיִם, שָׁם רֶמֶשׂ וְאֵין מִסְפָּר חַיּוֹת קְטַנּוֹת עִם גְּדֹלוֹת: שָׁם אֳנִיּוֹת יְהַלֵּכוּן לִוְיָתָן זֶה יָצַרְתָּ לְשַׂחֶק בּוֹ: כֻּלָּם אֵלֶיךָ יְשַׂבֵּרוּן לָתֵת אָכְלָם בְּעִתּוֹ: תִּתֵּן לָהֶם יִלְקֹטוּן תִּפְתַּח יָדְךָ יִשְׂבְּעוּן טוֹב: תַּסְתִּיר פָּנֶיךָ יִבָּהֵלוּן תֹּסֵף רוּחָם יִגְוָעוּן וְאֶל עֲפָרָם יְשׁוּבוּן: תְּשַׁלַּח רוּחֲךָ יִבָּרֵאוּן וּתְחַדֵּשׁ פְּנֵי אֲדָמָה: יְהִי כְבוֹד יהוה לְעוֹלָם יִשְׂמַח יהוה בְּמַעֲשָׂיו: הַמַּבִּיט לָאָרֶץ וַתִּרְעָד יִגַּע בֶּהָרִים וְיֶעֱשָׁנוּ: אָשִׁירָה לַיהוה בְּחַיָּי אֲזַמְּרָה לֵאלֹהַי בְּעוֹדִי: יֶעֱרַב עָלָיו שִׂיחִי אָנֹכִי אֶשְׂמַח בַּיהוה: יִתַּמּוּ חַטָּאִים מִן הָאָרֶץ וּרְשָׁעִים עוֹד אֵינָם בָּרְכִי נַפְשִׁי אֶת יהוה הַלְלוּיָהּ:

תְּהִלִּים קד

This Psalm is said every morning and evening from the first day of אלול *until* שמיני עצרת

לְדָוִד יהוה אוֹרִי וְיִשְׁעִי מִמִּי אִירָא, יהוה מָעוֹז חַיַּי מִמִּי אֶפְחָד: בִּקְרֹב עָלַי מְרֵעִים, לֶאֱכֹל אֶת בְּשָׂרִי צָרַי וְאֹיְבַי לִי הֵמָּה כָשְׁלוּ וְנָפָלוּ: אִם תַּחֲנֶה עָלַי מַחֲנֶה לֹא יִירָא לִבִּי, אִם תָּקוּם עָלַי מִלְחָמָה בְּזֹאת אֲנִי בוֹטֵחַ: אַחַת שָׁאַלְתִּי מֵאֵת יהוה, אוֹתָהּ אֲבַקֵּשׁ שִׁבְתִּי בְּבֵית יהוה, כָּל יְמֵי חַיַּי לַחֲזוֹת בְּנֹעַם יהוה וּלְבַקֵּר בְּהֵיכָלוֹ: כִּי יִצְפְּנֵנִי בְּסֻכֹּה בְּיוֹם רָעָה, יַסְתִּרֵנִי בְּסֵתֶר אָהֳלוֹ בְּצוּר יְרוֹמְמֵנִי: וְעַתָּה יָרוּם רֹאשִׁי, עַל אֹיְבַי סְבִיבוֹתַי וְאֶזְבְּחָה בְאָהֳלוֹ זִבְחֵי תְרוּעָה, אָשִׁירָה וַאֲזַמְּרָה לַיהוה: שְׁמַע יהוה קוֹלִי אֶקְרָא, וְחָנֵּנִי וַעֲנֵנִי: לְךָ אָמַר לִבִּי, בַּקְּשׁוּ פָנָי, אֶת פָּנֶיךָ יהוה אֲבַקֵּשׁ: אַל תַּסְתֵּר פָּנֶיךָ מִמֶּנִּי, אַל תַּט בְּאַף עַבְדֶּךָ, עֶזְרָתִי הָיִיתָ, אַל תִּטְּשֵׁנִי וְאַל תַּעַזְבֵנִי אֱלֹהֵי יִשְׁעִי: כִּי

אָבִי וְאִמִּי עֲזָבוּנִי, וַיהוה יַאַסְפֵנִי: הוֹרֵנִי יהוה דַּרְכֶּךָ, וּנְחֵנִי בְּאֹרַח מִישׁוֹר, לְמַעַן שׁוֹרְרָי: אַל תִּתְּנֵנִי בְּנֶפֶשׁ צָרָי, כִּי קָמוּ בִי עֵדֵי שֶׁקֶר וִיפֵחַ חָמָס: לוּלֵא הֶאֱמַנְתִּי, לִרְאוֹת בְּטוּב יהוה בְּאֶרֶץ חַיִּים: קַוֵּה אֶל יהוה, חֲזַק וְיַאֲמֵץ לִבֶּךָ וְקַוֵּה אֶל יהוה: תְּהִלִּים כז

קדיש יתום

(אבלים ואבלות) יִתְגַּדַּל וְיִתְקַדַּשׁ שְׁמֵהּ רַבָּא. בְּעָלְמָא דִּי בְרָא כִרְעוּתֵהּ, וְיַמְלִיךְ מַלְכוּתֵהּ בְּחַיֵּיכוֹן וּבְיוֹמֵיכוֹן וּבְחַיֵּי דְכָל בֵּית יִשְׂרָאֵל. בַּעֲגָלָא וּבִזְמַן קָרִיב וְאִמְרוּ אָמֵן:

(ביחד) יְהֵא שְׁמֵהּ רַבָּא מְבָרַךְ לְעָלַם וּלְעָלְמֵי עָלְמַיָּא:

יִתְבָּרַךְ וְיִשְׁתַּבַּח וְיִתְפָּאַר וְיִתְרוֹמַם וְיִתְנַשֵּׂא וְיִתְהַדָּר וְיִתְעַלֶּה וְיִתְהַלָּל שְׁמֵהּ דְּקֻדְשָׁא (ביחד) בְּרִיךְ הוּא (אבלים ואבלות) לְעֵלָּא מִן כָּל בִּרְכָתָא וְשִׁירָתָא תֻּשְׁבְּחָתָא וְנֶחֱמָתָא, דַּאֲמִירָן בְּעָלְמָא, וְאִמְרוּ אָמֵן:

יְהֵא שְׁלָמָא רַבָּא מִן שְׁמַיָּא, וְחַיִּים טוֹבִים עָלֵינוּ וְעַל כָּל יִשְׂרָאֵל וְאִמְרוּ אָמֵן.

עֹשֶׂה שָׁלוֹם בִּמְרוֹמָיו הוּא יַעֲשֶׂה שָׁלוֹם עָלֵינוּ וְעַל כָּל יִשְׂרָאֵל, וְאִמְרוּ אָמֵן:

אדון עולם

אֲדוֹן עוֹלָם אֲשֶׁר מָלַךְ, בְּטֶרֶם כָּל יְצִיר נִבְרָא.
לְעֵת נַעֲשָׂה בְחֶפְצוֹ כֹּל, אֲזַי מֶלֶךְ שְׁמוֹ נִקְרָא.
וְאַחֲרֵי כִּכְלוֹת הַכֹּל, לְבַדּוֹ יִמְלוֹךְ נוֹרָא.
וְהוּא הָיָה, וְהוּא הֹוֶה, וְהוּא יִהְיֶה, בְּתִפְאָרָה.
וְהוּא אֶחָד וְאֵין שֵׁנִי, לְהַמְשִׁיל לוֹ לְהַחְבִּירָה.
בְּלִי רֵאשִׁית בְּלִי תַכְלִית, וְלוֹ הָעֹז וְהַמִּשְׂרָה.
וְהוּא אֵלִי וְחַי גֹּאֲלִי, וְצוּר חֶבְלִי בְּעֵת צָרָה.
וְהוּא נִסִּי וּמָנוֹס לִי מְנָת כּוֹסִי בְּיוֹם אֶקְרָא.
בְּיָדוֹ אַפְקִיד רוּחִי, בְּעֵת אִישַׁן וְאָעִירָה.
וְעִם רוּחִי גְּוִיָּתִי, יהוה לִי וְלֹא אִירָא.

קידוש ליום טוב

When יום טוב *coincides with* שבת, *add all the items in parentheses*

(יוֹם הַשִּׁשִּׁי . . . וַיְכֻלּוּ הַשָּׁמַיִם וְהָאָרֶץ וְכָל צְבָאָם: וַיְכַל אֱלֹהִים בַּיּוֹם הַשְּׁבִיעִי מְלַאכְתּוֹ אֲשֶׁר עָשָׂה, וַיִּשְׁבֹּת בַּיּוֹם הַשְּׁבִיעִי מִכָּל מְלַאכְתּוֹ אֲשֶׁר עָשָׂה: וַיְבָרֶךְ אֱלֹהִים אֶת יוֹם הַשְּׁבִיעִי וַיְקַדֵּשׁ אֹתוֹ, כִּי בוֹ שָׁבַת מִכָּל מְלַאכְתּוֹ, אֲשֶׁר בָּרָא אֱלֹהִים לַעֲשׂוֹת:)

When יום טוב *occurs on any night but Friday night start here, omittng the words in parentheses*

סַבְרִי חֲבֵרַי:

5 בָּרוּךְ אַתָּה יהוה אֱלֹהֵינוּ מֶלֶךְ הָעוֹלָם, בּוֹרֵא פְּרִי הַגָּפֶן. בָּרוּךְ אַתָּה יהוה אֱלֹהֵינוּ מֶלֶךְ הָעוֹלָם, אֲשֶׁר בָּחַר בָּנוּ מִכָּל עָם וְרוֹמְמָנוּ מִכָּל לָשׁוֹן, וְקִדְּשָׁנוּ בְּמִצְוֹתָיו. וַתִּתֶּן לָנוּ יהוה אֱלֹהֵינוּ בְּאַהֲבָה (שַׁבָּתוֹת לִמְנוּחָה וּ)מוֹעֲדִים לְשִׂמְחָה, חַגִּים וּזְמַנִּים לְשָׂשׂוֹן, אֶת יוֹם (הַשַּׁבָּת הַזֶּה 10 וְאֶת יוֹם)

On Pesach	פסח: חַג הַמַּצּוֹת הַזֶּה, זְמַן חֵרוּתֵנוּ
On Shavuot	שבועות: חַג הַשָּׁבוּעוֹת הַזֶּה, זְמַן מַתַּן תּוֹרָתֵנוּ
On Sukkot	סוכות: חַג הַסֻּכּוֹת הַזֶּה, זְמַן שִׂמְחָתֵנוּ
On Shmini Atzeret	שמיני עצרת: הַשְּׁמִינִי חַג הָעֲצֶרֶת הַזֶּה, זְמַן שִׂמְחָתֵנוּ
On Simchat Torah	15 שמחת תורה: הַשְּׁמִינִי חַג הָעֲצֶרֶת הַזֶּה, זְמַן שִׂמְחָתֵנוּ

(בְּאַהֲבָה) מִקְרָא קֹדֶשׁ, זֵכֶר לִיצִיאַת מִצְרָיִם: כִּי בָנוּ בָחַרְתָּ, וְאוֹתָנוּ קִדַּשְׁתָּ מִכָּל הָעַמִּים (וְשַׁבָּת) וּמוֹעֲדֵי קָדְשֶׁךָ (בְּאַהֲבָה וּבְרָצוֹן) בְּשִׂמְחָה וּבְשָׂשׂוֹן הִנְחַלְתָּנוּ: בָּרוּךְ אַתָּה יהוה מְקַדֵּשׁ (הַשַּׁבָּת וְ) יִשְׂרָאֵל וְהַזְּמַנִּים:

When יום טוב *falls on Saturday night, we add the following*

בָּרוּךְ אַתָּה יהוה אֱלֹהֵינוּ מֶלֶךְ הָעוֹלָם, בּוֹרֵא מְאוֹרֵי הָאֵשׁ.

בָּרוּךְ אַתָּה יהוה, אֱלֹהֵינוּ מֶלֶךְ הָעוֹלָם, הַמַּבְדִּיל בֵּין קֹדֶשׁ לְחוֹל, בֵּין אוֹר לְחֹשֶׁךְ, בֵּין יִשְׂרָאֵל לָעַמִּים, בֵּין יוֹם הַשְּׁבִיעִי, לְשֵׁשֶׁת יְמֵי הַמַּעֲשֶׂה: בֵּין קְדֻשַּׁת שַׁבָּת לִקְדֻשַּׁת יוֹם טוֹב הִבְדַּלְתָּ, וְאֶת יוֹם הַשְּׁבִיעִי מִשֵּׁשֶׁת יְמֵי הַמַּעֲשֶׂה קִדַּשְׁתָּ, הִבְדַּלְתָּ וְקִדַּשְׁתָּ אֶת עַמְּךָ יִשְׂרָאֵל בִּקְדֻשָּׁתֶךָ. בָּרוּךְ אַתָּה יהוה הַמַּבְדִּיל בֵּין קֹדֶשׁ לְקֹדֶשׁ.

On Sukkot, when we are in the סוכה*, we say the following*

בָּרוּךְ אַתָּה יהוה אֱלֹהֵינוּ מֶלֶךְ הָעוֹלָם, אֲשֶׁר קִדְּשָׁנוּ בְּמִצְוֹתָיו וְצִוָּנוּ לֵישֵׁב בַּסֻּכָּה.

The following is not said on the last two nights of פסח

בָּרוּךְ אַתָּה יהוה אֱלֹהֵינוּ מֶלֶךְ הָעוֹלָם, שֶׁהֶחֱיָנוּ וְקִיְּמָנוּ וְהִגִּיעָנוּ לַזְּמַן הַזֶּה.

עמידה לשלש רגלים

לשחרית, מנחה, ומעריב

אֲדֹנָי שְׂפָתַי תִּפְתָּח וּפִי יַגִּיד תְּהִלָּתֶךָ: תְּהִלִּים נא:17

בָּרוּךְ אַתָּה יהוה אֱלֹהֵינוּ וֵאלֹהֵי אֲבוֹתֵינוּ, אֱלֹהֵי אַבְרָהָם, אֱלֹהֵי יִצְחָק, וֵאלֹהֵי יַעֲקֹב. הָאֵל הַגָּדוֹל הַגִּבּוֹר וְהַנּוֹרָא, אֵל עֶלְיוֹן, גּוֹמֵל חֲסָדִים טוֹבִים, וְקוֹנֵה הַכֹּל, וְזוֹכֵר חַסְדֵי אָבוֹת, וּמֵבִיא גּוֹאֵל לִבְנֵי בְנֵיהֶם לְמַעַן שְׁמוֹ בְּאַהֲבָה:

מֶלֶךְ עוֹזֵר וּמוֹשִׁיעַ וּמָגֵן: בָּרוּךְ אַתָּה יהוה, מָגֵן אַבְרָהָם:

אַתָּה גִּבּוֹר לְעוֹלָם אֲדֹנָי, מְחַיֵּה מֵתִים אַתָּה, רַב לְהוֹשִׁיעַ:

מְכַלְכֵּל חַיִּים בְּחֶסֶד, מְחַיֵּה מֵתִים בְּרַחֲמִים רַבִּים, סוֹמֵךְ נוֹפְלִים, וְרוֹפֵא חוֹלִים, וּמַתִּיר אֲסוּרִים, וּמְקַיֵּם אֱמוּנָתוֹ לִישֵׁנֵי עָפָר, מִי כָמוֹךָ בַּעַל גְּבוּרוֹת וּמִי דּוֹמֶה לָּךְ, מֶלֶךְ מֵמִית וּמְחַיֶּה וּמַצְמִיחַ יְשׁוּעָה:

וְנֶאֱמָן אַתָּה לְהַחֲיוֹת מֵתִים. בָּרוּךְ אַתָּה יהוה, מְחַיֵּה הַמֵּתִים:

When davening alone continue with אתה קדוש. *When praying with a* מנין *continue with the* קדושה. *Note that the* קדושה *changes for* שחרית *and* מנחה. *We do not recite* קדושה *at* מעריב. *If it is a* הויכא קדושה, *see introduction to* עמידה של שחרית לשבת, *p. 203*

קדושה לשחרית לשלש רגלים

נְקַדֵּשׁ אֶת שִׁמְךָ בָּעוֹלָם, כְּשֵׁם שֶׁמַּקְדִּישִׁים אוֹתוֹ בִּשְׁמֵי מָרוֹם, כַּכָּתוּב עַל יַד נְבִיאֶךָ: וְקָרָא זֶה אֶל זֶה וְאָמַר: יְשַׁעְיָה ו:3

In some communities the אמהות: שרה, רבקה, רחל and לאה are added to the first blessing of the עמידה to emphasize that both men and women have a relationship with God.

קָדוֹשׁ, קָדוֹשׁ, קָדוֹשׁ יהוה צְבָאוֹת, מְלֹא כָל הָאָרֶץ כְּבוֹדוֹ. יְשַׁעְיָה ו:3

אָז בְּקוֹל רַעַשׁ גָּדוֹל אַדִּיר וְחָזָק מַשְׁמִיעִים קוֹל, מִתְנַשְּׂאִים לְעֻמַּת שְׂרָפִים, לְעֻמָּתָם בָּרוּךְ יֹאמֵרוּ:

בָּרוּךְ כְּבוֹד יהוה, מִמְּקוֹמוֹ. יְחֶזְקֵאל ג:12

מִמְּקוֹמְךָ מַלְכֵּנוּ תוֹפִיעַ, וְתִמְלֹךְ עָלֵינוּ, כִּי מְחַכִּים אֲנַחְנוּ לָךְ. מָתַי תִּמְלֹךְ בְּצִיּוֹן, בְּקָרוֹב בְּיָמֵינוּ, לְעוֹלָם וָעֶד תִּשְׁכּוֹן. תִּתְגַּדַּל וְתִתְקַדַּשׁ בְּתוֹךְ יְרוּשָׁלַיִם עִירְךָ, לְדוֹר וָדוֹר וּלְנֵצַח נְצָחִים. וְעֵינֵינוּ תִרְאֶינָה מַלְכוּתֶךָ, כַּדָּבָר הָאָמוּר בְּשִׁירֵי עֻזֶּךָ, עַל יְדֵי דָוִד מְשִׁיחַ צִדְקֶךָ:

יִמְלֹךְ יהוה לְעוֹלָם, אֱלֹהַיִךְ צִיּוֹן לְדֹר וָדֹר, הַלְלוּיָהּ.

תְּהִלִּים קמו: 10

לְדוֹר וָדוֹר נַגִּיד גָּדְלֶךָ וּלְנֵצַח נְצָחִים קְדֻשָּׁתְךָ נַקְדִּישׁ, וְשִׁבְחֲךָ אֱלֹהֵינוּ מִפִּינוּ לֹא יָמוּשׁ לְעוֹלָם וָעֶד, כִּי אֵל מֶלֶךְ גָּדוֹל וְקָדוֹשׁ אָתָּה. בָּרוּךְ אַתָּה יהוה, הָאֵל הַקָּדוֹשׁ.

Continue with אתה בחרתנו*, p. 306*

קדושה למנחה לשלש רגלים

נְקַדֵּשׁ אֶת שִׁמְךָ בָּעוֹלָם, כְּשֵׁם שֶׁמַּקְדִּישִׁים אוֹתוֹ בִּשְׁמֵי מָרוֹם, כַּכָּתוּב עַל יַד נְבִיאֶךָ, וְקָרָא זֶה אֶל זֶה וְאָמַר:

קָדוֹשׁ קָדוֹשׁ קָדוֹשׁ יהוה צְבָאוֹת, מְלֹא כָל הָאָרֶץ כְּבוֹדוֹ.

לְעֻמָּתָם בָּרוּךְ יֹאמֵרוּ:

בָּרוּךְ כְּבוֹד יהוה , מִמְּקוֹמוֹ.

וּבְדִבְרֵי קָדְשְׁךָ כָּתוּב לֵאמֹר:

יִמְלֹךְ יהוה לְעוֹלָם, אֱלֹהַיִךְ צִיּוֹן לְדֹר וָדֹר, הַלְלוּיָהּ.

לְדוֹר וָדוֹר נַגִּיד גָּדְלֶךָ וּלְנֵצַח נְצָחִים קְדֻשָּׁתְךָ נַקְדִּישׁ, וְשִׁבְחֲךָ אֱלֹהֵינוּ מִפִּינוּ לֹא יָמוּשׁ לְעוֹלָם וָעֶד, כִּי אֵל מֶלֶךְ גָּדוֹל וְקָדוֹשׁ אָתָּה. בָּרוּךְ אַתָּה יהוה, הָאֵל הַקָּדוֹשׁ.

אַתָּה קָדוֹשׁ וְשִׁמְךָ קָדוֹשׁ, וּקְדוֹשִׁים בְּכָל יוֹם יְהַלְלוּךָ סֶּלָה. בָּרוּךְ אַתָּה יהוה, הָאֵל הַקָּדוֹשׁ.

אַתָּה בְחַרְתָּנוּ מִכָּל הָעַמִּים, אָהַבְתָּ אוֹתָנוּ, וְרָצִיתָ בָּנוּ, וְרוֹמַמְתָּנוּ מִכָּל הַלְּשׁוֹנוֹת, וְקִדַּשְׁתָּנוּ בְּמִצְוֹתֶיךָ, וְקֵרַבְתָּנוּ מַלְכֵּנוּ לַעֲבוֹדָתֶךָ, וְשִׁמְךָ הַגָּדוֹל וְהַקָּדוֹשׁ עָלֵינוּ קָרָאתָ:

When a festival occurs on מוצאי שבת *(Saturday night), say the following*

וַתּוֹדִיעֵנוּ יהוה אֱלֹהֵינוּ אֶת מִשְׁפְּטֵי צִדְקֶךָ, וַתְּלַמְּדֵנוּ לַעֲשׂוֹת חֻקֵּי רְצוֹנֶךָ. וַתִּתֶּן לָנוּ יהוה אֱלֹהֵינוּ, מִשְׁפָּטִים יְשָׁרִים וְתוֹרוֹת אֱמֶת, חֻקִּים וּמִצְוֹת טוֹבִים. וַתַּנְחִילֵנוּ זְמַנֵּי שָׂשׂוֹן וּמוֹעֲדֵי קֹדֶשׁ וְחַגֵּי נְדָבָה. וַתּוֹרִישֵׁנוּ קְדֻשַּׁת שַׁבָּת וּכְבוֹד מוֹעֵד וַחֲגִיגַת הָרֶגֶל, וַתַּבְדֵּל יהוה אֱלֹהֵינוּ בֵּין קֹדֶשׁ לְחוֹל, בֵּין אוֹר לְחֹשֶׁךְ, בֵּין יִשְׂרָאֵל לָעַמִּים, בֵּין יוֹם הַשְּׁבִיעִי לְשֵׁשֶׁת יְמֵי הַמַּעֲשֶׂה, בֵּין קְדֻשַּׁת שַׁבָּת לִקְדֻשַּׁת יוֹם טוֹב הִבְדַּלְתָּ, וְאֶת יוֹם הַשְּׁבִיעִי מִשֵּׁשֶׁת יְמֵי הַמַּעֲשֶׂה קִדַּשְׁתָּ הִבְדַּלְתָּ וְקִדַּשְׁתָּ אֶת עַמְּךָ יִשְׂרָאֵל בִּקְדֻשָּׁתֶךָ:

On Shabbat, the words in parentheses are included

וַתִּתֶּן לָנוּ יהוה אֱלֹהֵינוּ בְּאַהֲבָה (שַׁבָּתוֹת לִמְנוּחָה וּ)מוֹעֲדִים לְשִׂמְחָה, חַגִּים וּזְמַנִּים לְשָׂשׂוֹן, אֶת יוֹם (הַשַּׁבָּת הַזֶּה וְאֶת יוֹם)

פסח: חַג הַמַּצּוֹת הַזֶּה, זְמַן חֵרוּתֵנוּ *On Pesach*

שבועות: חַג הַשָּׁבוּעוֹת הַזֶּה, זְמַן מַתַּן תּוֹרָתֵנוּ *On Shavuot*

סוכות: חַג הַסֻּכּוֹת הַזֶּה, זְמַן שִׂמְחָתֵנוּ *On Sukkot*

שמיני עצרת: הַשְּׁמִינִי חַג הָעֲצֶרֶת הַזֶּה, זְמַן שִׂמְחָתֵנוּ *On Shmini Atzeret*

שמחת תורה: הַשְּׁמִינִי חַג הָעֲצֶרֶת הַזֶּה, זְמַן שִׂמְחָתֵנוּ *On Simchat Torah*

(בְּאַהֲבָה) מִקְרָא קֹדֶשׁ, זֵכֶר לִיצִיאַת מִצְרָיִם:

אֱלֹהֵינוּ וֵאלֹהֵי אֲבוֹתֵינוּ, יַעֲלֶה וְיָבֹא, וְיַגִּיעַ, וְיֵרָאֶה, וְיֵרָצֶה, וְיִשָּׁמַע, וְיִפָּקֵד, וְיִזָּכֵר זִכְרוֹנֵנוּ וּפִקְדוֹנֵנוּ, וְזִכְרוֹן אֲבוֹתֵינוּ, וְזִכְרוֹן מָשִׁיחַ בֶּן דָּוִד עַבְדֶּךָ, וְזִכְרוֹן יְרוּשָׁלַיִם עִיר קָדְשֶׁךָ, וְזִכְרוֹן כָּל עַמְּךָ בֵּית יִשְׂרָאֵל לְפָנֶיךָ, לִפְלֵיטָה, לְטוֹבָה, לְחֵן וּלְחֶסֶד וּלְרַחֲמִים, לְחַיִּים וּלְשָׁלוֹם, בְּיוֹם

פסח: חַג הַמַּצּוֹת הַזֶּה. *On Pesach*

שבועות: חַג הַשָּׁבוּעוֹת הַזֶּה. *On Shavuot*

סוכות: חַג הַסֻּכּוֹת הַזֶּה. *On Sukkot*

שמיני עצרת: הַשְּׁמִינִי חַג הָעֲצֶרֶת הַזֶּה. *On Shmini Atzeret*

שמחת תורה: הַשְּׁמִינִי חַג הָעֲצֶרֶת הַזֶּה. *On Simchat Torah*

זָכְרֵנוּ, יהוה, אֱלֹהֵינוּ , בּוֹ לְטוֹבָה, וּפָקְדֵנוּ בוֹ לִבְרָכָה, וְהוֹשִׁיעֵנוּ בוֹ לְחַיִּים, וּבִדְבַר יְשׁוּעָה וְרַחֲמִים, חוּס וְחָנֵּנוּ, וְרַחֵם עָלֵינוּ וְהוֹשִׁיעֵנוּ, כִּי אֵלֶיךָ עֵינֵינוּ, כִּי אֵל מֶלֶךְ חַנּוּן וְרַחוּם אָתָּה.

וְהַשִּׂיאֵנוּ יהוה אֱלֹהֵינוּ אֶת בִּרְכַּת מוֹעֲדֶיךָ לְחַיִּים וּלְשָׁלוֹם, לְשִׂמְחָה וּלְשָׂשׂוֹן, כַּאֲשֶׁר רָצִיתָ וְאָמַרְתָּ לְבָרְכֵנוּ, (אֱלֹהֵינוּ וֵאלֹהֵי אֲבוֹתֵינוּ רְצֵה בִמְנוּחָתֵנוּ) קַדְּשֵׁנוּ בְּמִצְוֹתֶיךָ וְתֵן חֶלְקֵנוּ בְּתוֹרָתֶךָ, שַׂבְּעֵנוּ מִטּוּבֶךָ, וְשַׂמְּחֵנוּ בִּישׁוּעָתֶךָ, וְטַהֵר לִבֵּנוּ לְעָבְדְּךָ בֶּאֱמֶת, וְהַנְחִילֵנוּ יהוה אֱלֹהֵינוּ (בְּאַהֲבָה וּבְרָצוֹן) בְּשִׂמְחָה וּבְשָׂשׂוֹן (שַׁבַּת וּ)מוֹעֲדֵי קָדְשֶׁךָ, וְיִשְׂמְחוּ בְךָ יִשְׂרָאֵל מְקַדְּשֵׁי שְׁמֶךָ. בָּרוּךְ אַתָּה יהוה, מְקַדֵּשׁ (הַשַּׁבָּת וְ)יִשְׂרָאֵל וְהַזְּמַנִּים:

רְצֵה, יהוה אֱלֹהֵינוּ, בְּעַמְּךָ יִשְׂרָאֵל וּבִתְפִלָּתָם, וְהָשֵׁב אֶת הָעֲבוֹדָה לִדְבִיר בֵּיתֶךָ, וְאִשֵּׁי יִשְׂרָאֵל, וּתְפִלָּתָם

בְּאַהֲבָה תְקַבֵּל בְּרָצוֹן, וּתְהִי לְרָצוֹן תָּמִיד עֲבוֹדַת יִשְׂרָאֵל עַמֶּךָ.
וְתֶחֱזֶינָה עֵינֵינוּ בְּשׁוּבְךָ לְצִיּוֹן בְּרַחֲמִים. בָּרוּךְ אַתָּה יְיָ, הַמַּחֲזִיר שְׁכִינָתוֹ לְצִיּוֹן.

מוֹדִים אֲנַחְנוּ לָךְ, שָׁאַתָּה הוּא, יהוה אֱלֹהֵינוּ וֵאלֹהֵי אֲבוֹתֵינוּ, לְעוֹלָם וָעֶד, צוּר חַיֵּינוּ, מָגֵן יִשְׁעֵנוּ, אַתָּה הוּא לְדוֹר וָדוֹר נוֹדֶה לְּךָ וּנְסַפֵּר תְּהִלָּתֶךָ. עַל חַיֵּינוּ הַמְּסוּרִים בְּיָדֶךָ, וְעַל נִשְׁמוֹתֵינוּ הַפְּקוּדוֹת לָךְ, וְעַל נִסֶּיךָ שֶׁבְּכָל יוֹם עִמָּנוּ, וְעַל נִפְלְאוֹתֶיךָ וְטוֹבוֹתֶיךָ שֶׁבְּכָל עֵת, עֶרֶב וָבֹקֶר וְצָהֳרָיִם, הַטּוֹב כִּי לֹא כָלוּ רַחֲמֶיךָ, וְהַמְרַחֵם כִּי לֹא תַמּוּ חֲסָדֶיךָ מֵעוֹלָם קִוִּינוּ לָךְ.

In the repetition of this עמידה *by the* ש״ץ *the* קהל *says the following* מודים
It is not said during the silent עמידה

(קהל) מוֹדִים אֲנַחְנוּ לָךְ, שָׁאַתָּה הוּא יהוה אֱלֹהֵינוּ וֵאלֹהֵי אֲבוֹתֵינוּ אֱלֹהֵי כָל בָּשָׂר, יוֹצְרֵנוּ, יוֹצֵר בְּרֵאשִׁית. בְּרָכוֹת וְהוֹדָאוֹת לְשִׁמְךָ הַגָּדוֹל וְהַקָּדוֹשׁ, עַל שֶׁהֶחֱיִיתָנוּ וְקִיַּמְתָּנוּ. כֵּן תְּחַיֵּנוּ וּתְקַיְּמֵנוּ, וְתֶאֱסוֹף גָּלֻיּוֹתֵינוּ לְחַצְרוֹת קָדְשֶׁךָ, לִשְׁמוֹר חֻקֶּיךָ וְלַעֲשׂוֹת רְצוֹנֶךָ, וּלְעָבְדְּךָ בְּלֵבָב שָׁלֵם, עַל שֶׁאֲנַחְנוּ מוֹדִים לָךְ. בָּרוּךְ אֵל הַהוֹדָאוֹת.

וְעַל כֻּלָּם יִתְבָּרַךְ וְיִתְרוֹמַם שִׁמְךָ, מַלְכֵּנוּ, תָּמִיד לְעוֹלָם וָעֶד.
וְכֹל הַחַיִּים יוֹדוּךָ סֶּלָה, וִיהַלְלוּ אֶת שִׁמְךָ בֶּאֱמֶת, הָאֵל יְשׁוּעָתֵנוּ וְעֶזְרָתֵנוּ סֶלָה. בָּרוּךְ אַתָּה יהוה, הַטּוֹב שִׁמְךָ וּלְךָ נָאֶה לְהוֹדוֹת.

ברכת כהנים

When the ש״ץ *repeats the* שמונה עשרה *during* שחרית*, the* ברכת כהנים*, the blessing the Priests used in the Temple, is added*

אֱלֹהֵינוּ וֵאלֹהֵי אֲבוֹתֵינוּ, בָּרְכֵנוּ בַבְּרָכָה הַמְשֻׁלֶּשֶׁת בַּתּוֹרָה הַכְּתוּבָה עַל יְדֵי מֹשֶׁה עַבְדֶּךָ, הָאֲמוּרָה מִפִּי אַהֲרֹן וּבָנָיו כֹּהֲנִים עַם קְדוֹשֶׁךָ, כָּאָמוּר.

ש״ץ:	קהל:
יְבָרֶכְךָ יהוה וְיִשְׁמְרֶךָ.	כֵּן יְהִי רָצוֹן
יָאֵר יהוה פָּנָיו אֵלֶיךָ וִיחֻנֶּךָּ.	כֵּן יְהִי רָצוֹן
יִשָּׂא יהוה פָּנָיו אֵלֶיךָ וְיָשֵׂם לְךָ שָׁלוֹם.	כֵּן יְהִי רָצוֹן בְּמִדְבָּר ו:24-26

At שחרית *only, say the following*

שִׂים שָׁלוֹם, טוֹבָה וּבְרָכָה, חֵן וָחֶסֶד וְרַחֲמִים, עָלֵינוּ וְעַל כָּל יִשְׂרָאֵל עַמֶּךָ. בָּרְכֵנוּ, אָבִינוּ, כֻּלָּנוּ כְּאֶחָד בְּאוֹר פָּנֶיךָ, כִּי בְאוֹר פָּנֶיךָ נָתַתָּ לָּנוּ, יהוה אֱלֹהֵינוּ, תּוֹרַת חַיִּים וְאַהֲבַת חֶסֶד, וּצְדָקָה וּבְרָכָה וְרַחֲמִים וְחַיִּים וְשָׁלוֹם, וְטוֹב בְּעֵינֶיךָ לְבָרֵךְ אֶת עַמְּךָ יִשְׂרָאֵל בְּכָל עֵת וּבְכָל שָׁעָה בִּשְׁלוֹמֶךָ. בָּרוּךְ אַתָּה יהוה, הַמְבָרֵךְ אֶת עַמּוֹ יִשְׂרָאֵל בַּשָּׁלוֹם.

At מנחה *and* מעריב *only, say the following*

שָׁלוֹם רָב עַל יִשְׂרָאֵל עַמְּךָ תָּשִׂים לְעוֹלָם, כִּי אַתָּה הוּא מֶלֶךְ אָדוֹן לְכָל הַשָּׁלוֹם. וְטוֹב בְּעֵינֶיךָ לְבָרֵךְ אֶת עַמְּךָ יִשְׂרָאֵל ,בְּכָל עֵת וּבְכָל שָׁעָה בִּשְׁלוֹמֶךָ. בָּרוּךְ אַתָּה יהוה, הַמְבָרֵךְ אֶת עַמּוֹ יִשְׂרָאֵל בַּשָּׁלוֹם.

The ש״ץ *ends the repetition of the* עמידה *here*

אֱלֹהַי, נְצוֹר לְשׁוֹנִי מֵרָע, וּשְׂפָתַי מִדַּבֵּר מִרְמָה, וְלִמְקַלְלַי נַפְשִׁי תִדּוֹם, וְנַפְשִׁי כֶּעָפָר לַכֹּל תִּהְיֶה. פְּתַח

לִבִּי בְּתוֹרָתֶךָ, וּבְמִצְוֹתֶיךָ תִּרְדּוֹף נַפְשִׁי. וְכָל הַחוֹשְׁבִים עָלַי רָעָה, מְהֵרָה הָפֵר עֲצָתָם וְקַלְקֵל מַחֲשַׁבְתָּם. עֲשֵׂה לְמַעַן שְׁמֶךָ, עֲשֵׂה לְמַעַן יְמִינֶךָ, עֲשֵׂה לְמַעַן קְדֻשָּׁתֶךָ, עֲשֵׂה לְמַעַן תּוֹרָתֶךָ. לְמַעַן יֵחָלְצוּן יְדִידֶיךָ, הוֹשִׁיעָה יְמִינְךָ וַעֲנֵנִי. תְּהִלִּים ס:7 יִהְיוּ לְרָצוֹן אִמְרֵי פִי וְהֶגְיוֹן לִבִּי לְפָנֶיךָ, יהוה צוּרִי וְגוֹאֲלִי. שָׁם יט:15 עֹשֶׂה שָׁלוֹם בִּמְרוֹמָיו, הוּא יַעֲשֶׂה שָׁלוֹם עָלֵינוּ, וְעַל כָּל יִשְׂרָאֵל וְאִמְרוּ: אָמֵן.

At שחרית*, continue with* הלל*, p. 278*

At מנחה*, the* ש״ץ *recites* קדיש שלם*, p. 265 and continues with* עלינו *and* קדיש יתום*, pp. 265*

At מעריב *of a Festival that coincides with* שבת*, continue with* ויכלו*, p. 152*

At all other times, the ש״ץ *recites* קדיש שלם*, followed by* עלינו*, p. 265*

מוסף לשלש רגלים

חצי קדיש

(ש״ץ) יִתְגַּדַּל וְיִתְקַדַּשׁ שְׁמֵהּ רַבָּא. בְּעָלְמָא דִּי בְרָא כִרְעוּתֵיהּ, וְיַמְלִיךְ מַלְכוּתֵיהּ בְּחַיֵּיכוֹן וּבְיוֹמֵיכוֹן וּבְחַיֵּי דְכָל בֵּית יִשְׂרָאֵל. בַּעֲגָלָא וּבִזְמַן קָרִיב וְאִמְרוּ אָמֵן:

(ביחד) יְהֵא שְׁמֵהּ רַבָּא מְבָרַךְ לְעָלַם וּלְעָלְמֵי עָלְמַיָּא:

(ש״ץ) יִתְבָּרַךְ וְיִשְׁתַּבַּח וְיִתְפָּאַר וְיִתְרוֹמַם וְיִתְנַשֵּׂא וְיִתְהַדָּר וְיִתְעַלֶּה וְיִתְהַלָּל שְׁמֵהּ דְּקֻדְשָׁא (ביחד) בְּרִיךְ הוּא (ש״ץ) לְעֵלָּא מִן כָּל בִּרְכָתָא וְשִׁירָתָא תֻּשְׁבְּחָתָא וְנֶחֱמָתָא, דַּאֲמִירָן בְּעָלְמָא, וְאִמְרוּ אָמֵן:

מוסף לשלש רגלים

Say the עמידה silently, skipping the קדושה. If the עמידה for מוסף is recited as a הויכא קדושה, the ש״ץ begins alone with the טל or גשם prayer, while we listen, adding ברוך הוא וברוך שמו, and אמן. We join in for the קדושה while the ש״ץ continues. We go back to the beginning of the עמידה, skipping the קדושה, and continuing with אתה בחרתנו.

אֲדֹנָי שְׂפָתַי תִּפְתָּח וּפִי יַגִּיד תְּהִלָּתֶךָ: תְּהִלִּים נא:17

בָּרוּךְ אַתָּה יהוה אֱלֹהֵינוּ וֵאלֹהֵי אֲבוֹתֵינוּ, אֱלֹהֵי אַבְרָהָם, אֱלֹהֵי יִצְחָק, וֵאלֹהֵי יַעֲקֹב. הָאֵל הַגָּדוֹל הַגִּבּוֹר וְהַנּוֹרָא, אֵל עֶלְיוֹן, גּוֹמֵל חֲסָדִים טוֹבִים, וְקוֹנֵה הַכֹּל, וְזוֹכֵר חַסְדֵי אָבוֹת, וּמֵבִיא גוֹאֵל לִבְנֵי בְנֵיהֶם לְמַעַן שְׁמוֹ בְּאַהֲבָה:

מֶלֶךְ עוֹזֵר וּמוֹשִׁיעַ וּמָגֵן: בָּרוּךְ אַתָּה יהוה, מָגֵן אַבְרָהָם:

In some communities the אמהות: שרה, רבקה, רחל and לאה are added to the first blessing of the עמידה to emphasize that both men and women have a relationship with God.

אַתָּה גִּבּוֹר לְעוֹלָם יהוה, מְחַיֵּה מֵתִים אַתָּה, רַב לְהוֹשִׁיעַ.

On the first day of פסח*, when the* ש״ץ *repeats the* עמידה*, the* ש״ץ *continues with a special prayer for dew. We join in for the* קדושה*,* *p. 315**. After the* קדושה*, the* ש״ץ *continues with* אתה בחרתנו*. On* שמיני עצרת*, the* ש״ץ *continues with* תפילת גשם *on p. 314**. We join in for the* קדושה*,* *p. 315**. Then the* ש״ץ *continues with* אתה בחרתנו*.*

Open the ארון קדוש

תפילת טל

אֱלֹהֵינוּ וֵאלֹהֵי אֲבוֹתֵינוּ,
טַל תֵּן לִרְצוֹת אַרְצָךְ, שִׁיתֵנוּ בְרָכָה בְּדִיצָךְ,
רֹב דָּגָן וְתִירוֹשׁ בְּהַפְרִיצָךְ, קוֹמֵם עִיר בָּהּ חֶפְצָךְ בְּטָל.
טַל צַוֵּה שָׁנָה טוֹבָה וּמְעֻטֶּרֶת, פְּרִי הָאָרֶץ לְגָאוֹן וּלְתִפְאֶרֶת,
עִיר כַּסֻּכָּה נוֹתֶרֶת, שִׂימָהּ בְּיָדְךָ עֲטֶרֶת בְּטָל.
טַל נוֹפֵף עֲלֵי אֶרֶץ בְּרוּכָה, מִמֶּגֶד שָׁמַיִם שַׂבְּעֵנוּ בְרָכָה,
לְהָאִיר מִתּוֹךְ חֲשֵׁכָה, כַּנָּה אַחֲרֶיךָ מְשׁוּכָה בְּטָל.
טַל יַעֲסִיס צוּף הָרִים, טְעֵם בִּמְאוֹדֶיךָ מֻבְחָרִים,
חֲנוּנֶיךָ חַלֵּץ מִמַּסְגֵּרִים, זִמְרָה נַנְעִים וְקוֹל נָרִים בְּטָל.
טַל וָשׂוֹבַע מַלֵּא אֲסָמֵינוּ, הֲכָעֵת תְּחַדֵּשׁ יָמֵינוּ,
דּוֹד, כְּעֶרְכְּךָ הַעֲמֵד שְׁמֵנוּ, גַּן רָוֶה שִׂימֵנוּ בְּטָל.
טַל בּוֹ תְּבָרֵךְ מָזוֹן, בְּמִשְׁמַנֵּינוּ אַל יְהִי רָזוֹן,
אֲיֻמָּה אֲשֶׁר הִסַּעְתָּ כַּצֹּאן אָנָּא תָּפֵק לָהּ רָצוֹן בְּטָל.
שָׁאַתָּה הוּא יהוה אֱלֹהֵינוּ מַשִּׁיב הָרוּחַ וּמוֹרִיד הַטָּל
לִבְרָכָה וְלֹא לִקְלָלָה (אָמֵן)
לְחַיִּים וְלֹא לְמָוֶת (אָמֵן)
לְשֹׂבַע וְלֹא לְרָזוֹן (אָמֵן)

The ארון קדוש *is closed, and the* ש״ץ *continues with* מכלכל חיים*,* *p. 315*

On שמיני עצרת*, the Ark is opened*

תפילת גשם

אֱלֹהֵינוּ וֵאלֹהֵי אֲבוֹתֵינוּ,
זְכוֹר אָב נִמְשַׁךְ אַחֲרֶיךָ כַּמַּיִם, בֵּרַכְתּוֹ כְּעֵץ שָׁתוּל עַל פַּלְגֵי מָיִם,
גְּנַנְתּוֹ הִצַּלְתּוֹ מֵאֵשׁ וּמִמַּיִם, דְּרַשְׁתּוֹ בְּזָרְעוֹ עַל כָּל מָיִם.
בַּעֲבוּרוֹ אַל תִּמְנַע מָיִם.
זְכוֹר הַנּוֹלָד בִּבְשׂוֹרַת יֻקַּח נָא מְעַט מַיִם, וְשַׂחְתָּ לְהוֹרוֹ לְשָׁחֲטוֹ לִשְׁפֹּךְ
דָּמוֹ כַּמַּיִם, זְהֵר גַּם הוּא לִשְׁפֹּךְ לֵב כַּמַּיִם, חָפַר וּמָצָא בְּאֵרוֹת מָיִם.
בְּצִדְקוֹ חֹן חַשְׁרַת מָיִם.
זְכוֹר טָעַן מַקְלוֹ וְעָבַר יַרְדֵּן מַיִם, יִחַד לֵב וְגָל אֶבֶן מִפִּי בְאֵר מַיִם,
כְּנֶאֱבַק לוֹ שַׂר בָּלוּל מֵאֵשׁ וּמִמַּיִם, לָכֵן הִבְטַחְתּוֹ הֱיוֹת עִמּוֹ בָּאֵשׁ
וּבַמָּיִם. בַּעֲבוּרוֹ אַל תִּמְנַע מָיִם.
זְכוֹר מָשׁוּי בְּתֵבַת גֹּמֶא מִן הַמַּיִם, נָמוּ דָּלֹה דָלָה וְהִשְׁקָה צֹאן מָיִם,
סְגוּלֶיךָ עֵת צָמְאוּ לַמַּיִם, עַל הַסֶּלַע הָךְ וַיֵּצְאוּ מָיִם.
בְּצִדְקוֹ חֹן חַשְׁרַת מָיִם.
זְכוֹר פְּקִיד שָׁתוֹת טוֹבֵל חָמֵשׁ טְבִילוֹת בְּמַּיִם, צוֹעֶה וּמַרְחִיץ כַּפָּיו
בְּקִדּוּשׁ מַיִם, קוֹרֵא וּמַזֶּה טָהֳרַת מַיִם, רֻחַק מֵעַם פַּחַז כַּמָּיִם.
בַּעֲבוּרוֹ אַל תִּמְנַע מָיִם.
זְכוֹר שְׁנֵים עָשָׂר שְׁבָטִים שֶׁהֶעֱבַרְתָּ בְּגִזְרַת מַיִם, שֶׁהִמְתַּקְתָּ לָמוֹ
מְרִירוּת מַיִם, תּוֹלְדוֹתָם נִשְׁפַּךְ דָּמָם עָלֶיךָ כַּמַּיִם, תֵּפֶן, כִּי נַפְשֵׁנוּ
אָפְפוּ מָיִם.
בְּצִדְקָם חֹן חַשְׁרַת מָיִם.

שָׁאַתָּה הוּא יהוה אֱלֹהֵינוּ **מַשִּׁיב הָרוּחַ וּמוֹרִיד הַגָּשֶׁם**
לִבְרָכָה וְלֹא לִקְלָלָה (אָמֵן) לְחַיִּים וְלֹא לְמָוֶת (אָמֵן)
לְשׂוֹבַע וְלֹא לְרָזוֹן (אָמֵן).

Close the ark.

On שמיני עצרת *and* שמחת תורה *say*

מַשִּׁיב הָרוּחַ וּמוֹרִיד הַגָּשֶׁם:

מְכַלְכֵּל חַיִּים בְּחֶסֶד, מְחַיֵּה מֵתִים בְּרַחֲמִים רַבִּים, סוֹמֵךְ נוֹפְלִים, וְרוֹפֵא חוֹלִים, וּמַתִּיר אֲסוּרִים, וּמְקַיֵּם אֱמוּנָתוֹ לִישֵׁנֵי עָפָר, מִי כָמוֹךָ בַּעַל גְּבוּרוֹת וּמִי דּוֹמֶה לָּךְ, מֶלֶךְ מֵמִית וּמְחַיֶּה וּמַצְמִיחַ יְשׁוּעָה:

וְנֶאֱמָן אַתָּה לְהַחֲיוֹת מֵתִים. בָּרוּךְ אַתָּה יהוה, מְחַיֵּה הַמֵּתִים:

קדושה ליום טוב

נַעֲרִיצְךָ וְנַקְדִּישְׁךָ, כְּסוֹד שִׂיחַ שַׂרְפֵי קֹדֶשׁ. הַמַּקְדִּישִׁים שִׁמְךָ בַּקֹּדֶשׁ, כַּכָּתוּב עַל יַד נְבִיאֶךָ, וְקָרָא זֶה אֶל זֶה וְאָמַר:

קָדוֹשׁ, קָדוֹשׁ, קָדוֹשׁ, יהוה צְבָאוֹת, מְלֹא כָל הָאָרֶץ כְּבוֹדוֹ:

כְּבוֹדוֹ מָלֵא עוֹלָם, מְשָׁרְתָיו שׁוֹאֲלִים זֶה לָזֶה, אַיֵּה מְקוֹם כְּבוֹדוֹ, לְעֻמָּתָם בָּרוּךְ יֹאמֵרוּ:

בָּרוּךְ כְּבוֹד יהוה מִמְּקוֹמוֹ:

מִמְּקוֹמוֹ הוּא יִפֶן בְּרַחֲמִים, וְיָחוֹן עַם הַמְיַחֲדִים שְׁמוֹ עֶרֶב וָבֹקֶר בְּכָל יוֹם תָּמִיד, פַּעֲמַיִם בְּאַהֲבָה שְׁמַע אוֹמְרִים:

שְׁמַע יִשְׂרָאֵל, יהוה אֱלֹהֵינוּ, יהוה אֶחָד:

הוּא אֱלֹהֵינוּ הוּא אָבִינוּ, הוּא מַלְכֵּנוּ, הוּא מוֹשִׁיעֵנוּ, וְהוּא יַשְׁמִיעֵנוּ בְּרַחֲמָיו שֵׁנִית לְעֵינֵי כָּל חָי, לִהְיוֹת לָכֶם לֵאלֹהִים: אֲנִי יהוה אֱלֹהֵיכֶם:

אַדִּיר אַדִּירֵנוּ, יהוה אֲדֹנֵינוּ, מָה אַדִּיר שִׁמְךָ בְּכָל הָאָרֶץ. וְהָיָה יהוה לְמֶלֶךְ עַל כָּל הָאָרֶץ, בַּיּוֹם הַהוּא יִהְיֶה יהוה אֶחָד וּשְׁמוֹ אֶחָד. וּבְדִבְרֵי קָדְשְׁךָ כָּתוּב לֵאמֹר:

יִמְלוֹךְ יהוה לְעוֹלָם אֱלֹהַיִךְ צִיּוֹן לְדוֹר וָדוֹר הַלְלוּיָהּ:

לְדוֹר וָדוֹר נַגִּיד גָּדְלֶךָ, וּלְנֵצַח נְצָחִים קְדֻשָּׁתְךָ נַקְדִּישׁ, וְשִׁבְחֲךָ, אֱלֹהֵינוּ, מִפִּינוּ לֹא יָמוּשׁ לְעוֹלָם וָעֶד, כִּי אֵל מֶלֶךְ גָּדוֹל וְקָדוֹשׁ אָתָּה. בָּרוּךְ אַתָּה יהוה, הָאֵל הַקָּדוֹשׁ.

Continue with אתה בחרתנו

קדושה לחול המועד

נְקַדֵּשׁ אֶת שִׁמְךָ בָּעוֹלָם, כְּשֵׁם שֶׁמַּקְדִּישִׁים אוֹתוֹ בִּשְׁמֵי מָרוֹם, כַּכָּתוּב עַל יַד נְבִיאֶךָ, וְקָרָא זֶה אֶל זֶה וְאָמַר:

קָדוֹשׁ קָדוֹשׁ קָדוֹשׁ יהוה צְבָאוֹת, מְלֹא כָל הָאָרֶץ כְּבוֹדוֹ.

לְעֻמָּתָם בָּרוּךְ יֹאמֵרוּ: בָּרוּךְ כְּבוֹד יהוה, מִמְּקוֹמוֹ. וּבְדִבְרֵי קָדְשְׁךָ כָּתוּב לֵאמֹר:

יִמְלֹךְ יהוה לְעוֹלָם, אֱלֹהַיִךְ צִיּוֹן לְדֹר וָדֹר, הַלְלוּיָהּ.

לְדוֹר וָדוֹר נַגִּיד גָּדְלֶךָ, וּלְנֵצַח נְצָחִים קְדֻשָּׁתְךָ נַקְדִּישׁ, וְשִׁבְחֲךָ, אֱלֹהֵינוּ, מִפִּינוּ לֹא יָמוּשׁ לְעוֹלָם וָעֶד, כִּי אֵל מֶלֶךְ גָּדוֹל וְקָדוֹשׁ אָתָּה. בָּרוּךְ אַתָּה יהוה, הָאֵל הַקָּדוֹשׁ.

Continue with אתה בחרתנו

אַתָּה קָדוֹשׁ וְשִׁמְךָ קָדוֹשׁ, וּקְדוֹשִׁים בְּכָל יוֹם יְהַלְלוּךָ סֶּלָה. בָּרוּךְ אַתָּה יהוה, הָאֵל הַקָּדוֹשׁ.

On שבת, *include the sections in parentheses*

אַתָּה בְחַרְתָּנוּ מִכָּל הָעַמִּים, אָהַבְתָּ אוֹתָנוּ, וְרָצִיתָ בָּנוּ, וְרוֹמַמְתָּנוּ מִכָּל הַלְּשׁוֹנוֹת, וְקִדַּשְׁתָּנוּ בְּמִצְוֹתֶיךָ, וְקֵרַבְתָּנוּ מַלְכֵּנוּ לַעֲבוֹדָתֶךָ, וְשִׁמְךָ הַגָּדוֹל וְהַקָּדוֹשׁ עָלֵינוּ קָרָאתָ:

5 וַתִּתֶּן לָנוּ יהוה אֱלֹהֵינוּ בְּאַהֲבָה (שַׁבָּתוֹת לִמְנוּחָה וּ)מוֹעֲדִים לְשִׂמְחָה, חַגִּים וּזְמַנִּים לְשָׂשׂוֹן, אֶת יוֹם (הַשַּׁבָּת הַזֶּה וְאֶת יוֹם)

On Pesach	חַג הַמַּצּוֹת הַזֶּה, זְמַן חֵרוּתֵנוּ	פסח:
On Shavuot	חַג הַשָּׁבוּעוֹת הַזֶּה, זְמַן מַתַּן תּוֹרָתֵנוּ	שבועות:
On Sukkot	חַג הַסֻּכּוֹת הַזֶּה, זְמַן שִׂמְחָתֵנוּ	10 סוכות:
On Shmini Atzeret	הַשְּׁמִינִי חַג הָעֲצֶרֶת הַזֶּה, זְמַן שִׂמְחָתֵנוּ	שמיני עצרת:
On Simchat Torah	הַשְּׁמִינִי חַג הָעֲצֶרֶת הַזֶּה, זְמַן שִׂמְחָתֵנוּ	שמחת תורה:

(בְּאַהֲבָה) מִקְרָא קֹדֶשׁ, זֵכֶר לִיצִיאַת מִצְרָיִם:

וּמִפְּנֵי חֲטָאֵינוּ גָּלִינוּ מֵאַרְצֵנוּ, וְנִתְרַחַקְנוּ מֵעַל אַדְמָתֵנוּ.

15 יְהִי רָצוֹן מִלְּפָנֶיךָ, יהוה אֱלֹהֵינוּ וֵאלֹהֵי אֲבוֹתֵינוּ, מֶלֶךְ רַחֲמָן, הַמֵּשִׁיב בָּנִים לִגְבוּלָם, שֶׁתָּשׁוּב וּתְרַחֵם עָלֵינוּ, וְעַל מִקְדָּשְׁךָ בְּרַחֲמֶיךָ הָרַבִּים, וְתִבְנֵהוּ מְהֵרָה וּתְגַדֵּל כְּבוֹדוֹ: וּתְקַבֵּל בְּרַחֲמִים אֶת־תְּפִלַּת עַמְּךָ יִשְׂרָאֵל בְּכָל־מְקוֹמוֹת מוֹשְׁבוֹתֵיהֶם.

20 אָבִינוּ מַלְכֵּנוּ, גַּלֵּה כְּבוֹד מַלְכוּתְךָ עָלֵינוּ מְהֵרָה, וְהוֹפַע וְהִנָּשֵׂא עָלֵינוּ לְעֵינֵי כָּל חָי, וְקָרֵב פְּזוּרֵינוּ מִבֵּין הַגּוֹיִם. וּנְפוּצוֹתֵינוּ כַּנֵּס מִיַּרְכְּתֵי אָרֶץ. וַהֲבִיאֵנוּ לְצִיּוֹן עִירְךָ בְּרִנָּה, וְלִירוּשָׁלַיִם בֵּית מִקְדָּשְׁךָ בְּשִׂמְחַת עוֹלָם. וְשָׁם נַעֲשֶׂה לְפָנֶיךָ אֶת קָרְבְּנוֹת חוֹבוֹתֵינוּ, תְּמִידִים כְּסִדְרָם

וּמוּסָפִים כְּהִלְכָתָם: וְשָׁם נַעֲבָדְךָ בְּאַהֲבָה וּבְיִרְאָה כִּימֵי עוֹלָם וּכְשָׁנִים קַדְמוֹנִיּוֹת. וְאֶת־מוּסַף יוֹם (וְאֶת מוּסְפֵי יוֹם הַשַּׁבָּת הַזֶּה וְיוֹם)

On Pesach	פסח: חַג הַמַּצוֹת
On Shavuot	שבועות: חַג הַשָּׁבוּעוֹת
On Sukkot	סוכות: בְּיוֹם חַג הַסֻּכּוֹת
On Shmini Atzeret	שמיני עצרת: הַשְּׁמִינִי חַג הָעֲצֶרֶת
On Simchat Torah	שמחת תורה: הַשְּׁמִינִי חַג הָעֲצֶרֶת

5

הַזֶּה, עָשׂוּ וְהִקְרִיבוּ לְפָנֶיךָ בְּאַהֲבָה כְּמִצְוַת רְצוֹנֶךָ, כְּמוֹ שֶׁכָּתַבְתָּ עָלֵינוּ בְּתוֹרָתֶךָ, עַל יְדֵי מֹשֶׁה עַבְדֶּךָ מִפִּי כְבוֹדֶךָ כָּאָמוּר:

10

On שבת, *include the following*

וּבְיוֹם הַשַּׁבָּת שְׁנֵי כְבָשִׂים בְּנֵי שָׁנָה תְּמִימִם, וּשְׁנֵי עֶשְׂרֹנִים סֹלֶת מִנְחָה בְּלוּלָה בַשֶּׁמֶן וְנִסְכּוֹ: עֹלַת שַׁבַּת בְּשַׁבַּתּוֹ, עַל עֹלַת הַתָּמִיד וְנִסְכָּהּ:

On the first two days of פסח, *include the following*

וּבַחֹדֶשׁ הָרִאשׁוֹן, בְּאַרְבָּעָה עָשָׂר יוֹם לַחֹדֶשׁ, פֶּסַח לַיהוה: וּבַחֲמִשָּׁה עָשָׂר יוֹם לַחֹדֶשׁ הַזֶּה חָג , שִׁבְעַת יָמִים מַצּוֹת יֵאָכֵל: בַּיּוֹם הָרִאשׁוֹן מִקְרָא קֹדֶשׁ, כָּל מְלֶאכֶת עֲבוֹדָה לֹא תַעֲשׂוּ: וְהִקְרַבְתֶּם אִשֶּׁה עֹלָה לַיהוה, פָּרִים בְּנֵי בָקָר שְׁנַיִם, וְאַיִל אֶחָד, וְשִׁבְעָה כְבָשִׂים בְּנֵי שָׁנָה, תְּמִימִם יִהְיוּ לָכֶם: וּמִנְחָתָם וְנִסְכֵּיהֶם כִּמְדֻבָּר, שְׁלֹשָׁה עֶשְׂרֹנִים לַפָּר, וּשְׁנֵי עֶשְׂרֹנִים לָאַיִל, וְעִשָּׂרוֹן לַכֶּבֶשׂ, וְיַיִן כְּנִסְכּוֹ, וְשָׂעִיר לְכַפֵּר, וּשְׁנֵי תְמִידִים כְּהִלְכָתָם:

15

20

On פסח*, except for the first two days, include the following*

וְהִקְרַבְתֶּם אִשֶּׁה עֹלָה לַיהוה, פָּרִים בְּנֵי בָקָר שְׁנַיִם, וְאַיִל אֶחָד, וְשִׁבְעָה כְבָשִׂים בְּנֵי שָׁנָה, תְּמִימִם יִהְיוּ לָכֶם. וּמִנְחָתָם וְנִסְכֵּיהֶם כִּמְדֻבָּר, שְׁלֹשָׁה עֶשְׂרוֹנִים לַפָּר, וּשְׁנֵי עֶשְׂרֹנִים לָאָיִל, וְעִשָּׂרוֹן לַכֶּבֶשׂ, וְיַיִן כְּנִסְכּוֹ, וְשָׂעִיר לְכַפֵּר, וּשְׁנֵי תְמִידִים כְּהִלְכָתָם:

On שבועות*, include the following*

וּבְיוֹם הַבִּכּוּרִים, בְּהַקְרִיבְכֶם מִנְחָה חֲדָשָׁה לַיהוה בְּשָׁבֻעֹתֵיכֶם, מִקְרָא קֹדֶשׁ יִהְיֶה לָכֶם כָּל מְלֶאכֶת עֲבוֹדָה לֹא תַעֲשׂוּ: וְהִקְרַבְתֶּם עוֹלָה לְרֵיחַ נִיחֹחַ לַיהוה, פָּרִים בְּנֵי בָקָר שְׁנַיִם, אַיִל אֶחָד, שִׁבְעָה כְבָשִׂים בְּנֵי שָׁנָה. וּמִנְחָתָם וְנִסְכֵּיהֶם כִּמְדֻבָּר, שְׁלֹשָׁה עֶשְׂרוֹנִים לַפָּר, וּשְׁנֵי עֶשְׂרוֹנִים לָאָיִל, וְעִשָּׂרוֹן לַכֶּבֶשׂ, וְיַיִן כְּנִסְכּוֹ, וְשָׂעִיר לְכַפֵּר, וּשְׁנֵי תְמִידִים כְּהִלְכָתָם:

On the first two days of סוכות*, include the following*

וּבַחֲמִשָּׁה עָשָׂר יוֹם לַחֹדֶשׁ הַשְּׁבִיעִי, מִקְרָא קֹדֶשׁ יִהְיֶה לָכֶם, כָּל מְלֶאכֶת עֲבוֹדָה לֹא תַעֲשׂוּ, וְחַגֹּתֶם חַג לַיהוה שִׁבְעַת יָמִים: וְהִקְרַבְתֶּם עוֹלָה אִשֵּׁה רֵיחַ נִיחוֹחַ לַיהוה, פָּרִים בְּנֵי בָקָר שְׁלֹשָׁה עָשָׂר, אֵילִים שְׁנָיִם, כְּבָשִׂים בְּנֵי שָׁנָה אַרְבָּעָה עָשָׂר, תְּמִימִים יִהְיוּ: וּמִנְחָתָם וְנִסְכֵּיהֶם כִּמְדֻבָּר, שְׁלֹשָׁה עֶשְׂרֹנִים לַפָּר, וּשְׁנֵי עֶשְׂרֹנִים לָאָיִל, וְעִשָּׂרוֹן לַכֶּבֶשׂ, וְיַיִן כְּנִסְכּוֹ, וְשָׂעִיר לְכַפֵּר, וּשְׁנֵי תְמִידִים כְּהִלְכָתָם:

On the first day of חול המועד סוכות*, include the following*

וּבַיּוֹם הַשֵּׁנִי, פָּרִים בְּנֵי בָקָר שְׁנֵים עָשָׂר, אֵילִים שְׁנָיִם, כְּבָשִׂים בְּנֵי שָׁנָה אַרְבָּעָה עָשָׂר, תְּמִימִם: וּמִנְחָתָם וְנִסְכֵּיהֶם כִּמְדֻבָּר, שְׁלֹשָׁה עֶשְׂרֹנִים לַפָּר, וּשְׁנֵי עֶשְׂרֹנִים לָאָיִל, וְעִשָּׂרֹן לַכֶּבֶשׂ, וְיַיִן כְּנִסְכּוֹ, וְשָׂעִיר לְכַפֵּר, וּשְׁנֵי תְמִידִים כְּהִלְכָתָם: וּבַיּוֹם הַשְּׁלִישִׁי. פָּרִים עַשְׁתֵּי עָשָׂר, אֵילִם שְׁנָיִם, כְּבָשִׂים בְּנֵי שָׁנָה אַרְבָּעָה עָשָׂר, תְּמִימִם: וּמִנְחָתָם וְנִסְכֵּיהֶם כִּמְדֻבָּר, שְׁלֹשָׁה עֶשְׂרוֹנִים לַפָּר, וּשְׁנֵי עֶשְׂרוֹנִים לָאָיִל, וְעִשָּׂרוֹן לַכֶּבֶשׂ, וְיַיִן כְּנִסְכּוֹ, וְשָׂעִיר לְכַפֵּר, וּשְׁנֵי תְמִידִים כְּהִלְכָתָם:

On the second day of חול המועד סוכות*, include the following*

וּבַיּוֹם הַשְּׁלִישִׁי, פָּרִים עַשְׁתֵּי עָשָׂר, אֵילִם שְׁנָיִם, כְּבָשִׂים בְּנֵי שָׁנָה אַרְבָּעָה עָשָׂר, תְּמִימִם: וּמִנְחָתָם וְנִסְכֵּיהֶם כִּמְדֻבָּר, שְׁלֹשָׁה עֶשְׂרֹנִים לַפָּר, וּשְׁנֵי עֶשְׂרֹנִים לָאָיִל, וְעִשָּׂרוֹן לַכֶּבֶשׂ, וְיַיִן כְּנִסְכּוֹ, וְשָׂעִיר לְכַפֵּר, וּשְׁנֵי תְמִידִים כְּהִלְכָתָם: וּבַיּוֹם הָרְבִיעִי פָּרִים עֲשָׂרָה, אֵילִם שְׁנָיִם, כְּבָשִׂים בְּנֵי שָׁנָה אַרְבָּעָה עָשָׂר, תְּמִימִם: וּמִנְחָתָם וְנִסְכֵּיהֶם כִּמְדֻבָּר, שְׁלֹשָׁה עֶשְׂרֹנִים לַפָּר, וּשְׁנֵי עֶשְׂרֹנִים לָאָיִל, וְעִשָּׂרוֹן לַכֶּבֶשׂ, וְיַיִן כְּנִסְכּוֹ, וְשָׂעִיר לְכַפֵּר, וּשְׁנֵי תְמִידִים כְּהִלְכָתָם:

On the third day of חול המועד סוכות *include the following*

וּבַיּוֹם הָרְבִיעִי פָּרִים עֲשָׂרָה, אֵילִם שְׁנָיִם, כְּבָשִׂים בְּנֵי שָׁנָה אַרְבָּעָה עָשָׂר, תְּמִימִם: וּמִנְחָתָם וְנִסְכֵּיהֶם כִּמְדֻבָּר, שְׁלֹשָׁה עֶשְׂרֹנִים לַפָּר, וּשְׁנֵי עֶשְׂרֹנִים לָאָיִל, וְעִשָּׂרוֹן לַכֶּבֶשׂ, וְיַיִן כְּנִסְכּוֹ, וְשָׂעִיר לְכַפֵּר, וּשְׁנֵי תְמִידִים

כְּהִלְכָתָם: וּבַיּוֹם הַחֲמִישִׁי, פָּרִים תִּשְׁעָה, אֵילִם שְׁנָיִם, כְּבָשִׂים בְּנֵי שָׁנָה אַרְבָּעָה עָשָׂר, תְּמִימִם: וּמִנְחָתָם וְנִסְכֵּיהֶם כִּמְדֻבָּר, שְׁלשָׁה עֶשְׂרֹנִים לַפָּר, וּשְׁנֵי עֶשְׂרֹנִים לָאָיִל, וְעִשָּׂרוֹן לַכֶּבֶשׂ, וְיַיִן כְּנִסְכּוֹ, וְשָׂעִיר לְכַפֵּר, וּשְׁנֵי תְמִידִים כְּהִלְכָתָם:

On the fourth day of חול המועד סוכות

וּבַיּוֹם הַחֲמִישִׁי, פָּרִים תִּשְׁעָה, אֵילִם שְׁנָיִם, כְּבָשִׂים בְּנֵי שָׁנָה אַרְבָּעָה עָשָׂר, תְּמִימִם: וּמִנְחָתָם וְנִסְכֵּיהֶם כִּמְדֻבָּר, שְׁלשָׁה עֶשְׂרֹנִים לַפָּר, וּשְׁנֵי עֶשְׂרֹנִים לָאָיִל, וְעִשָּׂרוֹן לַכֶּבֶשׂ, וְיַיִן כְּנִסְכּוֹ, וְשָׂעִיר לְכַפֵּר, וּשְׁנֵי תְמִידִים כְּהִלְכָתָם: וּבַיּוֹם הַשִּׁשִּׁי, פָּרִים שְׁמֹנָה, אֵילִם שְׁנָיִם, כְּבָשִׂים בְּנֵי שָׁנָה אַרְבָּעָה עָשָׂר, תְּמִימִם: וּמִנְחָתָם וְנִסְכֵּיהֶם כִּמְדֻבָּר, שְׁלשָׁה עֶשְׂרֹנִים לַפָּר, וּשְׁנֵי עֶשְׂרֹנִים לָאָיִל, וְעִשָּׂרוֹן לַכֶּבֶשׂ, וְיַיִן כְּנִסְכּוֹ, וְשָׂעִיר לְכַפֵּר, וּשְׁנֵי תְמִידִים כְּהִלְכָתָם:

On הושענא רבה *include the following*

וּבַיּוֹם הַשִּׁשִּׁי, פָּרִים שְׁמֹנָה, אֵילִם שְׁנָיִם, כְּבָשִׂים בְּנֵי שָׁנָה אַרְבָּעָה עָשָׂר, תְּמִימִם: וּמִנְחָתָם וְנִסְכֵּיהֶם כִּמְדֻבָּר, שְׁלשָׁה עֶשְׂרֹנִים לַפָּר, וּשְׁנֵי עֶשְׂרֹנִים לָאָיִל, וְעִשָּׂרוֹן לַכֶּבֶשׂ, וְיַיִן כְּנִסְכּוֹ, וְשָׂעִיר לְכַפֵּר, וּשְׁנֵי תְמִידִים כְּהִלְכָתָם: וּבַיּוֹם הַשְּׁבִיעִי, פָּרִים שִׁבְעָה, אֵילִם שְׁנָיִם, כְּבָשִׂים בְּנֵי שָׁנָה אַרְבָּעָה עָשָׂר, תְּמִימִם: וּמִנְחָתָם וְנִסְכֵּיהֶם כִּמְדֻבָּר, שְׁלשָׁה עֶשְׂרֹנִים לַפָּר, וּשְׁנֵי עֶשְׂרֹנִים לָאָיִל, וְעִשָּׂרוֹן לַכֶּבֶשׂ, וְיַיִן כְּנִסְכּוֹ, וְשָׂעִיר לְכַפֵּר, וּשְׁנֵי תְמִידִים כְּהִלְכָתָם:

On שמיני עצרת *and* שמחת תורה *include the following*

בַּיּוֹם הַשְּׁמִינִי, עֲצֶרֶת תִּהְיֶה לָכֶם, כָּל מְלֶאכֶת עֲבֹדָה לֹא תַעֲשׂוּ: וְהִקְרַבְתֶּם עֹלָה אִשֵּׁה רֵיחַ נִיחֹחַ לַיהוה, פַּר אֶחָד, אַיִל אֶחָד, כְּבָשִׂים בְּנֵי שָׁנָה שִׁבְעָה, תְּמִימִם: וּמִנְחָתָם וְנִסְכֵּיהֶם כִּמְדֻבָּר, שְׁלֹשָׁה עֶשְׂרֹנִים לַפָּר, וּשְׁנֵי עֶשְׂרֹנִים לָאָיִל, וְעִשָּׂרוֹן לַכֶּבֶשׂ, וְיַיִן כְּנִסְכּוֹ, וְשָׂעִיר לְכַפֵּר, וּשְׁנֵי תְמִידִים כְּהִלְכָתָם:

On שבת

יִשְׂמְחוּ בְמַלְכוּתְךָ, שׁוֹמְרֵי שַׁבָּת וְקוֹרְאֵי עֹנֶג, עַם מְקַדְּשֵׁי שְׁבִיעִי, כֻּלָּם יִשְׂבְּעוּ וְיִתְעַנְּגוּ מִטּוּבֶךָ, וּבַשְּׁבִיעִי רָצִיתָ בּוֹ וְקִדַּשְׁתּוֹ, חֶמְדַּת יָמִים אֹתוֹ קָרָאתָ, זֵכֶר לְמַעֲשֵׂה בְרֵאשִׁית:

On שבת*, include the words in parentheses*

אֱלֹהֵינוּ וֵאלֹהֵי אֲבוֹתֵינוּ, (רְצֵה בִמְנוּחָתֵנוּ) מֶלֶךְ רַחֲמָן רַחֵם עָלֵינוּ, טוֹב וּמֵטִיב הִדָּרֶשׁ לָנוּ, שׁוּבָה אֵלֵינוּ בַּהֲמוֹן רַחֲמֶיךָ, בִּגְלַל אָבוֹת שֶׁעָשׂוּ רְצוֹנֶךָ, בְּנֵה בֵיתְךָ כְּבַתְּחִלָּה, וְכוֹנֵן מִקְדָּשְׁךָ עַל מְכוֹנוֹ, וְהַרְאֵנוּ בְּבִנְיָנוֹ וְשַׂמְּחֵנוּ בְּתִקּוּנוֹ, וְהָשֵׁב כֹּהֲנִים לַעֲבוֹדָתָם, וּלְוִיִּם לְשִׁירָם וּלְזִמְרָם, וְהָשֵׁב יִשְׂרָאֵל לִנְוֵיהֶם, וְשָׁם נַעֲלֶה וְנֵרָאֶה וְנִשְׁתַּחֲוֶה לְפָנֶיךָ, בְּשָׁלֹשׁ פַּעֲמֵי רְגָלֵינוּ, כַּכָּתוּב בְּתוֹרָתֶךָ. שָׁלוֹשׁ פְּעָמִים בַּשָּׁנָה יֵרָאֶה כָל זְכוּרְךָ אֶת פְּנֵי יהוה אֱלֹהֶיךָ, בַּמָּקוֹם אֲשֶׁר יִבְחָר, בְּחַג הַמַּצּוֹת, וּבְחַג הַשָּׁבֻעוֹת, וּבְחַג הַסֻּכּוֹת, וְלֹא יֵרָאֶה אֶת פְּנֵי יהוה רֵיקָם. אִישׁ כְּמַתְּנַת יָדוֹ, כְּבִרְכַּת יהוה אֱלֹהֶיךָ אֲשֶׁר נָתַן לָךְ:

וְהַשִּׂיאֵנוּ יהוה אֱלֹהֵינוּ אֶת בִּרְכַּת מוֹעֲדֶיךָ לְחַיִּים וּלְשָׁלוֹם, לְשִׂמְחָה וּלְשָׂשׂוֹן, כַּאֲשֶׁר רָצִיתָ וְאָמַרְתָּ לְבָרְכֵנוּ, (אֱלֹהֵינוּ וֵאלֹהֵי אֲבוֹתֵינוּ רְצֵה בִמְנוּחָתֵנוּ) קַדְּשֵׁנוּ בְּמִצְוֹתֶיךָ וְתֵן חֶלְקֵנוּ בְּתוֹרָתֶךָ, שַׂבְּעֵנוּ מִטּוּבֶךָ, וְשַׂמְּחֵנוּ בִּישׁוּעָתֶךָ, וְטַהֵר לִבֵּנוּ לְעָבְדְּךָ בֶּאֱמֶת, וְהַנְחִילֵנוּ יהוה אֱלֹהֵינוּ (בְּאַהֲבָה וּבְרָצוֹן) בְּשִׂמְחָה וּבְשָׂשׂוֹן (שַׁבָּת וּ) מוֹעֲדֵי קָדְשֶׁךָ, וְיִשְׂמְחוּ בְךָ יִשְׂרָאֵל מְקַדְּשֵׁי שְׁמֶךָ. בָּרוּךְ אַתָּה יהוה, מְקַדֵּשׁ (הַשַּׁבָּת וְ) יִשְׂרָאֵל וְהַזְּמַנִּים:

רְצֵה, יהוה אֱלֹהֵינוּ , בְּעַמְּךָ יִשְׂרָאֵל וּבִתְפִלָּתָם, וְהָשֵׁב אֶת הָעֲבוֹדָה לִדְבִיר בֵּיתֶךָ, וְאִשֵּׁי יִשְׂרָאֵל, וּתְפִלָּתָם בְּאַהֲבָה תְקַבֵּל בְּרָצוֹן, וּתְהִי לְרָצוֹן תָּמִיד עֲבוֹדַת יִשְׂרָאֵל עַמֶּךָ.

וְתֶחֱזֶינָה עֵינֵינוּ בְּשׁוּבְךָ לְצִיּוֹן בְּרַחֲמִים. בָּרוּךְ אַתָּה יהוה, הַמַּחֲזִיר שְׁכִינָתוֹ לְצִיּוֹן.

(ש״ץ) מוֹדִים אֲנַחְנוּ לָךְ, שָׁאַתָּה הוּא, יהוה אֱלֹהֵינוּ וֵאלֹהֵי אֲבוֹתֵינוּ, לְעוֹלָם וָעֶד, צוּר חַיֵּינוּ, מָגֵן יִשְׁעֵנוּ, אַתָּה הוּא לְדוֹר וָדוֹר נוֹדֶה לְּךָ וּנְסַפֵּר תְּהִלָּתֶךָ. עַל חַיֵּינוּ הַמְּסוּרִים בְּיָדֶךָ, וְעַל נִשְׁמוֹתֵינוּ הַפְּקוּדוֹת לָךְ, וְעַל נִסֶּיךָ שֶׁבְּכָל יוֹם עִמָּנוּ, וְעַל נִפְלְאוֹתֶיךָ וְטוֹבוֹתֶיךָ שֶׁבְּכָל עֵת, עֶרֶב וָבֹקֶר וְצָהֳרָיִם, הַטּוֹב כִּי לֹא כָלוּ רַחֲמֶיךָ, וְהַמְרַחֵם כִּי לֹא תַמּוּ חֲסָדֶיךָ מֵעוֹלָם קִוִּינוּ לָךְ.

In the repetition of this עמידה *by the* ש״ץ *the* קהל *says the following* מודים
It is not said during the silent עמידה

(קהל) מוֹדִים אֲנַחְנוּ לָךְ, שָׁאַתָּה הוּא יהוה אֱלֹהֵינוּ וֵאלֹהֵי אֲבוֹתֵינוּ אֱלֹהֵי כָל בָּשָׂר, יוֹצְרֵנוּ, יוֹצֵר בְּרֵאשִׁית. בְּרָכוֹת וְהוֹדָאוֹת לְשִׁמְךָ הַגָּדוֹל וְהַקָּדוֹשׁ, עַל שֶׁהֶחֱיִיתָנוּ וְקִיַּמְתָּנוּ. כֵּן תְּחַיֵּנוּ וּתְקַיְּמֵנוּ, וְתֶאֱסוֹף גָּלֻיּוֹתֵינוּ לְחַצְרוֹת קָדְשֶׁךָ, לִשְׁמוֹר חֻקֶּיךָ וְלַעֲשׂוֹת רְצוֹנֶךָ, וּלְעָבְדְּךָ בְּלֵבָב שָׁלֵם, עַל שֶׁאֲנַחְנוּ מוֹדִים לָךְ. בָּרוּךְ אֵל הַהוֹדָאוֹת.

וְעַל כֻּלָּם יִתְבָּרַךְ וְיִתְרוֹמַם שִׁמְךָ, מַלְכֵּנוּ, תָּמִיד לְעוֹלָם וָעֶד.

וְכֹל הַחַיִּים יוֹדוּךָ סֶּלָה, וִיהַלְלוּ אֶת שִׁמְךָ בֶּאֱמֶת, הָאֵל יְשׁוּעָתֵנוּ וְעֶזְרָתֵנוּ סֶלָה. בָּרוּךְ אַתָּה יהוה, הַטּוֹב שִׁמְךָ וּלְךָ נָאֶה לְהוֹדוֹת.

ברכת כהנים

When the ש״ץ *repeats the* שמונה עשרה *the* ברכת כהנים *is added*

אֱלֹהֵינוּ וֵאלֹהֵי אֲבוֹתֵינוּ, בָּרְכֵנוּ בַבְּרָכָה הַמְשֻׁלֶּשֶׁת בַּתּוֹרָה הַכְּתוּבָה עַל יְדֵי מֹשֶׁה עַבְדֶּךָ, הָאֲמוּרָה מִפִּי אַהֲרֹן וּבָנָיו כֹּהֲנִים עַם קְדוֹשֶׁךָ, כָּאָמוּר.

ש״ץ:	קהל:
יְבָרֶכְךָ יהוה וְיִשְׁמְרֶךָ.	כֵּן יְהִי רָצוֹן
יָאֵר יהוה פָּנָיו אֵלֶיךָ וִיחֻנֶּךָּ.	כֵּן יְהִי רָצוֹן
יִשָּׂא יהוה פָּנָיו אֵלֶיךָ וְיָשֵׂם לְךָ שָׁלוֹם.	כֵּן יְהִי רָצוֹן בְּמִדְבַּר ו:24-26

שִׂים שָׁלוֹם, טוֹבָה וּבְרָכָה, חֵן וָחֶסֶד וְרַחֲמִים, עָלֵינוּ וְעַל כָּל יִשְׂרָאֵל עַמֶּךָ. בָּרְכֵנוּ, אָבִינוּ, כֻּלָּנוּ כְּאֶחָד בְּאוֹר פָּנֶיךָ, כִּי בְאוֹר פָּנֶיךָ נָתַתָּ לָּנוּ, יהוה אֱלֹהֵינוּ, תּוֹרַת חַיִּים וְאַהֲבַת חֶסֶד, וּצְדָקָה וּבְרָכָה וְרַחֲמִים וְחַיִּים וְשָׁלוֹם, וְטוֹב בְּעֵינֶיךָ לְבָרֵךְ אֶת עַמְּךָ יִשְׂרָאֵל בְּכָל עֵת וּבְכָל שָׁעָה בִּשְׁלוֹמֶךָ. בָּרוּךְ אַתָּה יהוה, הַמְבָרֵךְ אֶת עַמּוֹ יִשְׂרָאֵל בַּשָּׁלוֹם.

The ש״ץ *ends the repetition of the* עמידה *here*

אֱלֹהַי, נְצוֹר לְשׁוֹנִי מֵרָע, וּשְׂפָתַי מִדַּבֵּר מִרְמָה, וְלִמְקַלְלַי נַפְשִׁי תִדּוֹם, וְנַפְשִׁי כֶּעָפָר לַכֹּל תִּהְיֶה. פְּתַח לִבִּי בְּתוֹרָתֶךָ, וּבְמִצְוֹתֶיךָ תִּרְדּוֹף נַפְשִׁי. וְכָל הַחוֹשְׁבִים עָלַי רָעָה, מְהֵרָה הָפֵר עֲצָתָם וְקַלְקֵל מַחֲשַׁבְתָּם. עֲשֵׂה לְמַעַן שְׁמֶךָ, עֲשֵׂה לְמַעַן יְמִינֶךָ, עֲשֵׂה לְמַעַן קְדֻשָּׁתֶךָ, עֲשֵׂה לְמַעַן תּוֹרָתֶךָ. לְמַעַן יֵחָלְצוּן יְדִידֶיךָ, הוֹשִׁיעָה יְמִינְךָ וַעֲנֵנִי. תְּהִלִּים ס:7 יִהְיוּ לְרָצוֹן אִמְרֵי פִי וְהֶגְיוֹן לִבִּי לְפָנֶיךָ, יהוה צוּרִי וְגוֹאֲלִי. שָׁם יט:15 עֹשֶׂה שָׁלוֹם בִּמְרוֹמָיו, הוּא יַעֲשֶׂה שָׁלוֹם עָלֵינוּ, וְעַל כָּל יִשְׂרָאֵל וְאִמְרוּ: אָמֵן.

On סוכות, *we continue with Hoshanot, p. 333. On Festivals and* שבת חול המועד, *other than* סוכות, *the* ש״ץ *recites* קדיש שלם, *p. 239, and continues with* אין כאלהינו, *p. 240. During* חול המועד פסח, *the* ש״ץ *says* קדיש שלם, *and continues with* עלינו *and* שיר של יום, *pp. 62*

הוספות

SEARCHING FOR LEAVEN

On the evening following the thirteenth of Nisan (if the first day of Passover is on Sunday, on the evening following the twelfth of Nisan), after the evening service, the head of the household makes the final preparation for Passover by searching for leaven throughout the house. It is customary to place ten pieces of bread in various places, so that when the search is made, leaven will definitely be found. Otherwise, the benediction recited before the ceremony might be in vain.

בָּרוּךְ אַתָּה יהוה אֱלֹהֵינוּ מֶלֶךְ הָעוֹלָם, אֲשֶׁר קִדְּשָׁנוּ
בְּמִצְוֹתָיו, וְצִוָּנוּ עַל בִּעוּר חָמֵץ.

The search for leaven is conducted. After the leaven has been gathered and wrapped securely, the following is said

כָּל חֲמִירָא וַחֲמִיעָה דְּאִכָּא בִרְשׁוּתִי דְּלָא חֲמִתֵּהּ וּדְלָא
בִעַרְתֵּהּ וּדְלָא יְדַעְנָא לֵהּ לִבָּטֵל וְלֶהֱוֵי הֶפְקֵר כְּעַפְרָא
דְאַרְעָא.

On the fourteenth of Nisan (if the first day of Passover is on Sunday, on the thirteenth of Nisan), about ten o'clock in the morning, all of the leaven that has remained in the house together with all collected during the search the previous night is burned. At the burning of the leaven the following is recited

כָּל חֲמִירָא וַחֲמִיעָה דְּאִכָּא בִרְשׁוּתִי (דַּחֲזִתֵּהּ וּדְלָא
חֲזִתֵּהּ,) דַּחֲמִתֵּהּ וּדְלָא חֲמִתֵּהּ, דְּבִעַרְתֵּהּ וּדְלָא
בִעַרְתֵּהּ, לִבָּטֵל וְלֶהֱוֵי הֶפְקֵר כְּעַפְרָא דְאַרְעָא.

AKDAMUT

אקדמות is added on the first day of שבועות, after we take out the תורה, but before we begin קריאת התורה.

אקדמות is an Aramaic poem, written in the 11th century by Rabbi Meir of Orleans. It praises God for creating the world, and giving the תורה to the Jewish people. It was written to boost the strength of the Jews during the Crusades. Each line ends with the letter א.ת which represent the last and first letters of the Hebrew alphabet. This reminds us that as we reach the end of our studies, there is always more to learn—so we go back to the beginning and start anew.

אַקְדָּמוּת מִלִּין וְשָׁרָיוּת שׁוּ תָא,
אֲוָלָא שָׁקִילְנָא הַרְמָן וּרְשׁוּ תָא.
בְּבָבֵי תְּרֵי וּתְלָת דְּאֶפְתַּח בְּנַקְשׁוּ תָא,
בְּבָרֵי דְבָרֵי וְטָרֵי עֲדֵי לְקַשִּׁישׁוּ תָא.
גְּבוּרָן עָלְמִין לֵיהּ וְלָא סְפֵק פְּרִישׁוּ תָא,
גְּוִיל אִלּוּ רְקִיעֵי, קְנֵי כָּל חֻרְשָׁ תָא.
דְּיוֹ אִלּוּ יַמֵּי וְכָל מֵי כְנִישׁוּ תָא,
דָּיְרֵי אַרְעָא סָפְרֵי וְרַשְׁמֵי רַשְׁוָ תָא.
הֲדַר מָרֵי שְׁמַיָּא וְשַׁלִּיט בְּיַבֶּשְׁ תָּא,
הֲקֵם עָלְמָא יְחִידָאִי וְכַבְשֵׁיהּ בְּכַבְשׁוּ תָא.
וּבְלָא לֵאוּ שַׁכְלְלֵיהּ, וּבְלָא תְשָׁשׁוּ תָא,
וּבְאָתָא קַלִּילָא, דְּלֵית בַּהּ מְשָׁשׁוּ תָא.
זַמִּין כָּל עֲבִידְתֵּיהּ בְּהַךְ יוֹמֵי שִׁ תָּא,
זֵהוֹר יְקָרֵיהּ עֲלִי, עֲלֵי כָרְסְיֵהּ דְּאֶשָּׁ תָא.
חֵיל אֶלֶף אַלְפִין וְרִבּוֹא לְשַׁמְשׁוּ תָא,
חַדְתִּין נְבוֹט לְצַפְרִין, סַגִּיאָה טְרָשׁוּ תָא.

טְפֵי יְקִידִין שְׂרָפִין, כְּלוּל גַּפֵּי שִׁ תָּא,
טְעֵם עַד יִתְיְהֵב לְהוֹן שְׁתִיקִין בְּאַדִּשְׁ תָּא.
יְקַבְּלוּן דֵּין מִן דֵּין שָׁוֵי דְּלָא בְשַׁשְׁ תָּא,
יְקַר מְלֵי כָל אַרְעָא, לִתְלוֹתֵי קְדֻשְׁ תָּא.
כְּקָל מִן קֳדָם שַׁדַּי כְּקָל מֵי נְפִישׁוּ תָא,
כְּרוּבִין קֳבֵל גַּלְגַּלִּין מְרוֹמְמִין בְּאַוְשָׁ תָא.
לְמֶחֱזֵי בְאַנְפָּא עֵין כְּוַת גִּירֵי קַשְׁ תָּא,
לְכָל אֲתַר דְּמִשְׁתַּלְּחִין, זְרִיזִין בְּאַשְׁוָ תָא.
מְבָרְכִין בְּרִיךְ יְקָרֵהּ בְּכָל לִשָּׁן לְחִישׁוּ תָא,
מֵאֲתַר בֵּית שְׁכִינְתֵּהּ, דְּלָא צָרִיךְ בְּחִישׁוּ תָא.
נְהִים כָּל חֵיל מְרוֹמָא, מְקַלְּסִין בַּחֲשַׁשְׁ תָּא,
נְהִירָא מַלְכוּתֵהּ, לְדָר וְדָר לְאַפְרַשְׁ תָּא.
סְדִירָא בְהוֹן קְדֻשְׁתָּא, וְכַד חָלְפָא שַׁעְ תָּא,
סִיּוּמָא דִלְעָלַם, וְאוֹף לָא לִשְׁבוּעֲ תָא.
עֲדַב יְקַר אַחְסַנְתֵּהּ חֲבִיבִין, דִּבְקַבַּעְ תָּא.
עֲבִידִין לֵהּ חֲטִיבָה בִּדְנַח וּשְׁקַעְ תָּא.
פְּרִישָׁן לְמָנָתֵהּ, לְמֶעְבַּד לֵהּ רְעוּ תָא,
פְּרִשׁוּתֵהּ שְׁבָחֵהּ יְחַוּוֹן בְּשָׁעוּ תָא.
צְבִי וְחָמִיד וְרָגִיג דְּיִלְאוּן בְּלָעוּ תָא,
צְלוֹתְהוֹן בְּכֵן מְקַבֵּל וְהַנְיָא בָעוּ תָא.
קְטִירָא לְחַי עָלְמָא בְּתָגָא בִּשְׁבוּעֲ תָא,
קֳבֵל יְקַר טוֹטֶפְתָּא יְתִיבָא בִקְבִיעוּ תָא.
רְשִׁימָא הִיא גוּפָא בְּחָכְמְתָא וּבְדַעְ תָּא,
רְבוּתְהוֹן דְּיִשְׂרָאֵל, קָרָאֵי בִשְׁמַעְ תָּא.
שְׁבַח רִבּוֹן עָלְמָא, אֲמִירָא דַכְוָ תָא,

שְׁפַר עֲלֵי לְחַוּוֹיֵהּ, בְּאַפֵּי מַלְכְּוָ תָּא.
תָּאִין וּמִתְכַּנְּשִׁין כְּחֵזוּ אִדְּוָ תָּא,
תְּמֵהִין וְשָׁיְלִין לֵהּ בְּעֵסֶק אָתְוָ תָּא.
מְנָן וּמָאן הוּא רְחִימָךְ, שַׁפִּירָא בְּרֵיוָ תָּא,
אֲרוּם בְּגִינֵיהּ סָפִית מְדוֹר אַרְיְוָ תָּא.
יְקָרָא וְיָאָה אַתְּ, אִין תַּעַרְבִי לְמַרְוָ תָּא,
רְעוּתֵךְ נַעֲבִיד לִיךְ, בְּכָל אַתְרְוָ תָּא.
בְּחָכְמְתָא מְתִיבָתָא לְהוֹן קְצָת לְהוֹדָעוּ תָּא,
יְדַעְתּוּן חַכְּמִין לֵיהּ בְּאִשְׁתְּמוֹדָעוּ תָּא.
רְבוּתְכוֹן מָה חֲשִׁיבָא קֳבֵל הַהִיא שְׁבַחְ תָּא,
רְבוּתָא דְיַעְבֵּד לִי, כַּד מַטְיָא יְשׁוּעֲ תָּא.
בְּמֵיתֵי לִי נְהוֹרָא, וְתַחֲפֵי לְכוֹן בַּהֲ תָּא,
יְקָרֵיהּ כַּד יִתְגְּלֵי בְּתֻקְפָּא וּבְגֵיוָ תָּא.
יְשַׁלֵּם גְּמֻלַיָּא לְסַנְאֵי וְנַגְוָ תָּא,
צִדְקָתָא לְעַם חֲבִיב וְסַגִּיא זַכְוָ תָּא.
חֲדוּ שְׁלֵמָא בְּמֵיתֵיהּ וּמָנֵי דַכְיָ תָּא,
קִרְיְתָא דִירוּשְׁלֵם כַּד יְכַנֵּשׁ גַּלְוָ תָּא.
יְקָרֵיהּ מַטִּיל עֲלַהּ בְּיוֹמֵי וְלֵילְוָ תָּא,
גְּנוּנֵיהּ לְמֶעְבַּד בַּהּ בְּתֻשְׁבְּחָן כְּלִילָ תָּא.
דְּזֵיהוֹר עֲנָנַיָּא לְמִשְׁפַּר כִּילָ תָּא,
לְפוּמֵיהּ דַעֲבִדְתָּא עֲבִידָן מְטַלְּלָ תָּא.
בְּתַכְתְּקֵי דְהַב פִּיזָא וּשְׁבַע מַעֲלָ תָּא,
תְּחִימִין צַדִּיקֵי קֳדָם רַב פָּעֳלָ תָּא.
וְרֵיוֵיהוֹן דָּמֵי לְשָׂבְעָא חֶדְוָ תָּא,
רְקִיעָא בְּזֵיהוֹרֵיהּ וְכוֹכְבֵי זִיוָ תָּא.

הֲדָרָא דְלָא אֶפְשַׁר לְמִפְרַט בְּשִׁפְוָ תָא,
וְלָא אִשְׁתְּמַע וְחָמֵי נְבִיאָן, חֶזְוָ תָא.
בְּלָא שָׁלְטָא בֵיהּ עֵין, בְּגוֹ עֵדֶן גִּנְ תָא,
מְטַיְּלֵי בֵי חִנְגָּא לְבַהֲדֵי דִשְׁכִינְ תָא.
עֲלֵיהּ רָמְזֵי דֵין הוּא, בְּרַם בְּאֶמְתָּנוּ תָא,
שַׁבַּרְנָא לֵיהּ בְּשִׁבְיָן, תְּקוֹף הֵמָנוּ תָא.
יַדְבַּר לָן עָלְמִין עֲלֵמִין מְדַמּוּ תָא,
מְנָת דִּילָן דְּמִלְּקַדְמִין פָּרֵשׁ בַּאֲרָמוּ תָא.
טְלוּלָא דְלִוְיָתָן וְתוֹר טוּר רָמוּ תָא,
וְחַד בְּחַד כִּי סָבִיךְ וְעָבֵד קְרָבוּ תָא.
בְּקַרְנוֹהִי מְנַגַּח בְּהֵמוֹת בִּרְבוּ תָא,
יְקַרְטַע נוּן לְקִבְלֵיהּ בְּצִיצוֹי בִּגְבֻרְ תָא.
מְקָרֵב לֵיהּ בָּרְיֵהּ בְּחַרְבֵּיהּ רַבְרְבוּ תָא,
אֲרִסְטוֹן לְצַדִּיקֵי יְתַקַּן וְשֵׁרוּ תָא.
מְסַחֲרִין עֲלֵי תַכֵּי דְּכַדְכֹּד וְגוּמְרְ תָא,
נְגִידִין קַמֵּיהוֹן אֲפַרְסְמוֹן נַהֲרָ תָא.
וּמִתְפַּנְּקִין וְרָווּ בְּכַסֵּי רְוָיָ תָא,
חֲמַר מְרַת דְּמִבְּרֵאשִׁית נְטִיר בֵּי נַעֲוָ תָא.
זַכָּאִין, כַּד שְׁמַעְתּוּן שְׁבַח דָּא שִׁירָ תָא,
קְבִיעִין כֵּן תֶּהֱווֹן בְּהַנְהוּ חֲבוּרָ תָא.
וְתִזְכּוּן דִּי תֵיתְבוּן בְּעֵלָּא דָרָ תָא,
אֲרֵי תְצִיתוּן לְמִלּוֹי, דְּנָפְקִין בְּהַדְרָ תָא.
מְרוֹמָם הוּא אֱלָהִין בְּקַדְמָא וּבַתְרַיְ תָא,
צְבִי וְאִתְרְעִי בָן וּמְסַר לָן אוֹרַיְ תָא.

הושענות

הושענות are prayers for deliverance. We ask God to save us and have compassion upon us. They are recited after תפילת מוסף on the seven days of Sukkot. Hoshanot remind us of Temple times, when a procession was formed around the alter during Sukkot and the verse אנא ה' הושיעה נא (Psalms 118:25) was sung. During the recitation of the Hoshanot, a Torah scroll is taken out of the Aron Kodesh, placed on the שלחן and left open. Four introductory lines are said by the ש"ץ and קהל responsively. Then, the ש"ץ and קהל with their Lulav and Etrog form a procession and circle (הקפה) around the bimah. One Hoshana is recited each of the first six days. Because the content of the Hoshanot are appropriate for specific days, the order of the specific Hoshanot vary. On Shabbat there are no hakafot around the bimah, and the lulav and etrog are not used.

Each day of Sukkot has one Hoshana assigned to it. The following table is given to indicate the order of Hoshanot recited each of the first six days of Sukkot (not including Hoshanah Rabbah.)

. . . say the following Hoshanot

		1st day	2nd day	3rd day	4th day	5th day	6th day
If Sukkot begins on . . .	Mon.	למען אמתך	אבן שתיה	אערוך שועי	אום אני חומה	אל למושעות	אום נצורה
	Tues.	למען אמתך	אבן שתיה	אערוך שועי	אל למושעות	אום נצורה	אדון המושיע
	Thurs.	למען אמתך	אבן שתיה	אום נצורה	אערוך שועי	אל למושעות	אדון המושיע
	שבת	אום נצורה	למען אמתך	אערוך שועי	אבן שתיה	אל למושעות	אדון המושיע

למען אמתיך, *p. 334*   אבן שתיה, *p. 334*   אערוך שועי, *p. 334*

אום אני חומה, *p. 335*   אל למושעות, *p. 335*   אום נצורה, *p. 338*

אדון המושיע, *p. 336*

The following four introductory lines are recited by the ש״ץ *and* קהל *responsively. The ark is opened.*

הוֹשַׁעְנָא, לְמַעַנְךָ אֱלֹהֵינוּ, הוֹשַׁעְנָא.
הוֹשַׁעְנָא, לְמַעַנְךָ בּוֹרְאֵנוּ, הוֹשַׁעְנָא.
הוֹשַׁעְנָא, לְמַעַנְךָ גּוֹאֲלֵנוּ, הוֹשַׁעְנָא.
הוֹשַׁעְנָא, לְמַעַנְךָ דּוֹרְשֵׁנוּ, הוֹשַׁעְנָא.

Conclude with appropriate הושענה

הוֹשַׁע נָא

לְמַעַן אֲמִתָּךְ. לְמַעַן בְּרִיתָךְ. לְמַעַן גָּדְלָךְ וְתִפְאַרְתָּךְ. לְמַעַן דָּתָךְ. לְמַעַן הוֹדָךְ. לְמַעַן וִעוּדָךְ. לְמַעַן זִכְרָךְ. לְמַעַן חַסְדָּךְ. לְמַעַן טוּבָךְ. לְמַעַן יִחוּדָךְ. לְמַעַן כְּבוֹדָךְ. לְמַעַן לִמּוּדָךְ. לְמַעַן מַלְכוּתָךְ. לְמַעַן נִצְחָךְ. לְמַעַן סוֹדָךְ. לְמַעַן עֻזָּךְ. לְמַעַן פְּאֵרָךְ. לְמַעַן צִדְקָתָךְ. לְמַעַן קְדֻשָּׁתָךְ. לְמַעַן רַחֲמֶיךָ הָרַבִּים. לְמַעַן שְׁכִינָתָךְ. לְמַעַן תְּהִלָּתָךְ. הוֹשַׁע נָא

Conclude with אני והו הושיעה נא*, p. 336*

הוֹשַׁע נָא

אֶבֶן שְׁתִיָּה. בֵּית הַבְּחִירָה. גֹּרֶן אָרְנָן. דְּבִיר הַמֻּצְנָע. הַר הַמּוֹרִיָּה. וְהַר יֵרָאֶה. זְבוּל תִּפְאַרְתֶּךָ. חָנָה דָוִד. טוֹב הַלְּבָנוֹן. יְפֵה נוֹף מְשׂוֹשׂ כָּל הָאָרֶץ. כְּלִילַת יֹפִי. לִינַת הַצֶּדֶק. מָכוֹן לְשִׁבְתֶּךָ. נָוֶה שַׁאֲנָן. סֻכַּת שָׁלֵם. עֲלִיַּת שְׁבָטִים. פִּנַּת יִקְרַת. צִיּוֹן הַמְצֻיֶּנֶת. קֹדֶשׁ הַקֳּדָשִׁים. רָצוּף אַהֲבָה. שְׁכִינַת כְּבוֹדֶךָ. תֵּל תַּלְפִּיּוֹת. הוֹשַׁע נָא

Conclude with אני והו הושיעה נא*, p. 336*

הוֹשַׁע נָא

אֶעֱרוֹךְ שׁוּעִי. בְּבֵית שַׁוְעִי. גִּלִּיתִי בַצּוֹם פִּשְׁעִי. דְּרַשְׁתִּיךָ בּוֹ לְהוֹשִׁיעִי. הַקְשִׁיבָה לְקוֹל שַׁוְעִי. וְקוּמָה וְהוֹשִׁיעִי.

זְכוֹר וְרַחֵם מוֹשִׁיעִי. חַי כֵּן תְּשַׁעְשְׁעִי. טוֹב בְּאֶנֶק שְׁעִי. יָחִישׁ מוֹשִׁיעִי. כַּלֵּה מַרְשִׁיעִי. לְבַל עוֹד תַּרְשִׁיעִי. מַהֵר אֱלֹהֵי יִשְׁעִי. נֶצַח לְהוֹשִׁיעִי. שָׂא נָא עֲוֹן רִשְׁעִי. עֲבוֹר עַל פִּשְׁעִי. פְּנֵה נָא לְהוֹשִׁיעִי. צוּר צַדִּיק מוֹשִׁיעִי. קַבֵּל נָא שַׁוְעִי. רוֹמֵם קֶרֶן יִשְׁעִי. שַׁדַּי מוֹשִׁיעִי. תּוֹפִיעַ וְתוֹשִׁיעִי. הוֹשַׁע נָא

Conclude with אני והו הושיעה נא*, p. 336*

הוֹשַׁע נָא

אוֹם אֲנִי חוֹמָה. בָּרָה כַּחַמָּה. גּוֹלָה וְסוּרָה. דָּמְתָה לְתָמָר. הַהֲרוּגָה עָלֶיךָ. וְנֶחֱשֶׁבֶת כְּצֹאן טִבְחָה. זְרוּיָה בֵּין מַכְעִיסֶיהָ. חֲבוּקָה וּדְבוּקָה בָּךְ. טוֹעֶנֶת עֻלָּךְ. יְחִידָה לְיַחֲדָךְ. כְּבוּשָׁה בַּגּוֹלָה. לוֹמֶדֶת יִרְאָתָךְ. מְרוּטַת לֶחִי. נְתוּנָה לְמַכִּים. סוֹבֶלֶת סִבְלָךְ. עֲנִיָּה סֹעֲרָה. פְּדוּיַת טוֹבִיָּה. צֹאן קָדָשִׁים. קְהִלּוֹת יַעֲקֹב. רְשׁוּמִים בִּשְׁמֶךָ. שׁוֹאֲגִים הוֹשַׁעְנָא. תְּמוּכִים עָלֶיךָ. הוֹשַׁע נָא

Conclude with אני והו הושיעה נא*, p. 336*

הוֹשַׁע נָא

אֵל לְמוֹשָׁעוֹת. בְּאַרְבַּע שְׁבֻעוֹת. גָּשִׁים בְּשַׁוְעוֹת. דּוֹפְקֵי עֶרֶךְ שׁוּעוֹת. הוֹגֵי שַׁעֲשֻׁעוֹת. וְחִידָתָם מִשְׁתַּעְשְׁעוֹת. זוֹעֲקִים לְהַשְׁעוֹת. חוֹכֵי יְשׁוּעוֹת. טְפוּלִים בָּךְ שְׁעוֹת. יוֹדְעֵי בֵין שָׁעוֹת. כּוֹרְעֶיךָ בְּשַׁוְעוֹת. לְהָבִין שְׁמוּעוֹת. מִפִּיךָ נִשְׁמָעוֹת. נוֹתֵן תְּשׁוּעוֹת. סְפוּרוֹת מַשְׁמָעוֹת. עֵדוּת מַשְׁמִיעוֹת. פּוֹעֵל יְשׁוּעוֹת. צַדִּיק נוֹשָׁעוֹת. קִרְיַת תְּשׁוּעוֹת. רֶגֶשׁ תְּשֻׁאוֹת. שָׁלֹשׁ שָׁעוֹת. תָּחִישׁ לִתְשׁוּעוֹת. הוֹשַׁע נָא

Conclude with אני והו הושיעה נא*, p. 336*

הוֹשַׁע נָא

אָדוֹן הַמּוֹשִׁיעַ. בִּלְתְּךָ אֵין לְהוֹשִׁיעַ. גִּבּוֹר וְרַב לְהוֹשִׁיעַ. דַּלּוֹתִי וְלִי יְהוֹשִׁיעַ. הָאֵל הַמּוֹשִׁיעַ. וּמַצִּיל וּמוֹשִׁיעַ. זוֹעֲקֶיךָ תּוֹשִׁיעַ. חוֹכֶיךָ הוֹשִׁיעַ. טְלָאֶיךָ תַּשְׂבִּיעַ. יְבוּל לְהַשְׁפִּיעַ. כָּל שִׂיחַ תַּדְשֵׁא וְתוֹשִׁיעַ. לְגֵיא בַּל תַּרְשִׁיעַ. מְגָדִים תַּמְתִּיק וְתוֹשִׁיעַ. נְשִׂיאִים לְהַסִּיעַ. שְׂעִירִים לְהָנִיעַ. עֲנָנִים מִלְּהַמְנִיעַ. פּוֹתֵחַ יָד וּמַשְׂבִּיעַ. צְמֵאֶיךָ תַּשְׂבִּיעַ. קוֹרְאֶיךָ תּוֹשִׁיעַ. רְחוּמֶיךָ תּוֹשִׁיעַ. שׁוֹחֲרֶיךָ הוֹשִׁיעַ. תְּמִימֶיךָ תּוֹשִׁיעַ. הוֹשַׁע נָא

Conclude with אני והו הושיעה נא

Hoshana for Shabbat, see p. 337

We conclude each day with the following

אֲנִי וָהוֹ הוֹשִׁיעָה נָּא.

כְּהוֹשַׁעְתָּ אֵלִים בְּלוּד עִמָּךְ, בְּצֵאתְךָ לְיֵשַׁע עַמָּךְ, כֵּן הוֹשַׁעְנָא.

כְּהוֹשַׁעְתָּ גּוֹי וֵאלֹהִים, דְּרוּשִׁים לְיֵשַׁע אֱלֹהִים, כֵּן הוֹשַׁעְנָא.

כְּהוֹשַׁעְתָּ הֲמוֹן צְבָאוֹת, וְעִמָּם מַלְאֲכֵי צְבָאוֹת, כֵּן הוֹשַׁעְנָא.

כְּהוֹשַׁעְתָּ זַכִּים מִבֵּית עֲבָדִים, חַנּוּן בְּיָדָם מַעֲבִידִים, כֵּן הוֹשַׁעְנָא.

כְּהוֹשַׁעְתָּ טְבוּעִים בְּצוּל גְּזָרִים, יְקָרְךָ עִמָּם מַעֲבִירִים, כֵּן הוֹשַׁעְנָא.

כְּהוֹשַׁעְתָּ כַּנָּה מְשׁוֹרֶרֶת וַיּוֹשַׁע, לְגוֹחָה מְצֻיֶּנֶת וַיִּוָּשַׁע, כֵּן הוֹשַׁעְנָא.

כְּהוֹשַׁעְתָּ מַאֲמָר וְהוֹצֵאתִי אֶתְכֶם, נָקוּב וְהוּצֵאתִי אִתְּכֶם, כֵּן הוֹשַׁעְנָא.

כְּהוֹשַׁעְתָּ סוֹבְבֵי מִזְבֵּחַ, עוֹמְסֵי עֲרָבָה לְהַקִּיף מִזְבֵּחַ, כֵּן הוֹשַׁעְנָא.

כְּהוֹשַׁעְתָּ פִּלְאֵי אָרוֹן כְּהֻפְשַׁע, צִעֵר פְּלֶשֶׁת בַּחֲרוֹן אַף וְנוֹשַׁע, כֵּן הוֹשַׁעְנָא.

כְּהוֹשַׁעְתָּ קְהִלּוֹת בָּבֶלָה שִׁלַּחְתָּ, רַחוּם לְמַעֲנָם שֻׁלַּחְתָּ, כֵּן הוֹשַׁעְנָא.

כְּהוֹשַׁעְתָּ שְׁבוּת שִׁבְטֵי יַעֲקֹב, תָּשׁוּב וְתָשִׁיב שְׁבוּת אָהֳלֵי יַעֲקֹב, וְהוֹשִׁיעָה נָּא.

כְּהוֹשַׁעְתָּ שׁוֹמְרֵי מִצְוֹת, וְחוֹכֵי יְשׁוּעוֹת, אֵל לְמוֹשָׁעוֹת, וְהוֹשִׁיעָה נָּא.

אֲנִי וָהוֹ הוֹשִׁיעָה נָּא.

הוֹשִׁיעָה אֶת עַמֶּךָ, וּבָרֵךְ אֶת נַחֲלָתֶךָ, וּרְעֵם וְנַשְּׂאֵם עַד הָעוֹלָם. וְיִהְיוּ דְבָרַי אֵלֶּה אֲשֶׁר הִתְחַנַּנְתִּי לִפְנֵי יהוה, קְרֹבִים אֶל יהוה אֱלֹהֵינוּ יוֹמָם וָלָיְלָה, לַעֲשׂוֹת מִשְׁפַּט עַבְדּוֹ וּמִשְׁפַּט עַמּוֹ יִשְׂרָאֵל, דְּבַר יוֹם בְּיוֹמוֹ. לְמַעַן דַּעַת כָּל עַמֵּי הָאָרֶץ, כִּי יהוה הוּא הָאֱלֹהִים, אֵין עוֹד. תְּהִלִּים כח:9 מְלָכִים א׳ ח:59-60

Close the ark.

הושענה לשבת

The four introductory lines are recited by the ש״ץ and קהל responsively. On שבת, we do not circle the bimah.

Open the ark.

הוֹשַׁעְנָא, לְמַעַנְךָ אֱלֹהֵינוּ, הוֹשַׁעְנָא.
הוֹשַׁעְנָא, לְמַעַנְךָ בּוֹרְאֵנוּ, הוֹשַׁעְנָא.
הוֹשַׁעְנָא, לְמַעַנְךָ גּוֹאֲלֵנוּ, הוֹשַׁעְנָא.
הוֹשַׁעְנָא, לְמַעַנְךָ דּוֹרְשֵׁנוּ, הוֹשַׁעְנָא.

הוֹשַׁע נָא

אוֹם נְצוּרָה כְּבָבַת. בּוֹנֶנֶת בְּדָת נֶפֶשׁ מְשִׁיבַת. גּוֹמֶרֶת הִלְכוֹת שַׁבָּת. דּוֹרֶשֶׁת מַשְׂאַת שַׁבָּת. הַקּוֹבַעַת אַלְפַּיִם תְּחוּם שַׁבָּת. וּמְשִׁיבַת רֶגֶל מִשַּׁבָּת. זָכוֹר וְשָׁמוֹר מְקַיֶּמֶת בַּשַּׁבָּת. חָשָׁה לְמַהֵר בִּיאַת שַׁבָּת. טוֹרַחַת כֹּל מִשִּׁשָּׁה לַשַּׁבָּת. יוֹשֶׁבֶת וּמַמְתֶּנֶת עַד כְּלוֹת שַׁבָּת. כָּבוֹד וָעֹנֶג קוֹרְאָה לַשַּׁבָּת. לְבוּשׁ וּכְסוּת מְחַלֶּפֶת בַּשַּׁבָּת. מַאֲכָל וּמִשְׁתֶּה מְכִינָה לַשַּׁבָּת. נֹעַם מְגָדִים מְנַעֶמֶת לַשַּׁבָּת. סְעוּדוֹת שָׁלֹשׁ מְקַיֶּמֶת בַּשַּׁבָּת. עַל שְׁתֵּי כִכָּרוֹת בּוֹצַעַת בַּשַּׁבָּת. פּוֹרֶטֶת אַרְבַּע רְשֻׁיּוֹת בַּשַּׁבָּת. צִוּוּי הַדְלָקַת נֵר מַדְלֶקֶת בַּשַּׁבָּת. קִדּוּשׁ הַיּוֹם מְקַדֶּשֶׁת בַּשַּׁבָּת. רֶנֶן שֶׁבַע מְפַלֶּלֶת בַּשַּׁבָּת. שִׁבְעָה בַדָּת קוֹרְאָה בַּשַּׁבָּת. תַּנְחִילֶנָּה לְיוֹם שֶׁכֻּלּוֹ שַׁבָּת. הוֹשַׁע נָא

אֲנִי וָהוֹ הוֹשִׁיעָה נָּא

כְּהוֹשַׁעְתָּ אָדָם יְצִיר כַּפֶּיךָ לְגוֹנְנָה, בְּשַׁבַּת קֹדֶשׁ הִמְצֵאתוֹ כֹּפֶר וַחֲנִינָה, כֵּן הוֹשַׁעְנָא.

כְּהוֹשַׁעְתָּ גּוֹי מְצֻיָּן מְקַוִּים חֹפֶשׁ, דֵּעָה כִּוְּנוּ לָבוֹר שְׁבִיעִי לְנֹפֶשׁ, כֵּן הוֹשַׁעְנָא.

כְּהוֹשַׁעְתָּ הָעָם נִהַגְתָּ כַּצֹּאן לְהַנְחוֹת, וְחֹק שַׂמְתָּ בְּמָרָה עַל מֵי מְנֻחוֹת, כֵּן הוֹשַׁעְנָא.

כְּהוֹשַׁעְתָּ זְבוּדֶיךָ בְּמִדְבַּר סִין בְּמַחֲנֶה, חָכְמוּ וְלָקְטוּ בַּשִּׁשִּׁי לֶחֶם מִשְׁנֶה, כֵּן הוֹשַׁעְנָא.

כְּהוֹשַׁעְתָּ טְפוּלֶיךָ הוֹרוּ הֲכָנָה בְּמַדָּעָם, יִשַּׁר כֹּחָם וְהוֹדָה לָמוֹ רוֹעָם, כֵּן הוֹשַׁעְנָא.

כְּהוֹשַׁעְתָּ כֻּלְכְּלוּ בְּעֹנֶג מָן הַמְשֻׁמָּר, לֹא הָפַךְ עֵינוֹ וְרֵיחוֹ לֹא נָמָר, כֵּן הוֹשַׁעְנָא.

כְּהוֹשַׁעְתָּ מִשְׁפְּטֵי מַשְׂאוֹת שַׁבָּת גָּמָרוּ, נָחוּ וְשָׁבְתוּ רְשֻׁיּוֹת וּתְחוּמִים שָׁמָרוּ, כֵּן הוֹשַׁעְנָא.

כְּהוֹשַׁעְתָּ סִינַי הֻשְׁמְעוּ בְּדִבּוּר רְבִיעִי, עִנְיַן זָכוֹר וְשָׁמוֹר לְקַדֵּשׁ שְׁבִיעִי, כֵּן הוֹשַׁעְנָא.

כְּהוֹשַׁעְתָּ פֻּקְּדוּ יְרִיחוֹ שֶׁבַע לְהַקֵּף, צָרוּ עַד רִדְתָּהּ בְּשַׁבָּת לְתַקֵּף, כֵּן הוֹשַׁעְנָא.

כְּהוֹשַׁעְתָּ קֹהֶלֶת וְעַמּוֹ בְּבֵית עוֹלָמִים, רְצוּף בְּחָגְגָם שִׁבְעָה וְשִׁבְעָה יָמִים, כֵּן הוֹשַׁעְנָא.

כְּהוֹשַׁעְתָּ שָׁבִים עוֹלֵי גוֹלָה לְפִדְיוֹם, תּוֹרָתְךָ בְּקָרְאָם בֶּחָג יוֹם יוֹם, כֵּן הוֹשַׁעְנָא.

כְּהוֹשַׁעְתָּ מְשַׂמְּחֶיךָ בְּבִנְיַן שֵׁנִי הַמְחֻדָּשׁ, נוֹטְלִין לוּלָב כָּל שִׁבְעָה בַּמִּקְדָּשׁ, כֵּן הוֹשַׁעְנָא.

כְּהוֹשַׁעְתָּ חִבּוּט עֲרָבָה שַׁבָּת מַדְחִים, מֻרְבִּיּוֹת מוֹצָא לִיסוֹד מִזְבֵּחַ מַנִּיחִים, כֵּן הוֹשַׁעְנָא.

כְּהוֹשַׁעְתָּ בְּרַכּוֹת וַאֲרוּכּוֹת וּגְבוֹהוֹת מְעַלְּסִים, בִּפְטִירָתָן יֹפִי לְךָ מִזְבֵּחַ מְקַלְּסִים, כֵּן הוֹשַׁעְנָא.

כְּהוֹשַׁעְתָּ מוֹדִים וּמְיַחֲלִים וְלֹא מְשַׁנִּים, כֻּלָּנוּ אָנוּ לְיָהּ וְעֵינֵינוּ לְיָהּ שׁוֹנִים, כֵּן הוֹשַׁעְנָא.

כְּהוֹשַׁעְתָּ יֶקֶב מַחֲצָבֶיךָ סוֹבְבִים בְּרַעֲנָנָה, רוֹנְנִים אֲנִי וָהוֹ הוֹשִׁיעָה נָּא, כֵּן הוֹשַׁעְנָא.

כְּהוֹשַׁעְתָּ חֵיל זְרִיזִים מְשָׁרְתִים בִּמְנוּחָה, קָרְבַּן שַׁבָּת כָּפוּל עוֹלָה וּמִנְחָה, כֵּן הוֹשַׁעְנָא.

כְּהוֹשַׁעְתָּ לְוִיֶּיךָ עַל דוּכָנָם לְהַרְבַּת, אוֹמְרִים מִזְמוֹר שִׁיר לְיוֹם הַשַּׁבָּת, כֵּן הוֹשַׁעְנָא.

כְּהוֹשַׁעְתָּ נְחוּמֶיךָ בְּמִצְוֹתֶיךָ תָּמִיד יִשְׁתַּעְשְׁעוּן, וּרְצֵם וְהַחֲלִיצֵם בְּשׁוּבָה וָנַחַת יִוָּשֵׁעוּן, כֵּן הוֹשַׁעְנָא.

כְּהוֹשַׁעְתָּ שְׁבוּת שִׁבְטֵי יַעֲקֹב, תָּשׁוּב וְתָשִׁיב שְׁבוּת אָהֳלֵי יַעֲקֹב, וְהוֹשִׁיעָה נָּא.

כְּהוֹשַׁעְתָּ שׁוֹמְרֵי מִצְוֹת, וְחוֹכֵי יְשׁוּעוֹת, אֵל לְמוֹשָׁעוֹת, וְהוֹשִׁיעָה נָּא.

אֲנִי וָהוֹ הוֹשִׁיעָה נָּא.

הוֹשִׁיעָה אֶת עַמֶּךָ, וּבָרֵךְ אֶת נַחֲלָתֶךָ, וּרְעֵם וְנַשְּׂאֵם עַד הָעוֹלָם. וְיִהְיוּ דְבָרַי אֵלֶּה אֲשֶׁר הִתְחַנַּנְתִּי לִפְנֵי יהוה, קְרֹבִים אֶל יהוה אֱלֹהֵינוּ יוֹמָם וָלָיְלָה, לַעֲשׂוֹת מִשְׁפַּט עַבְדּוֹ וּמִשְׁפַּט עַמּוֹ יִשְׂרָאֵל, דְּבַר יוֹם בְּיוֹמוֹ. לְמַעַן דַּעַת כָּל עַמֵּי הָאָרֶץ, כִּי יהוה הוּא הָאֱלֹהִים, אֵין עוֹד. תְּהִלִּים כח:9 מְלָכִים א׳ ח:59-60

Close the ark.

The seventh day of סכות is called הושענא רבה, "the Great Hoshana." Seven הקפות are made around the bimah. All the ספרי תורה are taken out of the Aron Kodesh and placed on the שלחן on the bimah and all the הושענות are recited.

Jewish tradition teaches that the three "Books of Life" which were opened on Rosh Hashanah and sealed on Yom Kippur are closed on Hoshanah Rabba, therefore Hoshanah Rabba is considered the end of the period of atonement.

The four introductory lines are recited by the ש״ץ and קהל responsively

ח הושענא רבה

הוֹשַׁעְנָא, לְמַעַנְךָ אֱלֹהֵינוּ, הוֹשַׁעְנָא.
הוֹשַׁעְנָא, לְמַעַנְךָ בּוֹרְאֵנוּ, הוֹשַׁעְנָא.
הוֹשַׁעְנָא, לְמַעַנְךָ גּוֹאֲלֵנוּ, הוֹשַׁעְנָא.
הוֹשַׁעְנָא, לְמַעַנְךָ דּוֹרְשֵׁנוּ, הוֹשַׁעְנָא.

הוֹשַׁע נָא

לְמַעַן אֲמִתָּךְ. לְמַעַן בְּרִיתָךְ לְמַעַן גָּדְלָךְ וְתִפְאַרְתָּךְ. לְמַעַן דָּתָךְ. לְמַעַן הוֹדָךְ. לְמַעַן וִעוּדָךְ. לְמַעַן זִכְרָךְ. לְמַעַן חַסְדָּךְ. לְמַעַן טוּבָךְ. לְמַעַן יִחוּדָךְ. לְמַעַן כְּבוֹדָךְ. לְמַעַן לִמּוּדָךְ. לְמַעַן מַלְכוּתָךְ. לְמַעַן נִצְחָךְ. לְמַעַן סוֹדָךְ. לְמַעַן עֻזָּךְ. לְמַעַן פְּאֵרָךְ. לְמַעַן צִדְקָתָךְ. לְמַעַן קְדֻשָּׁתָךְ. לְמַעַן רַחֲמֶיךָ הָרַבִּים. לְמַעַן שְׁכִינָתָךְ. לְמַעַן תְּהִלָּתָךְ. הוֹשַׁע נָא

כִּי אָמַרְתִּי עוֹלָם חֶסֶד יִבָּנֶה. תְּהִלִּים פט:3

הוֹשַׁע נָא

אֶבֶן שְׁתִיָּה. בֵּית הַבְּחִירָה. גֹּרֶן אָרְנָן. דְּבִיר הַמֻּצְנָע. הַר הַמּוֹרִיָּה. וְהַר יֵרָאֶה. זְבוּל תִּפְאַרְתֶּךָ. חָנָה דָוִד. טוֹב הַלְּבָנוֹן. יְפֵה נוֹף מְשׂוֹשׂ כָּל הָאָרֶץ. כְּלִילַת יֹפִי. לִינַת הַצֶּדֶק. מָכוֹן לְשִׁבְתֶּךָ. נָוֶה שַׁאֲנָן. סֻכַּת שָׁלֵם. עֲלִיַּת שְׁבָטִים. פִּנַּת יִקְרַת. צִיּוֹן הַמְצֻיֶּנֶת. קֹדֶשׁ הַקֳּדָשִׁים. רָצוּף אַהֲבָה. שְׁכִינַת כְּבוֹדֶךָ. תֵּל תַּלְפִּיּוֹת. הוֹשַׁע נָא

לְךָ זְרוֹעַ עִם גְּבוּרָה, תָּעֹז יָדְךָ תָּרוּם יְמִינֶךָ. שָׁם 14

הוֹשַׁע נָא

אוֹם אֲנִי חוֹמָה. בָּרָה כַּחַמָּה. גּוֹלָה וְסוּרָה. דָּמְתָה לְתָמָר. הַהֲרוּגָה עָלֶיךָ. וְנֶחְשֶׁבֶת כְּצֹאן טִבְחָה. זְרוּיָה בֵּין מַכְעִיסֶיהָ. חֲבוּקָה וּדְבוּקָה בָךְ. טוֹעֶנֶת עֻלָּךְ. יְחִידָה לְיַחֲדָךְ. כְּבוּשָׁה בַּגּוֹלָה. לוֹמֶדֶת יִרְאָתָךְ. מְרוּטַת לֶחִי. נְתוּנָה לְמַכִּים. סוֹבֶלֶת סִבְלָךְ. עֲנִיָּה סֹעֲרָה. פְּדוּיַּת

טוֹבִיָּה. צֹאן קָדָשִׁים. קְהִלּוֹת יַעֲקֹב. רְשׁוּמִים בִּשְׁמֶךָ. שׁוֹאֲגִים הוֹשַׁעְנָא. תְּמוּכִים עָלֶיךָ. הוֹשַׁע נָא
תִּתֵּן אֱמֶת לְיַעֲקֹב, חֶסֶד לְאַבְרָהָם. מִיכָה ז:20

הוֹשַׁע נָא

אָדוֹן הַמּוֹשִׁיעַ. בִּלְתְּךָ אֵין לְהוֹשִׁיעַ. גִּבּוֹר וְרַב לְהוֹשִׁיעַ. דַּלּוֹתִי וְלִי יְהוֹשִׁיעַ. הָאֵל הַמּוֹשִׁיעַ. וּמַצִּיל וּמוֹשִׁיעַ. זוֹעֲקֶיךָ תּוֹשִׁיעַ. חוֹכֶיךָ הוֹשִׁיעַ. טְלָאֶיךָ תַּשְׂבִּיעַ. יְבוּל לְהַשְׁפִּיעַ. כָּל שִׂיחַ תַּדְשֵׁא וְתוֹשִׁיעַ. לְגֵיא בַּל תַּרְשִׁיעַ. מְגָדִים תַּמְתִּיק וְתוֹשִׁיעַ. נְשִׂיאִים לְהַסִּיעַ. שְׂעִירִים לְהָנִיעַ. עֲנָנִים מִלְּהַמְנִיעַ. פּוֹתֵחַ יָד וּמַשְׂבִּיעַ. צְמֵאֶיךָ תַּשְׂבִּיעַ. קוֹרְאֶיךָ תּוֹשִׁיעַ. רְחוּמֶיךָ תּוֹשִׁיעַ. שׁוֹחֲרֶיךָ הוֹשִׁיעַ. תְּמִימֶיךָ תּוֹשִׁיעַ. הוֹשַׁע נָא
נְעִמוֹת בִּימִינְךָ נֶצַח. תְּהִלִּים טז:11

הוֹשַׁע נָא

אָדָם וּבְהֵמָה. בָּשָׂר וְרוּחַ וּנְשָׁמָה. גִּיד וְעֶצֶם וְקָרְמָה. דְּמוּת וְצֶלֶם וְרִקְמָה. הוֹד לַהֶבֶל דָּמָה. וְנִמְשַׁל כַּבְּהֵמוֹת נִדְמָה. זִיו וְתֹאַר וְקוֹמָה. חִדּוּשׁ פְּנֵי אֲדָמָה. טִיעַת עֲצֵי נְשַׁמָּה. יְקָבִים וְקָמָה. כְּרָמִים וְשִׁקְמָה. לְתֵבֵל הַמְסֻיָּמָה. מִטְרוֹת עֹז לְסַמְּמָה. נְשִׁיָּה לְקַיְּמָה. שִׂיחִים לְקוֹמְמָה. עֲדָנִים לְעָצְמָה. פְּרָחִים לְהַעֲצִימָה. צְמָחִים לְגָשְׁמָה. קָרִים לְזָרְמָה. רְבִיבִים לְשַׁלְּמָה. שְׁתִיָּה לְרוֹמְמָה. תְּלוּיָה עַל בְּלִימָה. הוֹשַׁע נָא
יהוה אֲדֹנֵינוּ מָה אַדִּיר שִׁמְךָ בְּכָל הָאָרֶץ, אֲשֶׁר תְּנָה הוֹדְךָ עַל הַשָּׁמָיִם. שָׁם ח:10

הוֹשַׁע נָא

אֲדָמָה מֵאֶרֶר. בְּהֵמָה מִמְּשַׁכֶּלֶת. גֹּרֶן מִגָּזָם. דָּגָן מִדַּלֶּקֶת. הוֹן מִמְּאֵרָה. וְאֹכֶל מִמְּהוּמָה. זַיִת מִנֶּשֶׁל. חִטָּה מֵחָגָב. טֶרֶף מִגּוֹבַי. יֶקֶב מִיֶּלֶק. כֶּרֶם מִתּוֹלַעַת. לֶקֶשׁ מֵאַרְבֶּה. מֶגֶד מִצְּלָצַל. נֶפֶשׁ מִבֶּהָלָה. שֹׂבַע מִסָּלְעָם. עֲדָרִים מִדַּלּוּת. פֵּרוֹת מִשִּׁדָּפוֹן. צֹאן מִצַּמִּיתוּת. קָצִיר מִקְּלָלָה. רֹב מֵרָזוֹן. שִׁבֹּלֶת מִצִּנָּמוֹן. תְּבוּאָה מֵחָסִיל. הוֹשַׁע נָא

צַדִּיק יהוה בְּכָל דְּרָכָיו, וְחָסִיד בְּכָל מַעֲשָׂיו.

תְּהִלִּים קמה:17

לְמַעַן אֵיתָן הַנִּזְרָק בְּלַהַב אֵשׁ. לְמַעַן בֵּן הַנֶּעֱקַד עַל עֵצִים וָאֵשׁ.

לְמַעַן גִּבּוֹר הַנֶּאֱבַק עִם שַׂר אֵשׁ. לְמַעַן דְּגָלִים נָחִיתָ בְּאוֹר וַעֲנַן אֵשׁ.

לְמַעַן הֹעֲלָה לַמָּרוֹם וְנִתְעַלָּה כְּמַלְאֲכֵי אֵשׁ. לְמַעַן וְהוּא לָךְ כְּסֶגֶן בְּאֶרְאֶלֵּי אֵשׁ.

לְמַעַן זֶבֶד דִּבְּרוֹת הַנְּתוּנוֹת מֵאֵשׁ. לְמַעַן חִפּוּי יְרִיעוֹת וַעֲנַן אֵשׁ.

לְמַעַן טֶכֶס הַר יָרַדְתָּ עָלָיו בָּאֵשׁ. לְמַעַן יְדִידוּת בַּיִת אֲשֶׁר אָהַבְתָּ מִשְּׁמֵי אֵשׁ.

לְמַעַן כָּמַהּ עַד שָׁקְעָה הָאֵשׁ. לְמַעַן לָקַח מַחְתַּת אֵשׁ וְהֵסִיר חֲרוֹן אֵשׁ.

לְמַעַן מְקַנֵּא קִנְאָה גְדוֹלָה בָּאֵשׁ. לְמַעַן נָף יָדוֹ וְיָרְדוּ אַבְנֵי אֵשׁ.

לְמַעַן שָׂם טְלֵה חָלָב כְּלִיל אֵשׁ. לְמַעַן עָמַד בַּגֹּרֶן וְנִתְרַצָּה בָּאֵשׁ.
לְמַעַן פִּלֵּל בָּעֲזָרָה וְיָרְדָה הָאֵשׁ. לְמַעַן צִיר עָלָה וְנִתְעַלָּה בְּרֶכֶב וְסוּסֵי אֵשׁ.
לְמַעַן קְדוֹשִׁים מֻשְׁלָכִים בָּאֵשׁ. לְמַעַן רִבּוֹ רִבְבָן חָז וְנַהֲרֵי אֵשׁ.
לְמַעַן שְׁמֵמוֹת עִירְךָ הַשְּׂרוּפָה בָּאֵשׁ. לְמַעַן תּוֹלְדוֹת אַלּוּפֵי יְהוּדָה תָּשִׂים כְּכִיּוֹר אֵשׁ, הוֹשַׁע נָא.

לְךָ יהוה הַגְּדֻלָּה וְהַגְּבוּרָה וְהַתִּפְאֶרֶת וְהַנֵּצַח וְהַהוֹד כִּי כֹל בַּשָּׁמַיִם וּבָאָרֶץ, לְךָ יהוה הַמַּמְלָכָה וְהַמִּתְנַשֵּׂא לְכֹל לְרֹאשׁ. וְהָיָה יהוה לְמֶלֶךְ עַל כָּל הָאָרֶץ, בַּיּוֹם הַהוּא יִהְיֶה יהוה אֶחָד וּשְׁמוֹ אֶחָד. וּבְתוֹרָתְךָ כָּתוּב לֵאמֹר: שְׁמַע יִשְׂרָאֵל יהוה אֱלֹהֵינוּ יהוה אֶחָד. בָּרוּךְ שֵׁם כְּבוֹד מַלְכוּתוֹ לְעוֹלָם וָעֶד.

דִּבְרֵי הַיָּמִים א׳ כט:11 זְכַרְיָה יד:9 דְּבָרִים ו:4

אֲנִי וָהוֹ הוֹשִׁיעָה נָּא.
כְּהוֹשַׁעְתָּ אֵלִים בְּלוּד עִמָּךְ,
בְּצֵאתְךָ לְיֵשַׁע עַמָּךְ, כֵּן הוֹשַׁעְנָא.
כְּהוֹשַׁעְתָּ גּוֹי וֵאלֹהִים,
דְּרוּשִׁים לְיֵשַׁע אֱלֹהִים, כֵּן הוֹשַׁעְנָא.
כְּהוֹשַׁעְתָּ הֲמוֹן צְבָאוֹת,
וְעִמָּם מַלְאֲכֵי צְבָאוֹת, כֵּן הוֹשַׁעְנָא.

כְּהוֹשַׁעְתָּ זַכִּים מִבֵּית עֲבָדִים,
חַנּוּן בְּיָדָם מַעֲבִידִים, כֵּן הוֹשַׁעְנָא.

כְּהוֹשַׁעְתָּ טְבוּעִים בְּצוּל גְּזָרִים,
יְקָרְךָ עִמָּם מַעֲבִירִים, כֵּן הוֹשַׁעְנָא.
כְּהוֹשַׁעְתָּ כַּנָּה מְשׁוֹרֶרֶת וַיּוֹשַׁע,
לְגוֹחָהּ מְצֻיֶּנֶת וַיִּוָּשַׁע, כֵּן הוֹשַׁעְנָא.
כְּהוֹשַׁעְתָּ מַאֲמַר וְהוֹצֵאתִי אֶתְכֶם,
נָקוּב וְהוּצֵאתִי אִתְּכֶם, כֵּן הוֹשַׁעְנָא.
כְּהוֹשַׁעְתָּ סוֹבְבֵי מִזְבֵּחַ,
עוֹמְסֵי עֲרָבָה לְהַקִּיף מִזְבֵּחַ, כֵּן הוֹשַׁעְנָא.
כְּהוֹשַׁעְתָּ פִּלְאֵי אָרוֹן כְּהֻפְשַׁע,
צִעֵר פְּלֶשֶׁת בַּחֲרוֹן אַף וְנוֹשַׁע, כֵּן הוֹשַׁעְנָא.
כְּהוֹשַׁעְתָּ קְהִלּוֹת בָּבֶלָה שִׁלַּחְתָּ,
רַחוּם לְמַעֲנָם שֻׁלַּחְתָּ, כֵּן הוֹשַׁעְנָא.
כְּהוֹשַׁעְתָּ שְׁבוּת שִׁבְטֵי יַעֲקֹב,
תָּשׁוּב וְתָשִׁיב שְׁבוּת אָהֳלֵי יַעֲקֹב, וְהוֹשִׁיעָה נָּא.
כְּהוֹשַׁעְתָּ שׁוֹמְרֵי מִצְוֹת, וְחוֹכֵי יְשׁוּעוֹת,
אֵל לְמוֹשָׁעוֹת, וְהוֹשִׁיעָה נָּא.
אֲנִי וָהוֹ הוֹשִׁיעָה נָּא.

הוֹשַׁעְנָא, אֵל נָא, אָנָּא הוֹשִׁיעָה נָא.
הוֹשַׁעְנָא, סְלַח נָא, וְהַצְלִיחָה נָא,
וְהוֹשִׁיעֵנוּ אֵל מָעֻזֵּנוּ.

At this point, the lulav and etrog are placed aside and we take bunches of the five ערבות (willow branches) and recite other piyyutim (liturgical poems) where we ask God to remember our ancestors and because of their merit, give us water.

When we reach the end of the service, we say קול מבשר מבשר ואומר "The voice of the herald and the herald say" we beat the willows against the floor or another solid surface. Because the ערבות have been cut off from the tree, they have lost their main source for water, which is considered a blessing from God, so when they are beaten they lose their leaves. This is similar to the human experience. Our daily struggle in life can leave us weakened, beaten, like the leaves. Our faith in God can help refresh and strengthen us, just as water refreshes and strengthens.

תַּעֲנֶה אֱמוּנִים שׁוֹפְכִים לְךָ לֵב כַּמַּיִם,   וְהוֹשִׁיעָה נָּא,
לְמַעַן בָּא בָאֵשׁ וּבַמַּיִם,   וְהַצְלִיחָה נָא,
גָּזַר וְנָם יֻקַּח נָא מְעַט מַיִם,   וְהוֹשִׁיעֵנוּ אֵל מָעֻזֵּנוּ.
תַּעֲנֶה דְגָלִים גָּזוּ גִּזְרֵי מַיִם,   וְהוֹשִׁיעָה נָּא,
לְמַעַן הַנֶּעֱקַד בְּשַׁעַר הַשָּׁמַיִם,   וְהַצְלִיחָה נָא,
וְשָׁב וְחָפַר בְּאֵרוֹת מַיִם,   וְהוֹשִׁיעֵנוּ אֵל מָעֻזֵּנוּ.
תַּעֲנֶה זַכִּים חוֹנִים עֲלֵי מַיִם,   וְהוֹשִׁיעָה נָּא,
לְמַעַן חָלָק מְפַצֵּל מַקְלוֹת בְּשִׁקֲתוֹת הַמַּיִם,   וְהַצְלִיחָה נָא,
טָעַן וְגָל אֶבֶן מִבְּאֵר מַיִם,   וְהוֹשִׁיעֵנוּ אֵל מָעֻזֵּנוּ.
תַּעֲנֶה יְדִידִים נוֹחֲלֵי דָת מְשׁוּלַת מַיִם,   וְהוֹשִׁיעָה נָּא,
לְמַעַן כָּרוּ בְּמִשְׁעֲנוֹתָם מַיִם.   וְהַצְלִיחָה נָא,
לְהָכִין לָמוֹ וּלְצֶאֱצָאֵימוֹ מַיִם,   וְהוֹשִׁיעֵנוּ אֵל מָעֻזֵּנוּ.
תַּעֲנֶה מִתְחַנְּנִים כְּבִישִׁימוֹן עֲלֵי מַיִם,   וְהוֹשִׁיעָה נָּא,
לְמַעַן נֶאֱמַן בַּיִת מַסְפִּיק לָעָם מַיִם.   וְהַצְלִיחָה נָא,
סֶלַע הָךְ וַיָּזוּבוּ מַיִם,   וְהוֹשִׁיעֵנוּ אֵל מָעֻזֵּנוּ.
תַּעֲנֶה עוֹנִים עֲלִי בְאֵר מַיִם,   וְהוֹשִׁיעָה נָּא,
לְמַעַן פֻּקַּד בְּמֵי מְרִיבַת מַיִם.   וְהַצְלִיחָה נָא,
צְמֵאִים לְהַשְׁקוֹתָם מַיִם,   וְהוֹשִׁיעֵנוּ אֵל מָעֻזֵּנוּ.
תַּעֲנֶה קְדוֹשִׁים מְנַסְּכִים לְךָ מַיִם,   וְהוֹשִׁיעָה נָּא,

לְמַעַן רֹאשׁ מְשׁוֹרְרִים כְּתָאֵב שְׁתוֹת מַיִם. וְהַצְלִיחָה נָּא,
שָׁב וְנָסַךְ לְךָ מַיִם, וְהוֹשִׁיעֵנוּ אֵל מָעֻזֵּנוּ.
תַּעֲנֶה שׁוֹאֲלִים בְּרִבּוּעַ אֶשְׁלֵי מַיִם, וְהוֹשִׁיעָה נָּא,
לְמַעַן תֵּל תַּלְפִּיּוֹת מוֹצָא מַיִם. וְהַצְלִיחָה נָּא,
תִּפְתַּח אֶרֶץ וְתַרְעִיף שָׁמַיִם, וְהוֹשִׁיעֵנוּ אֵל מָעֻזֵּנוּ.

רַחֵם נָא קְהַל עֲדַת יְשֻׁרוּן, סְלַח וּמְחַל עֲוֹנָם, וְהוֹשִׁיעֵנוּ אֱלֹהֵי יִשְׁעֵנוּ.

קוֹל מְבַשֵּׂר מְבַשֵּׂר וְאוֹמֵר. קוֹל מְבַשֵּׂר מְבַשֵּׂר וְאוֹמֵר.
אֹמֶץ יֶשְׁעֲךָ בָּא, קוֹל דּוֹדִי הִנֵּה זֶה בָּא, מְבַשֵּׂר וְאוֹמֵר.
קוֹל בָּא בְּרִבְבוֹת כִּתִּים, לַעֲמוֹד עַל הַר הַזֵּיתִים, מְבַשֵּׂר וְאוֹמֵר.
קוֹל גִּשְׁתּוֹ בַּשּׁוֹפָר לִתְקַע, תַּחְתָּיו הַר יִבָּקַע, מְבַשֵּׂר וְאוֹמֵר.
קוֹל דָּפַק וְהֵצִיץ וְזָרַח, וּמָשׁ חֲצִי הָהָר מִמִּזְרָח, מְבַשֵּׂר וְאוֹמֵר.
קוֹל הֵקִים מִלּוּל נָאֳמוֹ, וּבָא הוּא וְכָל קְדוֹשָׁיו עִמּוֹ, מְבַשֵּׂר וְאוֹמֵר.
קוֹל וּלְכָל בָּאֵי הָעוֹלָם, בַּת קוֹל יִשָּׁמַע בָּעוֹלָם, מְבַשֵּׂר וְאוֹמֵר.
קוֹל זֶרַע עֲמוּסֵי רַחְמוֹ, נוֹלְדוּ כְּיֶלֶד מִמְּעֵי אִמּוֹ, מְבַשֵּׂר וְאוֹמֵר.
קוֹל חָלָה וְיָלְדָה מִי זֹאת, מִי שָׁמַע כָּזֹאת, מְבַשֵּׂר וְאוֹמֵר.
קוֹל טָהוֹר פָּעַל כָּל אֵלֶּה, וּמִי רָאָה כָּאֵלֶּה, מְבַשֵּׂר וְאוֹמֵר.
קוֹל יֶשַׁע וּזְמַן הוּחַד, הֲיוּחַל אֶרֶץ בְּיוֹם אֶחָד, מְבַשֵּׂר וְאוֹמֵר.
קוֹל כַּבִּיר רוֹם וָתַחַת, אִם יִוָּלֵד גּוֹי פַּעַם אֶחָת, מְבַשֵּׂר וְאוֹמֵר.
קוֹל לְעֵת יִגְאַל עַמּוֹ נָאוֹר, וְהָיָה לְעֵת עֶרֶב יִהְיֶה אוֹר, מְבַשֵּׂר וְאוֹמֵר.
קוֹל מוֹשִׁיעִים יַעֲלוּ לְהַר צִיּוֹן, כִּי חָלָה גַּם יָלְדָה צִיּוֹן, מְבַשֵּׂר וְאוֹמֵר.
קוֹל נִשְׁמַע בְּכָל גְּבוּלֵךְ, הַרְחִיבִי מְקוֹם אָהֳלֵךְ, מְבַשֵּׂר וְאוֹמֵר.
קוֹל שִׂימִי עַד דַּמֶּשֶׂק מִשְׁכְּנוֹתַיִךְ, קַבְּלִי בָנַיִךְ וּבְנוֹתַיִךְ, מְבַשֵּׂר וְאוֹמֵר.
קוֹל עִלְזִי חֲבַצֶּלֶת הַשָּׁרוֹן, כִּי קָמוּ יְשֵׁנֵי חֶבְרוֹן, מְבַשֵּׂר וְאוֹמֵר.
קוֹל פְּנוּ אֵלַי וְהִוָּשְׁעוּ, הַיּוֹם אִם בְּקוֹלִי תִשְׁמָעוּ, מְבַשֵּׂר וְאוֹמֵר.
קוֹל צָמַח אִישׁ צֶמַח שְׁמוֹ, הוּא דָוִד בְּעַצְמוֹ, מְבַשֵּׂר וְאוֹמֵר.

קוֹל קוּמוּ כְּפוּשֵׁי עָפָר, הָקִיצוּ וְרַנְּנוּ שׁוֹכְנֵי עָפָר, מְבַשֵּׂר וְאוֹמֵר.
קוֹל רַבָּתִי עָם בְּהַמְלִיכוֹ, מִגְדּוֹל יְשׁוּעוֹת מַלְכּוֹ, מְבַשֵּׂר וְאוֹמֵר.
קוֹל שֵׁם רְשָׁעִים לְהַאֲבִיד, עֹשֶׂה חֶסֶד לִמְשִׁיחוֹ לְדָוִד, מְבַשֵּׂר וְאוֹמֵר.
קוֹל תְּנָה יְשׁוּעוֹת לְעַם עוֹלָם, לְדָוִד וּלְזַרְעוֹ עַד עוֹלָם, מְבַשֵּׂר וְאוֹמֵר.

The ש״ץ *and* קהל *say the following three lines*

קוֹל מְבַשֵּׂר מְבַשֵּׂר וְאוֹמֵר.
קוֹל מְבַשֵּׂר מְבַשֵּׂר וְאוֹמֵר.
קוֹל מְבַשֵּׂר מְבַשֵּׂר וְאוֹמֵר.

All Torah scrolls are returned to the Ark. The ערבות *are beaten five times on the floor or another solid surface.*

הוֹשִׁיעָה אֶת עַמֶּךָ וּבָרֵךְ אֶת נַחֲלָתֶךָ, וּרְעֵם וְנַשְּׂאֵם עַד הָעוֹלָם. וְיִהְיוּ דְבָרַי אֵלֶּה אֲשֶׁר הִתְחַנַּנְתִּי לִפְנֵי יהוה, קְרֹבִים אֶל יהוה אֱלֹהֵינוּ יוֹמָם וָלָיְלָה, לַעֲשׂוֹת מִשְׁפַּט עַבְדּוֹ וּמִשְׁפַּט עַמּוֹ יִשְׂרָאֵל, דְּבַר יוֹם בְּיוֹמוֹ. לְמַעַן דַּעַת כָּל עַמֵּי הָאָרֶץ, כִּי יהוה הוּא הָאֱלֹהִים, אֵין עוֹד.

תְּהִלִּים כח:9 מְלָכִים א׳ ח:59-60

יְהִי רָצוֹן מִלְּפָנֶיךָ יהוה אֱלֹהֵינוּ וֵאלֹהֵי אֲבוֹתֵינוּ, שֶׁתְּקַבֵּל בְּרַחֲמִים וּבְרָצוֹן אֶת תְּפִלָּתֵנוּ וְהַקָּפוֹתֵינוּ, וְתָסִיר מְחִיצַת הַבַּרְזֶל הַמַּפְסֶקֶת בֵּינֵינוּ וּבֵינֶיךָ, וְתַאֲזִין שַׁוְעָתֵינוּ, וְחָתְמֵנוּ בְּסֵפֶר חַיִּים טוֹבִים.

If it is the first or second day of סוכות, or שבת חול המועד, *we continue with* קדיש שלם, *p. 239. If it is a weekday, we continue with* קדיש שלם, *p. 62*

Before the ark is opened, the following is said responsively

אַתָּה הָרְאֵתָ לָדַעַת, כִּי יהוה הוּא הָאֱלֹהִים, אֵין עוֹד מִלְּבַדּוֹ.

לְעֹשֵׂה נִפְלָאוֹת גְּדֹלוֹת לְבַדּוֹ, כִּי לְעוֹלָם חַסְדּוֹ.

אֵין כָּמוֹךָ בָאֱלֹהִים, אֲדֹנָי, וְאֵין כְּמַעֲשֶׂיךָ.

יְהִי כְבוֹד יהוה לְעוֹלָם, יִשְׂמַח יהוה בְּמַעֲשָׂיו.

יְהִי שֵׁם יהוה מְבֹרָךְ, מֵעַתָּה וְעַד עוֹלָם.

יְהִי יהוה אֱלֹהֵינוּ עִמָּנוּ, כַּאֲשֶׁר הָיָה עִם אֲבֹתֵינוּ, אַל יַעַזְבֵנוּ וְאַל יִטְּשֵׁנוּ.

וְאִמְרוּ, הוֹשִׁיעֵנוּ, אֱלֹהֵי יִשְׁעֵנוּ, וְקַבְּצֵנוּ וְהַצִּילֵנוּ מִן הַגּוֹיִם, לְהֹדוֹת לְשֵׁם קָדְשֶׁךָ, לְהִשְׁתַּבֵּחַ בִּתְהִלָּתֶךָ.

יהוה מֶלֶךְ, יהוה מָלָךְ, יהוה יִמְלֹךְ לְעוֹלָם וָעֶד.

יהוה עֹז לְעַמּוֹ יִתֵּן, יהוה יְבָרֵךְ אֶת עַמּוֹ בַשָּׁלוֹם.

וְיִהְיוּ נָא אֲמָרֵינוּ לְרָצוֹן, לִפְנֵי אֲדוֹן כֹּל.

Open the ארון קודש

וַיְהִי בִּנְסֹעַ הָאָרֹן, וַיֹּאמֶר מֹשֶׁה: בְּמִדְבַּר י:35

קוּמָה יהוה, וְיָפֻצוּ אֹיְבֶיךָ, וְיָנֻסוּ מְשַׂנְאֶיךָ מִפָּנֶיךָ. קוּמָה יהוה לִמְנוּחָתֶךָ, אַתָּה וַאֲרוֹן עֻזֶּךָ. כֹּהֲנֶיךָ יִלְבְּשׁוּ צֶדֶק, וַחֲסִידֶיךָ יְרַנֵּנוּ. בַּעֲבוּר דָּוִד עַבְדֶּךָ, אַל תָּשֵׁב פְּנֵי מְשִׁיחֶךָ. וְאָמַר בַּיּוֹם הַהוּא, הִנֵּה אֱלֹהֵינוּ זֶה, קִוִּינוּ לוֹ וְיוֹשִׁיעֵנוּ, זֶה יהוה קִוִּינוּ לוֹ נָגִילָה וְנִשְׂמְחָה בִּישׁוּעָתוֹ. מַלְכוּתְךָ מַלְכוּת כָּל עֹלָמִים, וּמֶמְשַׁלְתְּךָ בְּכָל דּוֹר וָדֹר. כִּי מִצִּיּוֹן תֵּצֵא תוֹרָה, וּדְבַר יהוה מִירוּשָׁלָיִם. יְשַׁעְיָה ב:3

אַב הָרַחֲמִים, הֵיטִיבָה בִרְצוֹנְךָ אֶת צִיּוֹן, תִּבְנֶה חוֹמוֹת יְרוּשָׁלָיִם. כִּי בְךָ לְבַד בָּטָחְנוּ, מֶלֶךְ אֵל רָם וְנִשָּׂא, אֲדוֹן עוֹלָמִים.

All of the ספרי תורה *are removed from the ark, and in some communities, the following is said responsively. Following each of the* הקפות*, many congregations repeat the phrase* עננו ביום קראנו *several times, dancing around the room while carrying the* ספרי תורה

הקפה ראשונה

אָנָּא יהוה, הוֹשִׁיעָה נָּא. אָנָּא יהוה, הַצְלִיחָה נָא.
אָנָּא יהוה, עֲנֵנוּ בְיוֹם קָרְאֵנוּ.
אֱלֹהֵי הָרוּחוֹת, הוֹשִׁיעָה נָּא. בּוֹחֵן לְבָבוֹת,
הַצְלִיחָה נָּא.
גּוֹאֵל חָזָק, עֲנֵנוּ בְיוֹם קָרְאֵנוּ.

הקפה שניה

דּוֹבֵר צְדָקוֹת, הוֹשִׁיעָה נָּא. הָדוּר בִּלְבוּשׁוֹ,
הַצְלִיחָה נָא.
וָתִיק וְחָסִיד, עֲנֵנוּ בְיוֹם קָרְאֵנוּ.

הקפה שלישית

זַךְ וְיָשָׁר, הוֹשִׁיעָה נָּא. חוֹמֵל דַּלִּים, הַצְלִיחָה נָא.
טוֹב וּמֵטִיב, עֲנֵנוּ בְיוֹם קָרְאֵנוּ.

הקפה רביעית

יוֹדֵעַ מַחֲשָׁבוֹת, הוֹשִׁיעָה נָּא. כַּבִּיר וְנָאוֹר,
הַצְלִיחָה נָא.
לוֹבֵשׁ צְדָקוֹת, עֲנֵנוּ בְיוֹם קָרְאֵנוּ.

הקפה חמישית

מֶלֶךְ עוֹלָמִים, הוֹשִׁיעָה נָּא. נָאוֹר וְאַדִּיר, הַצְלִיחָה נָא.
סוֹמֵךְ נוֹפְלִים, עֲנֵנוּ בְיוֹם קָרְאֵנוּ.

הקפה ששית

עוֹזֵר דַּלִּים, הוֹשִׁיעָה נָּא. פּוֹדֶה וּמַצִּיל, הַצְלִיחָה נָא.
צוּר עוֹלָמִים, עֲנֵנוּ בְיוֹם קָרְאֵנוּ.

הקפה שביעית

קָדוֹשׁ וְנוֹרָא, הוֹשִׁיעָה נָּא. רַחוּם וְחַנּוּן, הַצְלִיחָה נָא.
שׁוֹמֵר הַבְּרִית, עֲנֵנוּ בְיוֹם קָרְאֵנוּ.
תּוֹמֵךְ תְּמִימִים, הוֹשִׁיעָה נָּא. תַּקִּיף לָעַד, הַצְלִיחָה נָא.
תָּמִים בְּמַעֲשָׂיו, עֲנֵנוּ בְיוֹם קָרְאֵנוּ.

After the הקפות, *the* ספרי תורה *that will not be used for* קריאה *are returned to the ark. The* קריאה *in the evening is from the final* סדרה *of the Torah,* וזאת הברכה. *We conclude with* קדיש שלם, עלינו, *and* קדיש יתום, *pp. 239.*

In the morning, all of וזאת הברכה, *is read and we immediately begin the cycle of Torah reading again by reading* פרשת בראשית. *Special honors are usually given to those who participate in the readings. We continue with* אשרי, *p. 226.*

יזכור, meaning "remembrance" is a service to honor those who have passed away. There are sections that the congregation recites together as well as prayers that are recited individually. Modern history has prompted the inclusion of prayers for those who perished in the Holocaust and for those who lost their lives defending the State of Israel.

It is customary to stand for Yizkor

יהוה, מָה אָדָם וַתֵּדָעֵהוּ, בֶּן־אֱנוֹשׁ וַתְּחַשְּׁבֵהוּ.
אָדָם לַהֶבֶל דָּמָה, יָמָיו כְּצֵל עוֹבֵר.
בַּבֹּקֶר יָצִיץ וְחָלָף, לָעֶרֶב יְמוֹלֵל וְיָבֵשׁ.
תָּשֵׁב אֱנוֹשׁ עַד דַּכָּא, וַתֹּאמֶר שׁוּבוּ בְנֵי אָדָם.
שׁוּבָה יהוה, עַד מָתָי, וְהִנָּחֵם עַל עֲבָדֶיךָ.

שִׁוִּיתִי יהוה לְנֶגְדִּי תָמִיד, כִּי מִימִינִי בַּל אֶמּוֹט.
לָכֵן שָׂמַח לִבִּי וַיָּגֶל כְּבוֹדִי, אַף בְּשָׂרִי יִשְׁכֹּן לָבֶטַח.

Yizkor (for one's father)

יִזְכֹּר אֱלֹהִים נִשְׁמַת אָבִי מוֹרִי _____ בֶּן _____ וְ_____ שֶׁהָלַךְ לְעוֹלָמוֹ, בַּעֲבוּר אֶתֵּן צְדָקָה בַּעֲדוֹ. בִּשְׂכַר זֶה תְּהֵא נַפְשׁוֹ צְרוּרָה בִּצְרוֹר הַחַיִּים עִם נִשְׁמוֹת אַבְרָהָם יִצְחָק וְיַעֲקֹב, שָׂרָה רִבְקָה רָחֵל וְלֵאָה, וְעִם שְׁאָר צַדִּיקִים וְצִדְקָנִיּוֹת שֶׁבְּגַן עֵדֶן, וְנֹאמַר; אָמֵן.

Yizkor (for one's mother)

יִזְכֹּר אֱלֹהִים נִשְׁמַת אִמִּי מוֹרָתִי _____ בַּת _____ וְ_____ שֶׁהָלְכָה לְעוֹלָמָהּ, בַּעֲבוּר אֶתֵּן צְדָקָה בַּעֲדָהּ. בִּשְׂכַר זֶה תְּהֵא נַפְשָׁהּ צְרוּרָה בִּצְרוֹר הַחַיִּים עִם נִשְׁמוֹת אַבְרָהָם יִצְחָק וְיַעֲקֹב, שָׂרָה רִבְקָה רָחֵל וְלֵאָה, וְעִם שְׁאָר צַדִּיקִים וְצִדְקָנִיּוֹת שֶׁבְּגַן עֵדֶן, וְנֹאמַר: אָמֵן.

Yizkor for male relatives (one's grandfather, uncle, brother, son, or husband)

יִזְכֹּר אֱלֹהִים נִשְׁמַת זְקֵנִי / דּוֹדִי / אָחִי / בְּנִי / בַּעְלִי (______ בֶּן ______ וְ______) שֶׁהָלַךְ לְעוֹלָמוֹ, בַּעֲבוּר אֶתֵּן צְדָקָה בַּעֲדוֹ. בִּשְׂכַר זֶה תְּהֵא נַפְשׁוֹ צְרוּרָה בִּצְרוֹר הַחַיִּים עִם נִשְׁמוֹת אַבְרָהָם יִצְחָק וְיַעֲקֹב, שָׂרָה רִבְקָה רָחֵל וְלֵאָה, וְעִם שְׁאָר צַדִּיקִים וְצִדְקָנִיּוֹת שֶׁבְּגַן עֵדֶן, וְנֹאמַר; אָמֵן.

Yizkor for female relatives (one's grandmother, aunt, sister, daughter, or wife)

יִזְכֹּר אֱלֹהִים נִשְׁמַת זְקֶנְתִּי / דּוֹדָתִי / אֲחוֹתִי / בִּתִּי / אִשְׁתִּי (______ בַּת ______ וְ______) שֶׁהָלְכָה לְעוֹלָמָהּ, בַּעֲבוּר אֶתֵּן צְדָקָה בַּעֲדָהּ. בִּשְׂכַר זֶה תְּהֵא נַפְשָׁהּ צְרוּרָה בִּצְרוֹר הַחַיִּים עִם נִשְׁמוֹת אַבְרָהָם יִצְחָק וְיַעֲקֹב, שָׂרָה רִבְקָה רָחֵל וְלֵאָה, וְעִם שְׁאָר צַדִּיקִים וְצִדְקָנִיּוֹת שֶׁבְּגַן עֵדֶן, וְנֹאמַר: אָמֵן.

Yizkor (for martyrs)

יִזְכֹּר אֱלֹהִים נִשְׁמוֹת הַקְּדוֹשִׁים וְהַטְּהוֹרִים שֶׁהוּמְתוּ שֶׁנֶּהֶרְגוּ שֶׁנִּשְׁחֲטוּ וְשֶׁנִּשְׂרְפוּ שֶׁנִּטְבְּעוּ וְשֶׁנֶּחְנְקוּ עַל קִדּוּשׁ הַשֵּׁם, בַּעֲבוּר אֶתֵּן צְדָקָה בְּעַד הַזְכָּרַת נִשְׁמוֹתֵיהֶם. בִּשְׂכַר זֶה תִּהְיֶינָה נַפְשׁוֹתֵיהֶם צְרוּרוֹת בִּצְרוֹר הַחַיִּים עִם נִשְׁמוֹת אַבְרָהָם יִצְחָק וְיַעֲקֹב, שָׂרָה רִבְקָה רָחֵל וְלֵאָה, וְעִם שְׁאָר צַדִּיקִים וְצִדְקָנִיּוֹת שֶׁבְּגַן עֵדֶן, וְנֹאמַר: אָמֵן.

אל מלא רחמים לאביו *El Male Rachamim (for one's father)*

אֵל מָלֵא רַחֲמִים שׁוֹכֵן בַּמְּרוֹמִים. הַמְצֵא מְנוּחָה נְכוֹנָה תַּחַת כַּנְפֵי הַשְּׁכִינָה. בְּמַעֲלוֹת קְדוֹשִׁים וּטְהוֹרִים כְּזֹהַר הָרָקִיעַ מַזְהִירִים אֶת נִשְׁמַת אָבִי מוֹרִי ____ בֶּן ____ וְ____ שֶׁהָלַךְ לְעוֹלָמוֹ בַּעֲבוּר שֶׁבְּלִי נֶדֶר אֶתֵּן צְדָקָה בְּעַד הַזְכָּרַת נִשְׁמָתוֹ, בְּגַן עֵדֶן תְּהֵא מְנוּחָתוֹ. לָכֵן בַּעַל הָרַחֲמִים יַסְתִּירֵהוּ בְּסֵתֶר כְּנָפָיו לְעוֹלָמִים, וּצְרוֹר בִּצְרוֹר הַחַיִּים אֶת נִשְׁמָתוֹ. יהוה הוּא נַחֲלָתוֹ: וְיָנוּחַ בְּשָׁלוֹם עַל מִשְׁכָּבוֹ. וְנֹאמַר: אָמֵן.

אל מלא רחמים לאמו *El Male Rachamim (for one's mother)*

אֵל מָלֵא רַחֲמִים שׁוֹכֵן בַּמְּרוֹמִים. הַמְצֵא מְנוּחָה נְכוֹנָה תַּחַת כַּנְפֵי הַשְּׁכִינָה. בְּמַעֲלוֹת קְדוֹשִׁים וּטְהוֹרִים כְּזוֹהַר הָרָקִיעַ מַזְהִירִים אֶת נִשְׁמַת אִמִּי מוֹרָתִי ____ בַּת ____ וְ____ שֶׁהָלְכָה לְעוֹלָמָהּ. בַּעֲבוּר שֶׁבְּלִי נֶדֶר אֶתֵּן צְדָקָה בְּעַד הַזְכָּרַת נִשְׁמָתָהּ. בְּגַן עֵדֶן תְּהֵא מְנוּחָתָהּ. לָכֵן בַּעַל הָרַחֲמִים הַסְתִּירֶהָ בְּסֵתֶר כְּנָפָיו לְעוֹלָמִים, וּצְרוֹר בִּצְרוֹר הַחַיִּים אֶת נִשְׁמָתָהּ. יהוה הוּא נַחֲלָתָהּ וְתָנוּחַ בְּשָׁלוֹם עַל מִשְׁכָּבָהּ. וְנֹאמַר: אָמֵן.

אל מלא רחמים ליחיד *El Male Rachamim (for a individual male)*

אֵל מָלֵא רַחֲמִים שׁוֹכֵן בַּמְּרוֹמִים. הַמְצֵא מְנוּחָה נְכוֹנָה תַּחַת כַּנְפֵי הַשְּׁכִינָה. בְּמַעֲלוֹת קְדוֹשִׁים וּטְהוֹרִים כְּזֹהַר הָרָקִיעַ מַזְהִירִים אֶת נִשְׁמַת ____ בֶּן ____ וְ____ שֶׁהָלַךְ לְעוֹלָמוֹ בַּעֲבוּר שֶׁבְּלִי נֶדֶר אֶתֵּן צְדָקָה בְּעַד הַזְכָּרַת נִשְׁמָתוֹ, בְּגַן עֵדֶן תְּהֵא מְנוּחָתוֹ. לָכֵן בַּעַל הָרַחֲמִים הַסְתִּירֵהוּ בְּסֵתֶר כְּנָפָיו לְעוֹלָמִים. וּצְרוֹר בִּצְרוֹר הַחַיִּים אֶת נִשְׁמָתוֹ. יהוה הוּא נַחֲלָתוֹ: וְיָנוּחַ בְּשָׁלוֹם עַל מִשְׁכָּבוֹ. וְנֹאמַר: אָמֵן.

El Male Rachamim (for a individual female) **אל מלא רחמים ליחידה**

אֵל מָלֵא רַחֲמִים שׁוֹכֵן בַּמְּרוֹמִים. הַמְצֵא מְנוּחָה נְכוֹנָה תַּחַת כַּנְפֵי הַשְּׁכִינָה. בְּמַעֲלוֹת קְדוֹשִׁים וּטְהוֹרִים כְּזֹהַר הָרָקִיעַ מַזְהִירִים אֶת נִשְׁמַת (_____ בַּת _____ וְ_____) שֶׁהָלְכָה לְעוֹלָמָהּ. בַּעֲבוּר שֶׁבְּלִי נֶדֶר אֶתֵּן צְדָקָה בְּעַד הַזְכָּרַת נִשְׁמָתָהּ. בְּגַן עֵדֶן תְּהֵא מְנוּחָתָהּ. לָכֵן בַּעַל הָרַחֲמִים יַסְתִּירֶהָ בְּסֵתֶר כְּנָפָיו לְעוֹלָמִים. וּצְרוֹר בִּצְרוֹר הַחַיִּים אֶת נִשְׁמָתָהּ. יהוה הוּא נַחֲלָתָהּ וְתָנוּחַ בְּשָׁלוֹם עַל מִשְׁכָּבָהּ. וְנֹאמַר: אָמֵן.

In memory of Israeli soldiers **לזכר לחיילי צה״ל**

אֵל מָלֵא רַחֲמִים שׁוֹכֵן בַּמְּרוֹמִים. הַמְצֵא מְנוּחָה נְכוֹנָה תַּחַת כַּנְפֵי הַשְּׁכִינָה. בְּמַעֲלוֹת קְדוֹשִׁים וּטְהוֹרִים וְגִבּוֹרִים, כְּזוֹהַר הָרָקִיעַ מַזְהִירִים, לְנִשְׁמוֹת הַקְּדוֹשִׁים שֶׁנִּלְחֲמוּ בְּכָל מַעַרְכוֹת יִשְׂרָאֵל, בַּמַּחְתֶּרֶת וּבִצְבָא הַהֲגָנָה לְיִשְׂרָאֵל וְשֶׁנָּפְלוּ בְּמִלְחַמְתָּם וּמָסְרוּ נַפְשָׁם עַל קְדֻשַּׁת הַשֵּׁם, הָעָם וְהָאָרֶץ, בַּעֲבוּר שֶׁאָנוּ מִתְפַּלְּלִים לְעִלּוּי נִשְׁמוֹתֵיהֶם. לָכֵן בַּעַל הָרַחֲמִים, יַסְתִּירֵם בְּסֵתֶר כְּנָפָיו לְעוֹלָמִים. וְיִצְרֹר בִּצְרוֹר הַחַיִּים אֶת נִשְׁמוֹתֵיהֶם. יהוה הוּא נַחֲלָתָם וְיָנוּחוּ בְּשָׁלוֹם עַל מִשְׁכְּבוֹתֵיהֶם וְתַעֲמֹד לְכָל יִשְׂרָאֵל זְכוּתָם וְיַעַמְדוּ לְגוֹרָלָם לְקֵץ הַיָּמִים, וְנֹאמַר: אָמֵן.

לזכר ששת המיליון *In Memory of the Six Million*

אֵל מָלֵא רַחֲמִים שׁוֹכֵן בַּמְּרוֹמִים. הַמְצֵא מְנוּחָה נְכוֹנָה תַּחַת כַּנְפֵי הַשְּׁכִינָה. בְּמַעֲלוֹת קְדוֹשִׁים וּטְהוֹרִים כְּזוֹהַר הָרָקִיעַ מַזְהִירִים, אֶת נִשְׁמוֹת כָּל־אַחֵינוּ בְּנֵי יִשְׂרָאֵל, אֲנָשִׁים נָשִׁים וָטַף, שֶׁנִּטְבְּחוּ וְשֶׁנֶּחְנְקוּ וְשֶׁנִּשְׂרְפוּ וְשֶׁנֶּהֶרְגוּ, בְּגַן עֵדֶן תְּהֵא מְנוּחָתָם. אָנָּא בַּעַל הָרַחֲמִים, יַסְתִּירֵם בְּסֵתֶר כְּנָפֶיךָ לְעוֹלָמִים. וּצְרוֹר בִּצְרוֹר הַחַיִּים אֶת נִשְׁמוֹתֵיהֶם. יהוה הוּא נַחֲלָתָם וְיָנוּחוּ בְּשָׁלוֹם עַל מִשְׁכְּבוֹתֵיהֶם. וְנֹאמַר: אָמֵן.

מִזְמוֹר לְדָוִד יהוה רֹעִי לֹא אֶחְסָר: בִּנְאוֹת דֶּשֶׁא יַרְבִּיצֵנִי עַל־מֵי מְנֻחוֹת יְנַהֲלֵנִי: נַפְשִׁי יְשׁוֹבֵב יַנְחֵנִי בְמַעְגְּלֵי־צֶדֶק לְמַעַן שְׁמוֹ: גַּם כִּי־אֵלֵךְ בְּגֵיא צַלְמָוֶת לֹא־אִירָא רָע כִּי־אַתָּה עִמָּדִי שִׁבְטְךָ וּמִשְׁעַנְתֶּךָ הֵמָּה יְנַחֲמֻנִי: תַּעֲרֹךְ לְפָנַי שֻׁלְחָן נֶגֶד צֹרְרָי דִּשַּׁנְתָּ בַשֶּׁמֶן רֹאשִׁי כּוֹסִי רְוָיָה: אַךְ טוֹב וָחֶסֶד יִרְדְּפוּנִי כָּל־יְמֵי חַיָּי וְשַׁבְתִּי בְּבֵית־יְהֹוָה לְאֹרֶךְ יָמִים: תְּהִלִּים כג

קדיש יתום

(אבלים ואבלות) יִתְגַּדַּל וְיִתְקַדַּשׁ שְׁמֵהּ רַבָּא. בְּעָלְמָא דִּי בְרָא כִרְעוּתֵהּ, וְיַמְלִיךְ מַלְכוּתֵהּ בְּחַיֵּיכוֹן וּבְיוֹמֵיכוֹן וּבְחַיֵּי דְכָל בֵּית יִשְׂרָאֵל. בַּעֲגָלָא וּבִזְמַן קָרִיב וְאִמְרוּ אָמֵן:

(ביחד) יְהֵא שְׁמֵהּ רַבָּא מְבָרַךְ לְעָלַם וּלְעָלְמֵי עָלְמַיָּא:

(אבלים ואבלות) יִתְבָּרַךְ וְיִשְׁתַּבַּח וְיִתְפָּאַר וְיִתְרוֹמַם וְיִתְנַשֵּׂא וְיִתְהַדָּר וְיִתְעַלֶּה וְיִתְהַלָּל שְׁמֵהּ דְּקֻדְשָׁא (ביחד) בְּרִיךְ הוּא (אבלים ואבלות) לְעֵלָּא (בעשי״ת לְעֵלָּא וּלְעֵלָּא מִכָּל) מִן כָּל בִּרְכָתָא וְשִׁירָתָא תֻּשְׁבְּחָתָא וְנֶחֱמָתָא, דַּאֲמִירָן בְּעָלְמָא, וְאִמְרוּ אָמֵן:

(אבלים ואבלות) יְהֵא שְׁלָמָא רַבָּא מִן שְׁמַיָּא, וְחַיִּים טוֹבִים עָלֵינוּ וְעַל כָּל יִשְׂרָאֵל וְאִמְרוּ אָמֵן.
(אבלים ואבלות) עֹשֶׂה שָׁלוֹם בִּמְרוֹמָיו הוּא יַעֲשֶׂה שָׁלוֹם עָלֵינוּ וְעַל כָּל יִשְׂרָאֵל, וְאִמְרוּ אָמֵן:

Turn to p. 228 for אשרי

ABBREVIATED WEEKDAY SERVICE

Setting aside time to pray every day is an important mitzvah for Jews. The ideal is to begin each day praying with a minyan. If that is not possible given school, work and family obligations, the following guidelines are offered for praying at home without a minyan on weekday mornings. Barchu, Kedusha, all forms of Kaddish and the reading of the Torah require a minyan so they are omitted when davening alone.

If you have **45 minutes**	
Morning Blessings	p. 6
Baruch She'amar	p. 12
Ashrei	p. 16
Halleluyah	p. 17
Yishtabach	p. 23
Shema & Blessings	p. 28
Amidah	p. 33
Tachanun	p. 49
Ashrei	p. 58
Aleinu	p. 62
Psalm of the Day	p. 64

Tallit and Tefillin are put on (p. 4)

If you have **15 minutes**	
Morning Blessings	p. 6
Ashrei	p. 16
Shema & Blessings	p. 28
Amidah	p. 33
Aleinu	p. 62

If you have **10 minutes**	
Shema & Blessings	p. 28
Amidah	p. 33

If you have **5 minutes**	
Shema	p. 28
Amidah	p. 33

If you have only a few minutes	
Shema	p. 28
Abridged Amidah	below

Abbreviated Amidah עמידה

אֲדֹנָי שְׂפָתַי תִּפְתָּח וּפִי יַגִּיד תְּהִלָּתֶךָ: תְּהִלִּים נא:17

בָּרוּךְ אַתָּה יהוה אֱלֹהֵינוּ וֵאלֹהֵי אֲבוֹתֵינוּ, אֱלֹהֵי אַבְרָהָם, אֱלֹהֵי יִצְחָק, וֵאלֹהֵי יַעֲקֹב, הָאֵל הַגָּדוֹל הַגִּבּוֹר וְהַנּוֹרָא, אֵל עֶלְיוֹן, גּוֹמֵל חֲסָדִים טוֹבִים, וְקוֹנֵה הַכֹּל, וְזוֹכֵר חַסְדֵי אָבוֹת, וּמֵבִיא גוֹאֵל לִבְנֵי בְנֵיהֶם לְמַעַן שְׁמוֹ בְּאַהֲבָה:

In some communities שרה רבקה רחל ולאה are added to the first blessing of the עמידה to emphasize that both women and men have a relationship with God.

During the עשרת ימי תשובה *say*

זָכְרֵנוּ לְחַיִּים, מֶלֶךְ חָפֵץ בַּחַיִּים, וְכָתְבֵנוּ בְּסֵפֶר הַחַיִּים, לְמַעַנְךָ אֱלֹהִים חַיִּים.

מֶלֶךְ עוֹזֵר וּמוֹשִׁיעַ וּמָגֵן: ㄍ בָּרוּךְ ㄍ אַתָּה ㄍ יהוה, מָגֵן אַבְרָהָם:

5 אַתָּה גִבּוֹר לְעוֹלָם אֲדֹנָי, מְחַיֵּה מֵתִים אַתָּה, רַב לְהוֹשִׁיעַ:

From שמיני עצרת *until the first day of* פסח *say*

מַשִּׁיב הָרוּחַ וּמוֹרִיד הַגָּשֶׁם:

From the first day of פסח *until* שמיני עצרת *say*

מוֹרִיד הַטָּל

מְכַלְכֵּל חַיִּים בְּחֶסֶד, מְחַיֵּה מֵתִים בְּרַחֲמִים רַבִּים, 10 סוֹמֵךְ נוֹפְלִים, וְרוֹפֵא חוֹלִים, וּמַתִּיר אֲסוּרִים, וּמְקַיֵּם אֱמוּנָתוֹ לִישֵׁנֵי עָפָר, מִי כָמוֹךָ בַּעַל גְּבוּרוֹת וּמִי דוֹמֶה לָּךְ, מֶלֶךְ מֵמִית וּמְחַיֶּה וּמַצְמִיחַ יְשׁוּעָה:

During the עשרת ימי תשובה *say*

מִי כָמוֹךָ אַב הָרַחֲמִים, זוֹכֵר יְצוּרָיו לְחַיִּים בְּרַחֲמִים:

וְנֶאֱמָן אַתָּה לְהַחֲיוֹת מֵתִים. בָּרוּךְ אַתָּה יהוה, מְחַיֵּה 15 הַמֵּתִים.

אַתָּה קָדוֹשׁ וְשִׁמְךָ קָדוֹשׁ וּקְדוֹשִׁים בְּכָל יוֹם יְהַלְלוּךָ, סֶלָה. בָּרוּךְ אַתָּה יהוה, הָאֵל הַקָּדוֹשׁ.

הֲבִינֵנוּ יהוה אֱלֹהֵינוּ לָדַעַת דְּרָכֶיךָ, וּמוֹל אֶת לְבָבֵנוּ לְיִרְאָתֶךָ, וְתִסְלַח לָנוּ לִהְיוֹת גְּאוּלִים, וְרַחֲקֵנוּ מִמַּכְאוֹב, 20 וְדַשְּׁנֵנוּ בִּנְאוֹת אַרְצֶךָ, וּנְפוּצוֹתֵינוּ מֵאַרְבַּע תְּקַבֵּץ, וְהַתּוֹעִים עַל דַּעְתְּךָ יִשָּׁפֵטוּ, וְעַל הָרְשָׁעִים תָּנִיף יָדֶךָ, וְיִשְׂמְחוּ צַדִּיקִים בְּבִנְיַן עִירֶךָ וּבְתִקּוּן הֵיכָלֶךָ, וּבִצְמִיחַת

קֶרֶן לְדָוִד עַבְדֶּךָ וּבַעֲרִיכַת נֵר לְבֶן יִשַׁי מְשִׁיחֶךָ. טֶרֶם
נִקְרָא אַתָּה תַעֲנֶה. בָּרוּךְ אַתָּה יהוה, שׁוֹמֵעַ תְּפִלָּה.

רְצֵה, יהוה אֱלֹהֵינוּ, בְּעַמְּךָ יִשְׂרָאֵל וּבִתְפִלָּתָם, וְהָשֵׁב
אֶת הָעֲבוֹדָה לִדְבִיר בֵּיתֶךָ, וּתְפִלָּתָם בְּאַהֲבָה תְקַבֵּל
בְּרָצוֹן, וּתְהִי לְרָצוֹן תָּמִיד עֲבוֹדַת יִשְׂרָאֵל עַמֶּךָ.
5
וְתֶחֱזֶינָה עֵינֵינוּ בְּשׁוּבְךָ לְצִיּוֹן בְּרַחֲמִים. בָּרוּךְ אַתָּה
יהוה, הַמַּחֲזִיר שְׁכִינָתוֹ לְצִיּוֹן.

מוֹדִים אֲנַחְנוּ לָךְ, ⎫ שָׁאַתָּה הוּא יהוה אֱלֹהֵינוּ
וֵאלֹהֵי אֲבוֹתֵינוּ לְעוֹלָם וָעֶד, צוּר חַיֵּינוּ, מָגֵן יִשְׁעֵנוּ,
10 אַתָּה הוּא לְדוֹר וָדוֹר. נוֹדֶה לְּךָ וּנְסַפֵּר תְּהִלָּתֶךָ, עַל
חַיֵּינוּ הַמְּסוּרִים בְּיָדֶךָ, וְעַל נִשְׁמוֹתֵינוּ הַפְּקוּדוֹת לָךְ,
וְעַל נִסֶּיךָ שֶׁבְּכָל יוֹם עִמָּנוּ, וְעַל נִפְלְאוֹתֶיךָ וְטוֹבוֹתֶיךָ
שֶׁבְּכָל עֵת, עֶרֶב וָבֹקֶר וְצָהֳרָיִם, הַטּוֹב כִּי לֹא כָלוּ
רַחֲמֶיךָ, וְהַמְרַחֵם כִּי לֹא תַמּוּ חֲסָדֶיךָ מֵעוֹלָם קִוִּינוּ
15 לָךְ.

וְעַל כֻּלָּם יִתְבָּרַךְ וְיִתְרוֹמַם שִׁמְךָ, מַלְכֵּנוּ, תָּמִיד לְעוֹלָם
וָעֶד.

וְכֹל הַחַיִּים יוֹדוּךָ סֶּלָה, וִיהַלְלוּ אֶת שִׁמְךָ בֶּאֱמֶת, הָאֵל
יְשׁוּעָתֵנוּ וְעֶזְרָתֵנוּ סֶלָה. ⎫ בָּרוּךְ ⎫ אַתָּה ⎫ יהוה, הַטּוֹב
20 שִׁמְךָ וּלְךָ נָאֶה לְהוֹדוֹת.

שִׂים שָׁלוֹם טוֹבָה וּבְרָכָה, חֵן וָחֶסֶד וְרַחֲמִים, עָלֵינוּ
וְעַל כָּל יִשְׂרָאֵל עַמֶּךָ. בָּרְכֵנוּ, אָבִינוּ, כֻּלָּנוּ כְּאֶחָד בְּאוֹר
פָּנֶיךָ, כִּי בְאוֹר פָּנֶיךָ נָתַתָּ לָנוּ, יהוה אֱלֹהֵינוּ, תּוֹרַת

חַיִּים וְאַהֲבַת חֶסֶד, וּצְדָקָה וּבְרָכָה וְרַחֲמִים וְחַיִּים וְשָׁלוֹם, וְטוֹב בְּעֵינֶיךָ לְבָרֵךְ אֶת עַמְּךָ יִשְׂרָאֵל בְּכָל עֵת וּבְכָל שָׁעָה בִּשְׁלוֹמֶךָ. בָּרוּךְ אַתָּה יהוה, הַמְבָרֵךְ אֶת עַמּוֹ יִשְׂרָאֵל בַּשָּׁלוֹם.

קריאת שמע על המטה

Prayers were always recited by people before they went to sleep to bring protection from evil, ensure pleasant dreams and bring a restful sleep. We thank God for sleep to renew our body and mind. We ask that our sleep be peaceful and that we wake up in peace the next day.

Some people believed that when you slept, your soul left your body temporarily and was returned to you each morning (see מודה אני p. 2). קריאת שמע is part of the ודוי, or confessional, said when someone is dying. Since the idea of your soul leaving you overnight was similar to the idea of your soul leaving you when you die, the שמע was recited before bed as a way of confessing your wrongdoings of the day and starting "clean" the next day when your soul was returned.

ברכת המפיל

Personal prayers may be added here

בָּרוּךְ אַתָּה יהוה אֱלֹהֵינוּ מֶלֶךְ הָעוֹלָם, הַמַּפִּיל חֶבְלֵי שֵׁנָה עַל עֵינָי וּתְנוּמָה עַל עַפְעַפָּי. וִיהִי רָצוֹן מִלְּפָנֶיךָ יהוה אֱלֹהַי וֵאלֹהֵי אֲבוֹתַי, שֶׁתַּשְׁכִּיבֵנִי לְשָׁלוֹם וְתַעֲמִידֵנִי לְשָׁלוֹם, כִּי אַתָּה הַמֵּאִיר לְאִישׁוֹן בַּת עָיִן. בָּרוּךְ אַתָּה יהוה, הַמֵּאִיר לָעוֹלָם כֻּלּוֹ בִּכְבוֹדוֹ.

אֵל מֶלֶךְ נֶאֱמָן

שְׁמַע יִשְׂרָאֵל, יהוה אֱלֹהֵינוּ, יהוה **אֶחָד**: דְּבָרִים ו:4

בָּרוּךְ שֵׁם כְּבוֹד מַלְכוּתוֹ לְעוֹלָם וָעֶד. *Say quietly*

וְאָֽהַבְתָּ֔ אֵ֖ת יְהוָ֣ה אֱלֹהֶ֑יךָ בְּכָל־לְבָבְךָ֥ וּבְכָל־נַפְשְׁךָ֖ וּבְכָל־מְאֹדֶֽךָ׃ וְהָי֞וּ הַדְּבָרִ֣ים הָאֵ֗לֶּה אֲשֶׁ֨ר אָנֹכִ֧י מְצַוְּךָ֛ הַיּ֖וֹם עַל־לְבָבֶֽךָ׃ וְשִׁנַּנְתָּ֣ם לְבָנֶ֔יךָ וְדִבַּרְתָּ֖ בָּ֑ם בְּשִׁבְתְּךָ֤ בְּבֵיתֶ֙ךָ֙ וּבְלֶכְתְּךָ֣ בַדֶּ֔רֶךְ וּֽבְשָׁכְבְּךָ֖ וּבְקוּמֶֽךָ׃ וּקְשַׁרְתָּ֥ם לְא֖וֹת עַל־יָדֶ֑ךָ וְהָי֥וּ לְטֹטָפֹ֖ת בֵּ֥ין עֵינֶֽיךָ׃ וּכְתַבְתָּ֛ם עַל־מְזֻז֥וֹת בֵּיתֶ֖ךָ וּבִשְׁעָרֶֽיךָ׃ שָׁם:5-9

בָּרוּךְ יהוה בַּיּוֹם, בָּרוּךְ יהוה בַּלָּיְלָה, בָּרוּךְ יהוה בְּשָׁכְבֵנוּ, בָּרוּךְ יהוה בְּקוּמֵנוּ.
הִנֵּה לֹא יָנוּם וְלֹא יִישָׁן שׁוֹמֵר יִשְׂרָאֵל׃

בְּיָדוֹ אַפְקִיד רוּחִי, בְּעֵת אִישַׁן וְאָעִירָה. וְעִם רוּחִי גְּוִיָּתִי, יהוה לִי וְלֹא אִירָא.

לחנוכה

For eight nights beginning on the 25th of Kislev we light the Chanukah candles. According to Jewish tradition, they should be placed in a window so that anyone would be able to see them from the street. This is done to "advertise the miracle" (פרסומי ניסא) of Chanukah.

The candles are lit as follows:

The first candle is placed in the Menorah on the right hand side (to your right as you face it). This candle, in addition to the Shamash candle, is lit on the first night. A new candle is added each night so that the menorah is filled in from the right to the left.

Each evening the new candle is lit first (with the Shamash) so the lighting of the candles is from left to right.

On Friday afternoon the Chanukah candles are lit before the Shabbat candles. On Saturday night, the Chanukah candles are lit after Havdalah when it is completely dark.

After the candles are lit, it is customary to recite הנרות הללו. We declare that the candles that have been lit are to help us remember the miracles that God did for our ancestors, and that we are only permitted to look at the candles, we cannot use them for any practical purpose.

Before lighting the candles, say

בָּרוּךְ אַתָּה יהוה אֱלֹהֵינוּ מֶלֶךְ הָעוֹלָם, אֲשֶׁר קִדְּשָׁנוּ
בְּמִצְוֹתָיו וְצִוָּנוּ לְהַדְלִיק נֵר שֶׁל חֲנֻכָּה.
בָּרוּךְ אַתָּה יהוה אֱלֹהֵינוּ מֶלֶךְ הָעוֹלָם, שֶׁעָשָׂה נִסִּים
לַאֲבוֹתֵינוּ בַּיָּמִים הָהֵם בַּזְּמַן הַזֶּה.

On the first night we say

בָּרוּךְ אַתָּה יהוה אֱלֹהֵינוּ מֶלֶךְ הָעוֹלָם, שֶׁהֶחֱיָנוּ וְקִיְּמָנוּ
וְהִגִּיעָנוּ לַזְּמַן הַזֶּה.

After lighting the candles, say

הַנֵּרוֹת הַלָּלוּ אֲנַחְנוּ מַדְלִיקִין עַל הַנִּסִּים וְעַל הַנִּפְלָאוֹת וְעַל הַתְּשׁוּעוֹת וְעַל הַמִּלְחָמוֹת, שֶׁעָשִׂיתָ לַאֲבוֹתֵינוּ בַּיָּמִים הָהֵם בַּזְּמַן הַזֶּה, עַל יְדֵי כֹּהֲנֶיךָ הַקְּדוֹשִׁים. וְכָל שְׁמוֹנַת יְמֵי חֲנֻכָּה הַנֵּרוֹת הַלָּלוּ קֹדֶשׁ הֵם, וְאֵין לָנוּ רְשׁוּת לְהִשְׁתַּמֵּשׁ בָּהֶם, אֶלָּא לִרְאוֹתָם בִּלְבָד, כְּדֵי לְהוֹדוֹת וּלְהַלֵּל לְשִׁמְךָ הַגָּדוֹל עַל נִסֶּיךָ וְעַל נִפְלְאוֹתֶיךָ וְעַל יְשׁוּעָתֶךָ.

מעוז צור

מָעוֹז צוּר יְשׁוּעָתִי
לְךָ נָאֶה לְשַׁבֵּחַ,
תִּכּוֹן בֵּית תְּפִלָּתִי
וְשָׁם תּוֹדָה נְזַבֵּחַ,
לְעֵת תָּכִין מַטְבֵּחַ
מִצָּר הַמְנַבֵּחַ,
אָז אֶגְמֹר בְּשִׁיר מִזְמוֹר
חֲנֻכַּת הַמִּזְבֵּחַ.

מעוז צור was written in the 13th century. This is sung after the candles are lit. In this song we ask God to reestablish the Temple, and renew the services in the Temple.

התקוה

כָּל עוֹד בַּלֵּבָב פְּנִימָה
נֶפֶשׁ יְהוּדִי הוֹמִיָּה
וּלְפַאֲתֵי מִזְרָח קָדִימָה
עַיִן לְצִיּוֹן צוֹפִיָּה.
עוֹד לֹא אָבְדָה תִּקְוָתֵנוּ
הַתִּקְוָה שְׁנוֹת אַלְפַּיִם
לִהְיוֹת עַם חָפְשִׁי בְּאַרְצֵנוּ
אֶרֶץ צִיּוֹן וִירוּשָׁלָיִם.
לִהְיוֹת עַם חָפְשִׁי בְּאַרְצֵנוּ
אֶרֶץ צִיּוֹן וִירוּשָׁלָיִם.

התקוה meaning "The Hope" is the national anthem of the State of Israel. It was written by the Hebrew poet Naftali Hertz Imber. It expresses the Jewish people's desire to return to, and be a free people in, the ancient homeland, ארץ ישראל.

קריאת התורה

TORAH READINGS

② indicates the second aliyah.

③ indicates the third aliyah.

Bereshit בראשית (Gen 1:1–13)

The first verse of the Torah establishes two fundamental principles: God exists, and God created everything. The text then details the process of Creation, describing it as taking place in a series of progressive steps.

1 בְּרֵאשִׁ֖ית בָּרָ֣א אֱלֹהִ֑ים אֵ֥ת הַשָּׁמַ֖יִם וְאֵ֥ת הָאָֽרֶץ׃ 2 וְהָאָ֗רֶץ הָיְתָ֥ה תֹ֙הוּ֙
וָבֹ֔הוּ וְחֹ֖שֶׁךְ עַל־פְּנֵ֣י תְה֑וֹם וְר֣וּחַ אֱלֹהִ֔ים מְרַחֶ֖פֶת עַל־פְּנֵ֥י הַמָּֽיִם׃ 3 וַיֹּ֥אמֶר
אֱלֹהִ֖ים יְהִ֣י א֑וֹר וַֽיְהִי־אֽוֹר׃ 4 וַיַּ֧רְא אֱלֹהִ֛ים אֶת־הָא֖וֹר כִּי־ט֑וֹב וַיַּבְדֵּ֣ל
אֱלֹהִ֔ים בֵּ֥ין הָא֖וֹר וּבֵ֥ין הַחֹֽשֶׁךְ׃ 5 וַיִּקְרָ֨א אֱלֹהִ֤ים ׀ לָאוֹר֙ י֔וֹם וְלַחֹ֖שֶׁךְ קָ֣רָא
לָ֑יְלָה וַֽיְהִי־עֶ֥רֶב וַֽיְהִי־בֹ֖קֶר י֥וֹם אֶחָֽד׃
② 6 וַיֹּ֣אמֶר אֱלֹהִ֔ים יְהִ֥י רָקִ֖יעַ בְּת֣וֹךְ הַמָּ֑יִם וִיהִ֣י מַבְדִּ֔יל בֵּ֥ין מַ֖יִם לָמָֽיִם׃
7 וַיַּ֣עַשׂ אֱלֹהִים֮ אֶת־הָרָקִ֒יעַ֒ וַיַּבְדֵּ֗ל בֵּ֤ין הַמַּ֙יִם֙ אֲשֶׁר֙ מִתַּ֣חַת לָרָקִ֔יעַ וּבֵ֣ין
הַמַּ֔יִם אֲשֶׁ֖ר מֵעַ֣ל לָרָקִ֑יעַ וַֽיְהִי־כֵֽן׃ 8 וַיִּקְרָ֧א אֱלֹהִ֛ים לָֽרָקִ֖יעַ שָׁמָ֑יִם
וַֽיְהִי־עֶ֥רֶב וַֽיְהִי־בֹ֖קֶר י֥וֹם שֵׁנִֽי׃
③ 9 וַיֹּ֣אמֶר אֱלֹהִ֗ים יִקָּו֨וּ הַמַּ֜יִם מִתַּ֤חַת הַשָּׁמַ֙יִם֙ אֶל־מָק֣וֹם אֶחָ֔ד וְתֵרָאֶ֖ה
הַיַּבָּשָׁ֑ה וַֽיְהִי־כֵֽן׃ 10 וַיִּקְרָ֨א אֱלֹהִ֤ים ׀ לַיַּבָּשָׁה֙ אֶ֔רֶץ וּלְמִקְוֵ֥ה הַמַּ֖יִם קָרָ֣א
יַמִּ֑ים וַיַּ֥רְא אֱלֹהִ֖ים כִּי־טֽוֹב׃ 11 וַיֹּ֣אמֶר אֱלֹהִ֗ים תַּֽדְשֵׁ֤א הָאָ֙רֶץ֙ דֶּ֔שֶׁא עֵ֚שֶׂב
מַזְרִ֣יעַ זֶ֔רַע עֵ֣ץ פְּרִ֞י עֹ֤שֶׂה פְּרִי֙ לְמִינ֔וֹ אֲשֶׁ֥ר זַרְעוֹ־ב֖וֹ עַל־הָאָ֑רֶץ וַֽיְהִי־כֵֽן׃
12 וַתּוֹצֵ֨א הָאָ֜רֶץ דֶּ֠שֶׁא עֵ֣שֶׂב מַזְרִ֤יעַ זֶ֙רַע֙ לְמִינֵ֔הוּ וְעֵ֧ץ עֹֽשֶׂה־פְּרִ֛י אֲשֶׁ֥ר
זַרְעוֹ־ב֖וֹ לְמִינֵ֑הוּ וַיַּ֥רְא אֱלֹהִ֖ים כִּי־טֽוֹב׃ 13 וַֽיְהִי־עֶ֥רֶב וַֽיְהִי־בֹ֖קֶר י֥וֹם
שְׁלִישִֽׁי׃

Noach נח (Gen 6:9–22)

The human race has become corrupt and sinful. God decides to destroy the evildoers and start over again with Noah and his descendants.

9 אֵ֚לֶּה תּוֹלְדֹ֣ת נֹ֔חַ נֹ֗חַ אִ֥ישׁ צַדִּ֛יק תָּמִ֥ים הָיָ֖ה בְּדֹֽרֹתָ֑יו אֶת־הָֽאֱלֹהִ֖ים
הִֽתְהַלֶּךְ־נֹֽחַ׃ 10 וַיּ֥וֹלֶד נֹ֖חַ שְׁלֹשָׁ֣ה בָנִ֑ים אֶת־שֵׁ֖ם אֶת־חָ֥ם וְאֶת־יָֽפֶת׃
11 וַתִּשָּׁחֵ֥ת הָאָ֖רֶץ לִפְנֵ֣י הָאֱלֹהִ֑ים וַתִּמָּלֵ֥א הָאָ֖רֶץ חָמָֽס׃ 12 וַיַּ֧רְא אֱלֹהִ֛ים
אֶת־הָאָ֖רֶץ וְהִנֵּ֣ה נִשְׁחָ֑תָה כִּֽי־הִשְׁחִ֧ית כָּל־בָּשָׂ֛ר אֶת־דַּרְכּ֖וֹ עַל־הָאָֽרֶץ׃ ס
13 וַיֹּאמֶר֩ אֱלֹהִ֨ים לְנֹ֜חַ קֵ֤ץ כָּל־בָּשָׂר֙ בָּ֣א לְפָנַ֔י כִּֽי־מָלְאָ֥ה הָאָ֛רֶץ חָמָ֖ס
מִפְּנֵיהֶ֑ם וְהִנְנִ֥י מַשְׁחִיתָ֖ם אֶת־הָאָֽרֶץ׃ 14 עֲשֵׂ֤ה לְךָ֙ תֵּבַ֣ת עֲצֵי־גֹ֔פֶר קִנִּ֖ים
תַּעֲשֶׂ֣ה אֶת־הַתֵּבָ֑ה וְכָֽפַרְתָּ֥ אֹתָ֛הּ מִבַּ֥יִת וּמִח֖וּץ בַּכֹּֽפֶר׃ 15 וְזֶ֕ה אֲשֶׁ֥ר תַּעֲשֶׂ֖ה
אֹתָ֑הּ שְׁלֹ֧שׁ מֵא֣וֹת אַמָּ֗ה אֹ֚רֶךְ הַתֵּבָ֔ה חֲמִשִּׁ֤ים אַמָּה֙ רָחְבָּ֔הּ וּשְׁלֹשִׁ֥ים אַמָּ֖ה
קוֹמָתָֽהּ׃ 16 צֹ֣הַר ׀ תַּעֲשֶׂ֣ה לַתֵּבָ֗ה וְאֶל־אַמָּה֙ תְּכַלֶּ֣נָּה מִלְמַ֔עְלָה וּפֶ֥תַח
הַתֵּבָ֖ה בְּצִדָּ֣הּ תָּשִׂ֑ים תַּחְתִּיִּ֛ם שְׁנִיִּ֥ם וּשְׁלִשִׁ֖ים תַּעֲשֶֽׂהָ׃

② 17 וַאֲנִי הִנְנִי מֵבִיא אֶת־הַמַּבּוּל מַיִם עַל־הָאָרֶץ לְשַׁחֵת כָּל־בָּשָׂר אֲשֶׁר־בּוֹ
רוּחַ חַיִּים מִתַּחַת הַשָּׁמָיִם כֹּל אֲשֶׁר־בָּאָרֶץ יִגְוָע׃ 18 וַהֲקִמֹתִי אֶת־בְּרִיתִי
אִתָּךְ וּבָאתָ אֶל־הַתֵּבָה אַתָּה וּבָנֶיךָ וְאִשְׁתְּךָ וּנְשֵׁי־בָנֶיךָ אִתָּךְ׃ 19
וּמִכָּל־הָחַי מִכָּל־בָּשָׂר שְׁנַיִם מִכֹּל תָּבִיא אֶל־הַתֵּבָה לְהַחֲיֹת אִתָּךְ זָכָר
וּנְקֵבָה יִהְיוּ׃
③ 20 מֵהָעוֹף לְמִינֵהוּ וּמִן־הַבְּהֵמָה לְמִינָהּ מִכֹּל רֶמֶשׂ הָאֲדָמָה לְמִינֵהוּ שְׁנַיִם
מִכֹּל יָבֹאוּ אֵלֶיךָ לְהַחֲיוֹת׃ 21 וְאַתָּה קַח־לְךָ מִכָּל־מַאֲכָל אֲשֶׁר יֵאָכֵל
וְאָסַפְתָּ אֵלֶיךָ וְהָיָה לְךָ וְלָהֶם לְאָכְלָה׃ 22 וַיַּעַשׂ נֹחַ כְּכֹל אֲשֶׁר צִוָּה אֹתוֹ
אֱלֹהִים כֵּן עָשָׂה׃ ס

Lekh Lekha לך לך (Gen 12:1–13)

God tells Abram to leave his home and go to Canaan. There God appears to him and promises to give the land to his descendants. Abram moves on to Egypt during a famine but fears that he will be killed because of his wife's beauty.

1 וַיֹּאמֶר יְהוָה אֶל־אַבְרָם לֶךְ־לְךָ מֵאַרְצְךָ וּמִמּוֹלַדְתְּךָ וּמִבֵּית אָבִיךָ
אֶל־הָאָרֶץ אֲשֶׁר אַרְאֶךָּ׃ 2 וְאֶעֶשְׂךָ לְגוֹי גָּדוֹל וַאֲבָרֶכְךָ וַאֲגַדְּלָה שְׁמֶךָ
וֶהְיֵה בְּרָכָה׃ 3 וַאֲבָרְכָה מְבָרְכֶיךָ וּמְקַלֶּלְךָ אָאֹר וְנִבְרְכוּ בְךָ כֹּל מִשְׁפְּחֹת
הָאֲדָמָה׃
② 4 וַיֵּלֶךְ אַבְרָם כַּאֲשֶׁר דִּבֶּר אֵלָיו יְהוָה וַיֵּלֶךְ אִתּוֹ לוֹט וְאַבְרָם בֶּן־חָמֵשׁ
שָׁנִים וְשִׁבְעִים שָׁנָה בְּצֵאתוֹ מֵחָרָן׃ 5 וַיִּקַּח אַבְרָם אֶת־שָׂרַי אִשְׁתּוֹ
וְאֶת־לוֹט בֶּן־אָחִיו וְאֶת־כָּל־רְכוּשָׁם אֲשֶׁר רָכָשׁוּ וְאֶת־הַנֶּפֶשׁ אֲשֶׁר־עָשׂוּ
בְחָרָן וַיֵּצְאוּ לָלֶכֶת אַרְצָה כְּנַעַן וַיָּבֹאוּ אַרְצָה כְּנָעַן׃ 6 וַיַּעֲבֹר אַבְרָם
בָּאָרֶץ עַד מְקוֹם שְׁכֶם עַד אֵלוֹן מוֹרֶה וְהַכְּנַעֲנִי אָז בָּאָרֶץ׃ 7 וַיֵּרָא יְהוָה
אֶל־אַבְרָם וַיֹּאמֶר לְזַרְעֲךָ אֶתֵּן אֶת־הָאָרֶץ הַזֹּאת וַיִּבֶן שָׁם מִזְבֵּחַ לַיהוָה
הַנִּרְאֶה אֵלָיו׃ 8 וַיַּעְתֵּק מִשָּׁם הָהָרָה מִקֶּדֶם לְבֵית־אֵל וַיֵּט אָהֳלֹה בֵּית־אֵל
מִיָּם וְהָעַי מִקֶּדֶם וַיִּבֶן־שָׁם מִזְבֵּחַ לַיהוָה וַיִּקְרָא בְּשֵׁם יְהוָה׃ 9 וַיִּסַּע
אַבְרָם הָלוֹךְ וְנָסוֹעַ הַנֶּגְבָּה׃
③ 10 וַיְהִי רָעָב בָּאָרֶץ וַיֵּרֶד אַבְרָם מִצְרַיְמָה לָגוּר שָׁם כִּי־כָבֵד הָרָעָב
בָּאָרֶץ׃ 11 וַיְהִי כַּאֲשֶׁר הִקְרִיב לָבוֹא מִצְרָיְמָה וַיֹּאמֶר אֶל־שָׂרַי אִשְׁתּוֹ
הִנֵּה־נָא יָדַעְתִּי כִּי אִשָּׁה יְפַת־מַרְאֶה אָתְּ׃ 12 וְהָיָה כִּי־יִרְאוּ אֹתָךְ הַמִּצְרִים
וְאָמְרוּ אִשְׁתּוֹ זֹאת וְהָרְגוּ אֹתִי וְאֹתָךְ יְחַיּוּ׃ 13 אִמְרִי־נָא אֲחֹתִי אָתְּ לְמַעַן
יִיטַב־לִי בַעֲבוּרֵךְ וְחָיְתָה נַפְשִׁי בִּגְלָלֵךְ׃

Vayera וירא (Gen 18:1–14)

Abraham offers hospitality to three wayfarers. They tell him that he and Sarah will have a son.

1 וַיֵּרָא אֵלָיו יְהוָה בְּאֵלֹנֵי מַמְרֵא וְהוּא יֹשֵׁב פֶּתַח־הָאֹהֶל כְּחֹם הַיּוֹם׃
2 וַיִּשָּׂא עֵינָיו וַיַּרְא וְהִנֵּה שְׁלֹשָׁה אֲנָשִׁים נִצָּבִים עָלָיו וַיַּרְא וַיָּרָץ לִקְרָאתָם
מִפֶּתַח הָאֹהֶל וַיִּשְׁתַּחוּ אָרְצָה׃ 3 וַיֹּאמַר אֲדֹנָי אִם־נָא מָצָאתִי חֵן בְּעֵינֶיךָ
אַל־נָא תַעֲבֹר מֵעַל עַבְדֶּךָ׃ 4 יֻקַּח־נָא מְעַט־מַיִם וְרַחֲצוּ רַגְלֵיכֶם וְהִשָּׁעֲנוּ

תַּחַת הָעֵץ׃ 5 וְאֶקְחָה פַת־לֶחֶם וְסַעֲדוּ לִבְּכֶם אַחַר תַּעֲבֹרוּ כִּי־עַל־כֵּן
עֲבַרְתֶּם עַל־עַבְדְּכֶם וַיֹּאמְרוּ כֵּן תַּעֲשֶׂה כַּאֲשֶׁר דִּבַּרְתָּ׃
② 6 וַיְמַהֵר אַבְרָהָם הָאֹהֱלָה אֶל־שָׂרָה וַיֹּאמֶר מַהֲרִי שְׁלֹשׁ סְאִים קֶמַח סֹלֶת
לוּשִׁי וַעֲשִׂי עֻגוֹת׃ 7 וְאֶל־הַבָּקָר רָץ אַבְרָהָם וַיִּקַּח בֶּן־בָּקָר רַךְ וָטוֹב וַיִּתֵּן
אֶל־הַנַּעַר וַיְמַהֵר לַעֲשׂוֹת אֹתוֹ׃ 8 וַיִּקַּח חֶמְאָה וְחָלָב וּבֶן־הַבָּקָר אֲשֶׁר
עָשָׂה וַיִּתֵּן לִפְנֵיהֶם וְהוּא־עֹמֵד עֲלֵיהֶם תַּחַת הָעֵץ וַיֹּאכֵלוּ׃
③ 9 וַיֹּאמְרוּ אֵלָיו אַיֵּה שָׂרָה אִשְׁתֶּךָ וַיֹּאמֶר הִנֵּה בָאֹהֶל׃ 10 וַיֹּאמֶר שׁוֹב
אָשׁוּב אֵלֶיךָ כָּעֵת חַיָּה וְהִנֵּה־בֵן לְשָׂרָה אִשְׁתֶּךָ וְשָׂרָה שֹׁמַעַת פֶּתַח הָאֹהֶל
וְהוּא אַחֲרָיו׃ 11 וְאַבְרָהָם וְשָׂרָה זְקֵנִים בָּאִים בַּיָּמִים חָדַל לִהְיוֹת לְשָׂרָה
אֹרַח כַּנָּשִׁים׃ 12 וַתִּצְחַק שָׂרָה בְּקִרְבָּהּ לֵאמֹר אַחֲרֵי בְלֹתִי הָיְתָה־לִּי עֶדְנָה
וַאדֹנִי זָקֵן׃ 13 וַיֹּאמֶר יְהוָה אֶל־אַבְרָהָם לָמָּה זֶּה צָחֲקָה שָׂרָה לֵאמֹר הַאַף
אֻמְנָם אֵלֵד וַאֲנִי זָקַנְתִּי׃ 14 הֲיִפָּלֵא מֵיְהוָה דָּבָר לַמּוֹעֵד אָשׁוּב אֵלֶיךָ
כָּעֵת חַיָּה וּלְשָׂרָה בֵן׃

Chayyei Sarah חיי שרה (Gen 23:1–16)

When Sarah dies, Abraham negotiates with the Hittites to purchase a tomb for her. He buys the cave of Machpelah, situated on the outskirts of Hebron.

1 וַיִּהְיוּ חַיֵּי שָׂרָה מֵאָה שָׁנָה וְעֶשְׂרִים שָׁנָה וְשֶׁבַע שָׁנִים שְׁנֵי חַיֵּי שָׂרָה׃
2 וַתָּמָת שָׂרָה בְּקִרְיַת אַרְבַּע הִוא חֶבְרוֹן בְּאֶרֶץ כְּנָעַן וַיָּבֹא אַבְרָהָם
לִסְפֹּד לְשָׂרָה וְלִבְכֹּתָהּ׃ 3 וַיָּקָם אַבְרָהָם מֵעַל פְּנֵי מֵתוֹ וַיְדַבֵּר
אֶל־בְּנֵי־חֵת לֵאמֹר׃ 4 גֵּר־וְתוֹשָׁב אָנֹכִי עִמָּכֶם תְּנוּ לִי אֲחֻזַּת־קֶבֶר עִמָּכֶם
וְאֶקְבְּרָה מֵתִי מִלְּפָנָי׃ 5 וַיַּעֲנוּ בְנֵי־חֵת אֶת־אַבְרָהָם לֵאמֹר לוֹ׃ 6 שְׁמָעֵנוּ ׀
אֲדֹנִי נְשִׂיא אֱלֹהִים אַתָּה בְּתוֹכֵנוּ בְּמִבְחַר קְבָרֵינוּ קְבֹר אֶת־מֵתֶךָ אִישׁ
מִמֶּנּוּ אֶת־קִבְרוֹ לֹא־יִכְלֶה מִמְּךָ מִקְּבֹר מֵתֶךָ׃ 7 וַיָּקָם אַבְרָהָם וַיִּשְׁתַּחוּ
לְעַם־הָאָרֶץ לִבְנֵי־חֵת׃
② 8 וַיְדַבֵּר אִתָּם לֵאמֹר אִם־יֵשׁ אֶת־נַפְשְׁכֶם לִקְבֹּר אֶת־מֵתִי מִלְּפָנַי שְׁמָעוּנִי
וּפִגְעוּ־לִי בְּעֶפְרוֹן בֶּן־צֹחַר׃ 9 וְיִתֶּן־לִי אֶת־מְעָרַת הַמַּכְפֵּלָה אֲשֶׁר־לוֹ אֲשֶׁר
בִּקְצֵה שָׂדֵהוּ בְּכֶסֶף מָלֵא יִתְּנֶנָּה לִּי בְּתוֹכְכֶם לַאֲחֻזַּת־קָבֶר׃ 10 וְעֶפְרוֹן
יֹשֵׁב בְּתוֹךְ בְּנֵי־חֵת וַיַּעַן עֶפְרוֹן הַחִתִּי אֶת־אַבְרָהָם בְּאָזְנֵי בְנֵי־חֵת לְכֹל
בָּאֵי שַׁעַר־עִירוֹ לֵאמֹר׃ 11 לֹא־אֲדֹנִי שְׁמָעֵנִי הַשָּׂדֶה נָתַתִּי לָךְ וְהַמְּעָרָה
אֲשֶׁר־בּוֹ לְךָ נְתַתִּיהָ לְעֵינֵי בְנֵי־עַמִּי נְתַתִּיהָ לָּךְ קְבֹר מֵתֶךָ׃ 12 וַיִּשְׁתַּחוּ
אַבְרָהָם לִפְנֵי עַם הָאָרֶץ׃
③ 13 וַיְדַבֵּר אֶל־עֶפְרוֹן בְּאָזְנֵי עַם־הָאָרֶץ לֵאמֹר אַךְ אִם־אַתָּה לוּ שְׁמָעֵנִי
נָתַתִּי כֶּסֶף הַשָּׂדֶה קַח מִמֶּנִּי וְאֶקְבְּרָה אֶת־מֵתִי שָׁמָּה׃ 14 וַיַּעַן עֶפְרוֹן
אֶת־אַבְרָהָם לֵאמֹר לוֹ׃ 15 אֲדֹנִי שְׁמָעֵנִי אֶרֶץ אַרְבַּע מֵאֹת שֶׁקֶל־כֶּסֶף בֵּינִי
וּבֵינְךָ מַה־הִוא וְאֶת־מֵתְךָ קְבֹר׃ 16 וַיִּשְׁמַע אַבְרָהָם אֶל־עֶפְרוֹן וַיִּשְׁקֹל
אַבְרָהָם לְעֶפְרֹן אֶת־הַכֶּסֶף אֲשֶׁר דִּבֶּר בְּאָזְנֵי בְנֵי־חֵת אַרְבַּע מֵאוֹת שֶׁקֶל
כֶּסֶף עֹבֵר לַסֹּחֵר׃

Toledot תולדות (Gen 25:19–26:5)

Rebekah has twin sons, Esau and Jacob, who compete with each other even in the womb. Esau, the elder, sells his birthright to Jacob. During a famine, Isaac goes to Philistia. God promises to give the land of Canaan to his descendants.

19 וְאֵלֶּה תּוֹלְדֹת יִצְחָק בֶּן־אַבְרָהָם אַבְרָהָם הוֹלִיד אֶת־יִצְחָק׃ 20 וַיְהִי
יִצְחָק בֶּן־אַרְבָּעִים שָׁנָה בְּקַחְתּוֹ אֶת־רִבְקָה בַּת־בְּתוּאֵל הָאֲרַמִּי מִפַּדַּן
אֲרָם אֲחוֹת לָבָן הָאֲרַמִּי לוֹ לְאִשָּׁה׃ 21 וַיֶּעְתַּר יִצְחָק לַיהוָה לְנֹכַח אִשְׁתּוֹ
כִּי עֲקָרָה הִוא וַיֵּעָתֶר לוֹ יְהוָה וַתַּהַר רִבְקָה אִשְׁתּוֹ׃ 22 וַיִּתְרֹצְצוּ הַבָּנִים
בְּקִרְבָּהּ וַתֹּאמֶר אִם־כֵּן לָמָּה זֶּה אָנֹכִי וַתֵּלֶךְ לִדְרֹשׁ אֶת־יְהוָה׃
23 וַיֹּאמֶר יְהוָה לָהּ שְׁנֵי *גִיים [גוֹיִם] בְּבִטְנֵךְ וּשְׁנֵי לְאֻמִּים מִמֵּעַיִךְ יִפָּרֵדוּ ②
וּלְאֹם מִלְאֹם יֶאֱמָץ וְרַב יַעֲבֹד צָעִיר׃ 24 וַיִּמְלְאוּ יָמֶיהָ לָלֶדֶת וְהִנֵּה תוֹמִם
בְּבִטְנָהּ׃ 25 וַיֵּצֵא הָרִאשׁוֹן אַדְמוֹנִי כֻּלּוֹ כְּאַדֶּרֶת שֵׂעָר וַיִּקְרְאוּ שְׁמוֹ עֵשָׂו׃
26 וְאַחֲרֵי־כֵן יָצָא אָחִיו וְיָדוֹ אֹחֶזֶת בַּעֲקֵב עֵשָׂו וַיִּקְרָא שְׁמוֹ יַעֲקֹב וְיִצְחָק
בֶּן־שִׁשִּׁים שָׁנָה בְּלֶדֶת אֹתָם׃
27 וַיִּגְדְּלוּ הַנְּעָרִים וַיְהִי עֵשָׂו אִישׁ יֹדֵעַ צַיִד אִישׁ שָׂדֶה וְיַעֲקֹב אִישׁ תָּם ③
יֹשֵׁב אֹהָלִים׃ 28 וַיֶּאֱהַב יִצְחָק אֶת־עֵשָׂו כִּי־צַיִד בְּפִיו וְרִבְקָה אֹהֶבֶת
אֶת־יַעֲקֹב׃ 29 וַיָּזֶד יַעֲקֹב נָזִיד וַיָּבֹא עֵשָׂו מִן־הַשָּׂדֶה וְהוּא עָיֵף׃ 30 וַיֹּאמֶר
עֵשָׂו אֶל־יַעֲקֹב הַלְעִיטֵנִי נָא מִן־הָאָדֹם הָאָדֹם הַזֶּה כִּי עָיֵף אָנֹכִי עַל־כֵּן
קָרָא־שְׁמוֹ אֱדוֹם׃ 31 וַיֹּאמֶר יַעֲקֹב מִכְרָה כַיּוֹם אֶת־בְּכֹרָתְךָ לִי׃ 32 וַיֹּאמֶר
עֵשָׂו הִנֵּה אָנֹכִי הוֹלֵךְ לָמוּת וְלָמָּה־זֶּה לִי בְּכֹרָה׃ 33 וַיֹּאמֶר יַעֲקֹב
הִשָּׁבְעָה לִּי כַּיּוֹם וַיִּשָּׁבַע לוֹ וַיִּמְכֹּר אֶת־בְּכֹרָתוֹ לְיַעֲקֹב׃ 34 וְיַעֲקֹב נָתַן
לְעֵשָׂו לֶחֶם וּנְזִיד עֲדָשִׁים וַיֹּאכַל וַיֵּשְׁתְּ וַיָּקָם וַיֵּלַךְ וַיִּבֶז עֵשָׂו אֶת־הַבְּכֹרָה׃
ס 1 וַיְהִי רָעָב בָּאָרֶץ מִלְּבַד הָרָעָב הָרִאשׁוֹן אֲשֶׁר הָיָה בִּימֵי אַבְרָהָם
וַיֵּלֶךְ יִצְחָק אֶל־אֲבִימֶלֶךְ מֶלֶךְ־פְּלִשְׁתִּים גְּרָרָה׃ 2 וַיֵּרָא אֵלָיו יְהוָה וַיֹּאמֶר
אַל־תֵּרֵד מִצְרָיְמָה שְׁכֹן בָּאָרֶץ אֲשֶׁר אֹמַר אֵלֶיךָ׃ 3 גּוּר בָּאָרֶץ הַזֹּאת
וְאֶהְיֶה עִמְּךָ וַאֲבָרְכֶךָּ כִּי־לְךָ וּלְזַרְעֲךָ אֶתֵּן אֶת־כָּל־הָאֲרָצֹת הָאֵל וַהֲקִמֹתִי
אֶת־הַשְּׁבֻעָה אֲשֶׁר נִשְׁבַּעְתִּי לְאַבְרָהָם אָבִיךָ׃ 4 וְהִרְבֵּיתִי אֶת־זַרְעֲךָ
כְּכוֹכְבֵי הַשָּׁמַיִם וְנָתַתִּי לְזַרְעֲךָ אֵת כָּל־הָאֲרָצֹת הָאֵל וְהִתְבָּרְכוּ בְזַרְעֲךָ
כֹּל גּוֹיֵי הָאָרֶץ׃ 5 עֵקֶב אֲשֶׁר־שָׁמַע אַבְרָהָם בְּקֹלִי וַיִּשְׁמֹר מִשְׁמַרְתִּי מִצְוֹתַי
חֻקּוֹתַי וְתוֹרֹתָי׃

Vayetze ויצא (Gen 28:10–22)

God appears to Jacob in a dream and again promises to give the land to his descendants. When Jacob awakes, he builds an altar and names the place Bethel. He makes a vow contingent on God's protecting him in Haran.

10 וַיֵּצֵא יַעֲקֹב מִבְּאֵר שָׁבַע וַיֵּלֶךְ חָרָנָה׃ 11 וַיִּפְגַּע בַּמָּקוֹם וַיָּלֶן שָׁם
כִּי־בָא הַשֶּׁמֶשׁ וַיִּקַּח מֵאַבְנֵי הַמָּקוֹם וַיָּשֶׂם מְרַאֲשֹׁתָיו וַיִּשְׁכַּב בַּמָּקוֹם הַהוּא׃
12 וַיַּחֲלֹם וְהִנֵּה סֻלָּם מֻצָּב אַרְצָה וְרֹאשׁוֹ מַגִּיעַ הַשָּׁמָיְמָה וְהִנֵּה מַלְאֲכֵי
אֱלֹהִים עֹלִים וְיֹרְדִים בּוֹ׃

② 13 וְהִנֵּה יְהוָה נִצָּב עָלָיו וַיֹּאמַר אֲנִי יְהוָה אֱלֹהֵי אַבְרָהָם אָבִיךָ וֵאלֹהֵי
יִצְחָק הָאָרֶץ אֲשֶׁר אַתָּה שֹׁכֵב עָלֶיהָ לְךָ אֶתְּנֶנָּה וּלְזַרְעֶךָ׃ 14 וְהָיָה זַרְעֲךָ
כַּעֲפַר הָאָרֶץ וּפָרַצְתָּ יָמָּה וָקֵדְמָה וְצָפֹנָה וָנֶגְבָּה וְנִבְרְכוּ בְךָ כָּל־מִשְׁפְּחֹת
הָאֲדָמָה וּבְזַרְעֶךָ׃ 15 וְהִנֵּה אָנֹכִי עִמָּךְ וּשְׁמַרְתִּיךָ בְּכֹל אֲשֶׁר־תֵּלֵךְ
וַהֲשִׁבֹתִיךָ אֶל־הָאֲדָמָה הַזֹּאת כִּי לֹא אֶעֱזָבְךָ עַד אֲשֶׁר אִם־עָשִׂיתִי אֵת
אֲשֶׁר־דִּבַּרְתִּי לָךְ׃ 16 וַיִּיקַץ יַעֲקֹב מִשְּׁנָתוֹ וַיֹּאמֶר אָכֵן יֵשׁ יְהוָה בַּמָּקוֹם
הַזֶּה וְאָנֹכִי לֹא יָדָעְתִּי׃ 17 וַיִּירָא וַיֹּאמַר מַה־נּוֹרָא הַמָּקוֹם הַזֶּה אֵין זֶה כִּי
אִם־בֵּית אֱלֹהִים וְזֶה שַׁעַר הַשָּׁמָיִם׃
③ 18 וַיַּשְׁכֵּם יַעֲקֹב בַּבֹּקֶר וַיִּקַּח אֶת־הָאֶבֶן אֲשֶׁר־שָׂם מְרַאֲשֹׁתָיו וַיָּשֶׂם אֹתָהּ
מַצֵּבָה וַיִּצֹק שֶׁמֶן עַל־רֹאשָׁהּ׃ 19 וַיִּקְרָא אֶת־שֵׁם־הַמָּקוֹם הַהוּא בֵּית־אֵל
וְאוּלָם לוּז שֵׁם־הָעִיר לָרִאשֹׁנָה׃ 20 וַיִּדַּר יַעֲקֹב נֶדֶר לֵאמֹר אִם־יִהְיֶה
אֱלֹהִים עִמָּדִי וּשְׁמָרַנִי בַּדֶּרֶךְ הַזֶּה אֲשֶׁר אָנֹכִי הוֹלֵךְ וְנָתַן־לִי לֶחֶם לֶאֱכֹל
וּבֶגֶד לִלְבֹּשׁ׃ 21 וְשַׁבְתִּי בְשָׁלוֹם אֶל־בֵּית אָבִי וְהָיָה יְהוָה לִי לֵאלֹהִים׃ 22
וְהָאֶבֶן הַזֹּאת אֲשֶׁר־שַׂמְתִּי מַצֵּבָה יִהְיֶה בֵּית אֱלֹהִים וְכֹל אֲשֶׁר תִּתֶּן־לִי
עַשֵּׂר אֲעַשְּׂרֶנּוּ לָךְ׃

Vayishlach וישלח (Gen 32:4–13)

On his return to Canaan, Jacob fears that Esau will seek vengeance. He sends gifts to him, divides his camp, and prays for God's protection.

4 וַיִּשְׁלַח יַעֲקֹב מַלְאָכִים לְפָנָיו אֶל־עֵשָׂו אָחִיו אַרְצָה שֵׂעִיר שְׂדֵה אֱדוֹם׃
5 וַיְצַו אֹתָם לֵאמֹר כֹּה תֹאמְרוּן לַאדֹנִי לְעֵשָׂו כֹּה אָמַר עַבְדְּךָ יַעֲקֹב
עִם־לָבָן גַּרְתִּי וָאֵחַר עַד־עָתָּה׃ 6 וַיְהִי־לִי שׁוֹר וַחֲמוֹר צֹאן וְעֶבֶד וְשִׁפְחָה
וָאֶשְׁלְחָה לְהַגִּיד לַאדֹנִי לִמְצֹא־חֵן בְּעֵינֶיךָ׃
② 7 וַיָּשֻׁבוּ הַמַּלְאָכִים אֶל־יַעֲקֹב לֵאמֹר בָּאנוּ אֶל־אָחִיךָ אֶל־עֵשָׂו וְגַם הֹלֵךְ
לִקְרָאתְךָ וְאַרְבַּע־מֵאוֹת אִישׁ עִמּוֹ׃ 8 וַיִּירָא יַעֲקֹב מְאֹד וַיֵּצֶר לוֹ וַיַּחַץ
אֶת־הָעָם אֲשֶׁר־אִתּוֹ וְאֶת־הַצֹּאן וְאֶת־הַבָּקָר וְהַגְּמַלִּים לִשְׁנֵי מַחֲנוֹת׃
9 וַיֹּאמֶר אִם־יָבוֹא עֵשָׂו אֶל־הַמַּחֲנֶה הָאַחַת וְהִכָּהוּ וְהָיָה הַמַּחֲנֶה הַנִּשְׁאָר
לִפְלֵיטָה׃
③ 10 וַיֹּאמֶר יַעֲקֹב אֱלֹהֵי אָבִי אַבְרָהָם וֵאלֹהֵי אָבִי יִצְחָק יְהוָה הָאֹמֵר אֵלַי
שׁוּב לְאַרְצְךָ וּלְמוֹלַדְתְּךָ וְאֵיטִיבָה עִמָּךְ׃ 11 קָטֹנְתִּי מִכֹּל הַחֲסָדִים
וּמִכָּל־הָאֱמֶת אֲשֶׁר עָשִׂיתָ אֶת־עַבְדֶּךָ כִּי בְמַקְלִי עָבַרְתִּי אֶת־הַיַּרְדֵּן הַזֶּה
וְעַתָּה הָיִיתִי לִשְׁנֵי מַחֲנוֹת׃ 12 הַצִּילֵנִי נָא מִיַּד אָחִי מִיַּד עֵשָׂו כִּי־יָרֵא
אָנֹכִי אֹתוֹ פֶּן־יָבוֹא וְהִכַּנִי אֵם עַל־בָּנִים׃ 13 וְאַתָּה אָמַרְתָּ הֵיטֵב אֵיטִיב
עִמָּךְ וְשַׂמְתִּי אֶת־זַרְעֲךָ כְּחוֹל הַיָּם אֲשֶׁר לֹא־יִסָּפֵר מֵרֹב׃

Vayeshev וישב (Gen 37:1–11)

Jacob's other sons are jealous of Joseph. Their animosity intensifies when he brings bad reports about them to Jacob and tells of dreams in which he seems to rule over them.

1 וַיֵּשֶׁב יַעֲקֹב בְּאֶרֶץ מְגוּרֵי אָבִיו בְּאֶרֶץ כְּנָעַן: 2 אֵלֶּה ׀ תֹּלְדוֹת יַעֲקֹב
יוֹסֵף בֶּן־שְׁבַע־עֶשְׂרֵה שָׁנָה הָיָה רֹעֶה אֶת־אֶחָיו בַּצֹּאן וְהוּא נַעַר אֶת־בְּנֵי
בִלְהָה וְאֶת־בְּנֵי זִלְפָּה נְשֵׁי אָבִיו וַיָּבֵא יוֹסֵף אֶת־דִּבָּתָם רָעָה אֶל־אֲבִיהֶם:
3 וְיִשְׂרָאֵל אָהַב אֶת־יוֹסֵף מִכָּל־בָּנָיו כִּי־בֶן־זְקֻנִים הוּא לוֹ וְעָשָׂה לוֹ
כְּתֹנֶת פַּסִּים:
4 וַיִּרְאוּ אֶחָיו כִּי־אֹתוֹ אָהַב אֲבִיהֶם מִכָּל־אֶחָיו וַיִּשְׂנְאוּ אֹתוֹ וְלֹא יָכְלוּ ②
דַּבְּרוֹ לְשָׁלֹם: 5 וַיַּחֲלֹם יוֹסֵף חֲלוֹם וַיַּגֵּד לְאֶחָיו וַיּוֹסִפוּ עוֹד שְׂנֹא אֹתוֹ:
6 וַיֹּאמֶר אֲלֵיהֶם שִׁמְעוּ־נָא הַחֲלוֹם הַזֶּה אֲשֶׁר חָלָמְתִּי: 7 וְהִנֵּה אֲנַחְנוּ
מְאַלְּמִים אֲלֻמִּים בְּתוֹךְ הַשָּׂדֶה וְהִנֵּה קָמָה אֲלֻמָּתִי וְגַם־נִצָּבָה וְהִנֵּה
תְסֻבֶּינָה אֲלֻמֹּתֵיכֶם וַתִּשְׁתַּחֲוֶיןָ לַאֲלֻמָּתִי:
8 וַיֹּאמְרוּ לוֹ אֶחָיו הֲמָלֹךְ תִּמְלֹךְ עָלֵינוּ אִם־מָשׁוֹל תִּמְשֹׁל בָּנוּ וַיּוֹסִפוּ עוֹד ③
שְׂנֹא אֹתוֹ עַל־חֲלֹמֹתָיו וְעַל־דְּבָרָיו: 9 וַיַּחֲלֹם עוֹד חֲלוֹם אַחֵר וַיְסַפֵּר אֹתוֹ
לְאֶחָיו וַיֹּאמֶר הִנֵּה חָלַמְתִּי חֲלוֹם עוֹד וְהִנֵּה הַשֶּׁמֶשׁ וְהַיָּרֵחַ וְאַחַד עָשָׂר
כּוֹכָבִים מִשְׁתַּחֲוִים לִי: 10 וַיְסַפֵּר אֶל־אָבִיו וְאֶל־אֶחָיו וַיִּגְעַר־בּוֹ אָבִיו
וַיֹּאמֶר לוֹ מָה הַחֲלוֹם הַזֶּה אֲשֶׁר חָלָמְתָּ הֲבוֹא נָבוֹא אֲנִי וְאִמְּךָ וְאַחֶיךָ
לְהִשְׁתַּחֲוֺת לְךָ אָרְצָה: 11 וַיְקַנְאוּ־בוֹ אֶחָיו וְאָבִיו שָׁמַר אֶת־הַדָּבָר:

Miketz מקץ (Gen 41:1–14)

Pharaoh is deeply troubled by two dreams that his wise men are unable to explain. When his butler mentions Joseph's skill at dream interpretation, Pharaoh sends for him.

1 וַיְהִי מִקֵּץ שְׁנָתַיִם יָמִים וּפַרְעֹה חֹלֵם וְהִנֵּה עֹמֵד עַל־הַיְאֹר: 2 וְהִנֵּה
מִן־הַיְאֹר עֹלֹת שֶׁבַע פָּרוֹת יְפוֹת מַרְאֶה וּבְרִיאֹת בָּשָׂר וַתִּרְעֶינָה בָּאָחוּ: 3
וְהִנֵּה שֶׁבַע פָּרוֹת אֲחֵרוֹת עֹלוֹת אַחֲרֵיהֶן מִן־הַיְאֹר רָעוֹת מַרְאֶה וְדַקּוֹת
בָּשָׂר וַתַּעֲמֹדְנָה אֵצֶל הַפָּרוֹת עַל־שְׂפַת הַיְאֹר: 4 וַתֹּאכַלְנָה הַפָּרוֹת רָעוֹת
הַמַּרְאֶה וְדַקֹּת הַבָּשָׂר אֵת שֶׁבַע הַפָּרוֹת יְפֹת הַמַּרְאֶה וְהַבְּרִיאֹת וַיִּיקַץ
פַּרְעֹה:
5 וַיִּישָׁן וַיַּחֲלֹם שֵׁנִית וְהִנֵּה ׀ שֶׁבַע שִׁבֳּלִים עֹלוֹת בְּקָנֶה אֶחָד בְּרִיאוֹת ②
וְטֹבוֹת: 6 וְהִנֵּה שֶׁבַע שִׁבֳּלִים דַּקּוֹת וּשְׁדוּפֹת קָדִים צֹמְחוֹת אַחֲרֵיהֶן: 7
וַתִּבְלַעְנָה הַשִּׁבֳּלִים הַדַּקּוֹת אֵת שֶׁבַע הַשִּׁבֳּלִים הַבְּרִיאוֹת וְהַמְּלֵאוֹת וַיִּיקַץ
פַּרְעֹה וְהִנֵּה חֲלוֹם:
8 וַיְהִי בַבֹּקֶר וַתִּפָּעֶם רוּחוֹ וַיִּשְׁלַח וַיִּקְרָא אֶת־כָּל־חַרְטֻמֵּי מִצְרַיִם וְאֶת־ ③
כָּל־חֲכָמֶיהָ וַיְסַפֵּר פַּרְעֹה לָהֶם אֶת־חֲלֹמוֹ וְאֵין־פּוֹתֵר אוֹתָם לְפַרְעֹה: 9
וַיְדַבֵּר שַׂר הַמַּשְׁקִים אֶת־פַּרְעֹה לֵאמֹר אֶת־חֲטָאַי אֲנִי מַזְכִּיר הַיּוֹם: 10
פַּרְעֹה קָצַף עַל־עֲבָדָיו וַיִּתֵּן אֹתִי בְּמִשְׁמַר בֵּית שַׂר הַטַּבָּחִים אֹתִי וְאֵת שַׂר

הָאֹפִים: 11 וַנַּחַלְמָה חֲלוֹם בְּלַיְלָה אֶחָד אֲנִי וָהוּא אִישׁ כְּפִתְרוֹן חֲלֹמוֹ חָלָמְנוּ: 12 וְשָׁם אִתָּנוּ נַעַר עִבְרִי עֶבֶד לְשַׂר הַטַּבָּחִים וַנְּסַפֶּר־לוֹ וַיִּפְתָּר־לָנוּ אֶת־חֲלֹמֹתֵינוּ אִישׁ כַּחֲלֹמוֹ פָּתָר: 13 וַיְהִי כַּאֲשֶׁר פָּתַר־לָנוּ כֵּן הָיָה אֹתִי הֵשִׁיב עַל־כַּנִּי וְאֹתוֹ תָלָה: 14 וַיִּשְׁלַח פַּרְעֹה וַיִּקְרָא אֶת־יוֹסֵף וַיְרִיצֻהוּ מִן־הַבּוֹר וַיְגַלַּח וַיְחַלֵּף שִׂמְלֹתָיו וַיָּבֹא אֶל־פַּרְעֹה:

Vayigash ויגש (Gen 44:18–30)

Judah begs Joseph to allow Benjamin to return to Canaan, telling him how much Jacob loves the boy and how broken he was by the loss of Benjamin's brother. The old man will die if Benjamin too is lost.

18 וַיִּגַּשׁ אֵלָיו יְהוּדָה וַיֹּאמֶר בִּי אֲדֹנִי יְדַבֶּר־נָא עַבְדְּךָ דָבָר בְּאָזְנֵי אֲדֹנִי וְאַל־יִחַר אַפְּךָ בְּעַבְדֶּךָ כִּי כָמוֹךָ כְּפַרְעֹה: 19 אֲדֹנִי שָׁאַל אֶת־עֲבָדָיו לֵאמֹר הֲיֵשׁ־לָכֶם אָב אוֹ־אָח: 20 וַנֹּאמֶר אֶל־אֲדֹנִי יֶשׁ־לָנוּ אָב זָקֵן וְיֶלֶד זְקֻנִים קָטָן וְאָחִיו מֵת וַיִּוָּתֵר הוּא לְבַדּוֹ לְאִמּוֹ וְאָבִיו אֲהֵבוֹ:

② 21 וַתֹּאמֶר אֶל־עֲבָדֶיךָ הוֹרִדֻהוּ אֵלָי וְאָשִׂימָה עֵינִי עָלָיו: 22 וַנֹּאמֶר אֶל־אֲדֹנִי לֹא־יוּכַל הַנַּעַר לַעֲזֹב אֶת־אָבִיו וְעָזַב אֶת־אָבִיו וָמֵת: 23 וַתֹּאמֶר אֶל־עֲבָדֶיךָ אִם־לֹא יֵרֵד אֲחִיכֶם הַקָּטֹן אִתְּכֶם לֹא תֹסִפוּן לִרְאוֹת פָּנָי: 24 וַיְהִי כִּי עָלִינוּ אֶל־עַבְדְּךָ אָבִי וַנַּגֶּד־לוֹ אֵת דִּבְרֵי אֲדֹנִי:

③ 25 וַיֹּאמֶר אָבִינוּ שֻׁבוּ שִׁבְרוּ־לָנוּ מְעַט־אֹכֶל: 26 וַנֹּאמֶר לֹא נוּכַל לָרֶדֶת אִם־יֵשׁ אָחִינוּ הַקָּטֹן אִתָּנוּ וְיָרַדְנוּ כִּי־לֹא נוּכַל לִרְאוֹת פְּנֵי הָאִישׁ וְאָחִינוּ הַקָּטֹן אֵינֶנּוּ אִתָּנוּ: 27 וַיֹּאמֶר עַבְדְּךָ אָבִי אֵלֵינוּ אַתֶּם יְדַעְתֶּם כִּי שְׁנַיִם יָלְדָה־לִּי אִשְׁתִּי: 28 וַיֵּצֵא הָאֶחָד מֵאִתִּי וָאֹמַר אַךְ טָרֹף טֹרָף וְלֹא רְאִיתִיו עַד־הֵנָּה: 29 וּלְקַחְתֶּם גַּם־אֶת־זֶה מֵעִם פָּנַי וְקָרָהוּ אָסוֹן וְהוֹרַדְתֶּם אֶת־שֵׂיבָתִי בְּרָעָה שְׁאֹלָה: 30 וְעַתָּה כְּבֹאִי אֶל־עַבְדְּךָ אָבִי וְהַנַּעַר אֵינֶנּוּ אִתָּנוּ וְנַפְשׁוֹ קְשׁוּרָה בְנַפְשׁוֹ:

Vayechi ויחי (Gen 47:28–48:9)

Joseph promises to bury Jacob in Canaan, not in Egypt. On his deathbed Jacob blesses Joseph's sons, Ephraim and Manasseh.

28 וַיְחִי יַעֲקֹב בְּאֶרֶץ מִצְרַיִם שְׁבַע עֶשְׂרֵה שָׁנָה וַיְהִי יְמֵי־יַעֲקֹב שְׁנֵי חַיָּיו שֶׁבַע שָׁנִים וְאַרְבָּעִים וּמְאַת שָׁנָה: 29 וַיִּקְרְבוּ יְמֵי־יִשְׂרָאֵל לָמוּת וַיִּקְרָא | לִבְנוֹ לְיוֹסֵף וַיֹּאמֶר לוֹ אִם־נָא מָצָאתִי חֵן בְּעֵינֶיךָ שִׂים־נָא יָדְךָ תַּחַת יְרֵכִי וְעָשִׂיתָ עִמָּדִי חֶסֶד וֶאֱמֶת אַל־נָא תִקְבְּרֵנִי בְּמִצְרָיִם: 30 וְשָׁכַבְתִּי עִם־אֲבֹתַי וּנְשָׂאתַנִי מִמִּצְרַיִם וּקְבַרְתַּנִי בִּקְבֻרָתָם וַיֹּאמַר אָנֹכִי אֶעֱשֶׂה כִדְבָרֶךָ: 31 וַיֹּאמֶר הִשָּׁבְעָה לִי וַיִּשָּׁבַע לוֹ וַיִּשְׁתַּחוּ יִשְׂרָאֵל עַל־רֹאשׁ הַמִּטָּה:

② 1 וַיְהִי אַחֲרֵי הַדְּבָרִים הָאֵלֶּה וַיֹּאמֶר לְיוֹסֵף הִנֵּה אָבִיךָ חֹלֶה וַיִּקַּח אֶת־שְׁנֵי בָנָיו עִמּוֹ אֶת־מְנַשֶּׁה וְאֶת־אֶפְרָיִם: 2 וַיַּגֵּד לְיַעֲקֹב וַיֹּאמֶר הִנֵּה בִּנְךָ יוֹסֵף בָּא אֵלֶיךָ וַיִּתְחַזֵּק יִשְׂרָאֵל וַיֵּשֶׁב עַל־הַמִּטָּה: 3 וַיֹּאמֶר יַעֲקֹב אֶל־יוֹסֵף אֵל שַׁדַּי נִרְאָה־אֵלַי בְּלוּז בְּאֶרֶץ כְּנָעַן וַיְבָרֶךְ אֹתִי:

③ 4 וַיֹּ֣אמֶר אֵלַ֗י הִנְנִ֤י מַפְרְךָ֙ וְהִרְבִּיתִ֔ךָ וּנְתַתִּ֖יךָ לִקְהַ֣ל עַמִּ֑ים וְנָ֨תַתִּ֜י
אֶת־הָאָ֧רֶץ הַזֹּ֛את לְזַרְעֲךָ֥ אַחֲרֶ֖יךָ אֲחֻזַּ֥ת עוֹלָֽם׃ 5 וְעַתָּ֡ה שְׁנֵֽי־בָנֶ֩יךָ֩
הַנּוֹלָדִ֨ים לְךָ֜ בְּאֶ֣רֶץ מִצְרַ֗יִם עַד־בֹּאִ֥י אֵלֶ֛יךָ מִצְרַ֖יְמָה לִי־הֵ֑ם אֶפְרַ֨יִם֙
וּמְנַשֶּׁ֔ה כִּרְאוּבֵ֥ן וְשִׁמְע֖וֹן יִֽהְיוּ־לִֽי׃ 6 וּמוֹלַדְתְּךָ֛ אֲשֶׁר־הוֹלַ֥דְתָּ אַחֲרֵיהֶ֖ם לְךָ֣
יִהְי֑וּ עַ֣ל שֵׁ֧ם אֲחֵיהֶ֛ם יִקָּרְא֖וּ בְּנַחֲלָתָֽם׃ 7 וַאֲנִ֣י ׀ בְּבֹאִ֣י מִפַּדָּ֗ן מֵ֨תָה֩ עָלַ֨י
רָחֵ֜ל בְּאֶ֤רֶץ כְּנַ֙עַן֙ בַּדֶּ֔רֶךְ בְּע֥וֹד כִּבְרַת־אֶ֖רֶץ לָבֹ֣א אֶפְרָ֑תָה וָאֶקְבְּרֶ֤הָ שָּׁם֙
בְּדֶ֣רֶךְ אֶפְרָ֔ת הִ֖וא בֵּ֥ית לָֽחֶם׃ 8 וַיַּ֥רְא יִשְׂרָאֵ֖ל אֶת־בְּנֵ֣י יוֹסֵ֑ף וַיֹּ֖אמֶר
מִי־אֵֽלֶּה׃ 9 וַיֹּ֤אמֶר יוֹסֵף֙ אֶל־אָבִ֔יו בָּנַ֣י הֵ֔ם אֲשֶׁר־נָֽתַן־לִ֥י אֱלֹהִ֖ים בָּזֶ֑ה
וַיֹּאמַ֕ר קָחֶם־נָ֥א אֵלַ֖י וַאֲבָרְכֵֽם׃

Shemot שמות (Ex 1:1–17)

A new Pharaoh enslaves the Israelites. He orders the midwives to kill all newborn male children, but they disobey.

1 וְאֵלֶּה שְׁמוֹת בְּנֵי יִשְׂרָאֵל הַבָּאִים מִצְרָיְמָה אֵת יַעֲקֹב אִישׁ וּבֵיתוֹ בָּאוּ׃ 2
רְאוּבֵן שִׁמְעוֹן לֵוִי וִיהוּדָה׃ 3 יִשָּׂשכָר זְבוּלֻן וּבִנְיָמִן׃ 4 דָּן וְנַפְתָּלִי גָּד
וְאָשֵׁר׃ 5 וַיְהִי כָּל־נֶפֶשׁ יֹצְאֵי יֶרֶךְ־יַעֲקֹב שִׁבְעִים נָפֶשׁ וְיוֹסֵף הָיָה
בְמִצְרָיִם׃ 6 וַיָּמָת יוֹסֵף וְכָל־אֶחָיו וְכֹל הַדּוֹר הַהוּא׃ 7 וּבְנֵי יִשְׂרָאֵל פָּרוּ
וַיִּשְׁרְצוּ וַיִּרְבּוּ וַיַּעַצְמוּ בִּמְאֹד מְאֹד וַתִּמָּלֵא הָאָרֶץ אֹתָם׃
8 וַיָּקָם מֶלֶךְ־חָדָשׁ עַל־מִצְרָיִם אֲשֶׁר לֹא־יָדַע אֶת־יוֹסֵף׃ 9 וַיֹּאמֶר אֶל־עַמּוֹ ②
הִנֵּה עַם בְּנֵי יִשְׂרָאֵל רַב וְעָצוּם מִמֶּנּוּ׃ 10 הָבָה נִתְחַכְּמָה לוֹ פֶּן־יִרְבֶּה
וְהָיָה כִּי־תִקְרֶאנָה מִלְחָמָה וְנוֹסַף גַּם־הוּא עַל־שֹׂנְאֵינוּ וְנִלְחַם־בָּנוּ וְעָלָה
מִן־הָאָרֶץ׃ 11 וַיָּשִׂימוּ עָלָיו שָׂרֵי מִסִּים לְמַעַן עַנֹּתוֹ בְּסִבְלֹתָם וַיִּבֶן עָרֵי
מִסְכְּנוֹת לְפַרְעֹה אֶת־פִּתֹם וְאֶת־רַעַמְסֵס׃ 12 וְכַאֲשֶׁר יְעַנּוּ אֹתוֹ כֵּן יִרְבֶּה
וְכֵן יִפְרֹץ וַיָּקֻצוּ מִפְּנֵי בְּנֵי יִשְׂרָאֵל׃
13 וַיַּעֲבִדוּ מִצְרַיִם אֶת־בְּנֵי יִשְׂרָאֵל בְּפָרֶךְ׃ 14 וַיְמָרְרוּ אֶת־חַיֵּיהֶם בַּעֲבֹדָה ③
קָשָׁה בְּחֹמֶר וּבִלְבֵנִים וּבְכָל־עֲבֹדָה בַּשָּׂדֶה אֵת כָּל־עֲבֹדָתָם אֲשֶׁר־עָבְדוּ
בָהֶם בְּפָרֶךְ׃ 15 וַיֹּאמֶר מֶלֶךְ מִצְרַיִם לַמְיַלְּדֹת הָעִבְרִיֹּת אֲשֶׁר שֵׁם הָאַחַת
שִׁפְרָה וְשֵׁם הַשֵּׁנִית פּוּעָה׃ 16 וַיֹּאמֶר בְּיַלֶּדְכֶן אֶת־הָעִבְרִיּוֹת וּרְאִיתֶן
עַל־הָאָבְנָיִם אִם־בֵּן הוּא וַהֲמִתֶּן אֹתוֹ וְאִם־בַּת הִיא וָחָיָה׃ 17 וַתִּירֶאןָ
הַמְיַלְּדֹת אֶת־הָאֱלֹהִים וְלֹא עָשׂוּ כַּאֲשֶׁר דִּבֶּר אֲלֵיהֶן מֶלֶךְ מִצְרָיִם וַתְּחַיֶּיןָ
אֶת־הַיְלָדִים׃

Va-ayra וארא (Ex 6:2–13)

God promises to liberate the Israelites and bring them to Canaan, but the Israelites do not believe it. God sends Moses to Pharaoh and appoints Aaron to aid him.

2 וַיְדַבֵּר אֱלֹהִים אֶל־מֹשֶׁה וַיֹּאמֶר אֵלָיו אֲנִי יְהוָה׃ 3 וָאֵרָא אֶל־אַבְרָהָם
אֶל־יִצְחָק וְאֶל־יַעֲקֹב בְּאֵל שַׁדָּי וּשְׁמִי יְהוָה לֹא נוֹדַעְתִּי לָהֶם׃ 4 וְגַם
הֲקִמֹתִי אֶת־בְּרִיתִי אִתָּם לָתֵת לָהֶם אֶת־אֶרֶץ כְּנָעַן אֵת אֶרֶץ מְגֻרֵיהֶם
אֲשֶׁר־גָּרוּ בָהּ׃ 5 וְגַם ׀ אֲנִי שָׁמַעְתִּי אֶת־נַאֲקַת בְּנֵי יִשְׂרָאֵל אֲשֶׁר מִצְרַיִם
מַעֲבִדִים אֹתָם וָאֶזְכֹּר אֶת־בְּרִיתִי׃
6 לָכֵן אֱמֹר לִבְנֵי־יִשְׂרָאֵל אֲנִי יְהוָה וְהוֹצֵאתִי אֶתְכֶם מִתַּחַת סִבְלֹת ②
מִצְרַיִם וְהִצַּלְתִּי אֶתְכֶם מֵעֲבֹדָתָם וְגָאַלְתִּי אֶתְכֶם בִּזְרוֹעַ נְטוּיָה וּבִשְׁפָטִים
גְּדֹלִים׃ 7 וְלָקַחְתִּי אֶתְכֶם לִי לְעָם וְהָיִיתִי לָכֶם לֵאלֹהִים וִידַעְתֶּם כִּי אֲנִי
יְהוָה אֱלֹהֵיכֶם הַמּוֹצִיא אֶתְכֶם מִתַּחַת סִבְלוֹת מִצְרָיִם׃ 8 וְהֵבֵאתִי אֶתְכֶם
אֶל־הָאָרֶץ אֲשֶׁר נָשָׂאתִי אֶת־יָדִי לָתֵת אֹתָהּ לְאַבְרָהָם לְיִצְחָק וּלְיַעֲקֹב
וְנָתַתִּי אֹתָהּ לָכֶם מוֹרָשָׁה אֲנִי יְהוָה׃ 9 וַיְדַבֵּר מֹשֶׁה כֵּן אֶל־בְּנֵי יִשְׂרָאֵל
וְלֹא שָׁמְעוּ אֶל־מֹשֶׁה מִקֹּצֶר רוּחַ וּמֵעֲבֹדָה קָשָׁה׃
10 וַיְדַבֵּר יְהוָה אֶל־מֹשֶׁה לֵּאמֹר׃ 11 בֹּא דַבֵּר אֶל־פַּרְעֹה מֶלֶךְ מִצְרָיִם ③
וִישַׁלַּח אֶת־בְּנֵי־יִשְׂרָאֵל מֵאַרְצוֹ׃ 12 וַיְדַבֵּר מֹשֶׁה לִפְנֵי יְהוָה לֵאמֹר הֵן
בְּנֵי־יִשְׂרָאֵל לֹא־שָׁמְעוּ אֵלַי וְאֵיךְ יִשְׁמָעֵנִי פַרְעֹה וַאֲנִי עֲרַל שְׂפָתָיִם׃ פ 13

וַיְדַבֵּ֣ר יְהֹוָה֮ אֶל־מֹשֶׁ֣ה וְאֶֽל־אַהֲרֹן֒ וַיְצַוֵּם֙ אֶל־בְּנֵ֣י יִשְׂרָאֵ֔ל וְאֶל־פַּרְעֹ֖ה מֶ֣לֶךְ מִצְרָ֑יִם לְהוֹצִ֥יא אֶת־בְּנֵֽי־יִשְׂרָאֵ֖ל מֵאֶ֥רֶץ מִצְרָֽיִם: ס

Bo בא (Ex 10:1–11)

With Egypt battered by plagues, Pharaoh offers to let the adult men go, but insists that the women and children, and the livestock, must remain.

1 וַיֹּ֤אמֶר יְהֹוָה֙ אֶל־מֹשֶׁ֔ה בֹּ֖א אֶל־פַּרְעֹ֑ה כִּֽי־אֲנִ֞י הִכְבַּ֤דְתִּי אֶת־לִבּוֹ֙ וְאֶת־לֵ֣ב עֲבָדָ֔יו לְמַ֗עַן שִׁתִ֛י אֹתֹתַ֥י אֵ֖לֶּה בְּקִרְבּֽוֹ:2 וּלְמַ֡עַן תְּסַפֵּר֩ בְּאָזְנֵ֨י בִנְךָ֜ וּבֶן־בִּנְךָ֗ אֵ֣ת אֲשֶׁ֤ר הִתְעַלַּ֨לְתִּי֙ בְּמִצְרַ֔יִם וְאֶת־אֹתֹתַ֖י אֲשֶׁר־שַׂ֣מְתִּי בָ֑ם וִֽידַעְתֶּ֖ם כִּֽי־אֲנִ֥י יְהֹוָֽה: 3 וַיָּבֹ֨א מֹשֶׁ֣ה וְאַהֲרֹן֮ אֶל־פַּרְעֹה֒ וַיֹּאמְר֣וּ אֵלָ֗יו כֹּֽה־אָמַ֤ר יְהֹוָה֙ אֱלֹהֵ֣י הָֽעִבְרִ֔ים עַד־מָתַ֣י מֵאַ֔נְתָּ לֵעָנֹ֖ת מִפָּנָ֑י שַׁלַּ֥ח עַמִּ֖י וְיַֽעַבְדֻֽנִי:

2 4 כִּ֣י אִם־מָאֵ֤ן אַתָּה֙ לְשַׁלֵּ֣חַ אֶת־עַמִּ֔י הִנְנִ֨י מֵבִ֥יא מָחָ֛ר אַרְבֶּ֖ה בִּגְבֻלֶֽךָ: 5 וְכִסָּה֙ אֶת־עֵ֣ין הָאָ֔רֶץ וְלֹ֥א יוּכַ֖ל לִרְאֹ֣ת אֶת־הָאָ֑רֶץ וְאָכַ֣ל ׀ אֶת־יֶ֣תֶר הַפְּלֵטָ֗ה הַנִּשְׁאֶ֤רֶת לָכֶם֙ מִן־הַבָּרָ֔ד וְאָכַל֙ אֶת־כָּל־הָעֵ֔ץ הַצֹּמֵ֥חַ לָכֶ֖ם מִן־הַשָּׂדֶֽה: 6 וּמָלְא֨וּ בָתֶּ֜יךָ וּבָתֵּ֣י כָל־עֲבָדֶ֘יךָ֘ וּבָתֵּ֣י כָל־מִצְרַ֒יִם֒ אֲשֶׁ֨ר לֹֽא־רָא֤וּ אֲבֹתֶ֨יךָ֙ וַֽאֲב֣וֹת אֲבֹתֶ֔יךָ מִיּ֗וֹם הֱיוֹתָם֙ עַל־הָ֣אֲדָמָ֔ה עַ֖ד הַיּ֣וֹם הַזֶּ֑ה וַיִּ֥פֶן וַיֵּצֵ֖א מֵעִ֥ם פַּרְעֹֽה:

3 7 וַיֹּאמְרוּ֩ עַבְדֵ֨י פַרְעֹ֜ה אֵלָ֗יו עַד־מָתַי֙ יִהְיֶ֨ה זֶ֥ה לָ֨נוּ֙ לְמוֹקֵ֔שׁ שַׁלַּח֙ אֶת־הָ֣אֲנָשִׁ֔ים וְיַֽעַבְד֖וּ אֶת־יְהֹוָ֣ה אֱלֹֽהֵיהֶ֑ם הֲטֶ֣רֶם תֵּדַ֔ע כִּ֥י אָבְדָ֖ה מִצְרָֽיִם: 8 וַיּוּשַׁ֞ב אֶת־מֹשֶׁ֤ה וְאֶֽת־אַהֲרֹן֙ אֶל־פַּרְעֹ֔ה וַיֹּ֣אמֶר אֲלֵהֶ֔ם לְכ֥וּ עִבְד֖וּ אֶת־יְהֹוָ֣ה אֱלֹֽהֵיכֶ֑ם מִ֥י וָמִ֖י הַהֹלְכִֽים: 9 וַיֹּ֣אמֶר מֹשֶׁ֔ה בִּנְעָרֵ֥ינוּ וּבִזְקֵנֵ֖ינוּ נֵלֵ֑ךְ בְּבָנֵ֨ינוּ וּבִבְנוֹתֵ֜נוּ בְּצֹאנֵ֤נוּ וּבִבְקָרֵ֨נוּ֙ נֵלֵ֔ךְ כִּ֥י חַג־יְהֹוָ֖ה לָֽנוּ: 10 וַיֹּ֣אמֶר אֲלֵהֶ֗ם יְהִ֨י כֵ֤ן יְהֹוָה֙ עִמָּכֶ֔ם כַּֽאֲשֶׁ֛ר אֲשַׁלַּ֥ח אֶתְכֶ֖ם וְאֶֽת־טַפְּכֶ֑ם רְא֕וּ כִּ֥י רָעָ֖ה נֶ֥גֶד פְּנֵיכֶֽם: 11 לֹ֣א כֵ֗ן לְכֽוּ־נָ֤א הַגְּבָרִים֙ וְעִבְד֣וּ אֶת־יְהֹוָ֔ה כִּ֥י אֹתָ֖הּ אַתֶּ֣ם מְבַקְשִׁ֑ים וַיְגָ֣רֶשׁ אֹתָ֔ם מֵאֵ֖ת פְּנֵ֥י פַרְעֹֽה: פ

Beshalach בשלח (Ex 13:17–14:8)

The Israelites, taking Joseph's bones with them, leave Egypt. They encamp near the Red Sea. Pharaoh and his army set out in pursuit.

17 וַיְהִ֗י בְּשַׁלַּ֣ח פַּרְעֹה֮ אֶת־הָעָם֒ וְלֹֽא־נָחָ֣ם אֱלֹהִ֗ים דֶּ֚רֶךְ אֶ֣רֶץ פְּלִשְׁתִּ֔ים כִּ֥י קָר֖וֹב ה֑וּא כִּ֣י ׀ אָמַ֣ר אֱלֹהִ֗ים פֶּֽן־יִנָּחֵ֥ם הָעָ֛ם בִּרְאֹתָ֥ם מִלְחָמָ֖ה וְשָׁ֥בוּ מִצְרָֽיְמָה:18 וַיַּסֵּ֨ב אֱלֹהִ֧ים ׀ אֶת־הָעָ֛ם דֶּ֥רֶךְ הַמִּדְבָּ֖ר יַם־ס֑וּף וַֽחֲמֻשִׁ֛ים עָל֥וּ בְנֵֽי־יִשְׂרָאֵ֖ל מֵאֶ֥רֶץ מִצְרָֽיִם: 19 וַיִּקַּ֥ח מֹשֶׁ֛ה אֶת־עַצְמ֥וֹת יוֹסֵ֖ף עִמּ֑וֹ כִּי֩ הַשְׁבֵּ֨עַ הִשְׁבִּ֜יעַ אֶת־בְּנֵ֤י יִשְׂרָאֵל֙ לֵאמֹ֔ר פָּקֹ֨ד יִפְקֹ֤ד אֱלֹהִים֙ אֶתְכֶ֔ם וְהַֽעֲלִיתֶ֧ם אֶת־עַצְמֹתַ֛י מִזֶּ֖ה אִתְּכֶֽם: 20 וַיִּסְע֖וּ מִסֻּכֹּ֑ת וַיַּֽחֲנ֣וּ בְאֵתָ֔ם בִּקְצֵ֖ה הַמִּדְבָּֽר: 21 וַֽיהֹוָ֡ה הֹלֵךְ֩ לִפְנֵיהֶ֨ם יוֹמָ֜ם בְּעַמּ֤וּד עָנָן֙ לַנְחֹתָ֣ם הַדֶּ֔רֶךְ וְלַ֛יְלָה בְּעַמּ֥וּד אֵ֖שׁ לְהָאִ֣יר לָהֶ֑ם לָלֶ֖כֶת יוֹמָ֥ם וָלָֽיְלָה: 22 לֹֽא־יָמִ֞ישׁ עַמּ֤וּד הֶֽעָנָן֙ יוֹמָ֔ם וְעַמּ֥וּד הָאֵ֖שׁ לָ֑יְלָה לִפְנֵ֖י הָעָֽם:

② 1 וַיְדַבֵּ֥ר יְהֹוָ֖ה אֶל־מֹשֶׁ֥ה לֵּאמֹֽר: 2 דַּבֵּר֮ אֶל־בְּנֵ֣י יִשְׂרָאֵל֒ וְיָשֻׁ֗בוּ וְיַחֲנוּ֙ לִפְנֵי֙ פִּ֣י הַֽחִירֹ֔ת בֵּ֥ין מִגְדֹּ֖ל וּבֵ֣ין הַיָּ֑ם לִפְנֵי֙ בַּ֣עַל צְפֹ֔ן נִכְח֥וֹ תַחֲנ֖וּ עַל־הַיָּֽם: 3 וְאָמַ֤ר פַּרְעֹה֙ לִבְנֵ֣י יִשְׂרָאֵ֔ל נְבֻכִ֥ים הֵ֖ם בָּאָ֑רֶץ סָגַ֥ר עֲלֵיהֶ֖ם הַמִּדְבָּֽר: 4 וְחִזַּקְתִּ֣י אֶת־לֵב־פַּרְעֹה֮ וְרָדַ֣ף אַחֲרֵיהֶם֒ וְאִכָּֽבְדָ֤ה בְּפַרְעֹה֙ וּבְכָל־חֵיל֔וֹ וְיָדְע֥וּ מִצְרַ֖יִם כִּֽי־אֲנִ֣י יְהֹוָ֑ה וַיַּֽעֲשׂוּ־כֵֽן:

③ 5 וַיֻּגַּד֙ לְמֶ֣לֶךְ מִצְרַ֔יִם כִּ֥י בָרַ֖ח הָעָ֑ם וַ֠יֵּהָפֵ֠ךְ לְבַ֨ב פַּרְעֹ֤ה וַעֲבָדָיו֙ אֶל־הָעָ֔ם וַיֹּֽאמְרוּ֙ מַה־זֹּ֣את עָשִׂ֔ינוּ כִּֽי־שִׁלַּ֥חְנוּ אֶת־יִשְׂרָאֵ֖ל מֵעָבְדֵֽנוּ: 6 וַיֶּאְסֹ֖ר אֶת־רִכְבּ֑וֹ וְאֶת־עַמּ֖וֹ לָקַ֥ח עִמּֽוֹ: 7 וַיִּקַּ֗ח שֵׁשׁ־מֵא֤וֹת רֶ֨כֶב֙ בָּח֔וּר וְכֹ֖ל רֶ֣כֶב מִצְרָ֑יִם וְשָׁלִשִׁ֖ם עַל־כֻּלּֽוֹ: 8 וַיְחַזֵּ֣ק יְהֹוָ֗ה אֶת־לֵ֤ב פַּרְעֹה֙ מֶ֣לֶךְ מִצְרַ֔יִם וַיִּרְדֹּ֕ף אַחֲרֵ֖י בְּנֵ֣י יִשְׂרָאֵ֑ל וּבְנֵ֣י יִשְׂרָאֵ֔ל יֹֽצְאִ֖ים בְּיָ֥ד רָמָֽה:

Yitro יתרו (Ex 18:1–12)

Jethro, accompanied by Moses' wife and sons, comes from Midian. When Moses tells him what happened in Egypt, Jethro blesses God and offers a sacrifice.

1 וַיִּשְׁמַ֞ע יִתְר֨וֹ כֹהֵ֤ן מִדְיָן֙ חֹתֵ֣ן מֹשֶׁ֔ה אֵת֩ כָּל־אֲשֶׁ֨ר עָשָׂ֤ה אֱלֹהִים֙ לְמֹשֶׁ֔ה וּלְיִשְׂרָאֵ֖ל עַמּ֑וֹ כִּֽי־הוֹצִ֧יא יְהֹוָ֛ה אֶת־יִשְׂרָאֵ֖ל מִמִּצְרָֽיִם: 2 וַיִּקַּ֗ח יִתְרוֹ֙ חֹתֵ֣ן מֹשֶׁ֔ה אֶת־צִפֹּרָ֖ה אֵ֣שֶׁת מֹשֶׁ֑ה אַחַ֖ר שִׁלּוּחֶֽיהָ: 3 וְאֵ֖ת שְׁנֵ֣י בָנֶ֑יהָ אֲשֶׁ֨ר שֵׁ֤ם הָֽאֶחָד֙ גֵּֽרְשֹׁ֔ם כִּ֣י אָמַ֔ר גֵּ֣ר הָיִ֔יתִי בְּאֶ֖רֶץ נָכְרִיָּֽה: 4 וְשֵׁ֥ם הָאֶחָ֖ד אֱלִיעֶ֑זֶר כִּֽי־אֱלֹהֵ֤י אָבִי֙ בְּעֶזְרִ֔י וַיַּצִּלֵ֖נִי מֵחֶ֥רֶב פַּרְעֹֽה:

② 5 וַיָּבֹ֞א יִתְר֨וֹ חֹתֵ֥ן מֹשֶׁ֛ה וּבָנָ֥יו וְאִשְׁתּ֖וֹ אֶל־מֹשֶׁ֑ה אֶל־הַמִּדְבָּ֕ר אֲשֶׁר־ה֛וּא חֹנֶ֥ה שָׁ֖ם הַ֥ר הָאֱלֹהִֽים: 6 וַיֹּ֨אמֶר֙ אֶל־מֹשֶׁ֔ה אֲנִ֛י חֹתֶנְךָ֥ יִתְר֖וֹ בָּ֣א אֵלֶ֑יךָ וְאִ֨שְׁתְּךָ֔ וּשְׁנֵ֥י בָנֶ֖יהָ עִמָּֽהּ: 7 וַיֵּצֵ֨א מֹשֶׁ֜ה לִקְרַ֣את חֹֽתְנ֗וֹ וַיִּשְׁתַּ֙חוּ֙ וַיִּשַּׁק־ל֔וֹ וַיִּשְׁאֲל֥וּ אִישׁ־לְרֵעֵ֖הוּ לְשָׁל֑וֹם וַיָּבֹ֖אוּ הָאֹֽהֱלָה: 8 וַיְסַפֵּ֤ר מֹשֶׁה֙ לְחֹ֣תְנ֔וֹ אֵת֩ כָּל־אֲשֶׁ֨ר עָשָׂ֤ה יְהֹוָה֙ לְפַרְעֹ֣ה וּלְמִצְרַ֔יִם עַ֖ל אוֹדֹ֣ת יִשְׂרָאֵ֑ל אֵ֤ת כָּל־הַתְּלָאָה֙ אֲשֶׁ֣ר מְצָאָ֣תַם בַּדֶּ֔רֶךְ וַיַּצִּלֵ֖ם יְהֹוָֽה:

③ 9 וַיִּ֣חַדְּ יִתְר֔וֹ עַ֚ל כָּל־הַטּוֹבָ֔ה אֲשֶׁר־עָשָׂ֥ה יְהֹוָ֖ה לְיִשְׂרָאֵ֑ל אֲשֶׁ֥ר הִצִּיל֖וֹ מִיַּ֥ד מִצְרָֽיִם: 10 וַיֹּאמֶר֮ יִתְרוֹ֒ בָּר֣וּךְ יְהֹוָ֔ה אֲשֶׁ֨ר הִצִּ֥יל אֶתְכֶ֛ם מִיַּ֥ד מִצְרַ֖יִם וּמִיַּ֣ד פַּרְעֹ֑ה אֲשֶׁ֤ר הִצִּיל֙ אֶת־הָעָ֔ם מִתַּ֖חַת יַד־מִצְרָֽיִם: 11 עַתָּ֣ה יָדַ֔עְתִּי כִּֽי־גָד֥וֹל יְהֹוָ֖ה מִכָּל־הָאֱלֹהִ֑ים כִּ֣י בַדָּבָ֔ר אֲשֶׁ֥ר זָד֖וּ עֲלֵיהֶֽם: 12 וַיִּקַּ֞ח יִתְר֨וֹ חֹתֵ֤ן מֹשֶׁה֙ עֹלָ֣ה וּזְבָחִ֖ים לֵֽאלֹהִ֑ים וַיָּבֹ֨א אַהֲרֹ֜ן וְכֹ֣ל ׀ זִקְנֵ֣י יִשְׂרָאֵ֗ל לֶאֱכָל־לֶ֛חֶם עִם־חֹתֵ֥ן מֹשֶׁ֖ה לִפְנֵ֥י הָאֱלֹהִֽים:

Mishpatim משפטים (Ex 21:1–19)

A series of laws pertaining to male and female slaves, murder and involuntary manslaughter, kidnapping, conduct toward parents, and compensation for injuring someone in a fight.

1 וְאֵ֙לֶּה֙ הַמִּשְׁפָּטִ֔ים אֲשֶׁ֥ר תָּשִׂ֖ים לִפְנֵיהֶֽם: 2 כִּ֤י תִקְנֶה֙ עֶ֣בֶד עִבְרִ֔י שֵׁ֥שׁ שָׁנִ֖ים יַעֲבֹ֑ד וּבַ֨שְּׁבִעִ֔ת יֵצֵ֥א לַֽחָפְשִׁ֖י חִנָּֽם: 3 אִם־בְּגַפּ֥וֹ יָבֹ֖א בְּגַפּ֣וֹ יֵצֵ֑א אִם־בַּ֤עַל אִשָּׁה֙ ה֔וּא וְיָצְאָ֥ה אִשְׁתּ֖וֹ עִמּֽוֹ: 4 אִם־אֲדֹנָיו֙ יִתֶּן־ל֣וֹ אִשָּׁ֔ה וְיָֽלְדָה־ל֥וֹ בָנִ֖ים א֣וֹ בָנ֑וֹת הָאִשָּׁ֣ה וִֽילָדֶ֗יהָ תִּֽהְיֶה֙ לַֽאדֹנֶ֔יהָ וְה֖וּא יֵצֵ֥א בְגַפּֽוֹ:

5 וְאִם־אָמֹר יֹאמַר הָעֶבֶד אָהַבְתִּי אֶת־אֲדֹנִי אֶת־אִשְׁתִּי וְאֶת־בָּנָי לֹא אֵצֵא
חָפְשִׁי׃ 6 וְהִגִּישׁוֹ אֲדֹנָיו אֶל־הָאֱלֹהִים וְהִגִּישׁוֹ אֶל־הַדֶּלֶת אוֹ אֶל־הַמְּזוּזָה
וְרָצַע אֲדֹנָיו אֶת־אָזְנוֹ בַּמַּרְצֵעַ וַעֲבָדוֹ לְעֹלָם
② 7 וְכִי־יִמְכֹּר אִישׁ אֶת־בִּתּוֹ לְאָמָה לֹא תֵצֵא כְּצֵאת הָעֲבָדִים׃ 8 אִם־רָעָה
בְּעֵינֵי אֲדֹנֶיהָ אֲשֶׁר־*לֹא [לוֹ] יְעָדָהּ וְהֶפְדָּהּ לְעַם נָכְרִי לֹא־יִמְשֹׁל לְמָכְרָהּ
בְּבִגְדוֹ־בָהּ׃ 9 וְאִם־לִבְנוֹ יִיעָדֶנָּה כְּמִשְׁפַּט הַבָּנוֹת יַעֲשֶׂה־לָּהּ׃ 10 אִם־
אַחֶרֶת יִקַּח־לוֹ שְׁאֵרָהּ כְּסוּתָהּ וְעֹנָתָהּ לֹא יִגְרָע׃ 11 וְאִם־שְׁלָשׁ־אֵלֶּה לֹא
יַעֲשֶׂה לָהּ וְיָצְאָה חִנָּם אֵין כָּסֶף׃
③ 12 מַכֵּה אִישׁ וָמֵת מוֹת יוּמָת׃ 13 וַאֲשֶׁר לֹא צָדָה וְהָאֱלֹהִים אִנָּה לְיָדוֹ
וְשַׂמְתִּי לְךָ מָקוֹם אֲשֶׁר יָנוּס שָׁמָּה׃ ס 14 וְכִי־יָזִד אִישׁ עַל־רֵעֵהוּ לְהָרְגוֹ
בְעָרְמָה מֵעִם מִזְבְּחִי תִּקָּחֶנּוּ לָמוּת׃ ס 15 וּמַכֵּה אָבִיו וְאִמּוֹ מוֹת יוּמָת׃ 16
וְגֹנֵב אִישׁ וּמְכָרוֹ וְנִמְצָא בְיָדוֹ מוֹת יוּמָת׃ ס 17 וּמְקַלֵּל אָבִיו וְאִמּוֹ מוֹת
יוּמָת׃ ס 18 וְכִי־יְרִיבֻן אֲנָשִׁים וְהִכָּה־אִישׁ אֶת־רֵעֵהוּ בְּאֶבֶן אוֹ בְאֶגְרֹף וְלֹא
יָמוּת וְנָפַל לְמִשְׁכָּב׃ 19 אִם־יָקוּם וְהִתְהַלֵּךְ בַּחוּץ עַל־מִשְׁעַנְתּוֹ וְנִקָּה
הַמַּכֶּה רַק שִׁבְתּוֹ יִתֵּן וְרַפֹּא יְרַפֵּא׃ ס

Terumah תרומה

(Ex 25:1–16)

The materials the Israelites are to provide for the sanctuary; the ark and its fittings. The two tablets of the testimony are to be deposited in the ark.

1 וַיְדַבֵּר יְהוָה אֶל־מֹשֶׁה לֵּאמֹר׃ 2 דַּבֵּר אֶל־בְּנֵי יִשְׂרָאֵל וְיִקְחוּ־לִי תְּרוּמָה
מֵאֵת כָּל־אִישׁ אֲשֶׁר יִדְּבֶנּוּ לִבּוֹ תִּקְחוּ אֶת־תְּרוּמָתִי׃ 3 וְזֹאת הַתְּרוּמָה אֲשֶׁר
תִּקְחוּ מֵאִתָּם זָהָב וָכֶסֶף וּנְחֹשֶׁת׃ 4 וּתְכֵלֶת וְאַרְגָּמָן וְתוֹלַעַת שָׁנִי וְשֵׁשׁ
וְעִזִּים׃ 5 וְעֹרֹת אֵילִם מְאָדָּמִים וְעֹרֹת תְּחָשִׁים וַעֲצֵי שִׁטִּים׃
② 6 שֶׁמֶן לַמָּאֹר בְּשָׂמִים לְשֶׁמֶן הַמִּשְׁחָה וְלִקְטֹרֶת הַסַּמִּים׃ 7 אַבְנֵי־שֹׁהַם
וְאַבְנֵי מִלֻּאִים לָאֵפֹד וְלַחֹשֶׁן׃ 8 וְעָשׂוּ לִי מִקְדָּשׁ וְשָׁכַנְתִּי בְּתוֹכָם׃ 9 כְּכֹל
אֲשֶׁר אֲנִי מַרְאֶה אוֹתְךָ אֵת תַּבְנִית הַמִּשְׁכָּן וְאֵת תַּבְנִית כָּל־כֵּלָיו וְכֵן
תַּעֲשׂוּ׃ ס
③ 10 וְעָשׂוּ אֲרוֹן עֲצֵי שִׁטִּים אַמָּתַיִם וָחֵצִי אָרְכּוֹ וְאַמָּה וָחֵצִי רָחְבּוֹ וְאַמָּה
וָחֵצִי קֹמָתוֹ׃ 11 וְצִפִּיתָ אֹתוֹ זָהָב טָהוֹר מִבַּיִת וּמִחוּץ תְּצַפֶּנּוּ וְעָשִׂיתָ עָלָיו
זֵר זָהָב סָבִיב׃ 12 וְיָצַקְתָּ לּוֹ אַרְבַּע טַבְּעֹת זָהָב וְנָתַתָּה עַל אַרְבַּע
פַּעֲמֹתָיו וּשְׁתֵּי טַבָּעֹת עַל־צַלְעוֹ הָאֶחָת וּשְׁתֵּי טַבָּעֹת עַל־צַלְעוֹ הַשֵּׁנִית׃ 13
וְעָשִׂיתָ בַדֵּי עֲצֵי שִׁטִּים וְצִפִּיתָ אֹתָם זָהָב׃ 14 וְהֵבֵאתָ אֶת־הַבַּדִּים בַּטַּבָּעֹת
עַל צַלְעֹת הָאָרֹן לָשֵׂאת אֶת־הָאָרֹן בָּהֶם׃ 15 בְּטַבְּעֹת הָאָרֹן יִהְיוּ הַבַּדִּים
לֹא יָסֻרוּ מִמֶּנּוּ׃ 16 וְנָתַתָּ אֶל־הָאָרֹן אֵת הָעֵדֻת אֲשֶׁר אֶתֵּן אֵלֶיךָ׃

Tetzaveh תצוה

(Ex 27:20–28:12)

The Israelites are to provide oil for the menorah in the Holy of Holies. The priestly vestments are enumerated, and the ephod is described in detail.

20 וְאַתָּה תְּצַוֶּה ׀ אֶת־בְּנֵי יִשְׂרָאֵל וְיִקְחוּ אֵלֶיךָ שֶׁמֶן זַיִת זָךְ כָּתִית לַמָּאוֹר
לְהַעֲלֹת נֵר תָּמִיד׃ 21 בְּאֹהֶל מוֹעֵד מִחוּץ לַפָּרֹכֶת אֲשֶׁר עַל־הָעֵדֻת יַעֲרֹךְ
אֹתוֹ אַהֲרֹן וּבָנָיו מֵעֶרֶב עַד־בֹּקֶר לִפְנֵי יְהוָה חֻקַּת עוֹלָם לְדֹרֹתָם מֵאֵת
בְּנֵי יִשְׂרָאֵל׃ ס

② 1 וְאַתָּה הַקְרֵב אֵלֶיךָ אֶת־אַהֲרֹן אָחִיךָ וְאֶת־בָּנָיו אִתּוֹ מִתּוֹךְ בְּנֵי יִשְׂרָאֵל
לְכַהֲנוֹ־לִי אַהֲרֹן נָדָב וַאֲבִיהוּא אֶלְעָזָר וְאִיתָמָר בְּנֵי אַהֲרֹן׃ 2 וְעָשִׂיתָ
בִגְדֵי־קֹדֶשׁ לְאַהֲרֹן אָחִיךָ לְכָבוֹד וּלְתִפְאָרֶת׃ 3 וְאַתָּה תְּדַבֵּר
אֶל־כָּל־חַכְמֵי־לֵב אֲשֶׁר מִלֵּאתִיו רוּחַ חָכְמָה וְעָשׂוּ אֶת־בִּגְדֵי אַהֲרֹן
לְקַדְּשׁוֹ לְכַהֲנוֹ־לִי׃ 4 וְאֵלֶּה הַבְּגָדִים אֲשֶׁר יַעֲשׂוּ חֹשֶׁן וְאֵפוֹד וּמְעִיל
וּכְתֹנֶת תַּשְׁבֵּץ מִצְנֶפֶת וְאַבְנֵט וְעָשׂוּ בִגְדֵי־קֹדֶשׁ לְאַהֲרֹן אָחִיךָ וּלְבָנָיו
לְכַהֲנוֹ־לִי׃ 5 וְהֵם יִקְחוּ אֶת־הַזָּהָב וְאֶת־הַתְּכֵלֶת וְאֶת־הָאַרְגָּמָן
וְאֶת־תּוֹלַעַת הַשָּׁנִי וְאֶת־הַשֵּׁשׁ׃

③ 6 וְעָשׂוּ אֶת־הָאֵפֹד זָהָב תְּכֵלֶת וְאַרְגָּמָן תּוֹלַעַת שָׁנִי וְשֵׁשׁ מָשְׁזָר מַעֲשֵׂה
חֹשֵׁב׃ 7 שְׁתֵּי כְתֵפֹת חֹבְרֹת יִהְיֶה־לּוֹ אֶל־שְׁנֵי קְצוֹתָיו וְחֻבָּר׃ 8 וְחֵשֶׁב
אֲפֻדָּתוֹ אֲשֶׁר עָלָיו כְּמַעֲשֵׂהוּ מִמֶּנּוּ יִהְיֶה זָהָב תְּכֵלֶת וְאַרְגָּמָן וְתוֹלַעַת שָׁנִי
וְשֵׁשׁ מָשְׁזָר׃ 9 וְלָקַחְתָּ אֶת־שְׁתֵּי אַבְנֵי־שֹׁהַם וּפִתַּחְתָּ עֲלֵיהֶם שְׁמוֹת בְּנֵי
יִשְׂרָאֵל׃

10 שִׁשָּׁה מִשְּׁמֹתָם עַל הָאֶבֶן הָאֶחָת וְאֶת־שְׁמוֹת הַשִּׁשָּׁה הַנּוֹתָרִים עַל־הָאֶבֶן
הַשֵּׁנִית כְּתוֹלְדֹתָם׃ 11 מַעֲשֵׂה חָרַשׁ אֶבֶן פִּתּוּחֵי חֹתָם תְּפַתַּח אֶת־שְׁתֵּי
הָאֲבָנִים עַל־שְׁמֹת בְּנֵי יִשְׂרָאֵל מֻסַבֹּת מִשְׁבְּצוֹת זָהָב תַּעֲשֶׂה אֹתָם׃ 12
וְשַׂמְתָּ אֶת־שְׁתֵּי הָאֲבָנִים עַל כִּתְפֹת הָאֵפֹד אַבְנֵי זִכָּרֹן לִבְנֵי יִשְׂרָאֵל וְנָשָׂא
אַהֲרֹן אֶת־שְׁמוֹתָם לִפְנֵי יְהוָה עַל־שְׁתֵּי כְתֵפָיו לְזִכָּרֹן׃ ס

Ki Tissa כי תשא

(Ex 30:11–21)

Every adult male Israelite is to pay a half-shekel to the sanctuary. A bronze laver is to be constructed; the priests are to wash with water drawn from it before performing their official duties.

11 וַיְדַבֵּר יְהוָה אֶל־מֹשֶׁה לֵּאמֹר׃ 12 כִּי תִשָּׂא אֶת־רֹאשׁ בְּנֵי־יִשְׂרָאֵל
לִפְקֻדֵיהֶם וְנָתְנוּ אִישׁ כֹּפֶר נַפְשׁוֹ לַיהוָה בִּפְקֹד אֹתָם וְלֹא־יִהְיֶה בָהֶם נֶגֶף
בִּפְקֹד אֹתָם׃ 13 זֶה ׀ יִתְּנוּ כָּל־הָעֹבֵר עַל־הַפְּקֻדִים מַחֲצִית הַשֶּׁקֶל בְּשֶׁקֶל
הַקֹּדֶשׁ עֶשְׂרִים גֵּרָה הַשֶּׁקֶל מַחֲצִית הַשֶּׁקֶל תְּרוּמָה לַיהוָה׃

14 כֹּל הָעֹבֵר עַל־הַפְּקֻדִים מִבֶּן עֶשְׂרִים שָׁנָה וָמָעְלָה יִתֵּן תְּרוּמַת יְהוָה׃ ②
15 הֶעָשִׁיר לֹא־יַרְבֶּה וְהַדַּל לֹא יַמְעִיט מִמַּחֲצִית הַשָּׁקֶל לָתֵת אֶת־תְּרוּמַת
יְהוָה לְכַפֵּר עַל־נַפְשֹׁתֵיכֶם׃ 16 וְלָקַחְתָּ אֶת־כֶּסֶף הַכִּפֻּרִים מֵאֵת בְּנֵי
יִשְׂרָאֵל וְנָתַתָּ אֹתוֹ עַל־עֲבֹדַת אֹהֶל מוֹעֵד וְהָיָה לִבְנֵי יִשְׂרָאֵל לְזִכָּרוֹן
לִפְנֵי יְהוָה לְכַפֵּר עַל־נַפְשֹׁתֵיכֶם׃
17 וַיְדַבֵּר יְהוָה אֶל־מֹשֶׁה לֵּאמֹר׃ 18 וְעָשִׂיתָ כִּיּוֹר נְחֹשֶׁת וְכַנּוֹ נְחֹשֶׁת ③
לְרָחְצָה וְנָתַתָּ אֹתוֹ בֵּין־אֹהֶל מוֹעֵד וּבֵין הַמִּזְבֵּחַ וְנָתַתָּ שָׁמָּה מָיִם׃
19 וְרָחֲצוּ אַהֲרֹן וּבָנָיו מִמֶּנּוּ אֶת־יְדֵיהֶם וְאֶת־רַגְלֵיהֶם׃ 20 בְּבֹאָם אֶל־אֹהֶל
מוֹעֵד יִרְחֲצוּ־מַיִם וְלֹא יָמֻתוּ אוֹ בְגִשְׁתָּם אֶל־הַמִּזְבֵּחַ לְשָׁרֵת לְהַקְטִיר אִשֶּׁה
לַיהוָה׃ 21 וְרָחֲצוּ יְדֵיהֶם וְרַגְלֵיהֶם וְלֹא יָמֻתוּ וְהָיְתָה לָהֶם חָק־עוֹלָם לוֹ
וּלְזַרְעוֹ לְדֹרֹתָם׃

Vayak-hel ויקהל

(Ex 35:1–20)

Sabbath observance is commanded and described. Materials needed for the sanctuary are enumerated, followed by a long list of items to be made by Israel's skilled artisans.

1 וַיַּקְהֵל מֹשֶׁה אֶת־כָּל־עֲדַת בְּנֵי יִשְׂרָאֵל וַיֹּאמֶר אֲלֵהֶם אֵלֶּה הַדְּבָרִים
אֲשֶׁר־צִוָּה יְהוָה לַעֲשֹׂת אֹתָם׃ 2 שֵׁשֶׁת יָמִים תֵּעָשֶׂה מְלָאכָה וּבַיּוֹם הַשְּׁבִיעִי
יִהְיֶה לָכֶם קֹדֶשׁ שַׁבַּת שַׁבָּתוֹן לַיהוָה כָּל־הָעֹשֶׂה בוֹ מְלָאכָה יוּמָת׃ 3 לֹא־
תְבַעֲרוּ אֵשׁ בְּכֹל מֹשְׁבֹתֵיכֶם בְּיוֹם הַשַּׁבָּת׃
4 וַיֹּאמֶר מֹשֶׁה אֶל־כָּל־עֲדַת בְּנֵי־יִשְׂרָאֵל לֵאמֹר זֶה הַדָּבָר אֲשֶׁר־צִוָּה יְהוָה ②
לֵאמֹר׃ 5 קְחוּ מֵאִתְּכֶם תְּרוּמָה לַיהוָה כֹּל נְדִיב לִבּוֹ יְבִיאֶהָ אֵת תְּרוּמַת
יְהוָה זָהָב וָכֶסֶף וּנְחֹשֶׁת׃ 6 וּתְכֵלֶת וְאַרְגָּמָן וְתוֹלַעַת שָׁנִי וְשֵׁשׁ וְעִזִּים׃ 7
וְעֹרֹת אֵילִם מְאָדָּמִים וְעֹרֹת תְּחָשִׁים וַעֲצֵי שִׁטִּים׃ 8 וְשֶׁמֶן לַמָּאוֹר וּבְשָׂמִים
לְשֶׁמֶן הַמִּשְׁחָה וְלִקְטֹרֶת הַסַּמִּים׃ 9 וְאַבְנֵי־שֹׁהַם וְאַבְנֵי מִלֻּאִים לָאֵפוֹד
וְלַחֹשֶׁן׃ 10 וְכָל־חֲכַם־לֵב בָּכֶם יָבֹאוּ וְיַעֲשׂוּ אֵת כָּל־אֲשֶׁר צִוָּה יְהוָה׃
11 אֶת־הַמִּשְׁכָּן אֶת־אָהֳלוֹ וְאֶת־מִכְסֵהוּ אֶת־קְרָסָיו וְאֶת־קְרָשָׁיו אֶת־בְּרִיחָו ③
אֶת־עַמֻּדָיו וְאֶת־אֲדָנָיו׃ 12 אֶת־הָאָרֹן וְאֶת־בַּדָּיו אֶת־הַכַּפֹּרֶת וְאֵת פָּרֹכֶת
הַמָּסָךְ׃ 13 אֶת־הַשֻּׁלְחָן וְאֶת־בַּדָּיו וְאֶת־כָּל־כֵּלָיו וְאֵת לֶחֶם הַפָּנִים׃ 14
וְאֶת־מְנֹרַת הַמָּאוֹר וְאֶת־כֵּלֶיהָ וְאֶת־נֵרֹתֶיהָ וְאֵת שֶׁמֶן הַמָּאוֹר׃ 15
וְאֶת־מִזְבַּח הַקְּטֹרֶת וְאֶת־בַּדָּיו וְאֵת שֶׁמֶן הַמִּשְׁחָה וְאֵת קְטֹרֶת הַסַּמִּים
וְאֶת־מָסַךְ הַפֶּתַח לְפֶתַח הַמִּשְׁכָּן׃ 16 אֵת ׀ מִזְבַּח הָעֹלָה וְאֶת־מִכְבַּר
הַנְּחֹשֶׁת אֲשֶׁר־לוֹ אֶת־בַּדָּיו וְאֶת־כָּל־כֵּלָיו אֶת־הַכִּיֹּר וְאֶת־כַּנּוֹ׃ 17 אֵת
קַלְעֵי הֶחָצֵר אֶת־עַמֻּדָיו וְאֶת־אֲדָנֶיהָ וְאֵת מָסַךְ שַׁעַר הֶחָצֵר׃ 18 אֶת־יִתְדֹת
הַמִּשְׁכָּן וְאֶת־יִתְדֹת הֶחָצֵר וְאֶת־מֵיתְרֵיהֶם׃ 19 אֶת־בִּגְדֵי הַשְּׂרָד לְשָׁרֵת
בַּקֹּדֶשׁ אֶת־בִּגְדֵי הַקֹּדֶשׁ לְאַהֲרֹן הַכֹּהֵן וְאֶת־בִּגְדֵי בָנָיו לְכַהֵן׃ 20 וַיֵּצְאוּ
כָּל־עֲדַת בְּנֵי־יִשְׂרָאֵל מִלִּפְנֵי מֹשֶׁה׃

Pekudei פקודי

Ex 38:21–39:1

Ithamar, Bezalel, and Oholiab supervise the work on the sanctuary. The materials donated by the Israelites are enumerated, together with an accounting of how they were used.

21 אֵ֠לֶּה פְקוּדֵ֤י הַמִּשְׁכָּן֙ מִשְׁכַּ֣ן הָעֵדֻ֔ת אֲשֶׁ֥ר פֻּקַּ֖ד עַל־פִּ֣י מֹשֶׁ֑ה עֲבֹדַת֙
הַלְוִיִּ֔ם בְּיַד֙ אִֽיתָמָ֔ר בֶּֽן־אַהֲרֹ֖ן הַכֹּהֵֽן׃ 22 וּבְצַלְאֵ֥ל בֶּן־אוּרִ֛י בֶן־ח֖וּר לְמַטֵּ֣ה
יְהוּדָ֑ה עָשָׂ֕ה אֵ֛ת כָּל־אֲשֶׁר־צִוָּ֥ה יְהֹוָ֖ה אֶת־מֹשֶֽׁה׃ 23 וְאִתּ֗וֹ אָֽהֳלִיאָ֛ב
בֶּן־אֲחִיסָמָ֖ךְ לְמַטֵּה־דָ֑ן חָרָ֖שׁ וְחֹשֵׁ֑ב וְרֹקֵ֗ם בַּתְּכֵ֙לֶת֙ וּבָֽאַרְגָּמָ֔ן וּבְתוֹלַ֥עַת
הַשָּׁנִ֖י וּבַשֵּֽׁשׁ׃ ס
② 24 כָּל־הַזָּהָ֗ב הֶֽעָשׂוּי֙ לַמְּלָאכָ֔ה בְּכֹ֖ל מְלֶ֣אכֶת הַקֹּ֑דֶשׁ וַֽיְהִ֣י ׀ זְהַ֣ב הַתְּנוּפָ֗ה
תֵּ֤שַׁע וְעֶשְׂרִים֙ כִּכָּ֔ר וּשְׁבַ֨ע מֵא֤וֹת וּשְׁלֹשִׁים֙ שֶׁ֔קֶל בְּשֶׁ֖קֶל הַקֹּֽדֶשׁ׃ 25 וְכֶ֛סֶף
פְּקוּדֵ֥י הָעֵדָ֖ה מְאַ֣ת כִּכָּ֑ר וְאֶ֡לֶף וּשְׁבַע֩ מֵא֨וֹת וַחֲמִשָּׁ֧ה וְשִׁבְעִ֛ים שֶׁ֖קֶל בְּשֶׁ֥קֶל
הַקֹּֽדֶשׁ׃ 26 בֶּ֚קַע לַגֻּלְגֹּ֔לֶת מַחֲצִ֥ית הַשֶּׁ֖קֶל בְּשֶׁ֣קֶל הַקֹּ֑דֶשׁ לְכֹ֠ל הָעֹבֵ֜ר
עַל־הַפְּקֻדִ֗ים מִבֶּ֨ן עֶשְׂרִ֤ים שָׁנָה֙ וָמַ֔עְלָה לְשֵׁשׁ־מֵא֥וֹת אֶ֙לֶף֙ וּשְׁלֹ֣שֶׁת אֲלָפִ֔ים
וַחֲמֵ֥שׁ מֵא֖וֹת וַחֲמִשִּֽׁים׃ 27 וַֽיְהִ֗י מְאַת֙ כִּכַּ֣ר הַכֶּ֔סֶף לָצֶ֗קֶת אֵ֚ת אַדְנֵ֣י הַקֹּ֔דֶשׁ
וְאֵ֖ת אַדְנֵ֣י הַפָּרֹ֑כֶת מְאַ֧ת אֲדָנִ֛ים לִמְאַ֥ת הַכִּכָּ֖ר כִּכָּ֥ר לָאָֽדֶן׃
③ 28 וְאֶת־הָאֶ֜לֶף וּשְׁבַ֤ע הַמֵּאוֹת֙ וַחֲמִשָּׁ֣ה וְשִׁבְעִ֔ים עָשָׂ֥ה וָוִ֖ים לָעַמּוּדִ֑ים וְצִפָּ֥ה
רָאשֵׁיהֶ֖ם וְחִשַּׁ֥ק אֹתָֽם׃ 29 וּנְחֹ֥שֶׁת הַתְּנוּפָ֖ה שִׁבְעִ֣ים כִּכָּ֑ר וְאַלְפַּ֥יִם
וְאַרְבַּע־מֵא֖וֹת שָֽׁקֶל׃ 30 וַיַּ֣עַשׂ בָּ֗הּ אֶת־אַדְנֵי֙ פֶּ֚תַח אֹ֣הֶל מוֹעֵ֔ד וְאֵת֙ מִזְבַּ֣ח
הַנְּחֹ֔שֶׁת וְאֶת־מִכְבַּ֥ר הַנְּחֹ֖שֶׁת אֲשֶׁר־ל֑וֹ וְאֵ֖ת כָּל־כְּלֵ֥י הַמִּזְבֵּֽחַ׃ 31 וְאֶת־אַדְנֵ֤י
הֶֽחָצֵר֙ סָבִ֔יב וְאֶת־אַדְנֵ֖י שַׁ֣עַר הֶחָצֵ֑ר וְאֵ֨ת כָּל־יִתְדֹ֧ת הַמִּשְׁכָּ֛ן
וְאֶת־כָּל־יִתְדֹ֥ת הֶחָצֵ֖ר סָבִֽיב׃ 1 וּמִן־הַתְּכֵ֤לֶת וְהָֽאַרְגָּמָן֙ וְתוֹלַ֣עַת הַשָּׁנִ֔י עָשׂ֥וּ
בִגְדֵי־שְׂרָ֖ד לְשָׁרֵ֣ת בַּקֹּ֑דֶשׁ וַֽיַּעֲשׂ֞וּ אֶת־בִּגְדֵ֤י הַקֹּ֙דֶשׁ֙ אֲשֶׁ֣ר לְאַהֲרֹ֔ן כַּאֲשֶׁ֛ר צִוָּ֥ה
יְהֹוָ֖ה אֶת־מֹשֶֽׁה׃

Vayikra ויקרא (Lev 1:1–13)

Rules for several kinds of sacrifices.

1 וַיִּקְרָא אֶל־מֹשֶׁה וַיְדַבֵּר יְהֹוָה אֵלָיו מֵאֹהֶל מוֹעֵד לֵאמֹר: 2 דַּבֵּר אֶל־בְּנֵי יִשְׂרָאֵל וְאָמַרְתָּ אֲלֵהֶם אָדָם כִּי־יַקְרִיב מִכֶּם קָרְבָּן לַיהֹוָה מִן־הַבְּהֵמָה מִן־הַבָּקָר וּמִן־הַצֹּאן תַּקְרִיבוּ אֶת־קָרְבַּנְכֶם: 3 אִם־עֹלָה קָרְבָּנוֹ מִן־הַבָּקָר זָכָר תָּמִים יַקְרִיבֶנּוּ אֶל־פֶּתַח אֹהֶל מוֹעֵד יַקְרִיב אֹתוֹ לִרְצֹנוֹ לִפְנֵי יְהֹוָה: 4 וְסָמַךְ יָדוֹ עַל רֹאשׁ הָעֹלָה וְנִרְצָה לוֹ לְכַפֵּר עָלָיו:

② 5 וְשָׁחַט אֶת־בֶּן הַבָּקָר לִפְנֵי יְהֹוָ֑ה וְהִקְרִיבוּ בְּנֵי אַהֲרֹן הַכֹּהֲנִים אֶת־הַדָּם וְזָרְקוּ אֶת־הַדָּם עַל־הַמִּזְבֵּחַ סָבִיב אֲשֶׁר־פֶּתַח אֹהֶל מוֹעֵד: 6 וְהִפְשִׁיט אֶת־הָעֹלָה וְנִתַּח אֹתָהּ לִנְתָחֶיהָ: 7 וְנָתְנוּ בְּנֵי אַהֲרֹן הַכֹּהֵן אֵשׁ עַל־הַמִּזְבֵּחַ וְעָרְכוּ עֵצִים עַל־הָאֵשׁ: 8 וְעָרְכוּ בְּנֵי אַהֲרֹן הַכֹּהֲנִים אֵת הַנְּתָחִים אֶת־הָרֹאשׁ וְאֶת־הַפָּדֶר עַל־הָעֵצִים אֲשֶׁר עַל־הָאֵשׁ אֲשֶׁר עַל־הַמִּזְבֵּחַ: 9 וְקִרְבּוֹ וּכְרָעָיו יִרְחַץ בַּמָּיִם וְהִקְטִיר הַכֹּהֵן אֶת־הַכֹּל הַמִּזְבֵּחָה עֹלָה אִשֵּׁה רֵיחַ־נִיחוֹחַ לַיהֹוָה: ס

③ 10 וְאִם־מִן־הַצֹּאן קָרְבָּנוֹ מִן־הַכְּשָׂבִים אוֹ מִן־הָעִזִּים לְעֹלָה זָכָר תָּמִים יַקְרִיבֶנּוּ: 11 וְשָׁחַט אֹתוֹ עַל יֶרֶךְ הַמִּזְבֵּחַ צָפֹנָה לִפְנֵי יְהֹוָה וְזָרְקוּ בְּנֵי אַהֲרֹן הַכֹּהֲנִים אֶת־דָּמוֹ עַל־הַמִּזְבֵּחַ סָבִיב: 12 וְנִתַּח אֹתוֹ לִנְתָחָיו וְאֶת־רֹאשׁוֹ וְאֶת־פִּדְרוֹ וְעָרַךְ הַכֹּהֵן אֹתָם עַל־הָעֵצִים אֲשֶׁר עַל־הָאֵשׁ אֲשֶׁר עַל־הַמִּזְבֵּחַ: 13 וְהַקֶּרֶב וְהַכְּרָעַיִם יִרְחַץ בַּמָּיִם וְהִקְרִיב הַכֹּהֵן אֶת־הַכֹּל וְהִקְטִיר הַמִּזְבֵּחָה עֹלָה הוּא אִשֵּׁה רֵיחַ נִיחֹחַ לַיהֹוָה:

Tzav צו (Lev 6:1–11)

Rules for the burnt offering and the cereal offering.

1 וַיְדַבֵּר יְהֹוָה אֶל־מֹשֶׁה לֵּאמֹר: 2 צַו אֶת־אַהֲרֹן וְאֶת־בָּנָיו לֵאמֹר זֹאת תּוֹרַת הָעֹלָה הִוא הָעֹלָה עַל מוֹקְדָה עַל־הַמִּזְבֵּחַ כָּל־הַלַּיְלָה עַד־הַבֹּקֶר וְאֵשׁ הַמִּזְבֵּחַ תּוּקַד בּוֹ: 3 וְלָבַשׁ הַכֹּהֵן מִדּוֹ בַד וּמִכְנְסֵי־בַד יִלְבַּשׁ עַל־בְּשָׂרוֹ וְהֵרִים אֶת־הַדֶּשֶׁן אֲשֶׁר תֹּאכַל הָאֵשׁ אֶת־הָעֹלָה עַל־הַמִּזְבֵּחַ וְשָׂמוֹ אֵצֶל הַמִּזְבֵּחַ:

② 4 וּפָשַׁט אֶת־בְּגָדָיו וְלָבַשׁ בְּגָדִים אֲחֵרִים וְהוֹצִיא אֶת־הַדֶּשֶׁן אֶל־מִחוּץ לַמַּחֲנֶה אֶל־מָקוֹם טָהוֹר: 5 וְהָאֵשׁ עַל־הַמִּזְבֵּחַ תּוּקַד־בּוֹ לֹא תִכְבֶּה וּבִעֵר עָלֶיהָ הַכֹּהֵן עֵצִים בַּבֹּקֶר בַּבֹּקֶר וְעָרַךְ עָלֶיהָ הָעֹלָה וְהִקְטִיר עָלֶיהָ חֶלְבֵי הַשְּׁלָמִים: 6 אֵשׁ תָּמִיד תּוּקַד עַל־הַמִּזְבֵּחַ לֹא תִכְבֶּה: ס

③ 7 וְזֹאת תּוֹרַת הַמִּנְחָה הַקְרֵב אֹתָהּ בְּנֵי־אַהֲרֹן לִפְנֵי יְהֹוָה אֶל־פְּנֵי הַמִּזְבֵּחַ: 8 וְהֵרִים מִמֶּנּוּ בְּקֻמְצוֹ מִסֹּלֶת הַמִּנְחָה וּמִשַּׁמְנָהּ וְאֵת כָּל־הַלְּבֹנָה אֲשֶׁר עַל־הַמִּנְחָה וְהִקְטִיר הַמִּזְבֵּחַ רֵיחַ נִיחֹחַ אַזְכָּרָתָהּ לַיהֹוָה: 9 וְהַנּוֹתֶרֶת מִמֶּנָּה יֹאכְלוּ אַהֲרֹן וּבָנָיו מַצּוֹת תֵּאָכֵל בְּמָקוֹם קָדֹשׁ בַּחֲצַר אֹהֶל־מוֹעֵד יֹאכְלוּהָ: 10 לֹא תֵאָפֶה חָמֵץ חֶלְקָם נָתַתִּי אֹתָהּ מֵאִשָּׁי קֹדֶשׁ קָדָשִׁים הִוא כַּחַטָּאת וְכָאָשָׁם: 11 כָּל־זָכָר בִּבְנֵי אַהֲרֹן יֹאכְלֶנָּה חָק־עוֹלָם לְדֹרֹתֵיכֶם מֵאִשֵּׁי יְהֹוָה כֹּל אֲשֶׁר־יִגַּע בָּהֶם יִקְדָּשׁ:

Shemini שמיני (Lev 9:1–16)

Aaron brings a series of offerings on behalf of the priests and the people.

1 וַיְהִי בַּיּוֹם הַשְּׁמִינִי קָרָא מֹשֶׁה לְאַהֲרֹן וּלְבָנָיו וּלְזִקְנֵי יִשְׂרָאֵל׃ 2 וַיֹּאמֶר
אֶל־אַהֲרֹן קַח־לְךָ עֵגֶל בֶּן־בָּקָר לְחַטָּאת וְאַיִל לְעֹלָה תְּמִימִם וְהַקְרֵב
לִפְנֵי יְהוָה׃ 3 וְאֶל־בְּנֵי יִשְׂרָאֵל תְּדַבֵּר לֵאמֹר קְחוּ שְׂעִיר־עִזִּים לְחַטָּאת
וְעֵגֶל וָכֶבֶשׂ בְּנֵי־שָׁנָה תְּמִימִם לְעֹלָה׃ 4 וְשׁוֹר וָאַיִל לִשְׁלָמִים לִזְבֹּחַ לִפְנֵי
יְהוָה וּמִנְחָה בְּלוּלָה בַשָּׁמֶן כִּי הַיּוֹם יְהוָה נִרְאָה אֲלֵיכֶם׃ 5 וַיִּקְחוּ אֵת
אֲשֶׁר צִוָּה מֹשֶׁה אֶל־פְּנֵי אֹהֶל מוֹעֵד וַיִּקְרְבוּ כָּל־הָעֵדָה וַיַּעַמְדוּ לִפְנֵי
יְהוָה׃ 6 וַיֹּאמֶר מֹשֶׁה זֶה הַדָּבָר אֲשֶׁר־צִוָּה יְהוָה תַּעֲשׂוּ וְיֵרָא אֲלֵיכֶם כְּבוֹד
יְהוָה׃
② 7 וַיֹּאמֶר מֹשֶׁה אֶל־אַהֲרֹן קְרַב אֶל־הַמִּזְבֵּחַ וַעֲשֵׂה אֶת־חַטָּאתְךָ וְאֶת־עֹלָתֶךָ
וְכַפֵּר בַּעַדְךָ וּבְעַד הָעָם וַעֲשֵׂה אֶת־קָרְבַּן הָעָם וְכַפֵּר בַּעֲדָם כַּאֲשֶׁר צִוָּה
יְהוָה׃ 8 וַיִּקְרַב אַהֲרֹן אֶל־הַמִּזְבֵּחַ וַיִּשְׁחַט אֶת־עֵגֶל הַחַטָּאת אֲשֶׁר־לוֹ׃ 9
וַיַּקְרִבוּ בְּנֵי אַהֲרֹן אֶת־הַדָּם אֵלָיו וַיִּטְבֹּל אֶצְבָּעוֹ בַּדָּם וַיִּתֵּן עַל־קַרְנוֹת
הַמִּזְבֵּחַ וְאֶת־הַדָּם יָצַק אֶל־יְסוֹד הַמִּזְבֵּחַ׃ 10 וְאֶת־הַחֵלֶב וְאֶת־הַכְּלָיֹת
וְאֶת־הַיֹּתֶרֶת מִן־הַכָּבֵד מִן־הַחַטָּאת הִקְטִיר הַמִּזְבֵּחָה כַּאֲשֶׁר צִוָּה יְהוָה
אֶת־מֹשֶׁה׃
③ 11 וְאֶת־הַבָּשָׂר וְאֶת־הָעוֹר שָׂרַף בָּאֵשׁ מִחוּץ לַמַּחֲנֶה׃ 12 וַיִּשְׁחַט אֶת־הָעֹלָה
וַיַּמְצִאוּ בְּנֵי אַהֲרֹן אֵלָיו אֶת־הַדָּם וַיִּזְרְקֵהוּ עַל־הַמִּזְבֵּחַ סָבִיב׃ 13 וְאֶת־
הָעֹלָה הִמְצִיאוּ אֵלָיו לִנְתָחֶיהָ וְאֶת־הָרֹאשׁ וַיַּקְטֵר עַל־הַמִּזְבֵּחַ׃ 14 וַיִּרְחַץ
אֶת־הַקֶּרֶב וְאֶת־הַכְּרָעָיִם וַיַּקְטֵר עַל־הָעֹלָה הַמִּזְבֵּחָה׃ 15 וַיַּקְרֵב אֵת קָרְבַּן
הָעָם וַיִּקַּח אֶת־שְׂעִיר הַחַטָּאת אֲשֶׁר לָעָם וַיִּשְׁחָטֵהוּ וַיְחַטְּאֵהוּ כָּרִאשׁוֹן׃
16 וַיַּקְרֵב אֶת־הָעֹלָה וַיַּעֲשֶׂהָ כַּמִּשְׁפָּט׃

Tazria תזריע (Lev 12:1–13:5)

Purification after childbirth, circumcision, the offerings to be brought by the mother of a newborn, and the identification of various skin disorders.

1 וַיְדַבֵּר יְהוָה אֶל־מֹשֶׁה לֵּאמֹר׃ 2 דַּבֵּר אֶל־בְּנֵי יִשְׂרָאֵל לֵאמֹר אִשָּׁה כִּי
תַזְרִיעַ וְיָלְדָה זָכָר וְטָמְאָה שִׁבְעַת יָמִים כִּימֵי נִדַּת דְּוֺתָהּ תִּטְמָא׃ 3 וּבַיּוֹם
הַשְּׁמִינִי יִמּוֹל בְּשַׂר עָרְלָתוֹ׃ 4 וּשְׁלֹשִׁים יוֹם וּשְׁלֹשֶׁת יָמִים תֵּשֵׁב בִּדְמֵי
טָהֳרָה בְּכָל־קֹדֶשׁ לֹא־תִגָּע וְאֶל־הַמִּקְדָּשׁ לֹא תָבֹא עַד־מְלֹאת יְמֵי טָהֳרָהּ׃
② 5 וְאִם־נְקֵבָה תֵלֵד וְטָמְאָה שְׁבֻעַיִם כְּנִדָּתָהּ וְשִׁשִּׁים יוֹם וְשֵׁשֶׁת יָמִים תֵּשֵׁב
עַל־דְּמֵי טָהֳרָה׃ 6 וּבִמְלֹאת ׀ יְמֵי טָהֳרָהּ לְבֵן אוֹ לְבַת תָּבִיא כֶּבֶשׂ
בֶּן־שְׁנָתוֹ לְעֹלָה וּבֶן־יוֹנָה אוֹ־תֹר לְחַטָּאת אֶל־פֶּתַח אֹהֶל־מוֹעֵד אֶל־הַכֹּהֵן׃
7 וְהִקְרִיבוֹ לִפְנֵי יְהוָה וְכִפֶּר עָלֶיהָ וְטָהֲרָה מִמְּקֹר דָּמֶיהָ זֹאת תּוֹרַת
הַיֹּלֶדֶת לַזָּכָר אוֹ לַנְּקֵבָה׃ 8 וְאִם־לֹא תִמְצָא יָדָהּ דֵּי שֶׂה וְלָקְחָה
שְׁתֵּי־תֹרִים אוֹ שְׁנֵי בְּנֵי יוֹנָה אֶחָד לְעֹלָה וְאֶחָד לְחַטָּאת וְכִפֶּר עָלֶיהָ
הַכֹּהֵן וְטָהֵרָה׃

③ 1 וַיְדַבֵּר יְהוָה אֶל־מֹשֶׁה וְאֶל־אַהֲרֹן לֵאמֹר: 2 אָדָם כִּי־יִהְיֶה בְעוֹר־בְּשָׂרוֹ
שְׂאֵת אוֹ־סַפַּחַת אוֹ בַהֶרֶת וְהָיָה בְעוֹר־בְּשָׂרוֹ לְנֶגַע צָרָעַת וְהוּבָא
אֶל־אַהֲרֹן הַכֹּהֵן אוֹ אֶל־אַחַד מִבָּנָיו הַכֹּהֲנִים: 3 וְרָאָה הַכֹּהֵן אֶת־הַנֶּגַע
בְּעוֹר־הַבָּשָׂר וְשֵׂעָר בַּנֶּגַע הָפַךְ ׀ לָבָן וּמַרְאֵה הַנֶּגַע עָמֹק מֵעוֹר בְּשָׂרוֹ נֶגַע
צָרַעַת הוּא וְרָאָהוּ הַכֹּהֵן וְטִמֵּא אֹתוֹ: 4 וְאִם־בַּהֶרֶת לְבָנָה הִוא בְּעוֹר
בְּשָׂרוֹ וְעָמֹק אֵין־מַרְאֶהָ מִן־הָעוֹר וּשְׂעָרָה לֹא־הָפַךְ לָבָן וְהִסְגִּיר הַכֹּהֵן
אֶת־הַנֶּגַע שִׁבְעַת יָמִים: 5 וְרָאָהוּ הַכֹּהֵן בַּיּוֹם הַשְּׁבִיעִי וְהִנֵּה הַנֶּגַע עָמַד
בְּעֵינָיו לֹא־פָשָׂה הַנֶּגַע בָּעוֹר וְהִסְגִּירוֹ הַכֹּהֵן שִׁבְעַת יָמִים שֵׁנִית:

Metzora מצורע (Lev 14:1–12)

The purification of a cured leper.

1 וַיְדַבֵּר יְהוָה אֶל־מֹשֶׁה לֵּאמֹר: 2 זֹאת תִּהְיֶה תּוֹרַת הַמְּצֹרָע בְּיוֹם טָהֳרָתוֹ
וְהוּבָא אֶל־הַכֹּהֵן: 3 וְיָצָא הַכֹּהֵן אֶל־מִחוּץ לַמַּחֲנֶה וְרָאָה הַכֹּהֵן וְהִנֵּה
נִרְפָּא נֶגַע־הַצָּרַעַת מִן־הַצָּרוּעַ: 4 וְצִוָּה הַכֹּהֵן וְלָקַח לַמִּטַּהֵר שְׁתֵּי־צִפֳּרִים
חַיּוֹת טְהֹרוֹת וְעֵץ אֶרֶז וּשְׁנִי תוֹלַעַת וְאֵזֹב: 5 וְצִוָּה הַכֹּהֵן וְשָׁחַט
אֶת־הַצִּפּוֹר הָאֶחָת אֶל־כְּלִי־חֶרֶשׂ עַל־מַיִם חַיִּים:
② 6 אֶת־הַצִּפֹּר הַחַיָּה יִקַּח אֹתָהּ וְאֶת־עֵץ הָאֶרֶז וְאֶת־שְׁנִי הַתּוֹלַעַת
וְאֶת־הָאֵזֹב וְטָבַל אוֹתָם וְאֵת ׀ הַצִּפֹּר הַחַיָּה בְּדַם הַצִּפֹּר הַשְּׁחֻטָה עַל
הַמַּיִם הַחַיִּים: 7 וְהִזָּה עַל הַמִּטַּהֵר מִן־הַצָּרַעַת שֶׁבַע פְּעָמִים וְטִהֲרוֹ וְשִׁלַּח
אֶת־הַצִּפֹּר הַחַיָּה עַל־פְּנֵי הַשָּׂדֶה: 8 וְכִבֶּס הַמִּטַּהֵר אֶת־בְּגָדָיו וְגִלַּח
אֶת־כָּל־שְׂעָרוֹ וְרָחַץ בַּמַּיִם וְטָהֵר וְאַחַר יָבוֹא אֶל־הַמַּחֲנֶה וְיָשַׁב מִחוּץ
לְאָהֳלוֹ שִׁבְעַת יָמִים: 9 וְהָיָה בַיּוֹם הַשְּׁבִיעִי יְגַלַּח אֶת־כָּל־שְׂעָרוֹ
אֶת־רֹאשׁוֹ וְאֶת־זְקָנוֹ וְאֵת גַּבֹּת עֵינָיו וְאֶת־כָּל־שְׂעָרוֹ יְגַלֵּחַ וְכִבֶּס אֶת־בְּגָדָיו
וְרָחַץ אֶת־בְּשָׂרוֹ בַּמַּיִם וְטָהֵר:
③ 10 וּבַיּוֹם הַשְּׁמִינִי יִקַּח שְׁנֵי־כְבָשִׂים תְּמִימִם וְכַבְשָׂה אַחַת בַּת־שְׁנָתָהּ
תְּמִימָה וּשְׁלֹשָׁה עֶשְׂרֹנִים סֹלֶת מִנְחָה בְּלוּלָה בַשֶּׁמֶן וְלֹג אֶחָד שָׁמֶן:
11 וְהֶעֱמִיד הַכֹּהֵן הַמְטַהֵר אֵת הָאִישׁ הַמִּטַּהֵר וְאֹתָם לִפְנֵי יְהוָה פֶּתַח
אֹהֶל מוֹעֵד: 12 וְלָקַח הַכֹּהֵן אֶת־הַכֶּבֶשׂ הָאֶחָד וְהִקְרִיב אֹתוֹ לְאָשָׁם
וְאֶת־לֹג הַשָּׁמֶן וְהֵנִיף אֹתָם תְּנוּפָה לִפְנֵי יְהוָה:

Aharei Mot אחרי מות (Lev 16:1–17)

The ritual to be enacted by the high priest on the Day of Atonement; the scapegoat.

1 וַיְדַבֵּר יְהוָה אֶל־מֹשֶׁה אַחֲרֵי מוֹת שְׁנֵי בְּנֵי אַהֲרֹן בְּקָרְבָתָם לִפְנֵי־יְהוָה
וַיָּמֻתוּ: 2 וַיֹּאמֶר יְהוָה אֶל־מֹשֶׁה דַּבֵּר אֶל־אַהֲרֹן אָחִיךָ וְאַל־יָבֹא בְכָל־עֵת
אֶל־הַקֹּדֶשׁ מִבֵּית לַפָּרֹכֶת אֶל־פְּנֵי הַכַּפֹּרֶת אֲשֶׁר עַל־הָאָרֹן וְלֹא יָמוּת כִּי
בֶּעָנָן אֵרָאֶה עַל־הַכַּפֹּרֶת: 3 בְּזֹאת יָבֹא אַהֲרֹן אֶל־הַקֹּדֶשׁ בְּפַר בֶּן־בָּקָר
לְחַטָּאת וְאַיִל לְעֹלָה: 4 כְּתֹנֶת־בַּד קֹדֶשׁ יִלְבָּשׁ וּמִכְנְסֵי־בַד יִהְיוּ
עַל־בְּשָׂרוֹ וּבְאַבְנֵט בַּד יַחְגֹּר וּבְמִצְנֶפֶת בַּד יִצְנֹף בִּגְדֵי־קֹדֶשׁ הֵם וְרָחַץ
בַּמַּיִם אֶת־בְּשָׂרוֹ וּלְבֵשָׁם: 5 וּמֵאֵת עֲדַת בְּנֵי יִשְׂרָאֵל יִקַּח שְׁנֵי־שְׂעִירֵי עִזִּים

לְחַטָּאת וְאַיִל אֶחָד לְעֹלָה: 6 וְהִקְרִיב אַהֲרֹן אֶת־פַּר הַחַטָּאת אֲשֶׁר־לוֹ
וְכִפֶּר בַּעֲדוֹ וּבְעַד בֵּיתוֹ:
② 7 וְלָקַח אֶת־שְׁנֵי הַשְּׂעִירִם וְהֶעֱמִיד אֹתָם לִפְנֵי יְהוָה פֶּתַח אֹהֶל מוֹעֵד: 8
וְנָתַן אַהֲרֹן עַל־שְׁנֵי הַשְּׂעִירִם גֹּרָלוֹת גּוֹרָל אֶחָד לַיהוָה וְגוֹרָל אֶחָד
לַעֲזָאזֵל: 9 וְהִקְרִיב אַהֲרֹן אֶת־הַשָּׂעִיר אֲשֶׁר עָלָה עָלָיו הַגּוֹרָל לַיהוָה
וְעָשָׂהוּ חַטָּאת: 10 וְהַשָּׂעִיר אֲשֶׁר עָלָה עָלָיו הַגּוֹרָל לַעֲזָאזֵל יָעֳמַד־חַי
לִפְנֵי יְהוָה לְכַפֵּר עָלָיו לְשַׁלַּח אֹתוֹ לַעֲזָאזֵל הַמִּדְבָּרָה: 11 וְהִקְרִיב אַהֲרֹן
אֶת־פַּר הַחַטָּאת אֲשֶׁר־לוֹ וְכִפֶּר בַּעֲדוֹ וּבְעַד בֵּיתוֹ וְשָׁחַט אֶת־פַּר הַחַטָּאת
אֲשֶׁר־לוֹ:
③ 12 וְלָקַח מְלֹא־הַמַּחְתָּה גַּחֲלֵי־אֵשׁ מֵעַל הַמִּזְבֵּחַ מִלִּפְנֵי יְהוָה וּמְלֹא חָפְנָיו
קְטֹרֶת סַמִּים דַּקָּה וְהֵבִיא מִבֵּית לַפָּרֹכֶת: 13 וְנָתַן אֶת־הַקְּטֹרֶת עַל־הָאֵשׁ
לִפְנֵי יְהוָה וְכִסָּה ׀ עֲנַן הַקְּטֹרֶת אֶת־הַכַּפֹּרֶת אֲשֶׁר עַל־הָעֵדוּת וְלֹא יָמוּת:
14 וְלָקַח מִדַּם הַפָּר וְהִזָּה בְאֶצְבָּעוֹ עַל־פְּנֵי הַכַּפֹּרֶת קֵדְמָה וְלִפְנֵי
הַכַּפֹּרֶת יַזֶּה שֶׁבַע־פְּעָמִים מִן־הַדָּם בְּאֶצְבָּעוֹ: 15 וְשָׁחַט אֶת־שְׂעִיר הַחַטָּאת
אֲשֶׁר לָעָם וְהֵבִיא אֶת־דָּמוֹ אֶל־מִבֵּית לַפָּרֹכֶת וְעָשָׂה אֶת־דָּמוֹ כַּאֲשֶׁר עָשָׂה
לְדַם הַפָּר וְהִזָּה אֹתוֹ עַל־הַכַּפֹּרֶת וְלִפְנֵי הַכַּפֹּרֶת: 16 וְכִפֶּר עַל־הַקֹּדֶשׁ
מִטֻּמְאֹת בְּנֵי יִשְׂרָאֵל וּמִפִּשְׁעֵיהֶם לְכָל־חַטֹּאתָם וְכֵן יַעֲשֶׂה לְאֹהֶל מוֹעֵד
הַשֹּׁכֵן אִתָּם בְּתוֹךְ טֻמְאֹתָם: 17 וְכָל־אָדָם לֹא־יִהְיֶה ׀ בְּאֹהֶל מוֹעֵד בְּבֹאוֹ
לְכַפֵּר בַּקֹּדֶשׁ עַד־צֵאתוֹ וְכִפֶּר בַּעֲדוֹ וּבְעַד בֵּיתוֹ וּבְעַד כָּל־קְהַל יִשְׂרָאֵל:

Kedoshim קדושים (Lev 19:1–14)

A series of laws designed to make Israel holy: reverence for parents, Sabbath observance, avoidance of idol worship, certain sacrificial procedures, agricultural rules to help the poor, the prohibition of stealing, cheating, swearing falsely, profaning God's name, exploiting employees, and mistreating the handicapped.

1 וַיְדַבֵּר יְהוָה אֶל־מֹשֶׁה לֵּאמֹר: 2 דַּבֵּר אֶל־כָּל־עֲדַת בְּנֵי־יִשְׂרָאֵל וְאָמַרְתָּ
אֲלֵהֶם קְדֹשִׁים תִּהְיוּ כִּי קָדוֹשׁ אֲנִי יְהוָה אֱלֹהֵיכֶם: 3 אִישׁ אִמּוֹ וְאָבִיו
תִּירָאוּ וְאֶת־שַׁבְּתֹתַי תִּשְׁמֹרוּ אֲנִי יְהוָה אֱלֹהֵיכֶם: 4 אַל־תִּפְנוּ אֶל־הָאֱלִילִם
וֵאלֹהֵי מַסֵּכָה לֹא תַעֲשׂוּ לָכֶם אֲנִי יְהוָה אֱלֹהֵיכֶם:
② 5 וְכִי תִזְבְּחוּ זֶבַח שְׁלָמִים לַיהוָה לִרְצֹנְכֶם תִּזְבָּחֻהוּ: 6 בְּיוֹם זִבְחֲכֶם
יֵאָכֵל וּמִמָּחֳרָת וְהַנּוֹתָר עַד־יוֹם הַשְּׁלִישִׁי בָּאֵשׁ יִשָּׂרֵף: 7 וְאִם הֵאָכֹל יֵאָכֵל
בַּיּוֹם הַשְּׁלִישִׁי פִּגּוּל הוּא לֹא יֵרָצֶה: 8 וְאֹכְלָיו עֲוֺנוֹ יִשָּׂא כִּי־אֶת־קֹדֶשׁ
יְהוָה חִלֵּל וְנִכְרְתָה הַנֶּפֶשׁ הַהִוא מֵעַמֶּיהָ: 9 וּבְקֻצְרְכֶם אֶת־קְצִיר אַרְצְכֶם
לֹא תְכַלֶּה פְּאַת שָׂדְךָ לִקְצֹר וְלֶקֶט קְצִירְךָ לֹא תְלַקֵּט: 10 וְכַרְמְךָ לֹא
תְעוֹלֵל וּפֶרֶט כַּרְמְךָ לֹא תְלַקֵּט לֶעָנִי וְלַגֵּר תַּעֲזֹב אֹתָם אֲנִי יְהוָה
אֱלֹהֵיכֶם:
③ 11 לֹא תִּגְנֹבוּ וְלֹא־תְכַחֲשׁוּ וְלֹא־תְשַׁקְּרוּ אִישׁ בַּעֲמִיתוֹ: 12 וְלֹא־תִשָּׁבְעוּ
בִשְׁמִי לַשָּׁקֶר וְחִלַּלְתָּ אֶת־שֵׁם אֱלֹהֶיךָ אֲנִי יְהוָה: 13 לֹא־תַעֲשֹׁק אֶת־רֵעֲךָ
וְלֹא תִגְזֹל לֹא־תָלִין פְּעֻלַּת שָׂכִיר אִתְּךָ עַד־בֹּקֶר: 14 לֹא־תְקַלֵּל חֵרֵשׁ
וְלִפְנֵי עִוֵּר לֹא תִתֵּן מִכְשֹׁל וְיָרֵאתָ מֵּאֱלֹהֶיךָ אֲנִי יְהוָה:

Emor אמר (Lev 21:1–15)

Mourning and marriage rules for priests; punishment of a priest's daughter for harlotry.

1 וַיֹּאמֶר יְהוָה אֶל־מֹשֶׁה אֱמֹר אֶל־הַכֹּהֲנִים בְּנֵי אַהֲרֹן וְאָמַרְתָּ אֲלֵהֶם
לְנֶפֶשׁ לֹא־יִטַּמָּא בְּעַמָּיו׃ 2 כִּי אִם־לִשְׁאֵרוֹ הַקָּרֹב אֵלָיו לְאִמּוֹ וּלְאָבִיו
וְלִבְנוֹ וּלְבִתּוֹ וּלְאָחִיו׃ 3 וְלַאֲחֹתוֹ הַבְּתוּלָה הַקְּרוֹבָה אֵלָיו אֲשֶׁר לֹא־הָיְתָה
לְאִישׁ לָהּ יִטַּמָּא׃ 4 לֹא יִטַּמָּא בַּעַל בְּעַמָּיו לְהֵחַלּוֹ׃ 5 לֹא־*יִקְרְחָה
[יִקְרְחוּ] קָרְחָה בְּרֹאשָׁם וּפְאַת זְקָנָם לֹא יְגַלֵּחוּ וּבִבְשָׂרָם לֹא יִשְׂרְטוּ
שָׂרָטֶת׃ 6 קְדֹשִׁים יִהְיוּ לֵאלֹהֵיהֶם וְלֹא יְחַלְּלוּ שֵׁם אֱלֹהֵיהֶם כִּי אֶת־אִשֵּׁי
יְהוָה לֶחֶם אֱלֹהֵיהֶם הֵם מַקְרִיבִם וְהָיוּ קֹדֶשׁ׃
② 7 אִשָּׁה זֹנָה וַחֲלָלָה לֹא יִקָּחוּ וְאִשָּׁה גְּרוּשָׁה מֵאִישָׁהּ לֹא יִקָּחוּ כִּי־קָדֹשׁ
הוּא לֵאלֹהָיו׃ 8 וְקִדַּשְׁתּוֹ כִּי־אֶת־לֶחֶם אֱלֹהֶיךָ הוּא מַקְרִיב קָדֹשׁ יִהְיֶה־לָּךְ
כִּי קָדוֹשׁ אֲנִי יְהוָה מְקַדִּשְׁכֶם׃ 9 וּבַת אִישׁ כֹּהֵן כִּי תֵחֵל לִזְנוֹת אֶת־אָבִיהָ
הִיא מְחַלֶּלֶת בָּאֵשׁ תִּשָּׂרֵף׃ ס
③ 10 וְהַכֹּהֵן הַגָּדוֹל מֵאֶחָיו אֲשֶׁר־יוּצַק עַל־רֹאשׁוֹ ׀ שֶׁמֶן הַמִּשְׁחָה וּמִלֵּא
אֶת־יָדוֹ לִלְבֹּשׁ אֶת־הַבְּגָדִים אֶת־רֹאשׁוֹ לֹא יִפְרָע וּבְגָדָיו לֹא יִפְרֹם׃ 11
וְעַל כָּל־נַפְשֹׁת מֵת לֹא יָבֹא לְאָבִיו וּלְאִמּוֹ לֹא יִטַּמָּא׃ 12 וּמִן־הַמִּקְדָּשׁ לֹא
יֵצֵא וְלֹא יְחַלֵּל אֵת מִקְדַּשׁ אֱלֹהָיו כִּי נֵזֶר שֶׁמֶן מִשְׁחַת אֱלֹהָיו עָלָיו אֲנִי
יְהוָה׃
13 וְהוּא אִשָּׁה בִבְתוּלֶיהָ יִקָּח׃ 14 אַלְמָנָה וּגְרוּשָׁה וַחֲלָלָה זֹנָה אֶת־אֵלֶּה
לֹא יִקָּח כִּי אִם־בְּתוּלָה מֵעַמָּיו יִקַּח אִשָּׁה׃ 15 וְלֹא־יְחַלֵּל זַרְעוֹ בְּעַמָּיו כִּי
אֲנִי יְהוָה מְקַדְּשׁוֹ׃

Behar בהר

(Lev 25:1–13)

The sabbatical year and the jubilee year. In both the land is to lie fallow; the latter is a time of release in which everyone is to return to his family's hereditary land-holding.

1 וַיְדַבֵּר יְהוָה אֶל־מֹשֶׁה בְּהַר סִינַי לֵאמֹר׃ 2 דַּבֵּר אֶל־בְּנֵי יִשְׂרָאֵל וְאָמַרְתָּ
אֲלֵהֶם כִּי תָבֹאוּ אֶל־הָאָרֶץ אֲשֶׁר אֲנִי נֹתֵן לָכֶם וְשָׁבְתָה הָאָרֶץ שַׁבָּת
לַיהוָה׃ 3 שֵׁשׁ שָׁנִים תִּזְרַע שָׂדֶךָ וְשֵׁשׁ שָׁנִים תִּזְמֹר כַּרְמֶךָ וְאָסַפְתָּ
אֶת־תְּבוּאָתָהּ׃
② 4 וּבַשָּׁנָה הַשְּׁבִיעִת שַׁבַּת שַׁבָּתוֹן יִהְיֶה לָאָרֶץ שַׁבָּת לַיהוָה שָׂדְךָ לֹא תִזְרָע
וְכַרְמְךָ לֹא תִזְמֹר׃ 5 אֵת סְפִיחַ קְצִירְךָ לֹא תִקְצוֹר וְאֶת־עִנְּבֵי נְזִירֶךָ לֹא
תִבְצֹר שְׁנַת שַׁבָּתוֹן יִהְיֶה לָאָרֶץ׃ 6 וְהָיְתָה שַׁבַּת הָאָרֶץ לָכֶם לְאָכְלָה לְךָ
וּלְעַבְדְּךָ וְלַאֲמָתֶךָ וְלִשְׂכִירְךָ וּלְתוֹשָׁבְךָ הַגָּרִים עִמָּךְ׃ 7 וְלִבְהֶמְתְּךָ וְלַחַיָּה
אֲשֶׁר בְּאַרְצֶךָ תִּהְיֶה כָל־תְּבוּאָתָהּ לֶאֱכֹל׃ ס
③ 8 וְסָפַרְתָּ לְךָ שֶׁבַע שַׁבְּתֹת שָׁנִים שֶׁבַע שָׁנִים שֶׁבַע פְּעָמִים וְהָיוּ לְךָ יְמֵי
שֶׁבַע שַׁבְּתֹת הַשָּׁנִים תֵּשַׁע וְאַרְבָּעִים שָׁנָה׃ 9 וְהַעֲבַרְתָּ שׁוֹפַר תְּרוּעָה בַּחֹדֶשׁ
הַשְּׁבִעִי בֶּעָשׂוֹר לַחֹדֶשׁ בְּיוֹם הַכִּפֻּרִים תַּעֲבִירוּ שׁוֹפָר בְּכָל־אַרְצְכֶם׃

10 וְקִדַּשְׁתֶּם אֵת שְׁנַת הַחֲמִשִּׁים שָׁנָה וּקְרָאתֶם דְּרוֹר בָּאָרֶץ לְכָל־יֹשְׁבֶיהָ
יוֹבֵל הִוא תִּהְיֶה לָכֶם וְשַׁבְתֶּם אִישׁ אֶל־אֲחֻזָּתוֹ וְאִישׁ אֶל־מִשְׁפַּחְתּוֹ תָּשֻׁבוּ׃
11 יוֹבֵל הִוא שְׁנַת הַחֲמִשִּׁים שָׁנָה תִּהְיֶה לָכֶם לֹא תִזְרָעוּ וְלֹא תִקְצְרוּ
אֶת־סְפִיחֶיהָ וְלֹא תִבְצְרוּ אֶת־נְזִרֶיהָ׃ 12 כִּי יוֹבֵל הִוא קֹדֶשׁ תִּהְיֶה לָכֶם
מִן־הַשָּׂדֶה תֹּאכְלוּ אֶת־תְּבוּאָתָהּ׃ 13 בִּשְׁנַת הַיּוֹבֵל הַזֹּאת תָּשֻׁבוּ אִישׁ
אֶל־אֲחֻזָּתוֹ׃

Behukotai בחקתי

(Lev 26:3–13)

The benefits that will accrue to Israel if it obeys God's commandments: prosperity, peace, victory against enemies, and most important, God's continued presence among them.

3 אִם־בְּחֻקֹּתַי תֵּלֵכוּ וְאֶת־מִצְוֹתַי תִּשְׁמְרוּ וַעֲשִׂיתֶם אֹתָם׃ 4 וְנָתַתִּי גִשְׁמֵיכֶם
בְּעִתָּם וְנָתְנָה הָאָרֶץ יְבוּלָהּ וְעֵץ הַשָּׂדֶה יִתֵּן פִּרְיוֹ׃ 5 וְהִשִּׂיג לָכֶם דַּיִשׁ
אֶת־בָּצִיר וּבָצִיר יַשִּׂיג אֶת־זָרַע וַאֲכַלְתֶּם לַחְמְכֶם לָשֹׂבַע וִישַׁבְתֶּם לָבֶטַח
בְּאַרְצְכֶם׃
② 6 וְנָתַתִּי שָׁלוֹם בָּאָרֶץ וּשְׁכַבְתֶּם וְאֵין מַחֲרִיד וְהִשְׁבַּתִּי חַיָּה רָעָה מִן־הָאָרֶץ
וְחֶרֶב לֹא־תַעֲבֹר בְּאַרְצְכֶם׃ 7 וּרְדַפְתֶּם אֶת־אֹיְבֵיכֶם וְנָפְלוּ לִפְנֵיכֶם
לֶחָרֶב׃ 8 וְרָדְפוּ מִכֶּם חֲמִשָּׁה מֵאָה וּמֵאָה מִכֶּם רְבָבָה יִרְדֹּפוּ וְנָפְלוּ
אֹיְבֵיכֶם לִפְנֵיכֶם לֶחָרֶב׃ 9 וּפָנִיתִי אֲלֵיכֶם וְהִפְרֵיתִי אֶתְכֶם וְהִרְבֵּיתִי
אֶתְכֶם וַהֲקִימֹתִי אֶת־בְּרִיתִי אִתְּכֶם׃
③ 10 וַאֲכַלְתֶּם יָשָׁן נוֹשָׁן וְיָשָׁן מִפְּנֵי חָדָשׁ תּוֹצִיאוּ׃ 11 וְנָתַתִּי מִשְׁכָּנִי בְּתוֹכְכֶם
וְלֹא־תִגְעַל נַפְשִׁי אֶתְכֶם׃ 12 וְהִתְהַלַּכְתִּי בְּתוֹכְכֶם וְהָיִיתִי לָכֶם לֵאלֹהִים
וְאַתֶּם תִּהְיוּ־לִי לְעָם׃ 13 אֲנִי יְהוָה אֱלֹהֵיכֶם אֲשֶׁר הוֹצֵאתִי אֶתְכֶם מֵאֶרֶץ
מִצְרַיִם מִהְיֹת לָהֶם עֲבָדִים וָאֶשְׁבֹּר מֹטֹת עֻלְּכֶם וָאוֹלֵךְ אֶתְכֶם קוֹמְמִיּוּת׃

Bamidbar במדבר (Num 1:1–19)

Moses takes a census of all men over the age of twenty. He is assisted by one leader from each tribe.

1 וַיְדַבֵּר יְהוָה אֶל־מֹשֶׁה בְּמִדְבַּר סִינַי בְּאֹהֶל מוֹעֵד בְּאֶחָד לַחֹדֶשׁ הַשֵּׁנִי
בַּשָּׁנָה הַשֵּׁנִית לְצֵאתָם מֵאֶרֶץ מִצְרַיִם לֵאמֹר׃ 2 שְׂאוּ אֶת־רֹאשׁ כָּל־עֲדַת
בְּנֵי־יִשְׂרָאֵל לְמִשְׁפְּחֹתָם לְבֵית אֲבֹתָם בְּמִסְפַּר שֵׁמוֹת כָּל־זָכָר לְגֻלְגְּלֹתָם׃ 3
מִבֶּן עֶשְׂרִים שָׁנָה וָמַעְלָה כָּל־יֹצֵא צָבָא בְּיִשְׂרָאֵל תִּפְקְדוּ אֹתָם לְצִבְאֹתָם
אַתָּה וְאַהֲרֹן׃ 4 וְאִתְּכֶם יִהְיוּ אִישׁ אִישׁ לַמַּטֶּה אִישׁ רֹאשׁ לְבֵית־אֲבֹתָיו
הוּא׃
② 5 וְאֵלֶּה שְׁמוֹת הָאֲנָשִׁים אֲשֶׁר יַעַמְדוּ אִתְּכֶם לִרְאוּבֵן אֱלִיצוּר בֶּן־שְׁדֵיאוּר׃
6 לְשִׁמְעוֹן שְׁלֻמִיאֵל בֶּן־צוּרִישַׁדָּי׃ 7 לִיהוּדָה נַחְשׁוֹן בֶּן־עַמִּינָדָב׃ 8
לְיִשָּׂשכָר נְתַנְאֵל בֶּן־צוּעָר׃ 9 לִזְבוּלֻן אֱלִיאָב בֶּן־חֵלֹן׃ 10 לִבְנֵי יוֹסֵף
לְאֶפְרַיִם אֱלִישָׁמָע בֶּן־עַמִּיהוּד לִמְנַשֶּׁה גַּמְלִיאֵל בֶּן־פְּדָהצוּר׃ 11 לְבִנְיָמִן
אֲבִידָן בֶּן־גִּדְעֹנִי׃ 12 לְדָן אֲחִיעֶזֶר בֶּן־עַמִּישַׁדָּי׃ 13 לְאָשֵׁר פַּגְעִיאֵל
בֶּן־עָכְרָן׃ 14 לְגָד אֶלְיָסָף בֶּן־דְּעוּאֵל׃ 15 לְנַפְתָּלִי אֲחִירַע בֶּן־עֵינָן׃ 16
אֵלֶּה *קריאי [קְרוּאֵי] הָעֵדָה נְשִׂיאֵי מַטּוֹת אֲבוֹתָם רָאשֵׁי אַלְפֵי יִשְׂרָאֵל
הֵם׃
③ 17 וַיִּקַּח מֹשֶׁה וְאַהֲרֹן אֵת הָאֲנָשִׁים הָאֵלֶּה אֲשֶׁר נִקְּבוּ בְּשֵׁמוֹת׃ 18 וְאֵת
כָּל־הָעֵדָה הִקְהִילוּ בְּאֶחָד לַחֹדֶשׁ הַשֵּׁנִי וַיִּתְיַלְדוּ עַל־מִשְׁפְּחֹתָם לְבֵית
אֲבֹתָם בְּמִסְפַּר שֵׁמוֹת מִבֶּן עֶשְׂרִים שָׁנָה וָמַעְלָה לְגֻלְגְּלֹתָם׃ 19 כַּאֲשֶׁר צִוָּה
יְהוָה אֶת־מֹשֶׁה וַיִּפְקְדֵם בְּמִדְבַּר סִינָי׃

Naso נשא (Num 4:21–37)

Moses takes a census of the families and clans of the tribe of Levi, enumerating their specific duties and responsibilies.

21 וַיְדַבֵּר יְהוָה אֶל־מֹשֶׁה לֵּאמֹר׃ 22 נָשֹׂא אֶת־רֹאשׁ בְּנֵי גֵרְשׁוֹן גַּם־הֵם
לְבֵית אֲבֹתָם לְמִשְׁפְּחֹתָם׃ 23 מִבֶּן שְׁלֹשִׁים שָׁנָה וָמַעְלָה עַד בֶּן־חֲמִשִּׁים
שָׁנָה תִּפְקֹד אוֹתָם כָּל־הַבָּא לִצְבֹא צָבָא לַעֲבֹד עֲבֹדָה בְּאֹהֶל מוֹעֵד׃
24 זֹאת עֲבֹדַת מִשְׁפְּחֹת הַגֵּרְשֻׁנִּי לַעֲבֹד וּלְמַשָּׂא׃
② 25 וְנָשְׂאוּ אֶת־יְרִיעֹת הַמִּשְׁכָּן וְאֶת־אֹהֶל מוֹעֵד מִכְסֵהוּ וּמִכְסֵה הַתַּחַשׁ
אֲשֶׁר־עָלָיו מִלְמָעְלָה וְאֶת־מָסַךְ פֶּתַח אֹהֶל מוֹעֵד׃ 26 וְאֵת קַלְעֵי הֶחָצֵר
וְאֶת־מָסַךְ ׀ פֶּתַח ׀ שַׁעַר הֶחָצֵר אֲשֶׁר עַל־הַמִּשְׁכָּן וְעַל־הַמִּזְבֵּחַ סָבִיב וְאֵת
מֵיתְרֵיהֶם וְאֶת־כָּל־כְּלֵי עֲבֹדָתָם וְאֵת כָּל־אֲשֶׁר יֵעָשֶׂה לָהֶם וְעָבָדוּ׃ 27
עַל־פִּי אַהֲרֹן וּבָנָיו תִּהְיֶה כָּל־עֲבֹדַת בְּנֵי הַגֵּרְשֻׁנִּי לְכָל־מַשָּׂאָם וּלְכֹל
עֲבֹדָתָם וּפְקַדְתֶּם עֲלֵהֶם בְּמִשְׁמֶרֶת אֵת כָּל־מַשָּׂאָם׃ 28 זֹאת עֲבֹדַת
מִשְׁפְּחֹת בְּנֵי הַגֵּרְשֻׁנִּי בְּאֹהֶל מוֹעֵד וּמִשְׁמַרְתָּם בְּיַד אִיתָמָר בֶּן־אַהֲרֹן
הַכֹּהֵן׃

③ 29 בְּנֵי מְרָרִי לְמִשְׁפְּחֹתָם לְבֵית־אֲבֹתָם תִּפְקֹד אֹתָם: 30 מִבֶּן שְׁלֹשִׁים שָׁנָה
וָמַעְלָה וְעַד בֶּן־חֲמִשִּׁים שָׁנָה תִּפְקְדֵם כָּל־הַבָּא לַצָּבָא לַעֲבֹד אֶת־עֲבֹדַת
אֹהֶל מוֹעֵד: 31 וְזֹאת מִשְׁמֶרֶת מַשָּׂאָם לְכָל־עֲבֹדָתָם בְּאֹהֶל מוֹעֵד קַרְשֵׁי
הַמִּשְׁכָּן וּבְרִיחָיו וְעַמּוּדָיו וַאֲדָנָיו: 32 וְעַמּוּדֵי הֶחָצֵר סָבִיב וְאַדְנֵיהֶם
וִיתֵדֹתָם וּמֵיתְרֵיהֶם לְכָל־כְּלֵיהֶם וּלְכֹל עֲבֹדָתָם וּבְשֵׁמֹת תִּפְקְדוּ אֶת־כְּלֵי
מִשְׁמֶרֶת מַשָּׂאָם: 33 זֹאת עֲבֹדַת מִשְׁפְּחֹת בְּנֵי מְרָרִי לְכָל־עֲבֹדָתָם בְּאֹהֶל
מוֹעֵד בְּיַד אִיתָמָר בֶּן־אַהֲרֹן הַכֹּהֵן: 34 וַיִּפְקֹד מֹשֶׁה וְאַהֲרֹן וּנְשִׂיאֵי הָעֵדָה
אֶת־בְּנֵי הַקְּהָתִי לְמִשְׁפְּחֹתָם וּלְבֵית אֲבֹתָם: 35 מִבֶּן שְׁלֹשִׁים שָׁנָה וָמַעְלָה
וְעַד בֶּן־חֲמִשִּׁים שָׁנָה כָּל־הַבָּא לַצָּבָא לַעֲבֹדָה בְּאֹהֶל מוֹעֵד: 36 וַיִּהְיוּ
פְקֻדֵיהֶם לְמִשְׁפְּחֹתָם אַלְפַּיִם שְׁבַע מֵאוֹת וַחֲמִשִּׁים: 37 אֵלֶּה פְקוּדֵי
מִשְׁפְּחֹת הַקְּהָתִי כָּל־הָעֹבֵד בְּאֹהֶל מוֹעֵד אֲשֶׁר פָּקַד מֹשֶׁה וְאַהֲרֹן עַל־פִּי
יְהוָה בְּיַד־מֹשֶׁה:

Behaalotekha בהעלתך (Num 8:1–14)

The seven-branched menorah. Sanctification of the Levites for service in the sanctuary.

1 וַיְדַבֵּר יְהוָה אֶל־מֹשֶׁה לֵּאמֹר: 2 דַּבֵּר אֶל־אַהֲרֹן וְאָמַרְתָּ אֵלָיו בְּהַעֲלֹתְךָ
אֶת־הַנֵּרֹת אֶל־מוּל פְּנֵי הַמְּנוֹרָה יָאִירוּ שִׁבְעַת הַנֵּרוֹת: 3 וַיַּעַשׂ כֵּן אַהֲרֹן
אֶל־מוּל פְּנֵי הַמְּנוֹרָה הֶעֱלָה נֵרֹתֶיהָ כַּאֲשֶׁר צִוָּה יְהוָה אֶת־מֹשֶׁה: 4 וְזֶה
מַעֲשֵׂה הַמְּנֹרָה מִקְשָׁה זָהָב עַד־יְרֵכָהּ עַד־פִּרְחָהּ מִקְשָׁה הִוא כַּמַּרְאֶה אֲשֶׁר
הֶרְאָה יְהוָה אֶת־מֹשֶׁה כֵּן עָשָׂה אֶת־הַמְּנֹרָה:
② 5 וַיְדַבֵּר יְהוָה אֶל־מֹשֶׁה לֵּאמֹר: 6 קַח אֶת־הַלְוִיִּם מִתּוֹךְ בְּנֵי יִשְׂרָאֵל
וְטִהַרְתָּ אֹתָם: 7 וְכֹה־תַעֲשֶׂה לָהֶם לְטַהֲרָם הַזֵּה עֲלֵיהֶם מֵי חַטָּאת
וְהֶעֱבִירוּ תַעַר עַל־כָּל־בְּשָׂרָם וְכִבְּסוּ בִגְדֵיהֶם וְהִטֶּהָרוּ: 8 וְלָקְחוּ פַּר
בֶּן־בָּקָר וּמִנְחָתוֹ סֹלֶת בְּלוּלָה בַשָּׁמֶן וּפַר־שֵׁנִי בֶן־בָּקָר תִּקַּח לְחַטָּאת:
9 וְהִקְרַבְתָּ אֶת־הַלְוִיִּם לִפְנֵי אֹהֶל מוֹעֵד וְהִקְהַלְתָּ אֶת־כָּל־עֲדַת בְּנֵי
יִשְׂרָאֵל:
③ 10 וְהִקְרַבְתָּ אֶת־הַלְוִיִּם לִפְנֵי יְהוָה וְסָמְכוּ בְנֵי־יִשְׂרָאֵל אֶת־יְדֵיהֶם
עַל־הַלְוִיִּם: 11 וְהֵנִיף אַהֲרֹן אֶת־הַלְוִיִּם תְּנוּפָה לִפְנֵי יְהוָה מֵאֵת בְּנֵי
יִשְׂרָאֵל וְהָיוּ לַעֲבֹד אֶת־עֲבֹדַת יְהוָה: 12 וְהַלְוִיִּם יִסְמְכוּ אֶת־יְדֵיהֶם עַל
רֹאשׁ הַפָּרִים וַעֲשֵׂה אֶת־הָאֶחָד חַטָּאת וְאֶת־הָאֶחָד עֹלָה לַיהוָה לְכַפֵּר
עַל־הַלְוִיִּם: 13 וְהַעֲמַדְתָּ אֶת־הַלְוִיִּם לִפְנֵי אַהֲרֹן וְלִפְנֵי בָנָיו וְהֵנַפְתָּ אֹתָם
תְּנוּפָה לַיהוָה: 14 וְהִבְדַּלְתָּ אֶת־הַלְוִיִּם מִתּוֹךְ בְּנֵי יִשְׂרָאֵל וְהָיוּ לִי הַלְוִיִּם:

Shelach Lekha שלח לך (Num 13:1–20)

Moses sends twelve spies, one from each tribe, to survey the land of Canaan.

1 וַיְדַבֵּר יְהוָה אֶל־מֹשֶׁה לֵּאמֹר: 2 שְׁלַח־לְךָ אֲנָשִׁים וְיָתֻרוּ אֶת־אֶרֶץ כְּנַעַן
אֲשֶׁר־אֲנִי נֹתֵן לִבְנֵי יִשְׂרָאֵל אִישׁ אֶחָד אִישׁ אֶחָד לְמַטֵּה אֲבֹתָיו תִּשְׁלָחוּ
כֹּל נָשִׂיא בָהֶם: 3 וַיִּשְׁלַח אֹתָם מֹשֶׁה מִמִּדְבַּר פָּארָן עַל־פִּי יְהוָה כֻּלָּם
אֲנָשִׁים רָאשֵׁי בְנֵי־יִשְׂרָאֵל הֵמָּה:

② 4 וְאֵ֣לֶּה שְׁמוֹתָ֔ם לְמַטֵּ֣ה רְאוּבֵ֔ן שַׁמּ֖וּעַ בֶּן־זַכּֽוּר: 5 לְמַטֵּ֣ה שִׁמְע֔וֹן שָׁפָ֖ט
בֶּן־חוֹרִֽי: 6 לְמַטֵּ֣ה יְהוּדָ֔ה כָּלֵ֖ב בֶּן־יְפֻנֶּֽה: 7 לְמַטֵּ֣ה יִשָּׂשכָ֔ר יִגְאָ֖ל
בֶּן־יוֹסֵֽף: 8 לְמַטֵּ֣ה אֶפְרַ֔יִם הוֹשֵׁ֖עַ בִּן־נֽוּן: 9 לְמַטֵּ֣ה בִנְיָמִ֔ן פַּלְטִ֖י בֶּן־רָפֽוּא:
10 לְמַטֵּ֣ה זְבוּלֻ֔ן גַּדִּיאֵ֖ל בֶּן־סוֹדִֽי: 11 לְמַטֵּ֣ה יוֹסֵ֣ף לְמַטֵּ֣ה מְנַשֶּׁ֔ה גַּדִּ֖י
בֶּן־סוּסִֽי: 12 לְמַטֵּ֣ה דָ֔ן עַמִּיאֵ֖ל בֶּן־גְּמַלִּֽי: 13 לְמַטֵּ֣ה אָשֵׁ֔ר סְת֖וּר
בֶּן־מִיכָאֵֽל: 14 לְמַטֵּ֣ה נַפְתָּלִ֔י נַחְבִּ֖י בֶּן־וָפְסִֽי: 15 לְמַטֵּ֣ה גָ֔ד גְּאוּאֵ֖ל
בֶּן־מָכִֽי: 16 אֵ֚לֶּה שְׁמ֣וֹת הָֽאֲנָשִׁ֔ים אֲשֶׁר־שָׁלַ֥ח מֹשֶׁ֖ה לָת֣וּר אֶת־הָאָ֑רֶץ וַיִּקְרָ֥א
מֹשֶׁ֛ה לְהוֹשֵׁ֥עַ בִּן־נ֖וּן יְהוֹשֻֽעַ:

③ 17 וַיִּשְׁלַ֤ח אֹתָם֙ מֹשֶׁ֔ה לָת֖וּר אֶת־אֶ֣רֶץ כְּנָ֑עַן וַיֹּ֣אמֶר אֲלֵהֶ֗ם עֲל֥וּ זֶה֙ בַּנֶּ֔גֶב
וַעֲלִיתֶ֖ם אֶת־הָהָֽר: 18 וּרְאִיתֶ֥ם אֶת־הָאָ֖רֶץ מַה־הִ֑וא וְאֶת־הָעָם֙ הַיֹּשֵׁ֣ב עָלֶ֔יהָ
הֶחָזָ֥ק הוּא֙ הֲרָפֶ֔ה הַמְעַ֥ט ה֖וּא אִם־רָֽב: 19 וּמָ֣ה הָאָ֗רֶץ אֲשֶׁר־הוּא֙ יֹשֵׁ֣ב בָּ֔הּ
הֲטוֹבָ֥ה הִ֖וא אִם־רָעָ֑ה וּמָ֣ה הֶֽעָרִ֗ים אֲשֶׁר־הוּא֙ יוֹשֵׁ֣ב בָּהֵ֔נָּה הַבְּמַֽחֲנִ֖ים אִ֥ם
בְּמִבְצָרִֽים: 20 וּמָ֣ה הָ֠אָ֠רֶץ הַשְּׁמֵנָ֨ה הִ֜וא אִם־רָזָ֗ה הֲיֵֽשׁ־בָּ֥הּ עֵץ֙ אִם־אַ֔יִן
וְהִ֨תְחַזַּקְתֶּ֔ם וּלְקַחְתֶּ֖ם מִפְּרִ֣י הָאָ֑רֶץ וְהַ֨יָּמִ֔ים יְמֵ֖י בִּכּוּרֵ֥י עֲנָבִֽים:

Korach **קרח** (Num 16:1–13)

*Led by Korah, Dathan, and Abiram, a band of disaffected Levites rebels. Moses
challenges them to serve in the sanctuary, saying that God will decide who is right.
He sends for Dathan and Abiram, but they ignore him.*

1 וַיִּקַּ֣ח קֹ֔רַח בֶּן־יִצְהָ֥ר בֶּן־קְהָ֖ת בֶּן־לֵוִ֑י וְדָתָ֨ן וַאֲבִירָ֜ם בְּנֵ֧י אֱלִיאָ֛ב וְא֥וֹן
בֶּן־פֶּ֖לֶת בְּנֵ֥י רְאוּבֵֽן: 2 וַיָּקֻ֙מוּ֙ לִפְנֵ֣י מֹשֶׁ֔ה וַאֲנָשִׁ֥ים מִבְּנֵֽי־יִשְׂרָאֵ֖ל חֲמִשִּׁ֣ים
וּמָאתָ֑יִם נְשִׂיאֵ֥י עֵדָ֛ה קְרִאֵ֥י מוֹעֵ֖ד אַנְשֵׁי־שֵֽׁם: 3 וַיִּקָּהֲל֞וּ עַל־מֹשֶׁ֣ה
וְעַֽל־אַהֲרֹ֗ן וַיֹּאמְר֣וּ אֲלֵהֶם֮ רַב־לָכֶם֒ כִּ֤י כָל־הָֽעֵדָה֙ כֻּלָּ֣ם קְדֹשִׁ֔ים וּבְתוֹכָ֖ם
יְהֹוָ֑ה וּמַדּ֥וּעַ תִּֽתְנַשְּׂא֖וּ עַל־קְהַ֥ל יְהֹוָֽה:

② 4 וַיִּשְׁמַ֣ע מֹשֶׁ֔ה וַיִּפֹּ֖ל עַל־פָּנָֽיו: 5 וַיְדַבֵּ֨ר אֶל־קֹ֜רַח וְאֶֽל־כָּל־עֲדָתוֹ֮ לֵאמֹר֒
בֹּ֠קֶר וְיֹדַ֨ע יְהֹוָ֧ה אֶת־אֲשֶׁר־ל֛וֹ וְאֶת־הַקָּד֖וֹשׁ וְהִקְרִ֣יב אֵלָ֑יו וְאֵ֥ת אֲשֶׁ֛ר
יִבְחַר־בּ֖וֹ יַקְרִ֥יב אֵלָֽיו: 6 זֹ֖את עֲשׂ֑וּ קְחוּ־לָכֶ֣ם מַחְתּ֔וֹת קֹ֖רַח וְכָל־עֲדָתֽוֹ:
7 וּתְנ֣וּ בָהֵ֣ן ׀ אֵ֡שׁ וְשִׂימוּ֩ עֲלֵיהֶ֨ן קְטֹ֜רֶת לִפְנֵ֤י יְהֹוָה֙ מָחָ֔ר וְהָיָ֗ה הָאִ֛ישׁ
אֲשֶׁר־יִבְחַ֥ר יְהֹוָ֖ה ה֣וּא הַקָּד֑וֹשׁ רַב־לָכֶ֖ם בְּנֵ֥י לֵוִֽי:

③ 8 וַיֹּ֥אמֶר מֹשֶׁ֖ה אֶל־קֹ֑רַח שִׁמְעוּ־נָ֖א בְּנֵ֥י לֵוִֽי: 9 הַמְעַ֣ט מִכֶּ֗ם כִּֽי־הִבְדִּיל֩
אֱלֹהֵ֨י יִשְׂרָאֵ֤ל אֶתְכֶם֙ מֵעֲדַ֣ת יִשְׂרָאֵ֔ל לְהַקְרִ֥יב אֶתְכֶ֖ם אֵלָ֑יו לַעֲבֹ֗ד
אֶת־עֲבֹדַת֙ מִשְׁכַּ֣ן יְהֹוָ֔ה וְלַעֲמֹ֛ד לִפְנֵ֥י הָעֵדָ֖ה לְשָׁרְתָֽם: 10 וַיַּקְרֵב֙ אֹֽתְךָ֔
וְאֶת־כָּל־אַחֶ֥יךָ בְנֵֽי־לֵוִ֖י אִתָּ֑ךְ וּבִקַּשְׁתֶּ֖ם גַּם־כְּהֻנָּֽה: 11 לָכֵ֗ן אַתָּה֙
וְכָל־עֲדָ֣תְךָ֔ הַנֹּעָדִ֖ים עַל־יְהֹוָ֑ה וְאַהֲרֹ֣ן מַה־ה֔וּא כִּ֥י *תלונו [תַלִּ֖ינוּ] עָלָֽיו:
12 וַיִּשְׁלַ֣ח מֹשֶׁ֔ה לִקְרֹ֛א לְדָתָ֥ן וְלַאֲבִירָ֖ם בְּנֵ֣י אֱלִיאָ֑ב וַיֹּאמְר֖וּ לֹ֥א נַעֲלֶֽה: 13
הַמְעַ֗ט כִּ֤י הֶֽעֱלִיתָ֙נוּ֙ מֵאֶ֨רֶץ זָבַ֤ת חָלָב֙ וּדְבַ֔שׁ לַהֲמִיתֵ֖נוּ בַּמִּדְבָּ֑ר כִּֽי־תִשְׂתָּרֵ֥ר
עָלֵ֖ינוּ גַּם־הִשְׂתָּרֵֽר:

Chukat חקת (Num 19:1–17)

The law of the red heifer. Purification after contact with a corpse.

1 וַיְדַבֵּר יְהוָה אֶל־מֹשֶׁה וְאֶל־אַהֲרֹן לֵאמֹר׃ 2 זֹאת חֻקַּת הַתּוֹרָה אֲשֶׁר־צִוָּה
יְהוָה לֵאמֹר דַּבֵּר ׀ אֶל־בְּנֵי יִשְׂרָאֵל וְיִקְחוּ אֵלֶיךָ פָרָה אֲדֻמָּה תְּמִימָה אֲשֶׁר
אֵין־בָּהּ מוּם אֲשֶׁר לֹא־עָלָה עָלֶיהָ עֹל׃ 3 וּנְתַתֶּם אֹתָהּ אֶל־אֶלְעָזָר הַכֹּהֵן
וְהוֹצִיא אֹתָהּ אֶל־מִחוּץ לַמַּחֲנֶה וְשָׁחַט אֹתָהּ לְפָנָיו׃ 4 וְלָקַח אֶלְעָזָר הַכֹּהֵן
מִדָּמָהּ בְּאֶצְבָּעוֹ וְהִזָּה אֶל־נֹכַח פְּנֵי אֹהֶל־מוֹעֵד מִדָּמָהּ שֶׁבַע פְּעָמִים׃
5 וְשָׂרַף אֶת־הַפָּרָה לְעֵינָיו אֶת־עֹרָהּ וְאֶת־בְּשָׂרָהּ וְאֶת־דָּמָהּ עַל־פִּרְשָׁהּ
יִשְׂרֹף׃ 6 וְלָקַח הַכֹּהֵן עֵץ אֶרֶז וְאֵזוֹב וּשְׁנִי תוֹלָעַת וְהִשְׁלִיךְ אֶל־תּוֹךְ
שְׂרֵפַת הַפָּרָה׃
② 7 וְכִבֶּס בְּגָדָיו הַכֹּהֵן וְרָחַץ בְּשָׂרוֹ בַּמַּיִם וְאַחַר יָבוֹא אֶל־הַמַּחֲנֶה וְטָמֵא
הַכֹּהֵן עַד־הָעָרֶב׃ 8 וְהַשֹּׂרֵף אֹתָהּ יְכַבֵּס בְּגָדָיו בַּמַּיִם וְרָחַץ בְּשָׂרוֹ בַּמָּיִם
וְטָמֵא עַד־הָעָרֶב׃ 9 וְאָסַף ׀ אִישׁ טָהוֹר אֵת אֵפֶר הַפָּרָה וְהִנִּיחַ מִחוּץ
לַמַּחֲנֶה בְּמָקוֹם טָהוֹר וְהָיְתָה לַעֲדַת בְּנֵי־יִשְׂרָאֵל לְמִשְׁמֶרֶת לְמֵי נִדָּה
חַטָּאת הִוא׃
③ 10 וְכִבֶּס הָאֹסֵף אֶת־אֵפֶר הַפָּרָה אֶת־בְּגָדָיו וְטָמֵא עַד־הָעָרֶב וְהָיְתָה לִבְנֵי
יִשְׂרָאֵל וְלַגֵּר הַגָּר בְּתוֹכָם לְחֻקַּת עוֹלָם׃ 11 הַנֹּגֵעַ בְּמֵת לְכָל־נֶפֶשׁ אָדָם
וְטָמֵא שִׁבְעַת יָמִים׃ 12 הוּא יִתְחַטָּא־בוֹ בַּיּוֹם הַשְּׁלִישִׁי וּבַיּוֹם הַשְּׁבִיעִי
יִטְהָר וְאִם־לֹא יִתְחַטָּא בַּיּוֹם הַשְּׁלִישִׁי וּבַיּוֹם הַשְּׁבִיעִי לֹא יִטְהָר׃
13 כָּל־הַנֹּגֵעַ בְּמֵת בְּנֶפֶשׁ הָאָדָם אֲשֶׁר־יָמוּת וְלֹא יִתְחַטָּא אֶת־מִשְׁכַּן יְהוָה
טִמֵּא וְנִכְרְתָה הַנֶּפֶשׁ הַהִוא מִיִּשְׂרָאֵל כִּי מֵי נִדָּה לֹא־זֹרַק עָלָיו טָמֵא יִהְיֶה
עוֹד טֻמְאָתוֹ בוֹ׃ 14 זֹאת הַתּוֹרָה אָדָם כִּי־יָמוּת בְּאֹהֶל כָּל־הַבָּא
אֶל־הָאֹהֶל וְכָל־אֲשֶׁר בָּאֹהֶל יִטְמָא שִׁבְעַת יָמִים׃ 15 וְכֹל כְּלִי פָתוּחַ אֲשֶׁר
אֵין־צָמִיד פָּתִיל עָלָיו טָמֵא הוּא׃ 16 וְכֹל אֲשֶׁר־יִגַּע עַל־פְּנֵי הַשָּׂדֶה
בַּחֲלַל־חֶרֶב אוֹ בְמֵת אוֹ־בְעֶצֶם אָדָם אוֹ בְקָבֶר יִטְמָא שִׁבְעַת יָמִים׃
17 וְלָקְחוּ לַטָּמֵא מֵעֲפַר שְׂרֵפַת הַחַטָּאת וְנָתַן עָלָיו מַיִם חַיִּים אֶל־כֶּלִי׃

Balak בלק (Num 22:2–12)

Balak, fearing that Moab will be overrun, wants to hire Balaam to curse the Israelites. God appears to Balaam in a dream and tells him to disobey Balak.

2 וַיַּרְא בָּלָק בֶּן־צִפּוֹר אֵת כָּל־אֲשֶׁר־עָשָׂה יִשְׂרָאֵל לָאֱמֹרִי׃ 3 וַיָּגָר מוֹאָב
מִפְּנֵי הָעָם מְאֹד כִּי רַב־הוּא וַיָּקָץ מוֹאָב מִפְּנֵי בְּנֵי יִשְׂרָאֵל׃ 4 וַיֹּאמֶר
מוֹאָב אֶל־זִקְנֵי מִדְיָן עַתָּה יְלַחֲכוּ הַקָּהָל אֶת־כָּל־סְבִיבֹתֵינוּ כִּלְחֹךְ הַשּׁוֹר
אֵת יֶרֶק הַשָּׂדֶה וּבָלָק בֶּן־צִפּוֹר מֶלֶךְ לְמוֹאָב בָּעֵת הַהִוא׃
② 5 וַיִּשְׁלַח מַלְאָכִים אֶל־בִּלְעָם בֶּן־בְּעוֹר פְּתוֹרָה אֲשֶׁר עַל־הַנָּהָר אֶרֶץ
בְּנֵי־עַמּוֹ לִקְרֹא־לוֹ לֵאמֹר הִנֵּה עַם יָצָא מִמִּצְרַיִם הִנֵּה כִסָּה אֶת־עֵין
הָאָרֶץ וְהוּא יֹשֵׁב מִמֻּלִי׃ 6 וְעַתָּה לְכָה־נָּא אָרָה־לִּי אֶת־הָעָם הַזֶּה
כִּי־עָצוּם הוּא מִמֶּנִּי אוּלַי אוּכַל נַכֶּה־בּוֹ וַאֲגָרְשֶׁנּוּ מִן־הָאָרֶץ כִּי יָדַעְתִּי
אֵת אֲשֶׁר־תְּבָרֵךְ מְבֹרָךְ וַאֲשֶׁר תָּאֹר יוּאָר׃ 7 וַיֵּלְכוּ זִקְנֵי מוֹאָב וְזִקְנֵי מִדְיָן
וּקְסָמִים בְּיָדָם וַיָּבֹאוּ אֶל־בִּלְעָם וַיְדַבְּרוּ אֵלָיו דִּבְרֵי בָלָק׃

③ 8 וַיֹּאמֶר אֲלֵיהֶם לִינוּ פֹה הַלַּיְלָה וַהֲשִׁבֹתִי אֶתְכֶם דָּבָר כַּאֲשֶׁר יְדַבֵּר יְהוָה
אֵלָי וַיֵּשְׁבוּ שָׂרֵי־מוֹאָב עִם־בִּלְעָם׃ 9 וַיָּבֹא אֱלֹהִים אֶל־בִּלְעָם וַיֹּאמֶר מִי
הָאֲנָשִׁים הָאֵלֶּה עִמָּךְ׃ 10 וַיֹּאמֶר בִּלְעָם אֶל־הָאֱלֹהִים בָּלָק בֶּן־צִפֹּר מֶלֶךְ
מוֹאָב שָׁלַח אֵלָי׃ 11 הִנֵּה הָעָם הַיֹּצֵא מִמִּצְרַיִם וַיְכַס אֶת־עֵין הָאָרֶץ עַתָּה
לְכָה קָבָה־לִּי אֹתוֹ אוּלַי אוּכַל לְהִלָּחֶם בּוֹ וְגֵרַשְׁתִּיו׃ 12 וַיֹּאמֶר אֱלֹהִים
אֶל־בִּלְעָם לֹא תֵלֵךְ עִמָּהֶם לֹא תָאֹר אֶת־הָעָם כִּי בָרוּךְ הוּא׃

Pinchas פינחס (Num 25:10–26:4)

God praises Phinehas for having killed Zimri and Cozbi. He tells Moses to attack the Midianites and, upon the cessation of the plague (caused by Israel's immorality at Peor), calls for another census of men over twenty.

10 וַיְדַבֵּר יְהוָה אֶל־מֹשֶׁה לֵּאמֹר׃ 11 פִּינְחָס בֶּן־אֶלְעָזָר בֶּן־אַהֲרֹן הַכֹּהֵן
הֵשִׁיב אֶת־חֲמָתִי מֵעַל בְּנֵי־יִשְׂרָאֵל בְּקַנְאוֹ אֶת־קִנְאָתִי בְּתוֹכָם וְלֹא־כִלִּיתִי
אֶת־בְּנֵי־יִשְׂרָאֵל בְּקִנְאָתִי׃ 12 לָכֵן אֱמֹר הִנְנִי נֹתֵן לוֹ אֶת־בְּרִיתִי שָׁלוֹם׃
② 13 וְהָיְתָה לּוֹ וּלְזַרְעוֹ אַחֲרָיו בְּרִית כְּהֻנַּת עוֹלָם תַּחַת אֲשֶׁר קִנֵּא לֵאלֹהָיו
וַיְכַפֵּר עַל־בְּנֵי יִשְׂרָאֵל׃ 14 וְשֵׁם אִישׁ יִשְׂרָאֵל הַמֻּכֶּה אֲשֶׁר הֻכָּה
אֶת־הַמִּדְיָנִית זִמְרִי בֶּן־סָלוּא נְשִׂיא בֵית־אָב לַשִּׁמְעֹנִי׃ 15 וְשֵׁם הָאִשָּׁה
הַמֻּכָּה הַמִּדְיָנִית כָּזְבִּי בַת־צוּר רֹאשׁ אֻמּוֹת בֵּית־אָב בְּמִדְיָן הוּא׃
③ 16 וַיְדַבֵּר יְהוָה אֶל־מֹשֶׁה לֵּאמֹר׃ 17 צָרוֹר אֶת־הַמִּדְיָנִים וְהִכִּיתֶם אוֹתָם׃
18 כִּי צֹרְרִים הֵם לָכֶם בְּנִכְלֵיהֶם אֲשֶׁר־נִכְּלוּ לָכֶם עַל־דְּבַר־פְּעוֹר
וְעַל־דְּבַר כָּזְבִּי בַת־נְשִׂיא מִדְיָן אֲחֹתָם הַמֻּכָּה בְיוֹם־הַמַּגֵּפָה
עַל־דְּבַר־פְּעוֹר׃ 19 וַיְהִי אַחֲרֵי הַמַּגֵּפָה׃ פ 1 וַיֹּאמֶר יְהוָה אֶל־מֹשֶׁה וְאֶל
אֶלְעָזָר בֶּן־אַהֲרֹן הַכֹּהֵן לֵאמֹר׃ 2 שְׂאוּ אֶת־רֹאשׁ ׀ כָּל־עֲדַת בְּנֵי־יִשְׂרָאֵל
מִבֶּן עֶשְׂרִים שָׁנָה וָמַעְלָה לְבֵית אֲבֹתָם כָּל־יֹצֵא צָבָא בְּיִשְׂרָאֵל׃ 3 וַיְדַבֵּר
מֹשֶׁה וְאֶלְעָזָר הַכֹּהֵן אֹתָם בְּעַרְבֹת מוֹאָב עַל־יַרְדֵּן יְרֵחוֹ לֵאמֹר׃ 4 מִבֶּן
עֶשְׂרִים שָׁנָה וָמָעְלָה כַּאֲשֶׁר צִוָּה יְהוָה אֶת־מֹשֶׁה וּבְנֵי יִשְׂרָאֵל הַיֹּצְאִים
מֵאֶרֶץ מִצְרָיִם׃

Mattot מטות

(Num 30:2–17)

A man's vow is binding; so are the vows of a married woman and a woman living in her father's house, unless her husband or her father, respectively, objects. Vows of widows and divorcees are binding.

2 וַיְדַבֵּר מֹשֶׁה אֶל־רָאשֵׁי הַמַּטּוֹת לִבְנֵי יִשְׂרָאֵל לֵאמֹר זֶה הַדָּבָר אֲשֶׁר צִוָּה
יְהוָה׃ 3 אִישׁ כִּי־יִדֹּר נֶדֶר לַיהוָה אוֹ־הִשָּׁבַע שְׁבֻעָה לֶאְסֹר אִסָּר עַל־נַפְשׁוֹ
לֹא יַחֵל דְּבָרוֹ כְּכָל־הַיֹּצֵא מִפִּיו יַעֲשֶׂה׃ 4 וְאִשָּׁה כִּי־תִדֹּר נֶדֶר לַיהוָה
וְאָסְרָה אִסָּר בְּבֵית אָבִיהָ בִּנְעֻרֶיהָ׃ 5 וְשָׁמַע אָבִיהָ אֶת־נִדְרָהּ וֶאֱסָרָהּ אֲשֶׁר
אָסְרָה עַל־נַפְשָׁהּ וְהֶחֱרִישׁ לָהּ אָבִיהָ וְקָמוּ כָּל־נְדָרֶיהָ וְכָל־אִסָּר
אֲשֶׁר־אָסְרָה עַל־נַפְשָׁהּ יָקוּם׃ 6 וְאִם־הֵנִיא אָבִיהָ אֹתָהּ בְּיוֹם שָׁמְעוֹ
כָּל־נְדָרֶיהָ וֶאֱסָרֶיהָ אֲשֶׁר־אָסְרָה עַל־נַפְשָׁהּ לֹא יָקוּם וַיהוָה יִסְלַח־לָהּ

כִּֽי־הֵנִ֥יא אָבִ֛יהָ אֹתָֽהּ׃ 7 וְאִם־הָי֤וֹ תִֽהְיֶה֙ לְאִ֔ישׁ וּנְדָרֶ֖יהָ עָלֶ֑יהָ א֚וֹ מִבְטָ֣א
שְׂפָתֶ֔יהָ אֲשֶׁ֥ר אָסְרָ֖ה עַל־נַפְשָֽׁהּ׃ 8 וְשָׁמַ֥ע אִישָׁ֛הּ בְּי֥וֹם שָׁמְע֖וֹ וְהֶחֱרִ֣ישׁ לָ֑הּ
וְקָ֣מוּ נְדָרֶ֗יהָ וֶֽאֱסָרֶ֛הָ אֲשֶׁר־אָסְרָ֥ה עַל־נַפְשָׁ֖הּ יָקֻֽמוּ׃ 9 וְ֠אִם בְּי֨וֹם שְׁמֹ֣עַ
אִישָׁהּ֮ יָנִ֣יא אוֹתָהּ֒ וְהֵפֵ֗ר אֶת־נִדְרָהּ֙ אֲשֶׁ֣ר עָלֶ֔יהָ וְאֵת֙ מִבְטָ֣א שְׂפָתֶ֔יהָ אֲשֶׁ֥ר
אָסְרָ֖ה עַל־נַפְשָׁ֑הּ וַֽיהוָ֖ה יִֽסְלַֽח־לָֽהּ׃

② 10 וְנֵ֥דֶר אַלְמָנָ֖ה וּגְרוּשָׁ֑ה כֹּ֛ל אֲשֶׁר־אָסְרָ֥ה עַל־נַפְשָׁ֖הּ יָק֥וּם עָלֶֽיהָ׃ 11
וְאִם־בֵּ֥ית אִישָׁ֖הּ נָדָ֑רָה אוֹ־אָסְרָ֥ה אִסָּ֛ר עַל־נַפְשָׁ֖הּ בִּשְׁבֻעָֽה׃ 12 וְשָׁמַ֤ע אִישָׁהּ֙
וְהֶחֱרִ֣שׁ לָ֔הּ לֹ֥א הֵנִ֖יא אֹתָ֑הּ וְקָ֙מוּ֙ כָּל־נְדָרֶ֔יהָ וְכָל־אִסָּ֛ר אֲשֶׁר־אָסְרָ֥ה
עַל־נַפְשָׁ֖הּ יָקֽוּם׃ 13 וְאִם־הָפֵר֩ יָפֵ֨ר אֹתָ֥ם ׀ אִישָׁהּ֮ בְּי֣וֹם שָׁמְעוֹ֒ כָּל־מוֹצָ֨א
שְׂפָתֶ֧יהָ לִנְדָרֶ֛יהָ וּלְאִסַּ֥ר נַפְשָׁ֖הּ לֹ֣א יָק֑וּם אִישָׁ֣הּ הֲפֵרָ֔ם וַֽיהוָ֖ה יִֽסְלַֽח־לָֽהּ׃

③ 14 כָּל־נֵ֥דֶר וְכָל־שְׁבֻעַ֥ת אִסָּ֖ר לְעַנֹּ֣ת נָ֑פֶשׁ אִישָׁ֥הּ יְקִימֶ֖נּוּ וְאִישָׁ֥הּ יְפֵרֶֽנּוּ׃ 15
וְאִם־הַחֲרֵשׁ֩ יַחֲרִ֨ישׁ לָ֥הּ אִישָׁהּ֮ מִיּ֣וֹם אֶל־יוֹם֒ וְהֵקִים֙ אֶת־כָּל־נְדָרֶ֔יהָ א֥וֹ אֶת־
כָּל־אֱסָרֶ֖יהָ אֲשֶׁ֣ר עָלֶ֑יהָ הֵקִ֣ים אֹתָ֔ם כִּֽי־הֶחֱרִ֥שׁ לָ֖הּ בְּי֥וֹם שָׁמְעֽוֹ׃ 16 וְאִם־
הָפֵ֥ר יָפֵ֛ר אֹתָ֖ם אַחֲרֵ֣י שָׁמְע֑וֹ וְנָשָׂ֖א אֶת־עֲוֺנָֽהּ׃ 17 אֵ֣לֶּה הַחֻקִּ֗ים אֲשֶׁ֨ר צִוָּ֤ה
יְהוָה֙ אֶת־מֹשֶׁ֔ה בֵּ֥ין אִ֖ישׁ לְאִשְׁתּ֑וֹ בֵּֽין־אָ֣ב לְבִתּ֔וֹ בִּנְעֻרֶ֖יהָ בֵּ֥ית אָבִֽיהָ׃

Masei מסעי

(Num 33:1–10)

The route followed by the Israelites after they left Egypt.

1 אֵ֜לֶּה מַסְעֵ֣י בְנֵֽי־יִשְׂרָאֵ֗ל אֲשֶׁ֥ר יָצְא֛וּ מֵאֶ֥רֶץ מִצְרַ֖יִם לְצִבְאֹתָ֑ם בְּיַד־מֹשֶׁ֖ה
וְאַהֲרֹֽן׃ 2 וַיִּכְתֹּ֨ב מֹשֶׁ֜ה אֶת־מוֹצָאֵיהֶ֛ם לְמַסְעֵיהֶ֖ם עַל־פִּ֣י יְהוָ֑ה וְאֵ֥לֶּה
מַסְעֵיהֶ֖ם לְמוֹצָאֵיהֶֽם׃ 3 וַיִּסְע֤וּ מֵֽרַעְמְסֵס֙ בַּחֹ֣דֶשׁ הָֽרִאשׁ֔וֹן בַּחֲמִשָּׁ֥ה עָשָׂ֛ר
י֖וֹם לַחֹ֣דֶשׁ הָרִאשׁ֑וֹן מִמָּחֳרַ֣ת הַפֶּ֗סַח יָצְא֤וּ בְנֵֽי־יִשְׂרָאֵל֙ בְּיָ֣ד רָמָ֔ה לְעֵינֵ֖י
כָּל־מִצְרָֽיִם׃

② 4 וּמִצְרַ֣יִם מְקַבְּרִ֗ים אֵת֩ אֲשֶׁ֨ר הִכָּ֧ה יְהוָ֛ה בָּהֶ֖ם כָּל־בְּכ֑וֹר וּבֵאלֹ֣הֵיהֶ֔ם עָשָׂ֥ה
יְהוָ֖ה שְׁפָטִֽים׃ 5 וַיִּסְע֥וּ בְנֵֽי־יִשְׂרָאֵ֖ל מֵֽרַעְמְסֵ֑ס וַֽיַּחֲנ֖וּ בְּסֻכֹּֽת׃ 6 וַיִּסְע֖וּ
מִסֻּכֹּ֑ת וַיַּחֲנ֣וּ בְאֵתָ֔ם אֲשֶׁ֖ר בִּקְצֵ֥ה הַמִּדְבָּֽר׃

③ 7 וַיִּסְעוּ֙ מֵֽאֵתָ֔ם וַיָּ֙שָׁב֙ עַל־פִּ֣י הַחִירֹ֔ת אֲשֶׁ֥ר עַל־פְּנֵ֖י בַּ֣עַל צְפ֑וֹן וַֽיַּחֲנ֖וּ לִפְנֵ֥י
מִגְדֹּֽל׃ 8 וַיִּסְעוּ֙ מִפְּנֵ֣י הַחִירֹ֔ת וַיַּעַבְר֥וּ בְתוֹךְ־הַיָּ֖ם הַמִּדְבָּ֑רָה וַ֠יֵּלְכוּ דֶּ֣רֶךְ
שְׁלֹ֤שֶׁת יָמִים֙ בְּמִדְבַּ֣ר אֵתָ֔ם וַֽיַּחֲנ֖וּ בְּמָרָֽה׃ 9 וַיִּסְעוּ֙ מִמָּרָ֔ה וַיָּבֹ֖אוּ אֵילִ֑מָה
וּ֠בְאֵילִם שְׁתֵּ֣ים עֶשְׂרֵ֞ה עֵינֹ֥ת מַ֛יִם וְשִׁבְעִ֥ים תְּמָרִ֖ים וַיַּחֲנוּ־שָֽׁם׃ 10 וַיִּסְע֖וּ
מֵאֵילִ֑ם וַֽיַּחֲנ֖וּ עַל־יַם־סֽוּף׃

Devarim דברים (Dt 1:1–11)

As Israel stands poised to enter Canaan, Moses delivers the first of his farewell addresses. He begins by reviewing the sojourn in the wilderness.

1 אֵלֶּה הַדְּבָרִים אֲשֶׁר דִּבֶּר מֹשֶׁה אֶל־כָּל־יִשְׂרָאֵל בְּעֵבֶר הַיַּרְדֵּן בַּמִּדְבָּר
בָּעֲרָבָה מוֹל סוּף בֵּין־פָּארָן וּבֵין־תֹּפֶל וְלָבָן וַחֲצֵרֹת וְדִי זָהָב׃ 2 אַחַד
עָשָׂר יוֹם מֵחֹרֵב דֶּרֶךְ הַר־שֵׂעִיר עַד קָדֵשׁ בַּרְנֵעַ׃ 3 וַיְהִי בְּאַרְבָּעִים שָׁנָה
בְּעַשְׁתֵּי־עָשָׂר חֹדֶשׁ בְּאֶחָד לַחֹדֶשׁ דִּבֶּר מֹשֶׁה אֶל־בְּנֵי יִשְׂרָאֵל כְּכֹל אֲשֶׁר
צִוָּה יְהוָה אֹתוֹ אֲלֵהֶם׃
② 4 אַחֲרֵי הַכֹּתוֹ אֵת סִיחֹן מֶלֶךְ הָאֱמֹרִי אֲשֶׁר יוֹשֵׁב בְּחֶשְׁבּוֹן וְאֵת עוֹג מֶלֶךְ
הַבָּשָׁן אֲשֶׁר־יוֹשֵׁב בְּעַשְׁתָּרֹת בְּאֶדְרֶעִי׃ 5 בְּעֵבֶר הַיַּרְדֵּן בְּאֶרֶץ מוֹאָב
הוֹאִיל מֹשֶׁה בֵּאֵר אֶת־הַתּוֹרָה הַזֹּאת לֵאמֹר׃ 6 יְהוָה אֱלֹהֵינוּ דִּבֶּר אֵלֵינוּ
בְּחֹרֵב לֵאמֹר רַב־לָכֶם שֶׁבֶת בָּהָר הַזֶּה׃ 7 פְּנוּ ׀ וּסְעוּ לָכֶם וּבֹאוּ הַר
הָאֱמֹרִי וְאֶל־כָּל־שְׁכֵנָיו בָּעֲרָבָה בָהָר וּבַשְּׁפֵלָה וּבַנֶּגֶב וּבְחוֹף הַיָּם אֶרֶץ
הַכְּנַעֲנִי וְהַלְּבָנוֹן עַד־הַנָּהָר הַגָּדֹל נְהַר־פְּרָת׃
③ 8 רְאֵה נָתַתִּי לִפְנֵיכֶם אֶת־הָאָרֶץ בֹּאוּ וּרְשׁוּ אֶת־הָאָרֶץ אֲשֶׁר נִשְׁבַּע יְהוָה
לַאֲבֹתֵיכֶם לְאַבְרָהָם לְיִצְחָק וּלְיַעֲקֹב לָתֵת לָהֶם וּלְזַרְעָם אַחֲרֵיהֶם׃
9 וָאֹמַר אֲלֵכֶם בָּעֵת הַהִוא לֵאמֹר לֹא־אוּכַל לְבַדִּי שְׂאֵת אֶתְכֶם׃ 10 יְהוָה
אֱלֹהֵיכֶם הִרְבָּה אֶתְכֶם וְהִנְּכֶם הַיּוֹם כְּכוֹכְבֵי הַשָּׁמַיִם לָרֹב׃ 11 יְהוָה
אֱלֹהֵי אֲבוֹתֵכֶם יֹסֵף עֲלֵיכֶם כָּכֶם אֶלֶף פְּעָמִים וִיבָרֵךְ אֶתְכֶם כַּאֲשֶׁר דִּבֶּר
לָכֶם׃

Va-etchanan ואתחנן (Dt 3:23–4:8)

Moses will not enter Canaan, but is allowed to view it from the top of Mount Pisgah. Joshua will be the next Israelite leader.

23 וָאֶתְחַנַּן אֶל־יְהוָה בָּעֵת הַהִוא לֵאמֹר׃ 24 אֲדֹנָי יֱהוִה אַתָּה הַחִלּוֹתָ
לְהַרְאוֹת אֶת־עַבְדְּךָ אֶת־גָּדְלְךָ וְאֶת־יָדְךָ הַחֲזָקָה אֲשֶׁר מִי־אֵל בַּשָּׁמַיִם
וּבָאָרֶץ אֲשֶׁר־יַעֲשֶׂה כְמַעֲשֶׂיךָ וְכִגְבוּרֹתֶךָ׃ 25 אֶעְבְּרָה־נָּא וְאֶרְאֶה
אֶת־הָאָרֶץ הַטּוֹבָה אֲשֶׁר בְּעֵבֶר הַיַּרְדֵּן הָהָר הַטּוֹב הַזֶּה וְהַלְּבָנֹן׃
② 26 וַיִּתְעַבֵּר יְהוָה בִּי לְמַעַנְכֶם וְלֹא שָׁמַע אֵלָי וַיֹּאמֶר יְהוָה אֵלַי רַב־לָךְ
אַל־תּוֹסֶף דַּבֵּר אֵלַי עוֹד בַּדָּבָר הַזֶּה׃ 27 עֲלֵה ׀ רֹאשׁ הַפִּסְגָּה וְשָׂא עֵינֶיךָ
יָמָּה וְצָפֹנָה וְתֵימָנָה וּמִזְרָחָה וּרְאֵה בְעֵינֶיךָ כִּי־לֹא תַעֲבֹר אֶת־הַיַּרְדֵּן
הַזֶּה׃ 28 וְצַו אֶת־יְהוֹשֻׁעַ וְחַזְּקֵהוּ וְאַמְּצֵהוּ כִּי־הוּא יַעֲבֹר לִפְנֵי הָעָם הַזֶּה
וְהוּא יַנְחִיל אוֹתָם אֶת־הָאָרֶץ אֲשֶׁר תִּרְאֶה׃ 29 וַנֵּשֶׁב בַּגָּיְא מוּל בֵּית
פְּעוֹר׃ פ 1 וְעַתָּה יִשְׂרָאֵל שְׁמַע אֶל־הַחֻקִּים וְאֶל־הַמִּשְׁפָּטִים אֲשֶׁר אָנֹכִי
מְלַמֵּד אֶתְכֶם לַעֲשׂוֹת לְמַעַן תִּחְיוּ וּבָאתֶם וִירִשְׁתֶּם אֶת־הָאָרֶץ אֲשֶׁר יְהוָה
אֱלֹהֵי אֲבֹתֵיכֶם נֹתֵן לָכֶם׃ 2 לֹא תֹסִפוּ עַל־הַדָּבָר אֲשֶׁר אָנֹכִי מְצַוֶּה
אֶתְכֶם וְלֹא תִגְרְעוּ מִמֶּנּוּ לִשְׁמֹר אֶת־מִצְוֺת יְהוָה אֱלֹהֵיכֶם אֲשֶׁר אָנֹכִי
מְצַוֶּה אֶתְכֶם׃ 3 עֵינֵיכֶם הָרֹאוֹת אֵת אֲשֶׁר־עָשָׂה יְהוָה בְּבַעַל פְּעוֹר כִּי
כָל־הָאִישׁ אֲשֶׁר הָלַךְ אַחֲרֵי בַעַל־פְּעוֹר הִשְׁמִידוֹ יְהוָה אֱלֹהֶיךָ מִקִּרְבֶּךָ׃ 4
וְאַתֶּם הַדְּבֵקִים בַּיהוָה אֱלֹהֵיכֶם חַיִּים כֻּלְּכֶם הַיּוֹם׃

③ 5 רְאֵה ׀ לִמַּדְתִּי אֶתְכֶם חֻקִּים וּמִשְׁפָּטִים כַּאֲשֶׁר צִוַּנִי יְהוָה אֱלֹהָי לַעֲשׂוֹת
כֵּן בְּקֶרֶב הָאָרֶץ אֲשֶׁר אַתֶּם בָּאִים שָׁמָּה לְרִשְׁתָּהּ׃ 6 וּשְׁמַרְתֶּם וַעֲשִׂיתֶם כִּי
הִוא חָכְמַתְכֶם וּבִינַתְכֶם לְעֵינֵי הָעַמִּים אֲשֶׁר יִשְׁמְעוּן אֵת כָּל־הַחֻקִּים
הָאֵלֶּה וְאָמְרוּ רַק עַם־חָכָם וְנָבוֹן הַגּוֹי הַגָּדוֹל הַזֶּה׃ 7 כִּי מִי־גוֹי גָּדוֹל
אֲשֶׁר־לוֹ אֱלֹהִים קְרֹבִים אֵלָיו כַּיהוָה אֱלֹהֵינוּ בְּכָל־קָרְאֵנוּ אֵלָיו׃ 8 וּמִי
גּוֹי גָּדוֹל אֲשֶׁר־לוֹ חֻקִּים וּמִשְׁפָּטִים צַדִּיקִם כְּכֹל הַתּוֹרָה הַזֹּאת אֲשֶׁר אָנֹכִי
נֹתֵן לִפְנֵיכֶם הַיּוֹם׃

Ekev עקב (Dt 7:12–8:10)

God will bless the Israelites if they obey the Torah and resist pagan cults.

12 וְהָיָה ׀ עֵקֶב תִּשְׁמְעוּן אֵת הַמִּשְׁפָּטִים הָאֵלֶּה וּשְׁמַרְתֶּם וַעֲשִׂיתֶם אֹתָם
וְשָׁמַר יְהוָה אֱלֹהֶיךָ לְךָ אֶת־הַבְּרִית וְאֶת־הַחֶסֶד אֲשֶׁר נִשְׁבַּע לַאֲבֹתֶיךָ׃ 13
וַאֲהֵבְךָ וּבֵרַכְךָ וְהִרְבֶּךָ וּבֵרַךְ פְּרִי־בִטְנְךָ וּפְרִי־אַדְמָתֶךָ דְּגָנְךָ וְתִירֹשְׁךָ
וְיִצְהָרֶךָ שְׁגַר־אֲלָפֶיךָ וְעַשְׁתְּרֹת צֹאנֶךָ עַל הָאֲדָמָה אֲשֶׁר־נִשְׁבַּע לַאֲבֹתֶיךָ
לָתֶת לָךְ׃ 14 בָּרוּךְ תִּהְיֶה מִכָּל־הָעַמִּים לֹא־יִהְיֶה בְךָ עָקָר וַעֲקָרָה
וּבִבְהֶמְתֶּךָ׃ 15 וְהֵסִיר יְהוָה מִמְּךָ כָּל־חֹלִי וְכָל־מַדְוֵי מִצְרַיִם הָרָעִים אֲשֶׁר
יָדַעְתָּ לֹא יְשִׂימָם בָּךְ וּנְתָנָם בְּכָל־שֹׂנְאֶיךָ׃ 16 וְאָכַלְתָּ אֶת־כָּל־הָעַמִּים
אֲשֶׁר יְהוָה אֱלֹהֶיךָ נֹתֵן לָךְ לֹא־תָחֹס עֵינְךָ עֲלֵיהֶם וְלֹא תַעֲבֹד
אֶת־אֱלֹהֵיהֶם כִּי־מוֹקֵשׁ הוּא לָךְ׃ ס 17 כִּי תֹאמַר בִּלְבָבְךָ רַבִּים הַגּוֹיִם
הָאֵלֶּה מִמֶּנִּי אֵיכָה אוּכַל לְהוֹרִישָׁם׃ 18 לֹא תִירָא מֵהֶם זָכֹר תִּזְכֹּר אֵת
אֲשֶׁר־עָשָׂה יְהוָה אֱלֹהֶיךָ לְפַרְעֹה וּלְכָל־מִצְרָיִם׃ 19 הַמַּסֹּת הַגְּדֹלֹת
אֲשֶׁר־רָאוּ עֵינֶיךָ וְהָאֹתֹת וְהַמֹּפְתִים וְהַיָּד הַחֲזָקָה וְהַזְּרֹעַ הַנְּטוּיָה אֲשֶׁר
הוֹצִאֲךָ יְהוָה אֱלֹהֶיךָ כֵּן־יַעֲשֶׂה יְהוָה אֱלֹהֶיךָ לְכָל־הָעַמִּים אֲשֶׁר־אַתָּה יָרֵא
מִפְּנֵיהֶם׃ 20 וְגַם אֶת־הַצִּרְעָה יְשַׁלַּח יְהוָה אֱלֹהֶיךָ בָּם עַד־אֲבֹד הַנִּשְׁאָרִים
וְהַנִּסְתָּרִים מִפָּנֶיךָ׃ 21 לֹא תַעֲרֹץ מִפְּנֵיהֶם כִּי־יְהוָה אֱלֹהֶיךָ בְּקִרְבֶּךָ אֵל
גָּדוֹל וְנוֹרָא׃

② 22 וְנָשַׁל יְהוָה אֱלֹהֶיךָ אֶת־הַגּוֹיִם הָאֵל מִפָּנֶיךָ מְעַט מְעָט לֹא תוּכַל
כַּלֹּתָם מַהֵר פֶּן־תִּרְבֶּה עָלֶיךָ חַיַּת הַשָּׂדֶה׃ 23 וּנְתָנָם יְהוָה אֱלֹהֶיךָ לְפָנֶיךָ
וְהָמָם מְהוּמָה גְדֹלָה עַד הִשָּׁמְדָם׃ 24 וְנָתַן מַלְכֵיהֶם בְּיָדֶךָ וְהַאֲבַדְתָּ
אֶת־שְׁמָם מִתַּחַת הַשָּׁמָיִם לֹא־יִתְיַצֵּב אִישׁ בְּפָנֶיךָ עַד הִשְׁמִדְךָ אֹתָם׃ 25
פְּסִילֵי אֱלֹהֵיהֶם תִּשְׂרְפוּן בָּאֵשׁ לֹא־תַחְמֹד כֶּסֶף וְזָהָב עֲלֵיהֶם וְלָקַחְתָּ לָךְ
פֶּן תִּוָּקֵשׁ בּוֹ כִּי תוֹעֲבַת יְהוָה אֱלֹהֶיךָ הוּא׃ 26 וְלֹא־תָבִיא תוֹעֵבָה
אֶל־בֵּיתֶךָ וְהָיִיתָ חֵרֶם כָּמֹהוּ שַׁקֵּץ ׀ תְּשַׁקְּצֶנּוּ וְתַעֵב ׀ תְּתַעֲבֶנּוּ כִּי־חֵרֶם
הוּא׃ פ 1 כָּל־הַמִּצְוָה אֲשֶׁר אָנֹכִי מְצַוְּךָ הַיּוֹם תִּשְׁמְרוּן לַעֲשׂוֹת לְמַעַן
תִּחְיוּן וּרְבִיתֶם וּבָאתֶם וִירִשְׁתֶּם אֶת־הָאָרֶץ אֲשֶׁר־נִשְׁבַּע יְהוָה לַאֲבֹתֵיכֶם׃
2 וְזָכַרְתָּ אֶת־כָּל־הַדֶּרֶךְ אֲשֶׁר הוֹלִיכְךָ יְהוָה אֱלֹהֶיךָ זֶה אַרְבָּעִים שָׁנָה
בַּמִּדְבָּר לְמַעַן עַנֹּתְךָ לְנַסֹּתְךָ לָדַעַת אֶת־אֲשֶׁר בִּלְבָבְךָ הֲתִשְׁמֹר *מִצְוֹתוֹ
[מִצְוֹתָיו] אִם־לֹא׃ 3 וַיְעַנְּךָ וַיַּרְעִבֶךָ וַיַּאֲכִלְךָ אֶת־הַמָּן אֲשֶׁר לֹא־יָדַעְתָּ וְלֹא
יָדְעוּן אֲבֹתֶיךָ לְמַעַן הוֹדִיעֲךָ כִּי לֹא עַל־הַלֶּחֶם לְבַדּוֹ יִחְיֶה הָאָדָם כִּי
עַל־כָּל־מוֹצָא פִי־יְהוָה יִחְיֶה הָאָדָם׃

③ 4 שִׂמְלָתְךָ֗ לֹ֤א בָֽלְתָה֙ מֵֽעָלֶ֔יךָ וְרַגְלְךָ֖ לֹ֣א בָצֵ֑קָה זֶ֖ה אַרְבָּעִ֥ים שָׁנָֽה׃

5 וְיָדַעְתָּ֖ עִם־לְבָבֶ֑ךָ כִּ֗י כַּאֲשֶׁ֨ר יְיַסֵּ֥ר אִישׁ֙ אֶת־בְּנ֔וֹ יְהוָ֥ה אֱלֹהֶ֖יךָ מְיַסְּרֶֽךָּ׃

6 וְשָׁ֣מַרְתָּ֔ אֶת־מִצְוֺ֖ת יְהוָ֣ה אֱלֹהֶ֑יךָ לָלֶ֥כֶת בִּדְרָכָ֖יו וּלְיִרְאָ֥ה אֹתֽוֹ׃ 7 כִּ֚י יְהוָ֣ה אֱלֹהֶ֔יךָ מְבִֽיאֲךָ֖ אֶל־אֶ֣רֶץ טוֹבָ֑ה אֶ֚רֶץ נַ֣חֲלֵי מָ֔יִם עֲיָנֹת֙ וּתְהֹמֹ֔ת יֹצְאִ֥ים בַּבִּקְעָ֖ה וּבָהָֽר׃ 8 אֶ֤רֶץ חִטָּה֙ וּשְׂעֹרָ֔ה וְגֶ֥פֶן וּתְאֵנָ֖ה וְרִמּ֑וֹן אֶֽרֶץ־זֵ֥ית שֶׁ֖מֶן וּדְבָֽשׁ׃ 9 אֶ֗רֶץ אֲשֶׁ֨ר לֹ֤א בְמִסְכֵּנֻת֙ תֹּֽאכַל־בָּ֣הּ לֶ֔חֶם לֹֽא־תֶחְסַ֥ר כֹּ֖ל בָּ֑הּ אֶ֚רֶץ אֲשֶׁ֣ר אֲבָנֶ֣יהָ בַרְזֶ֔ל וּמֵהֲרָרֶ֖יהָ תַּחְצֹ֥ב נְחֹֽשֶׁת׃ 10 וְאָכַלְתָּ֖ וְשָׂבָ֑עְתָּ וּבֵֽרַכְתָּ֙ אֶת־יְהוָ֣ה אֱלֹהֶ֔יךָ עַל־הָאָ֥רֶץ הַטֹּבָ֖ה אֲשֶׁ֥ר נָֽתַן־לָֽךְ׃

Re'eh ראה (Dt 11:26–12:10)

The Israelites will be blessed if they obey the commandments, cursed if they do not.
Canaan will be theirs forever if they heed the Torah and root out the pagan cults.
They are to worship God only in the specified manner and place.

26 רְאֵ֗ה אָנֹכִ֛י נֹתֵ֥ן לִפְנֵיכֶ֖ם הַיּ֑וֹם בְּרָכָ֖ה וּקְלָלָֽה׃ 27 אֶֽת־הַבְּרָכָ֑ה אֲשֶׁ֣ר תִּשְׁמְע֗וּ אֶל־מִצְוֺת֙ יְהוָ֣ה אֱלֹֽהֵיכֶ֔ם אֲשֶׁ֧ר אָנֹכִ֛י מְצַוֶּ֥ה אֶתְכֶ֖ם הַיּֽוֹם׃ 28 וְהַקְּלָלָ֗ה אִם־לֹ֤א תִשְׁמְעוּ֙ אֶל־מִצְוֺת֙ יְהוָ֣ה אֱלֹֽהֵיכֶ֔ם וְסַרְתֶּ֣ם מִן־הַדֶּ֔רֶךְ אֲשֶׁ֧ר אָנֹכִ֛י מְצַוֶּ֥ה אֶתְכֶ֖ם הַיּ֑וֹם לָלֶ֗כֶת אַחֲרֵ֛י אֱלֹהִ֥ים אֲחֵרִ֖ים אֲשֶׁ֥ר לֹֽא־יְדַעְתֶּֽם׃ ס 29 וְהָיָ֗ה כִּ֤י יְבִֽיאֲךָ֙ יְהוָ֣ה אֱלֹהֶ֔יךָ אֶל־הָאָ֕רֶץ אֲשֶׁר־אַתָּ֥ה בָא־שָׁ֖מָּה לְרִשְׁתָּ֑הּ וְנָתַתָּ֤ה אֶת־הַבְּרָכָה֙ עַל־הַ֣ר גְּרִזִ֔ים וְאֶת־הַקְּלָלָ֖ה עַל־הַ֥ר עֵיבָֽל׃ 30 הֲלֹא־הֵ֜מָּה בְּעֵ֣בֶר הַיַּרְדֵּ֗ן אַֽחֲרֵי֙ דֶּ֣רֶךְ מְב֣וֹא הַשֶּׁ֔מֶשׁ בְּאֶ֙רֶץ֙ הַֽכְּנַעֲנִ֔י הַיֹּשֵׁ֖ב בָּעֲרָבָ֑ה מ֚וּל הַגִּלְגָּ֔ל אֵ֖צֶל אֵלוֹנֵ֥י מֹרֶֽה׃ 31 כִּ֤י אַתֶּם֙ עֹבְרִ֣ים אֶת־הַיַּרְדֵּ֔ן לָבֹא֙ לָרֶ֣שֶׁת אֶת־הָאָ֔רֶץ אֲשֶׁר־יְהוָ֥ה אֱלֹהֵיכֶ֖ם נֹתֵ֣ן לָכֶ֑ם וִֽירִשְׁתֶּ֥ם אֹתָ֖הּ וִֽישַׁבְתֶּם־בָּֽהּ׃

② 32 וּשְׁמַרְתֶּ֣ם לַעֲשׂ֔וֹת אֵ֥ת כָּל־הַֽחֻקִּ֖ים וְאֶת־הַמִּשְׁפָּטִ֑ים אֲשֶׁ֧ר אָנֹכִ֛י נֹתֵ֥ן לִפְנֵיכֶ֖ם הַיּֽוֹם׃ 1 אֵ֠לֶּה הַֽחֻקִּ֣ים וְהַמִּשְׁפָּטִים֮ אֲשֶׁ֣ר תִּשְׁמְרוּן֮ לַעֲשׂוֹת֒ בָּאָ֕רֶץ אֲשֶׁר֩ נָתַ֨ן יְהוָ֜ה אֱלֹהֵ֧י אֲבֹתֶ֛יךָ לְךָ֖ לְרִשְׁתָּ֑הּ כָּל־הַ֨יָּמִ֔ים אֲשֶׁר־אַתֶּ֥ם חַיִּ֖ים עַל־הָאֲדָמָֽה׃ 2 אַבֵּ֣ד תְּ֠אַבְּדוּן אֶֽת־כָּל־הַמְּקֹמ֞וֹת אֲשֶׁ֧ר עָֽבְדוּ־שָׁ֣ם הַגּוֹיִ֗ם אֲשֶׁ֥ר אַתֶּ֛ם יֹרְשִׁ֥ים אֹתָ֖ם אֶת־אֱלֹהֵיהֶ֑ם עַל־הֶהָרִ֤ים הָֽרָמִים֙ וְעַל־הַגְּבָע֔וֹת וְתַ֖חַת כָּל־עֵ֥ץ רַעֲנָֽן׃ 3 וְנִתַּצְתֶּ֣ם אֶת־מִזְבְּחֹתָ֗ם וְשִׁבַּרְתֶּם֙ אֶת־מַצֵּ֣בֹתָ֔ם וַאֲשֵֽׁרֵיהֶם֙ תִּשְׂרְפ֣וּן בָּאֵ֔שׁ וּפְסִילֵ֥י אֱלֹֽהֵיהֶ֖ם תְּגַדֵּע֑וּן וְאִבַּדְתֶּ֣ם אֶת־שְׁמָ֔ם מִן־הַמָּק֖וֹם הַהֽוּא׃ 4 לֹֽא־תַעֲשׂ֣וּן כֵּ֔ן לַיהוָ֖ה אֱלֹהֵיכֶֽם׃ 5 כִּ֠י אִֽם־אֶל־הַמָּק֞וֹם אֲשֶׁר־יִבְחַ֨ר יְהוָ֤ה אֱלֹֽהֵיכֶם֙ מִכָּל־שִׁבְטֵיכֶ֔ם לָשׂ֥וּם אֶת־שְׁמ֖וֹ שָׁ֑ם לְשִׁכְנ֥וֹ תִדְרְשׁ֖וּ וּבָ֥אתָ שָּֽׁמָּה׃

③ 6 וַהֲבֵאתֶ֣ם שָׁ֗מָּה עֹלֹֽתֵיכֶם֙ וְזִבְחֵיכֶ֔ם וְאֵת֙ מַעְשְׂרֹ֣תֵיכֶ֔ם וְאֵ֖ת תְּרוּמַ֣ת יֶדְכֶ֑ם וְנִדְרֵיכֶם֙ וְנִדְבֹ֣תֵיכֶ֔ם וּבְכֹרֹ֥ת בְּקַרְכֶ֖ם וְצֹאנְכֶֽם׃ 7 וַאֲכַלְתֶּם־שָׁ֗ם לִפְנֵי֙ יְהוָ֣ה אֱלֹהֵיכֶ֔ם וּשְׂמַחְתֶּ֗ם בְּכֹל֙ מִשְׁלַ֣ח יֶדְכֶ֔ם אַתֶּ֖ם וּבָתֵּיכֶ֑ם אֲשֶׁ֥ר בֵּֽרַכְךָ֖ יְהוָ֥ה אֱלֹהֶֽיךָ׃ 8 לֹ֣א תַעֲשׂ֔וּן כְּ֠כֹל אֲשֶׁ֨ר אֲנַ֧חְנוּ עֹשִׂ֛ים פֹּ֖ה הַיּ֑וֹם אִ֖ישׁ כָּל־הַיָּשָׁ֥ר בְּעֵינָֽיו׃ 9 כִּ֥י לֹא־בָאתֶ֖ם עַד־עָ֑תָּה אֶל־הַמְּנוּחָה֙ וְאֶל־הַֽנַּחֲלָ֔ה אֲשֶׁר־יְהוָ֥ה אֱלֹהֶ֖יךָ נֹתֵ֥ן לָֽךְ׃ 10 וַעֲבַרְתֶּם֮ אֶת־הַיַּרְדֵּן֒ וִֽישַׁבְתֶּ֣ם בָּאָ֔רֶץ אֲשֶׁר־יְהוָ֥ה אֱלֹהֵיכֶ֖ם מַנְחִ֣יל אֶתְכֶ֑ם וְהֵנִ֨יחַ לָכֶ֧ם מִכָּל־אֹיְבֵיכֶ֛ם מִסָּבִ֖יב וִֽישַׁבְתֶּם־בֶּֽטַח׃

Shofetim שפטים (Dt 16:18–17:13)

Judges are to be appointed, judgments are to be fair, and bribery is prohibited. So is idolatry; those who transgress are to be punished, but only on the testimony of witnesses. In difficult cases, the local magistrates are to resort to a higher court.

18 שֹׁפְטִ֣ים וְשֹׁטְרִ֗ים תִּֽתֶּן־לְךָ֙ בְּכָל־שְׁעָרֶ֔יךָ אֲשֶׁ֨ר יְהוָ֧ה אֱלֹהֶ֛יךָ נֹתֵ֥ן לְךָ֖
לִשְׁבָטֶ֑יךָ וְשָׁפְט֥וּ אֶת־הָעָ֖ם מִשְׁפַּט־צֶֽדֶק׃ 19 לֹא־תַטֶּ֣ה מִשְׁפָּ֔ט לֹ֥א תַכִּ֖יר
פָּנִ֑ים וְלֹא־תִקַּ֣ח שֹׁ֔חַד כִּ֣י הַשֹּׁ֗חַד יְעַוֵּר֙ עֵינֵ֣י חֲכָמִ֔ים וִֽיסַלֵּ֖ף דִּבְרֵ֥י צַדִּיקִֽם׃
20 צֶ֥דֶק צֶ֖דֶק תִּרְדֹּ֑ף לְמַ֤עַן תִּֽחְיֶה֙ וְיָרַשְׁתָּ֣ אֶת־הָאָ֔רֶץ אֲשֶׁר־יְהוָ֥ה אֱלֹהֶ֖יךָ
נֹתֵ֥ן לָֽךְ׃ ס
② 21 לֹא־תִטַּ֥ע לְךָ֛ אֲשֵׁרָ֖ה כָּל־עֵ֑ץ אֵ֗צֶל מִזְבַּ֛ח יְהוָ֥ה אֱלֹהֶ֖יךָ אֲשֶׁ֥ר
תַּעֲשֶׂה־לָּֽךְ׃ ס 22 וְלֹא־תָקִ֥ים לְךָ֖ מַצֵּבָ֑ה אֲשֶׁ֥ר שָׂנֵ֖א יְהוָ֥ה אֱלֹהֶֽיךָ׃ ס 1
לֹא־תִזְבַּח֩ לַיהוָ֨ה אֱלֹהֶ֜יךָ שׁ֣וֹר וָשֶׂ֗ה אֲשֶׁ֨ר יִהְיֶ֥ה בוֹ֙ מ֔וּם כֹּ֖ל דָּבָ֣ר רָ֑ע כִּ֧י
תוֹעֲבַ֛ת יְהוָ֥ה אֱלֹהֶ֖יךָ הֽוּא׃ ס 2 כִּֽי־יִמָּצֵ֤א בְקִרְבְּךָ֙ בְּאַחַ֣ד שְׁעָרֶ֔יךָ
אֲשֶׁר־יְהוָ֥ה אֱלֹהֶ֖יךָ נֹתֵ֣ן לָ֑ךְ אִ֣ישׁ אוֹ־אִשָּׁ֗ה אֲשֶׁ֨ר יַעֲשֶׂ֥ה אֶת־הָרַ֛ע בְּעֵינֵ֥י
יְהוָֽה־אֱלֹהֶ֖יךָ לַעֲבֹ֥ר בְּרִיתֽוֹ׃ 3 וַיֵּ֗לֶךְ וַֽיַּעֲבֹד֙ אֱלֹהִ֣ים אֲחֵרִ֔ים וַיִּשְׁתַּ֖חוּ לָהֶ֑ם
וְלַשֶּׁ֣מֶשׁ ׀ א֣וֹ לַיָּרֵ֗חַ א֛וֹ לְכָל־צְבָ֥א הַשָּׁמַ֖יִם אֲשֶׁ֥ר לֹא־צִוִּֽיתִי׃ 4 וְהֻגַּד־לְךָ֖
וְשָׁמָ֑עְתָּ וְדָרַשְׁתָּ֣ הֵיטֵ֔ב וְהִנֵּ֤ה אֱמֶת֙ נָכ֣וֹן הַדָּבָ֔ר נֶעֶשְׂתָ֛ה הַתּוֹעֵבָ֥ה הַזֹּ֖את
בְּיִשְׂרָאֵֽל׃ 5 וְהוֹצֵאתָ֣ אֶת־הָאִ֣ישׁ הַה֡וּא אֽוֹ־אֶת־הָאִשָּׁ֨ה הַהִ֜וא אֲשֶׁ֨ר עָשׂ֜וּ
אֶת־הַדָּבָ֨ר הָרָ֤ע הַזֶּה֙ אֶל־שְׁעָרֶ֔יךָ אֶת־הָאִ֕ישׁ א֖וֹ אֶת־הָאִשָּׁ֑ה וּסְקַלְתָּ֥ם
בָּאֲבָנִ֖ים וָמֵֽתוּ׃
③ 6 עַל־פִּ֣י ׀ שְׁנַ֣יִם עֵדִ֗ים א֛וֹ שְׁלֹשָׁ֥ה עֵדִ֖ים יוּמַ֣ת הַמֵּ֑ת לֹ֣א יוּמַ֔ת עַל־פִּ֖י עֵ֥ד
אֶחָֽד׃ 7 יַ֣ד הָעֵדִ֞ים תִּֽהְיֶה־בּ֤וֹ בָרִאשֹׁנָה֙ לַהֲמִית֔וֹ וְיַ֥ד כָּל־הָעָ֖ם בָּאַחֲרֹנָ֑ה
וּבִעַרְתָּ֥ הָרָ֖ע מִקִּרְבֶּֽךָ׃ פ 8 כִּ֣י יִפָּלֵא֩ מִמְּךָ֨ דָבָ֜ר לַמִּשְׁפָּ֗ט בֵּֽין־דָּ֨ם ׀ לְדָ֜ם
בֵּֽין־דִּ֣ין לְדִ֗ין וּבֵ֥ין נֶ֙גַע֙ לָנֶ֔גַע דִּבְרֵ֥י רִיבֹ֖ת בִּשְׁעָרֶ֑יךָ וְקַמְתָּ֣ וְעָלִ֔יתָ
אֶל־הַמָּק֔וֹם אֲשֶׁ֥ר יִבְחַ֛ר יְהוָ֥ה אֱלֹהֶ֖יךָ בּֽוֹ׃ 9 וּבָאתָ֗ אֶל־הַכֹּהֲנִים֙ הַלְוִיִּ֔ם
וְאֶל־הַשֹּׁפֵ֔ט אֲשֶׁ֥ר יִהְיֶ֖ה בַּיָּמִ֣ים הָהֵ֑ם וְדָרַשְׁתָּ֣ וְהִגִּ֣ידוּ לְךָ֔ אֵ֖ת דְּבַ֥ר הַמִּשְׁפָּֽט׃
10 וְעָשִׂ֗יתָ עַל־פִּ֤י הַדָּבָר֙ אֲשֶׁ֣ר יַגִּ֣ידוּ לְךָ֔ מִן־הַמָּק֣וֹם הַה֔וּא אֲשֶׁ֖ר יִבְחַ֣ר
יְהוָ֑ה וְשָׁמַרְתָּ֣ לַעֲשׂ֔וֹת כְּכֹ֖ל אֲשֶׁ֥ר יוֹרֽוּךָ׃
11 עַל־פִּ֨י הַתּוֹרָ֜ה אֲשֶׁ֣ר יוֹר֗וּךָ וְעַל־הַמִּשְׁפָּ֛ט אֲשֶׁר־יֹאמְר֥וּ לְךָ֖ תַּעֲשֶׂ֑ה לֹ֣א
תָס֗וּר מִן־הַדָּבָ֛ר אֲשֶׁר־יַגִּ֥ידוּ לְךָ֖ יָמִ֥ין וּשְׂמֹֽאל׃ 12 וְהָאִ֞ישׁ אֲשֶׁר־יַעֲשֶׂ֣ה
בְזָד֗וֹן לְבִלְתִּ֨י שְׁמֹ֤עַ אֶל־הַכֹּהֵן֙ הָעֹמֵ֞ד לְשָׁ֤רֶת שָׁם֙ אֶת־יְהוָ֣ה אֱלֹהֶ֔יךָ א֖וֹ
אֶל־הַשֹּׁפֵ֑ט וּמֵת֙ הָאִ֣ישׁ הַה֔וּא וּבִֽעַרְתָּ֥ הָרָ֖ע מִיִּשְׂרָאֵֽל׃ 13 וְכָל־הָעָ֖ם יִשְׁמְע֣וּ
וְיִרָ֑אוּ וְלֹ֥א יְזִיד֖וּן עֽוֹד׃

Ki Tetze כי תצא (Dt 21:10–21)

Women taken captive in war, the sons of rival wives, a son who rebels against his parents.

10 כִּי־תֵצֵא לַמִּלְחָמָה עַל־אֹיְבֶיךָ וּנְתָנוֹ יְהוָה אֱלֹהֶיךָ בְּיָדֶךָ וְשָׁבִיתָ שִׁבְיוֹ׃
11 וְרָאִיתָ בַּשִּׁבְיָה אֵשֶׁת יְפַת־תֹּאַר וְחָשַׁקְתָּ בָהּ וְלָקַחְתָּ לְךָ לְאִשָּׁה׃ 12
וַהֲבֵאתָהּ אֶל־תּוֹךְ בֵּיתֶךָ וְגִלְּחָה אֶת־רֹאשָׁהּ וְעָשְׂתָה אֶת־צִפָּרְנֶיהָ׃ 13
וְהֵסִירָה אֶת־שִׂמְלַת שִׁבְיָהּ מֵעָלֶיהָ וְיָשְׁבָה בְּבֵיתֶךָ וּבָכְתָה אֶת־אָבִיהָ
וְאֶת־אִמָּהּ יֶרַח יָמִים וְאַחַר כֵּן תָּבוֹא אֵלֶיהָ וּבְעַלְתָּהּ וְהָיְתָה לְךָ לְאִשָּׁה׃
14 וְהָיָה אִם־לֹא חָפַצְתָּ בָּהּ וְשִׁלַּחְתָּהּ לְנַפְשָׁהּ וּמָכֹר לֹא־תִמְכְּרֶנָּה בַּכָּסֶף
לֹא־תִתְעַמֵּר בָּהּ תַּחַת אֲשֶׁר עִנִּיתָהּ׃ ס
② 15 כִּי־תִהְיֶיןָ לְאִישׁ שְׁתֵּי נָשִׁים הָאַחַת אֲהוּבָה וְהָאַחַת שְׂנוּאָה וְיָלְדוּ־לוֹ
בָנִים הָאֲהוּבָה וְהַשְּׂנוּאָה וְהָיָה הַבֵּן הַבְּכוֹר לַשְּׂנִיאָה׃ 16 וְהָיָה בְּיוֹם
הַנְחִילוֹ אֶת־בָּנָיו אֵת אֲשֶׁר־יִהְיֶה לוֹ לֹא יוּכַל לְבַכֵּר אֶת־בֶּן־הָאֲהוּבָה
עַל־פְּנֵי בֶן־הַשְּׂנוּאָה הַבְּכֹר׃ 17 כִּי אֶת־הַבְּכֹר בֶּן־הַשְּׂנוּאָה יַכִּיר לָתֶת לוֹ
פִּי שְׁנַיִם בְּכֹל אֲשֶׁר־יִמָּצֵא לוֹ כִּי־הוּא רֵאשִׁית אֹנוֹ לוֹ מִשְׁפַּט הַבְּכֹרָה׃ ס
③ 18 כִּי־יִהְיֶה לְאִישׁ בֵּן סוֹרֵר וּמוֹרֶה אֵינֶנּוּ שֹׁמֵעַ בְּקוֹל אָבִיו וּבְקוֹל אִמּוֹ
וְיִסְּרוּ אֹתוֹ וְלֹא יִשְׁמַע אֲלֵיהֶם׃ 19 וְתָפְשׂוּ בוֹ אָבִיו וְאִמּוֹ וְהוֹצִיאוּ אֹתוֹ
אֶל־זִקְנֵי עִירוֹ וְאֶל־שַׁעַר מְקֹמוֹ׃ 20 וְאָמְרוּ אֶל־זִקְנֵי עִירוֹ בְּנֵנוּ זֶה סוֹרֵר
וּמֹרֶה אֵינֶנּוּ שֹׁמֵעַ בְּקֹלֵנוּ זוֹלֵל וְסֹבֵא׃ 21 וּרְגָמֻהוּ כָּל־אַנְשֵׁי עִירוֹ בָאֲבָנִים
וָמֵת וּבִעַרְתָּ הָרָע מִקִּרְבֶּךָ וְכָל־יִשְׂרָאֵל יִשְׁמְעוּ וְיִרָאוּ׃ ס

Ki Tavo כי תבוא (Dt 26:1–15)

The first fruits at the sanctuary, utilizing a ritual formula that summarizes Israel's experience in Egypt. The tithe for the Levites and for the poor and helpless.

1 וְהָיָה כִּי־תָבוֹא אֶל־הָאָרֶץ אֲשֶׁר יְהוָה אֱלֹהֶיךָ נֹתֵן לְךָ נַחֲלָה וִירִשְׁתָּהּ
וְיָשַׁבְתָּ בָּהּ׃ 2 וְלָקַחְתָּ מֵרֵאשִׁית ׀ כָּל־פְּרִי הָאֲדָמָה אֲשֶׁר תָּבִיא מֵאַרְצְךָ
אֲשֶׁר יְהוָה אֱלֹהֶיךָ נֹתֵן לָךְ וְשַׂמְתָּ בַטֶּנֶא וְהָלַכְתָּ אֶל־הַמָּקוֹם אֲשֶׁר יִבְחַר
יְהוָה אֱלֹהֶיךָ לְשַׁכֵּן שְׁמוֹ שָׁם׃ 3 וּבָאתָ אֶל־הַכֹּהֵן אֲשֶׁר יִהְיֶה בַּיָּמִים הָהֵם
וְאָמַרְתָּ אֵלָיו הִגַּדְתִּי הַיּוֹם לַיהוָה אֱלֹהֶיךָ כִּי־בָאתִי אֶל־הָאָרֶץ אֲשֶׁר נִשְׁבַּע
יְהוָה לַאֲבֹתֵינוּ לָתֶת לָנוּ׃
② 4 וְלָקַח הַכֹּהֵן הַטֶּנֶא מִיָּדֶךָ וְהִנִּיחוֹ לִפְנֵי מִזְבַּח יְהוָה אֱלֹהֶיךָ׃ 5 וְעָנִיתָ
וְאָמַרְתָּ לִפְנֵי ׀ יְהוָה אֱלֹהֶיךָ אֲרַמִּי אֹבֵד אָבִי וַיֵּרֶד מִצְרַיְמָה וַיָּגָר שָׁם
בִּמְתֵי מְעָט וַיְהִי־שָׁם לְגוֹי גָּדוֹל עָצוּם וָרָב׃ 6 וַיָּרֵעוּ אֹתָנוּ הַמִּצְרִים
וַיְעַנּוּנוּ וַיִּתְּנוּ עָלֵינוּ עֲבֹדָה קָשָׁה׃ 7 וַנִּצְעַק אֶל־יְהוָה אֱלֹהֵי אֲבֹתֵינוּ
וַיִּשְׁמַע יְהוָה אֶת־קֹלֵנוּ וַיַּרְא אֶת־עָנְיֵנוּ וְאֶת־עֲמָלֵנוּ וְאֶת־לַחֲצֵנוּ׃ 8 וַיּוֹצִאֵנוּ
יְהוָה מִמִּצְרַיִם בְּיָד חֲזָקָה וּבִזְרֹעַ נְטוּיָה וּבְמֹרָא גָּדֹל וּבְאֹתוֹת וּבְמֹפְתִים׃
9 וַיְבִאֵנוּ אֶל־הַמָּקוֹם הַזֶּה וַיִּתֶּן־לָנוּ אֶת־הָאָרֶץ הַזֹּאת אֶרֶץ זָבַת חָלָב
וּדְבָשׁ׃ 10 וְעַתָּה הִנֵּה הֵבֵאתִי אֶת־רֵאשִׁית פְּרִי הָאֲדָמָה אֲשֶׁר־נָתַתָּה לִּי
יְהוָה וְהִנַּחְתּוֹ לִפְנֵי יְהוָה אֱלֹהֶיךָ וְהִשְׁתַּחֲוִיתָ לִפְנֵי יְהוָה אֱלֹהֶיךָ׃

11 וְשָׂמַחְתָּ בְכָל־הַטּוֹב אֲשֶׁר נָתַן־לְךָ יְהוָה אֱלֹהֶיךָ וּלְבֵיתֶךָ אַתָּה וְהַלֵּוִי
וְהַגֵּר אֲשֶׁר בְּקִרְבֶּךָ׃
③ 12 כִּי תְכַלֶּה לַעְשֵׂר אֶת־כָּל־מַעְשַׂר תְּבוּאָתְךָ בַּשָּׁנָה הַשְּׁלִישִׁת שְׁנַת
הַמַּעֲשֵׂר וְנָתַתָּה לַלֵּוִי לַגֵּר לַיָּתוֹם וְלָאַלְמָנָה וְאָכְלוּ בִשְׁעָרֶיךָ וְשָׂבֵעוּ׃ 13
וְאָמַרְתָּ לִפְנֵי יְהוָה אֱלֹהֶיךָ בִּעַרְתִּי הַקֹּדֶשׁ מִן־הַבַּיִת וְגַם נְתַתִּיו לַלֵּוִי וְלַגֵּר
לַיָּתוֹם וְלָאַלְמָנָה כְּכָל־מִצְוָתְךָ אֲשֶׁר צִוִּיתָנִי לֹא־עָבַרְתִּי מִמִּצְוֺתֶיךָ וְלֹא
שָׁכָחְתִּי׃ 14 לֹא־אָכַלְתִּי בְאֹנִי מִמֶּנּוּ וְלֹא־בִעַרְתִּי מִמֶּנּוּ בְּטָמֵא וְלֹא־נָתַתִּי
מִמֶּנּוּ לְמֵת שָׁמַעְתִּי בְּקוֹל יְהוָה אֱלֹהָי עָשִׂיתִי כְּכֹל אֲשֶׁר צִוִּיתָנִי׃ 15
הַשְׁקִיפָה מִמְּעוֹן קָדְשְׁךָ מִן־הַשָּׁמַיִם וּבָרֵךְ אֶת־עַמְּךָ אֶת־יִשְׂרָאֵל וְאֵת
הָאֲדָמָה אֲשֶׁר נָתַתָּה לָנוּ כַּאֲשֶׁר נִשְׁבַּעְתָּ לַאֲבֹתֵינוּ אֶרֶץ זָבַת חָלָב וּדְבָשׁ׃

Nitzavim נצבים (Dt 29:9–28)

God's covenant is with all Israelites of every generation. Anyone who turns to idolatry will be severely punished.

9 אַתֶּם נִצָּבִים הַיּוֹם כֻּלְּכֶם לִפְנֵי יְהוָה אֱלֹהֵיכֶם רָאשֵׁיכֶם שִׁבְטֵיכֶם
זִקְנֵיכֶם וְשֹׁטְרֵיכֶם כֹּל אִישׁ יִשְׂרָאֵל׃ 10 טַפְּכֶם נְשֵׁיכֶם וְגֵרְךָ אֲשֶׁר בְּקֶרֶב
מַחֲנֶיךָ מֵחֹטֵב עֵצֶיךָ עַד שֹׁאֵב מֵימֶיךָ׃ 11 לְעָבְרְךָ בִּבְרִית יְהוָה אֱלֹהֶיךָ
וּבְאָלָתוֹ אֲשֶׁר יְהוָה אֱלֹהֶיךָ כֹּרֵת עִמְּךָ הַיּוֹם׃
② 12 לְמַעַן הָקִים־אֹתְךָ הַיּוֹם ׀ לוֹ לְעָם וְהוּא יִהְיֶה־לְּךָ לֵאלֹהִים כַּאֲשֶׁר
דִּבֶּר־לָךְ וְכַאֲשֶׁר נִשְׁבַּע לַאֲבֹתֶיךָ לְאַבְרָהָם לְיִצְחָק וּלְיַעֲקֹב׃ 13 וְלֹא
אִתְּכֶם לְבַדְּכֶם אָנֹכִי כֹּרֵת אֶת־הַבְּרִית הַזֹּאת וְאֶת־הָאָלָה הַזֹּאת׃ 14 כִּי
אֶת־אֲשֶׁר יֶשְׁנוֹ פֹּה עִמָּנוּ עֹמֵד הַיּוֹם לִפְנֵי יְהוָה אֱלֹהֵינוּ וְאֵת אֲשֶׁר אֵינֶנּוּ
פֹּה עִמָּנוּ הַיּוֹם׃
③ 15 כִּי־אַתֶּם יְדַעְתֶּם אֵת אֲשֶׁר־יָשַׁבְנוּ בְּאֶרֶץ מִצְרָיִם וְאֵת אֲשֶׁר־עָבַרְנוּ
בְּקֶרֶב הַגּוֹיִם אֲשֶׁר עֲבַרְתֶּם׃ 16 וַתִּרְאוּ אֶת־שִׁקּוּצֵיהֶם וְאֵת גִּלֻּלֵיהֶם עֵץ
וָאֶבֶן כֶּסֶף וְזָהָב אֲשֶׁר עִמָּהֶם׃ 17 פֶּן־יֵשׁ בָּכֶם אִישׁ אוֹ־אִשָּׁה אוֹ מִשְׁפָּחָה
אוֹ־שֵׁבֶט אֲשֶׁר לְבָבוֹ פֹנֶה הַיּוֹם מֵעִם יְהוָה אֱלֹהֵינוּ לָלֶכֶת לַעֲבֹד
אֶת־אֱלֹהֵי הַגּוֹיִם הָהֵם פֶּן־יֵשׁ בָּכֶם שֹׁרֶשׁ פֹּרֶה רֹאשׁ וְלַעֲנָה׃ 18 וְהָיָה
בְּשָׁמְעוֹ אֶת־דִּבְרֵי הָאָלָה הַזֹּאת וְהִתְבָּרֵךְ בִּלְבָבוֹ לֵאמֹר שָׁלוֹם יִהְיֶה־לִּי
כִּי בִּשְׁרִרוּת לִבִּי אֵלֵךְ לְמַעַן סְפוֹת הָרָוָה אֶת־הַצְּמֵאָה׃
19 לֹא־יֹאבֶה יְהוָה סְלֹחַ לוֹ כִּי אָז יֶעְשַׁן אַף־יְהוָה וְקִנְאָתוֹ בָּאִישׁ הַהוּא
וְרָבְצָה בּוֹ כָּל־הָאָלָה הַכְּתוּבָה בַּסֵּפֶר הַזֶּה וּמָחָה יְהוָה אֶת־שְׁמוֹ מִתַּחַת
הַשָּׁמָיִם׃ 20 וְהִבְדִּילוֹ יְהוָה לְרָעָה מִכֹּל שִׁבְטֵי יִשְׂרָאֵל כְּכֹל אָלוֹת הַבְּרִית
הַכְּתוּבָה בְּסֵפֶר הַתּוֹרָה הַזֶּה׃ 21 וְאָמַר הַדּוֹר הָאַחֲרוֹן בְּנֵיכֶם אֲשֶׁר יָקוּמוּ
מֵאַחֲרֵיכֶם וְהַנָּכְרִי אֲשֶׁר יָבֹא מֵאֶרֶץ רְחוֹקָה וְרָאוּ אֶת־מַכּוֹת הָאָרֶץ הַהִוא
וְאֶת־תַּחֲלֻאֶיהָ אֲשֶׁר־חִלָּה יְהוָה בָּהּ׃ 22 גָּפְרִית וָמֶלַח שְׂרֵפָה כָל־אַרְצָהּ
לֹא תִזָּרַע וְלֹא תַצְמִחַ וְלֹא־יַעֲלֶה בָהּ כָּל־עֵשֶׂב כְּמַהְפֵּכַת סְדֹם וַעֲמֹרָה
אַדְמָה *וצביים [וּצְבוֹיִם] אֲשֶׁר הָפַךְ יְהוָה בְּאַפּוֹ וּבַחֲמָתוֹ׃ 23 וְאָמְרוּ
כָּל־הַגּוֹיִם עַל־מֶה עָשָׂה יְהוָה כָּכָה לָאָרֶץ הַזֹּאת מֶה חֳרִי הָאַף הַגָּדוֹל
הַזֶּה׃ 24 וְאָמְרוּ עַל אֲשֶׁר עָזְבוּ אֶת־בְּרִית יְהוָה אֱלֹהֵי אֲבֹתָם אֲשֶׁר כָּרַת
עִמָּם בְּהוֹצִיאוֹ אֹתָם מֵאֶרֶץ מִצְרָיִם׃ 25 וַיֵּלְכוּ וַיַּעַבְדוּ אֱלֹהִים אֲחֵרִים

וַיִּשְׁתַּחֲווּ לָהֶם אֱלֹהִים אֲשֶׁר לֹא־יְדָעוּם וְלֹא חָלַק לָהֶם׃ 26 וַיִּחַר־אַף
יְהוָה בָּאָרֶץ הַהִוא לְהָבִיא עָלֶיהָ אֶת־כָּל־הַקְּלָלָה הַכְּתוּבָה בַּסֵּפֶר הַזֶּה׃
27 וַיִּתְּשֵׁם יְהוָה מֵעַל אַדְמָתָם בְּאַף וּבְחֵמָה וּבְקֶצֶף גָּדוֹל וַיַּשְׁלִכֵם
אֶל־אֶרֶץ אַחֶרֶת כַּיּוֹם הַזֶּה׃ 28 הַנִּסְתָּרֹת לַיהוָה אֱלֹהֵינוּ וְהַנִּגְלֹת לָנוּ
וּלְבָנֵינוּ עַד־עוֹלָם לַעֲשׂוֹת אֶת־כָּל־דִּבְרֵי הַתּוֹרָה הַזֹּאת׃

Vayelekh וילך (Dt 31:1–13)

God will accompany the Israelites into Canaan. Moses appoints Joshua as his successor, then gives the Torah to the priests and elders; so long as the Israelites study and observe it, the land will be theirs.

1 וַיֵּלֶךְ מֹשֶׁה וַיְדַבֵּר אֶת־הַדְּבָרִים הָאֵלֶּה אֶל־כָּל־יִשְׂרָאֵל׃ 2 וַיֹּאמֶר אֲלֵהֶם
בֶּן־מֵאָה וְעֶשְׂרִים שָׁנָה אָנֹכִי הַיּוֹם לֹא־אוּכַל עוֹד לָצֵאת וְלָבוֹא וַיהוָה
אָמַר אֵלַי לֹא תַעֲבֹר אֶת־הַיַּרְדֵּן הַזֶּה׃ 3 יְהוָה אֱלֹהֶיךָ הוּא ׀ עֹבֵר לְפָנֶיךָ
הוּא־יַשְׁמִיד אֶת־הַגּוֹיִם הָאֵלֶּה מִלְּפָנֶיךָ וִירִשְׁתָּם יְהוֹשֻׁעַ הוּא עֹבֵר לְפָנֶיךָ
כַּאֲשֶׁר דִּבֶּר יְהוָה׃
4 וְעָשָׂה יְהוָה לָהֶם כַּאֲשֶׁר עָשָׂה לְסִיחוֹן וּלְעוֹג מַלְכֵי הָאֱמֹרִי וּלְאַרְצָם ②
אֲשֶׁר הִשְׁמִיד אֹתָם׃ 5 וּנְתָנָם יְהוָה לִפְנֵיכֶם וַעֲשִׂיתֶם לָהֶם כְּכָל־הַמִּצְוָה
אֲשֶׁר צִוִּיתִי אֶתְכֶם׃ 6 חִזְקוּ וְאִמְצוּ אַל־תִּירְאוּ וְאַל־תַּעַרְצוּ מִפְּנֵיהֶם כִּי ׀
יְהוָה אֱלֹהֶיךָ הוּא הַהֹלֵךְ עִמָּךְ לֹא יַרְפְּךָ וְלֹא יַעַזְבֶךָּ׃
7 וַיִּקְרָא מֹשֶׁה לִיהוֹשֻׁעַ וַיֹּאמֶר אֵלָיו לְעֵינֵי כָל־יִשְׂרָאֵל חֲזַק וֶאֱמָץ כִּי ③
אַתָּה תָּבוֹא אֶת־הָעָם הַזֶּה אֶל־הָאָרֶץ אֲשֶׁר נִשְׁבַּע יְהוָה לַאֲבֹתָם לָתֵת
לָהֶם וְאַתָּה תַּנְחִילֶנָּה אוֹתָם׃ 8 וַיהוָה הוּא ׀ הַהֹלֵךְ לְפָנֶיךָ הוּא יִהְיֶה עִמָּךְ
לֹא יַרְפְּךָ וְלֹא יַעַזְבֶךָּ לֹא תִירָא וְלֹא תֵחָת׃ 9 וַיִּכְתֹּב מֹשֶׁה אֶת־הַתּוֹרָה
הַזֹּאת וַיִּתְּנָהּ אֶל־הַכֹּהֲנִים בְּנֵי לֵוִי הַנֹּשְׂאִים אֶת־אֲרוֹן בְּרִית יְהוָה
וְאֶל־כָּל־זִקְנֵי יִשְׂרָאֵל׃ 10 וַיְצַו מֹשֶׁה אוֹתָם לֵאמֹר מִקֵּץ ׀ שֶׁבַע שָׁנִים
בְּמֹעֵד שְׁנַת הַשְּׁמִטָּה בְּחַג הַסֻּכּוֹת׃ 11 בְּבוֹא כָל־יִשְׂרָאֵל לֵרָאוֹת אֶת־פְּנֵי
יְהוָה אֱלֹהֶיךָ בַּמָּקוֹם אֲשֶׁר יִבְחָר תִּקְרָא אֶת־הַתּוֹרָה הַזֹּאת נֶגֶד
כָּל־יִשְׂרָאֵל בְּאָזְנֵיהֶם׃ 12 הַקְהֵל אֶת־הָעָם הָאֲנָשִׁים וְהַנָּשִׁים וְהַטַּף וְגֵרְךָ
אֲשֶׁר בִּשְׁעָרֶיךָ לְמַעַן יִשְׁמְעוּ וּלְמַעַן יִלְמְדוּ וְיָרְאוּ אֶת־יְהוָה אֱלֹהֵיכֶם
וְשָׁמְרוּ לַעֲשׂוֹת אֶת־כָּל־דִּבְרֵי הַתּוֹרָה הַזֹּאת׃ 13 וּבְנֵיהֶם אֲשֶׁר לֹא־יָדְעוּ
יִשְׁמְעוּ וְלָמְדוּ לְיִרְאָה אֶת־יְהוָה אֱלֹהֵיכֶם כָּל־הַיָּמִים אֲשֶׁר אַתֶּם חַיִּים
עַל־הָאֲדָמָה אֲשֶׁר אַתֶּם עֹבְרִים אֶת־הַיַּרְדֵּן שָׁמָּה לְרִשְׁתָּהּ׃

Haazinu האזינו (Dt 32:1–12)

Moses calls on heaven and earth to witness God's love for Israel.

1 הַאֲזִינוּ הַשָּׁמַיִם וַאֲדַבֵּרָה וְתִשְׁמַע הָאָרֶץ אִמְרֵי־פִי׃ 2 יַעֲרֹף כַּמָּטָר לִקְחִי
תִּזַּל כַּטַּל אִמְרָתִי כִּשְׂעִירִם עֲלֵי־דֶשֶׁא וְכִרְבִיבִים עֲלֵי־עֵשֶׂב׃ 3 כִּי שֵׁם
יְהוָה אֶקְרָא הָבוּ גֹדֶל לֵאלֹהֵינוּ׃
② 4 הַצּוּר תָּמִים פָּעֳלוֹ כִּי כָל־דְּרָכָיו מִשְׁפָּט אֵל אֱמוּנָה וְאֵין עָוֶל צַדִּיק
וְיָשָׁר הוּא׃ 5 שִׁחֵת לוֹ לֹא בָּנָיו מוּמָם דּוֹר עִקֵּשׁ וּפְתַלְתֹּל׃ 6 הֲ־לַיהוָה
תִּגְמְלוּ־זֹאת עַם נָבָל וְלֹא חָכָם הֲלוֹא־הוּא אָבִיךָ קָּנֶךָ הוּא עָשְׂךָ וַיְכֹנְנֶךָ׃
③ 7 זְכֹר יְמוֹת עוֹלָם בִּינוּ שְׁנוֹת דֹּר־וָדֹר שְׁאַל אָבִיךָ וְיַגֵּדְךָ זְקֵנֶיךָ וְיֹאמְרוּ
לָךְ׃ 8 בְּהַנְחֵל עֶלְיוֹן גּוֹיִם בְּהַפְרִידוֹ בְּנֵי אָדָם יַצֵּב גְּבֻלֹת עַמִּים לְמִסְפַּר
בְּנֵי יִשְׂרָאֵל׃ 9 כִּי חֵלֶק יְהוָה עַמּוֹ יַעֲקֹב חֶבֶל נַחֲלָתוֹ׃ 10 יִמְצָאֵהוּ בְּאֶרֶץ
מִדְבָּר וּבְתֹהוּ יְלֵל יְשִׁמֹן יְסֹבְבֶנְהוּ יְבוֹנְנֵהוּ יִצְּרֶנְהוּ כְּאִישׁוֹן עֵינוֹ׃ 11
כְּנֶשֶׁר יָעִיר קִנּוֹ עַל־גּוֹזָלָיו יְרַחֵף יִפְרֹשׂ כְּנָפָיו יִקָּחֵהוּ יִשָּׂאֵהוּ עַל־אֶבְרָתוֹ׃
12 יְהוָה בָּדָד יַנְחֶנּוּ וְאֵין עִמּוֹ אֵל נֵכָר׃

Vezot Haberakhah וזאת הברכה (Dt 33:1–17)

Moses blesses each of the tribes individually, beginning with Reuben, the eldest.

1 וְזֹאת הַבְּרָכָה אֲשֶׁר בֵּרַךְ מֹשֶׁה אִישׁ הָאֱלֹהִים אֶת־בְּנֵי יִשְׂרָאֵל לִפְנֵי
מוֹתוֹ׃ 2 וַיֹּאמַר יְהוָה מִסִּינַי בָּא וְזָרַח מִשֵּׂעִיר לָמוֹ הוֹפִיעַ מֵהַר פָּארָן
וְאָתָה מֵרִבְבֹת קֹדֶשׁ מִימִינוֹ *אֵשְׁדָּת [אֵשׁ דָּת] לָמוֹ׃ 3 אַף חֹבֵב עַמִּים
כָּל־קְדֹשָׁיו בְּיָדֶךָ וְהֵם תֻּכּוּ לְרַגְלֶךָ יִשָּׂא מִדַּבְּרֹתֶיךָ׃ 4 תּוֹרָה צִוָּה־לָנוּ
מֹשֶׁה מוֹרָשָׁה קְהִלַּת יַעֲקֹב׃ 5 וַיְהִי בִישֻׁרוּן מֶלֶךְ בְּהִתְאַסֵּף רָאשֵׁי עָם יַחַד
שִׁבְטֵי יִשְׂרָאֵל׃ 6 יְחִי רְאוּבֵן וְאַל־יָמֹת וִיהִי מְתָיו מִסְפָּר׃ ס 7 וְזֹאת
לִיהוּדָה וַיֹּאמַר שְׁמַע יְהוָה קוֹל יְהוּדָה וְאֶל־עַמּוֹ תְּבִיאֶנּוּ יָדָיו רָב לוֹ
וְעֵזֶר מִצָּרָיו תִּהְיֶה׃ ס
② 8 וּלְלֵוִי אָמַר תֻּמֶּיךָ וְאוּרֶיךָ לְאִישׁ חֲסִידֶךָ אֲשֶׁר נִסִּיתוֹ בְּמַסָּה תְּרִיבֵהוּ
עַל־מֵי מְרִיבָה׃ 9 הָאֹמֵר לְאָבִיו וּלְאִמּוֹ לֹא רְאִיתִיו וְאֶת־אֶחָיו לֹא הִכִּיר
וְאֶת־*בָּנוֹ [בָּנָיו] לֹא יָדָע כִּי שָׁמְרוּ אִמְרָתֶךָ וּבְרִיתְךָ יִנְצֹרוּ׃ 10 יוֹרוּ
מִשְׁפָּטֶיךָ לְיַעֲקֹב וְתוֹרָתְךָ לְיִשְׂרָאֵל יָשִׂימוּ קְטוֹרָה בְּאַפֶּךָ וְכָלִיל
עַל־מִזְבְּחֶךָ׃ 11 בָּרֵךְ יְהוָה חֵילוֹ וּפֹעַל יָדָיו תִּרְצֶה מְחַץ מָתְנַיִם קָמָיו
וּמְשַׂנְאָיו מִן־יְקוּמוּן׃ ס 12 לְבִנְיָמִן אָמַר יְדִיד יְהוָה יִשְׁכֹּן לָבֶטַח עָלָיו
חֹפֵף עָלָיו כָּל־הַיּוֹם וּבֵין כְּתֵפָיו שָׁכֵן׃ ס
③ 13 וּלְיוֹסֵף אָמַר מְבֹרֶכֶת יְהוָה אַרְצוֹ מִמֶּגֶד שָׁמַיִם מִטָּל וּמִתְּהוֹם רֹבֶצֶת
תָּחַת׃ 14 וּמִמֶּגֶד תְּבוּאֹת שָׁמֶשׁ וּמִמֶּגֶד גֶּרֶשׁ יְרָחִים׃ 15 וּמֵרֹאשׁ הַרְרֵי־קֶדֶם
וּמִמֶּגֶד גִּבְעוֹת עוֹלָם׃ 16 וּמִמֶּגֶד אֶרֶץ וּמְלֹאָהּ וּרְצוֹן שֹׁכְנִי סְנֶה תָּבוֹאתָה
לְרֹאשׁ יוֹסֵף וּלְקָדְקֹד נְזִיר אֶחָיו׃ 17 בְּכוֹר שׁוֹרוֹ הָדָר לוֹ וְקַרְנֵי רְאֵם
קַרְנָיו בָּהֶם עַמִּים יְנַגַּח יַחְדָּו אַפְסֵי־אָרֶץ וְהֵם רִבְבוֹת אֶפְרַיִם וְהֵם אַלְפֵי
מְנַשֶּׁה׃

Rosh Chodesh (Numbers 28:1–15)

1 וַיְדַבֵּר יְהוָה אֶל־מֹשֶׁה לֵּאמֹר: 2 צַו אֶת־בְּנֵי יִשְׂרָאֵל וְאָמַרְתָּ אֲלֵהֶם
אֶת־קָרְבָּנִי לַחְמִי לְאִשַּׁי רֵיחַ נִיחֹחִי תִּשְׁמְרוּ לְהַקְרִיב לִי בְּמוֹעֲדוֹ:
3 וְאָמַרְתָּ לָהֶם זֶה הָאִשֶּׁה אֲשֶׁר תַּקְרִיבוּ לַיהוָה כְּבָשִׂים בְּנֵי־שָׁנָה תְמִימִם ②
שְׁנַיִם לַיּוֹם עֹלָה תָמִיד: 4 אֶת־הַכֶּבֶשׂ אֶחָד תַּעֲשֶׂה בַבֹּקֶר וְאֵת הַכֶּבֶשׂ
הַשֵּׁנִי תַּעֲשֶׂה בֵּין הָעַרְבָּיִם: 5 וַעֲשִׂירִית הָאֵיפָה סֹלֶת לְמִנְחָה בְּלוּלָה
בְּשֶׁמֶן כָּתִית רְבִיעִת הַהִין:
6 עֹלַת תָּמִיד הָעֲשֻׂיָה בְּהַר סִינַי לְרֵיחַ נִיחֹחַ אִשֶּׁה לַיהוָה: 7 וְנִסְכּוֹ ③
רְבִיעִת הַהִין לַכֶּבֶשׂ הָאֶחָד בַּקֹּדֶשׁ הַסֵּךְ נֶסֶךְ שֵׁכָר לַיהוָה: 8 וְאֵת הַכֶּבֶשׂ
הַשֵּׁנִי תַּעֲשֶׂה בֵּין הָעַרְבָּיִם כְּמִנְחַת הַבֹּקֶר וּכְנִסְכּוֹ תַּעֲשֶׂה אִשֵּׁה רֵיחַ נִיחֹחַ
לַיהוָה: פ 9 וּבְיוֹם הַשַּׁבָּת שְׁנֵי־כְבָשִׂים בְּנֵי־שָׁנָה תְּמִימִם וּשְׁנֵי עֶשְׂרֹנִים
סֹלֶת מִנְחָה בְּלוּלָה בַשֶּׁמֶן וְנִסְכּוֹ: 10 עֹלַת שַׁבַּת בְּשַׁבַּתּוֹ עַל־עֹלַת הַתָּמִיד
וְנִסְכָּהּ:
11 וּבְרָאשֵׁי חָדְשֵׁיכֶם תַּקְרִיבוּ עֹלָה לַיהוָה פָּרִים בְּנֵי־בָקָר שְׁנַיִם וְאַיִל ④
אֶחָד כְּבָשִׂים בְּנֵי־שָׁנָה שִׁבְעָה תְּמִימִם: 12 וּשְׁלֹשָׁה עֶשְׂרֹנִים סֹלֶת מִנְחָה
בְּלוּלָה בַשֶּׁמֶן לַפָּר הָאֶחָד וּשְׁנֵי עֶשְׂרֹנִים סֹלֶת מִנְחָה בְּלוּלָה בַשֶּׁמֶן לָאַיִל
הָאֶחָד: 13 וְעִשָּׂרֹן עִשָּׂרוֹן סֹלֶת מִנְחָה בְּלוּלָה בַשֶּׁמֶן לַכֶּבֶשׂ הָאֶחָד עֹלָה
רֵיחַ נִיחֹחַ אִשֶּׁה לַיהוָה: 14 וְנִסְכֵּיהֶם חֲצִי הַהִין יִהְיֶה לַפָּר וּשְׁלִישִׁת הַהִין
לָאַיִל וּרְבִיעִת הַהִין לַכֶּבֶשׂ יָיִן זֹאת עֹלַת חֹדֶשׁ בְּחָדְשׁוֹ לְחָדְשֵׁי הַשָּׁנָה: 15
וּשְׂעִיר עִזִּים אֶחָד לְחַטָּאת לַיהוָה עַל־עֹלַת הַתָּמִיד יֵעָשֶׂה וְנִסְכּוֹ:

First Day of Chanukah (Numbers 7:1–17)

1 וַיְהִי בְּיוֹם כַּלּוֹת מֹשֶׁה לְהָקִים אֶת־הַמִּשְׁכָּן וַיִּמְשַׁח אֹתוֹ וַיְקַדֵּשׁ אֹתוֹ
וְאֶת־כָּל־כֵּלָיו וְאֶת־הַמִּזְבֵּחַ וְאֶת־כָּל־כֵּלָיו וַיִּמְשָׁחֵם וַיְקַדֵּשׁ אֹתָם: 2
וַיַּקְרִיבוּ נְשִׂיאֵי יִשְׂרָאֵל רָאשֵׁי בֵּית אֲבֹתָם הֵם נְשִׂיאֵי הַמַּטֹּת הֵם הָעֹמְדִים
עַל־הַפְּקֻדִים: 3 וַיָּבִיאוּ אֶת־קָרְבָּנָם לִפְנֵי יְהוָה שֵׁשׁ־עֶגְלֹת צָב וּשְׁנֵי עָשָׂר
בָּקָר עֲגָלָה עַל־שְׁנֵי הַנְּשִׂאִים וְשׁוֹר לְאֶחָד וַיַּקְרִיבוּ אוֹתָם לִפְנֵי הַמִּשְׁכָּן: 4
וַיֹּאמֶר יְהוָה אֶל־מֹשֶׁה לֵּאמֹר: 5 קַח מֵאִתָּם וְהָיוּ לַעֲבֹד אֶת־עֲבֹדַת אֹהֶל
מוֹעֵד וְנָתַתָּה אוֹתָם אֶל־הַלְוִיִּם אִישׁ כְּפִי עֲבֹדָתוֹ: 6 וַיִּקַּח מֹשֶׁה
אֶת־הָעֲגָלֹת וְאֶת־הַבָּקָר וַיִּתֵּן אוֹתָם אֶל־הַלְוִיִּם: 7 אֵת ׀ שְׁתֵּי הָעֲגָלוֹת וְאֵת
אַרְבַּעַת הַבָּקָר נָתַן לִבְנֵי גֵרְשׁוֹן כְּפִי עֲבֹדָתָם: 8 וְאֵת ׀ אַרְבַּע הָעֲגָלֹת וְאֵת
שְׁמֹנַת הַבָּקָר נָתַן לִבְנֵי מְרָרִי כְּפִי עֲבֹדָתָם בְּיַד אִיתָמָר בֶּן־אַהֲרֹן הַכֹּהֵן:
9 וְלִבְנֵי קְהָת לֹא נָתָן כִּי־עֲבֹדַת הַקֹּדֶשׁ עֲלֵהֶם בַּכָּתֵף יִשָּׂאוּ: 10 וַיַּקְרִיבוּ
הַנְּשִׂאִים אֵת חֲנֻכַּת הַמִּזְבֵּחַ בְּיוֹם הִמָּשַׁח אֹתוֹ וַיַּקְרִיבוּ הַנְּשִׂיאִם
אֶת־קָרְבָּנָם לִפְנֵי הַמִּזְבֵּחַ: 11 וַיֹּאמֶר יְהוָה אֶל־מֹשֶׁה נָשִׂיא אֶחָד לַיּוֹם
נָשִׂיא אֶחָד לַיּוֹם יַקְרִיבוּ אֶת־קָרְבָּנָם לַחֲנֻכַּת הַמִּזְבֵּחַ:
12 וַיְהִי הַמַּקְרִיב בַּיּוֹם הָרִאשׁוֹן אֶת־קָרְבָּנוֹ נַחְשׁוֹן בֶּן־עַמִּינָדָב לְמַטֵּה ②
יְהוּדָה: 13 וְקָרְבָּנוֹ קַעֲרַת־כֶּסֶף אַחַת שְׁלֹשִׁים וּמֵאָה מִשְׁקָלָהּ מִזְרָק אֶחָד
כֶּסֶף שִׁבְעִים שֶׁקֶל בְּשֶׁקֶל הַקֹּדֶשׁ שְׁנֵיהֶם ׀ מְלֵאִים סֹלֶת בְּלוּלָה בַשֶּׁמֶן
לְמִנְחָה: 14 כַּף אַחַת עֲשָׂרָה זָהָב מְלֵאָה קְטֹרֶת:

③ 15 פַּר אֶחָד בֶּן־בָּקָר אַיִל אֶחָד כֶּבֶשׂ־אֶחָד בֶּן־שְׁנָתוֹ לְעֹלָה: 16 שְׂעִיר־עִזִּים אֶחָד לְחַטָּאת: 17 וּלְזֶבַח הַשְּׁלָמִים בָּקָר שְׁנַיִם אֵילִם חֲמִשָּׁה עַתּוּדִים חֲמִשָּׁה כְּבָשִׂים בְּנֵי־שָׁנָה חֲמִשָּׁה זֶה קָרְבַּן נַחְשׁוֹן בֶּן־עַמִּינָדָב:

Second Day of Chanukah
(Numbers 7:18–29)

18 בַּיּוֹם הַשֵּׁנִי הִקְרִיב נְתַנְאֵל בֶּן־צוּעָר נְשִׂיא יִשָּׂשכָר: 19 הִקְרִב אֶת־קָרְבָּנוֹ קַעֲרַת־כֶּסֶף אַחַת שְׁלֹשִׁים וּמֵאָה מִשְׁקָלָהּ מִזְרָק אֶחָד כֶּסֶף שִׁבְעִים שֶׁקֶל בְּשֶׁקֶל הַקֹּדֶשׁ שְׁנֵיהֶם ׀ מְלֵאִים סֹלֶת בְּלוּלָה בַשֶּׁמֶן לְמִנְחָה: 20 כַּף אַחַת עֲשָׂרָה זָהָב מְלֵאָה קְטֹרֶת:

② 21 פַּר אֶחָד בֶּן־בָּקָר אַיִל אֶחָד כֶּבֶשׂ־אֶחָד בֶּן־שְׁנָתוֹ לְעֹלָה: 22 שְׂעִיר־עִזִּים אֶחָד לְחַטָּאת: 23 וּלְזֶבַח הַשְּׁלָמִים בָּקָר שְׁנַיִם אֵילִם חֲמִשָּׁה עַתּוּדִים חֲמִשָּׁה כְּבָשִׂים בְּנֵי־שָׁנָה חֲמִשָּׁה זֶה קָרְבַּן נְתַנְאֵל בֶּן־צוּעָר:

③ 24 בַּיּוֹם הַשְּׁלִישִׁי נָשִׂיא לִבְנֵי זְבוּלֻן אֱלִיאָב בֶּן־חֵלֹן: 25 קָרְבָּנוֹ קַעֲרַת־כֶּסֶף אַחַת שְׁלֹשִׁים וּמֵאָה מִשְׁקָלָהּ מִזְרָק אֶחָד כֶּסֶף שִׁבְעִים שֶׁקֶל בְּשֶׁקֶל הַקֹּדֶשׁ שְׁנֵיהֶם ׀ מְלֵאִים סֹלֶת בְּלוּלָה בַשֶּׁמֶן לְמִנְחָה: 26 כַּף אַחַת עֲשָׂרָה זָהָב מְלֵאָה קְטֹרֶת: 27 פַּר אֶחָד בֶּן־בָּקָר אַיִל אֶחָד כֶּבֶשׂ־אֶחָד בֶּן־שְׁנָתוֹ לְעֹלָה: 28 שְׂעִיר־עִזִּים אֶחָד לְחַטָּאת: 29 וּלְזֶבַח הַשְּׁלָמִים בָּקָר שְׁנַיִם אֵילִם חֲמִשָּׁה עַתֻּדִים חֲמִשָּׁה כְּבָשִׂים בְּנֵי־שָׁנָה חֲמִשָּׁה זֶה קָרְבַּן אֱלִיאָב בֶּן־חֵלֹן:

Third Day of Chanukah
(Numbers 7:24–35)

24 בַּיּוֹם הַשְּׁלִישִׁי נָשִׂיא לִבְנֵי זְבוּלֻן אֱלִיאָב בֶּן־חֵלֹן: 25 קָרְבָּנוֹ קַעֲרַת־כֶּסֶף אַחַת שְׁלֹשִׁים וּמֵאָה מִשְׁקָלָהּ מִזְרָק אֶחָד כֶּסֶף שִׁבְעִים שֶׁקֶל בְּשֶׁקֶל הַקֹּדֶשׁ שְׁנֵיהֶם ׀ מְלֵאִים סֹלֶת בְּלוּלָה בַשֶּׁמֶן לְמִנְחָה: 26 כַּף אַחַת עֲשָׂרָה זָהָב מְלֵאָה קְטֹרֶת:

② 27 פַּר אֶחָד בֶּן־בָּקָר אַיִל אֶחָד כֶּבֶשׂ־אֶחָד בֶּן־שְׁנָתוֹ לְעֹלָה: 28 שְׂעִיר־עִזִּים אֶחָד לְחַטָּאת: 29 וּלְזֶבַח הַשְּׁלָמִים בָּקָר שְׁנַיִם אֵילִם חֲמִשָּׁה עַתֻּדִים חֲמִשָּׁה כְּבָשִׂים בְּנֵי־שָׁנָה חֲמִשָּׁה זֶה קָרְבַּן אֱלִיאָב בֶּן־חֵלֹן:

③ 30 בַּיּוֹם הָרְבִיעִי נָשִׂיא לִבְנֵי רְאוּבֵן אֱלִיצוּר בֶּן־שְׁדֵיאוּר: 31 קָרְבָּנוֹ קַעֲרַת־כֶּסֶף אַחַת שְׁלֹשִׁים וּמֵאָה מִשְׁקָלָהּ מִזְרָק אֶחָד כֶּסֶף שִׁבְעִים שֶׁקֶל בְּשֶׁקֶל הַקֹּדֶשׁ שְׁנֵיהֶם ׀ מְלֵאִים סֹלֶת בְּלוּלָה בַשֶּׁמֶן לְמִנְחָה: 32 כַּף אַחַת עֲשָׂרָה זָהָב מְלֵאָה קְטֹרֶת: 33 פַּר אֶחָד בֶּן־בָּקָר אַיִל אֶחָד כֶּבֶשׂ־אֶחָד בֶּן־שְׁנָתוֹ לְעֹלָה: 34 שְׂעִיר־עִזִּים אֶחָד לְחַטָּאת: 35 וּלְזֶבַח הַשְּׁלָמִים בָּקָר שְׁנַיִם אֵילִם חֲמִשָּׁה עַתֻּדִים חֲמִשָּׁה כְּבָשִׂים בְּנֵי־שָׁנָה חֲמִשָּׁה זֶה קָרְבַּן אֱלִיצוּר בֶּן־שְׁדֵיאוּר:

Fourth Day of Chanukah (Numbers 7:30–41)

30 בַּיּוֹם֙ הָֽרְבִיעִ֔י נָשִׂ֖יא לִבְנֵ֣י רְאוּבֵ֑ן אֱלִיצ֖וּר בֶּן־שְׁדֵיא֑וּר: 31 קׇרְבָּנ֜וֹ
קַעֲרַת־כֶּ֣סֶף אַחַ֗ת שְׁלֹשִׁ֣ים וּמֵאָה֮ מִשְׁקָלָהּ֒ מִזְרָ֤ק אֶחָד֙ כֶּ֔סֶף שִׁבְעִ֥ים שֶׁ֖קֶל
בְּשֶׁ֣קֶל הַקֹּ֑דֶשׁ שְׁנֵיהֶ֣ם ׀ מְלֵאִ֗ים סֹ֛לֶת בְּלוּלָ֥ה בַשֶּׁ֖מֶן לְמִנְחָֽה: 32 כַּ֥ף אַחַ֛ת
עֲשָׂרָ֥ה זָהָ֖ב מְלֵאָ֥ה קְטֹֽרֶת:
② 33 פַּ֣ר אֶחָ֞ד בֶּן־בָּקָ֗ר אַ֧יִל אֶחָ֛ד כֶּֽבֶשׂ־אֶחָ֥ד בֶּן־שְׁנָת֖וֹ לְעֹלָֽה:
34 שְׂעִיר־עִזִּ֥ים אֶחָ֖ד לְחַטָּֽאת: 35 וּלְזֶ֣בַח הַשְּׁלָמִים֮ בָּקָ֣ר שְׁנַ֒יִם֒ אֵילִ֤ם
חֲמִשָּׁה֙ עַתֻּדִ֣ים חֲמִשָּׁ֔ה כְּבָשִׂ֥ים בְּנֵֽי־שָׁנָ֖ה חֲמִשָּׁ֑ה זֶ֛ה קׇרְבַּ֥ן אֱלִיצ֖וּר
בֶּן־שְׁדֵיא֑וּר:
③ 36 בַּיּוֹם֙ הַֽחֲמִישִׁ֔י נָשִׂ֖יא לִבְנֵ֣י שִׁמְע֑וֹן שְׁלֻֽמִיאֵ֖ל בֶּן־צוּרִֽישַׁדָּֽי: 36 בַּיּוֹם֙
הַֽחֲמִישִׁ֔י נָשִׂ֖יא לִבְנֵ֣י שִׁמְע֑וֹן שְׁלֻֽמִיאֵ֖ל בֶּן־צוּרִֽישַׁדָּֽי: 37 קׇרְבָּנ֜וֹ קַעֲרַת־כֶּ֣סֶף
אַחַ֗ת שְׁלֹשִׁ֣ים וּמֵאָה֮ מִשְׁקָלָהּ֒ מִזְרָ֤ק אֶחָד֙ כֶּ֔סֶף שִׁבְעִ֥ים שֶׁ֖קֶל בְּשֶׁ֣קֶל הַקֹּ֑דֶשׁ
שְׁנֵיהֶ֣ם ׀ מְלֵאִ֗ים סֹ֛לֶת בְּלוּלָ֥ה בַשֶּׁ֖מֶן לְמִנְחָֽה: 38 כַּ֥ף אַחַ֛ת עֲשָׂרָ֥ה זָהָ֖ב
מְלֵאָ֥ה קְטֹֽרֶת: 39 פַּ֣ר אֶחָ֞ד בֶּן־בָּקָ֗ר אַ֧יִל אֶחָ֛ד כֶּֽבֶשׂ־אֶחָ֥ד בֶּן־שְׁנָת֖וֹ
לְעֹלָֽה: 40 שְׂעִיר־עִזִּ֥ים אֶחָ֖ד לְחַטָּֽאת: 41 וּלְזֶ֣בַח הַשְּׁלָמִים֮ בָּקָ֣ר שְׁנַ֒יִם֒
אֵילִ֤ם חֲמִשָּׁה֙ עַתֻּדִ֣ים חֲמִשָּׁ֔ה כְּבָשִׂ֥ים בְּנֵֽי־שָׁנָ֖ה חֲמִשָּׁ֑ה זֶ֛ה קׇרְבַּ֥ן שְׁלֻֽמִיאֵ֖ל
בֶּן־צוּרִֽישַׁדָּֽי:

Fifth Day of Chanukah (Numbers 7:36–47)

36 בַּיּוֹם֙ הַֽחֲמִישִׁ֔י נָשִׂ֖יא לִבְנֵ֣י שִׁמְע֑וֹן שְׁלֻֽמִיאֵ֖ל בֶּן־צוּרִֽישַׁדָּֽי: 36 בַּיּוֹם֙
הַֽחֲמִישִׁ֔י נָשִׂ֖יא לִבְנֵ֣י שִׁמְע֑וֹן שְׁלֻֽמִיאֵ֖ל בֶּן־צוּרִֽישַׁדָּֽי: 37 קׇרְבָּנ֜וֹ קַעֲרַת־כֶּ֣סֶף
אַחַ֗ת שְׁלֹשִׁ֣ים וּמֵאָה֮ מִשְׁקָלָהּ֒ מִזְרָ֤ק אֶחָד֙ כֶּ֔סֶף שִׁבְעִ֥ים שֶׁ֖קֶל בְּשֶׁ֣קֶל הַקֹּ֑דֶשׁ
שְׁנֵיהֶ֣ם ׀ מְלֵאִ֗ים סֹ֛לֶת בְּלוּלָ֥ה בַשֶּׁ֖מֶן לְמִנְחָֽה: 38 כַּ֥ף אַחַ֛ת עֲשָׂרָ֥ה זָהָ֖ב
מְלֵאָ֥ה קְטֹֽרֶת:
② 39 פַּ֣ר אֶחָ֞ד בֶּן־בָּקָ֗ר אַ֧יִל אֶחָ֛ד כֶּֽבֶשׂ־אֶחָ֥ד בֶּן־שְׁנָת֖וֹ לְעֹלָֽה: 40
שְׂעִיר־עִזִּ֥ים אֶחָ֖ד לְחַטָּֽאת: 41 וּלְזֶ֣בַח הַשְּׁלָמִים֮ בָּקָ֣ר שְׁנַ֒יִם֒ אֵילִ֤ם חֲמִשָּׁה֙
עַתֻּדִ֣ים חֲמִשָּׁ֔ה כְּבָשִׂ֥ים בְּנֵֽי־שָׁנָ֖ה חֲמִשָּׁ֑ה זֶ֛ה קׇרְבַּ֥ן שְׁלֻֽמִיאֵ֖ל בֶּן־צוּרִֽישַׁדָּֽי:
③ 42 בַּיּוֹם֙ הַשִּׁשִּׁ֔י נָשִׂ֖יא לִבְנֵ֣י גָ֑ד אֶלְיָסָ֖ף בֶּן־דְּעוּאֵֽל: 43 קׇרְבָּנ֜וֹ קַעֲרַת־כֶּ֣סֶף
אַחַ֗ת שְׁלֹשִׁ֣ים וּמֵאָה֮ מִשְׁקָלָהּ֒ מִזְרָ֤ק אֶחָד֙ כֶּ֔סֶף שִׁבְעִ֥ים שֶׁ֖קֶל בְּשֶׁ֣קֶל הַקֹּ֑דֶשׁ
שְׁנֵיהֶ֣ם ׀ מְלֵאִ֗ים סֹ֛לֶת בְּלוּלָ֥ה בַשֶּׁ֖מֶן לְמִנְחָֽה: 44 כַּ֥ף אַחַ֛ת עֲשָׂרָ֥ה זָהָ֖ב
מְלֵאָ֥ה קְטֹֽרֶת: 45 פַּ֣ר אֶחָ֞ד בֶּן־בָּקָ֗ר אַ֧יִל אֶחָ֛ד כֶּֽבֶשׂ־אֶחָ֥ד בֶּן־שְׁנָת֖וֹ
לְעֹלָֽה: 46 שְׂעִיר־עִזִּ֥ים אֶחָ֖ד לְחַטָּֽאת: 47 וּלְזֶ֣בַח הַשְּׁלָמִים֮ בָּקָ֣ר שְׁנַ֒יִם֒
אֵילִ֤ם חֲמִשָּׁה֙ עַתֻּדִ֣ים חֲמִשָּׁ֔ה כְּבָשִׂ֥ים בְּנֵֽי־שָׁנָ֖ה חֲמִשָּׁ֑ה זֶ֛ה קׇרְבַּ֥ן אֶלְיָסָ֖ף
בֶּן־דְּעוּאֵֽל:

Sixth Day of Chanukah (Numbers 7:42–47)

42 בַּיּוֹם֙ הַשִּׁשִּׁ֔י נָשִׂ֖יא לִבְנֵ֣י גָ֑ד אֶלְיָסָ֖ף בֶּן־דְּעוּאֵֽל׃ 43 קָרְבָּנ֞וֹ קַֽעֲרַת־כֶּ֣סֶף
אַחַ֗ת שְׁלֹשִׁ֣ים וּמֵאָה֮ מִשְׁקָלָהּ֒ מִזְרָ֤ק אֶחָד֙ כֶּ֔סֶף שִׁבְעִ֥ים שֶׁ֖קֶל בְּשֶׁ֣קֶל הַקֹּ֑דֶשׁ
שְׁנֵיהֶ֣ם ׀ מְלֵאִ֗ים סֹ֛לֶת בְּלוּלָ֥ה בַשֶּׁ֖מֶן לְמִנְחָֽה׃ 44 כַּ֥ף אַחַ֛ת עֲשָׂרָ֥ה זָהָ֖ב
מְלֵאָ֥ה קְטֹֽרֶת׃ 45 פַּ֣ר אֶחָ֞ד בֶּן־בָּקָ֗ר אַ֧יִל אֶחָ֛ד כֶּֽבֶשׂ־אֶחָ֥ד בֶּן־שְׁנָת֖וֹ
לְעֹלָֽה׃ 46 שְׂעִיר־עִזִּ֥ים אֶחָ֖ד לְחַטָּֽאת׃ 47 וּלְזֶ֣בַח הַשְּׁלָמִים֮ בָּקָ֣ר שְׁנַ֒יִם֒
אֵילִ֤ם חֲמִשָּׁה֙ עַתֻּדִ֣ים חֲמִשָּׁ֔ה כְּבָשִׂ֥ים בְּנֵי־שָׁנָ֖ה חֲמִשָּׁ֑ה זֶ֛ה קָרְבַּ֥ן אֶלְיָסָ֖ף
בֶּן־דְּעוּאֵֽל׃

Seventh Day of Chanukah
Rosh Chodesh (Numbers 7:48–53)

When the seventh day is also Rosh Hodesh, two Sifrei Torah are removed from the Ark. Three Olim are called to the Torah for the Rosh Chodesh reading. The following is read from the second Torah:

48 בַּיּוֹם֙ הַשְּׁבִיעִ֔י נָשִׂ֖יא לִבְנֵ֣י אֶפְרָ֑יִם אֱלִֽישָׁמָ֖ע בֶּן־עַמִּיהֽוּד׃ 49 קָרְבָּנ֞וֹ
קַֽעֲרַת־כֶּ֣סֶף אַחַ֗ת שְׁלֹשִׁ֣ים וּמֵאָה֮ מִשְׁקָלָהּ֒ מִזְרָ֤ק אֶחָד֙ כֶּ֔סֶף שִׁבְעִ֥ים שֶׁ֖קֶל
בְּשֶׁ֣קֶל הַקֹּ֑דֶשׁ שְׁנֵיהֶ֣ם ׀ מְלֵאִ֗ים סֹ֛לֶת בְּלוּלָ֥ה בַשֶּׁ֖מֶן לְמִנְחָֽה׃ 50 כַּ֥ף אַחַ֛ת
עֲשָׂרָ֥ה זָהָ֖ב מְלֵאָ֥ה קְטֹֽרֶת׃
② 51 פַּ֣ר אֶחָ֞ד בֶּן־בָּקָ֗ר אַ֧יִל אֶחָ֛ד כֶּֽבֶשׂ־אֶחָ֥ד בֶּן־שְׁנָת֖וֹ לְעֹלָֽה׃
52 שְׂעִיר־עִזִּ֥ים אֶחָ֖ד לְחַטָּֽאת׃ 53 וּלְזֶ֣בַח הַשְּׁלָמִים֮ בָּקָ֣ר שְׁנַ֒יִם֒ אֵילִ֤ם
חֲמִשָּׁה֙ עַתֻּדִ֣ים חֲמִשָּׁ֔ה כְּבָשִׂ֥ים בְּנֵי־שָׁנָ֖ה חֲמִשָּׁ֑ה זֶ֛ה קָרְבַּ֥ן אֱלִישָׁמָ֖ע
בֶּן־עַמִּיהֽוּד׃

Seventh Day of Chanukah (Numbers 7:48–59)

If the Seventh Day is not Rosh Hodesh, the following is read:

48 בַּיּוֹם֙ הַשְּׁבִיעִ֔י נָשִׂ֖יא לִבְנֵ֣י אֶפְרָ֑יִם אֱלִֽישָׁמָ֖ע בֶּן־עַמִּיהֽוּד׃ 49 קָרְבָּנ֞וֹ
קַֽעֲרַת־כֶּ֣סֶף אַחַ֗ת שְׁלֹשִׁ֣ים וּמֵאָה֮ מִשְׁקָלָהּ֒ מִזְרָ֤ק אֶחָד֙ כֶּ֔סֶף שִׁבְעִ֥ים שֶׁ֖קֶל
בְּשֶׁ֣קֶל הַקֹּ֑דֶשׁ שְׁנֵיהֶ֣ם ׀ מְלֵאִ֗ים סֹ֛לֶת בְּלוּלָ֥ה בַשֶּׁ֖מֶן לְמִנְחָֽה׃ 50 כַּ֥ף אַחַ֛ת
עֲשָׂרָ֥ה זָהָ֖ב מְלֵאָ֥ה קְטֹֽרֶת׃
② 51 פַּ֣ר אֶחָ֞ד בֶּן־בָּקָ֗ר אַ֧יִל אֶחָ֛ד כֶּֽבֶשׂ־אֶחָ֥ד בֶּן־שְׁנָת֖וֹ לְעֹלָֽה׃
52 שְׂעִיר־עִזִּ֥ים אֶחָ֖ד לְחַטָּֽאת׃ 53 וּלְזֶ֣בַח הַשְּׁלָמִים֮ בָּקָ֣ר שְׁנַ֒יִם֒ אֵילִ֤ם
חֲמִשָּׁה֙ עַתֻּדִ֣ים חֲמִשָּׁ֔ה כְּבָשִׂ֥ים בְּנֵי־שָׁנָ֖ה חֲמִשָּׁ֑ה זֶ֛ה קָרְבַּ֥ן אֱלִישָׁמָ֖ע
בֶּן־עַמִּיהֽוּד׃
③ 54 בַּיּוֹם֙ הַשְּׁמִינִ֔י נָשִׂ֖יא לִבְנֵ֣י מְנַשֶּׁ֑ה גַּמְלִיאֵ֖ל בֶּן־פְּדָה־צֽוּר׃ 55 קָרְבָּנ֞וֹ
קַֽעֲרַת־כֶּ֣סֶף אַחַ֗ת שְׁלֹשִׁ֣ים וּמֵאָה֮ מִשְׁקָלָהּ֒ מִזְרָ֤ק אֶחָד֙ כֶּ֔סֶף שִׁבְעִ֥ים שֶׁ֖קֶל
בְּשֶׁ֣קֶל הַקֹּ֑דֶשׁ שְׁנֵיהֶ֣ם ׀ מְלֵאִ֗ים סֹ֛לֶת בְּלוּלָ֥ה בַשֶּׁ֖מֶן לְמִנְחָֽה׃ 56 כַּ֥ף אַחַ֛ת
עֲשָׂרָ֥ה זָהָ֖ב מְלֵאָ֥ה קְטֹֽרֶת׃ 57 פַּ֣ר אֶחָ֞ד בֶּן־בָּקָ֗ר אַ֧יִל אֶחָ֛ד כֶּֽבֶשׂ־אֶחָ֥ד
בֶּן־שְׁנָת֖וֹ לְעֹלָֽה׃ 58 שְׂעִיר־עִזִּ֥ים אֶחָ֖ד לְחַטָּֽאת׃ 59 וּלְזֶ֣בַח הַשְּׁלָמִים֮ בָּקָ֣ר

שְׁנַיִם אֵילִם חֲמִשָּׁה עַתֻּדִים חֲמִשָּׁה כְּבָשִׂים בְּנֵי־שָׁנָה חֲמִשָּׁה זֶה קָרְבַּן
גַּמְלִיאֵל בֶּן־פְּדָהצוּר׃

Eighth Day of Chanukah (Numbers 7:54–8:4)

54 בַּיּוֹם הַשְּׁמִינִי נָשִׂיא לִבְנֵי מְנַשֶּׁה גַּמְלִיאֵל בֶּן־פְּדָה־צוּר׃ 55 קָרְבָּנוֹ
קַעֲרַת־כֶּסֶף אַחַת שְׁלֹשִׁים וּמֵאָה מִשְׁקָלָהּ מִזְרָק אֶחָד כֶּסֶף שִׁבְעִים שֶׁקֶל
בְּשֶׁקֶל הַקֹּדֶשׁ שְׁנֵיהֶם ׀ מְלֵאִים סֹלֶת בְּלוּלָה בַשֶּׁמֶן לְמִנְחָה׃ 56 כַּף אַחַת
עֲשָׂרָה זָהָב מְלֵאָה קְטֹרֶת׃
57 פַּר אֶחָד בֶּן־בָּקָר אַיִל אֶחָד כֶּבֶשׂ־אֶחָד בֶּן־שְׁנָתוֹ לְעֹלָה׃ ②
58 שְׂעִיר־עִזִּים אֶחָד לְחַטָּאת׃ 59 וּלְזֶבַח הַשְּׁלָמִים בָּקָר שְׁנַיִם אֵילִם
חֲמִשָּׁה עַתֻּדִים חֲמִשָּׁה כְּבָשִׂים בְּנֵי־שָׁנָה חֲמִשָּׁה זֶה קָרְבַּן גַּמְלִיאֵל
בֶּן־פְּדָהצוּר׃
60 בַּיּוֹם הַתְּשִׁיעִי נָשִׂיא לִבְנֵי בִנְיָמִן אֲבִידָן בֶּן־גִּדְעֹנִי׃ 61 קָרְבָּנוֹ ③
קַעֲרַת־כֶּסֶף אַחַת שְׁלֹשִׁים וּמֵאָה מִשְׁקָלָהּ מִזְרָק אֶחָד כֶּסֶף שִׁבְעִים שֶׁקֶל
בְּשֶׁקֶל הַקֹּדֶשׁ שְׁנֵיהֶם ׀ מְלֵאִים סֹלֶת בְּלוּלָה בַשֶּׁמֶן לְמִנְחָה׃ 62 כַּף אַחַת
עֲשָׂרָה זָהָב מְלֵאָה קְטֹרֶת׃ 63 פַּר אֶחָד בֶּן־בָּקָר אַיִל אֶחָד כֶּבֶשׂ־אֶחָד
בֶּן־שְׁנָתוֹ לְעֹלָה׃ 64 שְׂעִיר־עִזִּים אֶחָד לְחַטָּאת׃ 65 וּלְזֶבַח הַשְּׁלָמִים בָּקָר
שְׁנַיִם אֵילִם חֲמִשָּׁה עַתֻּדִים חֲמִשָּׁה כְּבָשִׂים בְּנֵי־שָׁנָה חֲמִשָּׁה זֶה קָרְבַּן
אֲבִידָן בֶּן־גִּדְעֹנִי׃
66 בַּיּוֹם הָעֲשִׂירִי נָשִׂיא לִבְנֵי דָן אֲחִיעֶזֶר בֶּן־עַמִּישַׁדָּי׃ 67 קָרְבָּנוֹ
קַעֲרַת־כֶּסֶף אַחַת שְׁלֹשִׁים וּמֵאָה מִשְׁקָלָהּ מִזְרָק אֶחָד כֶּסֶף שִׁבְעִים שֶׁקֶל
בְּשֶׁקֶל הַקֹּדֶשׁ שְׁנֵיהֶם ׀ מְלֵאִים סֹלֶת בְּלוּלָה בַשֶּׁמֶן לְמִנְחָה׃ 68 כַּף אַחַת
עֲשָׂרָה זָהָב מְלֵאָה קְטֹרֶת׃ 69 פַּר אֶחָד בֶּן־בָּקָר אַיִל אֶחָד כֶּבֶשׂ־אֶחָד
בֶּן־שְׁנָתוֹ לְעֹלָה׃ 70 שְׂעִיר־עִזִּים אֶחָד לְחַטָּאת׃ 71 וּלְזֶבַח הַשְּׁלָמִים בָּקָר
שְׁנַיִם אֵילִם חֲמִשָּׁה עַתֻּדִים חֲמִשָּׁה כְּבָשִׂים בְּנֵי־שָׁנָה חֲמִשָּׁה זֶה קָרְבַּן
אֲחִיעֶזֶר בֶּן־עַמִּישַׁדָּי׃ פ 72 בְּיוֹם עַשְׁתֵּי עָשָׂר יוֹם נָשִׂיא לִבְנֵי אָשֵׁר
פַּגְעִיאֵל בֶּן־עָכְרָן׃ 73 קָרְבָּנוֹ קַעֲרַת־כֶּסֶף אַחַת שְׁלֹשִׁים וּמֵאָה מִשְׁקָלָהּ
מִזְרָק אֶחָד כֶּסֶף שִׁבְעִים שֶׁקֶל בְּשֶׁקֶל הַקֹּדֶשׁ שְׁנֵיהֶם ׀ מְלֵאִים סֹלֶת
בְּלוּלָה בַשֶּׁמֶן לְמִנְחָה׃ 74 כַּף אַחַת עֲשָׂרָה זָהָב מְלֵאָה קְטֹרֶת׃ 75 פַּר
אֶחָד בֶּן־בָּקָר אַיִל אֶחָד כֶּבֶשׂ־אֶחָד בֶּן־שְׁנָתוֹ לְעֹלָה׃ 76 שְׂעִיר־עִזִּים אֶחָד
לְחַטָּאת׃ 77 וּלְזֶבַח הַשְּׁלָמִים בָּקָר שְׁנַיִם אֵילִם חֲמִשָּׁה עַתֻּדִים חֲמִשָּׁה
כְּבָשִׂים בְּנֵי־שָׁנָה חֲמִשָּׁה זֶה קָרְבַּן פַּגְעִיאֵל בֶּן־עָכְרָן׃
78 בְּיוֹם שְׁנֵים עָשָׂר יוֹם נָשִׂיא לִבְנֵי נַפְתָּלִי אֲחִירַע בֶּן־עֵינָן׃ 79 קָרְבָּנוֹ
קַעֲרַת־כֶּסֶף אַחַת שְׁלֹשִׁים וּמֵאָה מִשְׁקָלָהּ מִזְרָק אֶחָד כֶּסֶף שִׁבְעִים שֶׁקֶל
בְּשֶׁקֶל הַקֹּדֶשׁ שְׁנֵיהֶם ׀ מְלֵאִים סֹלֶת בְּלוּלָה בַשֶּׁמֶן לְמִנְחָה׃ 80 כַּף אַחַת
עֲשָׂרָה זָהָב מְלֵאָה קְטֹרֶת׃ 81 פַּר אֶחָד בֶּן־בָּקָר אַיִל אֶחָד כֶּבֶשׂ־אֶחָד
בֶּן־שְׁנָתוֹ לְעֹלָה׃ 82 שְׂעִיר־עִזִּים אֶחָד לְחַטָּאת׃ 83 וּלְזֶבַח הַשְּׁלָמִים בָּקָר
שְׁנַיִם אֵילִם חֲמִשָּׁה עַתֻּדִים חֲמִשָּׁה כְּבָשִׂים בְּנֵי־שָׁנָה חֲמִשָּׁה זֶה קָרְבַּן
אֲחִירַע בֶּן־עֵינָן׃ פ 84 זֹאת ׀ חֲנֻכַּת הַמִּזְבֵּחַ בְּיוֹם הִמָּשַׁח אֹתוֹ מֵאֵת נְשִׂיאֵי
יִשְׂרָאֵל קַעֲרֹת כֶּסֶף שְׁתֵּים עֶשְׂרֵה מִזְרְקֵי־כֶסֶף שְׁנֵים עָשָׂר כַּפּוֹת זָהָב
שְׁתֵּים עֶשְׂרֵה׃ 85 שְׁלֹשִׁים וּמֵאָה הַקְּעָרָה הָאַחַת כֶּסֶף וְשִׁבְעִים הַמִּזְרָק

הָאֶחָ֔ד כֹּ֖ל כֶּ֣סֶף הַכֵּלִ֑ים אֲלָפַ֣יִם וְאַרְבַּע־מֵא֖וֹת בְּשֶׁ֥קֶל הַקֹּֽדֶשׁ׃ 86 כַּפּ֨וֹת זָהָ֤ב שְׁתֵּים־עֶשְׂרֵה֙ מְלֵאֹ֣ת קְטֹ֔רֶת עֲשָׂרָ֧ה עֲשָׂרָ֛ה הַכַּ֖ף בְּשֶׁ֣קֶל הַקֹּ֑דֶשׁ כָּל־זְהַ֥ב הַכַּפּ֖וֹת עֶשְׂרִ֥ים וּמֵאָֽה׃ 87 כָּל־הַבָּקָ֣ר לָעֹלָ֗ה שְׁנֵ֧ים עָשָׂ֣ר פָּרִ֡ים אֵילִ֣ם שְׁנֵים־עָשָׂר֩ כְּבָשִׂ֨ים בְּנֵֽי־שָׁנָ֜ה שְׁנֵ֧ים עָשָׂ֛ר וּמִנְחָתָ֖ם וּשְׂעִירֵ֥י עִזִּ֛ים שְׁנֵ֥ים עָשָׂ֖ר לְחַטָּֽאת׃ 88 וְכֹ֞ל בְּקַ֣ר ׀ זֶ֣בַח הַשְּׁלָמִ֗ים עֶשְׂרִ֣ים וְאַרְבָּעָה֮ פָּרִים֒ אֵילִ֤ם שִׁשִּׁים֙ עַתֻּדִ֣ים שִׁשִּׁ֔ים כְּבָשִׂ֥ים בְּנֵֽי־שָׁנָ֖ה שִׁשִּׁ֑ים זֹ֚את חֲנֻכַּ֣ת הַמִּזְבֵּ֔חַ אַחֲרֵ֖י הִמָּשַׁ֥ח אֹתֽוֹ׃ 89 וּבְבֹ֨א מֹשֶׁ֜ה אֶל־אֹ֣הֶל מוֹעֵד֮ לְדַבֵּ֣ר אִתּוֹ֒ וַיִּשְׁמַ֨ע אֶת־הַקּ֜וֹל מִדַּבֵּ֣ר אֵלָ֗יו מֵעַ֤ל הַכַּפֹּ֙רֶת֙ אֲשֶׁר֙ עַל־אֲרֹ֣ן הָעֵדֻ֔ת מִבֵּ֖ין שְׁנֵ֣י הַכְּרֻבִ֑ים וַיְדַבֵּ֖ר אֵלָֽיו׃

1 וַיְדַבֵּ֥ר יְהוָ֖ה אֶל־מֹשֶׁ֥ה לֵּאמֹֽר׃ 2 דַּבֵּר֙ אֶֽל־אַהֲרֹ֔ן וְאָמַרְתָּ֖ אֵלָ֑יו בְּהַעֲלֹֽתְךָ֙ אֶת־הַנֵּרֹ֔ת אֶל־מוּל֙ פְּנֵ֣י הַמְּנוֹרָ֔ה יָאִ֖ירוּ שִׁבְעַ֥ת הַנֵּרֽוֹת׃ 3 וַיַּ֤עַשׂ כֵּן֙ אַהֲרֹ֔ן אֶל־מוּל֙ פְּנֵ֣י הַמְּנוֹרָ֔ה הֶעֱלָ֖ה נֵרֹתֶ֑יהָ כַּֽאֲשֶׁ֛ר צִוָּ֥ה יְהוָ֖ה אֶת־מֹשֶֽׁה׃ 4 וְזֶ֨ה מַעֲשֵׂ֤ה הַמְּנֹרָה֙ מִקְשָׁ֣ה זָהָ֔ב עַד־יְרֵכָ֥הּ עַד־פִּרְחָ֖הּ מִקְשָׁ֣ה הִ֑וא כַּמַּרְאֶ֗ה אֲשֶׁ֨ר הֶרְאָ֤ה יְהוָה֙ אֶת־מֹשֶׁ֔ה כֵּ֥ן עָשָׂ֖ה אֶת־הַמְּנֹרָֽה׃ פ1 וַיְדַבֵּ֥ר יְהוָ֖ה אֶל־מֹשֶׁ֥ה לֵּאמֹֽר׃ 2 דַּבֵּר֙ אֶֽל־אַהֲרֹ֔ן וְאָמַרְתָּ֖ אֵלָ֑יו בְּהַעֲלֹֽתְךָ֙ אֶת־הַנֵּרֹ֔ת אֶל־מוּל֙ פְּנֵ֣י הַמְּנוֹרָ֔ה יָאִ֖ירוּ שִׁבְעַ֥ת הַנֵּרֽוֹת׃ 3 וַיַּ֤עַשׂ כֵּן֙ אַהֲרֹ֔ן אֶל־מוּל֙ פְּנֵ֣י הַמְּנוֹרָ֔ה הֶעֱלָ֖ה נֵרֹתֶ֑יהָ כַּֽאֲשֶׁ֛ר צִוָּ֥ה יְהוָ֖ה אֶת־מֹשֶֽׁה׃ 4 וְזֶ֨ה מַעֲשֵׂ֤ה הַמְּנֹרָה֙ מִקְשָׁ֣ה זָהָ֔ב עַד־יְרֵכָ֥הּ עַד־פִּרְחָ֖הּ מִקְשָׁ֣ה הִ֑וא כַּמַּרְאֶ֗ה אֲשֶׁ֨ר הֶרְאָ֤ה יְהוָה֙ אֶת־מֹשֶׁ֔ה כֵּ֥ן עָשָׂ֖ה אֶת־הַמְּנֹרָֽה׃

Purim (Exodus 17:8–16)

8 וַיָּבֹ֖א עֲמָלֵ֑ק וַיִּלָּ֥חֶם עִם־יִשְׂרָאֵ֖ל בִּרְפִידִֽם׃ 9 וַיֹּ֨אמֶר מֹשֶׁ֤ה אֶל־יְהוֹשֻׁ֙עַ֙ בְּחַר־לָ֣נוּ אֲנָשִׁ֔ים וְצֵ֖א הִלָּחֵ֣ם בַּעֲמָלֵ֑ק מָחָ֗ר אָנֹכִ֤י נִצָּב֙ עַל־רֹ֣אשׁ הַגִּבְעָ֔ה וּמַטֵּ֥ה הָאֱלֹהִ֖ים בְּיָדִֽי׃ 10 וַיַּ֣עַשׂ יְהוֹשֻׁ֗עַ כַּאֲשֶׁ֤ר אָֽמַר־לוֹ֙ מֹשֶׁ֔ה לְהִלָּחֵ֖ם בַּעֲמָלֵ֑ק וּמֹשֶׁה֙ אַהֲרֹ֣ן וְח֔וּר עָל֖וּ רֹ֥אשׁ הַגִּבְעָֽה׃

② 11 וְהָיָ֗ה כַּאֲשֶׁ֨ר יָרִ֥ים מֹשֶׁ֛ה יָד֖וֹ וְגָבַ֣ר יִשְׂרָאֵ֑ל וְכַאֲשֶׁ֥ר יָנִ֛יחַ יָד֖וֹ וְגָבַ֥ר עֲמָלֵֽק׃ 12 וִידֵ֤י מֹשֶׁה֙ כְּבֵדִ֔ים וַיִּקְחוּ־אֶ֛בֶן וַיָּשִׂ֥ימוּ תַחְתָּ֖יו וַיֵּ֣שֶׁב עָלֶ֑יהָ וְאַהֲרֹ֨ן וְח֜וּר תָּֽמְכ֣וּ בְיָדָ֗יו מִזֶּ֤ה אֶחָד֙ וּמִזֶּ֣ה אֶחָ֔ד וַיְהִ֥י יָדָ֛יו אֱמוּנָ֖ה עַד־בֹּ֥א הַשָּֽׁמֶשׁ׃ 13 וַיַּחֲלֹ֧שׁ יְהוֹשֻׁ֛עַ אֶת־עֲמָלֵ֥ק וְאֶת־עַמּ֖וֹ לְפִי־חָֽרֶב׃

③ 14 וַיֹּ֨אמֶר יְהוָ֜ה אֶל־מֹשֶׁ֗ה כְּתֹ֨ב זֹ֤את זִכָּרוֹן֙ בַּסֵּ֔פֶר וְשִׂ֖ים בְּאָזְנֵ֣י יְהוֹשֻׁ֑עַ כִּֽי־מָחֹ֤ה אֶמְחֶה֙ אֶת־זֵ֣כֶר עֲמָלֵ֔ק מִתַּ֖חַת הַשָּׁמָֽיִם׃ 15 וַיִּ֥בֶן מֹשֶׁ֖ה מִזְבֵּ֑חַ וַיִּקְרָ֥א שְׁמ֖וֹ יְהוָ֥ה ׀ נִסִּֽי׃ 16 וַיֹּ֗אמֶר כִּֽי־יָד֙ עַל־כֵּ֣ס יָ֔הּ מִלְחָמָ֥ה לַיהוָ֖ה בַּֽעֲמָלֵ֑ק מִדֹּ֖ר דֹּֽר׃

Readings for the Public Fasts (Exodus 21:11–14; 34:1–10)

During Shacharit, except Tisha B'Av, three Olim are called. At Mincha, the same reading is repeated, but the third Oleh also reads the Haftarah. The reader pauses before each underlined passsage; the congregation the recites the passage, which the reader repeats before going on.

11 וַיְחַל מֹשֶׁה אֶת־פְּנֵי יְהוָה אֱלֹהָיו וַיֹּאמֶר לָמָה יְהוָה יֶחֱרֶה אַפְּךָ בְּעַמֶּךָ
אֲשֶׁר הוֹצֵאתָ מֵאֶרֶץ מִצְרַיִם בְּכֹחַ גָּדוֹל וּבְיָד חֲזָקָה׃ 12 לָמָּה יֹאמְרוּ
מִצְרַיִם לֵאמֹר בְּרָעָה הוֹצִיאָם לַהֲרֹג אֹתָם בֶּהָרִים וּלְכַלֹּתָם מֵעַל פְּנֵי
הָאֲדָמָה שׁוּב מֵחֲרוֹן אַפֶּךָ וְהִנָּחֵם עַל־הָרָעָה לְעַמֶּךָ׃ 13 זְכֹר לְאַבְרָהָם
לְיִצְחָק וּלְיִשְׂרָאֵל עֲבָדֶיךָ אֲשֶׁר נִשְׁבַּעְתָּ לָהֶם בָּךְ וַתְּדַבֵּר אֲלֵהֶם אַרְבֶּה
אֶת־זַרְעֲכֶם כְּכוֹכְבֵי הַשָּׁמָיִם וְכָל־הָאָרֶץ הַזֹּאת אֲשֶׁר אָמַרְתִּי אֶתֵּן לְזַרְעֲכֶם
וְנָחֲלוּ לְעֹלָם׃ 14 וַיִּנָּחֶם יְהוָה עַל־הָרָעָה אֲשֶׁר דִּבֶּר לַעֲשׂוֹת לְעַמּוֹ׃

② 1 וַיֹּאמֶר יְהוָה אֶל־מֹשֶׁה פְּסָל־לְךָ שְׁנֵי־לֻחֹת אֲבָנִים כָּרִאשֹׁנִים וְכָתַבְתִּי
עַל־הַלֻּחֹת אֶת־הַדְּבָרִים אֲשֶׁר הָיוּ עַל־הַלֻּחֹת הָרִאשֹׁנִים אֲשֶׁר שִׁבַּרְתָּ׃ 2
וֶהְיֵה נָכוֹן לַבֹּקֶר וְעָלִיתָ בַבֹּקֶר אֶל־הַר סִינַי וְנִצַּבְתָּ לִי שָׁם עַל־רֹאשׁ
הָהָר׃ 3 וְאִישׁ לֹא־יַעֲלֶה עִמָּךְ וְגַם־אִישׁ אַל־יֵרָא בְּכָל־הָהָר גַּם־הַצֹּאן
וְהַבָּקָר אַל־יִרְעוּ אֶל־מוּל הָהָר הַהוּא׃

③ 4 וַיִּפְסֹל שְׁנֵי־לֻחֹת אֲבָנִים כָּרִאשֹׁנִים וַיַּשְׁכֵּם מֹשֶׁה בַבֹּקֶר וַיַּעַל אֶל־הַר
סִינַי כַּאֲשֶׁר צִוָּה יְהוָה אֹתוֹ וַיִּקַּח בְּיָדוֹ שְׁנֵי לֻחֹת אֲבָנִים׃ 5 וַיֵּרֶד יְהוָה
בֶּעָנָן וַיִּתְיַצֵּב עִמּוֹ שָׁם וַיִּקְרָא בְשֵׁם יְהוָה׃ 6 וַיַּעֲבֹר יְהוָה ׀ עַל־פָּנָיו
וַיִּקְרָא יְהוָה ׀ יְהוָה אֵל רַחוּם וְחַנּוּן אֶרֶךְ אַפַּיִם וְרַב־חֶסֶד וֶאֱמֶת׃ 7 נֹצֵר
חֶסֶד לָאֲלָפִים נֹשֵׂא עָוֺן וָפֶשַׁע וְחַטָּאָה וְנַקֵּה לֹא יְנַקֶּה פֹּקֵד ׀ עֲוֺן אָבוֹת
עַל־בָּנִים וְעַל־בְּנֵי בָנִים עַל־שִׁלֵּשִׁים וְעַל־רִבֵּעִים׃ 8 וַיְמַהֵר מֹשֶׁה וַיִּקֹּד
אַרְצָה וַיִּשְׁתָּחוּ׃ 9 וַיֹּאמֶר אִם־נָא מָצָאתִי חֵן בְּעֵינֶיךָ אֲדֹנָי יֵלֶךְ־נָא אֲדֹנָי
בְּקִרְבֵּנוּ כִּי עַם־קְשֵׁה־עֹרֶף הוּא וְסָלַחְתָּ לַעֲוֺנֵנוּ וּלְחַטָּאתֵנוּ וּנְחַלְתָּנוּ׃ 10
וַיֹּאמֶר הִנֵּה אָנֹכִי כֹּרֵת בְּרִית נֶגֶד כָּל־עַמְּךָ אֶעֱשֶׂה נִפְלָאֹת אֲשֶׁר
לֹא־נִבְרְאוּ בְכָל־הָאָרֶץ וּבְכָל־הַגּוֹיִם וְרָאָה כָל־הָעָם אֲשֶׁר־אַתָּה בְקִרְבּוֹ
אֶת־מַעֲשֵׂה יְהוָה כִּי־נוֹרָא הוּא אֲשֶׁר אֲנִי עֹשֶׂה עִמָּךְ׃

Haftarah for the Public Fasts (Isaiah 55:6–56:8)

6 דִּרְשׁוּ יְהוָה בְּהִמָּצְאוֹ קְרָאֻהוּ בִּהְיוֹתוֹ קָרוֹב׃ 7 יַעֲזֹב רָשָׁע דַּרְכּוֹ וְאִישׁ
אָוֶן מַחְשְׁבֹתָיו וְיָשֹׁב אֶל־יְהוָה וִירַחֲמֵהוּ וְאֶל־אֱלֹהֵינוּ כִּי־יַרְבֶּה לִסְלוֹחַ׃ 8
כִּי לֹא מַחְשְׁבוֹתַי מַחְשְׁבוֹתֵיכֶם וְלֹא דַרְכֵיכֶם דְּרָכָי נְאֻם יְהוָה׃ 9 כִּי־גָבְהוּ
שָׁמַיִם מֵאָרֶץ כֵּן גָּבְהוּ דְרָכַי מִדַּרְכֵיכֶם וּמַחְשְׁבֹתַי מִמַּחְשְׁבֹתֵיכֶם׃ 10 כִּי
כַּאֲשֶׁר יֵרֵד הַגֶּשֶׁם וְהַשֶּׁלֶג מִן־הַשָּׁמַיִם וְשָׁמָּה לֹא יָשׁוּב כִּי אִם־הִרְוָה
אֶת־הָאָרֶץ וְהוֹלִידָהּ וְהִצְמִיחָהּ וְנָתַן זֶרַע לַזֹּרֵעַ וְלֶחֶם לָאֹכֵל׃ 11 כֵּן יִהְיֶה
דְבָרִי אֲשֶׁר יֵצֵא מִפִּי לֹא־יָשׁוּב אֵלַי רֵיקָם כִּי אִם־עָשָׂה אֶת־אֲשֶׁר חָפַצְתִּי
וְהִצְלִיחַ אֲשֶׁר שְׁלַחְתִּיו׃ 12 כִּי־בְשִׂמְחָה תֵצֵאוּ וּבְשָׁלוֹם תּוּבָלוּן הֶהָרִים
וְהַגְּבָעוֹת יִפְצְחוּ לִפְנֵיכֶם רִנָּה וְכָל־עֲצֵי הַשָּׂדֶה יִמְחֲאוּ־כָף׃ 13 תַּחַת

הַנַּעֲצוּץ יַעֲלֶה בְרוֹשׁ *תַּחַת [וְתַחַת] הַסִּרְפַּד יַעֲלֶה הֲדַס וְהָיָה לַיהוָה לְשֵׁם
לְאוֹת עוֹלָם לֹא יִכָּרֵת׃ ס
② 1 כֹּה אָמַר יְהוָה שִׁמְרוּ מִשְׁפָּט וַעֲשׂוּ צְדָקָה כִּי־קְרוֹבָה יְשׁוּעָתִי לָבוֹא
וְצִדְקָתִי לְהִגָּלוֹת׃ 2 אַשְׁרֵי אֱנוֹשׁ יַעֲשֶׂה־זֹּאת וּבֶן־אָדָם יַחֲזִיק בָּהּ שֹׁמֵר
שַׁבָּת מֵחַלְּלוֹ וְשֹׁמֵר יָדוֹ מֵעֲשׂוֹת כָּל־רָע׃ ס 3 וְאַל־יֹאמַר בֶּן־הַנֵּכָר הַנִּלְוָה
אֶל־יְהוָה לֵאמֹר הַבְדֵּל יַבְדִּילַנִי יְהוָה מֵעַל עַמּוֹ וְאַל־יֹאמַר הַסָּרִיס הֵן
אֲנִי עֵץ יָבֵשׁ׃ ס 4 כִּי־כֹה ׀ אָמַר יְהוָה לַסָּרִיסִים אֲשֶׁר יִשְׁמְרוּ אֶת־שַׁבְּתוֹתַי
וּבָחֲרוּ בַּאֲשֶׁר חָפָצְתִּי וּמַחֲזִיקִים בִּבְרִיתִי׃ 5 וְנָתַתִּי לָהֶם בְּבֵיתִי וּבְחוֹמֹתַי
יָד וָשֵׁם טוֹב מִבָּנִים וּמִבָּנוֹת שֵׁם עוֹלָם אֶתֶּן־לוֹ אֲשֶׁר לֹא יִכָּרֵת׃ ס 6 וּבְנֵי
הַנֵּכָר הַנִּלְוִים עַל־יְהוָה לְשָׁרְתוֹ וּלְאַהֲבָה אֶת־שֵׁם יְהוָה לִהְיוֹת לוֹ
לַעֲבָדִים כָּל־שֹׁמֵר שַׁבָּת מֵחַלְּלוֹ וּמַחֲזִיקִים בִּבְרִיתִי׃ 7 וַהֲבִיאוֹתִים
אֶל־הַר קָדְשִׁי וְשִׂמַּחְתִּים בְּבֵית תְּפִלָּתִי עוֹלֹתֵיהֶם וְזִבְחֵיהֶם לְרָצוֹן
עַל־מִזְבְּחִי כִּי בֵיתִי בֵּית־תְּפִלָּה יִקָּרֵא לְכָל־הָעַמִּים׃ 8 נְאֻם אֲדֹנָי יְהוִה
מְקַבֵּץ נִדְחֵי יִשְׂרָאֵל עוֹד אֲקַבֵּץ עָלָיו לְנִקְבָּצָיו׃

Readings for Tisha B'Av
(Dt. 4:25–40)

25 כִּי־תוֹלִיד בָּנִים וּבְנֵי בָנִים וְנוֹשַׁנְתֶּם בָּאָרֶץ וְהִשְׁחַתֶּם וַעֲשִׂיתֶם פֶּסֶל
תְּמוּנַת כֹּל וַעֲשִׂיתֶם הָרַע בְּעֵינֵי יְהוָה־אֱלֹהֶיךָ לְהַכְעִיסוֹ׃ 26 הַעִידֹתִי
בָכֶם הַיּוֹם אֶת־הַשָּׁמַיִם וְאֶת־הָאָרֶץ כִּי־אָבֹד תֹּאבֵדוּן מַהֵר מֵעַל הָאָרֶץ
אֲשֶׁר אַתֶּם עֹבְרִים אֶת־הַיַּרְדֵּן שָׁמָּה לְרִשְׁתָּהּ לֹא־תַאֲרִיכֻן יָמִים עָלֶיהָ כִּי
הִשָּׁמֵד תִּשָּׁמֵדוּן׃ 27 וְהֵפִיץ יְהוָה אֶתְכֶם בָּעַמִּים וְנִשְׁאַרְתֶּם מְתֵי מִסְפָּר
בַּגּוֹיִם אֲשֶׁר יְנַהֵג יְהוָה אֶתְכֶם שָׁמָּה׃ 28 וַעֲבַדְתֶּם־שָׁם אֱלֹהִים מַעֲשֵׂה יְדֵי
אָדָם עֵץ וָאֶבֶן אֲשֶׁר לֹא־יִרְאוּן וְלֹא יִשְׁמְעוּן וְלֹא יֹאכְלוּן וְלֹא יְרִיחֻן׃ 29
וּבִקַּשְׁתֶּם מִשָּׁם אֶת־יְהוָה אֱלֹהֶיךָ וּמָצָאתָ כִּי תִדְרְשֶׁנּוּ בְּכָל־לְבָבְךָ
וּבְכָל־נַפְשֶׁךָ׃
② 30 בַּצַּר לְךָ וּמְצָאוּךָ כֹּל הַדְּבָרִים הָאֵלֶּה בְּאַחֲרִית הַיָּמִים וְשַׁבְתָּ
עַד־יְהוָה אֱלֹהֶיךָ וְשָׁמַעְתָּ בְּקֹלוֹ׃ 31 כִּי אֵל רַחוּם יְהוָה אֱלֹהֶיךָ לֹא יַרְפְּךָ
וְלֹא יַשְׁחִיתֶךָ וְלֹא יִשְׁכַּח אֶת־בְּרִית אֲבֹתֶיךָ אֲשֶׁר נִשְׁבַּע לָהֶם׃ 32 כִּי
שְׁאַל־נָא לְיָמִים רִאשֹׁנִים אֲשֶׁר־הָיוּ לְפָנֶיךָ לְמִן־הַיּוֹם אֲשֶׁר בָּרָא אֱלֹהִים ׀
אָדָם עַל־הָאָרֶץ וּלְמִקְצֵה הַשָּׁמַיִם וְעַד־קְצֵה הַשָּׁמָיִם הֲנִהְיָה כַּדָּבָר הַגָּדוֹל
הַזֶּה אוֹ הֲנִשְׁמַע כָּמֹהוּ׃ 33 הֲשָׁמַע עָם קוֹל אֱלֹהִים מְדַבֵּר מִתּוֹךְ־הָאֵשׁ
כַּאֲשֶׁר־שָׁמַעְתָּ אַתָּה וַיֶּחִי׃ 34 אוֹ ׀ הֲנִסָּה אֱלֹהִים לָבוֹא לָקַחַת לוֹ גוֹי
מִקֶּרֶב גּוֹי בְּמַסֹּת בְּאֹתֹת וּבְמוֹפְתִים וּבְמִלְחָמָה וּבְיָד חֲזָקָה וּבִזְרוֹעַ נְטוּיָה
וּבְמוֹרָאִים גְּדֹלִים כְּכֹל אֲשֶׁר־עָשָׂה לָכֶם יְהוָה אֱלֹהֵיכֶם בְּמִצְרַיִם לְעֵינֶיךָ׃
35 אַתָּה הָרְאֵתָ לָדַעַת כִּי יְהוָה הוּא הָאֱלֹהִים אֵין עוֹד מִלְבַדּוֹ׃
③ 36 מִן־הַשָּׁמַיִם הִשְׁמִיעֲךָ אֶת־קֹלוֹ לְיַסְּרֶךָּ וְעַל־הָאָרֶץ הֶרְאֲךָ אֶת־אִשּׁוֹ
הַגְּדוֹלָה וּדְבָרָיו שָׁמַעְתָּ מִתּוֹךְ הָאֵשׁ׃ 37 וְתַחַת כִּי אָהַב אֶת־אֲבֹתֶיךָ וַיִּבְחַר
בְּזַרְעוֹ אַחֲרָיו וַיּוֹצִאֲךָ בְּפָנָיו בְּכֹחוֹ הַגָּדֹל מִמִּצְרָיִם׃ 38 לְהוֹרִישׁ גּוֹיִם
גְּדֹלִים וַעֲצֻמִים מִמְּךָ מִפָּנֶיךָ לַהֲבִיאֲךָ לָתֶת־לְךָ אֶת־אַרְצָם נַחֲלָה כַּיּוֹם
הַזֶּה׃ 39 וְיָדַעְתָּ הַיּוֹם וַהֲשֵׁבֹתָ אֶל־לְבָבֶךָ כִּי יְהוָה הוּא הָאֱלֹהִים בַּשָּׁמַיִם

מִמַּעַל וְעַל־הָאָרֶץ מִתָּחַת אֵין עוֹד׃ 40 וְשָׁמַרְתָּ אֶת־חֻקָּיו וְאֶת־מִצְוֺתָיו
אֲשֶׁר אָנֹכִי מְצַוְּךָ הַיּוֹם אֲשֶׁר יִיטַב לְךָ וּלְבָנֶיךָ אַחֲרֶיךָ וּלְמַעַן תַּאֲרִיךְ
יָמִים עַל־הָאֲדָמָה אֲשֶׁר יְהוָה אֱלֹהֶיךָ נֹתֵן לְךָ כָּל־הַיָּמִים׃ פ

Haftarah for Tisha B'Av

(Jer 8:13–9:23)

13 אָסֹף אֲסִיפֵם נְאֻם־יְהוָה אֵין עֲנָבִים בַּגֶּפֶן וְאֵין תְּאֵנִים בַּתְּאֵנָה וְהֶעָלֶה
נָבֵל וָאֶתֵּן לָהֶם יַעַבְרוּם׃ 14 עַל־מָה אֲנַחְנוּ יֹשְׁבִים הֵאָסְפוּ וְנָבוֹא אֶל־עָרֵי
הַמִּבְצָר וְנִדְּמָה־שָּׁם כִּי יְהוָה אֱלֹהֵינוּ הֲדִמָּנוּ וַיַּשְׁקֵנוּ מֵי־רֹאשׁ כִּי חָטָאנוּ
לַיהוָה׃ 15 קַוֵּה לְשָׁלוֹם וְאֵין טוֹב לְעֵת מַרְפֵּה וְהִנֵּה בְעָתָה׃ 16 מִדָּן
נִשְׁמַע נַחְרַת סוּסָיו מִקּוֹל מִצְהֲלוֹת אַבִּירָיו רָעֲשָׁה כָּל־הָאָרֶץ וַיָּבוֹאוּ
וַיֹּאכְלוּ אֶרֶץ וּמְלוֹאָהּ עִיר וְיֹשְׁבֵי בָהּ׃ ס 17 כִּי הִנְנִי מְשַׁלֵּחַ בָּכֶם נְחָשִׁים
צִפְעֹנִים אֲשֶׁר אֵין־לָהֶם לָחַשׁ וְנִשְּׁכוּ אֶתְכֶם נְאֻם־יְהוָה׃ ס 18 מַבְלִיגִיתִי
עֲלֵי יָגוֹן עָלַי לִבִּי דַוָּי׃ 19 הִנֵּה־קוֹל שַׁוְעַת בַּת־עַמִּי מֵאֶרֶץ מַרְחַקִּים
הַיהוָה אֵין בְּצִיּוֹן אִם־מַלְכָּהּ אֵין בָּהּ מַדּוּעַ הִכְעִסוּנִי בִּפְסִלֵיהֶם בְּהַבְלֵי
נֵכָר׃ 20 עָבַר קָצִיר כָּלָה קָיִץ וַאֲנַחְנוּ לוֹא נוֹשָׁעְנוּ׃ 21 עַל־שֶׁבֶר בַּת־עַמִּי
הָשְׁבָּרְתִּי קָדַרְתִּי שַׁמָּה הֶחֱזִקָתְנִי׃ 22 הַצֳרִי אֵין בְּגִלְעָד אִם־רֹפֵא אֵין שָׁם
כִּי מַדּוּעַ לֹא עָלְתָה אֲרֻכַת בַּת־עַמִּי׃ 23 מִי־יִתֵּן רֹאשִׁי מַיִם וְעֵינִי מְקוֹר
דִּמְעָה וְאֶבְכֶּה יוֹמָם וָלַיְלָה אֵת חַלְלֵי בַת־עַמִּי׃ 1 מִי־יִתְּנֵנִי בַמִּדְבָּר מְלוֹן
אֹרְחִים וְאֶעֶזְבָה אֶת־עַמִּי וְאֵלְכָה מֵאִתָּם כִּי כֻלָּם מְנָאֲפִים עֲצֶרֶת בֹּגְדִים׃
2 וַיַּדְרְכוּ אֶת־לְשׁוֹנָם קַשְׁתָּם שֶׁקֶר וְלֹא לֶאֱמוּנָה גָּבְרוּ בָאָרֶץ כִּי מֵרָעָה
אֶל־רָעָה ׀ יָצָאוּ וְאֹתִי לֹא־יָדָעוּ נְאֻם־יְהוָה׃ ס 3 אִישׁ מֵרֵעֵהוּ הִשָּׁמֵרוּ
וְעַל־כָּל־אָח אַל־תִּבְטָחוּ כִּי כָל־אָח עָקוֹב יַעְקֹב וְכָל־רֵעַ רָכִיל יַהֲלֹךְ׃
4 וְאִישׁ בְּרֵעֵהוּ יְהָתֵלּוּ וֶאֱמֶת לֹא יְדַבֵּרוּ לִמְּדוּ לְשׁוֹנָם דַּבֶּר־שֶׁקֶר הַעֲוֵה
נִלְאוּ׃ 5 שִׁבְתְּךָ בְּתוֹךְ מִרְמָה בְּמִרְמָה מֵאֲנוּ דַעַת־אוֹתִי נְאֻם־יְהוָה׃ ס 6
לָכֵן כֹּה אָמַר יְהוָה צְבָאוֹת הִנְנִי צוֹרְפָם וּבְחַנְתִּים כִּי־אֵיךְ אֶעֱשֶׂה מִפְּנֵי
בַּת־עַמִּי׃ 7 חֵץ *שׁוֹחֵט [שָׁחוּט] לְשׁוֹנָם מִרְמָה דִבֵּר בְּפִיו שָׁלוֹם אֶת־רֵעֵהוּ
יְדַבֵּר וּבְקִרְבּוֹ יָשִׂים אָרְבּוֹ׃ 8 הַעַל־אֵלֶּה לֹא־אֶפְקָד־בָּם נְאֻם־יְהוָה אִם
בְּגוֹי אֲשֶׁר־כָּזֶה לֹא תִתְנַקֵּם נַפְשִׁי׃ ס 9 עַל־הֶהָרִים אֶשָּׂא בְכִי וָנֶהִי
וְעַל־נְאוֹת מִדְבָּר קִינָה כִּי נִצְּתוּ מִבְּלִי־אִישׁ עֹבֵר וְלֹא שָׁמְעוּ קוֹל מִקְנֶה
מֵעוֹף הַשָּׁמַיִם וְעַד־בְּהֵמָה נָדְדוּ הָלָכוּ׃ 10 וְנָתַתִּי אֶת־יְרוּשָׁלִַם לְגַלִּים
מְעוֹן תַּנִּים וְאֶת־עָרֵי יְהוּדָה אֶתֵּן שְׁמָמָה מִבְּלִי יוֹשֵׁב׃ ס 11 מִי־הָאִישׁ
הֶחָכָם וְיָבֵן אֶת־זֹאת וַאֲשֶׁר דִּבֶּר פִּי־יְהוָה אֵלָיו וְיַגִּדָהּ עַל־מָה אָבְדָה
הָאָרֶץ נִצְּתָה כַמִּדְבָּר מִבְּלִי עֹבֵר׃
12 וַיֹּאמֶר יְהוָה עַל־עָזְבָם אֶת־תּוֹרָתִי אֲשֶׁר נָתַתִּי לִפְנֵיהֶם וְלֹא־שָׁמְעוּ
בְקוֹלִי וְלֹא־הָלְכוּ בָהּ׃ 13 וַיֵּלְכוּ אַחֲרֵי שְׁרִרוּת לִבָּם וְאַחֲרֵי הַבְּעָלִים
אֲשֶׁר לִמְּדוּם אֲבוֹתָם׃ ס 14 לָכֵן כֹּה־אָמַר יְהוָה צְבָאוֹת אֱלֹהֵי יִשְׂרָאֵל
הִנְנִי מַאֲכִילָם אֶת־הָעָם הַזֶּה לַעֲנָה וְהִשְׁקִיתִים מֵי־רֹאשׁ׃ 15 וַהֲפִצוֹתִים
בַּגּוֹיִם אֲשֶׁר לֹא יָדְעוּ הֵמָּה וַאֲבוֹתָם וְשִׁלַּחְתִּי אַחֲרֵיהֶם אֶת־הַחֶרֶב עַד
כַּלּוֹתִי אוֹתָם׃ פ 16 כֹּה אָמַר יְהוָה צְבָאוֹת הִתְבּוֹנְנוּ וְקִרְאוּ לַמְקוֹנְנוֹת
וּתְבוֹאֶינָה וְאֶל־הַחֲכָמוֹת שִׁלְחוּ וְתָבוֹאנָה׃ 17 וּתְמַהֵרְנָה וְתִשֶּׂנָה עָלֵינוּ נֶהִי

וְתֵרַדְנָה עֵינֵינוּ דִּמְעָה וְעַפְעַפֵּינוּ יִזְּלוּ־מָיִם׃ 18 כִּי קוֹל נְהִי נִשְׁמַע מִצִּיּוֹן
אֵיךְ שֻׁדָּדְנוּ בֹּשְׁנוּ מְאֹד כִּי־עָזַבְנוּ אָרֶץ כִּי הִשְׁלִיכוּ מִשְׁכְּנוֹתֵינוּ׃ ס 19
כִּי־שְׁמַעְנָה נָשִׁים דְּבַר־יְהוָה וְתִקַּח אָזְנְכֶם דְּבַר־פִּיו וְלַמֵּדְנָה בְנוֹתֵיכֶם נֶהִי
וְאִשָּׁה רְעוּתָהּ קִינָה׃ 20 כִּי־עָלָה מָוֶת בְּחַלּוֹנֵינוּ בָּא בְּאַרְמְנוֹתֵינוּ לְהַכְרִית
עוֹלָל מִחוּץ בַּחוּרִים מֵרְחֹבוֹת׃ 21 דַּבֵּר כֹּה נְאֻם־יְהוָה וְנָפְלָה נִבְלַת
הָאָדָם כְּדֹמֶן עַל־פְּנֵי הַשָּׂדֶה וּכְעָמִיר מֵאַחֲרֵי הַקֹּצֵר וְאֵין מְאַסֵּף׃ ס 22
כֹּה ׀ אָמַר יְהוָה אַל־יִתְהַלֵּל חָכָם בְּחָכְמָתוֹ וְאַל־יִתְהַלֵּל הַגִּבּוֹר בִּגְבוּרָתוֹ
אַל־יִתְהַלֵּל עָשִׁיר בְּעָשְׁרוֹ׃ 23 כִּי אִם־בְּזֹאת יִתְהַלֵּל הַמִּתְהַלֵּל הַשְׂכֵּל
וְיָדֹעַ אוֹתִי כִּי אֲנִי יְהוָה עֹשֶׂה חֶסֶד מִשְׁפָּט וּצְדָקָה בָּאָרֶץ כִּי־בְאֵלֶּה
חָפַצְתִּי נְאֻם־יְהוָה׃

Chol HaMoed Pesach – First Day (Exodus 13:1-16)

1 וַיְדַבֵּר יְהוָה אֶל־מֹשֶׁה לֵּאמֹר׃ 2 קַדֶּשׁ־לִי כָל־בְּכוֹר פֶּטֶר כָּל־רֶחֶם בִּבְנֵי
יִשְׂרָאֵל בָּאָדָם וּבַבְּהֵמָה לִי הוּא׃ 3 וַיֹּאמֶר מֹשֶׁה אֶל־הָעָם זָכוֹר אֶת־הַיּוֹם
הַזֶּה אֲשֶׁר יְצָאתֶם מִמִּצְרַיִם מִבֵּית עֲבָדִים כִּי בְּחֹזֶק יָד הוֹצִיא יְהוָה
אֶתְכֶם מִזֶּה וְלֹא יֵאָכֵל חָמֵץ׃ 4 הַיּוֹם אַתֶּם יֹצְאִים בְּחֹדֶשׁ הָאָבִיב׃
② 5 וְהָיָה כִי־יְבִיאֲךָ יְהוָה אֶל־אֶרֶץ הַכְּנַעֲנִי וְהַחִתִּי וְהָאֱמֹרִי וְהַחִוִּי וְהַיְבוּסִי
אֲשֶׁר נִשְׁבַּע לַאֲבֹתֶיךָ לָתֶת לָךְ אֶרֶץ זָבַת חָלָב וּדְבָשׁ וְעָבַדְתָּ אֶת־הָעֲבֹדָה
הַזֹּאת בַּחֹדֶשׁ הַזֶּה׃ 6 שִׁבְעַת יָמִים תֹּאכַל מַצֹּת וּבַיּוֹם הַשְּׁבִיעִי חַג לַיהוָה׃
7 מַצּוֹת יֵאָכֵל אֵת שִׁבְעַת הַיָּמִים וְלֹא־יֵרָאֶה לְךָ חָמֵץ וְלֹא־יֵרָאֶה לְךָ
שְׂאֹר בְּכָל־גְּבֻלֶךָ׃ 8 וְהִגַּדְתָּ לְבִנְךָ בַּיּוֹם הַהוּא לֵאמֹר בַּעֲבוּר זֶה עָשָׂה
יְהוָה לִי בְּצֵאתִי מִמִּצְרָיִם׃ 9 וְהָיָה לְךָ לְאוֹת עַל־יָדְךָ וּלְזִכָּרוֹן בֵּין עֵינֶיךָ
לְמַעַן תִּהְיֶה תּוֹרַת יְהוָה בְּפִיךָ כִּי בְּיָד חֲזָקָה הוֹצִאֲךָ יְהוָה מִמִּצְרָיִם׃
10 וְשָׁמַרְתָּ אֶת־הַחֻקָּה הַזֹּאת לְמוֹעֲדָהּ מִיָּמִים יָמִימָה׃
③ 11 וְהָיָה כִּי־יְבִאֲךָ יְהוָה אֶל־אֶרֶץ הַכְּנַעֲנִי כַּאֲשֶׁר נִשְׁבַּע לְךָ וְלַאֲבֹתֶיךָ
וּנְתָנָהּ לָךְ׃ 12 וְהַעֲבַרְתָּ כָל־פֶּטֶר־רֶחֶם לַיהוָה וְכָל־פֶּטֶר ׀ שֶׁגֶר בְּהֵמָה
אֲשֶׁר יִהְיֶה לְךָ הַזְּכָרִים לַיהוָה׃ 13 וְכָל־פֶּטֶר חֲמֹר תִּפְדֶּה בְשֶׂה וְאִם־לֹא
תִפְדֶּה וַעֲרַפְתּוֹ וְכֹל בְּכוֹר אָדָם בְּבָנֶיךָ תִּפְדֶּה׃ 14 וְהָיָה כִּי־יִשְׁאָלְךָ בִנְךָ
מָחָר לֵאמֹר מַה־זֹּאת וְאָמַרְתָּ אֵלָיו בְּחֹזֶק יָד הוֹצִיאָנוּ יְהוָה מִמִּצְרַיִם
מִבֵּית עֲבָדִים׃ 15 וַיְהִי כִּי־הִקְשָׁה פַרְעֹה לְשַׁלְּחֵנוּ וַיַּהֲרֹג יְהוָה כָּל־בְּכוֹר
בְּאֶרֶץ מִצְרַיִם מִבְּכֹר אָדָם וְעַד־בְּכוֹר בְּהֵמָה עַל־כֵּן אֲנִי זֹבֵחַ לַיהוָה
כָּל־פֶּטֶר רֶחֶם הַזְּכָרִים וְכָל־בְּכוֹר בָּנַי אֶפְדֶּה׃ 16 וְהָיָה לְאוֹת עַל־יָדְכָה
וּלְטוֹטָפֹת בֵּין עֵינֶיךָ כִּי בְּחֹזֶק יָד הוֹצִיאָנוּ יְהוָה מִמִּצְרָיִם׃ ס

Chol HaMoed Pesach – First Day (Num 28:19–25)

19 וְהִקְרַבְתֶּם אִשֶּׁה עֹלָה לַיהוָה פָּרִים בְּנֵי־בָקָר שְׁנַיִם וְאַיִל אֶחָד וְשִׁבְעָה
כְבָשִׂים בְּנֵי שָׁנָה תְּמִימִם יִהְיוּ לָכֶם׃ 20 וּמִנְחָתָם סֹלֶת בְּלוּלָה בַשָּׁמֶן
שְׁלֹשָׁה עֶשְׂרֹנִים לַפָּר וּשְׁנֵי עֶשְׂרֹנִים לָאַיִל תַּעֲשׂוּ׃ 21 עִשָּׂרוֹן עִשָּׂרוֹן תַּעֲשֶׂה
לַכֶּבֶשׂ הָאֶחָד לְשִׁבְעַת הַכְּבָשִׂים׃ 22 וּשְׂעִיר חַטָּאת אֶחָד לְכַפֵּר עֲלֵיכֶם׃
23 מִלְּבַד עֹלַת הַבֹּקֶר אֲשֶׁר לְעֹלַת הַתָּמִיד תַּעֲשׂוּ אֶת־אֵלֶּה׃ 24 כָּאֵלֶּה

תַּעֲשׂוּ לַיּוֹם שִׁבְעַת יָמִים לֶחֶם אִשֵּׁה רֵיחַ־נִיחֹחַ לַיהוָה עַל־עוֹלַת הַתָּמִיד יֵעָשֶׂה וְנִסְכּוֹ: 25 וּבַיּוֹם הַשְּׁבִיעִי מִקְרָא־קֹדֶשׁ יִהְיֶה לָכֶם כָּל־מְלֶאכֶת עֲבֹדָה לֹא תַעֲשׂוּ:

Chol HaMoed Pesach – Second Day (Exodus 22:24–23:19)

24 אִם־כֶּסֶף ׀ תַּלְוֶה אֶת־עַמִּי אֶת־הֶעָנִי עִמָּךְ לֹא־תִהְיֶה לוֹ כְּנֹשֶׁה לֹא־תְשִׂימוּן עָלָיו נֶשֶׁךְ: 25 אִם־חָבֹל תַּחְבֹּל שַׂלְמַת רֵעֶךָ עַד־בֹּא הַשֶּׁמֶשׁ תְּשִׁיבֶנּוּ לוֹ: 26 כִּי הִוא *כְסוּתָה [כְסוּתוֹ] לְבַדָּהּ הִוא שִׂמְלָתוֹ לְעֹרוֹ בַּמֶּה יִשְׁכָּב וְהָיָה כִּי־יִצְעַק אֵלַי וְשָׁמַעְתִּי כִּי־חַנּוּן אָנִי: ס 27 אֱלֹהִים לֹא תְקַלֵּל וְנָשִׂיא בְעַמְּךָ לֹא תָאֹר: 28 מְלֵאָתְךָ וְדִמְעֲךָ לֹא תְאַחֵר בְּכוֹר בָּנֶיךָ תִּתֶּן־לִי: 29 כֵּן־תַּעֲשֶׂה לְשֹׁרְךָ לְצֹאנֶךָ שִׁבְעַת יָמִים יִהְיֶה עִם־אִמּוֹ בַּיּוֹם הַשְּׁמִינִי תִּתְּנוֹ־לִי: 30 וְאַנְשֵׁי־קֹדֶשׁ תִּהְיוּן לִי וּבָשָׂר בַּשָּׂדֶה טְרֵפָה לֹא תֹאכֵלוּ לַכֶּלֶב תַּשְׁלִכוּן אֹתוֹ: ס 1 לֹא תִשָּׂא שֵׁמַע שָׁוְא אַל־תָּשֶׁת יָדְךָ עִם־רָשָׁע לִהְיֹת עֵד חָמָס: ס 2 לֹא־תִהְיֶה אַחֲרֵי־רַבִּים לְרָעֹת וְלֹא־תַעֲנֶה עַל־רִב לִנְטֹת אַחֲרֵי רַבִּים לְהַטֹּת: 3 וְדָל לֹא תֶהְדַּר בְּרִיבוֹ: ס 4 כִּי תִפְגַּע שׁוֹר אֹיִבְךָ אוֹ חֲמֹרוֹ תֹּעֶה הָשֵׁב תְּשִׁיבֶנּוּ לוֹ: ס 5 כִּי־תִרְאֶה חֲמוֹר שֹׂנַאֲךָ רֹבֵץ תַּחַת מַשָּׂאוֹ וְחָדַלְתָּ מֵעֲזֹב לוֹ עָזֹב תַּעֲזֹב עִמּוֹ: ס 6 לֹא תַטֶּה מִשְׁפַּט אֶבְיֹנְךָ בְּרִיבוֹ: 7 מִדְּבַר־שֶׁקֶר תִּרְחָק וְנָקִי וְצַדִּיק אַל־תַּהֲרֹג כִּי לֹא־אַצְדִּיק רָשָׁע: 8 וְשֹׁחַד לֹא תִקָּח כִּי הַשֹּׁחַד יְעַוֵּר פִּקְחִים וִיסַלֵּף דִּבְרֵי צַדִּיקִים: 9 וְגֵר לֹא תִלְחָץ וְאַתֶּם יְדַעְתֶּם אֶת־נֶפֶשׁ הַגֵּר כִּי־גֵרִים הֱיִיתֶם בְּאֶרֶץ מִצְרָיִם: 10 וְשֵׁשׁ שָׁנִים תִּזְרַע אֶת־אַרְצֶךָ וְאָסַפְתָּ אֶת־תְּבוּאָתָהּ: 11 וְהַשְּׁבִיעִת תִּשְׁמְטֶנָּה וּנְטַשְׁתָּהּ וְאָכְלוּ אֶבְיֹנֵי עַמֶּךָ וְיִתְרָם תֹּאכַל חַיַּת הַשָּׂדֶה כֵּן־תַּעֲשֶׂה לְכַרְמְךָ לְזֵיתֶךָ: 12 שֵׁשֶׁת יָמִים תַּעֲשֶׂה מַעֲשֶׂיךָ וּבַיּוֹם הַשְּׁבִיעִי תִּשְׁבֹּת לְמַעַן יָנוּחַ שׁוֹרְךָ וַחֲמֹרֶךָ וְיִנָּפֵשׁ בֶּן־אֲמָתְךָ וְהַגֵּר: 13 וּבְכֹל אֲשֶׁר־אָמַרְתִּי אֲלֵיכֶם תִּשָּׁמֵרוּ וְשֵׁם אֱלֹהִים אֲחֵרִים לֹא תַזְכִּירוּ לֹא יִשָּׁמַע עַל־פִּיךָ: 14 שָׁלֹשׁ רְגָלִים תָּחֹג לִי בַּשָּׁנָה: 15 אֶת־חַג הַמַּצּוֹת תִּשְׁמֹר שִׁבְעַת יָמִים תֹּאכַל מַצּוֹת כַּאֲשֶׁר צִוִּיתִךָ לְמוֹעֵד חֹדֶשׁ הָאָבִיב כִּי־בוֹ יָצָאתָ מִמִּצְרָיִם וְלֹא־יֵרָאוּ פָנַי רֵיקָם: 16 וְחַג הַקָּצִיר בִּכּוּרֵי מַעֲשֶׂיךָ אֲשֶׁר תִּזְרַע בַּשָּׂדֶה וְחַג הָאָסִף בְּצֵאת הַשָּׁנָה בְּאָסְפְּךָ אֶת־מַעֲשֶׂיךָ מִן־הַשָּׂדֶה: 17 שָׁלֹשׁ פְּעָמִים בַּשָּׁנָה יֵרָאֶה כָּל־זְכוּרְךָ אֶל־פְּנֵי הָאָדֹן ׀ יְהוָה: 18 לֹא־תִזְבַּח עַל־חָמֵץ דַּם־זִבְחִי וְלֹא־יָלִין חֵלֶב־חַגִּי עַד־בֹּקֶר: 19 רֵאשִׁית בִּכּוּרֵי אַדְמָתְךָ תָּבִיא בֵּית יְהוָה אֱלֹהֶיךָ לֹא־תְבַשֵּׁל גְּדִי בַּחֲלֵב אִמּוֹ: ס

Chol HaMoed Pesach – Third Day (Exodus 34:1–26)

1 וַיֹּאמֶר יְהוָה אֶל־מֹשֶׁה פְּסָל־לְךָ שְׁנֵי־לֻחֹת אֲבָנִים כָּרִאשֹׁנִים וְכָתַבְתִּי עַל־הַלֻּחֹת אֶת־הַדְּבָרִים אֲשֶׁר הָיוּ עַל־הַלֻּחֹת הָרִאשֹׁנִים אֲשֶׁר שִׁבַּרְתָּ: 2 וֶהְיֵה נָכוֹן לַבֹּקֶר וְעָלִיתָ בַבֹּקֶר אֶל־הַר סִינַי וְנִצַּבְתָּ לִי שָׁם עַל־רֹאשׁ הָהָר: 3 וְאִישׁ לֹא־יַעֲלֶה עִמָּךְ וְגַם־אִישׁ אַל־יֵרָא בְּכָל־הָהָר גַּם־הַצֹּאן

וְהַבֹּקֶר אַל־יֵרָעוּ אֶל־מוּל הָהָר הַהוּא: 4 וַיִּפְסֹל שְׁנֵי־לֻחֹת אֲבָנִים כָּרִאשֹׁנִים וַיַּשְׁכֵּם מֹשֶׁה בַבֹּקֶר וַיַּעַל אֶל־הַר סִינַי כַּאֲשֶׁר צִוָּה יְהֹוָה אֹתוֹ וַיִּקַּח בְּיָדוֹ שְׁנֵי לֻחֹת אֲבָנִים: 5 וַיֵּרֶד יְהֹוָה בֶּעָנָן וַיִּתְיַצֵּב עִמּוֹ שָׁם וַיִּקְרָא בְשֵׁם יְהֹוָה: 6 וַיַּעֲבֹר יְהֹוָה | עַל־פָּנָיו וַיִּקְרָא יְהֹוָה | יְהֹוָה אֵל רַחוּם וְחַנּוּן אֶרֶךְ אַפַּיִם וְרַב־חֶסֶד וֶאֱמֶת: 7 נֹצֵר חֶסֶד לָאֲלָפִים נֹשֵׂא עָוֹן וָפֶשַׁע וְחַטָּאָה וְנַקֵּה לֹא יְנַקֶּה פֹּקֵד | עֲוֹן אָבוֹת עַל־בָּנִים וְעַל־בְּנֵי בָנִים עַל־שִׁלֵּשִׁים וְעַל־רִבֵּעִים: 8 וַיְמַהֵר מֹשֶׁה וַיִּקֹּד אַרְצָה וַיִּשְׁתָּחוּ: 9 וַיֹּאמֶר אִם־נָא מָצָאתִי חֵן בְּעֵינֶיךָ אֲדֹנָי יֵלֶךְ־נָא אֲדֹנָי בְּקִרְבֵּנוּ כִּי עַם־קְשֵׁה־עֹרֶף הוּא וְסָלַחְתָּ לַעֲוֹנֵנוּ וּלְחַטָּאתֵנוּ וּנְחַלְתָּנוּ: 10 וַיֹּאמֶר הִנֵּה אָנֹכִי כֹּרֵת בְּרִית נֶגֶד כָּל־עַמְּךָ אֶעֱשֶׂה נִפְלָאֹת אֲשֶׁר לֹא־נִבְרְאוּ בְכָל־הָאָרֶץ וּבְכָל־הַגּוֹיִם וְרָאָה כָל־הָעָם אֲשֶׁר־אַתָּה בְקִרְבּוֹ אֶת־מַעֲשֵׂה יְהֹוָה כִּי־נוֹרָא הוּא אֲשֶׁר אֲנִי עֹשֶׂה עִמָּךְ:

② 11 שְׁמָר־לְךָ אֵת אֲשֶׁר אָנֹכִי מְצַוְּךָ הַיּוֹם הִנְנִי גֹרֵשׁ מִפָּנֶיךָ אֶת־הָאֱמֹרִי וְהַכְּנַעֲנִי וְהַחִתִּי וְהַפְּרִזִּי וְהַחִוִּי וְהַיְבוּסִי: 12 הִשָּׁמֶר לְךָ פֶּן־תִּכְרֹת בְּרִית לְיוֹשֵׁב הָאָרֶץ אֲשֶׁר אַתָּה בָּא עָלֶיהָ פֶּן־יִהְיֶה לְמוֹקֵשׁ בְּקִרְבֶּךָ: 13 כִּי אֶת־מִזְבְּחֹתָם תִּתֹּצוּן וְאֶת־מַצֵּבֹתָם תְּשַׁבֵּרוּן וְאֶת־אֲשֵׁרָיו תִּכְרֹתוּן: 14 כִּי לֹא תִשְׁתַּחֲוֶה לְאֵל אַחֵר כִּי יְהֹוָה קַנָּא שְׁמוֹ אֵל קַנָּא הוּא: 15 פֶּן־תִּכְרֹת בְּרִית לְיוֹשֵׁב הָאָרֶץ וְזָנוּ | אַחֲרֵי אֱלֹהֵיהֶם וְזָבְחוּ לֵאלֹהֵיהֶם וְקָרָא לְךָ וְאָכַלְתָּ מִזִּבְחוֹ: 16 וְלָקַחְתָּ מִבְּנֹתָיו לְבָנֶיךָ וְזָנוּ בְנֹתָיו אַחֲרֵי אֱלֹהֵיהֶן וְהִזְנוּ אֶת־בָּנֶיךָ אַחֲרֵי אֱלֹהֵיהֶן: 17 אֱלֹהֵי מַסֵּכָה לֹא תַעֲשֶׂה־לָּךְ:

③ 18 אֶת־חַג הַמַּצּוֹת תִּשְׁמֹר שִׁבְעַת יָמִים תֹּאכַל מַצּוֹת אֲשֶׁר צִוִּיתִךָ לְמוֹעֵד חֹדֶשׁ הָאָבִיב כִּי בְּחֹדֶשׁ הָאָבִיב יָצָאתָ מִמִּצְרָיִם: 19 כָּל־פֶּטֶר רֶחֶם לִי וְכָל־מִקְנְךָ תִּזָּכָר פֶּטֶר שׁוֹר וָשֶׂה: 20 וּפֶטֶר חֲמוֹר תִּפְדֶּה בְשֶׂה וְאִם־לֹא תִפְדֶּה וַעֲרַפְתּוֹ כֹּל בְּכוֹר בָּנֶיךָ תִּפְדֶּה וְלֹא־יֵרָאוּ פָנַי רֵיקָם: 21 שֵׁשֶׁת יָמִים תַּעֲבֹד וּבַיּוֹם הַשְּׁבִיעִי תִּשְׁבֹּת בֶּחָרִישׁ וּבַקָּצִיר תִּשְׁבֹּת: 22 וְחַג שָׁבֻעֹת תַּעֲשֶׂה לְךָ בִּכּוּרֵי קְצִיר חִטִּים וְחַג הָאָסִיף תְּקוּפַת הַשָּׁנָה: 23 שָׁלֹשׁ פְּעָמִים בַּשָּׁנָה יֵרָאֶה כָּל־זְכוּרְךָ אֶת־פְּנֵי הָאָדֹן | יְהֹוָה אֱלֹהֵי יִשְׂרָאֵל: 24 כִּי־אוֹרִישׁ גּוֹיִם מִפָּנֶיךָ וְהִרְחַבְתִּי אֶת־גְּבוּלֶךָ וְלֹא־יַחְמֹד אִישׁ אֶת־אַרְצְךָ בַּעֲלֹתְךָ לֵרָאוֹת אֶת־פְּנֵי יְהֹוָה אֱלֹהֶיךָ שָׁלֹשׁ פְּעָמִים בַּשָּׁנָה: 25 לֹא־תִשְׁחַט עַל־חָמֵץ דַּם־זִבְחִי וְלֹא־יָלִין לַבֹּקֶר זֶבַח חַג הַפָּסַח: 26 רֵאשִׁית בִּכּוּרֵי אַדְמָתְךָ תָּבִיא בֵּית יְהֹוָה אֱלֹהֶיךָ לֹא־תְבַשֵּׁל גְּדִי בַּחֲלֵב אִמּוֹ: פ

Chol HaMoed Pesach – Fourth Day (Num 9:1–14)

1 וַיְדַבֵּר יְהֹוָה אֶל־מֹשֶׁה בְמִדְבַּר־סִינַי בַּשָּׁנָה הַשֵּׁנִית לְצֵאתָם מֵאֶרֶץ מִצְרַיִם בַּחֹדֶשׁ הָרִאשׁוֹן לֵאמֹר: 2 וְיַעֲשׂוּ בְנֵי־יִשְׂרָאֵל אֶת־הַפָּסַח בְּמוֹעֲדוֹ: 3 בְּאַרְבָּעָה עָשָׂר־יוֹם בַּחֹדֶשׁ הַזֶּה בֵּין הָעַרְבַּיִם תַּעֲשׂוּ אֹתוֹ בְּמוֹעֲדוֹ כְּכָל־חֻקֹּתָיו וּכְכָל־מִשְׁפָּטָיו תַּעֲשׂוּ אֹתוֹ: 4 וַיְדַבֵּר מֹשֶׁה אֶל־בְּנֵי יִשְׂרָאֵל לַעֲשֹׂת הַפָּסַח: 5 וַיַּעֲשׂוּ אֶת־הַפֶּסַח בָּרִאשׁוֹן בְּאַרְבָּעָה עָשָׂר יוֹם לַחֹדֶשׁ בֵּין הָעַרְבַּיִם בְּמִדְבַּר סִינָי כְּכֹל אֲשֶׁר צִוָּה יְהֹוָה אֶת־מֹשֶׁה כֵּן עָשׂוּ בְּנֵי יִשְׂרָאֵל:

② 6 וַיְהִי אֲנָשִׁים אֲשֶׁר הָיוּ טְמֵאִים לְנֶפֶשׁ אָדָם וְלֹא־יָכְלוּ לַעֲשֹׂת־הַפֶּסַח
בַּיּוֹם הַהוּא וַיִּקְרְבוּ לִפְנֵי מֹשֶׁה וְלִפְנֵי אַהֲרֹן בַּיּוֹם הַהוּא: 7 וַיֹּאמְרוּ
הָאֲנָשִׁים הָהֵמָּה אֵלָיו אֲנַחְנוּ טְמֵאִים לְנֶפֶשׁ אָדָם לָמָּה נִגָּרַע לְבִלְתִּי הַקְרִב
אֶת־קָרְבַּן יְהוָה בְּמֹעֲדוֹ בְּתוֹךְ בְּנֵי יִשְׂרָאֵל: 8 וַיֹּאמֶר אֲלֵהֶם מֹשֶׁה עִמְדוּ
וְאֶשְׁמְעָה מַה־יְצַוֶּה יְהוָה לָכֶם: פ
③ 9 וַיְדַבֵּר יְהוָה אֶל־מֹשֶׁה לֵּאמֹר: 10 דַּבֵּר אֶל־בְּנֵי יִשְׂרָאֵל לֵאמֹר אִישׁ אִישׁ
כִּי־יִהְיֶה־טָמֵא ׀ לָנֶפֶשׁ אוֹ בְדֶרֶךְ רְחֹקָה לָכֶם אוֹ לְדֹרֹתֵיכֶם וְעָשָׂה פֶסַח
לַיהוָה: 11 בַּחֹדֶשׁ הַשֵּׁנִי בְּאַרְבָּעָה עָשָׂר יוֹם בֵּין הָעַרְבַּיִם יַעֲשׂוּ אֹתוֹ
עַל־מַצּוֹת וּמְרֹרִים יֹאכְלֻהוּ: 12 לֹא־יַשְׁאִירוּ מִמֶּנּוּ עַד־בֹּקֶר וְעֶצֶם לֹא
יִשְׁבְּרוּ־בוֹ כְּכָל־חֻקַּת הַפֶּסַח יַעֲשׂוּ אֹתוֹ: 13 וְהָאִישׁ אֲשֶׁר־הוּא טָהוֹר
וּבְדֶרֶךְ לֹא־הָיָה וְחָדַל לַעֲשׂוֹת הַפֶּסַח וְנִכְרְתָה הַנֶּפֶשׁ הַהִוא מֵעַמֶּיהָ כִּי ׀
קָרְבַּן יְהוָה לֹא הִקְרִיב בְּמֹעֲדוֹ חֶטְאוֹ יִשָּׂא הָאִישׁ הַהוּא: 14 וְכִי־יָגוּר
אִתְּכֶם גֵּר וְעָשָׂה פֶסַח לַיהוָה כְּחֻקַּת הַפֶּסַח וּכְמִשְׁפָּטוֹ כֵּן יַעֲשֶׂה חֻקָּה
אַחַת יִהְיֶה לָכֶם וְלַגֵּר וּלְאֶזְרַח הָאָרֶץ:

Chol Hamoed Succot – First Day (Num 29:17–22)

17 וּבַיּוֹם הַשֵּׁנִי פָּרִים בְּנֵי־בָקָר שְׁנֵים עָשָׂר אֵילִם שְׁנָיִם כְּבָשִׂים בְּנֵי־שָׁנָה
אַרְבָּעָה עָשָׂר תְּמִימִם: 18 וּמִנְחָתָם וְנִסְכֵּיהֶם לַפָּרִים לָאֵילִם וְלַכְּבָשִׂים
בְּמִסְפָּרָם כַּמִּשְׁפָּט: 19 וּשְׂעִיר־עִזִּים אֶחָד חַטָּאת מִלְּבַד עֹלַת הַתָּמִיד
וּמִנְחָתָהּ וְנִסְכֵּיהֶם: ס
② 20 וּבַיּוֹם הַשְּׁלִישִׁי פָּרִים עַשְׁתֵּי־עָשָׂר אֵילִם שְׁנָיִם כְּבָשִׂים בְּנֵי־שָׁנָה
אַרְבָּעָה עָשָׂר תְּמִימִם: 21 וּמִנְחָתָם וְנִסְכֵּיהֶם לַפָּרִים לָאֵילִם וְלַכְּבָשִׂים
בְּמִסְפָּרָם כַּמִּשְׁפָּט: 22 וּשְׂעִיר חַטָּאת אֶחָד מִלְּבַד עֹלַת הַתָּמִיד וּמִנְחָתָהּ
וְנִסְכָּהּ: ס

Chol Hamoed Succot – Second Day (Num 29:20–28)

20 וּבַיּוֹם הַשְּׁלִישִׁי פָּרִים עַשְׁתֵּי־עָשָׂר אֵילִם שְׁנָיִם כְּבָשִׂים בְּנֵי־שָׁנָה
אַרְבָּעָה עָשָׂר תְּמִימִם: 21 וּמִנְחָתָם וְנִסְכֵּיהֶם לַפָּרִים לָאֵילִם וְלַכְּבָשִׂים
בְּמִסְפָּרָם כַּמִּשְׁפָּט: 22 וּשְׂעִיר חַטָּאת אֶחָד מִלְּבַד עֹלַת הַתָּמִיד וּמִנְחָתָהּ
וְנִסְכָּהּ:
② 23 וּבַיּוֹם הָרְבִיעִי פָּרִים עֲשָׂרָה אֵילִם שְׁנָיִם כְּבָשִׂים בְּנֵי־שָׁנָה אַרְבָּעָה
עָשָׂר תְּמִימִם: 24 מִנְחָתָם וְנִסְכֵּיהֶם לַפָּרִים לָאֵילִם וְלַכְּבָשִׂים בְּמִסְפָּרָם
כַּמִּשְׁפָּט: 25 וּשְׂעִיר־עִזִּים אֶחָד חַטָּאת מִלְּבַד עֹלַת הַתָּמִיד מִנְחָתָהּ
וְנִסְכָּהּ: ס 26 וּבַיּוֹם הַחֲמִישִׁי פָּרִים תִּשְׁעָה אֵילִם שְׁנָיִם כְּבָשִׂים בְּנֵי־שָׁנָה
אַרְבָּעָה עָשָׂר תְּמִימִם: 27 וּמִנְחָתָם וְנִסְכֵּיהֶם לַפָּרִים לָאֵילִם וְלַכְּבָשִׂים
בְּמִסְפָּרָם כַּמִּשְׁפָּט: 28 וּשְׂעִיר חַטָּאת אֶחָד מִלְּבַד עֹלַת הַתָּמִיד וּמִנְחָתָהּ
וְנִסְכָּהּ: ס

Chol Hamoed Succot – Third Day (Num 29:23–31)

23 וּבַיּ֧וֹם הָרְבִיעִ֛י פָּרִ֥ים עֲשָׂרָ֖ה אֵילִ֣ם שְׁנָ֑יִם כְּבָשִׂ֧ים בְּנֵי־שָׁנָ֛ה אַרְבָּעָ֥ה
עָשָׂ֖ר תְּמִימִֽם׃ 24 מִנְחָתָ֣ם וְנִסְכֵּיהֶ֡ם לַ֠פָּרִים לָֽאֵילִ֧ם וְלַכְּבָשִׂ֛ים בְּמִסְפָּרָ֖ם
כַּמִּשְׁפָּֽט׃ 25 וּשְׂעִיר־עִזִּ֥ים אֶחָ֖ד חַטָּ֑את מִלְּבַד֙ עֹלַ֣ת הַתָּמִ֔יד מִנְחָתָ֖הּ
וְנִסְכָּֽהּ׃ ס
② 26 וּבַיּ֧וֹם הַחֲמִישִׁ֛י פָּרִ֥ים תִּשְׁעָ֖ה אֵילִ֣ם שְׁנָ֑יִם כְּבָשִׂ֧ים בְּנֵי־שָׁנָ֛ה אַרְבָּעָ֥ה
עָשָׂ֖ר תְּמִימִֽם׃ 27 וּמִנְחָתָ֣ם וְנִסְכֵּיהֶ֡ם לַ֠פָּרִים לָֽאֵילִ֧ם וְלַכְּבָשִׂ֛ים בְּמִסְפָּרָ֖ם
כַּמִּשְׁפָּֽט׃ 28 וּשְׂעִ֥יר חַטָּ֖את אֶחָ֑ד מִלְּבַד֙ עֹלַ֣ת הַתָּמִ֔יד וּמִנְחָתָ֖הּ וְנִסְכָּֽהּ׃ ס
③ 29 וּבַיּ֧וֹם הַשִּׁשִּׁ֛י פָּרִ֥ים שְׁמֹנָ֖ה אֵילִ֣ם שְׁנָ֑יִם כְּבָשִׂ֧ים בְּנֵי־שָׁנָ֛ה אַרְבָּעָ֥ה עָשָׂ֖ר
תְּמִימִֽם׃ 30 וּמִנְחָתָ֣ם וְנִסְכֵּיהֶ֡ם לַ֠פָּרִים לָֽאֵילִ֧ם וְלַכְּבָשִׂ֛ים בְּמִסְפָּרָ֖ם
כַּמִּשְׁפָּֽט׃ 31 וּשְׂעִ֥יר חַטָּ֖את אֶחָ֑ד מִלְּבַד֙ עֹלַ֣ת הַתָּמִ֔יד מִנְחָתָ֖הּ וּנְסָכֶֽיהָ׃

Chol Hamoed Succot – Fourth Day (Num 29:26–34)

26 וּבַיּ֧וֹם הַחֲמִישִׁ֛י פָּרִ֥ים תִּשְׁעָ֖ה אֵילִ֣ם שְׁנָ֑יִם כְּבָשִׂ֧ים בְּנֵי־שָׁנָ֛ה אַרְבָּעָ֥ה
עָשָׂ֖ר תְּמִימִֽם׃ 27 וּמִנְחָתָ֣ם וְנִסְכֵּיהֶ֡ם לַ֠פָּרִים לָֽאֵילִ֧ם וְלַכְּבָשִׂ֛ים בְּמִסְפָּרָ֖ם
כַּמִּשְׁפָּֽט׃ 28 וּשְׂעִ֥יר חַטָּ֖את אֶחָ֑ד מִלְּבַד֙ עֹלַ֣ת הַתָּמִ֔יד וּמִנְחָתָ֖הּ וְנִסְכָּֽהּ׃ ס
② 29 וּבַיּ֧וֹם הַשִּׁשִּׁ֛י פָּרִ֥ים שְׁמֹנָ֖ה אֵילִ֣ם שְׁנָ֑יִם כְּבָשִׂ֧ים בְּנֵי־שָׁנָ֛ה אַרְבָּעָ֥ה עָשָׂ֖ר
תְּמִימִֽם׃ 30 וּמִנְחָתָ֣ם וְנִסְכֵּיהֶ֡ם לַ֠פָּרִים לָֽאֵילִ֧ם וְלַכְּבָשִׂ֛ים בְּמִסְפָּרָ֖ם
כַּמִּשְׁפָּֽט׃ 31 וּשְׂעִ֥יר חַטָּ֖את אֶחָ֑ד מִלְּבַד֙ עֹלַ֣ת הַתָּמִ֔יד מִנְחָתָ֖הּ וּנְסָכֶֽיהָ׃
③ 32 וּבַיּ֧וֹם הַשְּׁבִיעִ֛י פָּרִ֥ים שִׁבְעָ֖ה אֵילִ֣ם שְׁנָ֑יִם כְּבָשִׂ֧ים בְּנֵי־שָׁנָ֛ה אַרְבָּעָ֥ה
עָשָׂ֖ר תְּמִימִֽם׃ 33 וּמִנְחָתָ֣ם וְנִסְכֵּהֶ֡ם לַ֠פָּרִים לָֽאֵילִ֧ם וְלַכְּבָשִׂ֛ים בְּמִסְפָּרָ֖ם
כְּמִשְׁפָּטָֽם׃ 34 וּשְׂעִ֥יר חַטָּ֖את אֶחָ֑ד מִלְּבַד֙ עֹלַ֣ת הַתָּמִ֔יד מִנְחָתָ֖הּ וְנִסְכָּֽהּ׃ פ

Hoshanah Rabbah (Num 29:26–34)

26 וּבַיּ֧וֹם הַחֲמִישִׁ֛י פָּרִ֥ים תִּשְׁעָ֖ה אֵילִ֣ם שְׁנָ֑יִם כְּבָשִׂ֧ים בְּנֵי־שָׁנָ֛ה אַרְבָּעָ֥ה
עָשָׂ֖ר תְּמִימִֽם׃ 27 וּמִנְחָתָ֣ם וְנִסְכֵּיהֶ֡ם לַ֠פָּרִים לָֽאֵילִ֧ם וְלַכְּבָשִׂ֛ים בְּמִסְפָּרָ֖ם
כַּמִּשְׁפָּֽט׃ 28 וּשְׂעִ֥יר חַטָּ֖את אֶחָ֑ד מִלְּבַד֙ עֹלַ֣ת הַתָּמִ֔יד וּמִנְחָתָ֖הּ וְנִסְכָּֽהּ׃ ס
② 29 וּבַיּ֧וֹם הַשִּׁשִּׁ֛י פָּרִ֥ים שְׁמֹנָ֖ה אֵילִ֣ם שְׁנָ֑יִם כְּבָשִׂ֧ים בְּנֵי־שָׁנָ֛ה אַרְבָּעָ֥ה עָשָׂ֖ר
תְּמִימִֽם׃ 30 וּמִנְחָתָ֣ם וְנִסְכֵּיהֶ֡ם לַ֠פָּרִים לָֽאֵילִ֧ם וְלַכְּבָשִׂ֛ים בְּמִסְפָּרָ֖ם
כַּמִּשְׁפָּֽט׃ 31 וּשְׂעִ֥יר חַטָּ֖את אֶחָ֑ד מִלְּבַד֙ עֹלַ֣ת הַתָּמִ֔יד מִנְחָתָ֖הּ וּנְסָכֶֽיהָ׃
③ 32 וּבַיּ֧וֹם הַשְּׁבִיעִ֛י פָּרִ֥ים שִׁבְעָ֖ה אֵילִ֣ם שְׁנָ֑יִם כְּבָשִׂ֧ים בְּנֵי־שָׁנָ֛ה אַרְבָּעָ֥ה
עָשָׂ֖ר תְּמִימִֽם׃ 33 וּמִנְחָתָ֣ם וְנִסְכֵּהֶ֡ם לַ֠פָּרִים לָֽאֵילִ֧ם וְלַכְּבָשִׂ֛ים בְּמִסְפָּרָ֖ם
כְּמִשְׁפָּטָֽם׃ 34 וּשְׂעִ֥יר חַטָּ֖את אֶחָ֑ד מִלְּבַד֙ עֹלַ֣ת הַתָּמִ֔יד מִנְחָתָ֖הּ וְנִסְכָּֽהּ׃

Readings for Yom Ha'atzmaut (Dt 7:12–8:18)

12 וְהָיָ֣ה ׀ עֵ֣קֶב תִּשְׁמְע֗וּן אֵ֤ת הַמִּשְׁפָּטִים֙ הָאֵ֔לֶּה וּשְׁמַרְתֶּ֥ם וַעֲשִׂיתֶ֖ם אֹתָ֑ם
וְשָׁמַר֩ יְהוָ֨ה אֱלֹהֶ֜יךָ לְךָ֗ אֶֽת־הַבְּרִית֙ וְאֶת־הַחֶ֔סֶד אֲשֶׁ֥ר נִשְׁבַּ֖ע לַאֲבֹתֶֽיךָ׃ 13

וַאֲהֵבְךָ וּבֵרַכְךָ וְהִרְבֶּךָ וּבֵרַךְ פְּרִי־בִטְנְךָ וּפְרִי־אַדְמָתְךָ דְּגָנְךָ וְתִירֹשְׁךָ וְיִצְהָרֶךָ שְׁגַר־אֲלָפֶיךָ וְעַשְׁתְּרֹת צֹאנֶךָ עַל הָאֲדָמָה אֲשֶׁר־נִשְׁבַּע לַאֲבֹתֶיךָ לָתֶת לָךְ: 14 בָּרוּךְ תִּהְיֶה מִכָּל־הָעַמִּים לֹא־יִהְיֶה בְךָ עָקָר וַעֲקָרָה וּבִבְהֶמְתֶּךָ: 15 וְהֵסִיר יְהוָה מִמְּךָ כָּל־חֹלִי וְכָל־מַדְוֵי מִצְרַיִם הָרָעִים אֲשֶׁר יָדַעְתָּ לֹא יְשִׂימָם בָּךְ וּנְתָנָם בְּכָל־שֹׂנְאֶיךָ: 16 וְאָכַלְתָּ אֶת־כָּל־הָעַמִּים אֲשֶׁר יְהוָה אֱלֹהֶיךָ נֹתֵן לָךְ לֹא־תָחֹס עֵינְךָ עֲלֵיהֶם וְלֹא תַעֲבֹד אֶת־אֱלֹהֵיהֶם כִּי־מוֹקֵשׁ הוּא לָךְ: ס 17 כִּי תֹאמַר בִּלְבָבְךָ רַבִּים הַגּוֹיִם הָאֵלֶּה מִמֶּנִּי אֵיכָה אוּכַל לְהוֹרִישָׁם: 18 לֹא תִירָא מֵהֶם זָכֹר תִּזְכֹּר אֵת אֲשֶׁר־עָשָׂה יְהוָה אֱלֹהֶיךָ לְפַרְעֹה וּלְכָל־מִצְרָיִם: 19 הַמַּסֹּת הַגְּדֹלֹת אֲשֶׁר־רָאוּ עֵינֶיךָ וְהָאֹתֹת וְהַמֹּפְתִים וְהַיָּד הַחֲזָקָה וְהַזְּרֹעַ הַנְּטוּיָה אֲשֶׁר הוֹצִאֲךָ יְהוָה אֱלֹהֶיךָ כֵּן־יַעֲשֶׂה יְהוָה אֱלֹהֶיךָ לְכָל־הָעַמִּים אֲשֶׁר־אַתָּה יָרֵא מִפְּנֵיהֶם: 20 וְגַם אֶת־הַצִּרְעָה יְשַׁלַּח יְהוָה אֱלֹהֶיךָ בָּם עַד־אֲבֹד הַנִּשְׁאָרִים וְהַנִּסְתָּרִים מִפָּנֶיךָ: 21 לֹא תַעֲרֹץ מִפְּנֵיהֶם כִּי־יְהוָה אֱלֹהֶיךָ בְּקִרְבֶּךָ אֵל גָּדוֹל וְנוֹרָא:

② 22 וְנָשַׁל יְהוָה אֱלֹהֶיךָ אֶת־הַגּוֹיִם הָאֵל מִפָּנֶיךָ מְעַט מְעָט לֹא תוּכַל כַּלֹּתָם מַהֵר פֶּן־תִּרְבֶּה עָלֶיךָ חַיַּת הַשָּׂדֶה: 23 וּנְתָנָם יְהוָה אֱלֹהֶיךָ לְפָנֶיךָ וְהָמָם מְהוּמָה גְדֹלָה עַד הִשָּׁמְדָם: 24 וְנָתַן מַלְכֵיהֶם בְּיָדֶךָ וְהַאֲבַדְתָּ אֶת־שְׁמָם מִתַּחַת הַשָּׁמָיִם לֹא־יִתְיַצֵּב אִישׁ בְּפָנֶיךָ עַד הִשְׁמִדְךָ אֹתָם: 25 פְּסִילֵי אֱלֹהֵיהֶם תִּשְׂרְפוּן בָּאֵשׁ לֹא־תַחְמֹד כֶּסֶף וְזָהָב עֲלֵיהֶם וְלָקַחְתָּ לָךְ פֶּן תִּוָּקֵשׁ בּוֹ כִּי תוֹעֲבַת יְהוָה אֱלֹהֶיךָ הוּא: 26 וְלֹא־תָבִיא תוֹעֵבָה אֶל־בֵּיתֶךָ וְהָיִיתָ חֵרֶם כָּמֹהוּ שַׁקֵּץ | תְּשַׁקְּצֶנּוּ וְתַעֵב | תְּתַעֲבֶנּוּ כִּי־חֵרֶם הוּא: פ 1 כָּל־הַמִּצְוָה אֲשֶׁר אָנֹכִי מְצַוְּךָ הַיּוֹם תִּשְׁמְרוּן לַעֲשׂוֹת לְמַעַן תִּחְיוּן וּרְבִיתֶם וּבָאתֶם וִירִשְׁתֶּם אֶת־הָאָרֶץ אֲשֶׁר־נִשְׁבַּע יְהוָה לַאֲבֹתֵיכֶם: 2 וְזָכַרְתָּ אֶת־כָּל־הַדֶּרֶךְ אֲשֶׁר הֹלִיכֲךָ יְהוָה אֱלֹהֶיךָ זֶה אַרְבָּעִים שָׁנָה בַּמִּדְבָּר לְמַעַן עַנֹּתְךָ לְנַסֹּתְךָ לָדַעַת אֶת־אֲשֶׁר בִּלְבָבְךָ הֲתִשְׁמֹר *מִצְוֹתוֹ [מִצְוֹתָיו] אִם־לֹא: 3 וַיְעַנְּךָ וַיַּרְעִבֶךָ וַיַּאֲכִלְךָ אֶת־הַמָּן אֲשֶׁר לֹא־יָדַעְתָּ וְלֹא יָדְעוּן אֲבֹתֶיךָ לְמַעַן הוֹדִיעֲךָ כִּי לֹא עַל־הַלֶּחֶם לְבַדּוֹ יִחְיֶה הָאָדָם כִּי עַל־כָּל־מוֹצָא פִי־יְהוָה יִחְיֶה הָאָדָם:

③ 4 שִׂמְלָתְךָ לֹא בָלְתָה מֵעָלֶיךָ וְרַגְלְךָ לֹא בָצֵקָה זֶה אַרְבָּעִים שָׁנָה: 5 וְיָדַעְתָּ עִם־לְבָבֶךָ כִּי כַּאֲשֶׁר יְיַסֵּר אִישׁ אֶת־בְּנוֹ יְהוָה אֱלֹהֶיךָ מְיַסְּרֶךָ: 6 וְשָׁמַרְתָּ אֶת־מִצְוֹת יְהוָה אֱלֹהֶיךָ לָלֶכֶת בִּדְרָכָיו וּלְיִרְאָה אֹתוֹ: 7 כִּי יְהוָה אֱלֹהֶיךָ מְבִיאֲךָ אֶל־אֶרֶץ טוֹבָה אֶרֶץ נַחֲלֵי מָיִם עֲיָנֹת וּתְהֹמֹת יֹצְאִים בַּבִּקְעָה וּבָהָר: 8 אֶרֶץ חִטָּה וּשְׂעֹרָה וְגֶפֶן וּתְאֵנָה וְרִמּוֹן אֶרֶץ־זֵית שֶׁמֶן וּדְבָשׁ: 9 אֶרֶץ אֲשֶׁר לֹא בְמִסְכֵּנֻת תֹּאכַל־בָּהּ לֶחֶם לֹא־תֶחְסַר כֹּל בָּהּ אֶרֶץ אֲשֶׁר אֲבָנֶיהָ בַרְזֶל וּמֵהֲרָרֶיהָ תַּחְצֹב נְחֹשֶׁת: 10 וְאָכַלְתָּ וְשָׂבָעְתָּ וּבֵרַכְתָּ אֶת־יְהוָה אֱלֹהֶיךָ עַל־הָאָרֶץ הַטֹּבָה אֲשֶׁר נָתַן־לָךְ: 11 הִשָּׁמֶר לְךָ פֶּן־תִּשְׁכַּח אֶת־יְהוָה אֱלֹהֶיךָ לְבִלְתִּי שְׁמֹר מִצְוֹתָיו וּמִשְׁפָּטָיו וְחֻקֹּתָיו אֲשֶׁר אָנֹכִי מְצַוְּךָ הַיּוֹם: 12 פֶּן־תֹּאכַל וְשָׂבָעְתָּ וּבָתִּים טוֹבִים תִּבְנֶה וְיָשָׁבְתָּ: 13 וּבְקָרְךָ וְצֹאנְךָ יִרְבְּיֻן וְכֶסֶף וְזָהָב יִרְבֶּה־לָּךְ וְכֹל אֲשֶׁר־לְךָ יִרְבֶּה: 14 וְרָם לְבָבֶךָ וְשָׁכַחְתָּ אֶת־יְהוָה אֱלֹהֶיךָ הַמּוֹצִיאֲךָ מֵאֶרֶץ מִצְרַיִם מִבֵּית עֲבָדִים: 15 הַמּוֹלִיכֲךָ בַּמִּדְבָּר | הַגָּדֹל וְהַנּוֹרָא נָחָשׁ | שָׂרָף וְעַקְרָב וְצִמָּאוֹן אֲשֶׁר אֵין־מָיִם הַמּוֹצִיא לְךָ מַיִם מִצּוּר הַחַלָּמִישׁ: 16

הַמַּאֲכִלְךָ מָן בַּמִּדְבָּר אֲשֶׁר לֹא־יָדְעוּן אֲבֹתֶיךָ לְמַעַן עַנֹּתְךָ וּלְמַעַן נַסֹּתֶךָ לְהֵיטִבְךָ בְּאַחֲרִיתֶךָ: 17 וְאָמַרְתָּ בִּלְבָבֶךָ כֹּחִי וְעֹצֶם יָדִי עָשָׂה לִי אֶת־הַחַיִל הַזֶּה: 18 וְזָכַרְתָּ אֶת־יְהוָה אֱלֹהֶיךָ כִּי הוּא הַנֹּתֵן לְךָ כֹּחַ לַעֲשׂוֹת חָיִל לְמַעַן הָקִים אֶת־בְּרִיתוֹ אֲשֶׁר־נִשְׁבַּע לַאֲבֹתֶיךָ כַּיּוֹם הַזֶּה:

Haftarah for Yom Ha'atzmaut (Isa 10:32–12:6)

32 עוֹד הַיּוֹם בְּנֹב לַעֲמֹד יְנֹפֵף יָדוֹ הַר *בֵּית־[בַּת]־צִיּוֹן גִּבְעַת יְרוּשָׁלָם: ס
33 הִנֵּה הָאָדוֹן יְהוָה צְבָאוֹת מְסָעֵף פֻּארָה בְּמַעֲרָצָה וְרָמֵי הַקּוֹמָה גְּדוּעִים וְהַגְּבֹהִים יִשְׁפָּלוּ: 34 וְנִקַּף סִבְכֵי הַיַּעַר בַּבַּרְזֶל וְהַלְּבָנוֹן בְּאַדִּיר יִפּוֹל: ס 1 וְיָצָא חֹטֶר מִגֵּזַע יִשָׁי וְנֵצֶר מִשָּׁרָשָׁיו יִפְרֶה: 2 וְנָחָה עָלָיו רוּחַ יְהוָה רוּחַ חָכְמָה וּבִינָה רוּחַ עֵצָה וּגְבוּרָה רוּחַ דַּעַת וְיִרְאַת יְהוָה: 3 וַהֲרִיחוֹ בְּיִרְאַת יְהוָה וְלֹא־לְמַרְאֵה עֵינָיו יִשְׁפּוֹט וְלֹא־לְמִשְׁמַע אָזְנָיו יוֹכִיחַ: 4 וְשָׁפַט בְּצֶדֶק דַּלִּים וְהוֹכִיחַ בְּמִישׁוֹר לְעַנְוֵי־אָרֶץ וְהִכָּה־אֶרֶץ בְּשֵׁבֶט פִּיו וּבְרוּחַ שְׂפָתָיו יָמִית רָשָׁע: 5 וְהָיָה צֶדֶק אֵזוֹר מָתְנָיו וְהָאֱמוּנָה אֵזוֹר חֲלָצָיו: 6 וְגָר זְאֵב עִם־כֶּבֶשׂ וְנָמֵר עִם־גְּדִי יִרְבָּץ וְעֵגֶל וּכְפִיר וּמְרִיא יַחְדָּו וְנַעַר קָטֹן נֹהֵג בָּם: 7 וּפָרָה וָדֹב תִּרְעֶינָה יַחְדָּו יִרְבְּצוּ יַלְדֵיהֶן וְאַרְיֵה כַּבָּקָר יֹאכַל־תֶּבֶן: 8 וְשִׁעֲשַׁע יוֹנֵק עַל־חֻר פָּתֶן וְעַל מְאוּרַת צִפְעוֹנִי גָּמוּל יָדוֹ הָדָה: 9 לֹא־יָרֵעוּ וְלֹא־יַשְׁחִיתוּ בְּכָל־הַר קָדְשִׁי כִּי־מָלְאָה הָאָרֶץ דֵּעָה אֶת־יְהוָה כַּמַּיִם לַיָּם מְכַסִּים: פ 10 וְהָיָה בַּיּוֹם הַהוּא שֹׁרֶשׁ יִשַׁי אֲשֶׁר עֹמֵד לְנֵס עַמִּים אֵלָיו גּוֹיִם יִדְרֹשׁוּ וְהָיְתָה מְנֻחָתוֹ כָּבוֹד:
11 וְהָיָה בַּיּוֹם הַהוּא יוֹסִיף אֲדֹנָי שֵׁנִית יָדוֹ לִקְנוֹת אֶת־שְׁאָר עַמּוֹ אֲשֶׁר יִשָׁאֵר מֵאַשּׁוּר וּמִמִּצְרַיִם וּמִפַּתְרוֹס וּמִכּוּשׁ וּמֵעֵילָם וּמִשִּׁנְעָר וּמֵחֲמָת וּמֵאִיֵּי הַיָּם: 12 וְנָשָׂא נֵס לַגּוֹיִם וְאָסַף נִדְחֵי יִשְׂרָאֵל וּנְפֻצוֹת יְהוּדָה יְקַבֵּץ מֵאַרְבַּע כַּנְפוֹת הָאָרֶץ: 13 וְסָרָה קִנְאַת אֶפְרַיִם וְצֹרְרֵי יְהוּדָה יִכָּרֵתוּ אֶפְרַיִם לֹא־יְקַנֵּא אֶת־יְהוּדָה וִיהוּדָה לֹא־יָצֹר אֶת־אֶפְרַיִם: 14 וְעָפוּ בְכָתֵף פְּלִשְׁתִּים יָמָּה יַחְדָּו יָבֹזּוּ אֶת־בְּנֵי־קֶדֶם אֱדוֹם וּמוֹאָב מִשְׁלוֹח יָדָם וּבְנֵי עַמּוֹן מִשְׁמַעְתָּם: 15 וְהֶחֱרִים יְהוָה אֵת לְשׁוֹן יָם־מִצְרַיִם וְהֵנִיף יָדוֹ עַל־הַנָּהָר בַּעְיָם רוּחוֹ וְהִכָּהוּ לְשִׁבְעָה נְחָלִים וְהִדְרִיךְ בַּנְּעָלִים: 16 וְהָיְתָה מְסִלָּה לִשְׁאָר עַמּוֹ אֲשֶׁר יִשָּׁאֵר מֵאַשּׁוּר כַּאֲשֶׁר הָיְתָה לְיִשְׂרָאֵל בְּיוֹם עֲלֹתוֹ מֵאֶרֶץ מִצְרָיִם: 1 וְאָמַרְתָּ בַּיּוֹם הַהוּא אוֹדְךָ יְהוָה כִּי אָנַפְתָּ בִּי יָשֹׁב אַפְּךָ וּתְנַחֲמֵנִי: 2 הִנֵּה אֵל יְשׁוּעָתִי אֶבְטַח וְלֹא אֶפְחָד כִּי־עָזִּי וְזִמְרָת יָהּ יְהוָה וַיְהִי־לִי לִישׁוּעָה: 3 וּשְׁאַבְתֶּם־מַיִם בְּשָׂשׂוֹן מִמַּעַיְנֵי הַיְשׁוּעָה: 4 וַאֲמַרְתֶּם בַּיּוֹם הַהוּא הוֹדוּ לַיהוָה קִרְאוּ בִשְׁמוֹ הוֹדִיעוּ בָעַמִּים עֲלִילֹתָיו הַזְכִּירוּ כִּי נִשְׂגָּב שְׁמוֹ: 5 זַמְּרוּ יְהוָה כִּי גֵאוּת עָשָׂה *מְיֻדַּעַת [מוּדַעַת] זֹאת בְּכָל־הָאָרֶץ: 6 צַהֲלִי וָרֹנִּי יוֹשֶׁבֶת צִיּוֹן כִּי־גָדוֹל בְּקִרְבֵּךְ קְדוֹשׁ יִשְׂרָאֵל:

באור מלים

GLOSSARY

Mourners	אבלים/אבלות
Amen, so be it	אמן
Holy ark	ארון קודש
Ending blessing for foods other than wheat products	בורא נפשות
Together (congregation and leader)	ביחד
Synagogue	בית כנסת
Children of Israel	בני ישראל
During the ten days between Rosh Hashanah and Yom Kippur	בעשי״ת (בעשרת ימי תשובה)
May God and God's name be blessed	ברוך הוא וברוך שמוֹ
Blessing/s	ברכה/ברכות
Morning blessings	ברכות השחר
Ending blessing for grain foods than bread	ברכה אחרונה
One blessing that is like seven	ברכה אחת מעין שבע
Priestly blessing	ברכת כהנים
Separation service at the end of Shabbat	הבדלה
Hallel, praise	הלל
Those who are eating together	המסובים/ן
Rising in the morning	השכמת הבוקר
Festivals, holidays	חגים
Intermediate days (of Pesach, Succot)	חול המועד
Tallit, fringed garment	טלית
Fringes worn under the shirt	טלית קטן
May God's name be great	יהא שמה רבא
Yom Tov, festivals	יום טוב
Jerusalem	ירושלים
High priests in the Temple	כהנים
Mezuzah	מזוזה
Person who invites others to say Birkat Hamazon	המזמן/המזמנת
Mincha, the afternoon service	מנחה
Ten people required for a public prayer service	מנין
Ma'ariv, the evening service	מעריב
Commandments	מצוות
Ritual washing of hands	נטילת ידים
Siddur, prayerbook	סדור
Shabbat meal	סעודת שבת
Book of Psalms	ספר תהילים
Torah	ספר תורה
Person going up for an *aliyah*	עולה
Wrapping the tallit	עטיפת טלית
Halachic formula for cooking on a holiday to prepare for Shabbat	עירוב תבשילין
One section of a Torah reading	עליה
Wooden handle on the Torah	עץ חיים
Evening service (same as Ma'ariv)	ערבית
Verses of praise	פסוקי דזמרה
Parsha, section of the Torah read each week	פרשה
Fringes on the end of a talit	ציצית

Safed, the center of mysticism in northern Israel	צפת
Kabbalat Shabbat, the service to usher in the Sabbath	קבלת שבת
Holiness section of the amidah	קדושה
Rabbi's kaddish	קדיש דרבנן
Half kaddish	חצי קדיש
Mourner's kaddish	קדיש יתום
Full kaddish	קדיש שלם
Congregation	קהל
Rosh Chodesh, the new month	ראש חודש
Strap	רצועה
Shabbat	שבת
Shabbat between Rosh Hashanah and Yom Kippur	שבת שובה
Shacharit, the morning service	שחרית
Table used for reading Torah	שלחן
Prayer leader of the congregation	ש״ץ, שליח צבור / שליחת צבור
Tachanun, penitential prayers	תחנון
The study of Torah	תלמוד תורה
T'fillot, prayers	תפילות
A prayer for traveling	תפילת הדרך
T'fillin, phylacteries (for the hand, for the head)	תפילין
Tisha B'Av, the 9th of Av, a major fast day	תשעה באב

ROOT WORDS FOUND IN THE SIDDUR

The following list of roots, and the words in which they are found in the siddur, is an important tool in the study of T'fillot. By learning each root and its general meaning, the process of decoding t'fillot is greatly simplified. A note of thanks to Mrs. Zehava Blackman of the Raymond and Ruth Perelman Jewish Day School in Philadelphia for her contribution of the roots and meanings.

הַלֵּל	PRAISE	מְהֻלָּל וַאֲהַלְלָה הַלְלוּיָה יְהַלְלוּךָ וַיִתְהַלֵּל יְהַלְלוּ תְּהִילָּה הַלְלוּהוּ הַלֵּל
שַׁבֵּחַ	PRAISE	לְשַׁבֵּחַ מְשֻׁבָּח בַּתִשְׁבָּחוֹת יִשְׁתַּבַּח בְּשִׁבְחוֹ
בָּרָא	CREATE AS G-D	בּוֹרֵא נִבְרָא
יָצַר	CREATE	יוֹצֵר יְצִיר נוֹצָר יַצָרוּ יְצָרָם
אָהַב	LOVE	וְאָהַבְתָּ אַהֲבָה אֲהַבְתָנוּ אוֹהֵב אֹהֲבָיו
בֵּרֵךְ	BLESS	בְּרָכָה בָּרוּךְ מְבָרְכִים לְבָרֵךְ וִיבָרֵךְ בְּרִיךְ אֲבָרְכָה אֲבָרֶכְךָ הַמְבֹרָךְ אֶבְרְכָה

קַדֵּשׁ	SANCTIFY	קִדּוּשׁ קָדוֹשׁ קִדְּשָׁנוּ קְדֻשָּׁתְךְ קָדְשׁוֹ מַקְדִּישִׁים נְקַדֵּשׁ קַדְּשֵׁךְ דְּקֻדְשָׁא יִתְקַדַּשׁ
צִוָּה	COMMAND	מְצַוֶּה צִוָּנוּ מִצְוֹתַי מִצְוֹתָיו מְצַוְּךְ
הָיָה	BE	הָיוּ יִהְיֶה וְהָיָה הֹוֶה יְהִי יִהְיוּ
שָׁחָה	BOW DOWN	מִשְׁתַּחֲוִים נִשְׁתַּחֲוֶה וְהִשְׁתַּחֲווּ וְהִשְׁתַּחֲוִיתֶם
עָשָׂה	DO or MAKE	עוֹשֶׂה שֶׁעָשָׂנוּ מַעֲשִׂים מַעֲשֶׂיךְ
רַחֵם	CONSOLE	מְרַחֵם רַחֲמִים רַחוּם רַחֲמָן
מָלַךְ	RULE	מֶלֶךְ מְלָכִים יִמְלֹךְ מַלְכוּת מַלְכוּתְךְ מְלוּכָה
חָיָה	LIVE	חַי חַיִּים מְחַיֶּה לְהַחֲיוֹת חָיֵינוּ תְחַיֶּינָה
גָּאַל	RESCUE	גּוֹאֵל גְּאֻלָּה גְּאָלֵנוּ גָּאַל גֹּאֲלִי גְּאוּלִים
פָּדָה	SAVE	פּוֹדֶה יִפְדֶּה וּפְדֵה לִפְדּוֹת
יָשַׁע	REDEEM	מוֹשִׁיעַ הוֹשִׁיעַ הוֹשִׁיעֵנוּ יְשׁוּעָה יְשׁוּעָתְךְ
גָּדַל	BE GREAT	גָּדוֹל גְּדֻלָּה גְּדֻלָּתְךְ יִגְדַּל יִתְגַּדַּל גָּדְלוֹ
קָרָא	CALL	אֶקְרָא נִקְרָא קוֹרְאָיו יִקְרָאוּהוּ
שָׂם	PUT or PLACE	שִׂים וַיָּשִׂים תָּשִׂים יָשֵׂם שַׂמְתֶּם וְיָשֵׂם
צָדַק	BE RIGHTEOUS	צַדִּיק צִדְקָתְךְ צֶדֶק צְדָקָה צִדְקֶךְ
יָדָה	THANK	הוֹדוּ מוֹדִים נוֹדֶה מוֹדָה לְהוֹדוֹת יוֹדוּךְ
חָסַד	BE KIND	חֲסָדִים חַסְדּוֹ חֶסֶד חָסִיד חַסְדֵי חֲסָדֶיךְ
שָׁבַת	REST	וַיִּשְׁבֹּת שַׁבַּת שַׁבָּת
כָּלָה	COMPLETE	וַיְכֻלּוּ וַיְכַל כִּכְלוֹת כֻּלּוֹ
כָּרַע	BEND AT KNEE	כּוֹרְעִים אֶכְרְעָה נִכְרְעָה תִּכְרַע
שָׁמַע	HEAR	שׁוֹמֵעַ שְׁמַע יִשְׁמַע שָׁמוֹעַ תִּשְׁמְעוּ
שָׁפַט	JUDGE	יִשְׁפֹּט לִשְׁפֹּט שׁוֹפֵט מִשְׁפָּט
רָפָא	HEAL	רְפָאֵנוּ רוֹפֵא רְפוּאָה
סָלַח	FORGIVE	סְלַח סְלִיחוֹת

חָנַן	ABSOLVE	חָנֵּנוּ חָנוּן וִיחֻנֶּךָּ חוֹנֵן תַּחֲנוּן
זָכַר	REMEMBER	תִּזְכְּרוּ זוֹכֵר וּזְכַרְתֶּם זָכְרֵנוּ זִכָּרוֹן
פָּאֵר	GLORIFY	נְפַאֶרְךָ מְפֹאָר פְּאֵר תִּפְאֶרֶת יִתְפָּאֵר
שָׁמַר	GUARD	שׁוֹמֵר לִשְׁמֹר וְשָׁמְרוּ וְיִשְׁמְרֶךָּ
יָצָא	COME OUT	בְּצֵאת מוֹצִיא יְצִיאַת הוֹצִיאֵנוּ צְאִי
עָזַר	HELP	עוֹזֵר עֶזְרָתֵנוּ
חָזַר	RETURN	שֶׁהֶחֱזַרְתָּ מַחֲזִיר
יָשַׁב	SIT or DWELL	מוֹשַׁב יוֹשְׁבֵי שִׁבְתִּי
אָמַר	SAY	וְנֶאֱמַר וַיֹּאמֶר דַּאֲמִירָן וְאִמְרוּ
רָנַן	SING	נְרַנְּנָה יְרַנְּנוּ
רָמַם	RAISE	נְרוֹמְמָה רוֹמְמוּ וְיָרֶם יִתְרוֹמַם
יָרֵא	REVERE	יִרְאָתֶךָ יְרֵאָיו נוֹרָא בְּיִרְאָה

שירי חג

רֹאשׁ הַשָּׁנָה

לשנה טובה

לְשָׁנָה טוֹבָה תִּכָּתֵבוּ.
לְשָׁנָה טוֹבָה תִּכָּתֵבוּ. תִּכָּתֵבוּ.

These are the words with which we greet one another on ראש השנה. "May you be inscribed (written down) for a good year." Our rabbis tell us that on ראש השנה three books are opened in heaven. One book contains the names of the wicked who must die. The second book contains the names of the pious who will live. The third book contains the names of those who are neither good nor bad and who are judged between ראש השנה and יום כפור. Their fate is decided on יום כפור. The names are inscribed on ראש השנה and are sealed on יום כפור.

זכרנו לחיים

זָכְרֵנוּ לְחַיִּים, מֶלֶךְ חָפֵץ בַּחַיִּים, וְכָתְבֵנוּ בְּסֵפֶר הַחַיִּים, לְמַעַנְךָ אֱלֹהִים חַיִּים.

This passage is from the prayer that is added to the עמידה from ראש השנה to יום כפור. We ask God to inscribe us in the Book of Life.

סֻכּוֹת

למה סוכה זו

לָמָּה סֻכָּה זוּ, אַבָּא טוֹב שֶׁלִּי? (2)
לֵישֵׁב בַּסֻּכָּה, יַקִּירִי. לֵישֵׁב בַּסֻּכָּה, חֲבִיבִי.
לֵישֵׁב בַּסֻּכָּה, יֶלֶד חֵן, יֶלֶד חֵן שֶׁלִּי. (2)

In this song a child is asking his father why we have a סוכה. The father answers that the reason is that we dwell (live or sit) in it. We are supposed to eat and sleep in the סוכה during all the first seven days of Sukkot. The father and son in this song love each other very much. The son calls his father "my good Daddy," and the father calls his son "my precious, dear and lovely child."

שִׂמְחַת תּוֹרָה

אנא יהוה

אָנָּא יהוה, הוֹשִׁיעָה נָּא. אָנָּא יהוה, הַצְלִיחָה נָּא.
אָנָּא יהוה, עֲנֵנוּ בְיוֹם קָרְאֵנוּ.

This is part of the הלל that is sung on סוכות, פסח, and other holidays. We ask God to save us and to cause us to prosper. In this song for שמחת תורה, we add a verse asking that God answer us when we call.

חֲנֻכָּה

סביבון

סְבִיבוֹן, סֹב, סֹב, סֹב! חֲנֻכָּה הוּא חַג טוֹב!
חֲנֻכָּה הוּא חַג טוֹב! סְבִיבוֹן, סֹב, סֹב, סֹב!
חַג שִׂמְחָה הוּא לָעָם! נֵס גָּדוֹל הָיָה שָׁם!
נֵס גָּדוֹל הָיָה שָׁם! חַג שִׂמְחָה הוּא לָעָם!

In this lovely little song we tell our *dreidel* to spin around. We say
that חנכה is a good holiday, a day of great rejoicing for our people.
We also remind ourselves that "a great miracle happened there."

חנוכה

חֲנֻכָּה, חֲנֻכָּה, חַג יָפֶה כָּל כַּךְ!
אוֹר חָבִיב מִסָּבִיב, גִּיל לְיֶלֶד רַךְ!
חֲנֻכָּה, חֲנֻכָּה, סְבִיבוֹן, סֹב, סֹב!
סֹב, סֹב, סֹב! סֹב, סֹב, סֹב! מַה נָּעִים וָטוֹב!

This lovely song tells us that חנוכה is a beautiful holiday, a day
on which we feel a loving light surrounding us, a joyful day for the
young child. As in the first song, we tell our *dreidel* to spin around.
The song closes by saying, "How good and pleasant this is!"

ט״ו בִּשְׁבָט

עצי זיתים עומדים

עֲצֵי זֵיתִים עוֹמְדִים. (4) לַ, לַ, לַ, לַ, לַ, לַ. (3)
לַ, לַ, לַ, לַ, לַ, לַ, לַ, עֲצֵי זֵיתִים עוֹמְדִים. (2)
עֲצֵי זֵיתִים עוֹמְדִים. עֲצֵי זֵיתִים עוֹמְדִים.

This song has only three words, but they have much meaning. They tell us that olive trees (עצי זיתים) are standing in the Land of Israel. We are really proud of our trees in Israel. The trees such in swamp water, they keep the soil healthy. They give fruit and shade, and lumber for building. The fruit of the olive tree is not only eaten, but goes also to make olive oil which is used in food and medicine. Today, חמשה עשר בשבט or טו בשבט is a children's holday in Israel. All the children go out into the fields to plant trees, to sing and to dance.

פּוּרִים

חג פורים

חַג פּוּרִים, חַג פּוּרִים, חַג גָּדוֹל לַיְּהוּדִים.
מַסֵּכוֹת, רַעֲשָׁנִים, זְמִירוֹת, רִקּוּדִים.
הָבָה נַרְעִישָׁה, רַשׁ, רַשׁ, רַשׁ! (3) בָּרַעֲשָׁנִים.

The songs of פורים are very jolly, for פורים is a very jolly holiday. When King Ahasuerus took the advice of beautiful Queen Esther and commanded that Haman should be hanged, and that Esther's uncle, Mordecai, should become Prime Minister in Haman's place, the Jews of Persia rejoiced, feasted and made merry. They also exchanged presents and gave gifts to the poor. We call this holiday פורים or "Feast of Lots" because Haman had cast lots to decide on a "lucky day" on which to kill the Jews. The day was the fourteenth day of אדר. Today, in the synagogue, we read the מגילה, the Scroll or the Book of Esther in the Bible, on פורים. When we hear Haman's name, we twirl our *groggers* (noisemakers). In our homes we eat the three-cornered Hamantashen. We send שלח מנות, Purim gifts, to our friends. We also have masquerades on פורים. This song tell us that פורים is a wonderful holiday of masks, noisemakers, songs, and dances.

עוצו עצה

עוּצוּ עֵצָה וְתֻפָר, (3)
דַּבְּרוּ דָבָר וְלֹא יָקוּם, כִּי עִמָּנוּ אֵל.
עוּצוּ עֵצָה וְתֻפָר, דַּבְּרוּ דָבָר וְלֹא יָקוּם. (2)
כִּי עִמָּנוּ אֵל.
עוּצוּ עֵצָה וְתֻפָר, דַּבְּרוּ דָבָר וְלֹא יָקוּם, כִּי עִמָּנוּ אֵל.

The words of this song come from the Book of Isaiah (8:10). The song tells us that our enemies may scheme and plot against us, but they will not destroy us, for God is with us.

פֶּסַח

דינו

אִלּוּ הוֹצִיא, הוֹצִיאָנוּ, הוֹצִיאָנוּ מִמִּצְרַיִם,
הוֹצִיאָנוּ מִמִּצְרַיִם, דַּיֵּנוּ. (2)
דַּ, דַּיֵּנוּ, דַּ, דַּיֵּנוּ, דַּ, דַּיֵּנוּ, דַּיֵּנוּ, דַּיֵּנוּ. (2)
אִלּוּ נָתַן, נָתַן לָנוּ, נָתַן לָנוּ אֶת הַשַּׁבָּת, דַּיֵּנוּ.
אִלּוּ נָתַן, נָתַן לָנוּ, נָתַן לָנוּ אֶת הַתּוֹרָה, דַּיֵּנוּ.
אִלּוּ הִכְנִיס, הִכְנִיסָנוּ, הִכְנִיסָנוּ לְאֶרֶץ יִשְׂרָאֵל, דַּיֵּנוּ.

This song is from the Passover הגדה. It tell us that it would have been enough for us (we would have been satisfied) even if God had only taken us out of Egypt, or had only given us the Sabbath or the תורה, or had only brought us to Israel.

אדיר הוא

אַדִּיר הוּא, אַדִּיר הוּא, יִבְנֶה בֵיתוֹ בְּקָרוֹב.
בִּמְהֵרָה, בִּמְהֵרָה, בְּיָמֵינוּ בְּקָרוֹב.
אֵל בְּנֵה, אֵל בְּנֵה, בְּנֵה בֵיתְךָ בְּקָרוֹב.

In this song, which comes from the הגדה, we ask God to build the Holy Temple in the Land of Israel very soon.

לשנה הבאה

לְשָׁנָה הַבָּאָה (3) בִּירוּשָׁלַיִם.
לְשָׁנָה הַבָּאָה (2) בִּירוּשָׁלַיִם.

"Next year in Jerusalem!" These are the words with which the סדר ends. We hope that next year we may have the privilege of celebrating Passover in Jerusalem.

לַ״ג בָּעֹמֶר

בר יוחי

בַּר יוֹחַאי (5) אַשְׁרֶיךָ.
שֶׁמֶן טוֹב, שֶׁמֶן שָׂשׂוֹן, נִמְשַׁחְתָּ מֵחֲבֵרֶיךָ.
בַּר יוֹחַאי (3) אַשְׁרֶיךָ.
שֶׁמֶן טוֹב, שֶׁמֶן שָׂשׂוֹן, נִמְשַׁחְתָּ מֵחֲבֵרֶיךָ.
בַּר יוֹחַאי (5) אַשְׁרֶיךָ.
שֶׁמֶן טוֹב, שֶׁמֶן שָׂשׂוֹן, נִמְשַׁחְתָּ מֵחֲבֵרֶיךָ.

This song tells us that Bar Yochai was very lucky, for from all the great Jews of his day, he was the one chosen to be our leader and hero.

שָׁבוּעוֹת

ברוך אלהינו

בָּרוּךְ אֱלֹהֵינוּ שֶׁבְּרָאָנוּ לִכְבוֹד, (3) לִכְבוֹדוֹ.
עוֹד הַפַּעַם, עוֹד הַפַּעַם, לִכְבוֹדוֹ. (3)
וְהִבְדִּילָנוּ מִן הַתּוֹעִים, (3) מִן הַתּוֹעִים...
וְנָתַן לָנוּ תּוֹרַת אֱמֶת, (3) תּוֹרַת אֱמֶת...
וְחַיֵּי עוֹלָם נָטַע בְּתוֹכֵנוּ, (3) בְּתוֹכֵנוּ...

This prayer comes from one of our שחרית prayers, called ובא לציון. The words are very much like those of the blessings over the תורה.